Het boek der herinneringen

Péter Nádas

Het boek
der herinneringen

Roman
Vertaald door Henry Kammer

Van Gennep Amsterdam 1994

De vertaling van dit boek kwam tot stand met financiële steun van het
Central & East European Publishing Project in Oxford, Engeland

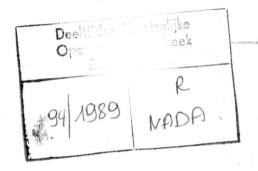

Eerste druk november 1993
Tweede druk december 1993
Derde druk februari 1994

Oorspronkelijke titel en uitgave: *Emlékiratok könyve*, Szépirodalmi könyvkiadó,
Boedapest 1986
© Oorspronkelijke uitgave: 1986 Péter Nádas
© Nederlandse vertaling: 1991 Uitgeverij en boekhandel Van Gennep bv,
Spuistraat 283, 1012 vr Amsterdam
Boekverzorging: Jacques Janssen
Afbeelding omslag: Johannes Vermeer: *Jonge vrouw staande aan virginaal* (detail),
gereproduceerd met toestemming van de Trustees, The National Gallery, Londen
Foto auteur: Tamas Urban, Boedapest
Zetwerk: Ad Rem Tekst, Amsterdam
Druk- en bindwerk: Koninklijke Wöhrmann bv, Zutphen
ISBN 90-6012-956-3 pbk. / NUGI 301 / CIP
ISBN 90-6012-957-1 geb. / NUGI 301 / CIP

Het is mij een aangename plicht te verklaren dat ik hier niet mijn eigen memoires heb geschreven. *Het boek der herinneringen* is een roman. Het was mijn bedoeling mijn herinneringen op te schrijven. Parallelle herinneringen van verscheidene personen, uit verschillende tijdsperiodes. Zoiets als de levensbeschrijvingen van Plutarchus. Al deze personen kon ik zelf zijn, terwijl ik ze toch niet werkelijk was.

Alle personen, namen, plaatsen en gebeurtenissen in dit boek moeten dus niet als werkelijk worden opgevat, maar als romanachtige eindprodukten van schrijversintentie en -verbeelding. Gelijkenissen met werkelijke personen en gebeurtenissen zijn toevallig.

P.N.

Inhoud

Maar hij sprak over de tempel van zijn lichaam.
Johannes 2:21

De schoonheid van mijn abnormaliteit

Mijn laatste kamer in Berlijn was bij de familie Kühnert, in Schöneweide, aan de rand van de stad, op de eerste verdieping van een met wilde wingerd begroeide villa.

De bladeren van de wilde wingerd werden al rood en vogels deden zich te goed aan de zwart geworden vruchten, het was herfst.

Geen wonder dat ik daar nu aan moet denken, want het is al drie jaar geleden, drie herfsten, en ik zal nooit meer naar Berlijn reizen, ik heb geen enkele reden om daar nog ooit naar toe te gaan, daarom schrijf ik ook dat dit mijn laatste kamer in Berlijn was, ik weet dat zeker.

Ik heb dat zelf gewild, dat het de laatste was, maar ook onafhankelijk van mijn wil was dat voorbestemd of is het zo uitgekomen, het doet er niet toe; daar troost ik me nu dus mee, terwijl ik de onaangename najaarsverkoudheid cureer waardoor mijn hersenen nergens toe in staat zijn, hoewel ze zelfs in deze snotterige toestand voortdurend bezig zijn met essentiële zaken en mij de Berlijnse herfstdagen in gedachten brengen.

Niet dat een mens ook maar iets zou kunnen vergeten.

Neem nu die kamer in de Steffelbauerstraße, op de eerste verdieping.

Natuurlijk weet ik niet of dit iemand behalve mijzelf interesseert.

Ik wil namelijk geen reisverhaal schrijven, ik kan alleen schrijven over datgene wat van mij is, bijvoorbeeld over mijn liefdes, hoewel ik misschien zelfs daartoe niet in staat ben, eigenlijk heb ik niet eens voldoende zelfvertrouwen om te durven hopen dat ik over belangrijker gebeurtenissen kan berichten dan over de verbanden tussen mijn persoonlijke belevenissen, maar diep in mijn hart geloof ik ook niet dat er iets belangrijkers is – of liever gezegd: denkbaar is – dan die op zichzelf volstrekt onbelangrijke en oninteressante verbanden, nee, dat geloof ik niet en ik neem er dan ook onmiddellijk genoegen mee – met de grootste bereidwilligheid zelfs – dat dit alleen maar wat herinneringen of notities worden, iets wat verband houdt met de pijn en de wellust van de terugblik, iets wat een mens op oudere leeftijd schrijft, een voorschot op wat ik over veertig jaar misschien zal voelen, als ik althans drieënzeventig word en me dan nog iets kan herinneren.

Dankzij mijn verkoudheid zie ik nu alles heel duidelijk en het zou jammer zijn de gelegenheid niet te benutten.

Ik zou bijvoorbeeld kunnen vertellen hoe ik door Thea, Thea Sandstuhl, naar de Kühnerts in de Steffelbauerstraße werd gebracht, naar die zuidelijke wijk van Berlijn die Schöneweide – 'mooie weide' – wordt genoemd en in een halfuurtje vanuit het centrum van de stad, de Alexanderplatz, te bereiken is, of, als je de altijd punctuele aansluiting mist en in de regen moet wachten, in veertig minuten à een uur.

Zij is degene die me aan die kamer heeft geholpen, beter gezegd: ze heeft hem voor me geritseld.

Ook aan haar heb ik de afgelopen, in verkoudheid doorgebrachte dagen moeten denken, maar vreemd genoeg niet aan de opvallende kenmerken waardoor ze zich zo uitdagend onderscheidde, niet aan haar rode truitje en haar zachte rode jas, aan al dat rood waarin ze zich placht te hullen, ja zelfs niet aan de rimpels in haar kleine-meisjes-gezicht, aan die vage, sensueel trillende groeven, die ze wel niet onzichtbaar wilde maken, maar waartegen ze zich toch verzette, wat misschien het meest bleek uit de stijve houding van haar hals, want op de een of andere manier stak ze altijd haar nek naar voren, alsof ze zeggen wilde: 'alsjeblieft, hier heb je mijn gezicht, zo oud en lelijk ben ik geworden, kijk maar goed, en toch ben ik ook ooit jong en mooi geweest, lach maar!' – iets wat natuurlijk nooit gebeurde, want ze was volstrekt niet lelijk; haar verzet tegen die rimpels was wellicht de oorzaak van haar ongelukkige liefde; maar niet daaraan moest ik denken en evenmin aan de manier waarop ze in haar kamer placht te zitten, die ingericht was met een rode fauteuil, witte mousselinen gordijnen en een rood kleed, maar aan de manier waarop ze lachte en huilde, aan haar grote, door nicotine vergeelde paardetanden, niet aan haar toneellachje en -huiltje, want die leken nauwelijks op echte uitingen van vreugde en verdriet, of aan de keren dat ze gemeen was, haar ogen zich spottend vernauwden en de droge huid van haar kin verstrakte; en ik moest ook denken aan de boom op de binnenplaats van de synagoge in de Rykestraße, die uitgedroogde acacia hoorde op de een of andere manier ook bij haar; op de bast was een bord gespijkerd waarop stond dat het verboden was in bomen te klimmen, maar wie zou er op een vrijdagavond dertig jaar na de oorlog op de binnenplaats van een Oostberlijnse synagoge in een boom willen klimmen, wie zou daar zin in hebben? terwijl de lange schaduwen van de joden uit het verlichte kerkgebouw naar het goudachtige licht van de binnenplaats stromen, zeg ik haar dat ik koorts heb, en ze laat haar hand moederlijk over mijn voorhoofd dwalen, maar ik zie aan haar gezicht – en mijn gezicht voelt het – dat ze niet controleert of ik koorts heb maar genietend mijn huid betast, die nog jong is en rimpelloos.

En misschien heb ik me in het begin van dit boek daarom wel zo dwaas verontschuldigd voor het feit dat de nu volgende beschrijving geen reisverhaal kan of wil zijn omdat ik niet vergeleken wil worden met Arno Sandstuhl, Thea's man, die een soort schrijver van reisverhalen is en op wie ik niet wens te lijken, al wordt mijn aan jaloezie te wijten minachting voor hem, ik weet het, volstrekt niet gerechtvaardigd door zijn onschuldige genoegen om naar verre streken te reizen en over zijn belevenissen daar te schrijven; hoewel ik het ongetwijfeld merkwaardig vond dat hij, in tegenstelling tot de meeste Oostberlijners, die niet naar het buitenland kunnen reizen en het genoegen van het reizen eigenlijk alleen van horen zeggen kennen, als ik mij goed herinner, zelfs in Afrika en Tibet was geweest, geloof ik toch niet dat mijn ongegronde antipathie door deze vluchtige verdenking of door mijn minachting werd opgewekt, nee, die werd veeleer veroorzaakt door het dubieuze gedrag van Thea, door een opmerking van haar waarmee ze, uiteraard ongewild, op een geheime periode van mijn leven zinspeelde.

Toen wij hen de eerste keer opzochten – ze woonden in een ander gedeelte van de stad, een heel eind van mij af, ik meen ergens in de buurt van Lichtenberg, maar zeker weet ik het niet, want als we samen reisden, vertrouwde ik altijd op Melchiors kennis van de omgeving, vanaf het ogenblik dat ik hem leerde kennen heb ik eigenlijk alleen nog maar naar zijn gezicht gekeken, zijn gezicht nestelde zich in mijn gezicht en ik was daardoor te veel in beslag genomen om te letten op zulke kleinigheden als waar we precies naar toe gingen, hij lette op de weg en ik op hem, zo reisden we; de laatste keer dat ik Thea ontmoette, was in de S-Bahn, waar ik haar tegen het lijf liep, Melchior was toen al weg uit Berlijn en Thea leefde eveneens alleen, want Arno had haar inmiddels in de steek gelaten; we liepen elkaar tegen het lijf bij het eindpunt in de Friedrichstraße, enkele minuten voor middernacht; mijn auto is naar de filistijnen, zei ze, op een toon alsof ze zich wilde verontschuldigen; ik was naar de schouwburg geweest; we namen pas afscheid van elkaar bij het zogenaamde oostelijke kruis, het Ostkreuz, waar ik moest overstappen om in Schöneweide te komen – ik woonde nog altijd bij de Kühnerts –, terwijl zij kon blijven zitten om thuis te komen, waaruit ik afleid dat ze in de buurt van Lichtenberg woonde, in die woning waar Arno en ik, toen we op een zondagmiddag voor de eerste keer bij hen op bezoek waren, 'als schrijvers onder elkaar' van gedachten hadden gewisseld, bedachtzaam, ernstig en bovenal verveeld.

Dat het zo slecht tussen ons klikte was het gevolg geweest van Thea's dubieuze manier van doen, zij had onze ontmoeting zo stijf en gedwongen gemaakt door, toen Arno enige tijd na onze entree de kamer betrad en ik mij uit de stoel hees om hem te begroeten, ons allebei bij de elleboog te vatten en aldus te beletten dat wij elkaar de hand schudden, alsof ze ons wou laten voelen dat wij slechts via haar contact konden hebben maar toch bij elkaar hoorden; 'twee schrijvers met gebrek aan inspiratie,' zei ze, op een vertrouwelijke opmerking van mij doelend; hierdoor verbond ze ons met opzet sterker dan de verhinderde handdruk ooit had kunnen doen, want haar zinnetje verried mij schaamteloos al Arno's kwellingen en hem de mijne; met dit dubbele verraad wilde ze, mij als middel gebruikend, Arno helpen, waardoor de band tussen ons drieën iets definitiefs kreeg en we door haar over één kam werden geschoren; we meden elkaars blikken omdat niemand het prettig vindt als men hem, al is het met de beste bedoelingen, tracht te doorzien en suggereert dat hij op iemand lijkt terwijl dat niet het geval is en hij bovendien niet op die persoon zou willen lijken; dergelijke situaties had ik al veel vaker meegemaakt, wat natuurlijk niet de schuld was van Thea en Arno.

Melchior lachte ons achter onze rug uit, die twee onnozele schrijvers boden waarschijnlijk een vermakelijk schouwspel; op dat moment bedacht ik, in mijn verlegenheid of wellicht uit wraak, dat Arno alleen maar de wereld mocht afreizen omdat hij een lid van de militaire inlichtingendienst was, een geheim agent, een spion; die gedachte flitste door me heen, maar onmiddellijk daarop dacht ik dat het best mogelijk was dat hij op dat moment dacht: het doet er absoluut niet toe dat hij dit van mij denkt, want ik ken zíjn geheim; ondanks Thea's aanwezigheid wierp Melchior me namelijk verliefde blikken toe, zodat hetgeen we geheim wilden houden, namelijk dat we niet louter goede vrienden waren maar een verliefd stel, hem ongetwijfeld bekend was.

En intussen moest ik ook nog enig respect tonen voor Arno, enerzijds omdat hij een stuk ouder dan ik was, zo rond de vijftig, anderzijds omdat ik er geen flauw idee van had wat hij schreef, ik wist alleen dat het reisverhalen waren en dat zijn boeken in oplagen van honderdduizend stuks verschenen, wat natuurlijk niet betekende dat het geen meesterwerken waren, dat was best mogelijk; het was in elk geval het verstandigst mij behoedzaam en met een zekere respectvolle beleefdheid te gedragen; toch bracht dit met wederzijdse tact gevoerde gesprek, waarbij Thea als een ambtenaresje die 's zondags visite heeft, de tafel voor de koffiemaaltijd dekte en zich door Melchior fluisterend over mij liet informeren, ons allebei in verlegenheid.

Weliswaar deed Arno zijn uiterste best om de hem opgedrongen rol zo goed mogelijk te vervullen, en in zijn vraag wat voor studies ik op het gebied van de theaterwetenschap verrichtte en wat voor novellen ik schreef, was zelfs enige mannelijke vriendelijkheid bespeurbaar en de verlegenheid die de sterkere tegenover de zwakkere voelt; door een van zijn opmerkingen scheen hij mij zelfs ridderlijk een uitweg te bieden, hij gaf me namelijk te verstaan dat hij geenszins diep op de materie in wilde gaan, 'absoluut niet, alleen maar oppervlakkig, immers op een andere manier valt over deze zaken niet te praten, ik bedoel niets inhoudelijks, alleen de grote lijnen', zei hij glimlachend, maar aan de rimpeltjes die naar zijn mond liepen zag ik dat zijn bespiegelingen slechts zelden in een glimlach plachten uit te monden en dat hij van nature een piekeraar was, welke eigenschap tot gevolg had dat hij niemand recht in de ogen keek, alsof hij zich voortdurend schaamde of iets te verbergen had.

Toen ik antwoordde, keek hij me plotseling toch strak aan, en al gold zijn belangstelling niet hetgeen ik trachtte te zeggen, ze was in ieder geval oprecht; ik had dat moeten waarderen, want als een blik de verbanden onderzoekt die achter iemands woorden schuilgaan en bijvoorbeeld wil weten wat de relatie is tussen zijn literaire activiteiten en het feit dat hij ondanks zijn mannelijkheid op een andere man verliefd is, want ik veronderstelde dat hij zich iets dergelijks afvroeg tijdens mijn explicatie, als dus de aandacht, de draad van de rede kwijtrakend, tracht de zinnelijke essentie van de medemens te doorgronden, moet men dit als een kostbaar en groots moment beschouwen.

Ik herinnerde me dat ik al eens eerder zo volkomen hulpeloos tegenover een man had gestaan.

Arno, die ogenschijnlijk al Thea's dwaasheden accepteerde, was niet van zins de voor ons beiden zo pijnlijke rol te spelen die zij hem had opgedrongen, dat kon ik duidelijk aan de uitdrukking van zijn fraaie donkerbruine ogen zien, maar ik was volkomen geoccupeerd met mijn herinneringen en lette meer op wat Melchior Thea over mij toefluisterde dan op hetgeen ik Arno over mijn literaire werkzaamheden vertelde, zodat ik niet merkte dat hij met zijn blik een veel grotere bewegingsvrijheid voor ons creëerde; zijn blik had iets kinderlijks, was nieuwsgierig, gretig en open, en met enkele goed gekozen woorden of non-verbale middelen hadden we aan ons gesprek niet alleen een aangename wending kunnen geven, maar het zelfs inhoudrijk kunnen maken. Ik had dit niet in de gaten en reageerde niet op zijn pogingen, en toen ik aan het eind van mijn relaas was gekomen, stelde ik zelfs een verkeerde vraag; ik herhaalde namelijk uit beleefdheid en misschien ook wel enigszins uit gemakzucht de vraag die hij mij al had gesteld; ik merkte de grove onverschilligheid die in die herhaling school pas op toen ik plotseling zijn blik verloor en hij zijn handen op een eigenaardige manier naar zijn slapen bracht en als ezelsoren bewoog, zo van laat maar zitten!

Dit handgebaar gold natuurlijk niet zijn eigen enthousiasme noch zijn eigen werk, het was veeleer een uitdrukking van verbazing, gekwetstheid en verwarring, waardoor hij liet blijken de hoop op te geven dat ik ook maar iets van hem zou begrijpen; 'o, ik ben maar een bergbeklimmer,' zei hij, en het was inderdaad het gebaar waarmee een alpinist de vraag afwimpelt hoe een tocht is verlopen en onder welke weersomstandigheden, omdat hij absoluut niet weet wat hij daarop moet antwoorden; wat zou je ook over zo'n tocht en het weer kunnen zeggen?

Arno antwoordde natuurlijk wel, hij had immers evenals ik de degelijke opvoeding gehad die wil dat we momenten van onoplettendheid, verwarring of zelfs haat met onverschillig gekeuvel moeten trachten te overbruggen; hij sprak, zoals de meeste Berlijners, enigszins gorgelend, maar zelfs al was ik, terwijl Melchior fluisterend aan Thea vertelde wat voor middageten ik had gekookt, tot enige vorm van oplettendheid in staat geweest en had ik verstaan wat Arno zei, hij gaf door zijn lichaamshouding en zijn gekromde rug zó duidelijk te kennen dat zijn woorden geen enkele betekenis hadden en hij slechts praatte om het gesprek op gang te houden, dat ik tenslotte niet eens meer hoorde wat hij zei, enerzijds doordat ik woedend was op Melchior vanwege diens intieme mededeling aan Thea, ik wilde hem op de een of andere manier laten blijken dat hij zijn mond moest houden, anderzijds doordat ik ontdekte, of meende te ontdekken, waarom dit fraai gerimpelde, sprekende gelaat mij zo bekend voorkwam: het had het gezicht van mijn grootvader kunnen zijn als die Duitser was geweest; het weer-spiegelde ernst, geduld en humorloos zelfbewustzijn en was, als zoiets tenminste bestaat, het gezicht van een democraat; door deze gedachte drong niet alleen de betekenis van wat hij zei niet meer tot mij door, maar hoorde ik zelfs zijn stem niet meer; hij was niet meer dan een lege huls voor me en het enige wat ik merkte was dat hij mij nog steeds op-lettend gadesloeg, dat hij zorgvuldig vermeed iets te zeggen wat me wellicht interesseerde of mijn aandacht vergde; nog voordat Thea klaar was met tafeldekken, brak hij het gesprek abrupt af en ging, na een excuus te hebben gemompeld, snel terug naar zijn kamer; ik leun-de met mijn achterste tegen de fauteuil en liet die op en neer wippen.

Deze herfstbeelden vloeien langzaam in elkaar over.

Nooit heb ik mij eenzamer gevoeld dan toen.

Het was een eenzaamheid die ook verband hield met mijn verleden, een verleden dat zelf niet meer was dan een vage verwijzing naar mijn onbetekenende verdriet, even vaag en zweverig als elk doorleefd ogenblik dat we 'heden' noemen, louter de herinnering van geuren en smaken, van een wereld waartoe ik niet meer behoorde, maar die ik mijn vroegere vaderland zou kunnen noemen, dat ik tevergeefs, vol-komen tevergeefs, verlaten heb omdat ik hier evenmin met iemand of iets verbonden ben, omdat ik hier ook een vreemdeling ben en nie-mand me kan helpen, zelfs Melchior niet, het enige menselijke wezen waarvan ik houd; ook hij kan me nergens mee verbinden; ik ben verlo-ren, ik besta niet meer, al mijn botten en kraakbeen zijn week als gela-tine geworden; maar al heb ik het gevoel dat ik van alles afgesneden en nergens mee verbonden ben, toch voel ik nog wel iets: ik voel me een pad, die zich stevig tegen de grond drukt, een slak met een slijmerig li-chaam, die roerloos zijn eigen nietigheid observeert; mijn toestand is statisch geworden, al ligt mijn toekomst – en vanwege de elkaar op-volgende herfsten ook enigszins mijn verleden – in deze nietigheid besloten.

En in die herfst, in de achterkamer van de woning in de Steffelbau-erstraße, waar voor mijn raam twee nog felgroene esdoorns stonden en mussen in een gat in de muur boven het kozijn nestelden, had ik dit ei-genlijk niet alleen moeten voelen, maar ook weten, maar ik gaf de moed niet op en hoopte dat ik een buitengewone, heel uitzonderlijke en alleen voor mij geldende samenhang zou ontdekken, dat er zich een situatie, iets, een stemming, desnoods een tragedie zou voordoen waardoor ik in dit onbestemde niets toch de verklaring van mijn bestaan zou vinden, dat er iets zou zijn te redden, iets wat zin aan mijn leven zou geven en mij ook zou redden, zou redden uit dit dierlijke bestaan, maar niet in mijn verleden, dat bitter als gal was door de vele slechte herinneringen, en ook niet in mijn toekomst, want ik had mezelf uit angst al lang afgeleerd om zelfs maar voor het eerstvolgende moment plannen te maken; ik wachtte op een openbaring, een verlossing, dat geef ik eerlijk toe, omdat ik toen nog niet wist dat het al voldoende is om nauwkeurig het niets te kennen.

Thea had me per auto naar die woning gebracht, ze was een vriendin van mevrouw Kühnert; ik heb me daar tamelijk eenzaam gevoeld.

Eigenlijk ben ik altijd eenzaam geweest, maar ik had nog nooit de eenzaamheid van een vreemde woning beleefd: de gepolitoerde meubels, het door de kieren van de dichtgeschoven gordijnen invallende zonlicht, het patroon van licht op het tapijt, het door de vloer weerspiegelde licht, het kraken van die vloer en de warmte van de kachel, een warmte die op de avond wachtte, op het moment dat de bewoners thuiskwamen en de televisie aanzetten.

Het was een stil huis waarin ik woonde, iets voornamer dan de uitgewoonde huizen in Prenzlauer Berg – grijze vogels, oude Berlijnse binnenplaatsen, heeft Melchior in een van zijn ode-achtige gedichten geschreven –, maar ook het trappenhuis van dit huis was voorzien van een gedraaide, duifgrijs geverfde houten leuning, evenals de trappenhuizen der overige huizen waarin ik in Berlijn had gewoond, in de Chausseestraße en op de Wörtherplatz; er was verder een met donker linoleum bedekte houten trap, die, zoals overal in Berlijn, naar boenwas rook, een vies luchtje, en op de overlopen van het trappenhuis waren kleurige glas-in-lood-ramen, nog slechts voor de helft bestaande uit de originele, weelderig gestileerde bloemmotieven uit het begin van de eeuw, de andere helft was vervangen door eenvoudig matglas; door die ramen was het altijd schemerig in de Berlijnse trappenhuizen, vooral in het huis in de Stargarderstraße, waar ik het langst heb gewoond, zodat ik voldoende tijd had om te wennen aan het uiterlijk van Berlijnse trappenhuizen, hoewel ze me nooit zo vertrouwd zijn geworden als de trappenhuizen in Boedapest, het was alsof ze geen geschiedenis hadden, al manifesteerde die geschiedenis zich op verscheidene manieren; ik wilde deze verschijnselen begrijpen, ofschoon ik wist dat Melchior mij door dergelijke spelletjes niet méér zou toebehoren, maar toch verbeeldde ik me, wanneer ik 's middags thuiskwam en de trap opliep, altijd dat ik de jonge man was die lang geleden onverwachts in Berlijn was aangekomen, Melchiors grootvader, hij werd de held van mijn steeds gecompliceerder wordende geschiedenis omdat hij, als hij indertijd dit huis had bezocht en de houten trap was opgelopen, de door het gefilterde licht van de binnenplaatsen doorstraalde glazen bloemen in hun oorspronkelijke staat had kunnen zien, toen ze nog ongeschonden en nieuw waren en er niets aan ontbrak; en in dat heden had hij ook nog het verbeelde verleden kunnen aanschouwen.

Beneden was het portiek zo donker dat je zelfs overdag op de roodgloeiende knop moest drukken waarmee de zwakke verlichting werd ingeschakeld, lampen die nauwelijks bleven branden tot je op de eerste overloop was aangekomen, waar je opnieuw moest drukken; soms liep ik ook in het donker naar boven, want de dag en nacht gloeiende knopjes hadden 's nachts dezelfde functie als vuur op een vuurtoren voor schepen op zee; ik vond dit zo'n leuk gezicht dat ik liever niet op de knoppen drukte en het trappenhuis onverlicht liet; en al wist ik niet precies uit hoeveel treden de trap bestond, door de manier waarop hij kraakte wist ik toch precies waar ik me bevond en het roodachtige schijnsel van de knoppen wees me de weg op de overlopen, zodat ik slechts zeer zelden misstapte.

Ook in het huis op de Wörtherplatz, waar Melchior woonde, deed ik dit; ik ging daar bijna elke avond naar boven; op de tweede verdieping zat de brave mevrouw Hübner steevast door het kijkgaatje in haar voordeur naar me te loeren, op een verhoogde stoel naar men beweerde, maar als ik in het donker de trap opliep, kon ze niet zien wanneer ik haar passeerde, ze kon dan alleen horen dat er iemand aankwam en opende de deur meestal te laat of te vroeg.

In het huis in de Steffelbauerstraße was het trappenhuis slecht verlicht, de lampen brandden alleen als iemand de knop had ingedrukt en als ik 's avonds uitging en mevrouw Kühnert toevallig in de keuken bezig was, zette ze, hoezeer ik ook trachtte onopgemerkt mijn kamer te verlaten, altijd haar deur open, zodat ik niet in het donker hoefde te lopen; ik trachtte onhoorbaar langs haar deur te sluipen omdat ik het vervelend vond dat ze van al mijn verrichtingen nauwkeurig verslag uitbracht aan Thea, die alles wilde weten over Melchior, zodat ik na enige tijd zelfs het neurotische idee kreeg dat mevrouw Hübner haar eveneens informatie verstrekte; hoezeer ik echter mijn best deed, ik slaagde er bijna nooit in mevrouw Kühnerts deur onopgemerkt te passeren, 'maar meneer toch, ik kom eraan hoor, ik zal een lichtje voor u maken,' en daar kwam ze al uit de keuken aanhollen om net zo lang op de knop te drukken tot ik op de begane grond was aangekomen; 'dank u wel,' riep ik dan naar boven, eraan denkend dat mevrouw Hübner me al op de tweede etage van het andere huis zat op te wachten, zodat ik haar ook zou moeten groeten in het door de woning uitgestraalde licht; als ik een enkele keer pas 's nachts thuiskwam en er van de straat geen licht meer tot de woning doordrong, moest ik elke trede met mijn zool aftasten of me met het flakkerende schijnsel van een lucifer behelpen, want dan waren zelfs de roodgloeiende puntjes gedoofd, zodat ik mij niet oriënteren kon en bang was tegen iemand aan te lopen.

Melchior is nooit in dat huis geweest.

Overigens heeft hij ook nooit een voet gezet over de drempel van het huis in de Stargarder Straße, we hielden ons schuil, of beter gezegd: we trachtten angstvallig geen opzien te baren, waarin ik ten zeerste bedreven was, het viel me absoluut niet zwaar, wat op een onaangename wijze met mijn verleden verband hield; eenmaal, op een zondagmiddag, voor de deur van het huis in de Stargarder Straße, toen er niemand op straat liep, maar iedereen achter de gordijnen op de uitkijk had kunnen staan – het was een sombere, grijzige novemberdag en iedereen zat thuis televisie te kijken en koffie te drinken –, hadden we het gevoel dat we niet meer van elkaar konden scheiden, hoewel dat niet eens had gehoeven, we hadden ook bij elkaar kunnen blijven, maar we waren al drie dagen lang samen geweest en de stolp om ons heen, die alles en iedereen uitsloot, werd steeds dikker, we moesten eruit breken, we moesten uit elkaar gaan, ik wilde tenminste één avond alleen zijn en een bad nemen, want in Melchiors appartement was geen badkamer, je moest je daar in een waskom wassen of eenvoudig aan de keukenkraan, ik voelde me vies en wilde tenminste die middag en avond alleen doorbrengen, frisse lucht inademen, maar misschien nog voor middernacht de trap aflopen en de straat opgaan om hem op te bellen, om tegen het koude glas geleund naar zijn stem te luisteren en dan misschien toch weer naar hem toe te gaan; eerst was het zo dat hij mij tot de hoek van de Dimitroffstraße zou vergezellen, daarna ging hij sigaretten halen onder het spoorwegviaduct, waar om die tijd nog een tabakswinkel open was, maar we konden geen afscheid nemen, hoewel we dit op elke straathoek probeerden, nu eens bood hij aan me tot de volgende zijstraat te vergezellen, dan weer vroeg ik of hij nog een eindje mee wilde lopen, we wilden elkaar geen hand geven, dat zou belachelijk zijn geweest, laf en onnozel, maar iets moesten we toch doen, we keken elkaar niet eens aan, maar opeens stak hij toch zijn hand naar me uit, en om toch iets van elkaar te voelen, grepen we elkaars hand, er was niemand in de buurt, maar het was niet goed zo, ik verlangde naar zijn mond, daar voor de voordeur, 's middags.

Ook het huis in de Chausseestraße heeft hij alleen van buiten gekend.

Het was zondagavond.

Vanuit de tram wees ik hem mijn raam; we waren op weg naar de schouwburg; op het lege balkon vertelde hij met zachte stem over de Berlijnse opstand en ik vertelde hem over de opstand in Boedapest, onze zinnen wisselden elkaar af.

Hij keek ernaar, maar aan zijn gezicht kon je niet zien of hij het werkelijk zag, want hij sprak gewoon verder; ik vond het buitengewoon belangrijk dat hij, nu ik hem niet meer mijn allereerste Berlijnse kamer kon laten zien, die, zonder dat hij dat kon weten, ook in zijn leven een bijzondere rol speelde, tenminste het huis had gezien, maar hoewel Melchior niet onverschillig stond tegenover mijn verleden, sloot hij zich er toch voor af, hij kon niet anders.

Ik woonde al ruim een maand in het huis in de Steffelbauerstraße, ik was eraan gewend geraakt en hield er tot op zekere hoogte ook van, toen op een ochtend mevrouw Kühnert tijdens het aanmaken van de kachel vertelde dat de elektriciens die dag zouden komen om de verlichting van het trappenhuis te maken; ze zouden naar haar vragen, maar zij kon die dag niet thuisblijven en ik was toch thuis, nietwaar, dat was toch zo? 'ja,' antwoordde ik vanuit bed; mevrouw Kühnert knielde voor de kachel en neuriede een liedje, zoals ze altijd deed als ze een huishoudelijk karweitje verrichtte; ik was meestal thuis, behalve 's avonds; ze zouden naar haar vragen omdat zij de gekozen vertegenwoordigster van de bewoners was, zei mevrouw Kühnert, ik moest maar zeggen dat ze niet thuis had kunnen blijven, 'wat denken die lui eigenlijk wel, dat ik achterlijk ben of zo?'; ik moest 'die schurken' uitleggen waar het om ging, wat er mis was, en ze niet laten gaan voordat ze de boel hadden gerepareerd.

Ik bleef de hele ochtend thuis en wachtte op een telefoontje van Melchior, we hadden toen nog maar een paar dagen om samen te zijn, maar hij belde niet en de monteurs kwamen ook niet opdagen.

Als hij opgebeld had.... de hemel was onbewolkt, de zon scheen en er heerste buiten een absolute stilte; 's morgens werd alleen de woonkamer verwarmd, die het meest centraal lag; de nachten waren al koud en soms vroor het; natuurlijk werd mijn kamer ook verwarmd; via de vestibule kwam je in de eetkamer en vandaar in de woonkamer; mijn kamer was in de andere vleugel van het huis en was te bereiken via een lange, donkere gang, die de kamer met de vestibule verbond en ook toegang gaf tot de beide slaapkamers; ik liet de deuren, volkomen overbodig dus, openstaan om de telefoon te kunnen horen en dadelijk naar het toestel te hollen als de bel zou rinkelen wanneer Melchior op-belde; het was mooi weer om een tochtje of een lange wandeling te maken en als ik in de woonkamer van de Kühnerts met hem had kun-nen telefoneren, zou ik hem hebben voorgesteld naar de Müggelsee te gaan; 'het is prachtig weer,' zou ik, vanuit de warme kamer het schrale zonlicht in kijkend, gezegd hebben, en ik zou eraan toegevoegd heb-ben dat ik maar niet meeging naar zijn moeder; hij wilde me alleen maar meenemen om zichzelf het afscheid gemakkelijker te maken en op zo'n manier afscheid te nemen van zijn moeder, die hij misschien nooit meer terug zou zien, dat zij niets in de gaten had; ik kon me niet voorstellen dat we in de onverwarmde slaapkamer nooit meer het bed zouden delen waarin hij nog als kind had geslapen, het leek onwaar-schijnlijk dat dit voorgoed afgelopen was.

'Heb je daar heus in geslapen? En stond het bed toen net zo? En die vlek daar op het plafond, was die er ook al?'

Hij lachte om mijn vragen, alsof hij zich niet kon voorstellen dat er iets in dat huis kon veranderen en hij het vreemd vond dat iemand zich verwonderde over de onveranderlijkheid der dingen; nee, de dingen waren niet zo onbestendig; zijn moeder, die naar haar in het kraambed gestorven moeder was genoemd – ze heette Helene –, zorgde ervoor dat er inderdaad niets veranderde, dat ze haar zoon een laatste toe-vluchtsoord kon bieden; maar ook afgezien van dat ouderlijk huis had Melchior een goede reden voor zijn mening, want voordat hij mij had leren kennen, vertelde hij niet zonder enige trots, kon het hem bijna niet schelen met wie hij omging en had hij eenvoudig geen behoefte aan zekerheid, hij was niet kieskeurig, je zou zelfs kunnen zeggen dat de meest alledaagse contacten hem het dierbaarst waren, maar om in zijn afwisselende leven toch iets te hebben dat wel bestendig was, ver-fijnde hij zijn schrijfstijl in hoge mate en dwong zich in zijn bijna on-toegankelijke, hermetische gedichten tot ascetische strengheid, een-voud en hardheid; naar zijn ouderlijk huis kon hij, wat er ook gebeur-de, elk weekeinde teruggaan – hij sleepte zijn wasgoed in een koffer mee – want daar was inderdaad alles bij het oude gebleven, zijn moeder wilde per se zijn was doen; alleen die vlek, die was er oorspronkelijk niet, hij lachte; zijn lach had overigens nooit veel te betekenen, hij lachte altijd vluchtig en bijna zonder aanleiding; niets kon die lach van zijn gezicht wissen, hij keek alleen ernstig als hij dacht dat niemand hem kon zien.

Ik kon me ook niet voorstellen dat ik geen enkele zondagochtend meer gewekt zou worden door de luidende klokken, waarvan het geluid door een kleine raamopening van zijn ouderlijk huis naar binnen galmde, dat ik, alleen gebleven, niet meer zou ruiken hoe de geur van zijn huid zich vermengde met de zoete lucht van door kou geurig geworden appels en van taart die zijn moeder voor bij de koffie had gebakken; de appels lagen in ordelijke rijen boven op de kast, het geglazuurde gebak stond op het marmeren buffetblad gereed, alles wachtte op de middag; dat raampje stond altijd open; toen we op een keer naast elkaar op het krakende bed in de slaapkamer van de woning op de Wörtherplatz lagen en ik hem zei dat ik hield van zijn zweet, betrok zijn gezicht en staarde hij naar mijn mond en voorhoofd; 'mijn neus, handpalmen en tong houden van de smaak, de reuk en het vochtige gevoel'; het leek wel of ik hem gekwetst had toen ik dat zei, want hij trok me naar zich toe en stootte een zonderling geluid uit, ik dacht dat hij lachte, maar hij stootte alleen droge snikken uit en gaf daarna huilerig al zijn onderdrukte angstgevoelens prijs.

Ik stelde me ook de met kleurige herfstbladeren bedekte weg om de Müggelsee voor, de onbeweeglijke stilte van het meer en het geluid van onze voetstappen op de door ochtendnevel vochtig geworden bladeren; ook daarom had ik hem willen vragen met me daarheen te gaan, want daar had ik misschien voorgoed zijn liefde kunnen winnen, of hij de mijne, hoewel ik diep in mijn hart wist dat dat onmogelijk was; o, stralende herfst! of we hadden naar de dierentuin kunnen gaan; als je de foto's mocht geloven waarmee ik mij, als ik met de S-Bahn reisde, vermaakte, was dat ook een bos, een bos vol schaduwrijke laantjes dat we nog nooit hadden bezocht, al waren we het vaak genoeg van plan geweest; en ik stelde me ook voor hoe ik in de keuken van de familie Kühnert een mes zou pakken om hem tijdens die wandeling te vermoorden.

In de laatste kamer die ik in Berlijn heb gehad stond ik altijd laat op, of beter gezegd: ik werd er twee of drie keer wakker voordat het me eindelijk lukte op te staan, soms pas tegen het middaguur.

De eerste maal dat ik wakker werd was altijd 's morgens vroeg, wanneer prof. dr. Kühnert zich over de krakende gangvloer van de echtelijke slaapkamer naar de badkamer begaf en daarbij mijn deur passeerde, ik trok dan mijn hoofdkussen over mijn hoofd om niet te hoeven horen wat er volgde; in de badkamer gekomen leegde hij eerst zijn blaas; doordat de tussenmuur dun was, kon ik het korte, scherpe geklater horen dat voorafging aan het langgerekte, dan plotseling onderbroken en tenslotte steeds zwakker wordende geluid van de in de wc-pot vloeiende urine; ik wist dat hij in de hals van de pot mikte, waarin na het doortrekken altijd wat water achterblijft; als kind deed ik dat ook altijd, maar het verbaasde me enigszins dat een hoogleraar van meer dan vijftig jaar nog genoegen beleefde aan dit spelletje; als ik daarentegen eerst alleen een zacht ploffen hoorde en vervolgens het doffe neerklateren van de urine in de pot, wist ik dat hij zijn darmen ging legen.

De winden die hij liet, waren op zichzelf geen indicatie daarvoor, hoewel ze, als hij dat staande deed, tijdens het urineren, heel anders klonken dan wanneer hij zat en het geluid in de holle wc-pot resoneerde, dat was een heel duidelijk verschil; het kussen baatte overigens niet, want de geluiden die hij maakte – gekreun tijdens het persen, een zachte zucht van verlichting na afloop en het ritselen en schuren van wc-papier – bleven toch hoorbaar; het hoefde ook niet te baten, want ik volgde zijn verrichtingen met aandacht, bijna met genot, alsof ik mezelf op een masochistische manier wilde bewijzen dat ik mijn oren niet kon of wilde sluiten, want je kunt wel je ogen of je mond dichtdoen maar niet je oren, die kun je alleen met je vingers toestoppen, met hulp van buitenaf dus; overigens was Kühnerts ochtendritueel hiermee nog niet afgelopen, het doortrekken van de wc was alleen een kort intermezzo; als ik niet had geweten wat er daarna volgde, zou ik misschien genoeg tijd hebben gehad om weer in slaap te vallen, dat zou niet zo moeilijk zijn geweest, want als je 's nachts of 's morgens vroeg wakker wordt, is de grens tussen waken en slapen nauwelijks merkbaar, soms deinzen de vervagende gestalten uit de droom niet eens terug voor het schijnsel van de aangeknipte lamp, ze trekken hun gezicht en hun handen alleen zo ver terug dat je ze niet meer kunt aanraken of ze verstoppen zich tussen de boeken op de boekenplank; soms gebeurt ook wel het omgekeerde en voegen de scherpe contouren van de kamer zich geleidelijk in je droom, je ziet het raam nog, maar het is al een droomraam geworden, en ook de boom voor het huis of de holte in de muur waarin mussen nestelen zijn droombeelden; ik schrok dan weer op, want Kühnert ging voor de spiegel staan, boog zich over de wasbak, die precies boven mijn hoofd was gemonteerd, en snoot zijn neus in zijn hand, terwijl de spoelbak nog steeds ruiste; vervolgens begon hij te kuchen en te proesten en spuwde het uitgeblazen snot in de wasbak, op mijn hoofd dus eigenlijk.

Om zeven uur werd ik altijd gewekt doordat er op de deur werd geklopt; 'binnen!' riep ik dan met een stem die wat eigenaardig klonk doordat ik op dat vroege uur van de dag de neiging had om Hongaars te spreken en mezelf razendsnel op het Duits moest instellen; mevrouw Kühnert kwam dan neuriënd binnen om de kachel aan te steken.

Elke avond liep ik over een tapijt van glibberige plataanbladeren naar de schouwburg, zodat de zolen van mijn lakschoenen kletsnat werden.

Melchior was toen al uit mijn leven verdwenen.

Hij had me alleen achtergelaten in het vochtige, grauwe Berlijn.

Na de voorstelling liep ik de trap op van het huis op de Wörtherplatz, het was koud en in het lamplicht leek het purperen gordijn vaal, maar toch stak ik de kaarsen niet aan.

Buiten regende het.

De politie kon elk ogenblik arriveren om de deur te forceren.

In de keuken zoemde de koelkast.

De volgende dag vertrok ik zelf ook.

Maar in Heiligendamm scheen de zon en ik weet niet wat er daar met mij is gebeurd.

Als ik lichtvaardig met woorden omging zou ik zeggen dat ik mij gelukkig voelde; ik denk dat de zee, de reis en alles wat daaraan onmiddellijk was voorafgegaan in belangrijke mate hadden bijgedragen aan het ontstaan van dit gevoel, evenals natuurlijk het aardige plaatsje zelf, dat 'de witte kuststad' wordt genoemd, met enige overdrijving overigens, want aan weerszijden van het elegante kurhaus stonden alleen – in een halve cirkel en met de voorgevels naar de zee gericht – een stuk of twaalf gelijkvormige huizen van twee verdiepingen, maar alles was er inderdaad wit, de vensterluiken, die op dat moment gesloten waren, de banken op het gladde, groene gazon, de galerij met de in een hoek opeengestapelde stoelen van het zomerorkest, en ook de muren tussen de gifgroene, in fraaie vormen geknipte buksbomen en de hoog opgeschoten zwarte sparren. Misschien was mijn stemming ook wel beïnvloed door het bedrieglijk mooie weer en de stilte.

Ik zeg bedrieglijk, omdat de wind huilde en gierde en er reusachtige golven tegen de dam aan sloegen, golven, hard en massief als staal, die als wit schuim verstoven; ik zeg stilte, omdat de oplettende zintuigen gespannen afwachtend in het golvenravijn tussen twee rollers stortten; het was bevrijdend het geluid van de tot massa getransformeerde energie te horen, maar toen ik 's avonds een wandeling ging maken, was alles tot rust gekomen en scheen de maan, een volle maan boven de open zee, laag boven de horizon.

Ik liep over de dam naar Nienhagen, een naburige plaats; aan mijn ene hand had ik de woedende zee en glibberige stenen, aan de andere het zwijgende moeras; ik was het enige levende wezen tussen de elementen; omdat ik die ochtend mijn laatste sigaret had opgerookt en Nienhagen, dat door een zeker Gespensterwalt of 'spookbos' tegen de westenwinden werd beschut, op de landkaart niet ver weg scheen, had ik de afstand op de kaart met behulp van een doormidden gebroken lucifershoutje en de schaalaanduiding gemeten; hij leek te belopen; mijn door de wind verblinde ogen hadden af en toe gemeend lichtflitsen van de vuurtoren te zien en daarom had ik het plan opgevat er sigaretten te gaan kopen en, alvorens de terugtocht te aanvaarden, een hete kop thee te drinken; ik had me vissers voorgesteld om de tafel van een vredig café en kaarslicht en mezelf, terwijl ik de gelagkamer betrad, een vreemdeling naar wie iedereen keek, en natuurlijk ook het gezicht dat ik daarbij trok.

Helder en doorschijnend liep ik voor mezelf uit, een lichtvoetig wezen, en moeizaam sleepte ik me achter mezelf aan.

Het was alsof niet ikzelf, maar alleen mijn lichaam niet was opgewassen tegen het verdriet van de scheiding.

De wind bolde mijn te ruime jas op, greep me beet en duwde me vooruit; hoewel ik voor mijn vertrek alles had aangetrokken wat ik bij me had, had ik het koud; niet dat ik werkelijk kou voelde, maar ik was bang en wist dat je het op zo'n ogenblik koud behoort te hebben, op dat moment functioneerde die barmhartige zinsbegoocheling echter niet helemaal volmaakt; op een ander tijdstip zou mijn angst misschien getriomfeerd hebben en zou ik rechtsomkeert hebben gemaakt; ik had die capitulatie zonder problemen kunnen rechtvaardigen door mezelf voor te houden dat het te koud was om te lopen en ik mogelijk kou zou vatten, wat voor een dergelijke zinloze dooltocht een te hoge prijs was, maar ditmaal was ik niet in staat mezelf te bedriegen; het was alsof er een beeld verschoven was, het beeld dat een mens moeizaam en met grote zelfdiscipline van zichzelf vormt om door zijn omgeving althans minimaal geaccepteerd te worden, een vals beeld, dat hij vervolgens zelf ook aanvaardt; ik was nog wel mezelf, al mijn vertrouwde reflexen functioneerden nog, maar desondanks trad er een zekere onnauwkeurigheid op, een gespletenheid, en zelfs meer dan één, er ontstonden verschuivingen en spleten waardoor ik een vreemd wezen leek te aanschouwen, een onbekende.

Iemand die lang geleden en toch op dezelfde dag als ik in Heiligendamm was aangekomen en 's avonds naar Nienhagen was gewandeld.

Het was alsof alles wat er ging gebeuren al vijftig, zeventig of honderd jaar eerder had plaatsgevonden.

Ook al gebeurde er helemaal niets.

Het was een opwindende, geheel nieuwe en bijna aangename sensatie om het uiteenvallen van mijn persoonlijkheid waar te nemen, maar toch doorleefde ik dit proces met de rust van een gerijpt mens, alsof ik vijftig, zeventig, honderd jaar ouder was dan in werkelijkheid, een sympathieke oude heer die aan zijn jeugd terugdenkt; en toch was er niets wonderbaarlijks of mystieks aan dit alles; ik had op dat moment ook niet de moed om de slaappillen in te nemen die ik al jaren in een rond doosje bij me droeg, hoewel ik geen mooiere omstandigheden had kunnen bedenken voor mijn dood; om toch iets te doen, moest ik me met een denkbeeldig gebaar van mijzelf verwijderen, op die manier wilde ik me van mijn ondoorzichtige gevoelens bevrijden; wat als de toekomst van mijn onbekende wezen aanvoelde, was immers niets anders dan mijn verleden en mijn heden, alles wat al was gebeurd of nog te gebeuren stond.

Het buitengewone en opwindende van de situatie was alleen dat ik me noch met mijn ene noch met mijn andere gestalte identiek voelde, het was alsof ik me als een toneelspeler in een romantisch decor bewoog en mijn verleden slechts de oppervlakkige omvorming was van mijzelf, zoals ook mijn toekomst dat zou zijn; alles wat ik geleden had kon speels in de toekomst of het verleden worden geprojecteerd, alsof het nooit gebeurd was of, als het toch was gebeurd, lang geleden, alles werd verwisselbaar; de chaos van de over elkaar heen schuivende lagen van mijn bestaan was louter het werk van mijn fantasie en werd door die fantasie tot een door alledaagse problemen beheerste levenshouding gemodelleerd die je mijn ego zou kunnen noemen, die ik althans als ego aan de buitenwereld toonde, maar die in wezen niets met mijn ik te maken had.

Ik ben vrij, dacht ik toen.

Mijn verbeelding koos onhandig en naar het haar uitkwam enkele mogelijkheden uit mijn grenzeloze vrijheid om me aldus een gezicht te geven dat voor mijn medemensen acceptabel was, een gezicht dat ik vervolgens als het mijne ging beschouwen.

Tegenwoordig denk ik niet meer zo, maar toen overviel mij dit inzicht met zo'n kracht en intensiteit, zag ik het wezen dat door mijn verschillende gestalten onberoerd en onaangetast bleef zo scherp – het wezen dat mij vergezelde en dat ik vergezelde, dat kou leed en waarover ik bezorgd was – dat ik moest blijven staan, en zelfs dat was niet genoeg, ik moest neerknielen en danken voor dit moment, hoewel mijn knieën op dat moment niet bepaald nederig gestemd waren, ik had liever neutraal willen blijven, als een soort steen, maar dat was niet voldoende, hoewel ik mijn ogen al had gesloten; nee, ik moest gereduceerd worden tot een hoopje vodden in de wind.

De maan stond laag boven de horizon, ze was geel en scheen gemakkelijk bereikbaar, met de hand aan te raken; aan de grenslijn van de horizon spiegelde ze zich in een flauw licht, daar trok het licht geen nerveus veranderende lijnen van golven, het wateroppervlak leek daar glad; dat lijkt maar zo doordat het zo ver weg is, dacht ik bij mezelf; hetzelfde was het geval aan de andere kant van de dam, waar geen enkel voorwerp, oppervlak of rand het licht weerkaatste, het licht werd daar diffuus en vervaagde, maar doordat het oog daar zelfs met de grootste moeite geen vaste contouren kon ontdekken, was het er niet donker of zwart, er was gewoon helemaal niets.

Ik was 's middags in Heiligendamm aangekomen, kort voor zonsondergang, en na het invallen van de duisternis, toen de maan al aan de hemel stond, op pad gegaan.

Er was naast de dam een terrein dat volgens de kaart een moeras was en volgens de reisgids een drassig stuk veengrond, ik kon er niet achter komen wat het precies was, want het lag te diep.

Er klonk geen enkel geluid.

De wind scheen te gaan liggen, het was alsof hij boven de dam rechtsomkeert maakte en op de vlucht sloeg.

Was dat onbekende terrein met zegge en riet bedekt of camoufleerde het zich met gras om op normale grond te lijken?

Er was een tijd dat ik mij met spoken vermaakte, maar deze leegte was veel angstaanjagender dan spoken.

Als in die tijd, jaren geleden – en hierop zal ik nog uitvoerig moeten terugkomen, hoe ongaarne ik dat ook doe –, als in die tijd schaduwen, bewegingen of geluiden soms onverwachts een gedaante aannamen en me achter mijn rug bij mijn naam noemden, het woord tot me richtten of weigerden te antwoorden als ik ze iets vroeg, wist ik dat dergelijke spoken niet meer waren dan de belichaming van mijn angst, maar wat ik nu zag, zweefde doodstil boven het moeras, het verroerde zich niet en gaf geen kik, het had zelfs geen schaduw.

Het sloeg me alleen gade.

Het zweefde als een lege huls boven het moeras, iets vreemds, dat iedereen die hier liep spottend observeerde, en die spot was bepaald niet aangenaam.

Het had overigens niets angstaanjagends en scheen meer een disciplinerende kracht dan een vreeswekkend monster, een kracht die mijn op hol geslagen fantasie beteugelde en belette dat die ongebreideld zijn gang ging, wat er ongetwijfeld op duidde dat die vreemde entiteit de tijdperken van mijn leven had verschoven en mijn ziel gespleten, zodat ik een blik in mijn lichaam kon werpen; ik begreep dat de entiteit als tegenprestatie voor de speelse verdubbeling van mijn ego van mij verlangde dat ik haar niet zou vergeten en dat ik niet langer het verhaaltje zou geloven dat ik alleen maar verzonnen had om mezelf op de been te houden; als ik niet meer de kracht of de humor zou hebben om te sterven, zou ze me op pijnlijke wijze haar aanwezigheid laten voelen, een aanwezigheid buiten mijn lichaam, maar steeds zo dichtbij dat ze haar hand erin kon steken om mijn vitale organen aan te raken; en al trachtte ik me ook door allerlei trucjes van haar los te maken, meer dan een of twee van die organen had ik niet en ik kon nu eenmaal niet alleen in mijn verbeelding leven; kortom: ze wilde beletten dat ik overmoedig werd en meende dat een dergelijke, met maanlicht overgoten zeeroes me vrij of – een nog onzinniger gedachte – gelukkig kon maken.

Op het moment dat ik dat dacht, was ik al overeind gekrabbeld en sloeg, als iemand die aan zijn verplichting tot bidden heeft voldaan, het stof van mijn knieën.

Ik kon deze zwakheid niet voor mezelf rechtvaardigen door te denken dat ik nu eenmaal een produkt van mijn opvoeding was, maar voelde me, voor de zoveelste maal, een lachwekkende en onoprechte figuur; snel draaide ik me om en overwoog of ik er niet beter aan deed tijdig rechtsomkeert te maken, per slot van rekening kon ik ook in het restaurant sigaretten kopen en theedrinken, waar het 's middags in de door een glazen deur afgescheiden en met divans gemeubileerde gastenzaal aangenaam toeven was, het was tot tien uur geopend; de wind huilde zo vreselijk dat ik de aandrang voelde hem tot de orde te roepen of beschutting te zoeken door op de dam te gaan liggen; het liefst was ik teruggekeerd naar Heiligendamm, maar ik zag dat ik al een heel eind verwijderd was van de lichten van deze plaats, ongemerkt was ik een heel stuk opgeschoten; het leek bovendien of de dam hier hoger was doordat er ergens in de diepte, op de grens van land en water, een paar lichtjes fonkelden, vermoedelijk de eerste huizen van Nienhagen; rechtsomkeert maken op dit punt scheen even smadelijk als het blootgesteld zijn aan de onbewogen blik van het moeras die ik in mijn rug voelde.

Ik overwoog hoe ik verder moest gaan.

Ik kon niet verder gaan zonder dat de zijkant van mijn lichaam en vooral mijn rug, naar de vreemde entiteit waren toegekeerd; zou ik wellicht verder kunnen lopen over het strand?

Maar toen dit idee in me opkwam, wist ik meteen dat het onuitvoerbaar was, want in het geelachtige licht van de maan kon ik zien hoe het schuimende water tot tegen de voet van de dam sloeg; mijn afgesplitste ik vond het vermakelijk dat zijn wederhelft door achter de dam weg te kruipen wilde vermijden wat toch aanvaard diende te worden; toen het idee in me opkwam, manifesteerde zich ook een gestalte, geen spookverschijning maar de gedaante van een jonge man die door de glazen deur van het restaurant de zonnige gastenzaal binnenging, bleef staan en om zich heen keek, waarna onze blikken elkaar ontmoetten.

Ik draaide me weer om en vervolgde mijn weg naar Nienhagen.

Het wordt steeds vermakelijker, dacht ik.

Want ik was op de dam, maar stelde me voor dat ik daar niet was en werd vergezeld door de oude heer die ik in de toekomst zou zijn, terwijl hij zijn jeugdige ik bij zich had; die aan zijn jeugd terugdenkende heer op de dam kwam geheel overeen met mijn tot literaire aspiraties afgezwakte doelstellingen; ik zag de zaal met de divans en het koffiekopje dat hij van het witte damasten tafelkleed nam en aan zijn lippen zette; naast ons liep de jongeman die met zijn handen om de stoelleuning geklemd beleefd knikte naar de gasten die aan de gemeenschappelijke tafel zaten te eten; hem stuurde ik, om hem beter te kunnen observeren – hij was namelijk degene die me van alle aanwezigen het meest interesseerde – terug naar de deur waardoor hij was binnengekomen, want ik voelde dat hij me volledig toebehoorde omdat hij niet werkelijk bestond; en er was daar nog iemand, iemand die mij had gadegeslagen en me die blonde jongeman had gegeven omdat ik me als een willoos werktuig door hem had laten gebruiken.

Op dat moment heb ik waarschijnlijk een woordeloze overeenkomst gesloten, een overeenkomst die al jaren lang in voorbereiding was, want als ik mij thans, met de wetenschap van alle droevige gevolgen, door schade en schande wijs geworden, het onmogelijke voorstel: wat er gebeurd zou zijn als ik, aan mijn angst toegevend, niet was doorgelopen naar Nienhagen maar rechtsomkeert had gemaakt en mij als elk verstandig levend wezen had teruggetrokken in mijn saaie, alledaagse hotelkamer, dan lijkt het niet ongerechtvaardigd te veronderstellen dat mijn leven in dat geval geheel binnen de grenzen van het normale zou zijn gebleven, vermoedelijk hadden mijn ontsporingen en uitspattingen dan alleen aangeduid welke richting ik beslist niet in mocht slaan en had ik met een nuchtere en gezonde afschuw mijn wellust kunnen onderdrukken, een wellust voortgebracht door de schoonheid van mijn abnormaliteit.

De middagwandeling die wij
lang geleden maakten

Toen ik in Heiligendamm was aangekomen, voelde ik me te vermoeid om me om te kleden en aan de gemeenschappelijke maaltijd deel te nemen, daarom liet ik het eten naar mijn kamer brengen en ik stelde mijn kennismaking met de overige gasten tot de volgende dag uit om vroeg naar bed te kunnen gaan.

Maar ik kon de slaap niet vatten.

Het was alsof ik onder een ruime, donkere, warme en zachte stolp lag die van alle kanten door de golven van de zee werd belaagd, en hoewel ik voelde dat ik daar beschermd lag, bruiste het water voortdurend woest boven mijn hoofd, zodat ik vlokjes schuim in mijn ogen kreeg.

Binnen was het volkomen stil.

Ik had de indruk dat buiten de wind huilde, maar toch waren de visgraatachtige kronen van de zwarte sparren voor het raam volkomen roerloos.

Ik sloot mijn ogen en kneep ze stevig dicht om niets te hoeven zien, maar al zag ik niets, ik bleef in het midden van die donkere stolp liggen, waar het echter niet volkomen donker was doordat zich er beelden in aftekenden die steeds weer uiteenvielen, beelden van mijzelf die mij niet met rust lieten, ze toonden scènes uit mijn leven, gebeurtenissen die ik al vergeten waande omdat ik ze vergeten wilde; in het bed waarin ik lag had eens mijn vader geslapen, liggend op zijn rug, maar eigenlijk wist ik wel dat hij niet in dit bed had geslapen maar op de smalle sofa in de salon; zijn schoenen leken eenzaam zonder zijn voeten, hij spreidde zijn zware dijen onwelvoeglijk wijd en snurkte; door de openingen in de gesloten jaloezieën viel het schijnsel van de middagzon streepsgewijs naar binnen, de strepen kruisten de strepen op de vloer, en door dit schouwspel schrok mijn lichaam op uit een diepe slaap; ik kon de aanblik daarvan niet meer verdragen en had behoefte aan licht en lucht; door de aanwezigheid van het ademende lichaam van mijn vader scheen het verleden een te nabij en te smartelijk heden; opeens was ik weer in het donker en zag ik mezelf in de lichtkring van een lamp verschijnen en vervolgens weer verdwijnen, ik kwam mezelf tegemoet in een bekende straat die nat was van de regen, misschien de

Schönhauser Allee in de nacht voor mijn vertrek, toen ik daar even na twaalven gelopen had, terugkerend van een bezoek aan mijn oude vriendin Natalja Kasatkina; de straat scheen geheel uitgestorven; voor het urinoir op de hoek van de Senefelderplatz wachtte ik op mijn andere zelf; elke keer dat het verdween en weer verscheen, klonken zijn voetstappen me tegemoet; in het onverlichte, door bladerloze struiken omgeven urinoir, dat op een plein stond, hoorde ik iemand kreunen; de wind sloeg de deur van het gebouwtje op de maat van mijn ademhaling open en dicht en precies op het moment dat hij weer openzwaaide wierp ik een blik naar binnen; voor de geteerde wand stond een rijzige man die me, toen ik hem naderde, grijnzend een roos overhandigde.

Een paarsblauwe roos.

Ik wilde de bloem niet aanraken en trachtte het beeld af te weren; het zou prettig zijn geweest in een rustige, lichte ruimte uit te rusten; teder gleed mijn verloofde diep mijn binnenste in, juist op het moment dat zij met een trotse beweging haar hoed met voile afrukte; haar zware rode haar viel golvend over haar schouders en ze ademde met dierlijke gretigheid in mijn gezicht, maar in plaats van adem kwam er een onaangename, bijna stinkende lucht uit haar mond.

Ergens in de nabijheid sloeg een deur dicht.

Klaarwakker en misschien ook wel geschrokken ging ik rechtop in bed zitten.

De deur van de slaapkamer stond open en de witte, gelakte meubels in de salon verspreidden een blauwachtige glans.

Er was geen raam waarachter ik de kronen van de zwarte dennen had kunnen zien zweven, de gordijnen waren gesloten en de wind loeide niet meer, alleen het ruisen van de zee was nog hoorbaar, maar dit geluid leek van heel ver te komen, want mijn kamers lagen aan de kant van het park.

Het was alsof de dichtvallende deur van het urinoir de laatste toon was van mijn slaap, die nog doorklonk toen ik al wakker was.

Op de gang klonken voetstappen die zich haastig verwijderden en in de belendende kamer begon iemand te huilen of te gillen; het geluid scheen zeer luid, maar mogelijk was de tussenmuur alleen maar dun; plotseling hoorde ik een voorwerp of een lichaam op de grond ploffen, met een dreunende bons.

Ik luisterde nog enige tijd, tevergeefs, want er was niets meer te horen.

Ik durfde me niet te verroeren omdat het gekraak van mijn bed of het ruisen van mijn deken dat ogenblik zou hebben weggevaagd; een onvoorzichtig terugslaan van het dekbed had het geluid van een moord kunnen overstemmen; het bleef echter doodstil.

Ik was er niet helemaal zeker van of ik dit alles droomde of niet, het gebeurt immers maar al te dikwijls dat je droomt dat je wakker wordt, terwijl je in werkelijkheid niet ontwaakt maar alleen een nieuwe fase van de slaap ingaat, wegzinkt in een nog diepere laag van het bewustzijn, bovendien had ik het gevoel dat ik dat gehuil of gegil en dat neerploffen van een lichaam al eens eerder had gehoord, het herinnerde me aan mijn vader; hoewel ik mijn ogen niet had gesloten, zag ik hoe hij tijdens zijn slaap in elkaar kromp, overeind schoot en van de divan op de door het zonlicht gestreepte vloer viel; toen hij twintig jaar geleden een middagdutje placht te doen in de salon, op de divan waarop ik 's nachts sliep, hadden we het appartement gehuurd waaruit ik nu die eigenaardige geluiden meende te horen komen, zodat ik me afvroeg of dit alles werkelijkheid was of dat ik alleen maar over vroeger droomde, wat geen wonder was, want toen ik voor het naar bed gaan de terrasdeur had gesloten, was me de scène voor de geest gekomen die voor altijd een eind had gemaakt aan die heerlijke dagen in Heiligendamm.

Toentertijd lieten wij, als het 's nachts warm was, niet alleen alle ramen maar ook de terrasdeur openstaan, wat mij een uitzonderlijk genot verschafte, want als mijn ouders eindelijk naar bed waren gegaan en hun slaapkamerdeur hadden gesloten, kon ik, na nog even gewacht te hebben, voorzichtig opstaan en, mezelf wijsmakend dat ik absoluut niet bang was, stiekem naar het terras gaan. Het terras zag er op dat uur van de dag angstaanjagend leeg uit, het was breed en groot en stak ver uit boven het park; als de maan scheen, vormde het een scherpe insnijding in het bos, maar op maanloze nachten zag je alleen de vage omtrekken ervan en scheen het te zweven; de visgraatachtige schaduwen van de sparren wiegden zachtjes heen en weer; als ik daarnaar keek, alleen daarnaar en naar niets anders, als ik mijzelf en mijn blik zorgvuldig afzonderde van mijn omgeving, leek het alsof ik niet daar maar ergens anders was, alsof ik mij aan boord van een schip bevond, een schip dat rustig het water van de zee doorkliefde.

Voordat ik het huis verliet, moest ik mij er altijd van vergewissen dat er buiten niemand aanwezig was, het was namelijk al eens voorgekomen dat ik de dame die naast ons logeerde op het terras had aangetroffen; ze stond op de hoek van het terras tegen de balustrade geleund, een schim of een schaduw, al naar gelang de stand van de maan; als zij zich op het terras bevond, dorst ik niet naar buiten te gaan, want al was er tussen ons een heimelijke relatie ontstaan – een relatie die alleen 's nachts gold en het daglicht niet verdroeg –, toch vreesde ik dat ze mijn nachtelijke uitstapjes aan mijn ouders zou verraden; en ofschoon ik soms van haar nabijheid genoot en daar zelfs naar verlangde, werkelijk genot verschaften deze nachtelijke escapades me slechts als ik helemaal alleen was en me kon voorstellen dat ik op een schip wegvoer van het terras.

Toen ik de eerste keer, zonder voorzorgsmaatregelen te nemen, op het terras was gestapt, was ik stokstijf van verrassing midden op het terras blijven staan; de maan verspreidde slechts een flauw licht, haar stralen werden tegengehouden door een wolk, die onbeweeglijk in de lucht hing; de vrouw stond daar in het blauwige schemerlicht en had haar gezicht naar het licht toegekeerd, zodat ik haar voor een geestverschijning hield of voor een dier wezens op wier bestaan en activiteiten ik door ons dienstmeisje Hilde grondig was voorbereid; ze zagen er volgens haar schitterend uit, 'ontroerend mooi, werkelijk ontroerend mooi', had ze gezegd; het ragfijne, gevleugelde gewaad dat de vrouw omhulde en de zilverachtige glans van haar tot op de schouders afhangend haar schenen Hilde's beweringen te bevestigen: ze was inderdaad mooi; het was alsof ze boven het terras zweefde maar toch gewicht had, en alsof er geen oogbollen in haar oogkassen zaten; ondanks de zoelheid van de nacht voelde ik een koel vlaagje langs mijn wangen strijken, dat was haar adem, wist ik, een opeenvolging van uitademingen en inademingen; door die inademingen zou ze me geheel inhaleren om me verborgen in haar lichaam, een lege huls, weg te kunnen voeren.

Ik stond daar niet onbeweeglijk omdat ik bang was, en zo ik toch bang was, had mijn angst een intensiteit waardoor mijn zinnen in een extatische roes raakten, in een verheven toestand waarin ik geen lichaam meer scheen te hebben; ik had geen gevoel meer in mijn handen en voeten, zodat ik me niet kon verroeren; tegelijkertijd was, zonder dat ik er opzettelijk aan had gedacht, mijn tienjarige leven aanwezig, dat ik op dat moment vaarwel moest zeggen om in een andere gestalte over te kunnen gaan; na mijn kindertijd heb ik nooit meer zoiets gevoeld, alleen tijdens het bedrijven van de liefde; deze uitzonderlijke toestand scheen heel natuurlijk, niet alleen omdat ik er door Hilde's verhalen op was voorbereid, maar ook omdat ik ernaar verlangde.

Dit verheven gevoel, dat het midden hield tussen een huivering en een heftig verlangen, duurde slechts heel even; toen het voorbij was realiseerde ik me heel goed dat ik door mijn zintuigen was misleid, al waren mijn gevoelens nog zo werkelijk geweest, de gestalte die ik zag was immers juffrouw Wohlgast, die naast ons logeerde; deze juffrouw Wohlgast, die tijdens onze avondwandelingen vaak ter sprake kwam, had ik tijdens de gemeenschappelijke maaltijden dikwijls geobserveerd als ze met mijn moeder converseerde; die hele spookgeschiedenis kwam me trouwens toch al verdacht voor omdat, toen ik op een keer een verschijning of iets dergelijks meende gezien te hebben, mijn vader ernstig, bijna peinzend, maar met de boosaardige voldaanheid van met gevoel voor humor gezegende mensen had geknikt; natuurlijk, er zat daarginds ongetwijfeld een spook tussen het riet, hoe zou het anders kunnen als ik dat met mijn eigen ogen had gezien, hoewel hij, hoe hij zijn ogen ook inspande, geen spook zag; maar wacht eens, nu leek hij toch wat te horen; nee hoor, hij hoorde absoluut niets, wat natuurlijk niet betekende dat er zoëven geen spook tussen het riet had gezeten, het was immers kenmerkend voor spoken dat ze nu eens hier zijn en dan weer daar, zo zijn spoken nu eenmaal, soms vertonen ze zich maar meestal blijven ze onzichtbaar, ja ze hadden zelfs de eigenaardigheid – misschien vond ik dat interessant om te horen – dat ze zich niet aan Jan en Alleman wilden vertonen maar alleen aan uitverkoren personen, ik kon me dus vereerd voelen, onderscheiden zelfs, hijzelf was ook blij dat een spook zijn zoon de eer aandeed zich aan hem te manifesteren; overigens had hijzelf dit hemelse genot al heel lang niet meer gesmaakt, zijn spoken waren helaas in rook opgegaan, ze waren spoorloos verdwenen, wat hij betreurde, hun afwezigheid gaf hem een leeg en onvoldaan gevoel, hij was hun bestaan en hun activiteiten zelfs bijna vergeten; en omdat hij zijn toenmalige en mijn huidige spoken met elkaar wilde vergelijken, verzocht hij mij het uiterlijk van mijn spoken nauwkeurig te beschrijven.

Die dag maakten wij een flinke wandeling, wat misschien wel even ongewoon was als de verschijning van het spook, tijdens onze middagwandelingen waagden wij ons namelijk nooit buiten de onmiddellijke omgeving van de badplaats, een gebied niet groter dan het wandelpark; daarbuiten kwam je in een ongerept landschap, bestaande uit een met zwarte stenen bedekte zeeoever en onbegaanbare lage en hoge rotsen, of, zo je de andere mogelijke richting koos, een moeras met een troebel ogende poel en een slakkentuin in het midden; ging je nog verder landinwaarts, dan kwam je in een beukenbos waaraan men de sprookjesachtige maar onheilspellende naam 'De Grote Wildernis' had gegeven.

Doordat het met elegante, slanke, witte villa's omgeven maar aan de zeekant onbebouwde park enorm uitgestrekt was – brede wegen die zich tot pleinen verenigden of straalsgewijs uiteenliepen, dienden er het in- en uitgaande verkeer en eigenzinnige paden kronkelden zich door het groene gazon –, hadden de eenzame zwarte dennen er plaats genoeg om in alle eenzaamheid met hun schoonheid te pronken, evenals de witstammige berken, die zich op sommige plaatsen met nadrukkelijke nonchalance tot groepjes verenigden; tot het park hoorde ook nog een 'kustpromenade', die onder de beschutting van een hoge, met marmeren kelken versierde muur de zee kaarsrecht van het land scheidde, en in zekere zin behoorde ook nog een kort stuk van de dam ertoe, dat weliswaar een voortzetting van de promenade was, maar toch duidelijk een ander karakter had, hetgeen vooral opviel doordat de oneffen bodem daar niet met wit steengruis maar met witte kiezelstenen begaanbaar was gemaakt; overigens was de poging om dit stukje dam met aangenaam knerpende kiezelstenen tot een promenade te cultiveren op niets uitgelopen, want als ik daar liep, zonken mijn voeten tot aan mijn enkels in de witte steentjes weg; de kale dam verhief zich tussen de zee en het moeras; zijn enkele aanwezigheid herinnerde aan de noodlottige gebeurtenis die hem had doen ontstaan: een vreselijke overstroming enkele eeuwen terug had hem in één enkele nacht gevormd, zodat water van water werd gescheiden en de eens zo fraaie baai in een moeras veranderde; misschien kon de allee dan nog eerder als een deel van het park worden beschouwd, hoewel ook die, zij het in de meer gebruikelijke zin des woords, een verbinding met de buitenwereld vormde, ze liep namelijk van de achteruitgang van het kurhaus naar het station; dat station was het absolute eindpunt van onze wandelingen, daar aangekomen konden we alleen nog maar teruggaan, want een wandeling moest niet in een voettocht ontaarden.

Ik dien nog te vermelden dat mijn ouders het doel van onze wandelingen niet van tevoren vaststelden, waarheen we gingen werd altijd aan de grillen en luimen van het toeval overgelaten en voornamelijk bepaald door de beperktheid van het aantal keuzemogelijkheden; door die beperktheid was het volkomen overbodig te overwegen welke van de beide paden we zouden kiezen, of we, van het kurhaus komend, de kustpromenade zouden inslaan dan wel via de dam verder zouden lopen om vervolgens, het hotel mijdend, de weg naar het station in te slaan, of dat we in de open hal van het kurhaus in de daar gereedstaande rieten armstoelen zouden plaatsnemen om wat van de frisse lucht te genieten, waarna er voor de eigenlijke wandeling nog slechts zo weinig tijd resteerde dat we de terugtocht moesten aanvaarden, waarvoor we niet de wiskundig beschouwd kortste weg kozen, maar de langste, want dergelijke zaken waren van geen belang of slechts in zoverre dat we ons elke wandelend doorgebrachte middag vermaakten met het aangename spel van kiezen en beslissen, maar uitsluitend tot het moment dat het paarlemoer van de hemel begon te verkleuren en we nog juist op tijd konden thuiskomen om het uitspansel vanuit de kamer of vanaf het terras langzaam donker te zien worden.

Die keer overviel de avond ons echter buiten, hoewel we onze wandeling op de meest traditionele wijze hadden aangevangen; eerst waren we naar de zeeoever gegaan om tegen de muur geleund ademhalingsoefeningen te doen, oefeningen die overigens niet langer dan een kwartier duurden; ze bestonden erin dat we onze spieren zoveel mogelijk ontspanden en in absolute stilte met gesloten mond door onze neusgaten in- en uitademden, aldus trachtend de korte tijdsspanne voor het invallen van de duisternis te benutten die volgens dr. Köhler door de tijdelijk hoge vochtigheidsgraad van de lucht en de daarin aanwezige werkzame stoffen, die door de slijmvliezen van de neus als 'geur' worden waargenomen, bijzonder geschikt was om de luchtwegen te reinigen en de longen te vullen en zodoende de bloedsomloop te stimuleren en de zenuwen te kalmeren; maar dit edele doel, benadrukte de hooggewaardeerde geneesheer met voorliefde, was slechts dan werkelijk bereikbaar als de geachte patiënten bereid waren al zijn voorschriften stipt op te volgen en niet met lichtvaardige oppervlakkigheid voortdurend tegen de regels zondigden door tijdens de oefening gemakzuchtig tegen bomen of muren te leunen, om maar te zwijgen van degenen die eenvoudig in de hal van het kurhaus of op het terras van het badhuis bleven babbelen en, als het gesprek even stokte, met een verzaligd gezicht wat snoven en zuchtten, wat ze volhielden totdat ze weer een dringende mededeling hadden te doen; over deze dames en heren kon men gevoeglijk zwijgen, zij bevonden zich, blijkens hun gemakzucht, reeds half in het lijkenhuis; wie daarentegen zijn aardse leven nog met enkele jaren wenste te verlengen, diende tijdens het kwartiertje waarin de oefening drie keer verricht moest worden, fat-

soenlijk op zijn benen te staan, ja zeker, te staan! ontspannen en zonder
te leunen, klachten en uitvluchten werden niet geaccepteerd omdat
schoonheid en gezondheid nu eenmaal niet van elkaar te scheiden waren; 'en daarom zou ik u ook oprecht dankbaar zijn, dames en heren,
indien u van mij wilt aannemen – in de eerste plaats natuurlijk de dames – dat het onze schoonheid niet schaadt, maar, op een heel andere
manier dan korsetten en huidcrèmes, juist ten goede komt als we tijdens de oefeningen in het belang van onze gezondheid ook wat grimassen maken, wat overigens alleen gedurende de eerste vijf minuten
noodzakelijk is, totdat we de verbruikte lucht geheel uit onze longen
hebben verdreven, maar natuurlijk niet in een naar parfum en tabaks-
rook stinkende kamer, want daar krijgen we dezelfde rommel binnen
als we net hebben uitgeademd, maar in de onmiddellijke nabijheid van
het een of andere water, en desnoods in het zicht van iedereen, u hoeft
zich niet te schamen, want het gaat uiteindelijk om uw gezondheid;
dus door de neus ademen, dames en heren, zonder de borstkas op te
blazen, zoals die met hun nederigheid te koop lopende katholieken
doen, maar naar beneden met die lucht, de buik in! we zijn tenslotte
protestanten en kunnen onze buik – ik zeg buik en niet hoofd, dames
en heren! – gerust met lucht vullen, alles op zijn tijd en plaats, dan krijgen we geen problemen, de hersenbrij in het hoofd en de lucht in de
buik, als we tenminste ons korset niet weer eens te strak hebben aangehaald, hè dames! veel strakker dan het gezonde verstand toelaat; die
diep ingeademde lucht houden we even in, zo'n tien tellen, en dan
doen we onze mond wijd open, steken onze tong zo ver mogelijk uit
en ademen, opnieuw tot tien tellend, langzaam en ritmisch de afschuwelijke stinklucht uit waarmee onze longen zijn gevuld, ieders longen,
ook die van u; het is niet alleen onnodig, maar ook ongepast die vuiligheid binnen te houden.'

Op dat uur van de dag ging de zon onder, maar het werd nog lang
niet donker, de rode zonnegloed kleurde nog geruime tijd de grijs
wordende hemel, alleen de zee werd plotseling zwart en de witschui-
mende koppen van de golven stortten lichtend neer; de avondnevel
steeg op uit het water en zweefde langzaam het park in en de meeuwen
scheerden steeds hoger door de lucht; terwijl we daar zo stonden en elkaars ademhaling en de kalme, knerpende voetstappen van de wandelaars achter ons hoorden, en daarbovenuit het gekrijs van de meeuwen
en het drievoudige ritme van het kabbelende, klaterende, donderende
water, waaraan, zoals ik merkte, mijn ademhaling zich automatisch

trachtte aan te passen, genoot ik intens van de stilte, een stilte waarin elke emotie tot bedaren kon komen en opkomende gedachten slechts heel even het oppervlak van het onderbewustzijn rimpelden om vervolgens ongeformuleerd weer omlaag te zinken en zich daar koest te houden, totdat een knerpende voetstap, een vermakelijke zucht, het plotseling verstommen van de meeuwen of een lichamelijke of geestelijke gewaarwording – een koel windvlaagje, het lichtjes knikken van de knieën, beginnende jeuk, een vage, vluchtige beklemming, een overweldigend geluksgevoel of een krampachtig verlangen – opnieuw iets aan de oppervlakte brachten, iets wat ons op de lippen brandde, wat overwogen of misschien zelfs uitgevoerd moest worden, maar de kracht der gevoelens stond dit niet toe, ze hield alles bijeen zonder van dit bijeen-zijn noemenswaardig te genieten, omdat deze kracht nu eenmaal geen groter genot kent dan de verwerkelijking der niet-verwerkelijking, dan het interval van het tussenin-zijn.

Ik weet niet welke uitwerking deze ogenblikken van stilte op de anderen hadden, op mijn vader of moeder, maar ze verrijkten mijn ziel op een wijze die eigenlijk niet bij mijn leeftijd paste; merkwaardigerwijze vermoedde ik toen al dat dit tussenin-zijn, deze onderbreking- of overgangstoestand, mij mijn hele leven tot voor- of nadeel zou strekken, een gedachte die me beangstigde, het scheen immers veel aantrekkelijker om te behoren tot diegenen die aan deze of gene zijde van het grensgebied verkeerden, althans voet op vaste bodem hadden gezet.

Ik had dus een voorgevoel van de moeilijke toekomst die me wachtte, maar wist niet of ik deze helderziendheid te danken had aan de stipte inachtneming van dr. Köhlers voorschriften, anders gezegd: of ik in de toestand was geraakt die het einddoel van de ademhalingsoefeningen was, of dat het omgekeerde het geval was en ik zo ontvankelijk was voor de adviezen van de oude dokter omdat het Lot mij van meet af aan voor een beschouwelijke leefwijze had voorbestemd; deze laatste hypothese komt mij het meest aannemelijk voor, ofschoon mijn plichtsbesef deze voorbestemming mogelijk beïnvloed en bevorderd heeft; ook voordat wij onze zomervakanties in Heiligendamm doorbrachten sproten mijn stiptheid en plichtsbesef namelijk niet uit ijver of dadendrang voort, maar veeleer uit de wens mijn uit genotzuchtige luiheid voortkomende zinnelijke schemertoestanden op de een of andere manier voor de buitenwereld te verbergen, mijn gezicht en lichaamsbewegingen mochten niet verraden waar ik mij in gedachten bevond, ik wilde niet gestoord worden en achter het paravent van met tegenzin vervulde taken vrijelijk kunnen dromen over datgene wat me werkelijk interesseerde.

Ik was voor een dubbel leven geboren, beter gezegd: de twee helften van mijn leven pasten niet goed op elkaar, of nog beter gezegd: al was mijn openlijke leven het niet weg te denken complement van mijn geheime bestaan, ik bespeurde dat die beide existenties absoluut onverenigbaar met elkaar waren, wat abnormaal was, ze waren van elkaar gescheiden door de afgrond van de zonde, door iets wat niet kon worden overbrugd, want mijn op misleiding van de buitenwereld gerichte zelfdiscipline veroorzaakte bij mij een zekere verveling en aarzelende matheid, waarvoor ik mij met allerlei hartstochtelijke fantasieën moest schadeloosstellen, zodat niet alleen de discrepantie tussen de beide helften werd vergroot, maar deze helften zich bovendien steeds meer op hun eigen terrein terugtrokken, waardoor ik steeds minder van de ene kon redden ten behoeve van de andere, wat mij pijn deed, want mijn gestel was niet in staat deze verliezen kalm te verdragen; die pijn wekte in mij een hevig verlangen op om net zo te zijn als andere mensen, die niet de symptomen van een dergelijke onderdrukte maar gespannen waakzaamheid vertoonden; ik leerde nauwkeurig hoe ik uit de gelaatstrekken van mijn medemensen hun gedachten kon afleiden en mij terstond met hen kon vereenzelvigen, maar deze op invoeling berustende mimische neiging, dit verlangen om anders te zijn dan ik was, leidde evenzeer tot aanvallen van geestelijk leed, want er was geen bevrediging in te vinden, ik wérd niet anders maar kon me alleen anders vóórdoen, en dit probleem was even onoplosbaar als het vraagstuk hoe ik mijn twee helften tot een ondeelbaar geheel kon samenvoegen en mijn geheime leven aan de openbaarheid prijsgeven of, omgekeerd, hoe ik mij moest ontdoen van al mijn fantasieën en dwangmatige gevoelens om te worden als zij die zogenaamd kerngezond zijn.

Ik kon mijn nauwelijks bedwingbare neigingen alleen als een ziekte, als een eigenaardige vloek of zondige perversiteit beschouwen, hoewel zij mij in mijn betere uren niet erger leken dan een herfstverkoudheid, die met hete thee, koude kompressen, bittere koortsmiddelen en honingzoete koude compotes gemakkelijk te cureren was, al voelde ik me op zulke momenten nog zo beroerd; als ik na zo'n aanval voor het eerst weer opstond en naar het raam liep, voelde ik me – en dit was reeds van tevoren in de kortstondige adempauzes van de koorts te bespeuren – heel licht, koel en onschuldig en zelfs een tikkeltje teleurgesteld; al strekten de afhangende takken hun voelhorens naar mij uit en grepen ze me met hun zachte bladerhanden beet, ik kon zien dat er op straat niets was veranderd, dat mijn ziekte niets en niemand had gehinderd en mijn kamer door mijn reuzenschreden niet in een weergalmende zaal was veranderd; alles was zoals het behoorde te zijn, ja scheen zelfs bekender en vriendelijker, en de voorwerpen in de kamer riepen geen onaangename herinneringen meer op aan gebeurtenissen in het verre verleden; alles stond rustig en veilig op zijn plaats, precies zoals ik het had neergezet, bijna onverschillig; ik verlangde naar dergelijke momenten, die ik als louterend beschouwde, al waren ze natuurlijk geen remedie tegen mijn verwarrende en beschamende hersenspinsels.

Toen wij die dag klaar waren met onze gebruikelijke ademhalingsoefeningen, wandelden we in de richting van het station, waaraan mijn door de monotonie van ons leven getrainde en voor alle nuances gevoelige blik niets bijzonders kon ontdekken; nadat mijn vader de oefening iets eerder dan voorgeschreven hijgend had gestaakt, leunde hij, als iemand die een zware beproeving heeft doorstaan, met zijn joviale dikke lichaam tegen de stenen balustrade en keek met spottende zelfgenoegzaamheid achterom naar mijn moeder; hij had zich meteen naar de zee willen omdraaien, maar de verleiding niet kunnen weerstaan; natuurlijk was ook dat niets bijzonders, zo ging het altijd; de zee die, zoals alle natuurverschijnselen en landschappen, door mijn moeder 'betoverend' werd genoemd, verveelde hem evenzeer als 'dat ademhalingsgedoe', nee, aan de zee kon hij niets belangwekkends ontdekken, dat was voor hem alleen maar 'een grote, lege plas water, verder niets!' het was echter wat anders als er aan de horizon een schip opdoemde, dan placht hij namelijk de verbazingwekkend langzame beweging van de scheepsromp te relateren aan een vast punt op de oever en de veranderingen van de door beginpunt en afgelegde afstand gevormde hoek te meten; 'twaalf graden westwaarts!' riep hij soms volkomen onverwachts uit en dikwijls ook maakte hij door mijn moeder nimmer beantwoorde opmerkingen over 'de betrekkelijkheid der voortbeweging, die zich ook in de bewegingsbaan van ons mensen manifesteert', en zoals hij op geen enkele wijze verlangde dat wij zijn gedachten volgden – gedachten waren volgens hem namelijk hoofdzakelijk de bijprodukten van onze hersenactiviteit, 'de hersenen moeten, evenals de maag, voortdurend wat verteren, en onze mond – la-

ten we hem dit niet te zeer euvel duiden – boert die nauwelijks ver-
teerde hersenkost weer op' –, zo was hij, behalve als hij zich door zijn
temperament liet meeslepen, ook toegeeflijk genoeg om andermans
genoegen niet te bederven en beschouwde hij het schouwspel der
menselijke inspanningen en genoegens als een bron van verstrooiing
en vermaak dat zijn volledige belangstelling had; misschien veroorzaakte zijn gebrek aan belangstelling voor natuurverschijnselen wel dat
hij zich aangetrokken voelde door alles wat grof, platvloers en laaghartig was en het natuurlijke beleefde door de ruwere krachten van de
menselijke natuur te beschouwen, in een ruimere en meer algemene
zin dan gewoonlijk; alles wat door zijn verhevenheid of kunstmatig-
heid uitsluitend geschikt was om het eigen wezen te verhullen, wekte
zijn lachlust op en prikkelde hem tot uitlatingen van een bijtende spot;
'je bent werkelijk onuitstaanbaar, Theodor,' zei mijn moeder dan
geërgerd, die in zulke zaken juist genoegen schepte en eronder leed dat
haar ingeslepen denkbeelden, waaraan ze hardnekkig vasthield, voortdurend aan de kaak werden gesteld; en inderdaad, het gedrag van mijn
vader had iets beangstigend tweeslachtigs, want hij gaf niet graag recht-
toe rechtaan zijn mening, hoewel hij die in ruime mate had; hij hield er
over alle mogelijke zaken zeer uitgesproken ideeën op na, maar gaf
niettemin, de schijn van onzekerheid en beïnvloedbaarheid wekkend,
iedereen in alles gelijk; 'nee ik discussieer niet, ik heb een diep respect
voor ieders persoonlijke mening, ik weeg slechts af,' waarna hij, alsof
hij argumenten zocht om zijn bewering te staven, aarzelend en onhandig zijn in de voorwaardelijke wijs gestelde vragen opperde, maar op
zo'n onhandige manier dat zijn kennissen, mede door zijn abnormaal
omvangrijke gestalte, hogelijk van hem gecharmeerd waren; 'jij hebt
ook geen andere keus, waarde Thoenissen, met zo'n gewelfde borstkas
en zulke dijen, jij kunt, met permissie, alleen een democraat zijn,'
placht *geheimrat* Frick te zeggen, en de altijd ongeduldige juffrouw
Wohlgast formuleerde het aldus: 'Thoenissen is weer aan het mugge-
ziften'; mijn vader, die op dit effect rekende en ervan genoot, ging dan
net zo lang door tot het al redenerend opgetrokken bouwwerk zonder
iemand te krenken vanzelf in elkaar stortte; soms was hij echter volstrekt niet zo voorzichtig, maar aanvaardde hij andermans mening met
een uitbarsting van geestdrift en een verraste uitroep, zoals mijn
spookgeschiedenis bijvoorbeeld; hij omkleedde die mening dan met
een zo geëxalteerde en geestdriftige woordenvloed, wat, als elk enthousiasme, iets bekoorlijks en kinderlijks had, en overdreef, verdraai-

de en vergrootte elk onderdeel van het geponeerde dermate dat dit zijn oorspronkelijke proporties verre te buiten ging en, opzwellend tot een door een op hol geslagen fantasie gebaard reuzemonster dat zich boven elke realiteit verhief, nergens meer te plaatsen of in te passen was; dit genadeloze spel zette hij zo lang voort, hij oreerde, declameerde, accentueerde en redeneerde net zo lang in vurige bewoordingen totdat de bewering totaal was uitgehold en door haar gebrek aan innerlijke stevigheid als een zeepbel uiteenspatte; mijn moeder scheen nauwelijks geraakt te worden door deze vermakelijke, maar uit moreel oogpunt niet onbedenkelijke vertogen, ik geloof dat ze, voorzover woorden geen beleefdheidsfrasen of doodgewone, in het dagelijkse leven noodzakelijke uitlatingen waren, nauwelijks luisterde en de ruime mogelijkheden die het spelen met woorden biedt niet eens kende, waarmee ik absoluut niet wil beweren dat ze dom of geborneerd was, ofschoon ik helaas ook niet het tegendeel kan beweren, want tengevolge van haar puriteinse opvoeding en wellicht ook door haar aangeboren stugheid en geremdheid slaagde zij er niet in haar intellectuele en andere psychische of fysieke talenten te ontplooien; haar hele wezen, ja haar hele leven, was op een schrijnende wijze onvoltooid; daarom zou het veel beter zijn geweest als mijn vader geen vrouwelijke engel – een engel die haar eigen boezem openreet – op haar laatste rustplaats had laten plaatsen, maar een geslachtlozer en waardiger monument, mijn moeder had immers niets engelachtigs gehad; en als hij zich al met alle geweld wilde vastklampen aan zo'n symbool, had hij beter een fijn geribbelde zwartmarmeren zuil op een eenvoudige sokkel kunnen laten plaatsen, zo eentje die door de steenhouwer ruw doormidden is gebroken, zodat je het schuine breukvlak kunt zien met de ruwe inwendige structuur, die met de bewerkte en gepolijste buitenkant scherp contrasteert; elke keer dat ik de begraafplaats bezocht viel dit mij weer op.

Thuis, als ik mijn geboortestad althans nog met dit woord mag aanduiden, doorkruiste ik tijdens mijn wandelingen graag de oude stad, en als mijn blik verzadigd was van de levendige, nauwe straten, richtte ik hem met voorliefde op de weilanden achter de stadspoort, met opzet precies in de richting kijkend waar achter de heuvels Ludwigsdorf moest liggen, het dorp dat ik ooit op zaterdagmiddagen met Hilde placht te bezoeken; en al nam ik mij nimmer voor naar de begraafplaats te gaan, zij oefende een onweerstaanbare aantrekkingskracht op mij uit en lag bovendien op mijn weg, hoewel ik haar, als ik niet via de Finstertorstraße liep, gemakkelijk kon mijden; ik kon echter meestal niet nalaten de door een bouwvallige, met struiken overwoekerde muur omgeven dodenakker te bezoeken en met de blijdschap en de vanzelfsprekendheid van iemand die naar een vertrouwde plek terugkeert tussen de verzakte, met onkruid begroeide crypten en de met eigenaardige bloemen getooide grafheuvels door te slenteren, totdat ik tenslotte bij de engel met zijn gevederde vleugels belandde, die ons oude familiegraf op zo'n ongelukkige wijze nieuwe luister moest geven; misschien ging ik wel juist vanwege die engel daarheen, alleen om die te zien.

Waarschijnlijk was het echter een masochistische neiging die mij daarheen dreef, want enerzijds kwetste het zelfs in zijn soort extreem dilettantische werkstuk mijn kritische zin en mijn esthetische gevoel, anderzijds kon ik hier lucht geven aan mijn boosheid op mijn vader en aan de afschuw en haat die ik tegen hem voelde; deze gevoelens schenen versterkt te worden door de routineuze sentimentaliteit en de doelbewuste huichelarij waarmee de steenhouwer de wensen van zijn opdrachtgever in overeenstemming met zijn eigen 'artistieke beginselen' had trachten te brengen; al had hij het hoofd van de engel niet direct naar dat van mijn moeder gemodelleerd, hij had zich wel laten inspireren door een met artistieke vindingrijkheid geschilderd, lazuurachtig roze meisjesportret dat aan onze eetkamerwand hing en het zoetige, maagdelijke meisjesgezicht van de engel enkele karakteristieke gelaatstrekken van mijn moeder gegeven; het opvallende, sterk vooruitspringende voorhoofdsbeen en de dicht bijeenstaande ogen van het stenen beeld herinnerden aan haar voorhoofd en ogen, en de dunne, fraai gewelfde neus, de enigszins brutaal gesneden mond en de met kinderlijke lieftalligheid toegespitste kin deden eveneens aan mijn moeders neus, mond en kin denken; om de verwarring volledig te maken omhulde het doorschijnende, met schoolse onhandigheid geplooide engelengewaad een etherisch dun lichaam met kleine, puntige, nog maar nauwelijks uitgebotte en daardoor zeer uitdagende borsten, een ronde buik en een fraai gewelfd achterwerk; de heupen van het beeld waren daarentegen iets knokiger dan nodig was; de denkbeeldige wind, die van voren blies, spande het stenen engelenkleed, dat elke natuurlijkheid ontbeerde, zo schaamteloos over de diepe schoot van de slanke gestalte, die de vleugels strekte voor de vlucht, en blies haar lange haar zo woest naar achteren dat de van al deze smakeloze details voorziene figuur absoluut niet het beeld van de dood of de menselijke sterfelijkheid in de toeschouwer opriep, en merkwaardigerwijze ook niets levensechts of natuurlijks, tenzij men de fantasieën van een oudere, tot elke smakeloosheid bereid zijnde handwerksman als zodanig aanmerkte; dit grafmonument was niet meer dan een platvloers en smakeloos werkstuk, zo platvloers en smakeloos zelfs dat het niet de moeite waard zou zijn geweest er woorden of emoties aan te verspillen als het monstrum door een ongelukkig toeval was ontstaan, bijvoorbeeld doordat mijn vader iets had verlangd wat de steenhouwer door de hoge moeilijkheidsgraad niet met edele eenvoud had kunnen uitvoeren, maar zo lagen de zaken niet, nee, er was geen sprake van een toevallige samenloop van omstandigheden, integendeel zelfs; in het feit dat dit standbeeld meer een monument voor de wansmaak van mijn vader was dan voor de nagedachtenis van mijn overleden moeder, scheen zich de verborgen aard van een naderend onheil te openbaren.

Maar wie kan in de geluidloze tekenen van het heden de gehele toekomst schouwen?

'Als we niet opschieten, missen we de trein nog,' zei mijn vader, terwijl we daar nog steeds aan de zeeoever stonden, en zijn gezicht nam bijna onmerkbaar een andere uitdrukking aan; in de spottende superioriteit waarmee hij mijn moeder gadesloeg, die tegen de stenen balustrade leunde, mengden zich enig ongeduld en een lichte verwarring; mijn moeder scheen echter noch de eigenaardige nadruk waarmee mijn vader sprak noch de ongewone mededeling zelf, waaraan eigenlijk het enige ongewone was dat hij überhaupt werd uitgesproken, enige aandacht waard te achten, ze zei althans niets.

Ze kon dat ook moeilijk doen zonder haar oefening te onderbreken, want op het moment dat de waarschuwing van mijn vader klonk, was ze juist bezig de door haar ingeademde en enige tijd ingehouden lucht met open mond en uitgestoken tong langzaam en ritmisch hijgend uit haar buik te persen en deze buikademhaling viel haar, zoals de meeste vrouwen, behoorlijk zwaar; bovendien openbaarde zich in haar zwijgen een ietwat gefrustreerde en door haar rechtlijnigheid uitdagende pedagogische neiging, wat tot een minuscule verhoging van de intermenselijke spanning leidde en erop duidde dat bepaalde gebeurtenissen niet zonder gevolgen zouden blijven; in het geval namelijk dat mijn vader de oefening – door hem steevast 'dat dierlijke gedoe' genoemd – niet meer vol kon houden, gold tussen hen een uitdrukkelijke overeenkomst die zij geruime tijd eerder, met het oog op mijn aanwezigheid half schertsend, maar met een van emotie trillende stem, hadden gesloten nadat mijn vader op een keer geheel onverwachts zijn door omslachtig gesnuif, gekuch en gemompel verlichte lijden volkomen ongeremd grijnzend had beëindigd en een blik op mijn moeder had geworpen; in zijn ogen was die volstrekt niet amusante en met de stand van zijn lachspieren scherp contrasterende, onrustig flakkerende en onverholen gretige nieuwsgierigheid verschenen die ik zo goed kende maar niet begreep; zijn gezicht was op zo'n ogenblik angstwekkend naakt en ontwapenend kwetsbaar, zodat al zijn normale gelaatsuitdrukkingen, die hij ten behoeve van zijn maatschappelijke functie zo geloofwaardig mogelijk trachtte te formeren, slechts vermommingen leken, maskers die hem bedekten, beschermden en verborgen maar nu door hem waren afgerukt; eindelijk kon hij zich vertonen zoals hij was, hoefde hij zich niet meer voor zichzelf te verbergen; hij was op zulke momenten mooi om te zien, heel mooi, zijn zwarte haardos krulde in een scherpe lijn over zijn glanzende voorhoofd, zijn volle wangen toonden kuiltjes die de aandrang tot lachen verrieden, zijn ogen hadden een blauwe gloed en zijn vlezige lippen waren niet geheel gesloten; opeens was hij, alsof hij in trance was, op mijn moeder afgestapt, had met drie vingers onverhoeds in haar mond gegrepen en met een tederheid en een voorzichtigheid die de bruutheid van de beweging scheen te logenstraffen, haar uitgestoken tong bij de wortel gevat, waarop mijn moeder in een spontane afweerreactie eerst haar hoofd had afgewend om te voorkomen dat zij zou gaan kokhalzen en vervolgens, waarschijnlijk ook tot haar eigen verrassing, zo hard in zijn vingers had gebeten dat hij het had uitgeschreeuwd van de pijn; sedertdien moest mijn vader steeds van haar naar de zee kijken; 'niet naar mij maar naar de zee, hoor je me? je bent werkelijk onuitstaanbaar! ik kan niet tegen die blik van je!' maar als het ogenblik weer daar was en hij, de oefening beu geworden, tegen de stenen balustrade leunde, merkte ik aan de gespannen lichaamshouding van mijn moeder dat zij ondanks haar angst en terughoudendheid diep in haar hart hoopte dat hij zich niet naar de zee zou omdraaien, dat hij iets met haar zou doen, iets verrassends en aanstootgevends, zodat het afgelopen zou zijn met die hopeloze, krampachtige inspanningen die zij zich in verband met haar soms maanden lang durende, met ernstig bloedverlies gepaard gaande maandstonden in het belang van haar gezondheid moest getroosten en zij mijn vader ongehinderd zou kunnen volgen naar de haar onbekende contreien waarop zijn dubbelzinnige glimlach en zijn versluierde blik zo duidelijk schenen te duiden, ja hij moest iets met haar doen, onverschillig wat; toch vermoedde zij waarschijnlijk dat zij zelf de oorzaak was van mijn vaders passiviteit doordat haar angsten en terughoudendheid veel groter waren dan haar verlangen naar hem.

Omdat mijn bereidheid dr. Köhlers voorschriften stipt op te volgen groter was dan die van mijn vader, had mijn moeder graag dat ik tijdens de oefening vlak naast haar stond, heel dicht bij haar, in de warme uitstraling van haar lichaam, zodat de weelderige schoudervolants van haar blouse met pofmouwtjes bijna mijn gezicht streelden, wat natuurlijk absoluut niet betekende dat ze in haar onbevredigdheid naar mij vluchtte of een ongeoorloofde, verwarrende tederheid voor mij voelde; overigens kan ik me nauwelijks indenken dat mijn moeder ooit voor wie of wat dan ook tedere gevoelens heeft gekoesterd, nee, wij stonden alleen op grond van rationele overwegingen zo dicht bij elkaar, omdat zij zo het ritme van mijn ademhaling goed kon horen en volgen, en ook omgekeerd: als zij haperde, buiten adem raakte of al mijmerend de draad kwijtraakte, kon ik op haar wachten en haar fout corrigeren, ik was namelijk in staat mijn adem minutenlang in te houden, te wachten en genietend te ervaren hoe een lichte duizeligheid mijn gevoelens activeerde, zodat alles wat ik wel zag maar niet voelde scherpe contouren kreeg en mij doorstroomde; eindelijk kon ik mijzelf verliezen en alles worden wat ik maar wilde: een geluid, de omkrullende kop van een golf, een stel meeuwen of een op de rand van de muur neerdwarrelend blad, desnoods alleen lucht; deze toestand duurde tot alles werd verduisterd door een rood waas van bloed dat naar het hoofd steeg en de drang om adem te halen mij ertoe noopte nauwkeurig te horen en te voelen hoe mijn moeder door een paar snelle ademhalingen in te lassen weer in het oorspronkelijke ritme raakte en ik, op een dood punt balancerend, op het moment wachtte dat ik weer de leiding kon nemen; hoewel we elkaar niet aankeken en niet zagen en onze lichamen elkaar ook niet aanraakten, kunnen alleen haar onbezonnenheid en onervarenheid een verontschuldiging vormen voor de blindheid waarmee zij toeliet dat wij ons op een zo netelig terrein van het gevoelsleven waagden, ze had moeten weten dat we iets deden wat ongeoorloofd was en zij de eigenlijke verleidster was; ontneemt men namelijk aan de gemeenschappelijke waarneming de aanraking en het zicht, dan bedient zij zich van gevoeliger, primitiever, men zou kunnen zeggen dierlijker methoden, dan kan de warmte, de geur, de geheimzinnige uitstraling en het ritme van het andere lichaam wezenlijk meer verraden dan een blik, een kus of een omarming, evenals in de liefde, waarin de directe lichamelijke aanraking nooit het doel zelf is, maar slechts een middel om de aandacht te concentreren; door deze concentratie verdwijnt het doel van de liefde in steeds diepere lagen en achter steeds dikkere sluiers, zodat het niet – of hoogstens in de vorm van onvolkomen vreugde en gevoelens van volstrekte zinloosheid – kan worden bereikt; bereikt men het toch, dan is het meteen ontluisterd.

En nu, twintig jaar later en nog maar enkele dagen voor mijn dertigste verjaardag, die ik, waarom wist ik zelf niet, waarschijnlijk vanwege een sterk vermoeden of een obsederend voorgevoel, voor zo'n beslissend keerpunt hield – terecht naar later zou blijken – dat ik afzag van het genot van enkele in het aangename gezelschap van mijn verloofde door te brengen middagen, alsook van het genoegen dat het bij haar thuis te organiseren intieme verjaardagsfeest leek te beloven, besloot ik wederom mijn toevlucht tot eenzaamheid te nemen, een eenzaamheid die de door mij veronderstelde betekenis van het tijdstip waardig was; in een vertrouwelijk gesprek onder vier ogen, waarvoor zich de gelegenheid bood doordat mijn toekomstige schoonvader wegens de een of andere zakelijke aangelegenheid nog niet thuis was en de knappe mevrouw Itzenpiltz ons onder het voorwendsel dat zij voor het avondeten moest zorgen tactvol alleen had gelaten, deelde ik Helene mijn reisplannen mee, waartegen zij met geen woord protesteerde; integendeel, ik had het gevoel dat zij ermee instemde, zij wist immers dat ik de eerste hoofdstukken van de roman die ik al jaren geleden had besloten te schrijven beslist nog voor ons huwelijk op papier moest brengen indien ik niet wilde dat de verandering van levensomstandigheden mij van mijn oorspronkelijke ideeën zou afbrengen of die ideeën zelfs geheel op de achtergrond zou dringen; 'ik voel, ja ik voel heel duidelijk, dat ik je geen bijzondere verklaring schuldig ben, Helene,' zei ik zachtjes, en de geloofwaardigheid van mijn woorden werd stellig versterkt doordat ik haar teder bij de hand vatte en onze gezichten zó dicht bijeen waren – het rood van de zonsondergang speelde met het patroon van het zijden vloerkleed – dat ik mijn adem vermengd met de hare naar mij voelde terugstromen – het was warm herfstweer en de ramen stonden open –; 'en toch, Helene, gevoel ik de behoefte een zaak met je te bespreken die alleen met enige schaamte ter sprake kan worden gebracht vanwege haar duistere en, moreel gezien, dubieuze karakter; het is namelijk zo, en dit verhoogt het risico van je besluit evenzeer als het mijn verantwoordelijkheid doet toenemen, daarvan moet je je goed bewust zijn, je kunt je zelfs nog bedenken' – en wetende dat zij zich nooit zou bedenken, lachte ik uitdagend – 'het is namelijk zo, dat geluk, hoezeer dit ook het middelpunt van mijn verlangens is, hoe we de zaak ook wenden of keren, geen geschikte toestand is om scheppende arbeid te verrichten, als ik dus nu wegga, verwissel ik als het ware opzettelijk het geluk dat ik in je aanwezigheid voel voor het ongeluk waaraan ik me altijd overgeleverd voel wanneer ik niet in je gezelschap verkeer en waaraan ik overgeleverd ben geweest zolang ik je nog niet kende.'

Het is misschien onnodig te zeggen dat ik, genietend van de schijn van oprechtheid die ik wekte, loog toen ik dat zei, of beter gezegd: dat mijn bekentenis alleen als voorwendsel oprecht was; en hoewel het feit dat ik Helene zo gemakkelijk kon misleiden en in mijn ban kon houden, mijn genegenheid voor haar versterkte, intensiveerde dit tevens, juist omdat zij zich met haar lichtgelovigheid zo volledig aan mij uitleverde – zo was zij nu eenmaal, tranen van ontroering glansden duidelijk zichtbaar in haar ogen –, het werkelijke gevoel in mij, waarover ik met haar had moeten spreken; eigenlijk had ik haar moeten zeggen: 'ik ga weg en hoop je nooit meer te zien', want ik was niet in staat weerstand te bieden aan de innerlijke aandrang om te vluchten en, voorzover mogelijk, voorgoed te verdwijnen; ooit had ik mijzelf erop betrapt dat ik, haar huis verlatend, in de deuropening onwillekeurig en vol animositeit had gemompeld: 'en nu is het afgelopen en gedaan! ik wil vrij zijn!' als ik de aangename mogelijkheden van de fantasie benut om me voor te stellen wat er zou zijn gebeurd als ik op de middag voor mijn vertrek niet alleen voorwendsels en argumenten had aangevoerd, maar onverbloemd had gesproken, verschijnt voor mijn geestesoog een meisjesgezicht met een bijna doorschijnende, blanke huid, dat in de zachte onbepaaldheid van de regelmatige gelaatstrekken schijnt te zweven, maar waaraan de bleke zomersproeten om de fijn gevormde neus en het dichte, zware, donkerrode haar een zeer levendige uitdrukking verlenen; ik herinner me dat dit gelaat, toen ik mijn zonderlinge mededeling deed, geen enkel teken van verrassing toonde, integendeel, Helene glimlachte zelfs, alsof ze hierop gewacht had, juist hierop en nergens anders op, en toen ze met haar volle lippen genietend lachte, leek zij ervarener en ouder dan gewoonlijk doordat haar glanzende, vochtige tanden haar gezicht iets veeleisends en eigenzinnigs gaven; snel droogde ze de tranen die in haar ogen waren verschenen bij het besef hoezeer haar bereidvaardige opofferingsgezindheid haar een morele superioriteit verleende, en toen maakte ze de beweging waar we op dat moment, opgewonden door de zoete streling van elkaars adem, beiden naar verlangden; hoewel het bij nader inzien ook best een doodgewone beweging kan zijn geweest; met het oog op Helene's toen nog volkomen onontwikkelde zinnelijkheid houdt mijn fantasie hier echter fatsoenshalve halt; maar toen ik mij na het in een vriendelijke, familiaire stemming genuttigde avondmaal en het, gezien de omstandigheden, uiterst ongedwongen afscheid verwijderde, scheen onze toekomst mij ondanks Helene's bijna hartstochtelijke instemming met mijn besluit donker en onheilspellend toe; ik voorzag een toekomst die noodzakelijkerwijs op wederzijdse onoprechtheid zou zijn gebaseerd, een onoprechtheid die we natuurlijk als fijngevoeligheid en tact konden maskeren; het kwam me namelijk voor dat de zinnelijke genegenheid die ik onmiskenbaar voor Helene koesterde, niet gevoed werd door de ruwe, zich van haar eigen bestaan niet bewuste kracht die wij, naar ik wist, in een echte liefde kunnen voelen, maar uitsluitend door de uitgelezen schoonheid en frivole hulpeloosheid van het meisje, terwijl zij op haar beurt nooit in staat zou zijn mij te bekennen dat zij, om haar eigen psychische kwetsbaarheid te verdragen, eenvoudigweg behoefte had aan ruwe omarmingen en misschien zelfs obscene opmerkingen, bejegeningen die zij van mij geenszins kon verwachten en waarvan het voorzienbare gemis noch door de drukkende onzekerheid van mijn geheimzinnig zwijgen noch door ontwijkende leugens en geveinsde aanvallen van oprechtheid zou kunnen worden goedgemaakt.

Uiteraard ontbrak het mij geenszins aan de neiging tot ruwe zinnelijkheid of obsceniteiten, wat misschien maar goed was ook, want volgens mij is verfijning die niet gepaard gaat met uitingen van directe natuurlijkheid volstrekt niet gezond; behalve de onnozele angst die elke jonge man voelt alvorens hij zijn bruid naar het altaar geleidt, was er nog iets dat me verontrustte en kwelde, namelijk dat bepaalde uiterlijke kanten van onze betrekking mij herinnerden aan de permanente en hopeloze irritatie die de relatie van mijn ouders had gekenmerkt; in elke ordinaire grofheid herkende ik mijn vader en in het verlangen daarnaar mijn moeder, en had ik beschikt over zelfkennis, die ons in staat stelt oorzaak en gevolg nauwkeurig van elkaar te onderscheiden en de eindeloos lange ladder van het gevoel te ontdekken die, geen ge-

noegen nemend met vormen, uiterlijkheden en ijdele schijn, neerwaarts en inwaarts leidt, naar de wezenlijke verbanden, dan was onze
verloving alleen al onmogelijk geworden door de drukkende wetenschap dat ik erfelijk belast was en van het Lot de dwaze opdracht had
gekregen het leven en de fouten van mijn ouders te herhalen, en, aldus
een tragische gelijkheid met hen verkrijgend, niet alleen mezelf maar
ook een onschuldige buitenstaander in het verderf te storten.

Mild scheen de zon

Toen was de sneeuw al aan het smelten, en hoewel ik bang was voor de honden, ging ik toch maar door het bos naar huis.

Je kon daar alleen voorzichtig lopen, want het diep in de kleiachtige bodem uitgesleten pad liep steil omlaag tussen de eiken met hun ruwe stammen, met mistel getooide kronen en slangachtige wortels en het zelfs in bladerloze toestand ondoordringbaar schijnende struikgewas van wilde rozen, vlier en meidoorn, en je gleed steeds weer uit op de weke, glibberige kleibodem, die bedekt was met een dikke, door smeltwater drassig geworden laag dode bladeren; ook verenigden zich midden op het pad talrijke naar een bedding zoekende waterstroompjes, die zich daar een weg groeven; zo was er een beek ontstaan die kristalhelder en onstuimig door haar donkergele gootje vlood, in de bochten van het grillig kronkelende pad opgestuwd werd en zich tenslotte aanzwellend en schuimend over de witte stenen uitstortte; wat later sprong ik, uitgestrekte wouden en wilde stroomversnellingen om me heen fantaserend, tussen de twee oevers van mijn kleine beek heen en weer, van de ene kant van het pad naar het andere, de benen kruisend, zigzaggend, mijn lichaamsgewicht aan de aantrekkingskracht van de helling toevertrouwend en met één enkele nauwkeurige blik de plaats uitzoekend waar mijn voeten bij de volgende sprong moesten terechtkomen, want ik had gemerkt dat hoe gedurfder sprongen ik maakte, – dat wil zeggen hoe korter en krachtiger ik de verraderlijke bodem raakte –, des te zekerder kon ik van mezelf zijn, des te kleiner was de kans dat ik uitgleed of viel; ik vloog, nee, ik suisde omlaag.

Aan de voet van het bos ging het pad verloren in een uitgestrekte, drassige, met sneeuwresten bedekte open plek, daar liep het niet verder maar rustte het uit van zijn tocht.

Aan de andere kant van die open plek stond iemand tussen de struiken!

Ik kon niet rechtsomkeert maken of vluchten en trachtte mijn adem zoveel mogelijk in bedwang te houden en niet te hijgen of te snuiven, want hij mocht niet merken dat zijn aanwezigheid mij mateloos enerveerde.

Hij kwam achter het struikgewas vandaan en liep in mijn richting.

Ik wilde volkomen rustig en evenwichtig lijken, alsof deze 'toevallige' ontmoeting me niets deed, maar mijn rug was door het hollen onaangenaam plakkerig geworden, mijn oren zagen belachelijk rood van de kou en gloeiden en mijn benen leken plotseling hinderlijk kort en stijf, het was alsof ik mezelf door zijn ogen kon zien.

Boven ons hoofd welfde zich de heldere hemel, een reusachtige massa blauw, ver en leeg.

Achter het bos scheen de zon nog mild tussen de knoestige boomtoppen door, maar de lucht was al bijtend koud en er heerste een doodse stilte, die zo nu en dan werd verstoord door kraaiegekras en ekstergesnap; ik voelde dat alles zou verstijven zodra de zon onderging.

Langzaam naderden wij elkaar.

Aan zijn lange donkerblauwe jas glansden gouden knopen en hij had zijn zwarte leren tas zoals gewoonlijk nonchalant over zijn schouder geworpen, zodat hij zijn lange hals een beetje scheef hield en wat voorovergebogen liep door het gewicht van de tas op zijn rug, maar toch was zijn gang zo fier en losjes dat hij een zorgeloze en opgeruimde indruk maakte; hij hield zijn hoofd kaarsrecht en sloeg me onafgebroken gade.

De afstand die mij van hem scheidde was gelukkig nog groot, want ik moest voor hij tegenover me zou staan mijn meest tegenstrijdige, geheime gevoelens ordenen en mezelf tot behoedzaamheid aansporen; in mijn verrassing had ik het liefst Krisztián! uitgeroepen, want ik hield veel van zijn naam; in het begin van onze zo abrupt afgebroken vriendschap had ik die naam niet eens durven uitspreken en daarom alleen binnensmonds gemompeld, er school de voorname verhevenheid in die zijn gehele wezen kenmerkte; ja, niet alleen hijzelf, maar ook zijn naam oefende een onweerstaanbare aantrekkingskracht op mij uit, waaraan ik mij echter absoluut niet durfde over te geven, want als ik zijn naam uitsprak had ik het gevoel hem onzedelijk te betasten; om die reden ging ik hem liever uit de weg en wachtte ik na schooltijd altijd tot hij met de anderen was weggehold, zodat ik de weg naar huis niet samen met hem hoefde af te leggen; en zelfs in de klas trachtte ik uit zijn buurt te blijven omdat ik vreesde hem in het gedrang per ongeluk aan te spreken of aan te stoten; niettemin observeerde ik hem voortdurend en volgde ik hem als een schaduw; ik imiteerde voor de spiegel al zijn bewegingen en genoot van de bittere gedachte dat hij absoluut niet vermoedde dat ik hem bespiedde en heimelijk imiteerde om verborgen eigenschappen in me op te wekken die me aan hem gelijk zouden maken, dat hij niets wist van dit alles en er geen idee van had dat ik altijd bij hem was en hij bij mij, dat hij mij geen blik waardig keurde, dat ik voor hem niet meer was dan een nutteloos voorwerp, iets waar hij niets mee kon beginnen, een volkomen overbodig en onbelangrijk ding.

Natuurlijk waarschuwde mijn nuchtere verstand me dat ik geen acht moest slaan op deze hartstochtelijke gevoelens; het was alsof er twee wezens in mij huisden, naast en volkomen onafhankelijk van elkaar, alsof de gevoelens van vreugde en leed die hij door zijn enkele bestaan in mij opriep, uitsluitend onbelangrijke frivoliteiten waren, omdat de ene helft van mijn wezen hem evenzeer haatte en verachtte als de andere hem vereerde en liefhad; en doordat ik op geen enkele wijze iets van mijn liefde of haat liet blijken, leek het of niet hij de onverschillige was van ons beiden, maar ik; mijn liefde was zo heftig en hartstochtelijk dat ik haar niet aan hem kon tonen, want dan zou ik volledig aan zijn genade zijn overgeleverd, terwijl mijn haat mij de vernederendste fantasieën opdrong, die ik nooit zou hebben durven verwerkelijken; en hoewel hij mij volstrekt niet negeerde, toonde ik me door dit alles ongenaakbaar en ongevoelig voor zijn toevallige blikken.

'Ik kom met een verzoek bij je,' zei hij toen we niet meer dan een armlengte van elkaar waren verwijderd en beiden waren blijven staan; hoewel hij me bij mijn voornaam aansprak, was zijn toon koel en zakelijk; 'ik zou je heel dankbaar zijn als je het inwilligde.'

Ik voelde dat ik vuurrood werd, wat hij ongetwijfeld onmiddellijk opmerkte.

De beminnelijke natuurlijkheid waarmee hij mijn naam had uitgesproken – ik wist dat hij dat alleen maar had gedaan om te laten zien dat hij wist hoe het hoorde – had me volkomen overrompeld, zodat ik nu helemaal geen benen meer had en nog slechts een groot hoofd was, dat vlak boven de grond zweefde, een afzichtelijk monster; in mijn verwarring liet ik me een woord ontvallen dat ik absoluut niet had willen uitspreken: zijn naam; 'Krisztián!' zei ik luid, en omdat dat te voorzichtig, bijna angstig en zelfs onderworpen klonk en scherp contrasteerde met de mannelijke vastberadenheid waarmee hij zichzelf had gedwongen op mij te wachten, nota bene om me iets te verzoeken! trok hij, als iemand die slecht hoort of niet gelooft wat hij heeft gehoord, zijn wenkbrauwen op en wendde zich bereidwillig tot me;

'wat zeg je? kan ik iets voor je doen?' vroeg hij; ik had een onverwacht, weldadig plezier in zijn verwarring en probeerde nog zachtmoediger en beminnelijker te lijken; 'nee hoor, niets,' zei ik zachtjes, 'ik noemde je alleen maar bij je naam, heb je daar iets op tegen?'

Zijn dikke lippen weken uiteen, zijn wimpers begonnen nerveus te trillen en de lichtbruine huid van zijn gezicht werd donkerder van kleur, je kon zien dat hij zijn emotie onderdrukte, zijn zwarte pupillen vernauwden zich, waardoor de bleekgroene irissen nog groter leken; ik geloof dat het niet eens de vorm van zijn gezicht was – het brede, dikwijls gefronste voorhoofd, de smalle wangen, de kin met het kuiltje en de onevenredig kleine, bijna spitse en misschien nog onvolgroeide neus – die op mijn esthetisch gevoel de diepste en de meest onthutsende indruk maakte, maar veeleer de kleuren; in het groen van zijn ogen die met het barbaarse bruin van zijn huid scherp contrasteerden, zweemde iets onwezenlijks, iets dweperigs en hoogmoedigs, terwijl het steenachtige rood van zijn mond en het zwart van zijn ongekamde, krullige haardos naar de aarde verwees, naar de duistere kant van het leven; de dierlijke directheid van zijn blik herinnerde mij aan vroegere intieme momenten toen we, verzonken in elkaars van openlijke vijandigheid en heimelijke liefde vervulde blikken, hadden beseft dat de aantrekkingskracht die we op elkaar uitoefenen eigenlijk uitsluitend het gevolg was van een onbedwingbare nieuwsgierigheid die de weerschijn was van iets anders, iets wat ons weliswaar verenigde en met elkaar verbond, maar wat toch minder belangrijk was dan die nieuwsgierigheid zelf, die, doordat ze geen doel had en niet te bevredigen was, dieper ging dan elke bij name te noemen gevaarlijke hartstocht; ook de gelijktijdige vernauwing van onze pupillen en de verwijding van onze iris verried openlijk en onbarmhartig dat onze gevoelens van intimiteit en saamhorigheid niet meer dan verzonnen waren, een vriendelijke misleiding, dat we innerlijk volledig van elkaar verschilden en een onverzoenlijke tegenstelling vormden.

Het was alsof ik niet in een paar menselijke ogen keek, maar in twee griezelige kristallen bollen.

Op dat moment keken we elkaar slechts heel even aan, maar we ontweken elkaars blikken niet en wendden ons niet af, noch hij noch ik; de uitdrukking van zijn gezicht was veranderd, zijn ogen hadden hun stralende openheid verloren en verrieden geheime bedoelingen en overwegingen, zodat ze donker en met een vlies overtrokken schenen, als ik naar hem keek, zochten ze dadelijk dekking.

'Ik wou je iets vragen,' zei hij op zachte maar scherpe toon, en om te voorkomen dat ik hem weer zou onderbreken, deed hij een stap naar voren en pakte mijn arm; 'zou je me alsjeblieft niet willen aangeven, en mocht je dat al gedaan hebben, zou je dan je aangifte willen intrekken?' Hij beet voortdurend op zijn lippen, trok aan mijn arm en knipoogde nerveus; zijn stem had haar zachtmoedige vastberadenheid verloren en hij stootte de woorden uit zijn mond, alsof hij wilde voorkomen dat het geringste ademvleugje waarmee ze werden geuit zijn lippen zou raken; hij móést die hatelijke woorden uitstoten, hij wilde ze met alle geweld kwijtraken om zichzelf te bewijzen dat hij alles had gedaan wat binnen zijn macht lag, al had hij in hun effectiviteit vermoedelijk even weinig vertrouwen als in mijn toegeeflijkheid, ik geloof dat hij daarom niet eens erg benieuwd was naar mijn antwoord, bovendien begreep hij waarschijnlijk wel dat het intrekken van een aangifte in werkelijkheid niet zo eenvoudig was als hij het deed voorkomen; ik geloof dat hij van tevoren heeft geweten op welk een gevaarlijk terrein hij zich met dat verzoek begaf; hij keek me aan en ik zag aan zijn blik dat het hem een enorme inspanning had gekost zijn stem zo zacht en onderdanig te laten klinken, bovendien scheen hij mijn gezicht niet scherp te zien, het was vermoedelijk niet meer dan een vage, vervloeiende vlek voor hem.

Nog nooit van mijn leven had ik zoveel zelfvertrouwen geput uit een superioriteitsgevoel en het daarmee gepaard gaande genot als op dat moment: iemand had mij een verzoek gedaan en het lag in mijn macht het in te willigen of af te wijzen! het ogenblik was gekomen om mijn belangrijkheid te bewijzen, om te laten zien dat ik hem naar believen kon geruststellen of verpletteren, dat ik hem al zijn heimelijke beledigingen met één enkel woord betaald kon zetten, beledigingen die hij mij overigens niet eens werkelijk had toegevoegd, maar die ik hem alleen maar had toegedicht; eindelijk kon ik de pijn wreken die ik had gevoeld doordat hij me had genegeerd, een pijn die hij mij ongewild en ongeweten had aangedaan door het enkele feit dat hij leefde, doordat hij zich bewoog, mooie kleren droeg en met andere kinderen speelde en sprak, terwijl hij met mij niet de relatie kon of wilde aangaan waar ik zo naar verlangde, een relatie waarvan ik me overigens absoluut niet de aard kon voorstellen; en hoewel hij een kop groter was dan ik, keek ik op dat moment op hem neer; de glimlach waartoe hij zichzelf dwong, stuitte me tegen de borst; mijn lichaam herkreeg niet alleen zijn natuurlijke afmetingen, maar het geraakte in de ontspannen toestand van zekerheid waarin het bewustzijn niet meer speculeert of zich te weer stelt, maar de dingen neemt zoals ze zijn en met een zorgeloze schouderophaling allerlei tegenstrijdige gevoelens accepteert, wat uiterlijke vormen en formaliteiten totaal overbodig maakt; het interesseerde me niet meer welke indruk ik maakte en ik hoefde niet langer sympathiek over te komen; weliswaar voelde ik nog van alles: het afkoelende laagje plakkerig zweet op mijn rug, het sneeuwwater in mijn kapotte schoenen, het onaangename schuren langs mijn dijen van mijn afgedragen lakense broek, het gloeien van mijn oren en mijn kleinheid en lelijkheid, maar daar was niets krenkends of vernederends meer aan, want ondanks mijn eeuwige lichamelijke ongemakken voelde ik me vrij en machtig; ik wist dat ik van hem hield en dat ik, wat hij ook zou doen, altijd van hem zou blijven houden, ik was weerloos aan hem overgeleverd, wat ik zowel kon wreken als vergeven, dat zou trouwens niet veel uitmaken; toch vond ik hem op dat ogenblik lang niet zo knap en aantrekkelijk als in mijn fantasie of toen hij plotseling voor me was opgedoemd en ik geschokt was doordat ik hem in levenden lijve aanschouwde; zijn bruine huid zag nu geelachtig bleek en hij had blijkbaar iets met knoflook gegeten, waardoor de geur van zijn mond mij tegenstond en ik vermeed die in te ademen, en zijn glimlach was zo overdreven nederig en verwrongen dat ik begreep dat hij zijn uiterste best deed zijn vrees, hoe hevig ook, te verbergen, dat hij zijn angst hoogmoedig trachtte te bedwingen en te maskeren, ja zelfs uit te bannen om zich zo nederig mogelijk te kunnen voordoen; op die manier probeerde hij me te paaien en tevens te misleiden.

Ik kreeg een kleur en rukte mijn arm, die hij nog steeds vasthield, los.

Dan had ik dus helemaal geen vrije keus, dan kon ik toch niet naar willekeur antwoorden! elke keer dat ik hem ontmoette raakten mijn gevoelens op dood spoor; ik was volstrekt niet van plan geweest hem aan te geven, en als ik het toch deed, zo dadelijk, zou ik hem voorgoed verliezen, misschien werd hij dan zelfs wel gearresteerd; deed ik echter alsof ik me door hem liet overhalen, dan liet ik me door zijn onhandig gespeelde onderdanigheid op een dwaalspoor brengen en was zijn overwinning te gemakkelijk om mij dankbaar te zijn; ik schaamde me niet voor de kleur die ik had gekregen, integendeel, ik wilde met alle geweld dat hij die opmerkte, want het was mijn liefste wens dat hij mijn gevoelens zou doorgronden zonder ze af te wijzen; toch bleek uit het feit dat ik bloosde overduidelijk dat er niets was wat mij kon helpen: wat ik ook zei of deed, hij zou me weer door de vingers glippen; onze ontmoeting zou alleen leiden tot het zoveelste onduidelijke, voor hem niet te begrijpen moment en tot nieuwe onvruchtbare dagdromen bij mij; dan moet ik dus maar naar eigen overtuiging handelen, meedogenloos en nuchter, dacht ik plotseling; door deze mogelijkheid te overwegen werd ik, als zo dikwijls, herinnerd aan mijn vader en moeder, al dacht ik op dat moment niet werkelijk aan ze, want mijn mening, zo ik al een mening had, was niet geheel zelfstandig gevormd, hoe graag ik dat ook had gewild; overigens was de situatie te uitzonderlijk en te zeer aan mijn persoon gebonden om hun gezichten of lichamen te zien verschijnen en ze woorden te horen fluisteren die ik als een goed afgerichte papegaai kon herhalen, ze huisden alleen op een bevoogdende manier in mijn geest, steeds gereed om in te grijpen; dankzij hen wist ik dat het mogelijk is alle gevoelsoverwegingen uit te sluiten en slechts op basis van beginselen die we 'onze overtuiging' noemen te handelen, alleen had ík niet de kracht mijn gevoelens te onderdrukken.

'Ik vraag het heus niet voor mezelf!' zei hij op nog scherpere toon; de hand met de smalle vingers en de smalle pols, waaruit ik zoëven mijn hand had losgerukt, zweefde nog aarzelend in de lucht, maar ik liet het niet toe, ik wilde niet dat hij verder sprak, ik wilde hem niet langer zo zien en viel hem in de rede: 'om te beginnen zou je weleens onderscheid kunnen maken tussen iets melden en iets aangeven!'

Hij voltooide echter, alsof hij niet hoorde wat ik zei, de aangevangen zin: ik zou mijn moeder graag nieuwe onaangenaamheden besparen.

Wij vielen elkaar in de rede.

'Als je denkt dat ik een verklikker ben, hoeven we niet verder te praten.'

'Ik heb je na de les heus wel de trap op zien gaan naar de leraarskamer.'

'Dacht je soms dat ik voortdurend met jou bezig was?'

'Je weet best dat mijn moeder het aan haar hart heeft.'

Ik begon te lachen; het was een lach waar kracht uit sprak.

'Nu je de gevolgen van je daden moet verantwoorden, heeft je moeder het opeens aan haar hart!'

Zijn ogen begonnen, als door een koude, inwendige bliksemstraal verlicht, plotseling te fonkelen en hij schreeuwde: 'wat wil je dan van me? zeg op! al moest ik je reet likken!' en ik kreeg een walm van knoflook in mijn gezicht.

Er bewoog iets in het bos; beiden keken we automatisch die kant uit; over de met sneeuwhoopjes bedekte open plek rende een haas.

Ik keek niet lang naar de haas, die aan de rand van het grasveld gekomen vast en zeker tussen de struiken verdween, maar richtte mijn blik op hem; in onze boosheid waren wij elkaar ongemerkt zeer dicht genaderd en als hij erop had gelet, zou hij hebben kunnen voelen hoe mijn adem zijn nek streelde, al deed ik nog zo mijn best dit te voorkomen; de losse knoop van zijn gestreepte sjaal was nu bijna helemaal losgegaan, het bovenste knoopje van zijn overhemd was niet gesloten en zijn kraag was onder de V-hals van zijn trui gegleden, zodat zijn sierlijke, ietwat scheef gehouden hals als een zonderling, naakt landschap voor mijn ogen zweefde: onder zijn gladde, doorschijnende huid zag ik de slagader gelijkmatig kloppen in een netwerk van pezen en spieren, en de punt van zijn licht vooruitspringende adamsappel bewoog zich in een onberekenbaar ritme omhoog en omlaag en beschreef kleine cirkeltjes; het bloed dat hem naar het gezicht was gestegen toen hij schreeuwde, zakte langzaam weer omlaag, zodat hij zijn natuurlijke gelaatskleur herkreeg, en zijn dikke lippen weken weer van elkaar; hij volgde de weg die de haas aflegde met zijn blik en toen hij naar een vast punt bleef kijken, wist ik dat het dier verdwenen was.

In het groen van zijn ogen weerspiegelde zich het bleekgele schijnsel van de achter het bos ondergaande zon; het onophoudelijke gesnap van de eksters, het gekras van de kraaien, de geur van de lucht en de zachte geluidjes van het bos vertegenwoordigden dezelfde tastbare zekerheid als zijn gezicht uitstraalde; het was scherp gesneden, in zijn onbeweeglijkheid toch bewegend en hard; er sprak geen enkel gevoel uit, het bestond alleen maar, het gaf zich eenvoudig en zorgeloos over aan het schouwspel van de haas; ik was op dat moment niet eens zo gefascineerd door zijn uiterlijk, door de fraaie, harmonieuze kleuren en lijnen van zijn gelaat, al genoot ik er natuurlijk wel van, maar vooral door zijn innerlijke gesteldheid, die hem in staat stelde zich elk moment volledig over te geven aan wat er gebeurde of wat hij deed; als ik in de spiegel keek om mijzelf met hem te vergelijken, kon ik zien dat ikzelf ook niet bepaald lelijk was, maar dat was mij niet voldoende, ik had het liefst zozeer op hem geleken dat ik niet van hem te onderscheiden was; ik was tevreden met mijn blauwe ogen, die helder en doorzichtig schenen, en met mijn blonde haar, dat zacht golvend over mijn voorhoofd viel, maar de tere, kwetsbare en enigszins overgevoelige trekken van mijn gelaat vond ik misleidend en leugenachtig; hoewel anderen mij bijzonder beminnelijk waanden en mij met voorliefde betastten of streelden, wist ik van mijzelf dat ik een grof, platvloers, onbetrouwbaar en achterbaks wezen was; ik had niets beminnelijks in me en hield dan ook niet van mezelf; het was alsof mijn ware wezen achter een vreemd masker schuilging, want om de mensen niet al te zeer teleur te stellen, was ik gedwongen rollen te spelen die veel meer met mijn uiterlijk correspondeerden dan met mijn innerlijk; ik trachtte voorkomend en begrijpend te zijn, voortdurend luchtig te glimlachen en me te gedragen als een rustig, innemend mens, ofschoon ik in werkelijkheid somber en prikkelbaar was, met al mijn zinnen naar vulgaire genietingen snakte en een opvliegende en haatdragende natuur had; het liefst had ik voortdurend voorovergebogen gelopen om niemand te hoeven zien en zelf ook niet gezien te worden en ik keek de mensen alleen recht in het gezicht om te zien wat het effect van mijn toneelspel was; hoewel ik bijna iedereen wist te misleiden, voelde ik me alleen echt voldaan als ik helemaal alleen was, want de mensen die ik moeiteloos had misleid, kon ik alleen maar minachten om hun domheid en blindheid, terwijl ik mij jegens mensen die niet lichtgelovig, argwanend of van nature niet toeschietelijk waren, zo voorkomend en vriendelijk gedroeg dat ik totaal uitgeput raakte en tenslotte een flauwte nabij was, wat overigens met uiterst wellustige gevoelens gepaard ging; ik genoot het meest van mijn sluwheid, plooibaarheid en machtswellust wanneer het me gelukt was mensen voor me in te nemen die me volkomen vreemd, onverschillig of zelfs uitgesproken onsympathiek waren; ik wilde dat iedereen van mij hield, maar kon zelf van niemand houden; hoewel ik wist dat schoonheid verleidelijk en bedrieglijk is en ook begreep dat iemand die op zo'n bezeten wijze als ik naar schoonheid verlangt en alleen daarvoor oog heeft, niet in staat is van iemand te houden en zelf ook door niemand wordt bemind, kon ik dit verlangen toch niet onderdrukken omdat ik het gevoel had dat mijn alom bewonderde gezicht niet mijn eigen gezicht was; bovendien gebruikte ik die schoonheid om mijn bedrieglijke praktijken te bedrijven, en die waren wel van mij en gaven me macht over mijn medemensen; ik had een hevige afkeer van invalide en lelijke mensen, wat heel begrijpelijk is, want ook al zei men mij nog zo vaak dat ik mooi was en zag ik dat zelf ook als ik in de spiegel keek, ik voelde me nu eenmaal afstotelijk lelijk en kon mezelf niet voor de gek houden;

mijn gevoelens zeiden mij veel nauwkeuriger hoe ik werkelijk was dan de macht die ik met mijn uiterlijke charme had verworven; eigenlijk snakte ik naar een schoonheid waarbij de innerlijke en de uiterlijke vormen met elkaar overeenstemden, waarbij de harmonie van het uiterlijk niet de innerlijke verwarring van een gekwelde ziel omhulde, maar louter goedheid en kracht; ik verlangde dus naar volmaaktheid of, indien die onbereikbaar was, naar de aanvaarding van mezelf zoals ik was, naar het recht op onvolmaaktheid, naar de vrijheid om mateloos slecht en boosaardig te zijn.

Hij gaf zich nog steeds niet gewonnen.

'Ik ben helemaal niet van plan je aan te geven,' zei ik heel zachtjes, maar hij wendde zijn hoofd niet naar me toe; 'trouwens, als ik het toch nog doe, kun je je er gemakkelijk uit redden, je kunt toch zeggen dat het op jullie hond sloeg; het zal niet gemakkelijk zijn ze dat te laten geloven, maar je kunt het proberen.'

Mijn gefluister was niet duidelijker hoorbaar dan het zich in het koude licht aftekenende ademwolkje dat voor mijn mond zweefde; al mijn woorden schenen zijn onbeweeglijke gelaat af te tasten; sluwer had ik me niet kunnen gedragen, want ik had een mogelijkheid opengehouden die ik volstrekt niet wilde benutten en hem na mijn bedekte dreigement dadelijk een voor de hand liggende uitvlucht aan de hand gedaan waarmee hij zich zou kunnen bevrijden uit het net waarin ik hem, als ik dat wilde, kon verstrikken; dit impliceerde echter dat ik hem inderdaad aan wilde geven, dat ik onverbloemd genadeloos wilde zijn; en misschien was dit ook wel zo en wilde ik hem werkelijk verraden; als ik dat deed, zou ik dieper zinken dan wie dan ook; door de opwinding voelde ik mijn lichaam niet meer, ik zweefde boven mezelf, maar ergens helemaal in de diepte.

Niets was belangrijk meer, ook woorden hadden geen enkele betekenis meer, alleen de ademwolkjes uit mijn mond die zijn gezichtshuid streelden zeiden nog wat, maar ook dat scheen onvoldoende, want zijn blik bleef vaag en onbestemd, hij begreep kennelijk niet waaraan ik dacht.

'Ik ben het nooit van plan geweest, echt niet!'

Eindelijk wendde hij zijn hoofd in mijn richting en ik zag aan zijn ogen dat zijn argwaan geleidelijk wegebde.

'O nee?' vroeg hij eveneens fluisterend, en zijn ogen werden helder en doorzichtig, zoals ik ze graag zag; 'nee,' antwoordde ik nadrukkelijk, hoewel ik op dat moment nauwelijks meer wist waar die ontkenning op sloeg, want ik was overweldigd door het feit dat ik eindelijk toegang tot hem had gekregen, eindelijk niet meer hoefde te veinzen; ik voelde mijn ogen even wijd opengaan als de zijne en dat was op dat ogenblik het belangrijkste voor me; 'werkelijk niet?' vroeg hij nogmaals, maar nu absoluut niet meer wantrouwend, maar als iemand die zich van zijn eigen liefde wil vergewissen; ik voelde de lucht die hij uitademde langs mijn mond gaan; 'nee, echt niet!' fluisterde ik; opeens viel er een stilte; wij stonden nu heel dicht bij elkaar, zo dicht dat ik mijn hoofd nauwelijks hoefde te bewegen om met mijn lippen zijn mond aan te raken.

Mijn moeder, die drie dagen voor deze ontmoeting uit het ziekenhuis was ontslagen, lag thuis in bed en zodra Krisztián tussen de struiken was verdwenen en ik weer alleen was, moest ik plotseling aan haar denken; ik stelde me voor hoe ze in haar brede bed lag en straks haar blote armen naar me zou uitsteken.

Ik voelde zijn lippen nog steeds op mijn mond, het ietwat ruwe oppervlak van de vreemde huid, de zachtheid en de geur van zijn adem, alles zweefde nog om me heen, om mijn mond, en ik voelde nog steeds de lichte trilling waarmee zijn lippen zich onder mijn gesloten mond hadden geopend en zijn langzame uitademing, die de mijne was geworden, en mijn diepe inademing die zijn lippen van mij hadden overgenomen; hoewel de feiten mij lijken tegen te spreken, geloof ik toch dat ons contact geen kus genoemd kan worden, tenslotte hebben onze lippen elkaar nauwelijks aangeraakt en is dit lichamelijke contact een volkomen instinctmatig gebeuren voor ons gebleven, waarvan we geen van beiden de functionele, dat wil zeggen erotische betekenis kenden, bovendien – en dat is het belangrijkste argument – is mijn mond alleen het laatste middel geweest om hem te overtuigen, het laatste woordeloze argument dat ik heb gebruikt, terwijl hij slechts zijn angst heeft uitgeademd en uit mijn adem vertrouwen heeft geput.

Eigenlijk herinner ik me niet eens meer hoe we ons van elkaar hebben losgemaakt, want er was een onmeetbaar kort ogenblik waarop ik mij geheel overgaf aan de zintuiglijke gewaarwording die zijn lippen bij mij teweegbrachten, terwijl ik voelde dat hij zich met zijn adem eveneens volledig overgaf, aan mij; overigens wil ik volstrekt niet beweren dat ons lichamelijke contact, of laten we het ons discours noemen, vrij was van elke zinnelijkheid, zoiets te beweren zou belachelijk zijn, nee dit contact was wel degelijk zinnelijk, maar toch onschuldig van aard, dat dient hier benadrukt te worden, het was vrij van alle bijgedachten waarmee volwassenen een kus op vanzelfsprekende wijze plegen aan te vullen, onze monden beperkten zich op een alleronschuldigste wijze tot datgene wat twee monden elkaar onafhankelijk van al het voorgaande en al het nog komende in een fractie van een seconde kunnen geven: bevrediging, tederheid en verlossing; op dat hoogtepunt heb ik ongetwijfeld mijn ogen gesloten, toen telden indrukken noch omstandigheden meer; en als ik dat bedenk, vraag ik me toch af wat dan het verschil is tussen een kus en het contact dat onze lippen maakten en in hoeverre een kus meer genot kan schenken dan een dergelijke aanraking.

Toen ik mijn ogen weer opende, zei hij iets.

'Weet jij waar hazen 's winters wonen?'

Al scheen zijn stem iets dieper en misschien zelfs heser dan gewoonlijk te klinken, er was geen enkele gejaagdheid in te bespeuren, hij had de vraag met zo'n natuurlijke vanzelfsprekendheid gesteld dat het leek of de haas niet minuten eerder maar zojuist over het veld was gerend en er tussen die twee tijdstippen niets bijzonders was voorgevallen; terwijl ik zijn gezicht, zijn ogen en zijn hals bestudeerde, dat plotseling ver weg lijkende schouwspel dat zich aftekende tegen een opaalachtig glanzende en met takken en boomkruinen doorvlochten achtergrond, bekroop mij heel even de vrees dat ik mij op een noodlottige en onherstelbare wijze had vergist en zijn vraag geen middel was om een natuurlijke, ja bijna gerechtvaardigde verwarring te boven te komen, om dekking te zoeken achter een neutraal onderwerp, want noch in zijn blik noch in zijn gelaatstrekken en evenmin in zijn houding was ook maar een spoor van verwarring te bekennen, hij was precies even kalm, zelfverzekerd en koeltjes als anders, of misschien kon je beter zeggen dat hij, door de kus bevrijd van zijn angst, weer zichzelf was geworden en daardoor onbereikbaar, wat bij lange na niet betekende dat hij neutraal of zelfs onverschillig stond tegenover de gebeurtenissen die hem waren overkomen, integendeel: hij was op elk ogenblik van zijn bestaan zo overgeleverd aan het moment, dat zowel verleden als toekomst geheel uit hem waren gebannen, wat de indruk wekte dat hij voortdurend buiten zijn lichaam verkeerde, dat hij op de plaats waar hij zich toevallig bevond eigenlijk toch niet aanwezig was; ik daarentegen bleef steeds de gevangene van het verleden, want één enkel belangrijk ogenblik kon zo veel golven van hartstocht en verdriet in mij opstuwen dat ik aan het volgende nauwelijks meer toekwam en daardoor was ik ook een buitenstaander, zij het op een andere wijze dan hij; ik wist niet waar hij met zijn vraag naar toe wilde.

'Ik zou het echt niet weten,' mompelde ik gemelijk, als iemand die abrupt uit zijn slaap is gewekt.

'Misschien wonen ze in holen in de grond.'

'In holen?'

'Met een goede val zou je beslist een hele hazenfamilie kunnen vangen!'

Toen ik na onze ontmoeting thuiskwam heb ik waarschijnlijk zachtjes en zonder enige haast de deur geopend en ook mijn tas niet zo onverschillig op de grond laten vallen als gewoonlijk, ze plofte niet op de stenen en de zware deur viel niet met een klap achter mij dicht, vandaar dat niemand merkte dat ik weer thuis was; ik ben ook niet de glanzende eikehouten trap naar de vestibule opgelopen; overigens was ik me op het moment zelf niet bewust van deze eigenaardige gedragsverandering, van deze behoedzaamheid, en ik kon ook niet vermoeden dat ik me vanaf dat moment voorzichtiger en geruislozer zou bewegen dan daarvoor, dat ik trager, bedachtzamer en meer in mijzelf gekeerd zou zijn, wat mij natuurlijk niet belette kennis te nemen van alles wat zich in mijn omgeving afspeelde, ja dit zelfs scherper te zien, maar op een passieve manier, zonder in deze gebeurtenissen in te willen grijpen; de glazen vleugeldeuren van de eetkamer stonden open en uit het zachte gerinkel van serviesgoed kon ik met zekerheid afleiden dat ik te laat was, dat het middagmaal bijna afgelopen was, wat mij overigens niet in het minst interesseerde, want ik zat daar goed in die vestibule, het was er aangenaam donker en warm; het enige licht dat van buiten doordrong werd gezeefd door het in vakjes verdeelde opaalglas van de deur; de radiatoren van de centrale verwarming maakten tikkende en borrelende geluidjes en de buizen waar het hete water doorliep kletterden hol en metaalachtig; ik heb daar lang zo gestaan in de opdringerige geur van gebraden gehakt en mezelf bekeken in de oude staande spiegel, maar het spiegelbeeld van het purperen tapijt, waarvan de donkere omlijning vervloeide in de zilveren glans van de spiegel, was op dat moment veel belangrijker voor me dan mijn gezicht of mijn lichaam.

Ik begreep – hoe zou ik het niet begrepen hebben? – dat hij met die hazenval had gezinspeeld op de mogelijkheid samen iets te ondernemen, en ik had ook heel duidelijk gemerkt dat hij de vraag had gesteld in de hoop dat ik me zou vermannen en, terugkerend tot de meer gewone omgangsvormen tussen jongens, eventueel zelf ook met een in-

teressant voorstel zou komen om samen iets te gaan doen, wat natuurlijk van alles kon zijn, we hoefden ons niet met alle geweld tot die
stomme hazen te beperken, elke onderneming die kracht en handigheid vergde en dus voldeed aan de eisen van mannelijkheid was geschikt, maar mij was dit met vergevingsgezinde ridderlijkheid gedane
aanbod na alles wat er tussen ons voorgevallen was wat al te simpel en in
zekere zin belachelijk, niet alleen omdat het plan niet meer zo goed bij
onze leeftijd paste, maar vooral omdat het door zijn kinderlijkheid verried dat het alleen maar een slecht gekozen verdedigingsmiddel was dat
ons moest helpen het tussen ons gepasseerde zo snel mogelijk te vergeten, het was een poging van hem om dekking te zoeken, om een omtrekkende beweging te maken, om gevoelens af te leiden, wat op de
keper beschouwd natuurlijk een veel verstandiger oplossing was dan
alles wat ík in de onderhavige situatie had kunnen bedenken; ik was op
dat ogenblik en in die situatie allesbehalve in staat om verstandig te zijn;
de extatische vreugde die ik voelde ontstroomde me overvloedig, als
een vaste stof die je met je handen kon beetpakken, ze scheen zich in
golven uit te breiden; het was alsof deze mij verlatende stroom hem
trachtte te bereiken; ik had op dat moment geen ander verlangen dan in
deze toestand te blijven, een toestand waarin het lichaam zich volledig
overgeeft aan alles wat instinctief, sensueel en spontaan is, waarin het
evenveel aan gewicht en kracht inboet als de vrijgekomen energieën
wegen, ja zelfs niet langer het lichaam is dat wij als een last ervaren; ik
wilde deze toestand continueren en uitbreiden tot alle toekomstige
ogenblikken, ik wilde alle barrières doorbreken, barrières opgeworpen
door gewoonte, opvoeding en fatsoen, alles doorbreken wat een mens
van zijn alledaagse momenten berooft en hem belet de diepste waarheden van zijn wezen met een medemens te delen, zodat hij niet meer in
de tijd verblijft, maar daarbuiten en de lege plaats zielloos en ordelijk
wordt opgevuld door de tijd; terwijl ik koppig, onverzettelijk en absoluut onbekwaam om op een normale en alledaagse toon te spreken dit
ogenblik trachtte vast te houden, begon ik in te zien dat er niets van dit
alles tot hem kon doordringen en dat hij alle psychische krachtbronnen
aanboorde waarover een mens maar kan beschikken om, geconfronteerd met mijn mateloze verlangen, rustig en geduldig te kunnen blijven, want hij was een gladde muur, die alles wat van mij naar hem
stroomde onverschillig verbrijzelde of terugkaatste, zodat het niet hem
omgaf, maar mij, zodat ik degene was die daardoor werd omhuld, omhuld werd met iets dat, ofschoon niet nauwkeurig begrensd, toch een

zekere bescherming bood doordat het voortgekomen was uit mijzelf; maar het was riskant zo aangenaam in dat omhulsel te zweven, want bij de geringste onvoorzichtige beweging kon het in stukken scheuren, één te luid gesproken woord was voldoende om al dat aan mijn lichaam ontstroomde als een ademwolkje te doen vervagen; hij keek me aan, hij keek me recht in de ogen en opeens zagen we niets meer behalve elkaars ogen, daarna verwijderde hij zich steeds verder van me, terwijl ik op onze oorspronkelijke plaats achterbleef en daar voorgoed wilde blijven, daar en in die toestand, want alleen in die absurde, machteloze toestand voelde ik mijzelf werkelijk leven, je zou zelfs kunnen zeggen dat ik daar en in die toestand voor de eerste maal in mijn leven de grootsheid, de schoonheid en de gevaarlijkheid van de in mijn binnenste woedende hartstochten voelde, dit was mijn werkelijke ik, niet die onzekere contouren die de spiegel als een gezicht of een lichaam toonde, maar dit; ik moest aanzien hoe hij me ontglipte, ik moest alles aanschouwen: eerst de vluchtige verrassing die zich in weerwil van zijn bedoelingen en zijn zelfbeheersing, op zijn gezicht aftekende, vervolgens de dwaze, zich in een vluchtige glimlach openbarende arrogantie waardoor hij in staat was zijn door die verrassing opgewekte tederheid te overwinnen en zich zo ver van mij te verwijderen dat hij een tikkeltje medelijdend en nieuwsgierig naar mij achterom durfde te kijken; ik zweeg intussen en maakte niet de geringste beweging, voor mij was het in deze woordeloze toestand verkeren een en al zaligheid en volmaaktheid; ik was op dat moment zo in mijn gevoelens verdiept dat het me niet eens stoorde dat ook die zweem van een glimlach van zijn gezicht verdween, dat de stilte duidelijk hoorbaar werd en in die stilte weer de geluiden van het bos, het snappen van de eksters, het kraken van een verre tak in de wind, het klateren van het over de grillige stenen stromende water en ook mijn eigen adem.

'Kom weer eens langs,' zei hij met een iets te luid en wat dun stemgeluid, wat op van alles tegelijk duidde, ook op heel tegenstrijdige dingen; de onnatuurlijke nadruk waarmee hij had gesproken was belangrijker dan de betekenis van de zin, die nadruk duidde erop dat hij in de war was, dat alles niet zo eenvoudig was als hij graag zou willen geloven en dat hij, hoezeer hij zich door zijn gelaatsuitdrukking ook van mij had losgerukt, nog steeds mijn gevangene was; mijn stilzwijgen had hem tot een concessie genoopt die hij normaliter nooit gedaan zou hebben, al duidde zijn toon er natuurlijk op dat er van een serieuze verzoening tussen ons geen sprake kon zijn en ik vooral niet zo dom moest zijn deze vage uitnodiging aan te nemen, integendeel, ik moest die veeleer als een beleefde wenk beschouwen dat ik vanaf dit moment evenmin het recht had om hun huis te betreden als daarvoor; en toch had hij dat zinnetje uitgesproken, een zinnetje dat verband hield met die keer toen zijn moeder hem door het openstaande raam had geroepen, op een middag, en ik tegenover hem had gestaan met twee walnoten in mijn hand.

'Krisztián! Krisztián, waar ben je? Krisztián, waarom laat je me zo roepen? Krisztián!'

Het was herfst toen en het regende zachtjes; we stonden onder de noteboom; in de door de avondnevel vroeg invallende schemering stond de tuin in een gele en rode gloed; hij hield een grote platte steen in zijn hand waar hij zoëven nog noten mee had gekraakt en omdat hij zich niet de tijd gunde om zich op te richten, leek het niet uitgesloten dat hij mij daarmee het volgende moment een dreun op mijn hoofd zou geven.

'Ons huis hebben jullie nog niet ingepikt, hoor je! Zolang dat nog van ons is, verzoek ik je hier geen voet meer over de drempel te zetten, begrepen?'

Er was niets grappigs aan deze woorden geweest, maar toch had ik gelachen.

'Dat prachtige huis van jullie is gestolen, gestolen van mensen die voor jullie moesten werken, en een dief mag je gerust afnemen wat hij gestolen heeft; jullie zijn dieven!'

Terwijl we beiden de gevolgen van zijn woorden afwogen verstreek er enige tijd; al had het hem nog zo'n opwindend genoegen bezorgd deze woorden uit te spreken, aan zijn woede en mijn kalme, maar op de een of andere wijze zeer afstandelijk beleefde genoegen was merkbaar dat zijn insinuatie niets anders was dan wraak, vergelding voor bijna onmerkbare grieven die wij gedurende onze korte maar uiterst intensieve en onstuimige vriendschap hadden opgekropt; op dat moment hadden wij al maanden lang bijna elk uur van de dag samen doorgebracht en onze nieuwsgierigheid had het altijd gewonnen van onze karakterverschillen, de botsing tussen ons was dus als het ware het noodzakelijke complement, de keerzijde van deze nabijheid, maar al waren er nog zulke bevredigende verklaringen voor dit conflict, de onverwachte uitbarsting had ons plotseling zo ver van elkaar verwijderd dat er geen terugweg meer was, ik moest de twee noten, hoewel met tegenzin, op de grond laten vallen, ze belandden met een zacht plofje op de natte bladeren, zijn moeder riep hem nog steeds en ik liep naar het hek, tevreden als iemand die iets zorgvuldig heeft afgehandeld.

Hij keek me aan en wachtte.

Door zijn laatste uitwijkpoging, door die zo dubbelzinnig geformuleerde uitnodiging, werd ikzelf ook tot op zekere hoogte afgesneden van dat grootse, zalige ogenblik, waar ik geen afstand van kon of wilde nemen, ik kon het wegglippen van dat moment niet alleen van zijn gezicht aflezen maar ook in mijzelf waarnemen, al kon aan zijn uitwijkpoging schijnbaar geen grotere betekenis worden gehecht dan aan een vluchtige herinnering; het was niets anders dan een korte flits, meer niet, een vlugge vis die met een sprong heel even boven het rimpelloze oppervlak van het ogenblik verscheen om lucht te happen in het hem vreemde element en onmiddellijk daarna weer onder te duiken in de diepste sprakeloosheid, met achterlating van een paar snel verdwijnende kringen; en toch had zijn toespeling me van mijn stuk gebracht, ze had namelijk een punt aangeduid, en dit punt was vast en nadrukkelijk, het waarschuwde dringend dat het tussen ons voorgevallene uitsluitend het uitvloeisel was van een vroegere gebeurtenis, maar ook bepaalde wat er in de toekomst stond te gebeuren, terwijl het bovendien verwees naar een nog eerdere gebeurtenis; mijn verlangen naar een toenadering tot hem was dus vergeefs en het had ook geen zin een dergelijke toenadering te forceren omdat het onmogelijk is langdurig in een toestand van vreugde, wellust of geluk te verkeren; het feit dat ik zo dwangmatig het voorbijflitsen en teloorgaan van mijn geluk moest meemaken beduidde dat ik mij tevergeefs aan hem trachtte te binden, dat ik mij reeds ergens anders bevond, hem reeds had verlaten, alleen nog aan hem dacht, zonder overigens in staat te zijn hem te antwoorden, hoewel uit zijn lichaamshouding nog altijd de bereidheid sprak mijn antwoord te aanvaarden, een antwoord dat ik hem ook graag gegeven had, want ik voelde dat ik zonder dat niet verder kon leven; hij stond daar voor me als iemand die op het punt staat weg te lopen en opeens gooide hij zijn tas over zijn schouder, draaide zich om en liep in de richting van de struiken waaruit hij tevoorschijn was gekomen.

Het telegram

Al kon dit geen gelijkmatig vooruitkomen worden genoemd, want met regelmatige tussenpozen dwong een krachtige windstoot mij halt te houden, en terwijl ik wachtte totdat de wind tot bedaren zou zijn gekomen, kon ik nauwelijks op de been blijven, toch heb ik vermoedelijk ruim een halfuur zo over de oeverdam gelopen, totdat ik merkte dat er een noodlottige verandering intrad.

Ik had de wind niet helemaal tegen, want hij kwam overwegend uit de richting van de zee, zodat ik enigszins zijwaarts gewend liep, mijn hoofd en schouders in de wind borend en mijn gezicht achter de opgeslagen kraag van mijn jas verbergend om mijn huid zoveel mogelijk te beschermen tegen de schuimvlokken van de golven, die uiteenspatten tegen de stenen van de dam, maar toch moest ik zo nu en dan mijn voorhoofd afwissen omdat de spatten zich tot druppels verenigden en deze druppels, die kleine beekjes vormden, over mijn voorhoofd en langs mijn neus begonnen te lopen en zo in mijn ogen en mond terechtkwamen, en hoewel ik eigenlijk net zo goed mijn ogen had kunnen sluiten, omdat ik toch niets zag, wilde ik toch het duister inkijken, alsof het, gezien deze duisternis, nuttig was mijn ogen open te houden; eerst trokken alleen grijze, doorschijnende poederdonsjes en tot smalle stroken verwaaide rooksierten voor de maan langs; ze kwamen van het vasteland en joegen, op weg naar hun eindeloze bestemming, snel voort over het open water, maar door de onverschillige rust van de maan had hun haast, ondanks hun voorname, majestueuze bewegingen, iets buitengewoon vermakelijks; hierna doemden grotere wolken op, die ondanks hun omvang en dichtheid even vlug waren, en plotseling werd het donker, pikdonker, alsof er voor de enige schijnwerper op een reusachtig toneel een coulisse werd geschoven, het water had niets meer om te weerspiegelen en de kammen van de golven trokken geen witte strepen meer in de verte, maar even plotseling werd het weer licht en vervolgens wisselden licht en donker elkaar af, steeds onverwachts en onberekenbaar, tot uiteindelijk weer volledige duisternis heerste; niet zonder reden riep ik hiervoor het beeld van een schouwburgzaal op, want het eigenaardige verschijnsel dat de wind de

wolken boven in precies de tegenovergestelde richting joeg als hij beneden blies, had zonder twijfel iets dramatisch en theatraals, het toonde de discrepantie tussen de hemelse en de aardse wensen, maar slechts
tot het moment dat zich daarboven een beslissende wending voordeed
in de onstuitbaar schijnende loop der gebeurtenissen, wie weet van
welke aard? misschien was de wind wat gedraaid of was hij in de boven
het water samengebalde wolken blijven hangen om ze als regen de zee
in te slingeren, hoe het ook zij, de periodes van duisternis werden
steeds langer en het werd steeds minder vaak licht, totdat de maan, aarde en water aan hun eigen duisternis overlatend, geheel verdwenen
was.

Vanaf dat moment kon ik niet meer zien waar ik mijn voeten moest
neerzetten.

En misschien leek het schouwspel hierdoor nog opwindender, want
doordat ik mijn angst intussen was vergeten beschouwde ik datgene
wat men 'het woeden der ontketende elementen' pleegt te noemen als
een spel dat de botsing der tegengestelde en even verwoed met elkaar
strijdende energieën in mijn binnenste moest vervangen of belichamen, en aldus mijn gevoelens in een levende gelijkenis uitgedrukt
ziende, kon ik mij zelfs beschut wanen, alsof dit alles niet meer was dan
een grandioos spel van weerspiegelingen, dat uitsluitend voor mijn genoegen diende.

Natuurlijk was dit alleen maar een listig zelfbedrog, maar waarom
zou ik mij ook niet de hoofdrolspeler van deze majestueuze, ontzag-
wekkende orkaan gevoeld hebben, ik kon immers al wekenlang nergens anders aan denken dan aan mijn voornemen op gewelddadige
wijze een eind aan mijn leven te maken? en wat had mij meer kunnen
kalmeren dan deze in haar eigen duisternis opgesloten, ziedende wereld, die, ondanks al haar verwoestende energieën, zichzelf niet alleen
niet kon verwoesten maar zelfs niet schaden, aangezien zij even weinig
macht over zichzelf had als ik?

De avond tevoren, de avond voor mijn vertrek uit Berlijn – ik haast
me dit laatste te benadrukken, want dankzij het schouwspel van de zee
beschouwde ik alle voorgaande gebeurtenissen van een mild stemmende afstand, zodat ik, als iemand op dat moment beweerd zou hebben: nee, je vergist je volkomen, je bent niet pas hedenmiddag maar al
twee weken of zelfs twee jaren geleden hier aangekomen, mij niet verwonderd zou hebben, ik moest mijzelf als het ware voortdurend voor-
houden dat tussen mijn afreis en mijn wandeling langs de kust nauwe-

lijks enige tijd was verstreken, waarmee ik natuurlijk niet wil beweren dat deze aangename verstoring van mijn tijdsbesef mijn psychische nood had gelenigd, maar toch had de aanblik van de onstuimige nachtelijke zee mij genoeg relativerend vermogen gegeven om tenminste over het gebeurde na te denken en het op een aangename wijze te verdringen – de avond tevoren dus, was ik niet bijzonder laat thuisgekomen, maar ik had in het donkere trappenhuis, waarvan de verlichting nog altijd niet was hersteld, zo lang en onhandig met de sleutel voor de deur staan prutsen dat mevrouw Kühnert, die op dat uur van de dag in de keuken boterhammen voor haar man placht klaar te maken voor de volgende dag, mijn aanwezigheid natuurlijk had opgemerkt; en terwijl ik geschrokken hoorde hoe zij door de lange gang naar de voordeur snelde en daar nog even bleef staan, trachtte ik vruchteloos het slot te vinden, zodat zij tenslotte degene was die de deur opende; ze hield een groene envelop in haar hand en glimlachte naar me alsof ze zich er lang op had voorbereid mij te ontvangen, ja zelfs op mijn komst had gewacht; en nog voordat ik beleefd groetend naar binnen had kunnen gaan en haar had kunnen bedanken voor haar vriendelijkheid, overhandigde zij mij blozend die envelop; toen ik tijdens mijn wandeling terugdacht aan deze scène, had ik dankzij het in vele opzichten belachelijke gevoel van zekerheid dat de nabijheid van de onstuimige zee mij in die donkere nacht gaf geen last meer van de een flauwte nabijkomende zwakheid die mij de vorige avond voor de deur had overvallen, een zwakheid die tot mijn aankomst niet van mij was geweken; mijn ongesteldheid kwam me op dat moment zelfs amusant voor, want het was alsof ik op een te sterk geretoucheerde en mij volkomen onbekende foto opnieuw zag hoe mevrouw Kühnert mij met veel misbaar de envelop overhandigde.

'Een telegram, meneer, er is een telegram afgegeven, een telegram voor u!'

Als ik met de vanzelfsprekendheid waarmee we elk voorwerp beschouwen dat ons in de hand wordt gedrukt, naar het telegram had gekeken en niet naar haar, was het misschien aan mijn aandacht ontsnapt dat haar glimlach niet zonderling en ongewoon was omdat ze anders nooit glimlachte, maar omdat ze met die lach haar gretigheid wilde verbergen, de gretige wens om deel te hebben aan mijn leven, die brandende begeerte die zij ondanks al haar toneelervaring niet wist te verbergen; nadat ik het telegram had aangepakt en, mijn verontwaardiging onderdrukkend, slechts een blik op de omslag had geworpen, keek ik haar weer aan en zag ik dat de glimlach al van haar gezicht was verdwenen; haar ziekelijk uit hun kassen puilende, reusachtige ogen staarden door de glazen van haar dunne gouden brilletje naar één punt: mijn mond, zij observeerde mijn mond met de opwinding en strengheid van iemand die op een lang uitgestelde, belangrijke bekentenis wacht en hierdoor nam haar gezicht een uitdrukking aan van zo niet onverholen haat dan toch elke deelneming ontberende nieuwsgierigheid; zij wilde kennelijk zien hoe ik zou reageren op een ongetwijfeld schokkend, maar voor haar onbegrijpelijk bericht; ik wist met intuïtieve zekerheid dat zij het telegram had proberen te lezen; en hoewel ik merkte dat ik bleek werd – dat was het ogenblik waarop mij die verlammende zwakheid overviel – was het allemaal zo doorzichtig dat ik mij bleef beheersen, want ik vond dat, welke boodschap dat telegram ook bevatte en waar het ook vandaan kwam, deze vrouw al te veel wist van mijn leven, althans te veel wilde weten, om daar in huis te kunnen blijven wonen; er was namelijk niets waar ik mij zo tegen verdedigde als tegen pogingen van mensen om uit te vissen hoe ik leefde; ik moest dus niet alleen een slag van het noodlot waardig incasseren maar bovendien naar een andere kamer verhuizen.

Mevrouw Kühnert was op een verbijsterende en overweldigende manier lelijk; zij was een knokige, lange vrouw met brede schouders; als ze een broek droeg, leek ze van achteren precies een man, want ze had niet alleen lange armen en grote voeten, maar ook een plat achterwerk, zoals oude kantoorbedienden; haar haar blondeerde ze altijd zelf; ze knipte het kort en kamde het glad achterover, wat wel goed bij haar paste maar haar uiterlijk er niet vrouwelijker op maakte; ze was zo lelijk dat zelfs het raffinement waarmee ze de lichtbronnen over haar ruime, burgerlijk ingerichte kamer had verdeeld dit euvel niet konden maskeren; overdag weerden voor kanten vitrages dichtgeschoven zware fluwelen gordijnen het zonlicht en verduisterden de kamer enigszins, 's avonds verspreidden staande lampen met donkere zijden kappen en wandlampen met hoedjes van waspapier een gedempt licht; nooit brandden de kroonluchters, waardoor haar man, professor Kühnert, gedwongen was een eigenaardig leven te leiden; de hooggeleerde was klein van stuk, bijna een kop kleiner dan zijn vrouw en qua postuur bijna in alles het tegendeel van haar; hij was tenger gebouwd, had lichte botten en een zo doorschijnende, bleke huid dat je de paarsblauwe aderen van zijn slapen, hals en handen kon zien kloppen; zijn ogen waren klein, diepliggend en even nietszeggend en uitdrukkingsloos als de bewegingen waarmee hij in deze lichtarme omgeving geruisloos en onopvallend zijn onderzoekingen verrichtte, onderzoekingen die door velen van grote betekenis werden geacht; zelfs op zijn imposante zwarte bureau stond geen lamp en als mevrouw Kühnert riep dat er telefoon voor mij was, kon ik zien hoe hij met zijn lange dunne vingers blindelings in de opgestapelde kranten, vellen met aantekeningen, boeken en documenten wroette, totdat hij op de tast het gezochte papier had gevonden, het tussen de stapel uit trok, langs het blauwe, vibrerende beeldscherm van het televisietoestel naar de andere kant van de kamer liep, voor een wandlamp bleef staan en daar in de bleekgele lichtkring van het tamelijk hoog bevestigde lampje begon te lezen, waarbij hij soms tegen de muur leunde; hoezeer dit tot een vaste gewoonte was geworden, was duidelijk te zien aan de vlek die door het regelmatige contact met zijn schouders en zijn hoofd op het bleekgele behang was ontstaan; wanneer dit rustige lezen door een onverwachte gedachte of een langdurig gepeins onderbroken werd, keerde hij langs dezelfde weg terug naar zijn bureau om iets te noteren, waarbij hij opnieuw langs het beeldscherm liep, wat de in haar comfortabele stoel tronende mevrouw Kühnert blijkbaar even weinig stoorde als de onsamenhangende geluiden van het toestel en de duisternis de professor; nooit heb ik hen ook maar één enkel woord met elkaar horen wisselen, maar toch was hun zwijgzaamheid niet een kleinzielige, doelgerichte wraakactie, geen op een hartstochtelijke relatie duidende vertoning van boosheid, waarop haatdragende echtelieden elkaar zo dikwijls trakteren om iets van elkaar gedaan te krijgen, nee dit zwijgen had geen bepaald doel, het was veel waarschijnlijker dat een langzaam uitdovende haat hen tot deze onverschilligheid had doen verstarren, een haat waarvan de oorzaak niet te achterhalen was; ze schenen absoluut geen last te hebben van deze toestand en gedroegen zich in elkaars nabijheid als twee tot verschillende rassen behorende wilde dieren, die wel elkaars aanwezigheid opmerken maar weten dat de wet van de soort veel sterker is dan die van het geslacht en, omdat zij elkaars prooi noch partner kunnen zijn, geen enkele belangstelling voor elkaar hebben.

Ondanks mijn boosheid bekeek ik mevrouw Kühnerts gezicht met een zekere belangstelling, omdat ik uit ervaring wist dat ik niet zo gemakkelijk van haar af zou kunnen komen, integendeel, hoe meer ik dat zou proberen, des te luidruchtiger en opdringeriger zou zij worden; ik keek haar aan en dacht bij mezelf: deze storm moet je nog over je heen laten gaan, het is toch de laatste; uit haar lage, worstachtig gerimpelde voorhoofd sproot het nieuw aangegroeide, zwarte gedeelte van haar geblondeerde lokken, als varkenshaar uit een borstel; intussen voelden mijn vingers dat de envelop niet gesloten was; mevrouw Kühnert had een lange, dunne neus en de rouge op haar lippen schilferde; natuurlijk dwaalde mijn blik onvermijdelijk naar haar boezem af omdat dit misschien de enige plaats van haar lichaam was die al haar schoonheidsfouten enigszins compenseerde; ze had een reusachtige, eigenlijk onevenredig zware boezem, die zonder bh stellig een teleurstelling had opgeleverd, en de onder haar strakke truitje duidelijk zichtbare tepels logen er niet om; terwijl wij daar in de deuropening van de bijna geheel donkere vestibule stonden, verscheen bijna exact op het moment dat zij opnieuw begon te krijsen Kühnert, die gekleed in een tot zijn middel opengeknoopt wit overhemd uit de woonkamer kwam, hij droeg altijd witte overhemden en als hij las of aantekeningen maakte, rukte hij eerst zijn stropdas van zijn nek en maakte vervolgens een voor een zijn knoopjes los, zodat hij tijdens zijn overpeinzingen en wandelingen door de kamer zijn jongensachtige, onbehaarde borst kon strelen; op het moment van zijn verschijnen wilde hij echter juist naar bed gaan.

De verandering scheen niet bijzonder belangrijk, al ging zij met opvallend onaangename verschijnselen gepaard, want tot nog toe had ik ondanks het donker volkomen veilig kunnen lopen doordat ik de effen, ietwat glibberige bodem onder mijn voeten voelde, bovendien hoorde ik, ook als ik helemaal niets zag, de bruisende en donderende golven steeds van ongeveer dezelfde afstand en kreeg ik voortdurend dezelfde hoeveelheid zout schuim over me heen, zodat ik me rustig kon overgeven aan het blinde genot van de storm en aan mijn fantasieën en herinneringen, ik hoefde alleen maar de goede richting aan te houden en te zorgen dat ik niet van de dam geraakte, maar daarvoor was de tastzin via mijn voetzolen voldoende en natuurlijk het geluid van de schuimende zee; dit werd echter anders toen ik, wachtend op het moment dat een hevige windstoot tot bedaren zou zijn gekomen, een golf in mijn gezicht kreeg, wat op zich nog niet zo erg zou zijn geweest, want ik kreeg niet veel water in mijn nek, water dat overigens niet bepaald een aangename temperatuur had, en mijn jas werd niet eens nat, zodat dit ongewilde bad alleen maar een vermakelijke grap scheen; had de wind mij niet belet mijn mond te openen, dan was ik ook stellig in een schaterlach uitgebarsten, maar meteen hierna kreeg ik een nieuwe golf over me heen, een nog grotere, en hierdoor begon ik me enigszins onzeker te voelen.

Ik veronderstelde dat ik inmiddels tot het midden van de dam was gevorderd en trachtte zonder te wachten tot de kracht van de wind zou afnemen over de tegen de zee beschermde landzijde van de dam verder te lopen, wat echter nauwelijks mogelijk was door de met onverminderde kracht blazende wind; als ik me niet schrap had gezet, zou ik eenvoudig van de dam zijn geblazen, want nauwelijks had ik een paar passen in die richting gedaan of ik voelde dat ik al aan de rand van de dam stond, waar reusachtige, puntige stenen lagen, zodat verder lopen onmogelijk was; de dam, die veel smaller bleek te zijn dan ik had gedacht, beschermde me ook niet meer tegen de golven; toch deed ik niet wat in de gegeven omstandigheden verstandig zou zijn geweest, ik dacht er niet aan om terug te keren aangezien ik in de reisgids had gelezen dat het water bij vloed niet meer dan twaalf centimeter steeg en ik meende dat dit geen gevaar kon; ik veronderstelde dat ik mij toevallig op een gevaarlijk gedeelte van de dam bevond, die op die plaats waarschijnlijk net een bocht maakte en daardoor smaller werd; het was natuurlijk ook mogelijk dat de dam op deze plaats wat lager was dan elders, maar als ik eenmaal dit gevaarlijke stuk achter me had, zou ik weldra de onbekende lichten van Nienhagen zien en mij veilig weten.

Plotseling ging de wind liggen.

Toch kan ik niet zeggen dat ik een wrok tegen mevrouw Kühnert koesterde en natuurlijk sprak zij ook niet zo onverdraaglijk luid tegen me omdat ze boos op me was, want al was er gedurende de afgelopen weken een hechte relatie tussen ons ontstaan, ik had er altijd voor gezorgd op drie passen afstand van haar te blijven, wat volgens mij bij voorbaat de kans uitsloot dat zij enig gevoel of emotie openlijk zou uiten, gesteld dat zij die er op na hield; nee, zij kon eenvoudig niet zacht spreken.

Het was alsof zij geen bruikbare tussenvormen kende tussen volledig zwijgen en uit alle macht brullen, en deze eigenaardige aanleg, want anders kan men het niet noemen, hield stellig zowel verband met de slechte relatie met haar man, met wie zij geen woord placht te wisselen, als met het feit dat zij in een der gerenommeerdste schouwburgen van de stad, het Volkstheater, als souffleuse werkzaam was, dus haar brood verdiende met het dempen van haar overigens welluidende, lage en sonore stem, die echter toch genoeg van haar oorspronkelijke kracht bewaarde om de verst verwijderde hoekjes van het toneel te bestrijken; het lijdt dus geen twijfel dat mevrouw Kühnerts leven door haar stem werd bepaald en dat haar lelijkheid slechts een humoristisch complement was van haar persoonlijkheid; overigens geloof ik niet dat zij zich om die lelijkheid al te zeer bekommerde, werkelijk belangrijk vond ze alleen haar stem, die zij echter slechts zelden op een natuurlijke wijze kon gebruiken.

Verscheidene malen ben ik er getuige van geweest wat voor onaangenaamheden die stem haar berokkende en hoe die haar tevens een uitzonderingspositie verschafte; als wij 's morgens op het voor de regisseur gebouwde repetitiepodium in de onoverzichtelijke, ruime repetitiezaal, die meer weg had van een rijschool of een montagehal, bijeen zaten en in een, door een meningsverschil of een onoplosbaar schijnend probleem gespannen geworden sfeer allemaal door elkaar begonnen te praten, waardoor het geluidsniveau even snel steeg als bij hoge koorts het kwik in de thermometer, temeer doordat de verveelde toneelknechten, de prikkelbare figuranten, de costumières en de belichtingsmeesters haastig de gelegenheid aangrepen om eindelijk eens een paar woorden met elkaar te wisselen, of wanneer de stemming zo explosief werd dat iedereen beslist zijn mening over het betreffende probleem naar voren wilde brengen en daardoor de verwarring ten top steeg, was mevrouw Kühnert altijd de eerste die een veeg uit de pan kreeg van een der nerveuze actrices: 'kan het niet een beetje luider, Sieglinde? je bent haast niet te verstaan,' of soms schreeuwde een overijverige hulpregisseur haar ruw toe: 'mond houden jij, of je vliegt eruit, het is hier geen café!' om pas daarna aan zijn uitval toe te voegen wat ook voor de anderen gold, namelijk dat hij om stilte verzocht; op zulke ogenblikken verried mevrouw Kühnerts gezicht de diepe verbazing van een knaapje dat, na geruime tijd tussen de struiken in vredige onschuld met zijn piemel te hebben gespeeld, opeens merkt dat de volwassenen van alles op dit spelletje aan te merken hebben; het leek elke keer weer opnieuw of haar dit voor de eerste keer overkwam, alsof zoiets nog niet eerder was voorgekomen, nimmer; ze kon haar zieke ogen niet wijder openen dan ze al waren maar een meisjesachtige blos, die plotsklaps haar huid van haar hals tot haar voorhoofd kleurde, verried de diepe verwarring waaraan zij ten prooi was en op haar bovenlip parelden zweetdruppels die zij altijd met een zekere schaamte afwiste; haar gedrag was heel begrijpelijk, want wie zou eraan kunnen wennen door een elementaire eigenschap voortdurend met zijn omgeving in conflict te komen? een dergelijke geïrriteerde opmerking of onbetamelijk grof woord bewees niet alleen dat haar stem zelfs boven het luidste geraas uitklonk, ja dit als het ware vertegenwoordigde en symboliseerde, maar ook dat dit spraakorgaan zo'n elementaire en explosieve hartstocht uitdrukte dat het andermans oren kwetste en beledigde en door zijn onbedoelde schaamteloosheid als storend en in zekere zin ontmaskerend werd ervaren, zoals het ook mij totaal in verwarring bracht toen ze me in de deuropening met een hoogrode kleur het telegram overhandigde; noch dit overhandigen noch haar geschreeuw was, gezien onze relatie, ook maar enigszins gerechtvaardigd.

Ik kon me echter heel moeilijk onttrekken aan haar schaamteloos aandoende en door niets te rechtvaardigen opdringerigheid, en wist die niet te ontwijken; zelfs de eerste zin die ze tegen me sprak was niet louter als een mededeling op te vatten; natuurlijk, hoe groot haar stemvolume ook was – het geluid weerklonk letterlijk door het hele huis – ze had alleen maar gezegd dat er een telegram voor mij was aangekomen, maar deze simpele mededeling was doorspekt met een luid gehijg, waardoor zelfs haar meest triviale uitingen als een ritmisch gesteun klonken, en omdat een dergelijke opgewondenheid mij absoluut niet koud liet, sloeg haar stemming als het ware op mij over, wat zij ook beoogde, en hoezeer ik me ook trachtte te beheersen en hoe donker de vestibule en het trappenhuis ook waren, zij moet mijn verontwaardiging duidelijk gevoeld en gehoord hebben, ze hield nog steeds de deurklink vast, boog haar hoofd iets zijwaarts en glimlachte zelfs, althans dat veronderstel ik, want reeds bij de volgende zin trof me de veranderde, niet van ironie gespeende klank van haar stem.

'Waar hebt u in vredesnaam al die tijd uitgehangen, mijn beste meneertje?'

'Hoe bedoelt u?'

'Dit telegram is minstens drie uur geleden voor u afgegeven; als u niet thuis was gekomen, had ik weer niet kunnen slapen.'

'Ik kom van de schouwburg.'

'Als u van de schouwburg komt, had u hier al minstens een uur geleden moeten zijn; ik weet het zeker, want ik heb het uitgerekend.'

'Maar wat is er dan aan de hand?'

'Wat er aan de hand is? weet ik veel wat er met u aan de hand is! komt u nu maar gauw binnen!'

Terwijl ik, heen en weer geslingerd tussen de onverschilligheid waar ik zo naar verlangde en gevoelens van opwinding en angst en met het stellige voornemen om aan deze discussie snel een eind te maken, eindelijk de vestibule kon ingaan en mevrouw Kühnert de deur achter me sloot, maar me met haar ogen op de envelop in mijn hand gericht de weg versperde, keek meneer Kühnert, alvorens te verdwijnen in de gang die toegang gaf tot de twee slaapkamers, nog achterom en knikte bij wijze van groet naar me, welk gebaar ik natuurlijk niet kon beantwoorden, enerzijds doordat ik – overigens vergeefs, mijn aandacht was immers geheel in beslag genomen door de verandering die zich op mevrouw Kühnerts gelaat aftekende – onverschilligheid en kracht voorwendde, anderzijds doordat de professor, zonder mijn reactie af te wachten, dadelijk het hoofd afwendde, wat ik evenwel niet opmerkelijk vond aangezien hij slechts hoogst zelden van mijn aanwezigheid notitie nam; het gezicht van mevrouw Kühnert was niet alleen van het ene ogenblik op het andere veranderd, maar zij gaf door haar hele lichaamshouding te kennen dat zij zich op een nieuwe, mij nog onbekende uitbarsting voorbereidde, op iets wat tot dusverre nog niet op haar repertoire had gestaan, iets waardoor zij zich, alle denkbare grenzen overschrijdend, niet alleen van een onbekende kant zou laten zien, maar mij ook volledig zou overdonderen en, wat ik toen nog niet kon weten, in de meest letterlijke zin des woords in de hoek dringen; haar lippen beefden, ze rukte de bril van haar neus, zodat haar ogen nog angstaanjagender leken en haar rug kromde zich terwijl ze haar schouders omhoogtrok, alsof zij het afdwalen van mijn blik zoëven had opgemerkt en haar imposante boezem wilde beschermen; tevergeefs deed ik nog een laatste, verbitterde ontsnappingspoging, die mijn positie alleen maar verslechterde, want zodra ik, alle fatsoens- en beleefdheidsregels aan mijn laars lappend en enigszins vertrouwend op de beschutting van de muur, trachtte langs haar heen te glippen en mijn kamer te bereiken, versperde ze mij eenvoudig de weg en duwde me tegen de muur.

'Wat denkt u eigenlijk wel, mijn beste meneertje? denkt u soms dat u hier naar believen kunt in- en uitlopen en naar hartelust de beest uithangen? al nachtenlang heb ik geen oog dichtgedaan, ik kan het eenvoudig niet meer verdragen en wil dat ook niet! wie bent u eigenlijk? en wat zoekt u hier? hoe haalt u het eigenlijk in uw hoofd na maanden nog steeds te doen alsof ik lucht ben, hoe haalt u het in uw hoofd? wist u dat ik precies van uw doen en laten op de hoogte ben? wist u dat? maar ik blijf mijn mond niet eeuwig houden, dat kan niemand van mij vergen; ik weet alles! alles, zeg ik u! het heeft geen zin zo geheimzinnig te doen, ik weet alles van u! bovendien zou ik uw aandacht willen vestigen op het feit dat ik een mens ben, en dat wil ik horen, ik wil dat horen uit uw mond! ik heb alleen maar last van u, ik durf u nauwelijks aan te kijken; eerst dacht ik dat u een goed mens bent, maar u hebt mij voor de gek gehouden; u bent wreed, afgrijselijk wreed, hoort u me? ik zou u zeer dankbaar zijn als u me verklapte wat u en die vriend van u van plan zijn; wilt u de politie soms op mijn dak sturen? denkt u soms dat ik zonder u al geen moeilijkheden genoeg heb? ik stel u een normale vraag en u bestaat het me te vragen wat er aan de hand is, terwijl ík juist wil weten wat er aan de hand is, wat er met ú is gebeurd; vertelt u het nu eindelijk eens, zodat ik me op het ergste kan voorbereiden, en doet u niet alsof ik uw dienstmeisje ben dat verplicht is alles van u te verdragen; hebt u een moeder gehad? leeft ze nog? heeft er weleens een meisje van u gehouden? dacht u dat wij het geld dat u ons betaalt nodig hebben? dat smerige geld van u? ik dacht dat ik een goede vriend in mijn huis opnam! en wilt u me nu eindelijk eens vertellen wat u eigenlijk uitvoert? wat doet u nog meer behalve iedereen te gronde richten en andermans leven overhoop halen? wat doet u de hele dag? of is naar de schouwburg gaan het enige? dat is dan een fraai beroep dat u hebt; wat voert u nu werkelijk uit? wanneer kan ik de politie hier verwachten? hebt u hem soms vermoord? ik kan aan uw ogen zien dat u dat gedaan hebt, aan die onschuldige, blauwe ogen; mij beduvelt u niet met dat vriendelijke glimlachje, ook nu niet, al doet u net alsof u van niks weet en ik alleen maar een krijsende hysterica ben; waar hebt u hem begraven? eindelijk heb ik u door en ik moet u verzoeken uw biezen te pakken, nu meteen, zoekt u maar een ander kosthuis; of een hotel; mijn huis is geen rovershol; ik wil nergens bij betrokken worden; ik heb al genoeg angst in mijn leven gekend; als ik een telegram krijg, word ik onwel; als er gebeld wordt, krijg ik het benauwd; begrijpt u dat? hebt u niet gemerkt dat ik een zieke, opgejaagde vrouw ben, die wat ontzien moet worden? ben ik niet uitgerekend tegenover u zo confidentieel geweest, dwaas die ik ben, om u mijn levensverhaal te vertellen? is er dan niemand die ik kan vertrouwen? ik vraag u wat! wil iedereen me dan uitbuiten? waarom geeft u geen antwoord? ik lijk wel een vuilnisbak waar iedereen zijn afval in kwijt kan; geeft u mij in godsnaam antwoord! wat staat er in dat telegram?'

'U hebt het tóch al gelezen? of niet?'

'Maar ú moet het lezen!'

'Wat wilt u eigenlijk van mij? dat zou ik weleens willen weten!'

We stonden zo dicht bij elkaar dat haar gezicht zich in de plotseling ingevallen stilte of misschien door die nabijheid scheen te ontspannen en plotseling doorschijnend en breekbaar leek, het werd groter en tot op zekere hoogte mooier, alsof haar onregelmatige gelaatstrekken niet langer in bedwang werden gehouden door de strenge omlijsting van haar bril en haar onderdrukte hartstocht; haar gezicht leek een masker af te leggen en zijn natuurlijke afmetingen te herkrijgen, haar roodachtige sproeten kwamen duidelijker uit op haar bleke huid en gaven haar iets lieftalligs, haar dikke lippen sprongen meer in het oog en haar borstelige wenkbrauwen schenen karakteristieker dan zoëven; toen zij opnieuw begon te spreken, ditmaal zachter en met de verdragende stem waarmee ze op het toneel souffleerde, moest ik tot mijn verrassing vaststellen dat zij mooi was, al zag ze er zonder bril nog zo verwilderd, wazig en verslonsd uit; ik bedacht dat schoonheid wellicht niets anders is dan de nabijheid van een medemens die zich volledig blootgeeft of het overweldigende gevoel van de nabijheid op zich; het zou mij niet verwonderd hebben als ik mij plotseling naar haar toe had gebogen om haar mond te kussen, zodat ik niet langer haar ogen hoefde te zien.

'Wat zou u denken dat ik wil, mijn beste meneertje? wat zou ik me kunnen wensen, denkt u? het enige wat ik wil is dat de mensen een klein beetje – ik zeg niet veel, een heel klein beetje is genoeg – om me geven! nee, niet wat u denkt! u hoeft niet bang te zijn; weliswaar ben ik, toen u pas hier was, een beetje verliefd op u geweest, misschien hebt u dat wel gemerkt, ik kan het nu gerust toegeven omdat het al voorbij is; en ik wil u niet het huis uitjagen, u moet wat ik daarnet heb gezegd niet serieus nemen, dat was onzin, ik neem het terug, u moet geen andere kamer gaan zoeken, ik ben alleen bang, daarom moet u mij mijn uitbarsting vergeven; ik ben een heel eenzame vrouw waardoor ik steeds het gevoel heb dat er iets gaat gebeuren, iets onberekenbaars, iets verschrikkelijks, een ongeluk; het enige wat ik wil is dat u hier in mijn aanwezigheid dat telegram leest, ik wil alleen maar weten wat er is gebeurd, meer niet, dat is het enige wat ik van u verlang, meer niet; ik heb trouwens dat telegram niet opengemaakt, dat moet u van me aannemen; telegrammen worden bij ons in een open envelop bezorgd; maar ik smeek u, leest u het nu eindelijk!'

'Maar u heeft het gelezen, hè?'

'Leest u het nu toch!'

Om haar woorden kracht bij te zetten legde ze haar hand op mijn arm, iets boven de pols, wat ze weliswaar met een grote tederheid deed, maar toch ook bezitterig, alsof ze zich niet alleen het recht wilde voorbehouden om me de envelop weer af te nemen, maar, nu ze de toch al minieme afstand tussen ons overbrugd had – hoe dat was in deze fractie van een seconde absoluut niet van belang –, ook mij in bezit wilde nemen; ze pakte me beet en doordat ik niet de kracht had mij op enigerlei wijze te verzetten, ja zelfs last had van een zekere gewetenswroeging aangezien ik wist dat mijn steelse blik op haar boezem of de gedachte dat ik haar eventueel zou kunnen kussen, beslist niet zonder uitwerking op haar gebleven kon zijn, er is immers geen gedachte, hoe verborgen ook, die in extreme situaties niet waarneembaar is voor de ander, scheen het in dit onderdeel van een seconde mogelijk dat onze scherpe woordenwisseling een niet bepaald ongevaarlijke wending zou nemen, temeer daar ik niet alleen niet in staat was mij te bewegen of zelfs mijn hoofd maar af te wenden om haar zachte ademstoten en haar blikken te ontwijken, maar ik ook in strijd met mijn bedoelingen en tegen mijn wil bij mijzelf enkele verraderlijk aangename, maar enigszins beschamende tekenen van seksuele opwinding moest bespeuren: een lichte trilling van de huid, een vernauwing en verduistering van het bewustzijn, een drukkend gevoel in de lendenen en het stokken van de adem, welke verschijnselen uiteraard het onmiddellijke gevolg konden zijn van haar aanraking en niets met mijn persoon hoefden te maken hebben, maar toch ook op leerzame wijze bewezen dat de verleiding in staat is het bewustzijn te omzeilen en volstrekt niet van lichamelijke of vleierige aard hoeft te zijn aangezien lichamelijke begeerte meestal niet de oorzaak maar het gevolg is van een relatie, zoals van een zekere nabijheid gezien lelijkheid schoon schijnt als de spanning zo hoog is opgelopen dat zij alleen via geslachtelijke gemeenschap kan worden ontladen, en op zulke momenten kan inderdaad slechts één enkele aanraking bewerkstelligen dat de innerlijke krachten die geen contact met elkaar kunnen maken elkaar al botsend opheffen of dat de als ondraaglijk ervaren psychische spanningen omgezet worden in zingenot.

'Nee, ik lees het niet!'

Misschien was ze wel bang dat ik handtastelijk zou worden, want na mijn ietwat verlate en nogal hysterisch uitgevallen woedeuitbarsting trok ze haar hand terug van mijn arm, het was immers duidelijk dat deze uitbarsting, toch al erg ongewoon voor mijn doen, niet zozeer betrekking had op het raadselachtige telegram, maar veeleer op de tussen ons ontstane nabijheid; zich echter nog niet gewonnen gevend ging ze wat achteruit, en terwijl ze tegelijk haar bril op haar neus plantte, keek ze mij plotseling met zo'n onverholen nuchterheid aan alsof er niets was gebeurd.

'Ik begrijp het; u hoeft niet zo te schreeuwen.'

'Morgen ga ik voor een paar dagen op reis.'

'Waarheen, als ik vragen mag?'

'Het zou gemakkelijk zijn als ik mijn bagage niet hoefde mee te slepen; volgende week bent u me kwijt.'

'Waar gaat u dan heen?'

'Naar huis.'

'We zullen u missen.'

Ik maakte aanstalten naar mijn kamer te gaan.

'Gaat u maar, ik blijf hier voor de deur staan wachten, ik kan toch niet slapen als u het me niet vertelt wat er in dat telegram staat.'

Ik sloot de deur achter me; op het buitengedeelte van de vensterbank sloeg de regen kletterend neer; in de kamer was het behaaglijk warm, maar door de glanzende takken van de esdoorns flikkerde de zwakke weerschijn van de straatlantaarns onrustig op de muur; ik deed het licht niet aan, trok mijn jas uit en liep naar het raam om de envelop te openen, intussen hoorde ik dat mevrouw Kühnert werkelijk voor de deur was blijven staan wachten.

Al was de wind hier beneden gaan liggen, de golfslag bleef even krachtig en boven mijn hoofd huilde en gierde de wind even angstaanjagend als tevoren; hoewel het soms leek alsof het eindelijk wat lichter werd en de wind de wolken voor de maan uiteengereten had, was dit vermoedelijk evenzeer een zinsbegoocheling als de hoop dat ik het gevaarlijke stuk van de dam snel gepasseerd zou zijn; ik kon geen hand voor ogen zien, wat een nogal uitzonderlijke toestand is, waar mijn ogen natuurlijk tegen protesteerden; om zichzelf voor de gek te houden verbeeldden ze zich niet bestaand licht te zien, ze maakten zich als het ware van mij onafhankelijk omdat ze er niet in konden berusten dat ze, door mij daartoe gedwongen, moesten kijken terwijl er niets te zien was, daarom produceerden ze niet alleen lichtkringen, glinsterende punten en stralen, maar ze verlichtten, terwijl ik doorliep, verscheidene malen de gehele omgeving, zodat het leek alsof ik de boven de wilde, schuimende zee voortjagende wolken en de door de golven belaagde dam door een smalle spleet voor me zag, waarna alles weer in een volslagen duisternis verdween, zodat ik begreep dat het mooie vergezicht niets anders dan gezichtsbedrog was, wat alleen al af te leiden viel uit het feit dat er geen enkele natuurlijke lichtbron was die het schouw-spel had kunnen veroorzaken, ook niet de maan, want maanlicht ontbrak in deze visioenen; toch kon ik dankzij deze fantastische beelden, die me in een jubelstemming brachten, veronderstellen dat ik de weg voor me op de een of de andere manier nog kon zien, ofschoon er eigenlijk geen voetpad meer liep en ik mijn voeten voortdurend tegen scherpe stenen stootte, zodat ik herhaaldelijk struikelde en uitgleed.

Het was, meen ik, op dat ogenblik dat ik elk gevoel voor tijd en plaats verloor, mogelijk ook doordat de steeds van kracht wisselende wind, het ondoordringbare duister en het ondanks zijn schoonheid slaapverwekkende ritme van de golven mij, als een sterk opiaat, volledig verdoofd hadden; als iemand zou zeggen dat ik een en al oor was, was dat beslist geen onnauwkeurige typering, want bijna elke andere manier van waarnemen scheen overbodig geworden, zodat ik, als een zonderling nachtdier, uitsluitend op mijn gehoor was aangewezen; ik hoorde ver beneden me gebruis; het was noch het bruisen van de zee noch het rumoer van de aarde en klonk onverschillig noch dreigend; en hoe overdreven romantisch het ook klinkt, ik wil toch beweren dat ergens uit de diepte het eentonige gemurmel van de oneindigheid opsteeg, een geluid dat aan geen enkel ander geluid deed denken en geen andere voorstelling opriep dan die van diepte, maar waar zich die diepte bevond en waar zij deel van uitmaakte was moeilijk te bepalen, want dat geluid scheen overal tegelijk te zijn: vlak boven de zeespiegel, hoog in de lucht en helemaal beneden op de zeebodem, het scheen alles te doordringen en te beheersen, zodat alles om me heen een werd met die diepte; dit duurde enige tijd, totdat er een langzaam aanzwellend gedreun hoorbaar werd, dat klonk alsof zich ergens in de verte een in beweging gekomen, geslachtloze massa tot het uiterste toe inspande, ja zich losmaakte en in opstand kwam tegen de onheilspellende rust van het schijnbaar eindeloos voortdurende, noodlottige gebruis; het gedreun kwam naderbij, het bewoog zich in mijn richting, niet bijzonder snel, maar onafwendbaar en bereikte plotseling met een triomfantelijke donderslag het toppunt van zijn eigen geluidssterkte, waardoor de diepte niet meer hoorbaar was; verzadigd verhief het dreunen zich boven de diepte, bereikte zijn doel en overwon de diepte, onderbrak haar voor een moment, waarna alles wat zich zoëven nog als kracht, massa, onstuitbare voortgang, ontwikkeling en tenslotte als overwinning had gemanifesteerd, plotseling met een onaangename knal op de oeverstenen uiteenspatte en het bruisen opnieuw te horen was, alsof zijn macht geheel ongebroken was; opnieuw klonk het onheilspellende en grillige fluisteren, fluiten en gieren van de wind; en eigenlijk kan ik niet zeggen hoe en wanneer de geringe verandering intrad die zich niet alleen openbaarde in het smaller worden en bijgevolg door de golven overspoeld worden van de dam, maar bovenal in het feit dat ik de tamelijk opvallende verandering die mijn omgeving onderging pas geruime tijd na het intreden van die verandering opmerkte, en ook toen slechts oppervlakkig, alsof ik niets te maken had met het hele gebeuren en het mij niet aanging dat geleidelijk niet alleen mijn schoenen en mijn broekspijpen nat werden, maar ook mijn jas de strijd tegen het water begon op te geven; ik had mij zo overgegeven aan de stemmen van de duisternis dat de fantasieën en herinneringen waarmee ik mij aanvankelijk had vermaakt geleidelijk aan waren geabsorbeerd; het instinct dat wij 'zelfverdediging' noemen functioneerde bij mij daardoor slechts in beperkte mate, waardoor ik enigszins was te vergelijken met een slapend iemand die, uit een angstige droom ontwakend, met zijn armen om zich heen maait en schreeuwt in plaats van zich het ogenblik waarop hij insliep te herinneren en te bedenken dat wat hij op zo'n onaangename wijze doorleeft, uitsluitend de realiteit van een droom is; doordat hij droomt is hij daartoe echter niet in staat; ook ik probeerde mij natuurlijk zo te verdedigen, maar mijn verdedigingsmaatregelen konden, gezien de omstandigheden, slechts in zeer beperkte mate effectief zijn, tevergeefs trok ik mij tussen de stenen terug of zocht ik, als de golven over me heen sloegen, strompelend en hulpeloos om me heen tastend mijn weg; ik was totaal vergeten dat deze tocht met een aangename avondwandeling was begonnen, want het lopen was al geruime tijd verre van aangenaam.

Opeens raakte iets mijn gezicht.

Het was nog altijd donker maar de periode van stilte was voorbij, iets wat ik niet had kunnen bevatten behoorde tot het verleden; toen het onbekende mijn gezicht opnieuw aanraakte, merkte ik dat het water was, water dat niet onaangenaam, maar koud aanvoelde; ik wist dat dit water mij aan iets herinneren wilde, iets dat mij met geen mogelijkheid te binnen wilde schieten, hoewel ik de geluiden hoorde die het maakte; opnieuw hoorde ik die geluiden, er moest dus wat tijd verstreken zijn, maar tijd deed er niet meer toe, want het was nog steeds donker, het was nog steeds nacht en al mijn kleren waren kletsnat; het was pikdonker!

Opeens begreep ik dat ik tussen de stenen lag.

In Gods hand

Dankzij Helene's bezoek heeft alles zich toch nog ten goede gekeerd, dat wil zeggen, tijdens die grootse ogenblikken scheen de toekomst, waarvan ik zo weinig heil verwachtte, ons veelbelovend toe te lachen. Toen ik de volgende dag in alle vroegte nog ongewassen, ongeschoren en onaangekleed in gedachten verzonken voor mijn bureau stond en nog enigszins doezelig mijn stoppelige kin krabde, niet in staat om eindelijk aan deze dag te beginnen, die later van beslissende betekenis zou blijken te zijn, voelde ik me uiterst gespannen, want ik had na de vermoeiende afscheidsbezoeken van de vorige avond zeer diep, dof, droomloos en lang geslapen, als iemand die zijn zaken naar beste vermogen heeft afgehandeld, hoewel die op een flauwte lijkende slaap het onmiddellijke gevolg was van mijn nieuwe leugens, van mijn gedwongen berusting in de uitzichtloosheid van mijn leven; daarom begon mijn geweten na het ontwaken, ontspannen, uitgerust en besluiteloos maar nog nadrukkelijker en enerverender dan tevoren, weer de oude, platgetreden paden te bewandelen; ook had de reiskoorts me al te pakken, die toestand van hoopvolle vreugde die ons doet geloven dat wij alleen door een verandering van plaats alles achter ons zullen laten wat ons hindert, kwelt, bedrukt of onoplosbaar toeschijnt; mijn bagage wachtte in de vestibule op de kruier, ik moest alleen nog de boeken en aantekenschriften bijeenzoeken die ik gedurende mijn reis nodig zou hebben en ze opbergen in de zwarte laktas die ik midden in de kamer geopend had neergezet; doordat mijn trein pas 's middags vertrok, had ik voldoende tijd voor dit om diverse redenen als netelig te beschouwen karwei en omdat ik mijn onaangename gevoelens niet de overhand wilde laten krijgen, deed ik geen moeite om mijn aandacht op het werk te richten, maar liet ik die naar believen afdwalen; plotseling werd er op de deur geklopt en stormde mijn bejaarde hospita, de brave mevrouw Hübner, zonder mijn toestemming om binnen te komen af te wachten, eenvoudig de kamer in; overigens was dit niet ongewoon, het was namelijk reeds als een ongehoord pedagogisch succes van me te beschouwen dat zij, wanneer ze mij iets zeer dringends had mee te delen, niet zonder te kloppen de deur openrukte, met andere woorden ik kon haar niet aan het verstand brengen dat zij, alvorens een kamer binnen te gaan, ook al was ze de verhuurster van die kamer, niet alleen behoorde aan te kloppen, maar ook mijn antwoord af te wachten; 'hoe zou ik u kunnen storen, meneer? ik weet toch dat u alleen bent,' had ze met dom rollende ogen en een strijkende beweging van haar handen over het over haar dikke buik spannende schort gezegd toen ik haar dit de eerste keer op uiterst hoffelijke wijze aan het verstand trachtte te brengen; omdat zij echter zo hulpvaardig en vriendelijk was, al scheen ze deze kleinigheid niet te kunnen leren, vermaakte de zaak mij meer dan dat ze mij ergerde; deze keer echter kon men dit roffelen met de beste wil van de wereld geen aankloppen meer noemen, ze bonsde met haar vuisten op de deur, die als door een windvlaag werd opengerukt en fluisterde met verstikte stem: 'er staat een juffrouw voor de deur, een juffrouw met een voile, ze wil u spreken, een juffrouw!' welke woorden, ondanks de ruime afmetingen van onze vestibule, stellig ook door de bezoekster waren gehoord, want mevrouw Hübner had natuurlijk verzuimd de deur achter zich te sluiten; 'er staat een juffrouw voor de deur, ik geloof dat het uw verloofde is!'

'Wilt u zo vriendelijk zijn de gast binnen te laten, mevrouw Hübner?' zei ik afgemeten en iets luider dan noodzakelijk om met mijn bereidwilligheid haar gebrek aan goede manieren enigszins goed te maken en mijn stem ook hoorbaar te laten zijn voor de in de vestibule wachtende gast, ofschoon mijn kleding absoluut niet geschikt was om een gast van welke rang of stand ook te ontvangen, zeker niet als het om een dame ging; niet alleen kon ik me niet voorstellen wie mij op dit veel te vroege uur wilde bezoeken, maar onmiddellijk kwamen er diverse, uiterst verontrustende veronderstellingen in me op; even schoot mij zelfs door het hoofd – en daarom haastte ik mij niet de gast tegemoet te gaan – dat een afgezant van mijn tot mijn doodsvijand geworden vriend diens nadrukkelijke belofte om mij fysiek te vernietigen, dat wil zeggen te vermoorden, kwam inlossen en met een pistool in de pelsmof voor de deur stond; 'zelfs de mode werkt in ons voordeel,' had hij eens lachend gezegd toen de dames ook moffen gingen dragen, en inderdaad vergrootte deze nieuwe mode de mogelijkheid om aanslagen te plegen; hij werd altijd door een groot aantal vrouwen omringd, en ik twijfelde er niet aan dat een van hen bereid was alles voor hem te doen; trouwens misschien was de betrokkene wel helemaal geen vrouw, maar had hij een van zijn als vrouw verklede helpers gestuurd; deze veronderstellingen waren volstrekt niet overdreven avontuurlijk en ik mocht, wetende hoeveel bruikbare methodes er zijn om iemand uit de weg te ruimen, de weloverwogen belofte van mijn vriend Claus Diestenweg geenszins licht opnemen; ik kon haar alleen al daarom niet met een schouderophaling afdoen omdat ik door hem niet zonder reden beschouwd kon worden als iemand die van allerlei onaangename en belastende geheimen op de hoogte was, als een mogelijke verrader van zijn zaak derhalve; je moet sterven, we hebben geduld om te wachten en we zullen op het juiste ogenblik verschijnen, had hij me in een niet eigenhandig geschreven brief meegedeeld; eigenlijk was het verbazingwekkend dat hij zijn vonnis niet eerder had voltrokken en dit pas nu deed; onmiddellijk kwam ook de vraag in me op of dit vage uitstel wellicht tot de straf behoorde, misschien wilde hij die pas voltrekken als mijn angst en argwaan geheel geluwd waren en ik in de waan verkeerde dat hij me liet lopen, zoals een wild dier dat, op ontsnapping hopend, van het open veld het bos in vlucht zonder de geweerlopen op te merken die uit het loof steken; het behoeft ons niet te verbazen dat het dier niet begrijpt waarom het op die vredige herfstmorgen wordt doodgeschoten en dat het zijn dood, die door zijn argeloosheid des te vreselijker is, niet zo onverschillig aanvaardt als wellicht in andere omstandigheden het geval zou zijn; ook ik had al maandenlang het gevoel dat ik mij tussen het loof bevond, dat ik niet meer zo aan gevaren blootstond als eerst; door veelvuldig van woning te wisselen had ik getracht voorgoed aan zijn gevaarlijke invloedssfeer te ontsnappen en door hem, zoals dat gewoonlijk gaat, vergeten te worden, en inderdaad had ik na verloop van tijd berichten noch brieven meer van hem ontvangen en mijn daaropvolgende verloving had niet alleen tot een verzachting van mijn gevoelens geleid, maar mij tevens tot de als verstandig te betitelen burgerlijke leefwijze teruggevoerd waarvan ik door de innige vriendschap met Diestenweg enkele jaren eerder vervreemd was geraakt; de gedachte aan Diestenwegs bedreiging was zo onverwacht en duizelingwekkend dat ik met mijn handen op de rugleuning van de fauteuil moest leunen om mezelf staande te houden; natuurlijk kon ik mijn luide woorden niet meer terugnemen; de gedachte dat ik nooit meer iets zou kunnen terugnemen dreef mij bijna tot een flauwte, hoewel ik er op de keper beschouwd niet eens veel behoefte aan had iets terug te nemen, want ik vond het niet eerlijk om te doen alsof mijn verleden mij niet toebehoorde; als ik voorbestemd was om te sterven, moest het maar gebeuren en liefst dadelijk, want ik was er nu op voorbereid; mevrouw Hübner verroerde zich echter niet, alsof ze mijn plotseling toenemende angst voelde en doorleefde; ze stond stokstijf onder het fraai gebogen gewelf dat mijn kamer van de altijd schemerige hal scheidde.

'Laten we de gast niet onnodig laten wachten, waarde mevrouw Hübner, laat u haar binnen!' herhaalde ik mijn verzoek wat zachter maar dringender dan tevoren, met een zelfbeheersing die mijzelf verbaasde; ondanks mijn opwelling van angst wist ik koel en zakelijk te blijven en mijn stem bewaarde haar noodzakelijke waardigheid; wat ik intussen voelde en doorleefde ging niemand wat aan; toen ik echter zag dat alles tevergeefs was, want de ongewone situatie scheen mevrouw Hübner om de een of andere, voor mij onbegrijpelijke reden zo verlamd te hebben dat zij niet in staat was de eenvoudige ceremonie van het binnenlaten van een gast te voltrekken, ofschoon ze die vaak genoeg van mij had kunnen leren, zodat het leek alsof er werkelijk de loop van een pistool op haar was gericht, begaf ik mij, mijn ochtendjas met een snelle handbeweging dichttrekkend alsof ik me op het ergste voorbereidde, zelf naar de deur om mijn bezoekster, wie zij ook mocht zijn, onverwijld binnen te laten.

Toen ik van de zonnige kamer in het aangename halfduister van de hal was gekomen, vanwaar je door de open deur zicht had op de vestibule, kon ik, hoe gedecideerd en beheerst ik ook was, alleen maar blijven staan en uitroepen, 'ben jij dat werkelijk, Helene?' want toen ik haar in deze eenvoudige, bijna armoedige, maar voor mij bijna vanzelfsprekend geworden omgeving zag, werd de eigenaardige verstarring van mijn hospita niet alleen begrijpelijk voor me, maar ook navoelbaar, ja het leek wel alsof ik hetzelfde doormaakte als de arme weduwe, die niet vaak de gelegenheid had een dergelijke verschijning te aanschouwen; Helene stond als een vorstin in de vestibule en door de armoedige omgeving was het me op dat moment te moede alsof ik zelf evenmin iets van doen had met dit verheven, engelachtig reine, eindeloos harmonieuze en toch zeer menselijke en onvolkomen wezen; ze droeg een mij onbekende zilvergrijze, met kant afgezette japon die, zoals de mode van die tijd voorschreef, de sierlijke, slanke vormen van haar lichaam op de meest geraffineerde wijze verhulde en tegelijk accentueerde, maar zonder enig lichaamsdeel ten koste van een ander op de voorgrond te plaatsen, wat aanstootgevend zou zijn geweest, het was het totaalbeeld dat het hem moest doen, terwijl de natuurlijkheid der onbenadrukte details de exuberantie en onnatuurlijkheid van het

geheel moest compenseren; ze hield het hoofd licht voorovergebogen, welke houding mij dadelijk herinnerde aan de middagen die ze
achter de piano of boven haar borduurraam placht door te brengen; de
uit de zorgvuldig dichtgeknoopte kraag oprijzende naaktheid van haar
hals scheen dankzij de uit haar hoog opgekamde haarknot neerkringe-
lende lokken voldoende kuis en aangekleed, maar tegelijk heel verleidelijk, en dat niet alleen vanwege de opvallend rode kleur van die lokken, onze fantasie wordt immers nooit geprikkeld door louter naaktheid, die eerder een gevoel van oneindige kwetsbaarheid en pijnlijke
hulpeloosheid oproept, terwijl daarentegen al wat op de een of andere
manier verhuld of bedekt is ons door zijn geheimzinnigheid aanspoort
de omhulsels weg te rukken en aldus het recht te verwerven – een
recht dat alleen ons toekomt! – om het kwetsbare lichaam te bekijken
en aan te raken, om zijn naaktheid in bezit te nemen en te genieten,
want alleen de gemeenschappelijke, wederkerige opwinding der ontdekking en inbezitneming stelt ons in staat de ruwe eenvoud van het
natuurlijke te verdragen en zelfs te waarderen; hoewel ik haar gezicht
niet kon zien – het werd overschaduwd door de reusachtige rand van
haar hoed en ze had haar voile nog niet opgeslagen –, bespeurde ik
toch een zekere verwarring bij haar en ik werd zelf ook door een dodelijke verlegenheid bevangen, enerzijds door de grootte van de verrassing, anderzijds doordat de plotselinge schrik en de daaropvolgende
even plotselinge vreugde mij al te zeer hadden aangedaan; hoewel ik
wist dat het aan mij was als eerste iets te zeggen om haar de pijnlijkheid
te besparen iets te moeten zeggen in het bijzijn van vreemden – twee
kleine meisjes met bleke gezichtjes en warrig haar, een kleindochter
van mevrouw Hübner en een kleindochter van haar vriendin, hadden
namelijk hun hoofd door de kier van de niet geheel gesloten keuken-
deur gestoken en staarden met grote schrikogen naar het stomme tafereel van Helene's entree, een tafereel waar zij zelf deel van uitmaakten –, was ik niet in staat iets te zeggen omdat alles wat ik op dit ogenblik had kunnen bedenken te schaamteloos, te persoonlijk en te pathetisch zou zijn geweest om er Jan en Alleman van te laten meegenieten;
daarom stak ik alleen mijn arm naar haar uit, waarop de lange, met de
punt naar de vloer wijzende paraplu in haar gehandschoende rechterhand begon te beven en zij, na haar sleep opgenomen te hebben, met
een bijna onhoorbaar geruis door de vestibule naar mij toe zweefde.
    'Wat heb je je in je hoofdje gehaald, lieve?' vroeg ik, maar eigenlijk
was mijn vraag meer een kreet, die ik in de gewelfde overloop tussen

mijn lichte kamer en de duistere vestibule slaakte toen het me eindelijk gelukt was mevrouw Hübner uit de kamer te verdrijven en de deur achter haar rug te sluiten; 'is er iets onaangenaams gepasseerd? geef toch antwoord, Helene, als je me niet tot wanhoop wilt drijven!'

Helene gaf echter geruime tijd geen antwoord; we stonden vlak tegenover elkaar en haar zwijgen leek eindeloos lang te duren; ik gevoelde de aandrang de voile voor het gezicht weg te rukken, die eenvoudig weg te rukken, en ook de hoed die zo dwaas haar gezicht bedekte had ik haar het liefst van het hoofd getrokken; ik wilde haar gezicht zien om meer te weten te komen over de reden van haar bezoek, hoewel ik heel goed kon raden waarom ze was gekomen; eigenlijk had ik haar ook graag de kleren van het lijf gerukt, opdat zij mij niet langer zo lachwekkend vreemd zou toeschijnen; het verhoogde mijn opwinding dat zij over haar hele lichaam rilde, waardoor ik echter tot geen enkele ruwe of vulgaire beweging in staat was, ik dorst die ellendige hoed dan ook niet aan te raken en wou haar sparen; 'ik weet heel goed dat ik dit niet had mogen doen,' fluisterde ze achter haar voile – bijna hadden we elkaar in onze opwinding aangestoken, hoewel ze, evenals ikzelf, er zorgvuldig voor waakte dat dit gebeurde –, 'maar toch kon ik niet de aandrang weerstaan je op te zoeken, het is trouwens maar voor een ogenblik, beneden wacht mijn rijtuig; het brengt me vreselijk in verlegenheid je de ware reden van mijn komst op te biechten! ik wilde alleen maar even je ogen zien, Thomas, maar nu ik dit zeg heb ik volstrekt niet meer het gevoel me te moeten schamen; gisteravond, na je vertrek, kon ik me plotseling niet meer je gelaatstrekken voor de geest halen; toe, wend je niet af en minacht mij niet om dit verzoek, maar kijk me aan; ja, nu zie ik je ogen, de hele nacht is het me niet gelukt me je ogen voor de geest te halen.'

'Ik dacht nog wel dat je begrepen had wat ik tegen je gezegd heb!'

'O, begrijp me alsjeblieft niet verkeerd! ik wist dat je me verkeerd zou begrijpen; ik wil je niet tegenhouden, ga maar op reis!'

'Maar hoe zou ik dat in deze omstandigheden kunnen doen?'

'In deze omstandigheden zal het je nog lichter vallen.'

'Waarom ben je zo wreed tegen me?'

'Laten we hier liever over ophouden, Thomas.'

'Je drijft me tot waanzin, Helene; ik houd krankzinnig veel van je, op dit moment houd ik nog meer van je dan anders, ik voel dat ik nog nooit zo van je gehouden heb, je hebt me volkomen waanzinnig gemaakt met wat je gezegd hebt, en door hierheen te komen, ik kan de juiste woorden niet vinden, ik voel me belachelijk, maar wil je toch zeggen dat je mijn redding bent; en geloof me, als ik zeg dat niet dát de reden van mijn liefde is; het liefste zou ik al mijn manuscripten en boeken willen verscheuren.'

'Zwijg liever.'

'Ik kan niet zwijgen, maar ik kan ook niet meer spreken; ik zal alles met mijn nagels en tanden verscheuren, al mijn geschriften en papieren.'

'Ik wou alleen maar even je ogen zien, Thomas, je ogen, en je naam uitsprekcn, omdat ik het nu eenmaal niet kan nalaten je naam uit te spreken, maar nu ik je gezien heb, kan ik weer gaan en jij moet ook gaan!'

'Ik laat je niet gaan!'

'Ik moet wel gaan.'

'Liefste!'

'We moeten verstandig zijn.'

'Ik wil je haar zien, je hals. Ik wil mijn handen door je haar laten glijden en er zo hard aan trekken dat je het uitgilt.'

'Zeg dat toch niet!'

'Ik ga je vermoorden!'

Deze zin sprak ik, terwijl zij haar hoed met voile afrukte, met zo'n nadrukkelijke overtuiging uit, met zo'n in de letterlijke zin des woords diepe en door hartstocht verstikte stem, dat mijn in volslagen razernij uitgesproken woorden precies de geheime wens en het verborgen verlangen schenen uit te drukken waarvan ik me tot dat moment weliswaar niet bewust was geweest, maar die toch in het geheel niet nieuw schenen; het was alsof ik altijd al deze wens had gekoesterd, uitsluitend deze en geen andere, een wens die al mijn doen en laten beïnvloedde: haar te doden, en dus scheen deze zin en de nadruk waarmee hij was uitgesproken, ook tot grote verrassing van mijzelf, oprecht, hoewel hij uit mijn mond, uitgerekend de mond van iemand die, hoe men de zaak ook wendde of keerde de zoon van een moordenaar was, een ordinaire lustmoordenaar, geenszins onschuldig en ongevaarlijk klonk, althans niet in mijn oren, zodat mijn woorden niet uitsluitend als een in liefdesverdwazing geuite holle frase waren op te vatten, ja het scheen zelfs dat de aandrang die ik na zo'n lange, bittere tijd voelde om de hand aan haar te slaan een verklaring was voor de mij tot nog toe onbegrijpelijke en afschuwelijke daad van mijn vader; bovendien scheen ik tijdens dit korte moment – het duurde slechts de fractie van een seconde – buiten mijzelf te treden en zag ik mijn innigste wens als iets wat zich reeds in het lot van mijn vader had voltrokken, zoals men uit de blootgelegde wortels van een boom huiverend de imposante vorm van de kroon afleidt; op dit moment hield ik zielsveel van het hulpeloze, bevende wezen dat daar voor me stond en voelde ik me ver verheven boven alle begeerten die de verliefdheid aanwakkeren door de kortstondige illusie van bevredigbaarheid te schenken, ik voelde me daar temeer boven staan omdat de bevrediging van mijn liefdesverlangen, gezien de omstandigheden, vóór ons huwelijk ondenkbaar was, ik moest me eenvoudig tegen dit verlangen verzetten; niettemin had ik graag mijn vingers om haar nek gelegd en haar door mij zo bewonderde hals tot stikkens toe dichtgeknepen.

Natuurlijk kon zij uit mijn zin niet haar lot distilleren, evenmin als mijn moeder die middag, vele jaren geleden, het hare kon vermoeden, ze hoefde dus niet serieus te nemen wat serieus bedoeld was, integendeel; mijn ernstige vastberadenheid, die ongetwijfeld waarneembaar voor haar was door de klank mijn stem, scheen haar dweperigheid slechts aan te wakkeren, 'ik ben geheel de jouwe,' fluisterde ze lachend terug en op dat moment leek het of ik haar volle, vochtige lippen voor de eerste maal zag, 'geil ding, slet!' fluisterde ik tegen haar lippen voordat ik ze met mijn tong beroerde; tot op zekere hoogte stoorde mij mijn slordige ochtendtoilet, ik had niet eens mijn mond gespoeld; 'geil ding, slet! schaam je je niet zoiets voor ons huwelijk te zeggen?' voegde ik er lachend aan toe; deze niet eens geheel bewust uitgesproken woorden schenen haar volstrekt niet te verrassen of te ontstellen en hoewel ik uit mijn mond rook, drukte ze met hernieuwde hartstocht haar lippen op de mijne; ik had op dat moment het gevoel door mijn banale woorden aan de vleselijke lusten ontstegen te zijn en een enorme geestelijke triomf behaald te hebben, alsof ik over het lijk van mijn vader was gestapt, ik had immers durven zeggen wat hij op tragische wijze had ingeslikt.

En ik ervoer vreugde, een der grootste vreugden die men zich denken kan, want al omklemde ik met beide handen haar hals – hoe en wanneer mijn handen daar terechtgekomen waren, weet ik absoluut niet meer –, de door gelijkheid en overeenkomst gevoede angst, haat en toorn die onze relatie kenmerkten en mij tot dat ogenblik gewetenswroeging en schaamte hadden bezorgd en mij belet hadden van het moment te genieten maar mij steeds aan iets bekends, iets van vroeger hadden herinnerd, waren eensklaps verdwenen, als sneeuw voor de zon, ik wilde alleen nog maar genieten van haar heerlijke mond, die mij bij het kussen trachtte te verslinden, maar durfde haar niet tegen me aan te drukken, bang als ik was dat mijn lichte ochtendjas en dunne zijden pyjama de stijfheid van mijn geslacht zouden verraden; mijn handen werden tot werktuigen van de tederheid en dienden alleen nog om haar hoofd zo zacht mogelijk en in de meest geriefelijke houding vast te houden, haar mond had mijn haat in bezitsdrift doen verkeren, mijn handen wilden niet langer drukken en wurgen maar slechts ondersteunen, opdat zij mij kon kussen en haar tong mijn mond zou verkennen; hoewel mijn bewustzijn zich trachtte te beheersen, zou ik niet meer kunnen zeggen op welk moment ik mijn ogen sloot, zij haar armen om mijn nek sloeg en twee donkere holten heet en vochtig met elkaar versmolten; intussen bekroop mij een vage angst, die vermoedelijk aan jaloezie was te wijten; ik begreep namelijk niet hoe zij zo bedreven kon zijn in het kussen, met name niet omdat ik merkte dat haar gedrag niet op ervaring berustte, maar dat zij zich volkomen spontaan aan mij overgaf; juist deze zuiverheid van haar maakte zo'n indruk op mij, meer dan enige ervaring ooit had kunnen doen; en zo was ik degene van ons beiden die, op zijn erotische ervaring vertrouwend, zich niet liet gaan, maar sluw en niet gespeend van enig boosaardig superioriteitsgevoel haar ontdekkingsreizen en aanvallen slechts duldde, dat wil zeggen, haar kussen niet beantwoordde, ofschoon ik telkens onverwachts en opzettelijk te laat of vertragend met mijn tongpunt haar lippen of tanden aanraakte of haar tong de weg versperde, genietend van haar verwarring; door dit gedrag wakkerde ik ons verlangen naar eenwording steeds meer aan, als trachtte ik haar te dwingen de laatste bolwerken van haar schaamtegevoel en ingetogenheid te verlaten en zich geheel aan mij over te geven, wat ik uiterst noodzakelijk achtte omdat de nuchter gebleven helft van mijn bewustzijn begreep dat geen van ons beiden op dat moment de loop der dingen nog zonder risico kon vertragen of tegenhouden; we zouden dus de omslachtige en langdurige operatie van de ontkleding moeten doorstaan, een operatie die een beroep doet op alle reserves aan smaak en handigheid waarover een mens beschikt, de door het gepriegel met knoopjes, snoertjes en haakjes ontstane schaamte kan immers pas achteraf tot een lustbron en geestige herinnering worden, iets waarvan men op een heel speciale wijze kan genieten, namelijk zodra de twee naakte lichamen zich verenigd hebben.

Hoewel al mijn bewegingen met verstand en nuchterheid waren

uitgedacht verloor ik op een gegeven moment al mijn nuchterheid; nu dit alles ver achter mij ligt en ik als de koele beschouwer van mijn eigen gedragingen de gebeurtenissen van die zonnige ochtend tracht te reconstrueren, heb ik het gevoel dat ik, op dit punt aangeland, op de ondoordringbare grenzen van de taal stuit of met mijn hoofd de harde stenen muur van de onnoembaarheid der dingen moet doorbreken, en dat niet uitsluitend een obligate en dus in menig opzicht lachwekkende schaamte mijn voornemen kwestieus maakt, hoewel het een onloochenbaar feit is dat het mij veel moeite kost bepaalde dingen bij name te noemen die in de omgangstaal uitsluitend met geheel versleten en onfatsoenlijk geworden woorden worden benoemd; deze woorden waarmee bepaalde organen, handelingen en bewegingen worden aangeduid, kan ik ondanks hun sappige levensechtheid en expressieve kracht niet voor mijn relaas gebruiken; en toch ben ik niet bang te zondigen tegen de burgerlijke fatsoensnormen, nee, die zogenaamde burgerlijke fatsoensnormen interesseren mij op het moment niet in het minst, ik moet immers de balans van mijn leven opmaken en de burgerlijke moraal kan slechts het kader zijn waarbinnen een leven zich voltrekt; als ik omwille van deze definitieve afrekening de plattegrond van mijn gevoelsleven zo nauwkeurig mogelijk wil schetsen, moet ik mijn lichaam blootgeven en mag geen schaamte mij beletten het in al zijn naaktheid in ogenschouw te nemen, evenals het belachelijk zou zijn een patholoog-anatoom te verbieden het laken op te lichten dat een lijk op de snijtafel bedekt; daarom moet ik dus nu in mijn verbeelding mijn ochtendjas en mijn pyjama uittrekken en haar uit haar ergerlijk ingewikkelde, mooie jurk pellen, zoals ik dat indertijd ook in die kamer heb gedaan, en elke beweging en ieder gevoel bij name noemen, maar na enig nadenken vind ik dat het minstens zo belachelijk en onoprecht is in alledaagse bewoordingen over de zogenaamde schaamdelen en − het betreft immers levende organen − hun natuurlijke functies te spreken als er helemaal niet over te spreken en fatsoenshalve snel van onderwerp te wisselen; indien ik immers, om de portee van deze vragen te illustreren en aan te tonen hoe moeilijk men ze kan beantwoorden, bij wijze van proef mijzelf zou vragen: 'zeg eens, goede vriend, heb je op die stralende ochtend je verloofde nu genaaid of niet?', zou een bevestigend antwoord op deze vraag slechts een misleidende vereenvoudiging of gemeenplaats zijn en was ik niet minder onoprecht dan wanneer ik in het geheel niet over het gebeurde zou spreken, deze bevestiging zou mij immers evenzeer in staat stellen onthullende details van het gebeuren onvermeld te laten als wanneer ik zou zwijgen; het is trouwens voor de narcistische aandacht, die uitsluitend geïnteresseerd is in verborgen, de belangstelling onwaardige details, bijzonder moeilijk zich een beeld te vormen van haar onderwerp, dat wil zeggen van zichzelf, doordat het lichaam juist op de meest onthullende momenten geen weet meer heeft van zichzelf, en doordat het geheugen natuurlijk niets kan bewaren waar het lichaam geen weet van heeft, worden de belangrijkste activiteiten dikwijls niet geregistreerd, hoewel juist deze activiteiten ons het gevoel geven dat er een uitzonderlijke gebeurtenis heeft plaatsgevonden, zoals in geval van een flauwte, waarvan het geheugen ook alleen het merkwaardige duizelige gevoel voor de bezwijming en het bijkomen daaruit bewaart, terwijl de flauwte zelf, die ons achteraf natuurlijk het meest interesseert, dit is immers de toestand die van elke andere ons bekende verschilt, ontoegankelijk blijft.

Tenslotte beet Helene eenvoudig in mijn lip, en door dit vastberaden gebaar, het enig mogelijke antwoord op mijn afwerende, kinderachtige liefdesspel, werd gelukkig ook het laatste restje nuchterheid in mijn bewustzijn verduisterd; nu ik hierop terugblik, geloof ik dat deze pijnlijke beet het laatste gevoel was waarvan de betekenis en het belang nog met enige helderheid doordrongen tot mijn bewustzijn, vanuit dit gevoel gleed ik weg in die later nauwelijks meer voorstelbare toestand van bewusteloosheid; haar mond had op dat moment niet alleen elke reserve laten varen, maar ook op veelzeggende wijze tot uitdrukking gebracht dat zij mijn gehele lichaam wilde bezitten en niet langer bereid was enige hindernis of spitsvondigheid te dulden, zodat het volkomen overbodig was de handige, in de kunstgrepen der lichamelijke liefde doorknede verleider uit te hangen, ze moest en zou mij hebben, met huid en haar; haar lichaam vlijde zich tegen het mijne en ik mocht absoluut niet meer kiezen welke rol ik zou spelen; zij trachtte haar schoot op de mijne drukken en zelfs de vele lagen kant en zijde die zich tussen ons bevonden beletten niet dat wij elkaars opwinding voelden, wat merkwaardigerwijze niet alleen een grote blijdschap in mij wekte, maar ook een gevoel van vernedering, omdat ik de indruk had dat zij, omdat ze de leiding van ons lot in handen had moeten nemen en de opzettelijk onberekenbare spelletjes van mijn tong slechts onhandige pogingen waren vergeleken bij de bekentenis van haar tanden, mijn mannelijkheid in twijfel trok, althans opzettelijk mijn seksuele ijdelheid krenkte; het was alsof wij van rol hadden gewisseld, zo mannelijk agressief gedroeg ze zich, wat mij natuurlijk wel beviel, in hoge mate zelfs, hoewel ik mij onder haar vastberaden aanval uiterst vrouwelijk, plaagziek en koket voelde; ik moest dus mijn superioriteit aan haar bewijzen, mijn instincten of geconditioneerde reflexen weigerden deze ruil te aanvaarden, en wellicht was haar beet er wel op gericht geweest – zonder dat zij zich daarvan overigens bewust was – dit superioriteitsgevoel bij mij aan te wakkeren; toen ik dat bedacht, voelde ik opnieuw woede en had ik de neiging haar woest van me af te duwen, alsof ze een bloedzuiger was die me belaagde; ik greep haar haar beet, trok woest aan de dunne stof van haar japon en kneep haar waarschijnlijk zelfs, terwijl ik mijn mond met een schielijke hoofdbeweging losmaakte van de hare, waarna ik met de hand lager greep, haar achterste vatte en haar onderlichaam op de meest grove wijze tegen het mijne aan drukte, haar als het ware onthullend wat ik tot dat ogenblik min of meer had getracht te verbergen, datgene wat in mijn broek en onder mijn ochtendjas schuilging; vervolgens deed ik hetzelfde als zij had gedaan en nam ik met mijn mond en mijn tanden haar mond in bezit, bijtend en mijn tong diep in haar mondholte drijvend, waarop zij, reeds op de grond liggend, met de grootste tederheid reageerde door mij met haar handen en tong zacht te strelen; ik heb er geen idee van hoe wij samen zijn gevallen, want op dat moment was ik de draad van ons verhaal al kwijtgeraakt en kon ik uitsluitend uit haar bewegingen, haar gelaatstrekken, haar blik, de smaak van haar speeksel, de geur van haar zweet en haar knipperende oogharen afleiden wat er met mij was gebeurd.

Ze lag ruggelings op de kale vloer; ik leunde op mijn elleboog, boog me over haar heen en bekeek haar neergeslagen wimpers en haar bijna onbeweeglijke, bleke gezicht; een van heel diep komende, onbegrijpelijk droge snik deed mijn lichaam schudden.

Mijn vrije hand verdween in haar over de vloer gespreide rode haardos en alsof mijn hand zich die oude, o zo oeroude belofte wilde herinneren, trok ik aan haar lokken, trok ik haar hoofd aan haar lokken naar me toe, waarop haar gezicht bijna geheel levenloos op de vloer zeeg.

Die snik was zoiets als de herinnering aan een kinderziekte: heet, verdoofd en met koude rillingen gepaard gaand, het was alsof wij in de diepste duisternis rondwarend eensklaps op een zonnige open plek waren aangeland, in deze kamer, waarin de vertrouwde en toch zo vreemde meubels zwijgend om ons heen stonden en het dikke tapijt, dat onze voeten hadden geplooid, een heuse berg vormde en het patroon en de plooien van de zware gordijnen een bijna ondraaglijk monotoon schouwspel vormden; dit prachtige maar betekenisloze schouwspel hinderde mij zo dat ik mijn hoofd voorzichtig – het was de eerste keer dat ik haar aanraakte – op haar borst liet zinken, en terwijl ik de hitte van mijn adem voelde in de door haar uitwasemingen plakkerig geworden ruches op haar borst, sloot ik mijn ogen in de hoop dat mijn wanhopig gesnik mij weer zou terugvoeren naar de duisternis waaraan de stilte me had ontrukt.

Maar Helene scheen mijn tranen niet te bemerken, ze troostte me in ieder geval niet; misschien heb ik haar werkelijk wel vermoord, dacht ik op dat moment.

Mijn lippen vonden tussen haar met kant afgezette kraagje de weg naar haar hals en op dat moment moest ik mijn ogen weer openen; het beeld van haar huid en haar gladheid is voor altijd in mijn geheugen gegrift, zelfs mijn mond en mijn tong voelen die op dat moment, want hoewel de stilte in ons toen heel intens was, trachtte mijn mond toch als een zonderling dier, als een langzaam voortkruipende slak, alles te proeven wat hij zich al die tijd had moeten ontzeggen, en ik moest mijn ogen opnieuw openen omdat ik er niet voldoende aan had met de tastzin haar huid in me op te nemen, dat was nog altijd geen voldoende schadeloosstelling voor de verspilde minuten; bovendien zou ik misschien eerder het felbegeerde in bezit durven nemen als ik het niet alleen voelde, maar ook zag.

'Ik moet je iets zeggen,' hoorde ik haar fluisteren, maar ik bracht mijn mond naar haar lippen toe om haar te beletten verder te spreken; ik wou dat ze me haar wens met haar adem inblies, maar ik haastte me volstrekt niet, ik nam eerst haar puntige kinnetje, dat verleidelijk in mijn richting wees, tussen mijn tanden; het was zalig dit kinnetje, dat zo hard was dat ik lust kreeg erin te bijten, tussen mijn tanden te houden, maar als een hond die in plaats van het bot dat hij in zijn bek heeft een nog groter krijgt aangeboden, raakte ik in grote verlegenheid, in de onaangename verlegenheid die ons bekruipt als wij een keuze moeten maken; haar mond wachtte echter en dit besliste ondubbelzinnig wat ik moest doen; waarschijnlijk had ik mijn ogen toen alweer gesloten; want ik herinner me alleen hoe de geur van haar adem mijn neus binnendrong toen ze zei: 'kleed me uit alsjeblieft!'

Intussen hadden we op de een of andere manier mijn snikken achter ons gelaten, weer iets wat voorgoed verloren was.

Haar stem moet mijn verduisterd brein ontnuchterd en verhelderd hebben, want ik kan me nog de verwondering herinneren die ik op dat moment voelde; die verwondering betrof echter niet haar verzoek, maar de klank van haar stem, ze had namelijk op een volkomen natuurlijke toon gesproken en haar woorden hadden daardoor zó vertroostend geklonken dat ik het gevoel had dat ze iets heel natuurlijks had gevraagd; toch had haar stem niet als die van een volwassen meisje geklonken, het scheen dat zij ongewild was teruggekeerd tot een vroegere levensfase, tot de fase die mij zoëven, toen ik had gehuild, ook had aangetrokken; het was alsof zij mij hierdoor die onbekende periode van haar leven cadeau deed, zoals ik haar met mijn kinderlijke gejammer ook een deel van mijn leven had geschonken, en dus was het eigenlijk toch geen verwondering die ik voelde, althans geen verwondering alleen, eerder bewondering; ik bewonderde haar jeugd en tevens het unieke vermogen van de mens om een medemens emoties te laten voelen uit een tijd die reeds lang voorbij is.

En deze merkwaardige, kinderlijke, oneindig diepe en onbegrensde toestand, die zo uitzonderlijk was doordat wij elk een spanningsveld waren geworden tussen een niet afgebakend verleden en een onbepaalde toekomst, hield ons niet alleen in zijn ban totdat wij elkaar met ogenschijnlijk niet geringe omslachtigheid hadden ontkleed, maar hij liet, geïntensiveerd door onze gebaren van wederzijds vertrouwen en wederzijdse nabijheid, zijn invloed ook gelden op het moment dat we, half zittend half liggend tussen de belachelijke hoopjes uitgetrokken kleren die her en der verspreid lagen, eindelijk elkaars naakte lichaam mochten aanschouwen.

Ik bekeek haar, maar liet mijn blik intussen ook voorzichtig, bijna heimelijk, over mijn eigen lichaam glijden; met een zekere verbijstering constateerde ik iets wat ik ook duidelijk kon voelen, alhoewel ik me toch door een blik van de juistheid van dat gevoel wilde vergewissen, namelijk dat mijn geslachtsorgaan, dat zoëven nog hard en stijf zijn plaats had opgeëist, nu kinderlijk onverschillig en ineengeschrompeld op mijn dij rustte; mijn poging om mijn geslacht heimelijk te bekijken mislukte echter, mijn steelse blik kon haar niet ontgaan doordat zij, anders dan ikzelf, haar romp en hals heel stijf strekte en alleen naar mijn ogen keek, alsof ze met alle geweld wilde voorkomen dat zij haar eigen of mijn lichaam zou zien; we namen elkaar bij de hand; ik veronderstel dat zij zich niet uit schaamte zo gereserveerd gedroeg, maar dat zij zich niet wilde verliezen in details, zoals ook ik, toen ik haar had uitgekleed, bij het losmaken van haar tussen kanten stroken verborgen rugsluiting en de veters van haar korset en het uittrekken van haar sierlijke, met parels bezette schoentjes en haar met roze strikken versierde directoire, waarmee haar zijden kousen handig waren verbonden, mijn aandacht uitsluitend op de haakjes, knoopjes, veters en sluitingen had gericht en opzettelijk had vermeden te kijken naar het tot dat moment onbekende, maar zich hoe langer hoe meer onthullende landschap van haar lichaam, omdat ik haar in haar geheel wilde zien, niet bij stukjes en beetjes; toen zij echter geheel naakt voor mij lag, schenen mijn ogen de verrukkelijke totaliteit niet te kunnen opnemen en verwerken, ik moest werkelijk overal naar kijken, naar alles tegelijk, maar ik wilde mijn blik ook op één punt laten rusten en trachtte op haar lichaam een punt te ontdekken dat uniek was; en misschien was het wel verstandig van haar, als we in dit verband tenminste van verstandig kunnen spreken, dat ze mij voortdurend aankeek, want, al klinkt het nog zo sentimenteel, haar bewolkte blauwe ogen weerspiegelden een vollediger waarheid dan haar huid ooit had kunnen bieden, hetgeen niet onbegrijpelijk is, per slot van rekening kunnen de door het gelijkmatige omhulsel van de huid verborgen lichaamsvormen slechts door tussenkomst van de blik iets over zichzelf zeggen.

Ik weet absoluut niet hoe wij deze eigenaardige houding hebben aangenomen, ik kan immers moeilijk beweren voldoende bij mijn positieven te zijn geweest om mij op een gecoördineerde wijze te kunnen bewegen, integendeel; allerlei gedachteflitsen en vluchtige herinneringen spookten mij door het hoofd en hinderden mij vreselijk, zoals het plotselinge vermoeden dat mevrouw Hübner ons achter de deur stond af te luisteren, de gedachte dat de koetsier beneden wachtte en de paarden juist de haverzak omhing of het vluchtige gevoel dat Helene nog zo onwaarschijnlijk jong was, nog geen negentien jaar, en ik, als zij zich nu aan mij zou geven en ik mij niet meer kon beheersen, mij definitief aan haar zou uitleveren; plotseling voorvoelde ik alle problemen die een echtelijk leven met haar zouden opleveren, ik zou immers de eerste zijn die licht zou brengen in het donker van haar onbewuste gevoelens, al was het maar voor een ogenblik, maar dat zou het enige zijn wat ons verbond; het was alsof er een hulpeloze, willoze marionet tegenover me zat, die ik tot leven moest wekken opdat ze later mijn leven zou verwoesten; omdat dit tot-leven-wekken ons voor eeuwig aan elkaar zou smeden, mocht ik het niet doen, nee, ik mocht mijn vrijheid niet verliezen, anders zou ik haar moeten doden; ik moest bovendien aan de vorige avond denken, aan mijn avontuurtje, dat weliswaar onvoltooid was gebleven maar toch een aanwijzing was dat mijn gevoelens mij wegen deden inslaan die zij niet kon begrijpen, laat staan mee-bewandelen, zodat ik zowel haar als mezelf aan een groot risico zou blootstellen als ik onze verhouding continueerde; en toch zaten wij daar op de vloer tegenover elkaar, naakt en op elkaar aangewezen, hand in hand; en zonder dat ik enige gedrevenheid voelde, verlangde ik er op dat moment vurig naar elk plekje van haar lichaam te verkennen, omdat ik tot nog toe alleen naar het geheel had verlangd, naar alles wat zij ooit was geweest en met mij zou worden; en op dat moment wist ik dat zij mij toebehoorde, zodat mijn waarschuwende maar verwarde gedachteflitsen alleen nog maar mijn verlangen konden versterken, er was dus nog altijd iets tussen ons wat overwonnen moest worden, en ook zij moet iets dergelijks gevoeld hebben, want haar blikken dwaalden niet af naar mijn lichaam, als iemand die een cadeau heeft gekregen maar nog steeds niet kan geloven dat het werkelijk voor hem is bestemd, en hoewel we daar schijnbaar volkomen op ons gemak zaten, min of meer in kleermakerszit, was ze tot het uiterste gespannen, ze had één been onder zich getrokken en hield zich met het andere, dat, scherp gebogen in de knie, bijna haar tepel bereikte, overeind, zodat haar schoot volledig openlag; haar weelderige rode haar viel over haar kinderlijk tengere, breekbare schouders en onder de behaarde driehoek tussen haar dijen waren de geopende schaamlippen zichtbaar; toen ik heimelijk een blik op mijn onderlijf wierp en mijn slappe geslachtsorgaan op mijn dijbeen zag liggen, voelde ik me als een rustende Pan in het bedauwde gras van een boswei, maar veel belangrijker dan deze associatie was voor mij het feit dat ik in dezelfde houding zat als zij, één dij onder me getrokken, de schoot geopend, me overeind houdend met het andere been, zodat we elkaars spiegelbeelden waren; en dan haar heupen! maar vooral haar boezem; tussen de ronding van haar borsten en de sierlijke kromming van haar heupen zag ik een verbluffende overeenkomst, alsof beide welvingen aan hetzelfde gebod van de schepping gehoorzaamden.

Bijna gelijktijdig begonnen we over de vloer naar elkaar toe te kruipen, waarbij onze handen in grote mate behulpzaam waren, zij trok mij en ik trok haar, maar hoe ernstig en betekenisvol dit moment ook mocht zijn, het was onmogelijk die tijdelijke gelijkheid van onze bewegingen anders dan als komisch te ervaren; mijn ogen hadden toen reeds de rustgevende punten ontdekt in het verrukkelijke schouwspel van haar lichaam, weliswaar was het niet één enkel punt en ook niet het geheel, ik zag haar borsten, heupen en de door haar houding open-staande schaamlippen veeleer als een eenheid en kon me alleen daarom al veroorloven deze details uit het geheel te lichten omdat ik, nadat ik het geheel met een zekere kilheid had geïnspecteerd, er zeker van was dat ik niet teleurgesteld zou worden en zou krijgen wat ik hebben wil-de; nee, haar kleren hadden niet gelogen, ik zou een volmaakt lichaam het mijne kunnen noemen; de aantrekkingskracht van deze toch ta-melijk ver verwijderde punten scheen mij van mijn plaats te drijven, ik vond dat zo grappig, dat ik in lachen uitbarstte en ik hoorde en zag dat zij ook lachte, we lachten gelijktijdig; en omdat we beiden wisten dat we aan hetzelfde dachten omdat we het beiden vermakelijk vonden dat we ons gelijktijdig bewogen en gelijktijdig daarom lachten, werd ons lachen ook gelijktijdig luider, sloeg het gelijktijdig om in een to-meloos gebrul, ja we brulden het tenslotte uit; in mijn gedachten kan ik dit gebrul nog steeds horen; het was alsof ons door ons gelach een onweerstaanbare kracht werd ingegoten, maar toch aarzelde ik heel even toen ik tijdens die lachbui haar verleidelijk glanzende tandvlees zag en mijn mond vlak boven haar borsten zweefde, omdat ik niet kon beslissen welke van de twee ik moest kiezen, omdat ik ze beide even vurig begeerde; en dit lachen, waarvan mijn hele lichaam schokte, her-innerde mij merkwaardigerwijs aan mijn gejammer van daarstraks; op dat ogenblik bracht ik mijn hand naar haar schoot om met mijn vingers teder tussen haar twee kostelijke schaamlippen in te dringen, in dat zachte, gladde en diepe, terwijl ik op mijn schouders en mijn rug haar haar voelde, dat als een tent over me was uitgewaaierd; en misschien was mijn nek het punt dat zij zocht, want toen ik een van haar stevige tepels voorzichtig tussen mijn lippen nam, drukte zij haar mond op mijn nek en drongen haar vingers zich tussen mijn dijen; en daarop werd het plotseling stil; en als ik dit nu allemaal weer voor me zie, wil de gedachte me niet loslaten dat we ons op dat moment in Gods hand bevonden.

De pijn kwam langzaam terug

En weer stond ik in onze vestibule, misschien wel in hetzelfde uur, en ik zag in de spiegel dat er een vreemde jas aan de kapstok hing.

In het halfdonker kon je in de spiegel niet goed zien wat voor kleur de jas had; hij was van een dikke, ruige stof gemaakt, de soort die wel de regen afstoot, maar waaraan elk pluisje en haartje blijft kleven.

In de dakgoten bruiste en kolkte het water, de papperige sneeuw op de steile daken begon al te smelten, en ik stond daar met mijn tas voor de spiegel.

Het was waarschijnlijk een donkerblauwe, oude, afgedankte uniformjas, onder de brede kraag blonk nog een originele gouden knoop, de overige knopen waren al vervangen.

En misschien was het door deze op de donkere jas blinkende gouden knoop dat ik aan hem moest denken, weer aan hem, aan de manier waarop hij over de besneeuwde boswei naar mij toe was gelopen en aan mijn verdrietige stemming indertijd, na die eerste ontmoeting, toen ik ook in de vestibule had gestaan en niet de geringste hoop had gekoesterd dat de om en door hem geleden pijn ooit nog zou wegslijten; ik had mezelf in de spiegel bekeken en gedacht dat alles altijd zo zou blijven als het was, en inderdaad, er was ook niets veranderd; ook nu was de sneeuw aan het smelten en was ik, om niet met hem te hoeven meelopen, door het bos naar huis gegaan, en ook nu waren mijn schoenen doorweekt; het leek zelfs wel alsof ik dezelfde geluiden in de eetkamer hoorde als toen, als altijd trouwens: het dwaze gegil van mijn zusje, begeleid door gerinkel en gekletter van serviesgoed en het onophoudelijke gemopper van mijn grootmoeder, dat voortdurend werd onderbroken door het geduldige, vriendelijke gebrom van mijn grootvader; geluiden waarvan je precies de betekenis kende, ook als je niet oplette, ze waren immers zo vertrouwd en bekend dat je niet speciaal op ze hoefde te letten; door die meervoudige overeenkomst met vroeger leek het haast of de tijd heel lang stil was blijven staan en kwam de oude pijn langzaam terug; alleen die vreemde, onbekende jas aan de kapstok, die sluimerende herinneringen in mij wakker maakte aan mijn liefde voor hem en mijn vergeefse gevecht daartegen – ik hoopte altijd dat mijn gevoelens van tijdelijke aard waren –, toonde aan dat er toch tijd was verstreken, en als deze werkelijkheid niet de vroegere realiteit was maar de huidige, was het aannemelijk dat ook deze huidige werkelijkheid eens voorbij zou gaan.

Toen ik de deur van de slaapkamer opende, lag mijn moeder nog precies in dezelfde houding, haar hoofd diep weggezakt in de grote, witte kussens, alsof ze eeuwig sliep; ze opende haar ogen alleen als er iemand binnenkwam.

Ik was allereerst naar haar kamer gegaan, zoals ik sinds die eerdere ontmoeting altijd had gedaan; waar had ik anders naar toe moeten gaan?

Toentertijd, die eerste keer, was ik door een primitief en kinderlijk soort egoïsme naar haar toe gedreven en was mijn gang absoluut niet weloverwogen geweest; tot dat moment had ik altijd braaf deelgenomen aan de gezamenlijke maaltijd, maar sindsdien was het mijn gewoonte geworden zittend op de rand van haar bed met haar hand in de mijne de tijd door te brengen die het voeren van mijn zusje en het omslachtige afruimen van de tafel in beslag nam, zodat ik, als ik de eetkamer binnenkwam, alleen nog mijn bord op de tafel aantrof en ik alleen kon zijn, zonder gestoord te worden door de steeds moeilijker te verdragen aanblik van mijn zusje, een aanblik die ik vroeger natuurlijk of bijna natuurlijk had gevonden, maar die mij toen al afkeer inboezemde; sinds die eerste ontmoeting had ik de tijd onwillekeurig in een 'daarvoor' en een 'daarna' verdeeld; 'daarna' betekende dus zoveel als 'na de kus', want die kus, dat weet ik thans, heeft mij wezenlijk veranderd, ze heeft mijn bindingen op een andere wijze gerangschikt; naar wie anders had ik toen kunnen gaan dan naar mijn moeder, want het verdriet om Krisztián werd niet alleen veroorzaakt doordat hij mijn geheime gevoelens niet kon en niet wilde beantwoorden, maar hoofdzakelijk doordat deze gevoelens en emotionele onvoldaanheid een onmiskenbare uitwerking hadden op mijn spieren, lippen en vingertoppen en – waarom dit te loochenen? – op de spanning van mijn lendenen; welke van onze instincten zijn vitaler dan de lust tot vastgrijpen, betasten, beruiken en in de mond nemen en zelfs verslinden van datgene wat grijpbaar, tastbaar en ruikbaar is? maar ik moest dit verlangen om hem aan te raken als tegennatuurlijk beschouwen, als een eigenaardige afwijking van mij, die mij van alle mensen isoleerde en uitsloot, die mij zelfs brandmerkte, hoewel het voor mijn lichaam, dat alleen ik kon voelen, volkomen natuurlijk zou zijn geweest; ik moest

mij over die kus en mijn verlangen ernaar schamen en dat liet hij mij,
zij het ook heel voorzichtig, voelen door zich van mij terug te trekken,
waardoor hij tot op zekere hoogte ook zijn eigen instincten verloochende; er was op dat moment iets uit de diepte te voorschijn gekomen
dat weer teruggedrongen moest worden, wat hem ook werkelijk lukte; het moest verborgen gehouden worden, en hij wist het zelfs voor
zichzelf verborgen te houden, terwijl ik het voortdurend op dwangmatige wijze opriep, mij erin verdiepte en eigenlijk alleen daardoor
werkelijk leefde; maar hoe kon de verbeelding, het onwerkelijke, de
werkelijke begeerten van het lichaam bevredigen? en wie had ik in
mijn omgeving zo vrijelijk en heerlijk kunnen aanraken, betasten,
kussen, strelen en besnuffelen als mijn moeder?

Ik kon het gezicht van mijn zusje niet meer aanzien, dat vreselijke
gezicht, waarvan ik, zeker na die kus, moest vermoeden dat het ook
met zorgvuldig gedoseerde medicijnen geen sikkepitje was te veranderen; het familiesprookje dat ze aan een hormonale storing leed was
alleen maar een leugen om bestwil, zelfbedrog ook, dit was geen ziekte, als een verkoudheid, het was helemaal geen ziekte! zoals ik evenmin aan een ziekte leed, wij waren gewoon anders! om van haar te
kunnen houden had ik haar abnormaliteit, waarvan ze goddank niets
scheen te merken, want ze was gelukkig en spontaan en kon zich elk
moment aan elke willekeurige impuls overgeven, als volkomen natuurlijk moeten accepteren, maar dan zou het net zijn geweest alsof ik
mijn eigen, als abnormaal ervaren aard in de spiegel zag en moest erkennen dat ik werkelijk zo was als ik mezelf zag, pervers; en toch moest
ik dat wel aanvaarden, er was geen andere mogelijkheid, temeer daar
mijn zusje ondanks alle misvormingen ons gezicht had, zij was een levende karikatuur van ons, dat was niet te miskennen; maar hoewel ik
niet meer wilde liegen, kon ik mijn afschuw en angst toch niet onderdrukken.

Soms keek ik langdurig naar haar, en daar was gelegenheid te over
voor doordat ik vaak gedwongen was uren in haar gezelschap door te
brengen; doordat zij een dierlijke rust paarde aan een soort oergeduld,
deed het er niet toe wat voor spelletje ik voor haar bedacht; al was het
nog zo onnozel en bestond het uit niet meer dan de herhaling van een
paar bewegingen, zij was er, zoals grootmoeder placht te zeggen 'een
poosje zoet mee', ja ze had zelfs het vermogen zonder enige verveling
te genieten van de monotonie der herhaling, ze sloot zich op in de
kring der herhalingen, of beter gezegd: ze sloot zichzelf uit van haar

spel en gaf mij de gelegenheid haar als een omhooggetrokken marionet te observeren, terwijl ze zich door niets liet storen; we gingen bijvoorbeeld onder twee stoelen zitten en ik liet een kleurige knikker
door de kamer rollen, die zij in het uit de stoelpoten bestaande doel
moest tegenhouden en vervolgens op dezelfde manier naar mij terug-
rollen; dit werd een van haar – en mijn – lievelingsspelletjes, enerzijds
omdat het volgen van de rollende knikker al haar aandacht in beslag
nam en het tegenhouden van de knikker niet al te moeilijk was, ze kon
daarbij naar hartelust gillen, terwijl ik slechts als een automaat de beweging hoefde te herhalen, ik was dus bij haar, speelde met haar en deed
wat er van mij verwacht werd, anderzijds omdat ik mij, als ik dat wilde,
ook van het spel kon losmaken; ik was dan niet bij haar in de kamer,
maar bevond mij in een aangename omgeving, waar zich iets heel anders afspeelde; soms vluchtte ik zelfs in grovere fantasieën of richtte ik
juist al mijn aandacht op haar, maar niet om haarzelf, maar om het fenomeen dat zij was te observeren, om mij met haar te vereenzelvigen,
haar te absorberen, in haar gelaatstrekken de mijne te herkennen en in
haar ruwe, halsstarrige onbeholpenheid mijn eigen hulpeloosheid
waar te nemen, maar koelbloedig, van buitenaf, vrij van elk gevoel, en
om tegelijk van die kilheid te genieten, met de gedachte spelend dat ik
een onderzoeker was die een worm observeerde, iemand die het levende object van zijn onderzoekingen zo precies wil leren kennen dat
hij naderhand niet alleen in staat is zich de motoriek van het onder-
zochte voor de geest te brengen, maar als het ware alles van binnenuit
kan waarnemen: het systeem en de motor van dit systeem, de kracht
die de ene beweging aan de andere toevoegt, enzovoorts, zodat een
hele reeks van bewegingen zichtbaar is; op die wijze wilde ik haar onbekende wereld binnendringen en gelijktijdig haar en mijzelf voelen;
ik keek naar haar zoals we een doorzichtige groene rups observeren,
die met haar pootjes aan een witte steen kleeft en, als ze wordt aangeraakt, onverwachts haar rug kromt, haar lengte verkort door de staart-
punt naar haar kop te brengen en zich door deze opgehoopte massa
naar voren laat schuiven; als ze zich zo verplaatst en we zien haar daar
kruipen, achten wij deze wijze van voortbewegen geenszins vreemder
of belachelijker dan de onze, die erin bestaat dat we, de ene voet voor
de andere zettend, de oorzaak van onze logheid – ons gewicht – zorgvuldig verdelen; en als we langer toekijken, worden we zelf bijna een
rups en kunnen we ons voorstellen dat wij ook kleine kleefvoetjes aan
onze buik hebben, ja we voelen ze zelfs en onze stijve ruggegraat

wordt soepeler, het moment waarop we werkelijk in een rups veranderen is nabij; als we zo geconcentreerd observeren dat we in ons eigen lichaam deze mogelijkheden herkennen, nemen we de rups niet slechts waar, maar worden we zelf een rups.

Natuurlijk kan ik nu ook toegeven dat ik vroeger, toen ik nog niet zo'n last had van de toestand van mijn zusje en er ook niet over nadacht, haar, in navolging van mijn ouders, nooit met haar voornaam aansprak en haar evenmin mijn zusje noemde als ik met derden over haar sprak; welke angst dwong ons door overdreven liefdesbetuigingen te benadrukken dat zij, zij het enigszins noodgedwongen, weliswaar het middelpunt van ons gezin vormde, maar daarvan toch, ofschoon alleen wat dit zelfstandige naamwoord betrof, uitgesloten was, omdat een gezond gevoel voor verhoudingen dit verlangde? zolang spanning, vrees en afkeer – gevoelens die voortkwamen uit mijn isolement en excentriciteit – mij nog niet van haar of van mijzelf hadden vervreemd, beperkten mijn experimenten met haar zich niet tot simpele observaties, ze namen ook meer praktische, men zou ook kunnen zeggen handtastelijker vormen aan, en hoewel ik daarbij zekere grenzen van het betamelijke heb overschreven – een reden waarom ik deze spelletjes ten diepste geheim moest houden, nog geheimer dan de kus, zodat ik enkele van die gebeurtenissen zelfs voor mijzelf trachtte te verheimelijken – geloof ik toch niet dat ik mij toen onmenselijk heb gedragen, integendeel; later zouden walging en een mijzelf opgelegde onverschilligheid mij veel harder maken; met enige overdrijving zou ik zelfs kunnen zeggen dat onze relatie in die dagen, misschien juist door mijn meedogenloze, maar oprechte nieuwsgierigheid, menselijk was.

Het gebeurde altijd op middagen, voornamelijk wintermiddagen, als de stilte in huis na de middagmaaltijd in het gevoelvolle uur van de snel invallende schemering overging, als de deuren van de grote kamers openstonden en de geluiden uit de verre keuken, het gebons, gekletter en gerinkel, langzaam wegstierven, als er buiten stilte heerste en het regende, sneeuwde of zachtjes woei, zodat ik niet in de tuin of op straat kon spelen, als ik op mijn bed lag of, het hoofd over een onoplosbare opgave gebogen en natuurlijk veelvuldig naar buiten starend, aan mijn bureau zat, als zelfs de telefoon zich stilhield en mijn grootvader met de handen tussen zijn knieën geklemd in zijn stoel sliep, als de stenen vloer in de keuken al bijna was opgedroogd en moeders hoofd, zwaar van de slaap, dieper wegzakte in het kussen en ze met halfopen mond het boek uit haar vingers liet glippen; dat waren de uren waarop niemand op mij lette; mijn zusje was dan al in haar kamer onder de wol gestopt in de hoop dat ze in slaap zou vallen en wij daardoor wat rust zouden krijgen, maar vaak schrok ze, na enkele minuten bereidwillig gesluimerd te hebben, wakker, kroop uit bed en verliet haar zorgvuldig verduisterde kamer om naar mij toe te gaan.

In de deuropening bleef ze staan en we keken elkaar zwijgend aan.

Ze trokken haar 's middags altijd al een nachtjapon aan omdat mijn grootmoeder haar er met alle geweld van wilde overtuigen dat het avond was en zij naar bed moest, hoewel ik nauwelijks geloof dat zij het onderscheid wist tussen dag en nacht, vandaar dat die verduistering ook zinloos was; ze stond daar verblind door het licht in de deuropening en in haar opgezwollen gezichtje waren haar ogen totaal onzichtbaar; ze tastte hulpeloos om zich heen, strekte haar armen naar mij uit en greep in het licht; haar kleine lichaampje werd door haar lange witte, met een blauwe strook afgezette nachtjapon bijna geheel aan het oog onttrokken, niettemin kon je zien dat niet alleen haar uit de witte mouwen stekende armen en haar voeten, die bijna zo groot waren als die van een volwassene, maar al haar ledematen, ja haar gehele lichaam, gedrongen en plomp waren; ze was klein maar had een zwaar lichaam en een huid die opvallend bleek was, levenloos en grijsachtig bleek, en, naar het me voorkwam, opvallend dik en ruw; het was alsof haar lichaamsoppervlak bedekt was met een meerlagige, dunne huid, een op het elastisch pantser van een kever lijkend omhulsel, dat haar echte, menselijke, op de mijne lijkende, levende, gladde, met donshaartjes begroeide huid onzichtbaar maakte; die huid oefende op mij zo'n buitengewone aantrekkingskracht uit dat ik elke gelegenheid te baat nam om haar aan te raken en mijn spelletjes hadden geen ander doel dan zo snel mogelijk en zonder omhaal bij haar in de buurt te komen, wat trouwens ook best gekund had zonder dat ik allerlei voorwendsels zocht, ik had haar zonder meer kunnen beetpakken of knijpen, maar ik had die voorwendsels nodig om mijn geweten in slaap te sussen, om mijzelf wijs te maken dat ik datgene wat ik met alle geweld wilde doen, slechts toevallig deed; het opvallendste aan haar was natuurlijk haar hoofd; het was zwaar, rond en verraderlijk groot, als de pompoen die kinderen op een bezemsteel plegen rond te dragen; in de smalle oogkassen schenen de ogen zelf alleen een grijze stip; haar neerhangende, vlezige onderlip glansde van het immer rijkelijk vloeiende speeksel, dat af en toe vermengd met snot van haar kin op haar borst droop en vochtige vlekken op haar kleren achterliet; van nabij gezien was het zwart van haar pupillen onbeweeglijk klein, waardoor haar ogen volkomen uitdrukkingsloos schenen.

Maar die uitdrukkingsloosheid was minstens zo opwindend als haar huid en door haar raadselachtigheid misschien nog wel opwindender, want aan haar ogen ontbraken niet de gewone tekenen der gevoelsuitdrukking, zoals het geval is bij 'normale' ogen, wanneer ze, niet bereid hun gevoelens prijs te geven, als het ware dekking zoeken en daardoor juist verraden dat zij iets willen verbergen, nee, haar ogen drukten absoluut niets uit, of beter gezegd: ze drukten het absolute Niets uit, en wel even voortdurend en onafgebroken als onze eigen, normale ogen gevoelens, verlangens en emoties weerspiegelen; het was onmogelijk aan die onpersoonlijke ogen te wennen, het waren slechts lenzen om mee te zien, volstrekt gevoelloze instrumenten; wie in die ogen keek, nam een onrustige, blikkerende beweging waar en moest wel aannemen dat er achter deze 'kijklenzen' nog andere, met gevoel begiftigde ogen schuilgingen, zoals achter een fonkelende bril, waarachter wij eveneens de onverhulde blik plegen te zoeken, omdat het gesproken woord zonder de uitdrukking der ogen nauwelijks te begrijpen is.

Als zij op zulke middagen in de deuropening verscheen, sprak zij nooit een woord, alsof zij wist dat haar doordringende stem haar onverbiddelijk zou verraden en zij, als mijn grootmoeder ontwaakte, verstoken zou blijven van de vreugden en kwellingen van een spelletje, een van die spelletjes waarvan wij alleen het bestaan en de regels kenden; ja zij wist dit werkelijk, hoewel haar geheugen overigens niet in orde was, of beter gezegd: alleen in heel bijzondere omstandigheden in orde was; het was absoluut niet rationeel te verklaren waarom zij sommige dingen onthield en andere vergat; eten kon zij alleen met haar handen, en al poogde men haar elke middag aan het gebruik van lepel, mes en vork te wennen, het lukte niet, ze liet het eetgerei gewoon uit haar handen vallen, niet begrijpend dat ze dit vast moest houden; onze namen daarentegen kende ze uit haar hoofd, want ze sprak ons allemaal met de juiste naam aan; ze was ook zindelijk en als ze het sporadisch toch eens in haar broek deed, zat ze urenlang ontroostbaar in een hoekje te jammeren, vrijwillig de straf op zich nemend die mijn grootmoeder ooit voor haar had verzonnen, en het leek alsof ze met dit gedrag een eindeloze dankbaarheid toonde, een dankbaarheid jegens ons; de getallen had ik haar ondanks al mijn inspanningen niet kunnen bijbrengen, die vergat ze onmiddellijk, en ook met het herkennen en van elkaar onderscheiden van de kleuren had ze moeite, maar in elk geval was zij bereid zich aan te passen en steeds alles van voren af aan te beginnen, al was het alleen maar om ons een plezier te doen; het was aangrijpend om te zien hoe zij soms krampachtig trachtte een alledaags woord uit haar geheugen op te diepen, met diepe rimpels in haar voorhoofd, zonder daarin te slagen, onze taal was immers niet de hare, en als zij het betreffende woord of begrip, als een triomfkreet, toch opeens over haar lippen kreeg en het hoorde, het woord hoorde dat haar ineens te binnen was geschoten en dat zij zelf had uitgesproken, straalde haar gezicht en glimlachte zij allerliefst; op zulke momenten weerspiegelde haar lach of glimlach een gelukzaligheid die wij, normale mensen, vermoedelijk niet eens in staat zijn te voelen.

Al was er in haar blik niets te vinden wat als een uiting van gevoelens en emoties was te interpreteren, toch scheen zij via de taal van het lachen en glimlachen met ons te willen communiceren, aangezien dat de enige taal was waarin zij zich wist uit te drukken, het was haar taal, ofschoon ongetwijfeld alleen verstaanbaar voor ingewijden, maar deze taal was misschien mooier en nobeler dan de onze omdat haar enige, tot in het oneindige variabele uitdrukkingswijze de pure vreugde was die voortkomt uit het vertrouwen in het naakte bestaan.

Op een keer lag er een speld op mijn tafel, een doodgewone speld; ik weet niet hoe die daar terechtgekomen was, hij lag er opeens; de ene dag was hij er nog niet, de andere wel; de speld lag glinsterend, maar nauwelijks zichtbaar in een door wanordelijk opeengestapelde schriften en boeken gevormde kloof op het bruine tafelblad; ik zou absoluut niet kunnen uitleggen waarom ik al dagenlang op het ding had gelet, erop had gelet uit vrees dat het, terwijl ik bladerde, zocht, schreef, las en mijn spullen achteloos heen en weer schoof of in- en uitpakte, van zijn plaats zou verdwijnen; ik rekende erop dat het even onverwachts kon verdwijnen als het verschenen was, maar het lag er de volgende dag nog steeds; de lamp met de rode kap brandde al en hoewel het buiten nog niet helemaal donker was, stond mijn zusje in de schemering, zodat ik, gehinderd door het schijnsel van de lamp, haar aanwezigheid in de rustige warmte van de namiddag alleen maar vermoeden kon, terwijl zij, verblind door het licht en de slaap, mij evenmin goed kon zien; uit de keuken klonk nog enige tijd een zacht gerinkel, daarop werd het volkomen stil en ik wist dat deze stilte nog minstens een halfuur zou voortduren; het spelletje waar wij beiden op wachtten, kon op alle mogelijke manieren beginnen; de speld lag er nog steeds, ik hoefde alleen maar de eerste beweging te maken, de rest zou vanzelf gaan; ik nam de speld tussen mijn duim en wijsvinger om hem aan haar te laten zien; zij glimlachte, ook toen glimlachte zij, ongetwijfeld bereid vol vertrouwen te gaan lachen; weliswaar gedroeg ze zich nog enigszins terughoudend, omdat ze bang was voor mij, maar ik wist dat die gereserveerdheid van korte duur zou zijn omdat ze die angst elke keer opnieuw wilde ervaren; ik was even bang voor haar als zij voor mij, maar we hadden niet veel tijd en konden de zaak niet op de lange baan schuiven, dat zou ze niet hebben toegelaten; als zij het initiatief niet nam, deed ik het, en als ik het niet deed, deed zij het, wat dat betreft waren we op elkaar aangewezen.

Later heb ik, een echte, blijkbaar diep in mij gewortelde, want niet te verklaren impuls volgend, een aanzienlijke collectie spelden aangelegd en niet alleen de exemplaren die ik toevallig in handen kreeg bewaard, ik ben er echt jacht op gaan maken; en sinds deze gewoonte zich bij mij tot een soort hartstocht had ontwikkeld, ontdekte ik merkwaardigerwijze voortdurend nieuwe soorten spelden, hoewel ik voordien nooit op zo'n opvallende en uitdagende wijze spelden had aangetroffen; ik vond op de meest verrassende plaatsen grote hoeveelheden spelden, die door een fonkeling of een prikje hun aanwezigheid kenbaar maakten: in een kussen, in een spleet, in de voering van een jas, op straat of in de beklede armleuning van een stoel; ik ordende ze volgens een systeem, ontdekte hoeveel soorten ervan bestonden en prikte me bij wijze van proef met elk exemplaar in mijn vinger om te zien of die ging bloeden; ik had spelden in alle soorten en maten: korte en lange, met ronde of platte koppen, roestige, roestvrije of van messing vervaardigde, spitse en lansvormige, en elk exemplaar prikte anders; maar die gewone lange speld met zijn ronde kop was de eerste die ik vond, en dit voorwerp was op zo'n geheimzinnige manier op mijn tafel beland dat ik er zelfs mijn vader naar vroeg toen hij op een avond toevallig bij mijn bureau bleef staan, maar hij boog zich verbaasd en een weinig geërgerd over de tafel, zonder te begrijpen wat ik van hem wilde; ik toonde hem de speld, maar hij streek zijn lange, vlassige, blonde haar, dat voortdurend over zijn voorhoofd en in zijn ogen hing, met een verstrooide, nijdige beweging naar achteren en snauwde me bits toe dat ik hem niet met zulke dwaasheden moest lastig vallen; deze speld werd dus het uitgangspunt van mijn verzameling; op dat ogenblik liet ik hem zonder enige bijbedoeling aan mijn zusje zien, precies zoals ik hem aan ieder ander mens zou hebben getoond; ik hield de speld tegen het licht van de lamp en kijk! mijn zusje nam inderdaad het initiatief, ze kwam naderbij, wat mij aanleiding gaf tot het maken van een nog volkomen doelloze beweging: ik liet me van mijn stoel glijden en kroop met de speld onder het bureau weg.

Op dit ogenblik, nu de noodzaak om alles op te biechten mij ertoe brengt terug te denken aan de reeks handelingen die ik toen heb uitgevoerd en nooit zal kunnen vergeten, ben ik misschien nog meer geschrokken dan toen.

Angst is een oergevoel en een machtige emotie, het lijkt wel alsof datgene waarvan wij hoopten dat het voorbijgaand zou zijn door het uitspreken werkelijkheid wordt en zich als een levende realiteit manifesteert.

De lichte huiveringen van toen waren geen huiveringen van angst en hadden dus een heel ander karakter! ik voelde toen niet de onzinnige, duistere angst die mij nu beklemt, maar een heel gewone opwinding, licht, helder en zuiver, het soort opwinding dat ons bevangt wanneer wij onze ledematen onttrekken aan de invloed van onze wil, van onze voornemens en van onze heimelijke verlangens en ze permissie geven zich vrijelijk te bewegen; lange tijd gebeurde er niets, onder het bureau was het donker en warm, het was alsof ik in een omgekeerde kist zat, die met een wijd opengesperde muil op de komst van mijn zusje wachtte in de hoop haar te kunnen verslinden.

Je kon de geur van oud hout ruiken, de doordringende lucht die meubels nooit verliezen en die altijd hun herkomst verraadt, wat de mensen zekerheid en een gevoel van geborgenheid en duurzaamheid geeft; ook meende ik nog de eigenaardige, stoffige geur van een ouderwets advocatenkantoor te bespeuren; het bureau was een afgedankt kantoormeubel, dat mijn vader ooit thuis had laten bezorgen; mijn zusje verroerde zich niet, maar ik wist dat zij zou komen omdat er bij haar eerste beweging een zekere spanning tussen ons was ontstaan die op de een of andere manier moest afvloeien en verdwijnen, daaruit bestond het eigenlijke spel; opeens hoorde ik haar lompe, onhandige tred; haar gang wekte de indruk dat zij het gewicht van haar lichaam niet alleen achter zich aan sleepte, maar ook voorwaarts duwde.

Als een spin in haar web zat ik in het achterste hoekje van de schrijftafelkist, de kop van de speld tussen mijn vingernagels klemmend en het puntje naar voren richtend, toen haar witte, lange nachtjapon ineens opdook; ze ging met een brede grijns op haar knieën zitten; ik zou kunnen zeggen dat ik op dat ogenblik verstoken was van enig gevoel, maar ik zou evengoed het tegendeel kunnen beweren: dat al mijn gevoelens zich verdicht hadden; ze kroop onstuimig en snel naar me toe, alsof ze zich op mij wilde storten, maar al na een paar bewegingen werd ze gehinderd door haar nachthemd waar ze met haar knieën op rustte, zodat zij haar evenwicht verloor, met haar voorhoofd tegen de tafelrand sloeg en languit op de grond viel, daarbij nogmaals haar hoofd stotend; ik verroerde me niet; volgens de geheime regels van dit wrede spel moest ze me zonder mijn hulp bereiken.

Haar vindingrijkheid was even onvoorspelbaar als haar geheugen, ze richtte zich op, grijnslachte zo mogelijk nog breder en overmoediger dan zoëven, alsof er niets was gebeurd en trok toen geheel terloops en met een volkomen natuurlijke handbeweging het gekreukte nachthemd onder haar knieën vandaan; ik zeg 'geheel terloops' en 'met een volkomen natuurlijke handbeweging', omdat ik vermoed dat ze tussen haar nachtjapon en haar val een causaal verband had ontdekt; die keer was dat waarschijnlijk het geval, hoewel ze in andere gevallen, die vaak veel eenvoudiger en doorzichtiger waren, niet in staat was enig verband te ontdekken; zo klom ze, als ze trek in fruit had, moeiteloos in een boom, maar ze slaagde er niet in weer de grond te bereiken; ze zat dan, zich krampachtig vastklemmend en zachtjes jammerend, op een wiebelende tak, totdat iemand haar opmerkte, hoewel het haar niet meer moeite zou hebben gekost uit de boom te komen dan erin; soms ook was ze zo hoog in de boom geklommen dat we haar met behulp van een ladder uit een van de boomkruinen moesten halen; misschien werd haar vindingrijkheid uitsluitend gestimuleerd door haar genotzucht en vervaagden haar herinneringen zodra die was bevredigd, onverschillig wat het voorwerp van haar verlangen was: een rode kers, een rijpende abrikoos of, zoals in dit geval, ik; waarschijnlijk doofde haar vindingrijkheid dan verzadigd uit en keerde ze terug naar de wereld waarin de dingen eenzaam en geïsoleerd waren; een stoel werd voor haar pas een stoel als er iemand op ging zitten, een tafel pas een tafel als er een bord op stond, zoals ook de gebeurtenissen voor haar niet met elkaar in verband stonden, zij waren alleen relevant op het moment dat ze plaatsvonden, in het beste geval gingen zij in elkaar over; haar absurde, overdreven gretige grijns maakte duidelijk wat het voorwerp van haar verlangen was, evenals haar uitdrukkingsloze, star op één punt gerichte ogen; op haar blote knieën kroop ze nog dichterbij, totdat ze zich ook onder het bureau bevond; verborgen als we zo waren, kon niemand erachter komen wat we hier uitspookten; ik geloof dat ik op dat moment even verblind was door mijn verlangen als zij; ze ademde opgewonden en ook mijn adem scheen luidruchtiger dan gewoonlijk; door de gespannen toestand waarin mijn zintuigen verkeerden, ervoer ik het ritme van onze adem, hoe verschillend ook, als een samenspel, als een eigenaardige, melodieuze melodie; en had ik mijn hand niet opgeheven om de punt van de speld precies op haar ogen te richten – de pupil scheen de speldepunt op een eigenaardige manier aan te trekken –, dan had ze zich pardoes boven op mij gestort, want ze stoeide graag met me; ook op dat moment deinsde ze trouwens niet terug en de grijns week niet van haar gezicht, ze gunde zich alleen met ingehouden adem een rustpauze, hopende dat er van alles zou gaan gebeuren.

En hoewel de punt van de speld slechts enkele centimeters van de glanzende welving van haar pupil was verwijderd, trilden haar wimpers niet en ook mijn hand bewoog niet, ik voelde alleen hoe mijn mond openging van schrik, omdat ik haar geen kwaad wilde doen, maar dat oog was vlak voor mij, open en weerloos, en daarachter vermoedde ik een hoger leven, een trillend, verwonderd, bang bestaan; als wat wij vreesden toch gebeurd was, als ze zich per ongeluk toch in mijn richting, of mijn hand zich in haar richting had bewogen, was een vreselijk drama onafwendbaar geweest, maar een onzichtbare hindernis, een scheidsmuur, een nuance, iets, bleek onafhankelijk van mijn wensen en duidde op de aanwezigheid van een uiterlijke, niet in mij wortelende kracht, die echter wel met mijn wensen verband hield, zelfs al was ik mij er totaal niet van bewust; een van de meest raadselachtige en geheimzinnige van deze wensen was de nieuwsgierigheid, die in mij altijd boven alles triomfeerde, alleen deze ene keer niet! en als dat vreselijke toch was gebeurd? verwijten had ik me misschien ook dan niet hoeven maken, want een onverzadigbaar verlangen om achter de onverschillige verschijningsvormen der dingen te komen, om deze onverschilligheid tot spreken te dwingen, haar met leven te vullen, haar te veroveren, zoals ik Krisztiáns mond had veroverd en later nog zovele andere, maakte mij tot willoos werktuig van deze zonderlinge begeerte; er was echter een kracht die deze gebeurtenis verhinderde, alleen weet ik niet of wat in plaats van de catastrofe gebeurde, of had kunnen gebeuren, niet nog vreselijker was.

Want toen dit onverschrokken doorstane, fatale moment voorbij was, ging ze lenig op haar hurken zitten en deze wijze van afstand nemen van de dingen moet mij zo ontnuchterd hebben dat de speld die ik tussen mijn nagels geklemd hield alleen nog maar het bewijs van mijn onvoorstelbare domheid was, een dwaasheid die men met een schouderophalen kon afdoen, er was iets niet gebeurd wat heel goed wel had kunnen gebeuren; opnieuw drukte ik mijn lippen op elkaar en hoorde ik mijn dwaze, opgewonden ademhaling en haar opgewonden ademhaling en dit alles wekte een grote woede in mij op, maar een eenvoudige, alledaagse en dus hanteerbare woede; het was me dus weer niet gelukt! opnieuw was ik in de steek gelaten! en omdat ik haar toch niet geheel kon loslaten, stak ik met één enkele, snelle beweging de speld in haar ontblote dij.

Weer gebeurde er niets, ze leunde achterover zonder een kik te geven, alsof we ons zoëven ergens in de hoogte hadden bevonden en ik nu in de diepte stortte, haar adem stokte, maar misschien niet eens door de pijn; haar opgestroopte nachtjapon liet de geopende lichaamssspleet tussen haar gespreide benen bloot, een donkere opening tussen twee roze, stevige, sierlijk gewelfde uitstulpingen; de speld naderde deze opening; ik kon niet nalaten te prikken, maar de speld deed haar geen pijn, hij raakte haar huid niet eens, maar drong alleen de opening binnen.

Daarna stak ik haar nogmaals in haar dij.

Niet zo zachtjes als daarnet, maar krachtig en diep; ze gaf een kreet en ik zag hoe de grijns als een sluier, verscheurd door fysieke pijn, van haar gezicht verdween; ze keek hulpzoekend om zich heen en stortte zich toen boven op me.

Er was geen twijfel mogelijk, de donkere jas aan de kapstok duidde er onmiskenbaar op dat er bezoek was, bovendien ongewoon bezoek, want de jas die daar hing was streng en afwijzend en kon niet worden vergeleken met de jassen die gewoonlijk aan de kapstok hingen, armzalige en versleten kledingstukken, daarom had ik ook niet de neiging om, zoals ik bijna altijd deed wanneer ik alleen met vreemde jassen in de vestibule was, de zakken te doorzoeken; als ik kleingeld aantrof, drukte ik mijn oor tegen de muur om te horen of er iemand aankwam, aldus het geschikte ogenblik afwachtend om een paar muntjes te stelen.

Omdat ik nu geen vreemde geluiden of stemmen hoorde en alles normaal leek, ging ik gewoon naar binnen en deed, voor ik mij van mijn verrassing bewust was, enkele passen in de richting van mijn moeders bed.

Ervoor knielde een onbekende man, die zijn gezicht over haar in het dekbed verzonken hand had gebogen en huilde; zijn schouders gingen schokkend op en neer en zijn rug trilde; hij kuste haar hand, terwijl zij met haar vrije hand zijn hoofd omvatte en haar vingers door zijn bijna geheel grijze, kortgeknipte haar liet glijden, alsof ze zijn hoofd teder en troostend aan de haren naar zich toe wilde trekken.

Dit zag ik op het moment dat ik binnenkwam, maar toen ik die paar passen in de richting van het bed had gedaan, lichtte de man zonder enige haast zijn hoofd op, terwijl mijn moeder plotseling zijn haar losliet en rechtop in bed ging zitten; ze zei: 'Ga de kamer uit, jij!'

'Blijf maar, hoor,' zei de onbekende.

Ze hadden gelijktijdig gesproken; mijn moeders stem haperde en ze trachtte haar openvallende zachte, witte kimono bij de kraag dicht te houden; de stem van de onbekende had vriendelijk geklonken, alsof hij verheugd was over mijn onverwachte binnenkomst, daarom bleef ik, hoewel die tegenstrijdige wilsuitingen mij in verwarring en verlegenheid brachten.

De kamer werd door de ondergaande winterzon schel verlicht en het koude zonlicht tekende het ingewikkelde patroon van de gesloten kanten gordijnen op de kille, glanzende vloer; buiten droop de dakgoot, het smeltende sneeuwwater dat van het dak liep schuimde en kolkte in de afvoerpijpen; de zonnestralen bereikten mijn moeder en de man niet, ze kwamen alleen tot het voeteneinde van het bed, waarop een onhandig dichtgebonden pakketje lag, een geheimzinnig pakketje, dat stellig de bezoeker toebehoorde; het was in bruin papier gewikkeld en met paktouw omwonden; de manier waarop de man zijn tranen afwiste, zich oprichtte en vervolgens glimlachend opstond, die al te haastige wisseling van stemming, duidde zowel op onbeschaamdheid als kracht; het pak dat hij droeg zag er al even vreemd uit als de jas die ik aan de kapstok had zien hangen: het was een licht gekleurd, ietwat verschoten, linnen zomerpak; de man had een rijzige gestalte en een knap maar bleek gezicht; zijn pak en zijn witte overhemd zaten vol kreukels.

'Herken je me niet?'

Hij had een rode vlek op zijn voorhoofd en zijn ene oog was nog vochtig van het huilen.

'Nee.'

'Herken je hem werkelijk niet? Ben je hem zo snel vergeten? Je moet je hem herinneren, het bestaat niet dat je hem zo snel vergeten bent!'

De stem van mijn moeder klonk droog en verstikt van opwinding, een opwinding die ik bij haar nog nooit eerder had waargenomen; hoewel merkbaar was dat ze zich trachtte te beheersen, klonk haar stem onnatuurlijk, alsof ze op dat moment speelde dat ze mijn moeder was, een moeder die tot haar zoon sprak; ze deed dit niet omdat ze haar ontroering of vreugde over dit stellig onverwachte bezoek wilde verbergen, maar meer omdat ze ten prooi was gevallen aan hevige emotie en angst, gevoelens waarvan de oorsprong mij volslagen duister waren; haar ogen waren droog, maar hoewel niet-betraand, was haar gezicht wel veranderd en deze verandering verraste mij meer dan haar intimiteit met de onbekende of het feit dat ik hem niet had herkend; ik zag een zeer knappe, roodharige vrouw met gloeiende, rode wangen in bed zitten die met bevende, nerveuze vingers aan de bandjes van haar kimono plukte, een vrouw die tot nog toe alles verborgen had weten te houden, maar wier mooie, onrustig schitterende groene ogen haar nu toch verrieden; ze was volledig gevangen in deze pijnlijke en onthullende situatie, ik had haar op heterdaad betrapt.

'Het is ook al vijf jaar geleden!' zei de onbekende luchthartig lachend; zijn lach was even aangenaam om te horen als zijn stem, hij klonk alsof hij gewoon was de spot met zichzelf te drijven en zijn eigen gevoelens niet tragisch op te vatten; met rustige, bedaarde passen liep hij naar me toe en daaraan herkende ik hem eindelijk, aan zijn manier van lopen en lachen, aan de openhartige uitdrukking van zijn blauwe ogen en voornamelijk aan dat geruststellende zelfvertrouwen dat hij uitstraalde.

'Vijf jaar is een lange tijd,' zei hij terwijl hij mij omhelsde; hij lachte nog steeds, maar nu niet meer naar mij.

'Misschien herinner je je nog dat we je verteld hebben dat hij in het buitenland was, weet je dat nog?'

Ik raakte met mijn gezicht zijn borst aan; zijn lichaam was mager en knokig, maar stevig; doordat ik mijn ogen onwillekeurig had gesloten, kon ik mij bij deze aanraking van alles voorstellen, maar toch gaf ik niet geheel toe aan deze omhelzing, enerzijds omdat de nervositeit van mijn moeder op mij was overgeslagen, anderzijds omdat de gevoelens die zijn tred, zijn kalmte en zijn lichaam in mij opwekten mij te bekend en overdreven voorkwamen en de manier waarop hij zijn emoties toonde mij achterdochtig maakte.

'Waarom zouden we hem nog langer voor de gek houden? ik heb in de gevangenis gezeten.'

'Het leek me het beste je dat maar niet te vertellen, we hadden je anders alles uit moeten leggen.'

'Echt waar, in de gevangenis!'

'Je hoeft niet bang te zijn, hij heeft niemand bestolen of bedrogen.'

'Ik zal het je precies uitleggen; waarom zou ik het hem niet vertellen?'

'Als je het per se wilt.'

Daarop gaf hij geen antwoord, maar hij pakte mij, zich langzaam van mijn moeder losmakend en zijn aandacht geheel op mij richtend, stevig bij mijn schouders, duwde mij van zich af, keek mij onderzoekend aan en verslond mij bijna met zijn blik, zodat zijn ogen een geamuseerde uitdrukking kregen en zijn glimlach een werkelijke lach werd; deze lach gold uitsluitend mij, hij betekende dat hij tevreden was over mij; hij schudde me door elkaar, sloeg me op mijn schouder en kuste me luidruchtig, bijna ruw op mijn beide wangen; en alsof hij er maar niet genoeg van kon krijgen mij te bekijken en aan te raken, kuste hij mij nog een derde keer en toen gaf ik eindelijk ook toe aan deze gevoelsuitbarsting, nu wist ik opeens wie hij was, wist ik het precies, want zijn overrompelende nabijheid brak afgesloten deuren open en ik herinnerde mij plotseling tot mijn verbazing alles; hij was heel lijfelijk aanwezig, kuste me en hield me stevig in zijn armen, en deze aanwezigheid brak deuren open waarvan ik het bestaan niet had kunnen vermoeden; indertijd was hij plotseling uit ons leven verdwenen en vanaf dat ogenblik hadden wij niet meer over hem gesproken, was hij van de aardbodem weggevaagd, tot nul gereduceerd, zodat ik zelfs was vergeten dat er in mijn geheugen een donker hoekje was waarin hij voortleefde, een hoekje waarin ik zijn ogen, zijn voetstappen, de klank van zijn stem en zijn omhelzingen bewaarde; en nu was hij er opeens weer, als herinnering en als persoon; en misschien wat onhandig, onhandig als gevolg van mijn emoties, drukte ik na zijn derde kus mijn lippen tegen zijn wang, maar hij trok me bijna ruw naar zich toe en klemde me stevig tegen zich aan.

Op dat moment zei mijn moeder: 'Draaien jullie je eens even om, ik wil me aankleden.'

Verlies en herkrijging van het bewustzijn

Toen ik, liggend tussen de stenen op de dam bij Heiligendamm, weer bijkwam, had ik, hoewel ik wist waar en in wat voor een toestand ik mij bevond, geen andere gewaarwording dan die van het zuivere, van alles onafhankelijke bestaan; mijn bewustzijn was vrij van alle innerlijke signalen die, doordat ze op ervaringen en verlangens betrekking hebben, beelden en stemmingen teweegbrengen en zo de eeuwigdurende en onafgebroken stroom van fantasieën en herinneringen in ons opwekken waarmee wij ons bestaan zinvol en tot op zekere hoogte doelmatig inrichten, waarmee wij onze plaats bepalen en betrekkingen met onze omgeving aangaan of juist afzien daarvan, wat eveneens een manier van contact maken is; ook voelde ik tijdens de ongetwijfeld slechts zeer korte duur van mijn bijkomen geen enkel gemis, alleen al daarom niet omdat het ervaren van die zin- en doelloze wijze van bestaan precies de leegte vulde die ik als onvolledigheid had moeten ervaren; de glibberige, scherpe stenen gaven mij mijn lichaamsgevoel terug en mijn gezichtshuid ervoer het contact met het water als een streling, zodat ik mij in elk geval bewust was van de stenen en mijn lichaam en mijn huid, maar die op zich niet onlogische inhoud van het bewustzijn contrasteerde nogal met de feitelijke situatie, die ik onder normale omstandigheden verre van aangenaam, ja zelfs gevaarlijk en onhoudbaar zou hebben geacht; en doordat het weinige wat ik voelde en voordien nooit had gevoeld – dit laatste impliceerde dat het bewustzijn reeds de sleur van herinneren en vergelijken volgde! – al zo'n extreem krachtige zintuiglijke gewaarwording was, besefte ik dat ik absoluut niet moest wensen het totale scala van gewaarwordingen deelachtig te worden dat het bewustzijn in petto had, integendeel; het beetje water, steen, huid en lichaam dat mij door mijn waarnemingen ten deel viel, duidde, los van alle verbanden en betrekkingen, op dat ongrijpbare geheel, op die diepere en meer oorspronkelijke totaliteit waar wij mensen slapende of wakende bijna tevergeefs naar verlangen; ik realiseerde me ook dat hetgeen me zojuist was overkomen – een flauwte met volledig bewustzijnsverlies – een veel groter genot was geweest dan het hebben van zintuiglijke gewaarwording; zo ik op dat moment een doelgericht verlangen voelde, was dat dus bepaald niet het verlangen om bij te komen, maar veeleer om opnieuw in onmacht te vallen, ik wilde liever nogmaals bewusteloos raken dan tot het normale bewustzijn terugkeren! misschien was dat de eerste zogenaamde gedachte die zich, toen mijn geest enigszins tot klaarheid kwam, in mijn bewustzijn aandiende; en zo vergeleek mijn denken de toestand van 'ik begin al iets te voelen' niet met de toestand die was voorafgegaan aan het bewustzijnsverlies maar met de toestand van het bewustzijnsverlies zelf en openbaarde het verlangen om bewusteloos te zijn zich als zo wezenlijk dat zelfs het geconditioneerde geheugen heimelijk terugverlangde naar de toestand van geheugenloosheid en trachtte zich iets te herinneren wat men zich niet herinneren kan: het Niets, iets wat de zuivere waarneming geen enkel tastbaar detail biedt, wat het bewustzijn uitdooft omdat het niet kan worden geregistreerd of vastgehouden; met de terugkeer van het vermogen tot waarnemen, herinneren en denken scheen ik het paradijs te hebben verloren, die gelukzalige toestand waarvan een deel nog was te bespeuren, maar het merendeel zich al weer verborgen had, alleen nog wat snel vervagende sporen en een herinnering achterlatend: de gedachte dat ik nooit gelukkiger zou worden of geweest was dan ik toen en daar was. Ik wist ook dat noch het water noch de huid noch de stenen noch het lichaamsgevoel het eerste vertrouwde en tastbare van de gewone wereld waren, maar dat geluid.

Dat eigenaardige geluid.

En terwijl ik, wederom gezegend met de kwellende vermogens en gewoontes van het geheugen en het intellect, tussen de stenen lag, dacht ik er volstrekt niet over na hoe ik mijn benarde positie kon verbeteren, ik overwoog dus geenszins de mogelijkheid van een vlucht, hoewel dit nogal voor de hand liggend zou zijn geweest, want ik voelde heel duidelijk dat de golven me reeds bespatten en op een gegeven moment werd ik zelfs geheel overspoeld door het ijskoude water; nee, ik dacht geen moment aan het verdrinkingsgevaar maar begeerde alleen dat merkwaardige, krachtige en toch van ver komende geluid opnieuw te horen, begeerde nog even die lichte, schemerige zweefvlucht van het zuivere gevoel voort te zetten en de plaats terug te vinden waar, aan een verre, vage grens, dat geluid mij voor de eerste keer, als een indringend signaal, beukend en kletsend had laten weten dat ik werkelijk leefde.

Ik kan nog steeds niet verklaren hoe het allemaal gegaan is; later was het een verrassende ervaring mijn geschonden, bloedige gezicht in de spiegel van mijn hotelkamer te zien; ik weet niet eens hoe lang ik op die plaats gelegen heb, want hoezeer ik me ook inspande, ik kon me de gebeurtenissen die onmiddellijk waren voorafgegaan aan mijn flauwte niet herinneren; het feit dat het halfdrie, halfdrie in de ochtend, was toen ik weer bij het hotel arriveerde, zegt betrekkelijk weinig, het is een tijdstip vroeg in de ochtend, meer niet; de slaapdronken portier opende de grote glazen hoteldeur zonder te merken in wat voor een toestand ik mij bevond; in de hal brandde slechts één klein lampje; op de wandklok kon ik de tijd aflezen, het was halfdrie, dat leed geen twijfel, maar er was niets waarmee ik dit feit in verband kon brengen, ik herinnerde mij absoluut niets; naar alle waarschijnlijkheid had een reusachtige, misschien wel meters hoge golf mij opgetild – ik vind het gewoonweg een genot me voor te stellen hoe zij mij op haar rug heeft gedragen, misschien had ik toen al het bewustzijn verloren! – en als een nutteloos voorwerp tussen de stenen geslingerd; op dat moment waren alle gebeurtenissen van de afgelopen middag, waaronder mijn dramatische aankomst te Heiligendamm, de enige gebeurtenis die ik met een vast tijdstip in verbinding kon brengen – in één klap uit mijn geheugen gewist.

Dat geluid liet zich echter geen tweede keer horen.

Over mijn terugkeer naar het hotel kan ik al even weinig vermelden als over de wijze waarop ik tussen de stenen ben beland, omdat zowel het een als het ander zich bijna geheel buiten mijn wil om heeft voltrokken, ofschoon ik in beide gevallen ongetwijfeld zowel handelende persoon als lijdend voorwerp was, maar terwijl ik in het ene geval aan de kracht van het water was overgeleverd en aan de keten van gelukkige gebeurtenissen die ervoor zorgde dat mijn smak niet in een verbrijzelde schedel of gebroken armen en benen resulteerde maar slechts in enkele schaafwonden, bloeduitstortingen en schrammen, was ik in het tweede geval waarschijnlijk onderworpen aan de even ruwe als primitieve kracht die wij levenswil plegen te noemen; als wij met behulp van de nodige wiskunde zouden onderzoeken wat wij mensen – ingeklemd als we zijn tussen de innerlijke en de uiterlijke natuur, twee van ons onafhankelijke, machtige krachten – met enige trots als ons zelfbewustzijn of ego kunnen beschouwen, zou het resultaat stellig uiterst pover, zelfs bijna belachelijk zijn; misschien zou uit dit onderzoek de willekeurigheid van zulke termen blijken, misschien zou aannemelijk worden dat wij in bewusteloze toestand in niets verschillen van de bomen en de stenen, ook de bladeren van de bomen worden door de wind meegesleurd, wij zijn wel uitzonderlijk, maar niet superieur! want toen mijn handen en voeten tussen de wiebelende, gladde stenen naar vaste punten zochten – niet ík zocht, maar mijn handen en voeten! – en mijn hersenen met het automatisme van een apparaat de pauzes tussen de golven telden en mijn lichaam, al zijn bewegingen ondergeschikt makend aan het doel van zijn redding, automatisch wist dat het, om zich in veiligheid te brengen, glijdend de voet van de dam moest zien te bereiken en zich pas daarna weer mocht oprichten, wat was er toen nog over van die overdreven, belachelijke hoogmoed waarmee ik 's middags aan deze wandeling was begonnen, en wat van de kwellingen en genoegens van het bewustzijn, dat zich aan herinneringen en fantasieën had gelaafd?

Niets, antwoord ik mezelf, en met reden, bij mijn vertrek had ik mijn lot immers als ellendig, uitzichtloos, voltooid en, wat meer is, rijp voor een vrijwillig einde ervaren, zodat ik had besloten een overdosis slaaptabletten in te nemen en alleen nog maar op een aangename laatste wandeling hoopte; ook het feit dat ik tijdens die wandeling een uitstekend verhaal had kunnen verzinnen hing stellig samen met mijn overtuiging bij een eindpunt te zijn aangeland, bij het onherroepelijke einde van mijn leven; maar korte tijd later hadden mijn handen, mijn voeten, mijn hersenen en mijn gehele lichaam handig, weloverwogen en ervaren hun best gedaan om mij te redden en daarbij een ijver aan de dag gelegd die mij wat overdreven voorkwam, terwijl dat zogenaamde bewustzijn van me tot niets anders in staat was geweest dan tot het produceren van een uitermate kinderachtig geblèr: 'ik wil naar huis, naar huis, ik wil naar huis!', alsof er iemand diep in mijn binnenste schreeuwde, iemand die ik ongetwijfeld zelf was; en misschien schreeuwde en huilde ik werkelijk wel zo, was ik inderdaad die meelijwekkende figuur; deze mengeling van wanhopige ontsteltenis en zelfmedelijden had mij dermate vernederd dat zij mij meer dan al het andere was bijgebleven en bijna alle andere herinneringen had verdrongen; en hoe belachelijk de storm mij ook had behandeld, een storm die ik aanvankelijk bijna als een goed geschilderd decor, als een effectieve muzikale begeleiding van mijn gevoelens had beschouwd, de wijze waarop mijn eigen natuur mij van mijn vermeende zelfbeschikkingsrecht had beroofd was niet minder lachwekkend geweest en bovendien nog vulgair ook; per slot van rekening was er niets gebeurd, ik was een beetje nat geworden, of laten we zeggen erg nat, wat mij hoogstens een verkoudheid zou bezorgen, ik

had een oppervlakkige snee op mijn voorhoofd, op één plaats wat dieper, die weer genezen zou, er was wat bloed uit mijn neus gekomen,
maar het bloeden was vanzelf gestopt en ik had geruime tijd het bewustzijn verloren en vervolgens herkregen; en toch had het lichaam met de
grootst mogelijke doortastendheid alle voor mijn redding noodzakelijke instincten en reflexen gemobiliseerd, alsof ik geen paar schrammetjes
had opgelopen, maar een dodelijk gevaar liep, alsof ik een hagedis was,
waarvoor een bewegende schaduw al een dodelijk gevaar is, alsof het
door gevoelens gevoede bewustzijn daarstraks niet naar de dood had
verlangd; de ervaring van het Niets had niet alleen bewerkstelligd dat al
mijn 'fantastische' en 'unieke' ervaringen belachelijk en onbeduidend
waren geworden, maar wettigden bovendien het vermoeden dat alles
wat ik in de toekomst zou meemaken al even onbelangrijk zou zijn; ik
was ontmaskerd, ontmaskerd als een vergaarbak van nietigheden, en al
had ik geweten wat er met mij ging gebeuren of kon gaan gebeuren, het
zelfbewustzijn kon mij niet baten.

Geleidelijk werd het lichter, buiten huilde de wind nog steeds.

Over de radiator van de centrale verwarming hingen mijn kleren te
drogen; ik stond naakt in mijn hotelkamer en bekeek mezelf in de spiegel; ineens werd er op de deur geklopt.

Ik wist dat de politie voor de deur stond en kromp dan ook in elkaar,
maar niet van angst, meer vanwege mijn naaktheid; en toch interesseerde dat kloppen mij nauwelijks, want ik was geheel in de aanblik
van mijn naakte lichaam verdiept; waarschijnlijk was mijn ineenkrimpen noch het gevolg van het kloppen noch van een ingeworteld
schaamtegevoel, maar van het besef van mijn totale innerlijke bankroet, dat mij toen meer bezighield dan alles wat mij zou kunnen overkomen.

Hoe had trouwens, zo niet geheel onverwachts dan toch op een verrassende manier die mij naar heel vroeger terugvoerde, de wens in mij
kunnen opkomen om naar huis te gaan? waarom had mijn voor zijn
veiligheid beduchte lichaam mijn bewustzijn juist deze wens ingegeven? en waarom kwamen de woorden 'ik wil naar huis' mij thans kinderlijk en dwaas voor, als er toch een diepe ernst en zin uit spraken? ik
voelde zelfs dat dit het meest wezenlijke is wat een mens kan zeggen, al
had ik niet in nuchtere bewoordingen kunnen uitleggen wat die
woorden betekenden; wat zouden ze ook kunnen betekenen?

Nog voor er op de deur werd geklopt, had ik de open wond op mijn
voorhoofd aangeraakt om wat ik in de spiegel kon zien ook te voelen:

de lichte pijn die de aanraking van een dergelijke, niet al te grote snee veroorzaakt, aanblik en pijn gelijktijdig in me opnemend, vervolgens had ik met mijn vingertop over mijn neus, mijn lippen en mijn kin gestreken, zonder ook maar een moment te vergeten dat de op de kastdeur bevestigde hoge spiegel mijn hele lichaam weerspiegelde, alsof ik een acteur was die op het toneel zijn lichaam aanraakt, zodat dit lichaam zowel acteur is als plaats van handeling; maar hoezeer ik ook had getracht mijn vinger met een gelijkmatige snelheid te verplaatsen, bij de mond had ik langer verwijld dan elders, misschien had de aanraking daar meer effect; hierna was mijn hals gevolgd; op het nachtkastje achter mijn rug brandde een schemerlampje en in het gelige licht daarvan toonde de spiegel nagenoeg alleen de omtrek van mijn lichaam, haast geen details; van mijn schouder was mijn vinger via de welving van het sleutelbeen afgedaald naar de zachte gleuf waar de nekspieren de beenderen ontmoeten, en als er niet geklopt was, zou de vinger vandaar snel navelwaarts zijn gezworven via de borstharen om tenslotte, over de zachte welving van de buik glijdend, het geslachtsorgaan helemaal onderaan te bereiken – ongetwijfeld de meest overtuigende plaats der zelfwaarneming – en dit met de gehele handpalm te omvatten; dit alles zou gebeurd zijn als het lichaam niet was ineengekrompen toen er op de deur werd geklopt.

Maar nee en nogmaals nee! ik wilde in geen geval naar huis terug; de vorige avond had ik mij behoorlijk in de kaart laten kijken toen mevrouw Kühnert de aantrekkelijke naaktheid van haar gezicht weer had bekleed door haar bril op te zetten; de glazen van de bril schenen in de bijna geheel donkere vestibule van binnen verlicht door het wandlampje met de papieren kap achter haar rug, dat een mat schijnsel verspreidde, ze blonken zo dat haar ogen bijna onzichtbaar waren; alhoewel ik haar gezicht nauwelijks kon zien, was haar plotselinge retirade – vermoedelijk door de opvallende verandering van haar lichaamshouding – duidelijk waarneembaar, blijkbaar sorteerde mijn koele afwijzing, die niet alleen haar verzoek om uitleg maar ook haar lichamelijke toenadering betrof, effect en kon zij deze vernedering, ondanks haar dienstbodementaliteit, niet verdragen. Haar hals rechtte zich en scheen te verstijven, zodat ze als het ware vanuit de hoogte op mij neerkeek; ze keerde terug tot de meer zekerheid biedende omgangsvormen die de gedisciplineerde relatie tussen een attente huisvrouw en een in alle opzichten beleefde maar gereserveerde kamerhuurder bepalen; ze richtte zich op uit de gebogen houding waarmee zij haar boezem had

beschermd, rechtte haar rug en hervond de sensibele nuchterheid die
tot dusverre onze relatie had gedomineerd; op dat ogenblik voelde ik
dat er iets te gebeuren stond, aan het gebeuren was, reeds was gebeurd,
dat ik er eindelijk in was geslaagd de steeds meer van mij vergende ge-
voelsband tussen ons te verbreken, een band die in gelijke mate tot
haat- en liefdegevoelens kon leiden en daarstraks nog met gemak in
beide richtingen scheen beïnvloed te kunnen worden, alsof het allemaal slechts een kwestie van willen was; alleen had ik deze onaangename, koele nuchterheid niet voorzien; ondanks al mijn bezwaren wilde
ik, als iemand die onverwachts zijn zelfbeheersing verliest omdat het
hem gelukt is iets door zijn wil te vernietigen wat veel belangrijker is
dan die wil zelf, opnieuw de gevaarlijke, maar opeens aantrekkelijk
schijnende houding aannemen die mevrouw Kühnert op het punt
stond te laten varen, een houding die door de druk die ik in het onderlijf voelde, steeds aantrekkelijker werd, waarvan de aantrekkelijkheid
zich door een praktisch volledige verstijving kenbaar maakte; daarom
zei ik enigszins dreigend en niet geheel vrij van de intentie om haar te
chanteren, dat ik voorgoed verdwijnen zou, niet op mijn terugkeer
naar huis maar op een mogelijke zelfmoord doelend; ik werd niet teleurgesteld, want deze vage, onduidelijke en dubbelzinnige mededeling had precies de uitwerking die ik beoogde; mevrouw Kühnert was
verrast; niet dat ik mocht veronderstellen dat ze de toespeling precies
begrepen had, maar het al maanden lang gekoesterde en op dit moment tot besluit gerijpte voornemen had mijn stem zo'n sombere
klank gegeven dat de intonatie voldoende waarheid en ernst bevatte
om haar terug te voeren naar het gevoelsgebied dat zij zojuist verlaten
had; welk doel ik daarmee precies wilde bereiken, afgezien van de bevrediging van mijn ijdelheid, zou ik niet kunnen zeggen, misschien
wilde ik dat ze een beetje medelijden met mij zou hebben vanwege
mijn op handen zijnde dood of vond ik het onaangenaam alleen te blijven met het telegram, waarvan ik wist dat het, wat het ook bevatte,
niets zou veranderen aan mijn besluit; ik antwoordde op haar ijverige,
elk mogelijk gevaar snel afwegende vraag dus niet wat ik graag had gewild, namelijk dat ze me met rust moest laten omdat alles toch geen zin
meer had en het te laat was, of dat ze, als ze dat beslist wilde, haar truitje
moest uittrekken, zodat ik eindelijk mijn ogen kon sluiten, want ik
wilde niets meer zien, niets meer weten, niets meer horen, maar we
konden proberen tenminste één ogenblik, het ogenblik dat we tegenover elkaar stonden, op een bevredigende manier af te sluiten; nee, ik

zei niets van dit alles maar paste een truc toe die ik al eens eerder had gebruikt om me uit zo'n situatie te redden; ik zei geruststellend dat 'verdwijnen' wilde zeggen dat ik naar mijn vaderland zou terugkeren, wat natuurlijk niets anders was dan een nieuwe poging om haar en mezelf voor de gek te houden, want toentertijd betekende dit woord 'vaderland' niets meer voor me dan een ver verwijderd en volstrekt onbelangrijk toevluchtsoord, ik had dit woord dus alleen maar uitgesproken om haar iets op de mouw te spelden; en toen ik in de spiegel van mijn hotelkamer dat lichaam zag, mijn lichaam, waren weliswaar noch de aanblik daarvan noch de gevoelens waarmee die aanblik gepaard ging voldoende om mij te overtuigen van het belang of de noodzaak van mijn bestaan, maar ik zou toch niets hebben kunnen noemen wat mijn onmiskenbare aanwezigheid op deze wereld zo overtuigend bewees als dat lichaam.

En hoezeer dit kloppen mij ook overviel, het scheen toch dat ik erop gewacht had, wat geen groot wonder was, het was, gezien de omstandigheden, onmiddellijk te verklaren, het was onvermijdelijk; maar toen het voorbij was, voelde ik niet de geringste neiging om de gebeurtenissen te bespoedigen, het kwam niet in me op naar mijn kleren te grijpen, maar ik volhardde, alsof er niets was gebeurd, in de aandachtige beschouwing van mijn lichaam, zonder me te laten storen, en merkwaardigerwijze viel me zelfs een geschiedenis in die weinig van doen had met de situatie waarin ik me bevond, ik moest opeens aan Thea denken, Thea Sandstuhl, alsof ik daar nu nog de tijd voor had, ik herinnerde me één van haar bewegingen, en indien wij de knooppunten van onze gedachtenassociaties trachten na te gaan, ontdekken wij misschien wel weer een psychisch wonder, komt het ver weg schijnende plotseling naderbij en blijkt dit een eenvoudig mechanisme te zijn; op die bewuste middag had ik namelijk Melchior leren kennen en het kloppen dat ik op dit moment hoorde, bracht ik in verband met zijn vlucht; ik moest opeens denken aan het ogenblik dat Langerhans tijdens een repetitie in zijn mollige handen klappend met zijn onaangename, hoge stem had uitgeroepen: 'Schei maar uit! ik heb toch gezegd dat die bochel niet te hoog bevestigd moet worden!' daarna rukte hij woedend zijn gouden brilletje van zijn papperige gezicht en begon te razen en te tieren, maar Thea bleef desondanks even in gedachten verzonken, evenzeer een gevangene van haar eigen bewegingen als ik op dit moment voor de spiegel, en terwijl ze anders iedereen die haar spel gadesloeg verblufte door de snelheid en het gemak waarmee ze op een dergelijke regie-aanwijzing van stemming wist te wisselen – want of ze nu huilde, schreeuwde of zelfs van hartstocht kreunde, het volgende ogenblik was ze in staat met de grootste oplettendheid nieuwe aanwijzingen van haar regisseur aan te horen, alsof er tussen de verschillende psychische toestanden geen barrières bestonden en de ene noodzakelijkerwijze voortvloeide uit de andere, of alsof de hobbels en kuilen der overgangen gemakkelijk te nemen hindernissen waren, wat bij buitenstaanders noodzakelijkerwijs de verdenking wekte dat ze noch in de ene noch in de andere rol geheel aanwezig was, hoewel ze in beide heel geloofwaardig overkwam –, fascineerde ze nu door de traagheid der verandering; met deze traagheid demonstreerde ze ongewild maar overduidelijk de genuanceerde wijze waarop we onze gevoelens kunnen dwingen zich van het ene voorwerp op het andere te richten; de stem bereikte haar als een vertraagde stoot, de kreet was al geslaakt toen zij met de nauw verholen tegenzin van het voorgaande moment het grote zwaard op de naakte borst van de voor haar knielende Kurt Hübchen richtte, ze voerde de beweging uit alsof ze volstrekt niet hoorde wat ze zou moeten horen, waardoor de scherpe scheidslijn zichtbaar werd tussen innerlijke bereidheid en uiterlijke dwang, en haar lichaam kromp pas ineen toen het al te laat was, pas toen verschool ze zich in de onschuldige, fraaie pose der verwarring.

Zij was mooi in haar nauwsluitende, rijk met kant versierde, donkerpaarse japon die de welvingen van haar stevige lichaam tegelijk benadrukte en verhulde; haar romp en lichaam waren ietwat zijdelings gebogen, alsof de stem haar werkelijk belet had zich tegen de begeerlijke, naakte huid van haar partner te vlijen, daardoor kon ze ook niet toegeven aan de innerlijke aandrang tot de hartstochtelijke stoot, maar ze kon evenmin het bevel opvolgen dat haar om onnaspeurlijke redenen werd gegeven; en toen ze het met twee handen getorste zwaard langzaam liet zakken totdat de punt met een scherpe tik de grond raakte, betekende dit nog altijd niet dat zij tussen de aandrang en het bevel beslissen kon, haar gedrag was slechts een ontwijken van de elk mens bijgebrachte gehoorzaamheid, een onhandig de schijn wekken dat ze gehoorzaam was; hoewel zij zichzelf voor een goede actrice hield, sprak zij altijd met diepe verachting over toneelspelers die op dilettantische wijze trachtten hun rol te doorleven; 'o, die stakkers, wat ze niet allemaal moeten meemaken! ze moeten zich zo inleven dat ze tranen met tuiten huilen en ik zin krijg om ze troostend achter hun oren te krauwen, de schatjes, of om ze in het oor te fluisteren: zeg eens, liefje, moet je niet even naar achteren? en het publiek is ze zo dankbaar voor die gevoelsuitbarstingen; ze mogen in geen geval gestoord worden, zij zijn immers de echte, de ware kunstenaars; we kunnen met eigen ogen zien hoezeer de stakkers zich inspannen voor de verheven kunst en moeten lijden, lijden voor ons; het is voor ons dat zij zich zo inleven, voor ons dat zij alles doorleven, de sukkels, omdat ze te stom zijn om hun reet te krabben!' aldus placht zij te spreken, maar op dat moment verrieden haar eigenaardige lichaamshouding en haar daar niet bij passende, neutrale blik hoezeer zij de gevangene was van de situatie, niet doordat zij zich bediende van de op inleving gebaseerde acteertechniek, maar doordat haar spel toch een zo grote mate van innerlijke overgave vereiste dat zij zich ondanks al haar bedoelingen moest openen, zich moest uitleveren, en daarbij al haar beroepservaring en techniek vergat, en waarschijnlijk was zij door die overgave een geschikt werktuig van de situatie, die niet door haar maar door de geraffineerde heftigheid van Langerhans was gecreëerd.

Het was een vicieuze cirkel, want toen Hübchen zich het grofgeweven, onopgesmukte hemd van het lijf had gerukt, bood zijn lichaam zo'n verrukkelijke aanblik dat zij zich, onvoorbereid op dit schouwspel, niet aan die bekoring wist te onttrekken; en al hadden ze de scène misschien wel tienmaal gespeeld en zouden ze hem wellicht nog honderd keer repeteren, ze zou elke keer in diezelfde maalstroom van gevoelens terechtkomen die Langerhans haar, op de meest gluiperige wijze rekening houdend met haar verlangens en gevoelens, had toegedacht.

Opeens klonk er een groot rumoer op de gang, iemand bonkte met zijn vuisten op de hotelkamerdeur.

'Als je hem zo hoog bevestigt, kan zij hem toch ook zien!' brulde Langerhans; het was niet goed uit te maken of hij werkelijk woedend was of het ogenblik slechts benutte om de toch al strenge discipline nog strenger te maken; de kalende costumier die altijd op de rand van het podium zat en wiens sproetige, met rood donshaar bedekte hoofd mij in de loop van de tijd zeldzaam vertrouwd was geworden, sprong overeind; toen hij in zijn witte fladderjas, die hem het aanschijn van een vogel gaf, het door schijnwerpers verlichte podium op stormde, bedaarde Langerhans' woede zin voor zin en begon hij steeds zachter te spreken tot hij eindelijk de bijna fluisterende en volstrekt gekunstelde toon hervond die een van zijn eigenaardigheden was; 'ze hoeft alleen maar een knappe vent te zien, niets anders!' brulde hij; 'hij hoeft alleen maar mooi zijn!' voegde hij er al zachter sprekend aan toe, 'zodat dat wijf meteen, voor mijn part op het toneel, bereid is haar benen voor hem te spreiden, begrepen?' vroeg hij, en nu fluisterde hij al; intussen schoof hij zijn bril met een soepele, ietwat aanstellerige manier weer op zijn platte neus; 'hij moet dus een stuk lager, zoals ik heb aangewezen.'

Thea's onwaarschijnlijk starre ogen begonnen pas te trillen en zich wat te vernauwen en zich van Hübchens tot zijn middel ontblote, bijna lieflijk gebouwde lichaam – als men dit althans van een man kan zeggen – af te wenden, toen de beide mannen, de regisseur en de costumier, naast haar stonden om de verkeerd bevestigde bochel te onderzoeken, maar ook toen was ze nog niet in staat zich werkelijk af te wenden of zich te bewegen; het was zichtbaar en voelbaar dat ze ten prooi was gevallen aan een hevige gemoedsaandoening, die in haar geen fatsoenlijke uitweg vond, ze wist niet wat ze er mee aan moest, niemand had er iets aan, ze moest dus wachten tot het gevoel vanzelf zou verdwijnen of er onverwachts hulp zou opdagen; even machteloos voelde ik me in de kamer waar op de deur gebonkt werd; plotseling meende ik ontdekt te hebben dat ik mezelf tot dat moment met de ogen van Melchior had bezien; precies hetzelfde moet Hübchen ondervonden hebben; hij verroerde zich niet maar bleef, Thea fixerend, op zijn knieën zitten; opeens begon hij enigszins dwaas en ongegrond te lachen, ietwat jongensachtig te hinniken, wat overal elders stellig onaangenaam zou zijn geweest, maar hier lette niemand op echte gevoelens en emoties, die als spaanders van een te bewerken voorwerp afsplinterden en in het rond vlogen; toch kon er nauwelijks sprake van zijn dat Hübchens lichaam, met de bijna lachwekkende maagdelijkheid van zijn donzige huid, waar bijna geen haar op groeide, een of ander ordinair liefdegevoel in Thea had opgewekt, ofschoon dat niet onmogelijk zou zijn geweest; niet zonder reden beweren vrouwen dikwijls, al is de prijs die ze hiervoor betalen een niet geringe zelfverloochening, dat ze nauwelijks geïmponeerd worden door de schoonheid van het mannelijk lichaam; deze bewering is te verklaren met behulp van het ervaringsfeit dat de opbouw van het beenderstelsel, de sterkte en de evenredigheid der spieren of het gebrek aan training en de slapheid daarvan, ja zelfs de slapte van het vetweefsel, geen waarneembaar verband houden met het seksuele prestatievermogen; het is voldoende erop te wijzen dat de lichaamsvormen na de inbrenging van de penis hun betekenis verliezen, ze werken alleen maar nog mee; niettemin moet gezegd worden dat de symbolische waarde van het uiterlijk niet te onderschatten is, want de schoonheid van het uiterlijk is een voorwaarde voor het ontstaan van de begeerte, het is het reveilleschot voor de lustbeleving, want tussen de twee geslachten is in zoverre geen verschil dat beide op alles wat vormloos, zacht, versleten en krachteloos is, veel lustelozer reageren dan op welgevormde, harde, elastische en krachtige zaken, en in deze zin heeft het uiterlijk van het lichaam minder met esthetiek te maken dan met pure levensdrift; Hübchens lichaam was echter niet alleen volmaakt te noemen, Langerhans had voor hem met een berekende en voor hem typerende perverse sluwheid een broek laten maken waarvan de band lager dan gewoonlijk was aangezet, zodat hij, alsof hij per ongeluk was afgezakt, zijn slanke heupen en zijn licht gewelfde buik vrijliet, zo vrij dat de toeschouwers op het eerste gezicht de indruk kregen dat Hübchen onder de afgezakte broek geen lendendoek droeg en hij ondanks zijn zachte laarzen en de op zijn heupen hangende broek geheel naakt leek, ofschoon de blik wat lager toch op kleding stuitte.

Tenslotte keek Thea naar mij.

Waarschijnlijk kon ze me niet goed zien, daarvoor stond ik te veraf, vanaf die plaats kon het oog de scherpe grenzen van licht en schaduw slechts met moeite overwinnen, maar het vage gevoel dat daar iemand rustig zat toe te kijken en haar met enige deernis gadesloeg, stelde haar waarschijnlijk in staat van haar riskante psychische openheid over te stappen op de veilige geslotenheid van de actrice die een rol speelt, ik had althans het gevoel dat mijn aanwezigheid een zekere steun voor haar betekende; op datzelfde ogenblik, misschien een paar seconden later, moet ook Langerhans Thea's tragische bewustzijnsstoornis opgemerkt hebben, want hij legde zachtjes maar met de beroepsmatige onverschilligheid van iemand wiens taak ook het waken voor het geestelijk welzijn van de toneelspelers omvat, zijn hand op haar schouder en kneep er bemoedigend in om haar te helpen haar geestelijk evenwicht te hervinden; toen Thea de warmte van Langerhans' lichaam voelde, boog zij plotseling, zonder van plaats te veranderen, haar hoofd zijwaarts en vlijde haar wang tegen zijn hand, zodat die tussen haar schouder en haar wang werd geklemd.

Zo bleven ze staan, weerspiegeld door de reusachtige, bijna de gehele repetitiehal overdekkende, licht hellende glasplaat.

Hübchen knielde neer en de costumier boog zich over zijn bochel om die te verwijderen; Langerhans observeerde intussen het gezicht van zijn actrice en Thea liet, met het omlaaggezakte zwaard nog steeds in de hand, haar hoofd rusten op de hand van haar regisseur.

De schilderachtige scène maakte een eindeloos tedere indruk, maar de groenig glanzende glasplaat, die de lampen op een onaangename wijze weerspiegelde, gaf het geheel ook iets stars en kouds.

Het was al laat in de middag, er waren nog maar een paar mensen in de schouwburg en de stilte in het gebouw was zo groot dat je het tikken van de regen op het dak van de hal en het zachte zoemen van de radiatoren van de centrale verwarming kon horen.

'Het maakt me niets uit of ik zijn bochel wel of niet zie!' zei Thea op behaagzieke toon om haar gevoelens op Langerhans' tedere aanraking af te stemmen, maar Langerhans liet zich niet zo gemakkelijk en op zo'n doorzichtige manier om de tuin leiden; bijna ruw trok hij zijn hand tussen haar schouder en haar wang uit en zoals gewoonlijk wanneer iemand zich tegen hem verzette, liep hij rood aan; 'je schijnt de situatie waarin je je bevindt nog steeds niet begrepen te hebben, Thea,' zei hij zachtjes; zijn stem was ontbloot van elk gevoel dat niet op het gespreksthema betrekking had, wat hem onsympathiek maar tevens ongenaakbaar maakte; 'je hebt niets te vrezen, er kan niets met je gebeuren en je mag gerust wat ordinairder zijn, dat kan absoluut geen kwaad; het is een zakelijke transactie, een doodgewone zakelijke transactie; je biedt je lichaam te koop aan, beter gezegd de spleet tussen je benen, omdat je niets anders meer hebt, alleen die gleuf; het leven heeft je zijn ware gezicht laten zien; je hebt alleen nog maar je lichaam over en die gleuf tussen je benen, niets anders; hij heeft je man vermoord, maar dat doet er niet toe; hij heeft ook je schoonvader omgebracht, maar dat doet er evenmin toe; hij heeft ook je vader vermoord, maar zelfs dat is niet belangrijk, want je bent bang; je bent alleen achtergebleven, jij leeft nog, alle anderen zijn dood; en als hij zijn hemd van zijn lijf rukt, vind je hem ondanks zijn bochel heel aantrekkelijk en je doet net alsof je zijn bochel niet ziet; daarom wil je zijn aanbod ook aannemen; wees dus alsjeblieft de hoer en probeer niet de moeder uit te hangen.'

'Een slet kan ook moeder zijn, heb je daar wel eens over nagedacht, schatje?' vroeg Thea nog zachter.

'Gooi het er maar uit.'

'Je bent wel vriendelijk!'

'Ik probeer je alleen maar te begrijpen.'

'En wat moet ik doen als mijn keel door die vervloeking vol slijm komt te zitten, zodat ik bijna stik? wat moet ik ermee? volgens mij moet ik het dan uitspugen; dat had je nooit moeten schrappen; ik stik haast; wat moet ik ermee?'

'Slik het door.'

'Maar als ik dat niet kan? ik kan het gewoon niet!'

'Op het glas kun je helaas niet spugen, als je dat soms bedoelt.'

Thea haalde haar schouders op.

'Heb je me nog nodig?'

'We zullen even pauzeren,' zei Langerhans; ik stond op van de stoel waarop ik al die tijd lekker had zitten schommelen omdat Thea op ons toe kwam lopen.

Eigenlijk was het een saai uurtje, zoals altijd wanneer de repetities tot 's middags voortduurden; zelfs als de hoog aangebrachte, langgerekte vensters van de hal niet van zwarte gordijnen waren voorzien geweest, had het oog, als het met de buitenwereld contact had willen maken, niets anders kunnen zien door de dicht getraliede vensters dan enkele slanke schoorstenen die zich in de snel intredende duisternis boven de donker wordende brandmuren verhieven, en verder nog de zwarte pannendaken van de huizen aan de overkant, met de hemel erboven, die doorgaans grijs, troosteloos en eentonig was; soms stond ik mijn stoel beleefdheidshalve af aan Thea, die, als ze niet optrad, graag naast mevrouw Kühnert ging zitten, aan het tafeltje naast het podium; ik ging dan achter de gordijnen naar buiten staan kijken; deze hoffelijke geste kwam mij goed van pas als ik in de langzaam in de avond overgaande uren door een gevoel van onzekerheid werd overvallen, door een soort benauwdheid of beklemming; de oorzaak van deze lichte ongesteldheid was dat ik in de schouwburg eigenlijk niets anders hoefde te doen dan observeren, wat, als het lang duurde, niet alleen vermoeiend maar ook uitgesproken ongezond was; ik moest af en toe dus even opstaan en me wat vertreden, maar het uitzicht dat ik vanuit het raam had, verminderde mijn beklemming niet bepaald, omdat ik ook als ik naar buiten keek niets anders deed dan observeren, al observeerde ik dan niet de bewegingen, de gezichten en de intonatie van de spelers, die in het kunstmatige licht van de hal hun innerlijke en zelfs geheime persoonlijke motieven onthulden, maar alleen de muur, het dak en de hemel, en dan nog wel van achter een plomp traliewerk; ook als ik naar buiten keek was ik echter gedwongen relaties te observeren, die me slechts in zoverre aangingen dat ik degene was die observeerde, al was dat misschien niet eens zo weinig, want hoe eentonig grijs de hemel ook was, dankzij het spel van het licht, dat bepaalde details ten nadele van andere benadrukte, zag alles er steeds weer anders en nieuw uit, zoals ook het gelijkmatige licht van de hal een groot aantal verrassingen veroorzaakte die de tot vervelens toe bekend gewaande bewegingen en hun onderlinge verhouding steeds weer nieuw lieten schijnen; maar wat baatte het mij dat ik me in de betere uren rijker voelde worden, dat mijn kennis van details en verbanden toenam, als ik af moest zien van elke inmenging of actieve deelname? tevergeefs produceerden mijn hersenen bereidwillig de dolste ideeën: omdat ik in de schouwburg geen duidelijke, afgebakende taak had, had ik ook geen functie, en dit bleek een fundamenteel tekort te zijn in een milieu met een uiterst strenge hiërarchie, waarin ieders rang bepaald werd door zijn rol en waarin de aandacht die iemand te beurt viel evenredig was met het belang van die rol; ik werd in zekere zin alleen maar geduld op de stoel waarop ik zat, het was een surrogaatstoel, ik was niet meer dan een 'geïnteresseerde Hongaar', zoals iemand het op een keer achter mijn rug formuleerde, zonder erop te letten of ik deze in alle opzichten merkwaardige kwalificatie al dan niet kon horen, het was per slot van rekening geen belediging; door haar zakelijkheid was ze trouwens nog treffender dan bedoeld, want de rol van toeschouwer scheen me geenszins ongewoon of onbekend, integendeel, ik kon er zelfs een symbolische betekenis in ontdekken, namelijk dat ik niet bevoegd was de gang der gebeurtenissen te beïnvloeden; ook in die schouwburg was ik een stomme getuige, een tot werkeloosheid gedoemde waarnemer, die de gevolgen van zijn onmacht en stomheid alleen verduren moest en dus niet eens de mogelijkheid had de kwellende spanningen, ontstaan door het in de kiem smoren van aanspraken, op een natuurlijke wijze via een hysterische gevoelsuitbarsting te ontladen; ja, ik was werkelijk een Hongaar, typisch een Hongaar zelfs; het was dus geen wonder dat ik de vriendelijke attenties van mevrouw Kühnert en de opvallende belangstelling die Thea voor me aan de dag legde, als weldadig ervoer.

Thea bleef voor ons staan en ik vatte alvast bereidwillig de leuning van mijn stoel om op te staan en haar mijn plaats aan te bieden; deze bereidwilligheid had iets overdrevens, ik hoefde echt niet zo bang te zijn het kleine beetje weldadigheid dat mij ten deel viel te verliezen; Thea maakte trouwens geen aanstalten te gaan zitten; ze ging ook niet, zoals gewoonlijk, het podium op, maar legde haar beide ellebogen daarop en leunde, zonder ons aan te kijken, ook met haar kin op het podium, zich als een kind uitrekkend om erbij te kunnen; vervolgens legde ze haar hoofd op haar arm en ze sloot langzaam haar ogen.

'Wat een walgelijk gedoe!' zei ze zachtjes, zonder ook maar een keer met haar ogen te knipperen; waarschijnlijk was ze zich ervan bewust dat haar gedrag, hoe theatraal en uitdagend ook, effectief genoeg was om mevrouw Kühnert en mij te imponeren, voor ons was ze een gevierd actrice die zich wat liet gaan om zich te ontspannen, wat natuurlijk verried hoe verbitterd ze eigenlijk was; mevrouw Kühnert reageerde niet op haar uitbarsting; ik liep deze keer niet naar het raam om achter de zwarte gordijnen te verdwijnen, want ze had me nieuwsgierig gemaakt; ze zweeg niet zonder effectbejag geruime tijd en slaakte een diepe zucht; intussen hadden we volop de tijd om het gracieuze rijzen en dalen van haar schouders gade te slaan; toen ze genietend de aangevangen zin afmaakte, hield ze haar ogen open maar liet haar stem dalen, zodat haar woorden nauwelijks te verstaan waren; ze zag er op dat moment uit als iemand die zich bereidwillig overgeeft aan een dodelijke vermoeidheid en zijn denken niet meer onder controle heeft; 'ik word gek van dat gezeik van die kerel,' zei ze, 'stapelgek!'

De stilte in de repetitiehal was zo groot dat je niet alleen de regen op het dak en het zoemen van de radiatoren kon horen maar ook het dichtklappen van het souffleerboek, dat voor mevrouw Kühnert op de tafel lag, het klonk als een echte knal; die snelle beweging moest wel de onhandige inleiding zijn van een andere, veel zinvollere beweging, want het sluiten van het tekstboek had even weinig zin als het openlaten ervan, mevrouw Kühnert kende de tekst al bij de eerste repetitie even goed vanbuiten als de toneelspelers en hoefde dus alleen maar de tijdens de repetities voorgestelde wijzigingen van de tekst – die vervolgens vaak opnieuw werden gewijzigd – te noteren en naderhand uit te gummen of met inkt te vereeuwigen en ervoor zorg te dragen dat de tekstveranderingen in elk gebruikt exemplaar werden aangebracht; natuurlijk moest ze voor de zekerheid wel achter het dikke tekstboek blijven zitten en haar stem gereedhouden voor het geval dat iemand plotseling in zijn rol bleef steken; wanneer dit gebeurde somde ze met de ijver van een goede scholier de sleutelwoorden van de tekst op, wat natuurlijk niet al te dikwijls voorkwam; ze liet haar onvrouwelijk geaderde hand nog heel even op het dichtgeklapte tekstboek rusten, als iemand die lange tijd op zoek is geweest naar een serieus karwei en eindelijk de taak krijgt toegewezen die hij graag wil vervullen, en legde hem toen met gretige tederheid op Thea's hoofd.

'Kom eens even bij me zitten om wat uit te rusten, liefje!' fluisterde ze; hoewel de zin zeer duidelijk hoorbaar was, waren de aanwezigen zonder uitzondering te vermoeid om zich misprijzend naar ons om te draaien.

'Hij heeft me zo rottig behandeld!'

'Kom maar hier, onze jonge vriend staat zijn plaats wel aan je af.'

Ze hadden dit spelletje al heel vaak gespeeld, maar deze keer verroerde Thea zich niet, haar gezicht, een open landschap dat iedereen vrijelijk kon bewonderen, drukte een serene rust uit.

'Je moet die jongen voor me opbellen, Sieglinde, doe het alsjeblieft,' vervolgde Thea nog zachter, alsof ze fluisterde; 'ik voel me zo rot dat ik niet eens de moed heb om naar huis te gaan; alleen al de gedachte dat die gabber van me net als Langerhans de hele dag loopt te mopperen, maakt me ziek; ik wil me eindelijk weleens een beetje lekker voelen; kunnen we niet ergens heen gaan? ik weet absoluut niet waarheen, gewoon ergens heen; en je móet die jongen opbellen; doe je het voor me?'

Het leek wel of ze speelde dat ze in haar slaap sprak; misschien overdreef ze dit gemeenschappelijke spel omdat ze mevrouw Kühnert moest overhalen een vervelend karweitje op te knappen, iets wat ze eigenlijk niet van haar kon vergen.

'Ik durf het niet zelf te doen, want de vorige keer zei hij dat ik hem niet meer mocht opbellen; hij is niet bepaald beleefd, die jongen, maar als jij hem opbelt en niet ik, is hij misschien te vermurwen, wil je het voor me proberen? je moet je gewoon niet laten afschepen'; opeens zweeg ze, alsof ze op antwoord wachtte, maar voordat mevrouw Kühnert ook maar iets had kunnen zeggen, gingen haar ongeverfde lippen weer uiteen. 'Als ik ooit veel geld heb, koop ik een grote tuin voor mijn gabbertje, het is zo afschuwelijk voor hem de godganse dag in dat afschuwelijke hok te zitten, afgrijselijk gewoon; voor mij is die woning goed genoeg, alhoewel ik nu geen zin heb om naar huis te gaan; hij wordt er zo door gedeprimeerd en hij krijgt het apezuur van zo'n hele dag omhangen; stel je voor: het bed uit, de stoel in, het bed weer in, en het bed weer uit, zo ziet het leven van die stakker eruit; als hij een tuin had, kon hij zich al omhangende tenminste een beetje bewegen; vind je niet dat ik een tuin voor hem moet kopen? bel je hem voor me op?'

Het vervolg van onze middagwandeling

Maar na al deze uitweidingen terug naar de wandeling van die bewuste middag! want voor de toekomstige gebeurtenissen hebben we nog tijd genoeg, terwijl we het verleden maar al te gauw bereid zijn te vergeten; terug dus! naar het moment dat ik het laatst heb beschreven, het ogenblik waarop we de ademhalingsoefening op een nogal dramatische wijze beëindigden en de rechte, door reusachtige platanen omzoomde weg naar het station insloegen.

En hier bevinden we ons al meteen in een maalstroom van gevoelens, het is de tijd dat de laan zich van haar vrolijkste kant laat zien, zachtjes beweegt de zeewind de al langgerekte schaduwen van de bomen en voert de welluidende muziek van het orkestje, dat juist in de open hal van het sanatorium is begonnen te spelen, in onregelmatige golven aan en af, al naar het hem uitkomt; koetsen zijn om deze tijd op weg naar het station om de aankomende reizigers af te halen; van verre is al het puffende geluid van de naderende trein te horen en het klingelen en fluiten van de locomotief; ruiters draven eenzaam of in losse groepjes over de weg, ontwijken, hun fiere rossen in galop brengend, het elegante stationsgebouw en laten zich opslokken door het toenemende duister van het beukenbos, dat met de ouderwetse benaming 'De Grote Wildernis' wordt aangeduid; en dan de wandelaars, de flanerenden! op dit uur van de dag was iedereen op de been en wie niet noodgedwongen, vanwege zijn kuur, het bed hield was hier, als gold het een verplichting, aanwezig om al babbelend en af en toe halt houdend ideeën en complimenten uit te wisselen en de korte weg heen en terug af te leggen; als er zich ontmoetingen van betekenis of interessante dan wel verplichte gesprekken voordeden, werd de weg apart van de hoofdverkeersstroom afgelegd, vaak zelfs enkele malen, hoewel dat niet betamelijk was omdat een al te grote vertrouwelijkheid als een uiting van psychische honger werd beschouwd, en om deze tijd observeerde iedereen iedereen! men moest ervoor zorgen dat de ongedwongenheid, die zich in daverende lachsalvo's, somber wenkbrauwengefrons, hoedengezwaai, handkussen en gelach, beverige knikjes en opgetrokken wenkbrauwen openbaarde – een sfeer die natuurlijk

doortrokken was van heimelijke grieven en jaloezieën –, niet indruiste tegen de algemeen aanvaarde omgangsvormen, dat alles gladjes verliep en ondanks alle krampachtigheid een spontane indruk maakte;
jongens en meisjes van mijn leeftijd dreven kleurige hoepels over de
met witte marmerplaten bestrate weg en het gold als het toppunt van
handigheid dat de hoepels niet in de slepen van de dames of tussen de
benen van de heren terechtkwamen; soms verscheen zelfs de hertog
van Mecklenburg, Heinrich, in eigen persoon in gezelschap van de
veel jongere en iets boven hem uitstekende hertogin en omgeven door
zijn gevolg, wat de ongeschreven regels van deze middagwandelingen
telkens op een eigenaardige wijze veranderde; weliswaar veranderde
er schijnbaar niets, als we tenminste niet als verandering aanmerken dat
deze gehele schijnwereld met een nieuwe schijn verrijkt werd, maar de
geoefende wandelaar kon, als hij eenmaal was aangekomen bij de twee
buikige, op slanke sokkels opgestelde marmeren kelken, bijvoorbeeld
constateren dat de hertog aanwezig was; de twee marmeren kelken,
waaruit donkerpaarse, fluwelige petunia's als een waterval geurend
neerstortten, vormden een symbolische toegangspoort van de laan; ja-
wel, de hertog was aanwezig, want de ruggen waren een weinig rechter en de glimlachjes wat vriendelijker dan gewoonlijk en de pratende
en lachende mensen dempten in overeenstemming hiermee hun stem;
het was nog wel niet te zien hoe hij, leunend op de arm van de hertogin, in de onregelmatige vierhoek gevormd door zijn gevolg, iemand
oplettend aanhoorde, elk woord van de spreker met een knikje van
zijn zware, grijze hoofd bevestigend, want het zou onbetamelijk zijn
geweest de hertog met de blik te zoeken, men moest hem alleen maar
opmerken, bijna toevallig, en zich losjes en onbevangen aanpassen aan
het ritme van zijn schreden om de fractie van een seconde te benutten
gedurende welke hij, zonder het gesprek te onderbreken, aandacht aan
ons kon schenken, zodat onze eerbiedige groet niet in de lucht bleef
hangen maar beantwoord werd; men moest dus op zijn hoede zijn en
alles vermijden wat pijnlijk was, maar tegelijkertijd een waardige indruk maken; welnu, de door de laan flanerende wandelaars waren op
hun hoede, ze waren zelfs voorbereid op de mogelijkheid dat de hertog met hen – 'stel je voor, met mijn persoontje!' – een paar nietszeggende, beleefde woorden zou willen wisselen; ze trachtten met enige
afgunst te horen wie de gelukkige was met wie hij sprak en er later achter te komen waarover het gesprek was gegaan.

Mijn moeder, die dankzij haar opvoeding bijzonder goed wist hoe het hoorde, ja een expert was op dat gebied, haakte natuurlijk ook die bewuste middag als een lieftallige echtgenote in toen mijn vader haar bereidwillig zijn arm bood en glimlachte allercharmantst, terwijl ze fier rechtop lopend en de sleep van haar mauvekleurige japon met drie vingers van haar vrije hand wat oplichtend, haar lichaamsgewicht tot op zekere hoogte aan mijn vader toevertrouwde; zo schreden ze gearmd voort, terwijl ik enige afstand van hen bewaarde en opzettelijk treuzelde omdat ik niet tegen hun gekibbel kon, maar zo nu en dan voegde ik me uit nieuwsgierigheid weer aan mijn moeders zijde; het was alsof de nauwelijks opgelichte slepen van de dames, die niet al te hoog mochten worden gedragen, de witte, marmeren stenen van de promenade zo glad hadden gepolijst dat ze glanzend en glibberig waren geworden; zachtjes gleden de sierlijke damesschoentjes eroverheen en klikklakten de laarzen en schoenen erop; het was geen wonder dat vreemden, ja zelfs goede bekenden, noch aan de gelaatsuitdrukking, noch aan de lichaamshouding van mijn ouders konden zien door welk een teugelloze haat zij beiden werden beheerst, want ook mijn vader glimlachte tijdens de wandeling, zij het ook ietwat gekweld; 'dan kunnen we net zo goed meteen naar huis gaan, beste Theo! per slot van rekening zijn we hier niet voor jouw genoegen maar voor mijn gezondheid, als ik me niet vergis!' in dergelijke zich vaak herhalende, onopvallende scènes was mijn moeder degene die de aard van hun gevoelens bepaalde, zij was degene die de diepste en meest onverzoenlijke haat koesterde, omdat mijn vaders aanwezigheid voor haar een bron van kwellingen was, hij was immers ondanks die aanwezigheid onbereikbaar voor haar, zodat zij zich voelde als iemand wiens gevoelens worden opgezweept, zonder dat enige bevrediging daarvan in het verschiet ligt, terwijl mijn vader volkomen onverschillig scheen te staan tegenover de psychische verkrampingen van dit breekbare vrouwenlichaam, al was dat in werkelijkheid absoluut niet het geval; mijn moeder was dus door haar grotere hartstocht en haar buitengewone kennis van de goede manieren wonderwel in staat op de allernetelingste momenten van deze wandelingen wraak te nemen, en niet zo'n klein beetje ook, maar hoe subtieler zij het aanlegde, des te platvloerser vielen deze vergeldingen uit; weliswaar was zij oppermachtig, maar de wraakoefening geschiedde toch in het geniep, zij benutte namelijk de kortstondige pauzes tussen de ingewikkelde maar door de gewoonte versleten rituelen van groeten en converseren om haar scherpe, bitse, krenkende zinnen, die mijn vader door zijn zwaarlijvigheid niet kon pareren, voor het oog van het hele gezelschap met een allercharmant-ste glimlach in zijn oor te sissen.

Op die gedenkwaardige dag waren het misschien niet eens mijn va-ders woorden geweest die mijn moeders woede hadden gewekt, een woede die zij aanvankelijk op onheilspellende wijze had beheerst en onderdrukt, maar die tenslotte door haar stijgende drift in een alle an-dere gevoelens wegvagende verontwaardiging was overgegaan; 'of vergis ik me soms, waarde Theo? geef antwoord! waarom zwijg je? het liefst zou ik je nu in je gezicht spugen!' nee, niet het feit dat mijn vader een door mijn ouders gesloten overeenkomst had geschonden door haar, zonder het eind van de voorgeschreven ademhalingsoefening af te wachten, eraan te herinneren dat we, als we zo treuzelden, de aan-komst van de trein zouden missen, had haar zo razend gemaakt, inte-gendeel, ze had, alsof ze die aansporing juist uitlokken wilde, het tem-po van de oefening opzettelijk vertraagd; ik had gemerkt hoe zij haar ademhaling verlangzaamde en die vervolgens tevergeefs weer in het voorgeschreven ritme trachtte te brengen; nee, mijn vaders onvoor-zichtige en onhandige aansporing was slechts het teken of de openba-ring van een fundamentele disharmonie, die elk ogenblik tot uitbar-sting kon komen, een aanleiding of voorwendsel, dat mijn ouders in staat stelde hun gevoelens te uiten; het is alsof ik, terwijl ik dit schrijf, de stem van mijn vader weer die in wezen onbenullige woorden hoor uitspreken; ondanks al zijn voorgewende luchtigheid klonk zijn stem op dat moment onhandig en krampachtig en veel hoger dan gewoon-lijk, en zijn toneelspel was dan ook tevergeefs, want mijn moeder had een haarscherp gehoor en had meteen door wat hij trachtte te verber-gen: zijn ongeduld; en dat ongeduld had haar zo razend gemaakt.

Met de trein zou namelijk geheimraad Frick aankomen, die mijn vader al dagenlang opgewonden verwachtte; het was veelzeggend dat mijn ouders deze vriend van mijn vader onder elkaar uitsluitend 'de geheimraad' of 'Frick' noemden, nadrukkelijk het gebruik van zijn voornaam vermijdend, hoewel hij al decennia lang mijn vaders beste vriend was, zijn boezemvriend zelfs, iemand die hij nog kende uit zijn kinderjaren; voorzover ik dit thans kan beoordelen, zijn de twee man-nen door een onverbrekelijke, door niets vertroebelde vriendschap met elkaar verbonden geweest, alsof ze ondanks hun verschillende ge-aardheid en wereldbeschouwing van een gemeenschappelijke stam waren gesproten, wat overigens geen wonder was, want ze waren bei-den leerlingen geweest van een om zijn middeleeuwse strengheid vermaard en berucht kerkelijk internaat, waarvan ze de huisregels gedurende de rest van hun leven zoveel mogelijk overtraden; hun eensgezindheid was dus het gevolg van hetzij de strengheid van hun opvoeding hetzij hun verzet tegen die strengheid; door de voornaam van de geheimraad niet in de mond te nemen, gaf mijn moeder te kennen dat zij onder geen voorwaarde een intiemere relatie wilde aangaan met de man die volgens haar door zijn immorele levenswandel en zijn betweterige en agressieve gedrag op mijn 'moreel gezien helaas zwakke' vader een slechte invloed had gehad en nog steeds had; 'je laat je door hem verblinden als een mot door een kaarsvlam, Theodor, precies zo! je gedraagt je kinderachtig en belachelijk als je in zijn gezelschap bent en ik voel me daardoor diep vernederd!' mijn vader, die de voornaam van zijn vriend niet alleen met een bijna zinnelijk genoegen uitsprak maar – erger nog – deze voorzag van allerlei liefkozende toevoegingen, zoals 'beste kerel', 'smeerlapje', 'hondje' en zelfs 'schatje', nam, wat de persoonsvorm betreft, de vroegere strengheid van de Alma mater in acht door zijn vriend niet te tutoyeren, en deze tutoyeerde hem evenmin; als hij echter met mijn moeder over hem sprak, vermeed hij het gebruik van de hem dierbare voornaam van zijn vriend om mijn moeder de voet dwars te zetten, om haar te beletten toe te treden tot deze innige relatie, waaraan mijn moeder tot elke prijs, zelfs als de relatie hierdoor stuk zou gaan, deel wilde hebben; de vriendschap van mijn vader kreeg daardoor iets raadselachtigs en werd een bron van spanning voor mijn ouders.

Op een keer, toen ik uit mijn middagslaapje ontwaakte, was ik getuige van een in moeders ogen stellig laakbaar samenzijn van de twee vrienden; ze stonden op het terras van de zon te genieten en doordat ik op de smalle divan lag, hoefde ik me niet eens uit te rekken om ze te kunnen gadeslaan door het witte mousselinen gordijn, dat door de wind voortdurend naar binnen werd geblazen en weer teruggezogen, terwijl zij mij niet konden zien, wat een veel te gunstige situatie was, een te zeldzame gelegenheid, om mijn aanwezigheid vrijwillig te verraden, bovendien was ik nog enigszins slaapdronken; de twee mannen leunden met hun armen op het stenen muurtje dat het zonovergoten terras omgaf en zagen er wat eenzaam uit, zoals ze daar stonden; ze stonden een eindje van elkaar af, maar hun vingers, die op de ruwe, door de regen aangevreten stenen van het muurtje rustten, raakten elkaar ongetwijfeld, wat aan hun samenzijn zowel een zekere knusheid als spanning verleende; ze hadden dezelfde houding en droegen allebei een licht zomerpak, zodat de een het spiegelbeeld leek van de ander, met name doordat ze ook nog even lang waren; het was echter niet te zeggen wie wie weerspiegelde, waarschijnlijk weerspiegelden ze elkaar over en weer; 'de instincten, waarde vriend, onze instincten en reflexen!' zei Frick nog voor ik mijn ogen goed en wel open had; zijn stem klonk aangenaam in mijn halfslaap, laag en zacht en zo natuurlijk alsof hij nadenkend in zichzelf praatte en niet met iemand anders converseerde; 'ook op dit moment, terwijl ik hier sta en het genoegen heb uw dierbare gezicht te zien, op dit moment en op alle andere! we zijn immers geheel volgeschreven bladen, mijn waarde, misschien zijn we daardoor wel zo oneindig saai, ook voor onszelf! morele volmaaktheid! goed en kwaad! het zijn allemaal dwaze, belachelijke categorieën; u weet dat ik niet graag over God spreek, ik houd namelijk niet van hem, van die Christelijke god, maar als er een plaats is waar wij hem kunnen ontmoeten, kan dit alleen maar in onze instincten zijn; daar heerst God misschien werkelijk; en als u dat mocht bedoelen, wil ik u best gelijk geven; maar ook al is dit inderdaad het geval, dan heerst hij toch zonder een poot uit te steken, zonder ook maar een kootje van zijn pink te verroeren, hij heeft immers alles al van tevoren bepaald, hij hoeft dus niets meer te doen, hij kan passief en onverschillig observeren hoe wij doen wat hij al heeft gedaan door ons te bedenken, wat hij al gedaan heeft door ons te creëren; en hieruit kan worden afgeleid – als mijn vluchtige gedachtengang u tenminste niet al te zeer verveelt – dat de morele wetten, de begrippen goed en kwaad, niet in de materie zelf aanwezig zijn maar er naderhand door ons in worden geprojecteerd; filosofen, zieleknijpers en andere nietsnutten willen ons wijsmaken dat goed en kwaad intrinsieke eigenschappen zijn van de materie, wat de grootst mogelijke onzin is! omdat ze het te beschamend, te simpel en te weinig spectaculair vinden om de drijfveren van onze daden in de instincten te zoeken, hebben ze naar iets hogers gezocht, iets wat ver weg is van de gewone dingen, naar een idee, een geest, die de ratio van deze onaangename warboel kan verklaren, naar een troost voor de zwakken; maar intussen is de innerlijke aard van de warboel zelf aan hun aandacht ontsnapt en hebben zij niets, praktisch niets van die wonderbaarlijke details verklaard, ze hebben ze eenvoudig buiten beschouwing gelaten! en datgene wat ieder van ons elk ogenblik van de dag noodzakelijkerwijze voelt, is "onfatsoenlijk" geworden, dermate onfatsoenlijk dat ik, als ze mij over goed en kwaad beginnen door te zagen, opeens bedenk dat ik nog niet fatsoenlijk heb

gescheten, wat uit het oogpunt der geestelijke hygiëne bezien ongelooflijk belangrijk is, of dat ik een wind moet laten, wat je in een behoorlijk gezelschap niet doet, want "morele adeldom" betekent niets
anders dan dat je deze behoefte een moment onderdrukt!'

'U bent een gelovig mens, hondje, dat stelt me gerust en ik benijd u
erom!' zei mijn vader met dezelfde natuurlijke hartelijkheid waarmee
zijn vriend had gesproken; de twee mannen keken elkaar aan op de
meest openhartige wijze die men zich kan voorstellen, zonder intussen
hun hoofd of hun lichaam te verroeren of hun blik te laten afdwalen,
alsof dit soort contact voor hen belangrijker was dan spreken of aanraken, maar toch scheen hun blik geheel vrij van sluimerende erotische
gevoelens, deze uitweg zochten zij niet, wat er met hen gebeurde, was
wezenlijker en veel diepgaander, ze hielden elkaar – misschien omdat
ze beseften dat volledige eensgezindheid onmogelijk is – met hun blik
vast en verhieven zich boven de zinnelijke opwinding die kan ontstaan
wanneer twee mensen elkaar aandachtig aankijken, tegelijkertijd echter benutten zij het natuurlijke uitgangspunt dat wij 'erotiek' noemen;
ze gaven hun blik maar zo weinig bewegingsvrijheid dat ze alleen de
minuscule bewegingen van elkaars wimpers, oogleden en rimpeltjes
om de ogen konden zien, welke aanblik in een onmerkbaar, subtiel
glimlachje resulteerde, een glimlachje waardoor ze op elkaar leken.

'Moet ik me eenvoudiger uitdrukken?' vroeg Frick, alsof iemand
hem dat verzocht had, wat volstrekt niet het geval was; 'u kunt u de
moeite beter besparen,' zei mijn vader, daarmee de wens van zijn
vriend vervullend; ze lieten zich niet verleiden tot een dwaaltocht over
de misleidende oppervlakken van elkaars lichaam, maar bewogen zich
als ervaren reizigers in de wereld van elkaars denken en gaven zich aan
geen zwakheden over, en zo bezien had hun samenzijn iets strengs en
meedogenloos; maar toch trachtten zij tevergeefs te ontkomen aan de
onbeperkte macht van Eros, die zichzelf en de twee mannen op geraffineerde wijze schadeloosstelde door middel van zintuiglijke waarneming en intuïtie en via de uitermate indringende manier waarop zij
met elkaar contact hadden en de eindeloos behoedzame voorkomendheid waarmee zij elkaar bejegenden; 'kijk, het zou natuurlijk overdreven zijn als ik beweerde: alleen tussen onze benen!' antwoordde Frick,
nadenkend over wat hij had gezegd; 'toch lijkt het erop dat u dat wilt
beweren!' repliceerde mijn vader; als ze zulke korte zinnen wisselden,
gingen hun stemmen na enige tijd qua intonatie, volume en klank-
kleur zo op elkaar lijken dat het was alsof iemand tegen zichzelf aan het

praten en redeneren was, of hij met zichzelf discussieerde; 'o, nee hoor! absoluut niet! maar misschien maak ik zelf wel de door mij gehekelde fout!' erkende Frick op iets luidere toon, maar zonder enige ergernis; 'legt u dat eens uit!' verzocht mijn vader, waarop een kortstondige pauze volgde, zodat het verzoek als het ware in de lucht bleef hangen.

'Naar goed oud gebruik kunnen we er waarschijnlijk van uitgaan dat ik hier aanwezig ben en u hier ook aanwezig bent, hier tegenover me!' vervolgde Frick, die door zijn slankheid de langste van het tweetal leek; hij was goed geproportioneerd en volstrekt niet mager; niet alleen zijn lichaam, dat ik gedurende de ochtendlijke zwempartijen in zee in zijn modieuze, natte, aan zijn huid klevende badpak grondig had kunnen bekijken, maar ook zijn gezicht scheen zich aan zijn smalle, benige schedel aan te passen om niet uit de toon te vallen; hij begon al kaal te worden en om dit niet te veel te laten opvallen – hij was buitengewoon ijdel –, liet hij zijn door de zon gebleekte, donzige haar soldatesk kort knippen; 'als we erin slagen de ons ingeprente, morele principes radicaal over boord te gooien, rest ons als zekerheid alleen nog maar dat we bestaan! het naakte bestaan en de aanblik van de wereld is dan nog het enige relevante, wat niet weinig is; ik moet toegeven dat ik, in tegenstelling tot de zoëven genoemde waardeloze nietsnutten, nergens anders in geïnteresseerd ben!'

Op dat ogenblik begon mijn vader zachtjes te lachen, en dit korte, niet geheel onopzettelijke gelach klonk zo spottend dat Frick enigszins van zijn apropos raakte; de vluchtige verwarring op zijn gezicht – een gezicht dat tot de opmerkelijkste gezichten behoorde die ik in mijn leven heb mogen aanschouwen –, verzachtte zijn strenge, peinzende gelaatsuitdrukking enigszins, wat een nogal boute bewering is! want zijn gelaat straalde innerlijke rust, een natuurlijke hoogmoed en een zuivere en opgewekte superioriteit uit en was bovenal naakt! de natuur had, misschien omdat zij haar materiaal zo gul vorm had gegeven, de benige schedel die het gezicht stevigheid verleende niet achter onbeduidende details of charmante vetkussentjes verborgen, versierselen die, we kunnen het niet ontkennen, weinig zinvol zijn omdat de dood ze toch weer moet verwijderen; soms zag ik in dit hoofd alleen maar een doodskop, een presse-papier op een schrijftafel, een dood voorwerp, een uitgekookt bot, al sprak hij nog zo snel en veel; op andere ogenblikken echter, zoals tijdens dit gesprek, genoot ik van de volmaakte, glanzende rondingen en de bruinige huid, die 's zomers door de felle zonneschijn aan zee bijna zwart werd; de huid omspande glanzend het grote, brede voorhoofd en trok zich op de gladgeschoren wangen tot haarfijne rimpeltjes samen; dankzij zijn grote, buitengewoon levendige grijze ogen, die zijn gelaat volledig domineerden, maakten die droge plooitjes hem niet ouder dan hij in werkelijkheid was; het waren koele, grijze ogen, die onbarmhartig de wereld inkeken; deze strengheid werd nog beklemtoond door zijn spitse neus en zijn tamelijk dunne lippen, alleen het zachte, kinderlijke kuiltje in zijn kin verleende zijn gezicht een zweem van bekoorlijkheid en zachtheid.

'Denkt u maar niet dat verlangen naar macht levenslust uitsluit!' vervolgde Frick, en zijn lichte verwarring ging snel over in een spottend glimlachje; nog steeds hielden de twee mannen elkaar met hun blikken gevangen; 'integendeel, het verlangen naar en het bezit van macht kan ons zelfs zeer diep omlaag- of, zo u wilt, omhoogvoeren! niet lager of hoger natuurlijk dan wanneer wij in een ritme dat het best overeenkomt met onze geaardheid het genot van een zaadlozing smaken, de grootste van dergelijke genietingen, en juist daarover had ik willen spreken, tenslotte snakt en streeft alles in deze wereld naar het genot van de zaadlozing, dat weten we als wij geestelijk voldoende vrij zijn om deze verlangens, en de mogelijkheden die ze ons bieden, gewaar te worden! het is daarom bijzonder vriendelijk van u dat u mij met uw spotlach hebt onderbroken en mijn gedachten in deze richting hebt geleid, naar de essentie! ik duidt u dit niet euvel!' na een adempauze voegde hij hieraan toe: 'zo is het! voelen en denken, de instincten en het verstand zijn in een aangenaam evenwicht met elkaar te brengen, het evenwicht der tegenstellingen! en dus is juist de machtige het meest geschikt om van het leven te genieten, dankzij die macht kan hij namelijk doordringen tot de uiterste grenzen van de geest en het denken, en vervolgens terugkeren – natuurlijk alleen degene die ertoe in staat is! – om zinnelijke genietingen te smaken; en omdat hij niet langer voor kinderachtige gevaren vreest, is hij bevrijd van alle morele remmingen, zodat hij zich vrijelijk kan overgeven aan het genot van zijn zinnelijkheid en zich tot de uiterste grenzen kan laten gaan om te genieten; immers, wie is vrijer dan hij die zijn beperkte, want vooraf bepaalde, mogelijkheden ten diepste doorlijdt en ten hoogste smaakt, die de kelk tot de bodem toe ledigt? ik herhaal: tot de bodem! zelfs wanneer onze vrijheid ons niet toestaat te weten wat dat inhoudt; want wat houdt dat eigenlijk in? wat impliceert dat? de vrijheid heeft alleen grenzen voorzover ze geen theoretisch probleem is, maar de met het verstand niet te vatten uitoefening van de zijn eigen mogelijkheden begrijpende wil; maar wat bazel ik toch? u weet immers allang wat ik bedoel.'

'Een nieuw avontuurtje?' vroeg mijn vader.

'Zo zou je het kunnen noemen,' zuchtte hij.

'Vertelt u maar,' zei mijn vader.

'Ze is actrice,' antwoordde hij.

'Vermoedelijk blond en heel jong,' viste mijn vader.

'O, dat is het minste wat er over haar te zeggen valt.'

Hij zou verder gesproken hebben en zijn ervaringen met haar stellig tot in de kleinste details beschreven hebben, zoals ik bij een andere gelegenheid tot mijn genoegen had meegemaakt, als de twee mannen zich op dat moment niet hadden omgedraaid naar de trap die naar het terras leidde, waardoor het gesprek helaas precies op het vermoedelijk interessantste punt werd afgebroken; onder aan de trap doemde de gestalte van mijn moeder op, die vergezeld werd door juffrouw Wohlgast; de beide dames keerden terug van een der talrijke koffiepartijtjes, die 's middags werden georganiseerd; langzaam en met een zekere vertrouwelijke eensgezindheid beklommen de twee vrouwen de trap; de juffrouw ging al onder aan de trap op de haar eigen, luidruchtige wijze en met een lage, ietwat rauwe stem koket tot de aanval over; 'o, die mannen toch!' riep ze, bijna Fricks laatste zin overstemmend; 'terwijl wij over moeilijke problemen discussiëren – heb ik het niet gezegd, mevrouw Thoenissen? heb ik niet gezegd dat het afgelopen is met die goede oude tijd toen zij ons lot nog in handen hadden? –, terwijl wij plannen maken en besluiten nemen, vermaken de heren der schepping zich met wat aangenaam, luchthartig gekeuvel of vergis ik me soms? zouden ze nu niet eens één keertje eerlijk kunnen zijn in plaats van ons wat voor te jokken?'

Deze gebeurtenissen hadden zich geruime tijd voor onze wandeling voorgedaan, twee of misschien wel drie zomers eerder, en ik heb ze als beschreven in mijn geheugen bewaard, maar doordat een kinderverstand nog niet in staat is alle handigheden en domheden van de volwassenen te vatten, zijn er wat witte vlekken op de kaart van mijn geheugen en is mijn fantasie gedwongen die op te vullen nu ik deze scène uit mijn jeugd beschrijf.

Uit mijn jeugd, zeg ik, ietwat onzeker naar enkele wel ingekleurde vlekken van mijn herinneringen turend, en al turende meen ik me te herinneren dat de knappe juffrouw Wohlgast – van wie algemeen bekend was dat zij in achttieneenenzeventig, in de oorlog tegen de Fransen, haar geliefde, een kranig jong officiertje, had verloren en daarom, door patriottische gevoelens meegesleept, beloofd had tot het einde van haar leven in de rouw te zullen blijven, 'tot in het graf en ook nog daarna!' om de wereld er voor eeuwig aan te herinneren 'hoe schandelijk ikzelf en wij allen behandeld zijn' – in die tijd werkelijk nog grijze kleren droeg, uiteraard geen zwarte meer, trouwens ook het grijs werd van jaar tot jaar lichter, maar op die middag, toen we tengevolge van mijn moeders woedeaanval totaal overstuur op het station aankwamen en precies op het moment dat er een robuuste locomotief met vier wagons achter zich aan binnenstoomde, de fraaie, op dit uur van de dag aangenaam koele hal doorliepen, droeg zij een witte japon, een sneeuwwit, kanten geheel.

Op dat ogenblik hadden de stekelige, onbeantwoord gebleven zinnen van mijn moeder zich al even diep in mijn vaders huid geboord als de pijlen in het lijf van St. Sebastiaan op romantische afbeeldingen, ze waren diep in zijn vlees ingedrongen en trilden nog na in de lucht; de enige zin die hij had kunnen uitbrengen had geluid: 'laten we dan maar liever teruggaan', waarop mijn moeder deed alsof ze niets had gehoord; natuurlijk speelde alles haar in de kaart, ze hadden maar nauwelijks de tijd om adem te halen, bekenden moesten worden gegroet en toegelachen, op het open perron had een talrijk gezelschap zich verzameld dat niet alleen de aankomende reizigers wilde begroeten – een slechts gering aantal personen –, maar zich wilde vermeien in de aanblik van de locomotief, dit wonder van de technische vooruitgang; het leek wel alsof het gebruikelijke middagwandelingetje alleen op het station een waardig en nadrukkelijk eind kon nemen; ik kan me niet voorstellen hoe de badgasten zich hebben vermaakt vóór de aanleg van deze spoorweg, die het zomerverblijf van de hertog, het vriendelijke, ouderwetse Bad Doberan, verbond met een plaats die de welluidende naam Kühlungsbronn droeg; het was alsof de mensen in hun theaterloges zaten, het geroezemoes verstomde evenals in de schouwburg en iedereen keek gefascineerd toe hoe vlijtige conducteurs de wagondeuren openden en de trappetjes neerlieten; het grote ogenblik van het uitstappen was aangebroken! Kruiers laadden, in de stoomwolken van de puffende en fluitende locomotief verdwijnend en weer opduikend, haastig talrijke zware koffers uit totdat na enkele minuten van doelloos wachten op een teken van de stationschef, terwijl afscheidswoorden en begroetingen over het perron schalden, de trappetjes weer werden opgehaald, de deuren met veel lawaai dichtsloegen en het romantische fenomeen, in de zojuist gearriveerden de blijde, opgewekte vermoeidheid van de aankomst, in de afhalers daarentegen de melancholieke stilte van het verlangen naar verre streken achterlatend, fluitend, bellend en zijn gestamp en gepuf geleidelijk tot een gelijkmatig geratel opvoerend, bij de eerstvolgende bocht uit het zicht verdween, terwijl wij nog nadrukkelijker dan tevoren achterbleven op de plaats waar wij ons bevonden.

Peter van Frick had in de deuropening van de rode wagon gestaan, hij was als eerste zichtbaar geworden, en zijn over het perron dwalende blik had ons onmiddellijk tussen de wachtenden ontdekt; ik voelde en zag dat hij ons opmerkte en ons als het ware uit de menigte van hem opwachtende bekenden en vrienden selecteerde; zodra hij ons gezien had, wendde hij zich echter in een andere richting en zijn gezicht scheen ernstiger en minder geneigd tot glimlachen dan gewoonlijk; ook had zijn bruine huid iets mats; hij droeg een elegant reiskostuum van Engelse snit, dat hem nog groter en slanker maakte dan hij al was; toen hij lichtvoetig het trappetje afdaalde, hield hij zijn slappe hoed en reisvalies nonchalant in één hand, terwijl hij zich tegelijkertijd omdraaide naar iemand anders om hulp te bieden; deze andere persoon was op dat ogenblik nog niet te zien, maar even later wel, het was juffrouw Nora Wohlgast, dat leed geen twijfel; ze was geheel in het wit gekleed, als een bruid; op dat moment zag ik haar voor het eerst in het wit; ik haast me hieraan toe te voegen dat het tengevolge van de daarop volgende stormachtige gebeurtenissen meteen ook de laatste keer was; doordat de aankomst van de geheimraad vanwege de precaire rol die hij had gespeeld bij de opheldering van een recente, dubbele moordaanslag op de keizer en de arrestatie van de daders van deze aanslag – gebeurtenissen waarover de badgasten van Heiligendamm tot nog toe alleen door de kranten waren geïnformeerd, maar die ze nu uit de eerste hand met alle details en geheime achtergronden hoopten te vernemen – op zich al als een uitzonderlijk belangrijke gebeurtenis werd beschouwd, veroorzaakte deze gezamenlijke aankomst een opwinding die aan een schandaal grensde; dankzij het uitzonderlijke aanzien dat geheimraad Frick in dit gezelschap genoot was iedereen weliswaar bereid een oogje dicht te knijpen en te doen alsof hij niet zag wat iedereen kon zien, alsof er slechts van een toevallig samenzijn sprake was, bovendien neemt het prestige van een populair iemand in een gezelschap altijd toe, ja stijgt zijn superioriteit als hij zich enigszins scanda-

leus gedraagt, door grenzen te overschrijden die wij niet durven overschrijden verheft hij zich immers boven ons, wordt hij superieur aan
ons, maar met de juffrouw was het anders gesteld; hoe was de juffrouw
in godsnaam in die trein beland als zij het ontbijt nog met ons aan één
tafel had gebruikt? en waarom droeg ze plotseling wit? een heel opvallend wit dat zij zich alleen al op grond van haar leeftijd nauwelijks kon
veroorloven, ze was immers dichter bij de dertig dan bij de twintig,
waarom dus die uitdagende kleding, iets wat voor haar zeer ongewoon
was? zou de geheimraad, die verstokte, hartstochtelijke vrijgezel zich
soms in het geheim met haar verloofd hebben, had hij haar wellicht
zelfs tot vrouw genomen? door dergelijke, ook bij mij opkomende
vragen in beslag genomen keek ik eerst mijn moeder en daarna mijn
vader aan, als hoopte ik op hun gezichten het antwoord te vinden;
mijn moeders gezicht gaf geen antwoord, terwijl over mijn vaders gezicht onbegrijpelijke stormen van verontwaardiging en verbijstering
joegen; onwillekeurig greep ik, alsof ik hem voor een catastrofe moest
behoeden, zijn hand, wat hij bijna hulpeloos gedoogde; hij werd
bleek, ja asgrauw en staarde met uitpuilende ogen, die zijn gezicht iets
maniakaals gaven, naar de twee mensen, die onmiskenbaar een paar
vormden; zijn mond was onnozel vertrokken en dat bleef zo toen wij
naar de aangekomen reizigers toe liepen; zij kwamen in onze richting
en wij liepen hen tegemoet; een fractie van een seconde later maakte
het tweetal, voortgestuwd door overdreven geestdriftige begroetings-
woorden en -kreten, reeds deel uit van een kleurrijk gezelschap mensen dat zich om Frick verdrong; wel twintig aangevangen maar niet
voltooibare zinnen stuitten op elkaar en verwikkelden zich tot een on-
ontwarbare woordenkluwen, en doordat iedereen, zich niet aan de
andere aanwezigen storend, op levendige toon informeerde hoe de
reis van de geheimraad was verlopen of zijn vreugde over diens aankomst uitte en toespelingen maakte op het 'uitermate vermoeiende
karwei' dat deze achter de rug had en dat stellig iets te maken had met
zijn bleke gelaatskleur, lette in de verhitte atmosfeer van gemeenplaat-
sen en sentimentaliteiten niemand, zelfs Frick niet, op dat andere gezicht, dat van mijn vader, dat een onheilspellende uitdrukking had
aangenomen; toch zagen en hoorden alle aanwezigen hoe hij zijn hand
uit mijn verschrikte greep losrukte, zich zonder plichtplegingen naar
juffrouw Wohlgast boog en haar ondanks een poging om te fluisteren
toeschreeuwde: 'hoe kom jij hier in vredesnaam?'
    Het was alsof geen kracht of emotie in staat was de tot een hard pant-

ser verstarde uiterlijke schijn te doorbreken, want ondanks deze uitroep ontstond er geen luidruchtig schandaal! niemand begon te gillen of werd handtastelijk, al eiste de natuurlijke geneigdheid van de mens tot hysterie dit eigenlijk wel! men deed alsof mijn vaders vraag helemaal niet gesteld was, of dat het de natuurlijkste zaak van de wereld was op zo'n toon vragen te stellen, ofschoon iedereen stellig heel goed wist dat zijn relatie met juffrouw Wohlgast geenszins van dien aard was, respectievelijk kon zijn, dat hij het recht had haar in het openbaar zo te bejegenen en daarbij nog te tutoyeren ook; of toch wel? werd hier niet iets duisters en ondoorzichtigs onthuld? ging het misschien niet om een relatie van twee, maar van drie of, als mijn moeder er ook bij betrokken was, zelfs van vier mensen? maar nee en nogmaals nee! de aanwezigen schenen niets gemerkt te hebben, iedereen maakte zonder haperen zijn zin af en begon enthousiast aan een nieuwe, opdat de in gevaar verkerende spelregels van de fatsoenlijke burgermaatschappij niet beïnvloed zouden worden door allerlei storende factoren; zelfs ik kon de invloed van de strenge fatsoensnormen bij mezelf waarnemen, hoewel ik op dat moment aan een aan een flauwte grenzende zwakte ten prooi viel en het gevoel had dat het schandaal al was uitgebroken; ja, de afgrond had zich geopend en niets kon ons meer redden, er was nu geen sprake meer van het al zo dikwijls door mij ervaren onheilspellende voorgevoel dat we in de afgrond zouden storten, maar we vielen werkelijk! we suisden met duizelingwekkende vaart omlaag! het liefst had ik mijn ogen gesloten en mijn oren met mijn handen dichtgehouden, maar dat was onmogelijk, ik moest me beheersen, want de fatsoensregels waren sterker dan ikzelf; de prestatie van mijn moeder vond ik bepaald indrukwekkend; toen Frick namelijk elegant voor haar boog om haar hand te kussen, slaagde zij erin hartelijk en onbevangen te lachen; 'we zijn blij dat u eindelijk weer bij ons bent, beste Peter! als u niet was opgehouden door zulke gewichtige staatszaken, zouden we het u beslist niet vergeven dat we uw gezelschap zo lang hebben moeten missen!' maar de situatie was werkelijk niet meer te redden, want toen Frick doorliep en tegenover mijn vader kwam te staan en hem met een zekere zelfvoldaanheid over het antwoord dat hij mijn moeder had gegeven – 'ik zal proberen mijn verzuim weer goed te maken!' – de hand reikte – ditmaal omhelsden zij elkaar natuurlijk niet! –, riep mijn vader nog luider dan daarstraks: 'staatszaken? laat me niet lachen!' intussen liet hij de hand van de geheimraad niet los, maar drukte die heftig, keek de geheimraad met een ondoorgron-

delijke blik aan en dempte zijn stem plotseling tot een gefluister: 'straf-
zaken misschien, mijn waarde meneer Frick! nietwaar? en helemaal
niet zo moeilijk om op te lossen als je de aanslag goed voorbereid hebt!'
'U hebt werkelijk esprit!' zei Frick geamuseerd lachend, alsof hij een
kostelijke grap had gehoord, en weer was de situatie gered! de leden
van het kleine gezelschap boden nu haastig hun hulp aan en begonnen
luider te spreken, beducht als ze waren voor nieuwe aanvallen van
mijn vader, zodat er een vreemd nerveus geroezemoes ontstond, totdat er een oudere, door iedereen gerespecteerde dame opstond, die al
heel wat in haar leven had meegemaakt en daardoor de kunst verstond
te redden wat er te redden viel; ze gaf Frick een arm en redde het gezelschap met de uitroep: 'maar nu neem ik u mee voor u ons weer in de
steek laat!' uit de pijnlijke en precaire situatie, terwijl de overige stemmen, reeds commentaar leverend op de veranderde situatie, de kortstondige verlegenheid van zoëven trachtten te loochenen; het is een
schandaal! een ongehoord schandaal! dacht iedereen ongetwijfeld; op
dat moment volgde mijn moeder het voorbeeld van de oude dame
door mijn vader een arm te geven, wat de indruk wekte dat zij hem
wilde tegenhouden, hetgeen ook zeer begrijpelijk was, want hij zag
eruit alsof hij op het punt stond handtastelijk te worden of te gaan
schreeuwen; 'het is werkelijk niet netjes van me, maar ik moet u iets
belangrijks vertellen, zodat men misschien begrip heeft voor mijn onbeleefde haast, de hertog verwacht u!' klonk de vriendelijke, beverige
damesstem boven die van de andere aanwezigen uit, terwijl het gezelschap zich in beweging zette en over het knerpende grind naar de witte
stationshal liep; wij bleven met zijn tweeën achter, juffrouw Wohlgast,
die, omdat ze nog te zeer onder de indruk was van het gebeurde, de
gunstige ommekeer niet had weten te benutten, en ik, om wie niemand zich bekommerde.
    'Kom, laten we maken dat we hier wegkomen, en wel zo snel mo-
gelijk,' brieste mijn vader, terwijl hij aanstalten maakte in tegengestelde richting te lopen, maar een onaangename witte verschijning versperde hem de weg, het was de juffrouw in eigen persoon, die in het
gedrang op de een of andere manier in moeders nabijheid moest zijn
geraakt en op dat moment, na minutenlang met haar verlamde hersenen naar een plausibele uitvlucht te hebben gezocht, deze nu scheen
gevonden te hebben; 'u gelooft het vast niet! na het ontbijt kreeg ik zin
om een lange wandeling te maken en ben ik helemaal naar Bad Doberan gelopen! en wie ontmoette ik daar?' vervolgde ze op luchtige, da-

mesachtige toon, wat in de gegeven omstandigheden als een allerver-makelijkste parodie klonk; 'u hebt u schandalig gedragen, juffrouw!' reageerde mijn moeder enigszins uit de hoogte, terwijl ze de juffrouw kalm en onverschrokken aankeek, hoewel mijn vader trachtte haar mee te trekken, zodat de juffrouw opzij geduwd en bijna omvergelopen werd; ik holde achter mijn ouders aan en stak de rails over, waarna we aan de andere kant zwijgend, bijna in looppas het pad door het beukenbos insloegen en langs een grote omweg door het moeras naar het hotel terugkeerden, waar we een behoorlijke tijd na zonsondergang arriveerden.

O, wat een vreselijke nacht zou hierop volgen!

Ik ontwaakte doordat ik voelde dat er iemand in de deuropening stond die toegang gaf tot het terras, achter het doorzichtige gordijn, of was het alleen een schaduw? een spook misschien? omdat ik vreesde dat alleen al het knippen van mijn oogleden mij kon verraden, durfde ik mijn ogen niet meer te sluiten, hoewel het heerlijk zou zijn geweest niets te zien en te horen van alles wat nog komen zou! mijn angst scheen verdubbeld te worden doordat ik opnieuw de ontzetting van de afgelopen middag voelde; opeens bewoog het gordijn! de gedaante snelde via de deuropening de kamer in en vloog langs me heen; het was een donkere, maanloze nacht, maar ik hoorde de voetstappen duidelijk op de kale vloer en vervolgens op het zachte tapijt, zodat ik opeens mijn moeder herkende in de gestalte; ze liep naar de grote deur die op de gang uitkwam; vermoedelijk drukte ze daar de deurklink omlaag, want een metalige klik verbrak de diepe nachtelijke stilte, waarin de trage golfslag van de zee en het geruis van de dennebomen nauwelijks hoorbaar waren, het was namelijk een volkomen windstille nacht; opeens scheen ze zich te bedenken, want ze vloog opnieuw door de kamer, waarbij de hoge hakken van haar lichte pantoffels zo energiek klikklakten, dat ik de indruk kreeg dat ze een besluit had genomen en dit wilde gaan uitvoeren; ze droeg haar kapmantel met sleep, die ze stellig over haar nachtjapon had aangeschoten, ik hoorde de dikke zijden stof ruisen; voordat ze naar de terrasdeur terugliep, bleef ze enkele ogenblikken roerloos staan; ik wilde wat zeggen maar had het gevoel geen geluid te kunnen uitbrengen, alsof alles in een droom gebeurde, hoewel ik zeker wist dat ik wakker was; voorzichtig glurend trok ze het gordijn opzij, maar ze ging toch niet naar buiten, draaide zich om, klikklakte opnieuw door de kamer en bleef weer voor de deur naar de gang staan; opeens drukte ze de klink met een heftige beweging omlaag, wat een duidelijk hoorbaar, klikkend geluid veroorzaakte, maar de deur gaf niet toe; ze draaide de sleutel om in het slot, waarop de deur vanzelf opensprong; ze ging echter niet naar buiten, maar ijlde terug naar het terras, terwijl ze de deur op een kier liet staan; de zwakke luchtstroom die hierdoor ontstond bracht de gordijnen in de donkere kamer in beweging; ik ging rechtop in bed zitten.

'Wat is er aan de hand?' vroeg ik zachtjes, misschien te zachtjes, want de verbijstering die mijn angst had verdrongen snoerde mijn keel dicht, maar mijn moeder stapte, zonder acht te slaan op mijn vraag, die ze misschien niet eens had gehoord, het terras op, deed een paar stappen, maar haastte zich vervolgens, alsof het storende, harde geklepper van haar pantoffels haar belemmerde verder te gaan, geschrokken terug; 'wat is er aan de hand?' vroeg ik ditmaal luider, terwijl zij weer naar de gangdeur snelde, die opende en vandaar weer terugholde! toen hield ik het niet langer uit en sprong uit bed om haar te helpen.

Doordat we van tegengestelde richtingen op elkaar afsnelden, kwamen onze lichamen midden in de donkere kamer met elkaar in botsing.

'Wat is er aan de hand?'
'Ik wist het wel, ik weet het al vijf jaar lang!'
'Wat wist u wel?'
'Ik wist het wel, ik weet het al vijf jaar lang!'
We klampten ons aan elkaar vast.

Haar lichaam voelde stijf aan en werd steeds stijver door de psychische spanning; toen ze me een ogenblik in haar armen hield en ik haar tijdens die omarming probeerde te knuffelen, begreep ik dat deze vorm van contact haar niet kon helpen, mijn bereidwilligheid was tevergeefs, ik voelde haar wel, maar zij voelde mij niet, ik betekende op dat moment niet meer voor haar dan een secretaire of een leunstoel, waaraan ze zich, als ze haar evenwicht verloor, kon vastklampen om daarna weg te hollen en het waanzinnige besluit dat in haar gerijpt was uit te voeren; en toch wilde ik haar niet loslaten, ik drukte mij krachtig tegen haar aan, alsof ik precies wist wat zij van plan was, alsof ze een vreselijke aanslag wilde plegen en ik haar daarvan moest weerhouden; het kon mij niet schelen op wie zij het gemunt had en ik had daar ook geen enkel vermoeden van, maar mijn instinct dwong me haar van iets af te houden, het deed er niet toe van wat, van alles wat zij van plan was! tenslotte scheen mijn aanhoudende krachtsinspanning toch enige uitwerking te hebben, want het drong eindelijk tot haar door dat ik haar zoontje was, dat ik bij haar hoorde; ze bukte zich en gaf me hevig geëmotioneerd een kus in mijn nek, die meer als een beet aanvoelde; het was of zij uit die kus en mijn bijna dierlijke angst nieuwe energie putte, want ze schoof mijn handen van haar middel, stootte me, wanhopig 'stakker!' uitroepend, van zich af en rende weer het terras op.

Ik volgde haar op een drafje.

Ze stak het terras over, maar liep niet in de richting van de brede trap die naar het park leidde, zoals ik had verwacht, ze holde precies de andere kant uit; toen ze bij de deur van het appartement van de juffrouw was gekomen, bleef ze staan.

De deur stond open en er brandden binnen kaarsen; het licht kroop bevend en flakkerend over de stenen voor onze voeten.

Ik bleef als aan de grond genageld staan en nam niet alleen met mijn ogen, maar met mijn hele lichaam het schouwspel waar dat ik toen zag.

O, ik kan niet beweren dat ik niet wist wat dit schouwspel betekende, maar ik kan evenmin zeggen dat ik het wel wist, want een kind weet natuurlijk alleen intuïtief wat er op zo'n ogenblik aan de hand is, maar toch heeft het – hoe aanstootgevend deze bewering ook mag zijn – dankzij de in het eigen lichaam bespeurde wellust ook al enige ervaring op dit gebied; niettemin verraste hetgeen ik zag me dermate dat ik het bijna niet begreep.

Het schouwspel waarvan ik spreek werd namelijk gevormd door twee menselijke lichamen, die op de vloer lagen.

Hun naaktheid was bijna verblindend.

De juffrouw lag op haar zij, en de vloer rondom het tweetal was bezaaid met witte kledingstukken; ze had haar benen bijna tot haar borsten opgetrokken, zodat haar lichaam een cirkel leek te vormen, en keerde mijn vader haar weelderige en – zoals ik me op volwassen leeftijd pas realiseerde – uitzonderlijk fraai gevormde achterwerk toe; toekeerde? ze bewoog het in zijn richting, bood het hem aan, drong het hem op! terwijl mijn vader bij haar neerhurkte, ja boven haar knielde en de holte van zijn schoot met stotende, binnendringende en weer terugtrekkende bewegingen tegen de welving van haar achterste perste, met woeste kracht haar donkere, loshangende haar vastgreep en dit met één hand omklemd hield; hij sloot haar lichaam aldus volkomen af en kon daarin naar hartelust op gewelddadige en toch allersubtielste wijze tekeergaan; nu weet ik wat ik toen nog niet wist, namelijk dat het mannelijk lid in deze houding niet alleen zo diep mogelijk, men zou ook kunnen zeggen zo hoog mogelijk de schede kan binnendringen, maar dat bovendien alle delen van de roede – de gevoelige voorhuid, de brede rand van de eikel en de tot barstens toe gevulde penisaderen, die de opzwellende kittelaar masseren – hierbij zodanig over de schaamlippen glijden en de gladde schede binnendringen, dat die een holletje schijnt te zijn, zodat de penis, stijf en krachtig tot de baarmoeder – de schijnbaar laatste hindernis! – doordringend, deze holle ruimte zo volkomen opvult dat niet meer te onderscheiden is wat tot het ene en wat tot het andere lichaam behoort; in deze eigenaardige houding kunnen gewelddaad en tedere liefkozing samenvallen, en wat is er mooier dan dat, wat kan men zich meer wensen? opeens zag ik hoe mijn vaders rug zich krampachtig kromde en zijn bilspleet uiteenging, alsof hij zijn behoefte wilde doen, vervolgens zette hij zich met zijn vrije hand af en trok zijn penis iets terug, zodat ik in het pompende ritme een glimp opving van zijn machtige, iets ingetrokken ballen; daarna perste hij zijn onderbuik opnieuw tegen de plaats die hen beiden met zoveel kolkende wellust begiftigde; op dat moment slaakte de juffrouw een hoge, doordringende kreet, waarop mijn vader zijn mond op een angstaanjagende manier opensperde, alsof hij hem nooit meer zou sluiten en een zwaar, rochelend geluid voortbracht; ik zag de punt van zijn tong uit zijn mondholte tevoorschijn komen en zijn geopende ogen in het niets staren, maar bracht zijn geschreeuw en gerochel op dat ogenblik niet onmiddellijk in verband met de onzichtbare wellust; en toen hij niet dieper in haar kon doordringen en eindelijk een plek naar zijn zin scheen te hebben gevonden, verstijfde hij geheel en zijn lichaam, dat met grote plukken zwart haar was bedekt, begon hulpeloos en onbedaarlijk te rillen; keer op keer trok hij het hoofd van de juffrouw bij de haren omhoog en sloeg het met volle kracht tegen de vloer; hoewel het geschreeuw dat zij daarbij produceerde op een overstelpend genot duidde, trachtte zij zich toch kronkelend onder hem uit te wurmen in de hoop dat hij na dit hoogtepunt het meer tedere maar niet minder krachtige ritme van penetreren en retireren zou hernemen, zodat zij de liefde op een meer tedere en intieme wijze zou kunnen beleven, maar mijn vader trok haar hoofd opnieuw woest omhoog en sloeg het zo hard tegen de vloer dat het kraakte.

Als op dat ogenblik de wellust in mij veel sterker was dan mijn verbijstering en ik, de aanwezigheid van mijn moeder vergetend, al mijn zintuigen op dit schouwspel richtte en me zelfs, goed en kwaad voorbijstrevend, verheugd voelde dat ik dat gebeuren mocht aanschouwen, is de verklaring daarvoor niet alleen mijn kinderlijke nieuwsgierigheid en ook niet het feit dat ik door mijn speelkameraad in Heiligendamm, de enkele jaren oudere graaf Stollberg, nagenoeg geheel was ingewijd in dergelijke geheimen, maar de oorzaak hiervan moet gezocht worden in mijn heimelijke wensen, mijn niet geringe wreedheid en mijn bizarre neigingen, die elkaar op dit ogenblik onverwachts aanvulden en mij schenen te ontmaskeren, zodat ik het gevoel had dat de juffrouw mij met haar gegil op heterdaad had betrapt! het schouwspel van de twee coïterende mensen werd voor mij tot een zinnelijke Verlichting; wat hier gebeurde had niet zozeer betrekking op mijzelf of op mijn overwegend abstracte kennis van zaken en ook niet op mijn speelkameraad, die ik in het moeras betrapt had toen hij zich verborgen tussen het hoogopgeschoten riet op de verende bodem had uitgestrekt om zich met zijn piemel te vermaken, ja zelfs niet op mijn vader, nee, van dit gebeuren was uitsluitend het voorwerp van mijn bewondering en sympathie het middelpunt, de juffrouw.

De veelvuldige nachtelijke uitstapjes naar het gemeenschappelijk gebruikte terras – momenten waarop ik eigenlijk alleen wilde zijn maar toch blij was als ik haar daar aantrof en zij mij tegen haar door het slapeloos in bed liggen verhitte lichaam trok – waren dus niet zonder gevolgen gebleven.

Haar lichaam straalde schoonheid uit, maar deze schoonheid was niet gelegen in de vorm van haar lichaam of in de regelmaat van haar gelaatstrekken, ze school veeleer in haar vlees; haar huid gloeide gewoon van schoonheid; en hoewel duidelijk zichtbaar was dat dit vrouwenlichaam puur esthetisch gezien, wat de vormen en lijnen betrof, aan geen enkel schoonheidsideaal beantwoordde, oefende het een grotere aantrekkingskracht uit dan welk schoonheidsideaal ook; welk een geluk dat wij meer afgaan op de vochtigheidsgraad van onze handpalmen dan op droge, esthetische regels! ik haast me hierbij op te merken dat zelfs mijn moeder zich, ondanks haar uitgesproken neiging zich aan schoolmeesterachtige regels te onderwerpen, niet had kunnen onttrekken aan dit sterke, verwarrende effect; in dit ene geval had ze geloofd wat ze zag en ze was weg geweest van de juffrouw, ze had haar bijna verafgood, waarschijnlijk met de gedachte spelend haar tot haar beste vriendin te maken, zoals mijn vader in Frick een boezemvriend had gevonden; de opvallend vrijmoedige, bruine ogen, de donkere, zuidelijke, bijna zigeunerachtige huid die zich rozig en straf over de brede aangezichtsschedel spande, de nerveus trillende vleugels van de kleine neus, de volle, goed doorbloede lippen die loodrecht door een

rituele sabelhouw schenen ingekerfd, hadden op haar dezelfde elektri-
serende werking uitgeoefend als op iedereen; al had mijn vader niet
ten onrechte plagerig opgemerkt 'dat de juffrouw eigenlijk heel ordinair was', ze had haar luidruchtigheid door de vingers gezien en gedaan
alsof ze haar onverbloemde, de grenzen der betamelijkheid bijna overschrijdende opmerkingen niet hoorde en zich evenmin iets aangetrokken van haar zich ook lichamelijk openbarende middelmatigheid – ze
had een laag, terugwijkend voorhoofd –, een eigenschap die de juffrouw niet door terughoudendheid trachtte te verbloemen maar, door
haar tomeloosheid, juist benadrukte; ik kende het lichaam dat daar op
de grond lag goed: de kleine, stevige, licht uiteenwijkende borsten, de
taille, die dankzij haar met raffinement vervaardigde kleding veel slanker leek dan zij in werkelijkheid was, en de heupen, waarvan de breedte door een op effect beluste snit juist werd benadrukt; ik had het leren
kennen door onze nachtelijke ontmoetingen, het was me in de nachten dat de juffrouw door slapeloosheid en onrust gedreven op het terras was verschenen en mij met een moederlijke maar overdreven tederheid – een tederheid die, zoals ik nu wist, voor mijn vader was bestemd – had omhelsd, in zijn onregelmatige en onverhulde volmaaktheid vertrouwd en dierbaar geworden, ze had bij die gelegenheden
immers niet eens een ochtendjas gedragen, zodat ik door de dunne zijde van haar nachtjapon alles had kunnen voelen, zelfs het zachte dons
van haar schoot, wanneer mijn hand quasi toevallig daarheen afdwaalde.

En dan haar geur, waarin ik bijna was verdronken!

Maar tot hier en niet verder!

Gevoel voor verhoudingen en goede smaak vereisen dat wij het ophalen van onze herinneringen thans even onderbreken, want terwijl
wij daar in de deuropening stonden, liet mijn moeder een steunend
geluid horen en zeeg onmachtig neer op de stenen vloer.

Meisjes

De tuin was heel groot, eigenlijk meer een park dan een tuin, scha-
duwrijk, zoet geurend in de zomerse warmte; een pittige denneucht;
hars, druipend van in hun groei zachtjes knisterende, groene denneap-
pels; barstensvolle knoppen van in rood, geel, wit en roze prijkende
rozen, en ook nog een rimpelig bloemblad dat, door de zon verzengd,
niet verder open kon en bereid was af te vallen; met hun honing wespen aanlokkende, hoog oprijzende lelies; door het minste vlaagje bewogen paarse, wijnrode en blauwe kelken van petunia's; leeuwebekjes
op hoge stengels; grote vlekken van in zijn kleurenpracht vlammend
vingerhoedskruid, dat de paadjes omzoomde; het glinsteren van
dauwnat gras in het morgenlicht, maar vooral in groepen en stroken
gerangschikt struikgewas: vlier, kardinaalsmuts, sering, bedwelmend
zoete jasmijn, goudenregen, hazelnoot en in de wijde schaduw van de
meidoorn de vochtige verrotting waarin de gifgroene klimop, zijn bittere lucht verspreidend, zich met zijn ranken aan schuttingen en muren hechtend, boomstammen omwindend, fijne luchtwortels vormend en alles overwoekerend, naar hartelust gedijt en de door hemzelf
geproduceerde fijne, schimmelachtige verrotting beschermt en ver-
meerdert, een symboolachtige plant die met zijn dichte loof en zijn
schaduw alles – gras, twijgen en bladeren – verstikt en zich in het na-
jaar onder het rood van de vallende bladeren laat begraven om in het
voorjaar opnieuw zijn door lange, harde ranken bestuurde wasachtige
kopjes op te steken; groene hagedissen en vaalbruine ringslangen ver-
kwikten zich daar en dikke zwarte naaktslakken markeerden hun ingewikkelde tochten met wit opdrogend, hard slijm, dat bij aanraking
met de vinger verbrokkelde; aan deze tuin denk ik nu terug, wetende
dat er niets meer van over is, want de struiken zijn gerooid, de bomen
grotendeels omgehakt en het luchtige prieeltje, waarvan het groengeverfde traliewerk met roze rozen was omrankt, afgebroken; ook de
grote rotstuin is verdwenen, iemand had de stenen voor een ander doel
nodig en heeft ze weggehaald; huislook, varens, vetkruid, irissen, kik-
kerkruid en bruidsbloemen zijn verwelkt, het gazon met onkruid
overwoekerd en verdord en de witte tuinstoelen verrot en uiteenge-

vallen; het verweerde stenen beeldje van de fluitspelende god Pan, dat ooit door een storm van zijn voetstuk was gestoten en sindsdien in het gras had gelegen, is waarschijnlijk in een kelder beland; het voetstuk van het beeld is eveneens verdwenen; de stucornamenten, de boven de vensters in zeeschelpen rustende godinnen met hun wijd opengesperde monden en de Grieks aandoende, krullerige kapitelen van de pilasters zijn van het gebouw gekapt; de ramen van de serre zijn dichtgemetseld en de wilde wingerd, geliefd domein van mieren en kevers, is bij deze verbouwing vanzelfsprekend van de muur gerukt; maar ook al ben ik van al deze veranderingen op de hoogte en weet ik dat de tuin nog slechts in mijn herinnering voortbestaat, ik hoor evenals vroeger het ritselen van de bladeren en neem de geuren, de lichtval en de windrichting waar en als ik wil sta ik weer op zo'n stille zomermiddag in de tuin en ben ik weer de jongen die ik toen was, een knaap met een licht en breekbaar beendergestel maar niet slecht gebouwd, die zichzelf niettemin lelijk vindt, waardoor hij zich, al is het nog zo warm, ongaarne helemaal uitkleedt en zo mogelijk zijn overhemd of tenminste zijn onderhemd aan houdt, graag lange broeken draagt en liever zweet dan dat hij er luchtig bij loopt, ofschoon hij zijn scherpe zweetlucht afschuwelijk vindt; thans kunnen we hierom natuurlijk toegeeflijk glimlachen in de ietwat treurig stemmende wetenschap dat wij ons nooit bewust zijn van onze eigen schoonheid; merkwaardigerwijze is die alleen voor anderen zichtbaar, tenzij we weemoedig terugblikken.

Zoals ik zei, ik sta op het steil oplopende tuinpad; het is een van die zeldzame ogenblikken waarop ik niet met mezelf bezig ben, of beter gezegd: het wachten neemt me zo in beslag dat ik mede-acteur word in een toneelstuk met een onbekend scenario en het mij in tegenstelling tot gewoonlijk niet stoort dat ik geen hemd of broek draag en alleen mijn door het wassen verschoten blauwe onderbroek aan heb, hoewel ik weet dat ze dadelijk hier zal zijn.

Ik heb geen eigenschappen meer, maar ben alleen aanwezig, en de wereld bestaat nog slechts uit de tuin, de straat en, aan de overkant van de straat, het bos; in mijn hand houd ik een dik met reuzel besmeerde snee brood, waarop ik plakjes groene paprika heb gelegd die ik zorgvuldig zo heb uitgesneden dat de peperige zaadlijsten, die als het ware het geraamte van de paprika vormen, aan de steel zijn blijven vastzitten; wanneer ik het brood naar mijn mond breng om er een hap van te nemen, moet ik de repen paprika met mijn vingers stevig op het brood drukken om te voorkomen dat ze eraf glijden, wat bijna altijd gebeurt,

tegelijkertijd moet ik oppassen dat de reuzel niet door het drukken onder de paprika uit wordt geperst, want dan zou mijn hele gezicht met
vet worden besmeurd.

De hitte heeft de hemel met grijze sluiers overtrokken, maar de zon
brandt; het is het heetste uur van de middag, zelfs de insekten verroeren zich niet, desondanks meen ik op mijn huid, die vochtig is van de
slaap, het koele windje te voelen dat om deze tijd nergens anders waait
dan op dit steil oplopende pad.

De hagedissen zijn verdwenen en het gezang van de vogels is verstomd.

Het tuinpad voert naar een kunstig bewerkt tuinhek dat tussen fraai
bewerkte stenen palen is opgehangen; achter het hek, waar de straat
loopt, beven de schaduwen zachtjes; als je de straat oversteekt, kom je
in het bos en daarvandaan waait het koele, droge windje; ik voel genietend hoe het mijn huid streelt; hoewel ik slaperig ben, let ik toch heel
goed op, eigenlijk is mijn slaperigheid alleen maar gespeeld, ik doe net
of ik onverschillig ben om mijn zelfrespect niet te verliezen.

Als ik dit niet deed, zou ik aan mezelf moeten toegeven dat ik op
haar wacht; al in de aangenaam verduisterde kamer had ik gewacht,
toen ik had gedaan alsof ik geconcentreerd zat te lezen, en ook tijdens
het inslapen, en toen ik weer wakker schrok; urenlang had ik op haar
gewacht, dagenlang, ja dit wachten duurde al weken; toen ik vandaag
in de keuken het brood had gesmeerd en de paprika in stukken had gesneden, had ik voor de zoveelste maal naar de luid tikkende wekker
gekeken, mezelf wijsmakend dat mijn blik slechts toevallig naar de
wijzers afdwaalde, en ik had gehoopt dat zij ook op de klok keek, op
datzelfde ogenblik, en daarna haastig op pad ging; ze kwam bijna elke
dag om dezelfde tijd voorbij, om halfdrie, wat geen toeval kon zijn,
maar toch kon ik de vreselijke gedachte niet uit mijn geest bannen dat
zij niet omwille van mij ons huis passeerde, maar slechts toevallig, gewoon omdat ze daar zin in had.

Over een paar minuten kon ik, alsof ik daar wat belangrijks te doen
had, naar het hek toe lopen, over nog enkele minuten of hoogstens een
halfuur, als zij, om onverschilligheid voor te wenden, opzettelijk te laat
zou komen, zoals ik zelf, om de schijn van onafhankelijkheid te bewaren, soms net deed alsof ik niet achter het struikgewas stond; ik vroeg
me af of ik lang zou moeten wachten omdat zij op een dag – het was
maar één keer voorgekomen – helemaal niet was opgedaagd; die keer
had ik tot de avond op de uitkijk gestaan, ik kon niet anders, zelfs na het

invallen van de duisternis had ik nog bij het hek staan turen, maar ze was niet gekomen; sindsdien weet ik hoe eindeloos langzaam de tijd voorbij gaat als je moet wachten.

En opeens was ze er!

Zoals elk ogenblik dat we belangrijk achten was ook dit onbeduidend, bijna niet waarneembaar, het lijkt wel of we onszelf moeten waarschuwen dat datgene waar wij zo verlangend naar uit hebben gekeken, eindelijk gearriveerd is, want er is niets veranderd, alles is gebleven zoals het was; opeens was ze er en hoefde ik niet langer te wachten.

Ik stond toen al tussen de struiken bij de omheining, niet al te ver van het hek, dat was mijn vaste plaats, precies tegenover het pad dat, bijna heimelijk, verborgen onder de struiken en de afhangende takken van een reusachtige linde, van het bos naar de straat kronkelde; om deze tijd was er niemand op straat; als ik bij de omheining op de uitkijk stond, kon ik er zeker van zijn dat ik haar meteen zag, zo nauwlettend hield ik alles in de gaten; moeizaam baande ik me een weg door de struiken; via dit pas ontstane paadje, waar ik alle in mijn gezicht zwiepende takken kende, kon ik tot de tuin van de buren met haar meelopen en haar met mijn blikken nog verder volgen, totdat het rood en blauw van haar vrolijk zwierende rokje in het groen was verdwenen, zodat ik haar geruime tijd kon observeren; de enige verrassing die zich kon voordoen was dat ze niet over het bospad kwam aanlopen maar over het trottoir, want ze voorkwam nauwlettend dat ons zwijgende spel in een vaste gewoonte ontaardde, daarom maakte ze soms een grote omweg en nam ze niet het bospad, maar legde ze de weg grotendeels over straat af, zodat ze van links kwam, waar de met brokkelig asfalt bedekte weg eerst steil opliep en daarna weer even steil daalde; doordat de weg daar bijna onbegaanbaar was vanwege de talloze gaten in het wegdek, een gevolg van de vorst, had haar list echter geen resultaat; weliswaar heerste er een oneindige stilte, zodat zelfs het scherpste gehoor slechts met grote inspanning in staat zou zijn geweest het verre, eentonige lawaai en geroezemoes van de stad te herkennen tussen de vele onregelmatige en toevallige geluiden, zoals het ritselen van bladeren, het kwetteren van vogels, het blaffen van een hond of het dof klinkende geroep van een mens, maar ik kende de kleinste details van zowel de stilte als de geluiden op die plek en ook de gecompliceerde samenhang tussen al die details, wat ik in niet geringe mate aan mijn vele wachten en luisteren had te danken; het was dus zinloos dat ze af en toe die omweg nam, daarmee kon ze mij niet misleiden, want haar voetstappen kondigden haar komst lang van tevoren aan, ze knerpten, en dat deden alleen haar voetstappen, ik kende ze maar al te goed. Maar die dag naderde ze, zoals gewoonlijk, over het bospad en toen ze bij de straat was gekomen, bleef ze staan; als ik haar beeld goed in mijn geheugen bewaar, wat me uitermate waarschijnlijk lijkt, droeg ze een rood rokje met witte stippen en een witte blouse, beide sterk gesteven en gestreken tot ze glansden, zodat het stijve wit van de blouse haar ontluikende borsten bijna geheel platdrukte en het katoenen rokje aangenaam ruiste als het haar magere knieën raakte; elk kledingstuk van haar armzalige garderobe toonde of verborg wel een ander lichaamsdeel van haar, daarom moest ik goed op de rokjes, de jurken en de bloesjes letten, op alles wat ongetwijfeld bijzonder belangrijk voor haar was als ze zich aankleedde en intussen misschien wel aan mij dacht; ze keek langzaam en voorzichtig om zich heen, met haar blote hals naar voren gestrekt; dit was de enige beweging die zij zich, als ze heel even de cocon van haar terughoudendheid verliet, veroorloofde; eerst spiedde ze naar rechts en vervolgens naar links; terwijl ze haar hoofd wendde, bleef haar blik quasi toevallig op mij rusten, soms slechts een onderdeel van een seconde, en op dat ogenblik trachtte ik vergeefs haar blik vast te houden; een enkele maal rustte haar blik wat langer en moediger op me, soms onvoorstelbaar lang zelfs, daarover zal ik het later hebben; kennelijk zocht ze mij, want als ik niet daar, op mijn vaste plekje stond, maar bijvoorbeeld, om te voorkomen dat ze me dadelijk zou opmerken, op mijn buik ging liggen of me achter een boom verstopte, in de hoop aldus een voordeeltje in de wacht te slepen, werd haar blik onzeker en verscheen op haar gezicht exact de uitdrukking van diepe teleurstelling die ik haar met mijn list trachtte te ontlokken, iets wat me, gezien haar terughoudendheid, een ongelooflijke koketterie scheen; elke dag schonk ze me maar één blik, terwijl ik hulpeloos in de zwoele schaduw van de struiken achter de omheining stond.

Ze was niet mooi, maar deze bewering behoeft dringend enige toelichting; dat ze niet mooi was, moest ik mezelf met een mengeling van schaamte en spijt toegeven, maar diep in mijn hart vond ik haar toch mooi; zodra ze echter om de hoek van de straat was verdwenen, meende ik dat ik me voor andere jongens moest schamen omdat het meisje waarop ik verliefd was niet mooi maar lelijk, of, om het tactvoller te formuleren, niet bijzonder knap was; in elk geval was er alle reden om te twijfelen aan haar schoonheid, en dat was een onvoorstelbare schande voor me; omdat er al talloze dagen waren verstreken met dat afschu-welijk vervelende wachten en ik me tegen die kwelling tevergeefs had verweerd en verzet, moest ik bekennen, ja hardop zeggen en zelfs uit-schreeuwen – in de hoop op verlichting schreeuwde ik het ook wer-kelijk uit – dat ik verliefd was, verliefd op dit meisje; gelukkig maken kon dit schreeuwen me echter niet, alleen op het moment zelf, maar zodra ik uitgeschreeuwd was, voelde ik me opnieuw bedrukt door de gedachte dat ik weer op haar zou moeten wachten, steeds maar wach-ten, totdat het halfdrie was geworden; en als ze dan eindelijk was geko-men, kon ik weer op haar verdwijning wachten, waarna een nieuwe periode van wachten begon tot ze de volgende dag opnieuw kwam, wat me ziekelijk en absurd scheen, onbegrijpelijker nog dan de tijd toen ik zorgvuldig had vermeden Krisztián te ontmoeten omdat ik er niet meer tegen kon hem te zien.

Als ze nu nog mooi was, zou al dat wachten en smachten tenminste enige zin hebben, dacht ik bij mezelf, dan zou haar schoonheid na haar verdwijning nog in mij naklinken en hoefde ik me niet zo voor mijn gevoelens te schamen; ik meende dat haar schoonheid mij kon verlos-sen, maar het leek wel alsof ik steeds opnieuw in dezelfde ellende werd gedompeld, in het kwellende verlangen naar schoonheid, zou ik te-genwoordig zeggen; het was een duister verlangen, dat ik voor alle on-bescheiden blikken moest verbergen, evenals, zij het om andere reden, mijn liefde voor Krisztián, ik voelde mij vernederd, want haar vlugge bewegingen, haar onnozele glimlach, haar ongenaakbare treurigheid, haar wilde lachbuien, de helle gloed in haar groene ogen en het ner-veuze trillen van haar spieren – alles was me door mijn voortdurende observaties zo vertrouwd geworden, ik had deze verschijnselen zo gul-zig in me opgezogen, dat ze een deel van mezelf waren geworden en het meisje zich op de meest verrassende ogenblikken in mij manifes-teerde; het leek dan wel alsof ze mij met haar lichaam verving en ik haar werd, waardoor ze met één enkele, door mij gefantaseerde beweging, glimlach of blik alles kon kapotmaken wat voor mij belangrijk was, of me juist kon helpen problemen op te lossen waar ik alleen niets aan kon doen; haar voortdurende aanwezigheid had voor mij een dubbel-zinnige betekenis, de ene keer leek ze goedaardig, de andere wreed; in elk geval was ze onberekenbaar; ze liet me niet meer alleen en was de kruk geworden waarop ik leunde, mijn heimelijke voorbeeld, zodat ikzelf in het geheel niet meer bestond, alleen nog als haar schaduw; ook nu spookte ze hier rond, ze dook op en verdween weer, haalde haar

schouders op, grijnsde of trachtte listig te verbergen dat ze me gadesloeg, hoewel ze me kennelijk bespiedde; maar wat baatte het dat dit
meisje zo'n opwindende invloed op mij had en haar aanblik, zodra ze
verscheen, al mijn dwaze gedachten wegvaagde, als ik niet de enige
was die haar observeerde? wat die observaties van mij betreft: ik was
niet in staat haar onbevooroordeeld en mij slechts op mijn eigen gevoelens verlatend te beoordelen, ik kon dat alleen op een tweeslachti-
ge manier doen, beïnvloed door alle meningen die ik inzake schoonheid als maatgevend beschouwde, en wie had in deze beter kunnen
oordelen dan zijzelf?

Intussen sloeg ik haar voortdurend gade, wie anders had dat ook
kunnen doen? ik wachtte op haar en was blij als ze kwam; sindsdien
heb ik nooit meer een gezicht of een lichaam gezien dat zoveel indruk
op mij maakte, of beter gezegd: het is alsof ik sedertdien, vanaf die tijd,
in elk vrouwelijk wezen dat mij aantrekt datgene zoek wat ik van háár
slechts in zeer geringe mate heb ontvangen; ze heeft me namelijk bijna
niets gegeven en me daardoor op een allerpijnlijkste manier bewust
gemaakt van een tekort, een tekort dat ik later steeds weer opnieuw, zij
het ook onbewust, heb trachten aan te vullen; en hoewel haar schoonheid boven elke twijfel verheven was – thans ben ik me daarvan bewust, want ze heeft me die schoonheid, alhoewel steeds zeer kortstondig, dag in dag uit geopenbaard, uitsluitend mij, en wat anders is
schoonheid dan de bijna onopgemerkte, onopzettelijke openbaring
van het schone –, wist ik die niet naar waarde te schatten, omdat ik –
hoe vreemd dit misschien ook klinkt – ondanks de schijn van het tegendeel geen moment alleen met haar was, steeds stonden er behalve
ik nog een paar andere jongens tussen de struiken; ik voelde duidelijk
hoe ze mijn armen tegenhielden als ik haar wilde omhelzen, wat me
kippevel bezorgde over mijn hele lichaam, zodat ik het niet waagde
mij aan mijn gevoelens over te geven; en misschien was het wel goed
dat zij dat deden, zeg ik thans wijsgerig, want door zo'n gemeenschappelijke kwelling leren wij wat geoorloofd is en wat niet; ik zeg gemeenschappelijk, want doordat Krisztián in mijn verbeelding in mijn
lichaam huisde en Livia eveneens observeerde, voelde ik merkwaardigerwijze de jaloezie die hij vanwege Livia zou hebben gevoeld als hij
van mij had gehouden, maar behalve hij keken er nog meer jongens via
mijn zintuigen naar het meisje op wie ik zo verkikkerd was, ze stonden
allemaal achter me en hinderden me, al was ik me daarvan op dat ogenblik nog niet zo bewust, en het ergste was dat ze haar mooi noch lelijk

vonden en slechts oppervlakkig bekeken.

En dat ik de eerste en enige was, heeft ook in haar sporen achtergelaten.

Ik wist dat zij zich zelf ook schaamde voor haar lelijkheid, alles wees daar duidelijk op, haar houding, haar huid, de pijnlijke netheid van haar kleren, haar voorzichtigheid, haar angst en haar kuisheid, en toch sprak uit dit alles ook een zekere kracht, misschien bestond haar schoonheid wel daarin dat ze mij met grote ernst en een zekere koppigheid toonde dat zij, hoewel zij zichzelf als het lelijkste meisje van de wereld beschouwde, toch hierheen dorst te komen en – misschien moet ik dit eraan toevoegen – haar hulpeloosheid, door een soort armeluistrots gedreven, tot in het belachelijke accentueerde; intussen moest ik voortdurend met een zekere nieuwsgierige en tegelijk verlangende huivering denken aan de kelder waarin ze woonde.

Ze was klein maar had een goed figuur; doordat ze haar hoofd bijna altijd een beetje gebogen hield, sloegen haar grote bruine ogen de wereld dikwijls van onderaf gade en observeerden die indringend maar onbewogen; haar kortgeknipte bruine haar werd door twee witte speldjes in bedwang gehouden, twee witte vlinders, zodat het niet op haar voorhoofd hing, wat haar iets kinderlijks en onbeholpens gaf, maar ik vond dat niet erg, want die vlinders zorgden dat haar fraai gewelfde voorhoofd zichtbaar bleef en je kon eruit opmaken met hoeveel liefdevolle zorgzaamheid ze werd omringd; haar ouders letten erop dat zij er altijd netjes uitzag, dat was blijkbaar heel belangrijk voor ze; op een keer zag ik hoe haar vader haar in de portiersloge tussen zijn knieën trok en met een met speeksel bevochtigde zakdoek haar voorhoofd schoonmaakte; hij was conciërge van een school en tevens koster van een naburige kerk, een tengere, blonde man met een snorretje en geonduleerd haar; ze woonde in het souterrain van de school; op een keer beweerde iemand dat haar moeder, een vrouw met een rozig glanzende, matbruine huid die 's zomers slechts een paar tinten donkerder werd dan 's winters, een zigeunerin was; ik vond die moeder 's winters, als haar huid het bleekst was, het mooist; vaak zag ik haar beladen met pannen en boodschappentassen vol etensresten van de schoolkeuken uit het donkere trapportaal opdoemen; een deel van die etensresten bracht zij naar kennissen, met de rest voedde zij haar eigen gezin.

Die belangrijke relatie tussen ons was op een alleszins gedenkwaardige dag ontstaan, toen de sneeuw al bijna helemaal was weggesmolten; ze was dat jaar slechts langzaam weggedooid, want het was een strenge winter en wat de zon overdag ontdooide, bevroor tijdens de nog koude nachten weer, maar tenslotte zette de dooi toch door en werd het lente; eerst smolten de sneeuwkussentjes op de daken, de sneeuwhoedjes op de schoorstenen en de door de wind tot kristallen geharde sneeuwklompen aan de boomtakken; 's nachts groeiden er lange ijspegels aan de dakgoten, waar overdag koel water vanaf droop, zodat de sneeuw daaronder papperig werd, het eerst rondom de huizen; die ijspegels kon je afbreken en aflikken, wat een heerlijk koud gevoel aan je tong gaf; de rottende bladeren in de dakgoten en het door roest aangevreten metaal gaven dit ijs een eigenaardige smaak waar we als kind van genoten; 's nachts bedekte de vorst de sneeuw met een ijslaagje; het was leuk om daarop te lopen en het knappend te horen breken onder je schoenzolen, zo kon je heel mooi sporen achterlaten; opeens, na een paar zachte dagen was het afgelopen met dat kwakkelweer en begon alles te leven, te druipen, te knappen, te drogen, te kraken, te murmelen, te sijpelen, te soppen en te gorgelen en hoorde je weer de vogels kwetteren; op zo'n milde dag, toen alles droop en dampte en er aan de heldere, blauwe hemel geen wolkje was te bekennen, was het allemaal begonnen; in de grote ochtendpauze werden de klassen een voor een naar de grote gymnastiekzaal gedirigeerd en moesten de kinderen daar zwijgend in de houding staan; het was daarbij niet toegestaan het hoofd te wenden of andere bewegingen te maken, maar hoezeer die demonstratieve rouwplechtigheid ons ook imponeerde, toch gluurden we in de van onrustige geluiden vervulde zaal zonder ons hoofd te draaien vanuit onze ooghoeken naar de vredige blauwe hemel, die door de hoge ramen te zien was; het gymnastieklokaal was voorzien van een podium, waarboven de wijnrode toneelgordijnen gesloten waren; voor die gordijnen stond het voltallige lerarenkorps even roerloos als wij opgesteld.

Het was het uur van Stalins begrafenis, het uur waarin zijn gebalsemde lichaam van de marmeren rouwzaal naar het mausoleum werd overgebracht.

Ik stelde me die zaal als een grote, onafzienbaar grote en bijna volkomen donkere ruimte voor, zo groot dat het beter een overdekt plein kon genoemd worden of een hal; het was aangenaam om dit woord 'hal' in gedachten uit te spreken; toch zag ik geen gewone hal voor me, meer een stationshal of iets dergelijks, maar dan met marmeren zuilen, die even dicht opeenstonden als de bomen van een bos; die hal was ook van boven donker; het was zo'n hoge ruimte dat je niet eens de wafelplaatzoldering kon zien; in de donkere ruimte was geen voetstap te horen, niemand werd daar toegelaten en niemand durfde ook naar binnen uit vrees dat zijn tegen de muren weerkaatsende voetstappen de stilte zouden verstoren; daar, tegen de achterste wand van deze zaal of dit plein, lag hij opgebaard; ik stelde me het podium waarop hij lag als een eenvoudige zwarte verhoging voor; eigenlijk was het meer een bed dan een podium, iets waarvan de aanwezigheid meer te vermoeden was dan te zien, want de nauwe deur liet niet voldoende daglicht toe om de zaal te verlichten, slechts net voldoende om het marmer van de zuilen – een prachtig geaderde, grijsbruine marmersoort – hier en daar zacht te doen glanzen; ook de vloer en de spiegelgladde zuilenboog glansden, hoewel er kaarsen noch lampen in de zaal brandden; ik zag dit beeld zo duidelijk voor me dat ik het zonder moeite in mijn herinnering kan terugroepen en niet eens de behoefte gevoel er een ironische kanttekening bij te plaatsen; ik meende op dat moment dat de hele wereld diezelfde plechtige stilte in acht nam, dat zelfs de dieren het onheilspellende zwijgen van de mensen hadden opgemerkt en zich daarom geschrokken stilhielden en ik ervoer zijn dood niet als een droevige gebeurtenis maar als een onovertrefbaar schoon, daverend slotakkoord van een groots leven, waarin alle verering, vreugde, verlangen en liefde doorklonken die zich tot nog toe niet onbelemmerd hadden kunnen uiten maar daar nu, op dit adembenemende moment van zijn dood, de gelegenheid voor kregen; merkwaardigerwijze werd deze illusie nauwelijks verstoord doordat je in de gymnastiekzaal het vrolijke getjilp van de om de dakgoot fladderende mussen en het onverschillige gekras van de kraaien kon horen, wat in schril contrast stond met de ongelooflijk diepe stilte waarin alles was gedompeld; ik probeerde me de intensiteit van die stilte voor te stellen en een aannemelijke maatstaf te bedenken waarnaar je die kon afmeten; we wisten dat niets zich gedurende dit uur mocht verroeren, het hele verkeer, alle auto's en trams, stonden stil, de treinen waren onderweg gestopt, op straat was geen mens te bekennen en als er toch iemand toevallig buiten vertoefde, moest hij op het moment dat de sirenes begonnen te loeien roerloos blijven staan; en zoals afzonderlijke geluiden zich vermengen, zodat het gedruis van een stad, van een zekere afstand gehoord, als een homogeen en aanhoudend gezoem en gedreun klinkt, zo moest ook dit zwijgen zich samenballen, opdat in die donkere marmeren hal merkbaar zou worden dat de wereld was verstomd, al kon

Hij die stilte niet meer horen; en wat is er aan de hand met iemand die niet eens de stilte meer hoort? hij is dood! toen ik al redenerend tot hier was gekomen, raakte mijn ordenende verbeelding in de uiterste verwarring, want ik wist dat hij niet gewoon dood was, zoals een willekeurig mens, die eenvoudig onder de grond wordt gestopt en daar geleidelijk vergaat, nee, zijn lichaam zou door balsem worden bewaard en geheiligd; overigens kwam die balseming mij als een duister, beklemmend en onbegrijpelijk iets voor, waarover je maar beter niet kon nadenken, maar hoe ik ook trachtte mijn gedachten van dit verboden terrein weg te leiden, ze keerden er voortdurend naar terug; die geheimzinnige balseming, die slechts de grootsten der groten toekwam, de Egyptische farao's misschien, intrigeerde me nog meer dan de dood zelf; toen ik bij mijn grootvader, die ik vanwege zijn zwijgzaamheid voor alwetend hield, naar dat balsemen informeerde, in de hoop ook een antwoord te krijgen op de vraag waarom alleen hem en de farao's deze eer te beurt viel, met andere woorden, welk verband er bestond tussen zijn grootheid en die van de Egyptische koningen – ik vroeg dit met een nogal slecht geweten, omdat ik vermoedde een scherp en sarcastisch antwoord te zullen krijgen, dat was namelijk de toon waarop hij placht te spreken –, werd ik met een antwoord afgescheept dat mijn ethische bedenkingen tegen deze methode niet wegnam maar integendeel vergrootte; 'o, dat is een reusachtige uitvinding!' riep hij in lachen uitbarstend, en hij zette zijn bril af, wat hij gewoonlijk deed wanneer hij begon te spreken, 'dat gaat namelijk als volgt: alle inwendige organen die snel bederven, zoals de lever, de longen, de nieren, het hart, de darmen, de maag en de gal en wat dies meer zij – ja natuurlijk, de hersenen, die zou ik haast vergeten, aangenomen dat deze schedel hersenen bevat! – worden netjes verwijderd; het bloed is van te voren al uit de aderen gepompt, als het tenminste nog niet is gestold, want bloed is uiterst bederfelijk; als het lichaam dus geen zachte delen meer bevat – ik geloof dat zelfs de ogen uit de kassen worden verwijderd! – en alleen nog de huid, het vlees en de beenderen over zijn, wordt het geheel van binnen en van buiten met een chemisch middel geprepareerd, met wat voor middel moet je me niet vragen, dat weet ik niet; daarna volgt nog het volstoppen en het zorgvuldig dichtnaaien, net zoals je grootmoeder dat 's zondags met de gevulde kip doet, en dan is het klaar!' hij eindigde zijn korte monoloog abrupt, alsof hij zich geen ogenblik had afgevraagd waarom ik deze vraag had gesteld – en al had hij dat wel, dan interesseerde het hem toch niet op wie ze betrekking had – en hulde zich verder, zonder het gezegde door de een of andere toevoeging af te zwakken, in stilzwijgen; het glimlachje verdween van zijn lippen en hij werd weer even zakelijk en onpersoonlijk als hij was geweest op de dag van Stalins dood, toen ik in de kast naar een lapje zwarte stof had gezocht waarmee ik de volgende dag de muurkrant op school op passende wijze wilde decoreren; ik had alleen maar een oud, van zwarte zijde vervaardigd hemd van mijn grootmoeder gevonden, dat ik voor dit doel aan stukken had geknipt en van de kanten boorden en schouderbandjes ontdaan, waarop mijn belangstellend toekijkende grootvader had opgemerkt: 'je kunt er beter een directoire voor ge- bruiken, jochie!' na deze opmerking werd hij weer even zwijgzaam als gewoonlijk, hij plantte zijn bril op zijn neus en wendde zijn seconden eerder nog belangstellende en geamuseerde blik van me af.

Het feit dat Stalins buik was opengesneden en zijn inwendige orga- nen waren verwijderd, was, evenals de nonchalante welsprekendheid en kwaadaardige oneerbiedigheid waarmee grootvader over hem had gesproken niet alleen onbegrijpelijk voor het verstand, maar stond ge- lijk met een heimelijke godslastering; als de dode op geen andere ma- nier te conserveren was, en dit was kennelijk het geval, behoorde je over dit smadelijke feit het diepste stilzwijgen te bewaren en te doen alsof het maar een verzinsel was; je moest erover zwijgen alsof het niet gezegd was, zoals ik ook moest verzwijgen – verzwijgen voor mezelf en voor anderen – wat Krisztián had gezegd toen we dat verrassende bericht van Stalins ziekte hadden vernomen; hier paste alleen een be- hoedzame en diepe stilte, alsof het feit dat ik deze uitlating gehoord had een vreselijke zonde en schande was.

Toch was het absoluut toeval geweest, puur toeval dat ik die had op- gevangen; ik klampte me vast aan dat woord 'toeval' alsof dat uitkomst kon bieden; ja, het was alleen maar toeval geweest en ik kon het met een gerust hart vergeten; als ik die dag geen corvee had gehad en dus niet naar de wc was gegaan om de spons nat te maken of als ik de klas een paar minuten eerder of later had verlaten – waarom had ik dat ei- genlijk niet gedaan? maar ja, dat was nu juist het toeval –, had ik im- mers helemaal niet hoeven horen wat Krisztián had gezegd; het zou weliswaar evengoed gezegd zijn, maar ik had er dan niets van geweten, tenslotte werd er zoveel gezegd waar ik – gelukkig – niets van wist; maar ik had het nu eenmaal wel gehoord en sindsdien herhaalden mijn hersenen deze scène dagenlang, dwangmatig en hulpeloos naar een uitweg zoekend en trachtend het gebeurde te vergeten, maar ik kon het eenvoudig niet vergeten, ik vond die uitweg niet, integendeel! het incident wees mij onverbiddelijk op mijn plicht en kon op geen enkele manier vergoelijkend worden uitgelegd; was mijn binnenkomst dan wellicht niet het werk van het toeval geweest, maar de wraak van het Lot? indien ik wou, kon ik me op hem wreken, als het incident tenminste geen val was; misschien werd ik wel als leugenaar ontmaskerd als ik me op hem probeerde te wreken, zodat ik maandenlang voor niets zou hebben geprobeerd hem te ontlopen en te doen alsof hij lucht was, wat zeg ik, lucht? nog minder dan dat, gewoon nul komma nul! ik had gehoopt dat hij aldus voorgoed uit mijn leven zou verdwijnen, zo volledig verdwijnen alsof ik hem had vermoord.

De gedachte hem te vermoorden was geen vluchtige gedachte geweest, ik had er ernstig over nagedacht, het voor en het tegen van een dergelijke handeling overwogen en een gedetailleerd plan gemaakt; ik had er mijn vaders pistool voor willen gebruiken, want sinds hij mij had uitgelegd hoe het geladen en afgeschoten moest worden, was ik uitstekend op de hoogte van de technische details van het moorden; hij bewaarde zijn pistool in een la van zijn bureau en maakte het maandelijks schoon met een in petroleum gedrenkte doek, waardoor zijn lange, slanke vingers zwart werden van de petroleum, zodat hij zijn haar, dat voortdurend voor zijn ogen viel, alleen met de rug van zijn hand achterover kon strijken als hij tijdens zijn uitleg naar mij opkeek; zijn koele blauwe ogen, die uiterst simpele gebruiksaanwijzing van het pistool en de doordringende petroleumlucht hadden mij die zondagmiddag op een idee gebracht dat ook na kritische afweging uitvoerbaar scheen als ik een manier vond om de sporen uit te wissen, maar nu dreigde het stompzinnige toeval, dat ik wilde maar niet kon negeren, roet in het eten te gooien en mijn moordlustige plannen aan het licht te brengen; nee, ik was veel te zwak en te laf om een moordenaar te worden, ik had niet eens de moed gehad hem aan te geven nu hij zo gladjes in mijn netten was verstrikt geraakt; ik had wel even met de gedachte gespeeld, maar die onmiddellijk daarna heftig verworpen, ik wist immers dat ik, als ik dat deed, mijzelf zou gaan minachten en me een gluiperig verklikkertje zou voelen.

Overigens voelde ik me dat toch al, hoewel ik niemand had verraden, ik dorst eigenlijk niet eens aan de mogelijkheid te denken dat ik dat zou doen, zodat ik ook niet de moed opbracht mijn moeder het gebeurde te vertellen, hoe graag ik dat ook had gedaan, ik was bang dat ze me zou uitleggen hoe ik me uit de penibele situatie kon redden en me een advies zou geven dat ik in geen geval zou kunnen opvolgen; ik zweeg dus liever; natuurlijk merkte ze iets aan me en vroeg ze me of ik problemen had, maar ik loog en zei van niet; nee, er was niets aan de hand; ik was ook bang mijn grootvader te compromitteren als ik mijn hart uitstortte; ja, mijn grootvader zou er vast bij worden betrokken! ik meende namelijk dat de twee schijnbaar geheel verschillende uitlatingen die ik had gehoord nauw verband hielden met elkaar, het was alsof de ene de andere vooronderstelde; indien mijn grootvader de weg niet had geëffend, was Krisztiáns opmerking me vast niet zo opgevallen, maar sedert ik wist dat zij, de vrienden, onder elkaar over dingen spraken waarover ze tegen mij zwegen, dat er een voor mij geheim gehouden, besloten kring van andersdenkenden bestond, waartoe ook mijn grootvader behoorde, een kring waarin ik slechts ongewild en toevallig verzeild was geraakt, die ik bij toeval had ontdekt, maar niet eenvoudig uit mijn geheugen kon wissen, met name niet vanwege mijn steeds heviger wordende, kwellende jaloezie – sedert dat moment voelde ik me een spion, en dat gevoel werd versterkt door de ongewenste en heimelijke wetenschap hoe in deze kring over Stalin werd gedacht.

Ik kon me dan ook heel goed voorstellen dat de jongens meenden dat ik hen wilde bespieden toen ze zich op de wc hadden teruggetrokken om de belangrijke gebeurtenis te bespreken; ik had volgens hen een geschikt moment afgewacht om de deur open te gooien en hen op heterdaad te betrappen; bij mijn entree had ik Krisztián natuurlijk het eerst gezien; hij stond met gespreide benen voor de geteerde muur, maar in wat voor een houding, zelfs voor iemand die urineert! met één hand losjes op de heup en de andere voluit om de piemel; hij plaste dus niet meer als jongens, die eigenlijk tot aan de drempel der volwassenheid de liefdevolle piemelhantering van hun moeder nabootsen door het orgaan onhandig met twee vingers bij de schacht aan te vatten, zodat er onherroepelijk enkele druppels op de vingers en in de broek belanden, de penis kan immers zo niet goed leeggeschud worden, nee hij deed het al als een volwassen man, backhand zou je kunnen zeggen, tussen duim en vier vingers, losjes, de pink een weinig geheven om te voorkomen dat hij de straal zou raken, zoals je met winderig weer een sigaret rookt, alsof hij het lichaamsdeel met de hand wilde bedekken, wat als een gebaar van natuurlijke schaamte had kunnen worden opgevat als hij daarbij zijn heupen niet zo genotzuchtig en schaamteloos naar voren had geduwd en niet net iets te veel wijdbeens was gaan staan, alsof hij met zijn houding wilde bewijzen – wie in hemelsnaam? zichzelf? ons? – dat zelfs urineren een genot voor hem was; hij urineerde met een brutale schaamteloosheid; die manier van de blaas legen was dankzij hem een echte rage geworden, niet alleen bij de jongens die tot zijn onmiddellijke vriendenkring behoorden, maar bij iedereen in de klas, zelfs ik had deze gewoonte overgenomen, alhoewel ik het met zoveel natuurlijkheid gedemonstreerde genot dat hij aan deze handeling scheen te beleven absoluut niet voelde; toen ik echter met de uitgedroogde, met krijt besmeurde spons in mijn hand binnenkwam en hem in die welbekende houding zag, een houding die nog onbevangener leek doordat hij met de naast hem urinerende Szmodits converseerde, en wel zo dat de vlak achter zijn rug wachtende Prém en de tegen de deurpost geleunde, rokende Kálmán Csúzdi alles goed konden verstaan, had ik me het liefst op de gang teruggetrokken, maar mijn aftocht zou door niets te rechtvaardigen zijn geweest en Kálmán Csúzdi zou die dadelijk opgemerkt hebben; ik ging dus maar naar binnen, terwijl Krisztián, die het openen van de deur niet gehoord had of niet wilde horen, zijn reeds aangevangen zin afmaakte: 'eindelijk gaat dat loeder de pijp uit!' hij zei het precies op het moment dat ik de deur na enig aarzelen achter me had dichtgetrokken.

Prém, een stevig gebouwde jongen met donkere huid, die Krisztián als een gedienstige page overal volgde en met zijn zachte, alles begrijpende en vergevende ogen voortdurend eropuit scheen te doorgronden waarmee hij hem van dienst kon zijn, tegen wie ik echter, hoe hulpvaardig en vriendelijk hij ook was, niet alleen tegenover Krisztián maar ook tegenover mij en alle andere jongens, een diepe, onoverkomelijke en aan afschuw grenzende antipathie koesterde, wat geen wonder was, omdat hij zonder noemenswaardige geremdheid scheen te verwezenlijken waarvoor ik onvoldoende moed, handigheid of speelsheid bezat, want de twee jongens hadden een verfijnde, volledig harmonieuze relatie met elkaar, de relatie waarnaar ik zozeer verlangde, het was alsof ze broers waren, tweelingbroers zelfs; ze leken haast wat onverschillig tegenover elkaar te staan omdat hun relatie door de natuur was voorbeschikt en er dus niets aan was toe te voegen; overigens waren ze in lichte mate verliefd op elkaar; en hoever hun gezichten ook van elkaar verwijderd waren, ze schenen toch op elkaar afgestemd, juist doordat het twee geheel verschillende gezichten waren, het was alsof de een altijd de ander aanvoelde, en omgekeerd; overigens was Prém duidelijk ondergeschikt aan Krisztián doordat hij de

kleinste was van het tweetal, de kleinste wordt nu eenmaal altijd over-
heerst door de grootste – Prém dus begon meteen luidkeels te lachen,
alsof Krisztián een kostelijke mop had verteld, hoewel de zin veeleer
duister had geklonken, zorgelijk zelfs; het had me niets verwonderd als
Krisztián hem vanwege die veel te snelle lach een oplawaai had gegeven, wat hij soms deed, omdat hij wist dat een dergelijke overdreven
ijver zijn macht niet vergrootte maar eerder karikaturiseerde en dus
verkleinde, waarvoor Prém gestraft moest worden; ik had vooral een
afkeer van Préms mond, die contrasteerde met zijn ogen, hij had wijd
geopende, licht uitpuilende, door dichte wimpers beschermde ogen,
die zachtheid en onderdanigheid uitstraalden, maar een felrode, brutale mond; ondanks de iets vooruitstekende onderlip was die mond niet
lelijk, maar hij deed in verhouding tot het kleine gezicht overdreven
en onnatuurlijk aan; het was alsof Prém zich niet alleen bewust was van
het buitengewone formaat van deze mond, maar ook van zijn lichamelijke schoonheid, die men hem niet kon ontzeggen, want hij liet
zijn tongpunt tijdens het spreken voortdurend genietend over zijn lippen glijden; spreken deed hij hoogst zelden, en meestal alleen op zachte toon en zijn gesprekspartner zeer dicht naderend maar niet aankijkend, zich hoofdzakelijk naar zijn oor toe kerend, wat nodig was omdat hij de woorden meer fluisterde dan duidelijk uitsprak; hij fluisterde
zijn gesprekspartner meestal korte monologen in het oor.

Krisztián schepte niet alleen vermaak in Préms domme gezwets,
maar ook in de verbouwereerde verlegenheid die deze met zijn boosaardige grapjes teweegbracht; hij begeleidde zijn vriend met een bijna
vaderlijke, liefdevolle aandacht als die, onopvallend over de gang of
tussen de schoolbanken door zwervend, zijn slachtoffers volgens een
ondoorgrondelijk systeem uitzocht; hij bleef opeens voor iemand
staan, boog zich met een soort weke vertrouwelijkheid naar diens oor
toe en fluisterde hem brokstukken van zinnen toe, die meestal de
nieuwsgierigheid of verontwaardiging van de aangesprokene opwekten; intussen wendde hij voor dat hij zich volstrekt niet bekommerde
om het effect van zijn aanhalige gefluister, maar dat aan Krisztián overliet, die hem vanuit de verte gadesloeg; 'hoi, Péti, heb je al gehoord dat
de pijlkruisers weer een uitval hebben gedaan uit de burcht? de radio
heeft het gisterenavond en ook vanmorgen omgeroepen! gek, hè? uit
de burcht, stel je voor!' hierna zweeg hij abrupt; 'uit welke burcht?'
luidde onwillekeurig de tegenvraag; 'uit Bommelstein natuurlijk,'
antwoordde Prém fluisterend, waarna hij zich even geruisloos uit de

voeten maakte als hij zijn slachtoffer was genaderd; Kálmán Csúzdi, die zijn ogen dichtkneep vanwege de rook van de Russische filtersigaret die tussen zijn lippen bungelde, keek me minachtend aan, bijna alsof ik een vreemd, afstotelijk voorwerp was; uit zijn blik sprak een zekere strengheid en de bereidheid al mijn bewegingen in de gaten te houden; zijn schrandere, bijna sluwe ogen met asblonde wimpers contrasteerden met zijn glimmende, bleke, papperige gezicht; de handen in zijn broekzakken gaven te verstaan dat hij alleen maar op de wc was om een sigaretje te roken en wat met de anderen te praten; de sigaret ging van hand tot hand, wist ik, ze deelden hun rokertjes altijd met elkaar; door zijn strenge oplettendheid leek Kálmán de anderen te beschermen en zijn waakzame blik benadrukte in hoge mate hun saamhorigheid, het was alsof hij erop wilde wijzen dat wat Krisztián had gezegd evengoed een uiting van een van de anderen had kunnen zijn, hun eensgezindheid was volledig, en toen ik de deur tenslotte hoorbaar sloot en eerst Szmodits en daarna ook Prém mijn kant uit keken en Krisztián mij, zonder overigens ook maar het geringste aan zijn houding te veranderen, fixeerde, wist ik dat er iets op til was.

De zin was uitgesproken en het was volkomen duidelijk op wie hij betrekking had; bovendien kon hij niet terug worden genomen omdat hij door een lachsalvo was bekrachtigd.

En had Krisztián mij niet op die manier aangekeken, terwijl hij daar in die onnavolgbaar schaamteloze houding stond, dan had ik, om geen ruzie met de jongens te krijgen, vast en zeker gedaan alsof ik niets had gehoord en gezien, de spons zonder een woord te spreken natgemaakt onder de kraan en de wc verlaten zonder hen een blik waardig te keuren, maar de openhartigheid van zijn blik en zijn prikkelende onschuld waren zo'n uitdaging dat ik daar onmiddellijk tegen in opstand moest komen, hoewel ik dat absoluut niet wilde, maar mijn zelfrespect eiste dit, het zelfrespect dat blijkbaar onafhankelijk van mijn wil in mijn binnenste ontwaakte; 'wat zei je?' vroeg ik zachtjes, hem eveneens fixerend, en het verraste mij dermate dat mijn stem daarbij zo kalm klonk dat mijn angst zich meteen begon te manifesteren en ik mezelf luider dan tevoren en hees van opwinding hoorde vragen: 'wie moet er de pijp uitgaan?'

Hij antwoordde niet, waarop er een diepe stilte viel; ik keek hem nog steeds strak aan en liep, alsof ik hem in die stilte eindelijk de baas was geworden, naar hem toe, maar op dat ogenblik gebeurde er iets wat ik van tevoren had kunnen weten als ik niet zo overmoedig was geweest: volkomen onverwachts verscheen het gezicht van Prém tussen ons, hij schoof als het ware zijn allerbekoorlijkste glimlach tussen ons in, zodat ik, hoewel ik nog altijd Krisztián aankeek, alleen Préms uitpuilende ogen en lippen zag, waarover hij genietend de punt van zijn tong liet glijden; ik hoorde hem fluisteren: 'zeg, klikspaantje, weet je wel hoe groot een paardelul is? net zo groot als die van Csúzdi!' en Kálmán Csúzdi, die al die tijd tegen de deurpost had staan leunen, ging rechtop staan en zei met een krachtige, ruwe stem: 'vanmiddag krijg je de lul van Prém als maaltijd!' en hoewel ze volgens ongeschreven regels hadden moeten lachen om het belang van hun gemeenschappelijk optreden wat te relativeren, deden ze dat niet.

De stilte werd eerder nog dieper en scheen op een gemeenschappelijke vrees te duiden, een vrees die elke handige interventie bij voorbaat uitsloot en iedere overmacht neutraliseerde, wat mijn superioriteit zowel scheen te bevestigen als twijfelachtig te maken; tenslotte liet ook Krisztián zich horen in die stilte, hij zei, nog naar de muur gekeerd om zijn broek dicht te knopen: 'zou het misschien wat minder grof kunnen, jongens?' wat de anderen zo mogelijk nog meer verraste dan mij; hierna was de stilte nog drukkender.

Ik wist absoluut niet wat ik moest doen, maar plotseling voelde ik de spons in mijn hand, de enige uitweg was naar de kraan te lopen en die spons nat te maken, per slot van rekening was ik met dat doel naar de wc gegaan.

Toen ik me omdraaide, wist ik dat ik de jongens nooit zou kunnen bewijzen dat ik alleen daarom en om geen andere reden was binnengekomen, want ze staarden me alle vier roerloos aan.

Ik moest daar weg zien te komen, er moest op de een of andere manier een eind aan die scène komen.

Maar er verstreek oneindig veel tijd voordat mijn voeten me, hoe weet ik niet, naar de deur hadden gebracht; toen ik die had geopend en op het punt stond haar weer achter me te sluiten, hoorde ik Szmodits zonder enige nadruk achter me mompelen: 'zullen we je smoel eens verbouwen?' maar ik nam hem dat dreigement niet kwalijk en maakte me er geen zorgen over, want ik wist dat hij op dat moment moest dreigen.

Ik wil natuurlijk niet beweren dat ik, toen we daar zwijgend en min of meer onbeweeglijk in de gymnastiekzaal stonden opgesteld, alleen maar aan de zojuist beschreven scène dacht en precies zoals ik heb beschreven, maar op de een of andere manier hield die me bezig en mijn

174

gedachten werden maar heel gedeeltelijk afgeleid door allerlei andere gedachten en gewaarwordingen: de gedachte aan het opgebaarde lichaam, het ongemakkelijke stilstaan, de zich in het winterse hemelblauw aandienende lente achter de grote, overdadig getraliede vensters en het lijk, waarvan de buik en de borstkas met één enkele snede geopend zouden worden om te worden ontdaan van de ingewanden en vervolgens volgestopt te worden met, ja waarmee eigenlijk? toch niet met stro? ik stelde me de snijtafel voor, met het naakte hart, de zachte longen en de paarse nieren tussen de darmen, zaken die griezelig waren om aan te denken, maar toch interessant; het verschafte me een duistere genoegdoening aan iets verbodens te denken, aan iets waarmee ik me niet had mogen of willen bezighouden; die overtreding van de rouwvoorschriften leidde mijn aandacht enigszins af van de angst die ik wegens het incident op de wc voelde; het dreigement had namelijk wel degelijk indruk op me gemaakt en iedere keer dat ik me realiseerde hoe aangenaam het was dat ik het uit mijn geheugen had gebannen, schoot me plotseling een onbetekenend detail te binnen, zoals de groengeverfde wc-muur of de sigaretterook; deze details herinnerden me aan mijn angst, en als een mens bang is of zich zorgen maakt, wil hij een duidelijk begrensd object van die gevoelens hebben; welnu, ik vreesde dat de jongens me ergens zouden opwachten en in elkaar slaan, ik was bang voor de slagen, voor hun overmacht en voor mijn nederlaag, ofschoon mijn vernedering en mijn nederlaag toen al als volkomen konden worden beschouwd; al sedert dagen piekerde ik erover hoe ik me kon verdedigen; Prém stond vlak voor me in de rij, Kálmán Csúzdi, iets meer naar rechts, achter mijn rug, en ik voelde ook de aanwezigheid van de twee anderen, die helemaal achteraan naast elkaar stonden, ik was omsingeld, maar ze konden zich nu niet verroeren; omdat ik me zo hulpeloos voelde, scheen deze gedwongen roerloosheid een bescherming of tenminste een weldadig respijt, hoewel ik mij af en toe gedwongen voelde een blik op Préms nek te werpen, alsof ik bang was dat hij zich plotseling zou omdraaien om mij bliksemsnel in mijn gezicht te slaan, wat voor de anderen het sein zou zijn om zich eveneens op mij te werpen.

Alleen al daardoor kon ik het ogenblik waarop ik voelde dat iemand me aanstaarde niet vergeten; de angst grifte het in mijn geheugen.

Overigens weet ik volstrekt niet wat er precies gebeurde, het behoort tot onze raadselachtigste en onverklaarbaarste ervaringen dat we, als iemand ons aankijkt, over ons spreekt of alleen maar aan ons denkt, ons onbewust in de richting wenden waar die aandacht vandaan komt en pas achteraf begrijpen waarom we eigenlijk die kant uit gekeken hebben; we hebben iets gevoeld, maar we weten niet wat; het is alsof onze gevoelens op een meer verfijnde en natuurlijke wijze reageren dan ons bewustzijn, of beter gezegd: het bewustzijn schijnt slechts díe stoffen en energieën te kunnen verwerken – natuurlijk steeds vertraagd en daardoor voortdurend disharmonie en onzekerheid teweegbrengend – die het via onze gevoelens krijgt aangeboden, maar ook als we dit weten, blijft de vraag bestaan welke kracht, energie of substantie in staat is de gevoelsstromen van onze medemensen naar onze zintuigen te leiden en daarbij zelfs grote afstanden te overbruggen, evenals de vraag wat het karakter is van die door ieder mens uitgezonden en opgevangen signalen; kennelijk is dit alles een geheel onbewust proces, want zodra we iemand observeren, aan iemand denken of een terloopse opmerking maken, wordt de atmosfeer zwanger van iets en verliest ze haar neutrale karakter, zodat er scherp afgebakende betekenissen – vriendelijke of vijandige – kunnen worden overgebracht en we, zonder ons daarvan bewust te zijn, de meest ingewikkelde boodschappen ontvangen; ik geloof niet dat ze mijn aandacht wilde trekken, want een dergelijke bedoeling was op dat moment om diverse redenen onvoorstelbaar, haar blik was dus minstens zo onbewust als mijn aandacht voor haar, twee onbewustheden stonden oog in oog met elkaar, naakt, onbeschut en met onverhulde gretigheid, maar we konden ons niet bewegen, want onze leraren stonden vanwege de uitzonderlijke rouwplechtigheid roerloos op het podium; ze lieten geen van de gebruikelijke vermaningen horen, ze brulden niet zoiets als: 'staan we daar achteraan ook stil, ja?' of: 'als je je niet gedeisd houdt, krijg je zo'n lel dat je op je snotgaten door de zaal tolt!' al die dreigementen moesten ze nu door blikken vervangen, waardoor de atmosfeer veel onheilspellender en drukkender werd dan wanneer ze woedend geschreeuwd zouden hebben; door even hun wenkbrauwen op te trekken of bijna onmerkbaar te knikken gaven ze te kennen dat vergrijpen tegen de orde, opvallende tekenen van onrust of hoorbaar geginnegap niet zonder gevolgen zouden blijven, dat ze daar zonder twijfel op zouden terugkomen; zij was echter een van de kinderen die zich altijd onopvallend gedroegen en nooit de aandacht op zich vestigden, omdat ze veel te bang, te timide en vooral te ingetogen was om de regels te overtreden; daarom scheen het me onvoorstelbaar dat ze naar me lonkte, dat ze, wellicht omdat ze zich verveelde, smachtende blikken in mijn richting wierp, ik begreep de uitdrukking van haar gezicht eenvoudig niet.

Het opvallende van haar blik was namelijk – en zodra ik de gelegenheid had daarover na te denken realiseerde ik me dat – dat hij absoluut niet op kinderlijke gevoelens duidde, dit bleek vooral toen ik haar niet-begrijpend en vragend aankeek, want ze reageerde daarop niet met een afwerend of verklarend glimlachje, haar gelaat bleef onbewogen en zelfs haar wimpers trilden niet; toch was er geen spoor van gemaakte ernst in haar gelaatsuitdrukking, ze keek gewoon ernstig; waarom kijkt die griet zo stom naar me? vroeg ik me af, en waarschijnlijk was die vraag ook op mijn gezicht te lezen, opeens schoot me een rijmpje te binnen dat we in dergelijke netelige situaties met veel verve plachten te reciteren om ons tegen opdringerige blikken te verdedigen en te beschermen: 'kijk voor je, troel, anders spuug ik je in je smoel!' maar ook daarop reageerde ze niet, hoewel ze stellig mijn grijns had gezien, waaruit ze had kunnen afleiden wat ik dacht, ik had zelfs bijna hardop gelachen; maar plotseling bespeurde ik in mezelf een verandering, ik kon mijn hoofd niet meer afwenden en werd zo ernstig alsof ik van het kabbelende oppervlak van mijn angst en beklemming en mijn daarop volgende grijns plotseling omlaagschoot in de zachte massa van een eindeloze hoeveelheid grijs water, in een vreemd en toch vagelijk bekend element, waarin zich niets tastbaars of bekends bevond, behalve die volkomen open blik die geen enkele indruk wilde maken en juist daardoor uiterst indrukwekkend was, waaraan elke vertrouwde doelmatigheid ontbrak, die niets wilde bereiken, afweren of overbrengen, maar op eenvoudige en natuurlijke wijze de ogen gebruikte voor datgene waarvoor ze bestemd zijn: om te zien en te kijken, waardoor ze tot hun eigenlijke, biologische oorsprong werden teruggebracht, tot de bijna neutrale inbezitneming van het schouwspel, en dit was zo ongewoon en deed tegelijkertijd zo denken aan alles waar ik met betrekking tot Krisztián tevergeefs naar verlangde – hij had immers altijd een uitvlucht bij de hand – dat het me toch bekend voorkwam; niettemin was ik genoodzaakt haar te wantrouwen, alleen al daarom, omdat een natuurlijke, open blik zich slechts in een subtiele nuance onderscheidt van een blik die tijdens een innerlijk gebeuren onbewust op iemand gericht is; doordat het innerlijke gebeuren het belangrijkst is, kan de pupil in zo'n geval niet beslissen of hij zijn aandacht op het uiterlijke dan wel het innerlijke object zal richten, zodat we, als we in zo'n toestand iemand schijnbaar observeren, hem ongewild een uitdrukkingsloos en verstard gelaat tonen, maar bij haar was daar geen sprake van! in haar gezicht was geen spoor te bekennen van de onnozelheid die duidt op het gefixeerd-zijn op het eigen innerlijk, haar gezicht bleef aristocratisch gesloten en ongenaakbaar, ze had de blik van een dier! ja, het leed geen twijfel, ze keek mij aan en niemand anders, ze zag mij en haar aandacht gold uitsluitend mijn persoon!

Ik zag haar tussen hoofden en schouders door; omdat ze een van de kleinsten was, stond ze in de eerste rij, terwijl ik, nauwelijks groter, in de derde stond; de afstand tussen ons was tamelijk groot, want in de gymnastiekzaal stonden de meisjes en de jongens gescheiden van el-kaar, zodat haar blik niet alleen het brede niemandsland moest over-bruggen dat volgens het schoolreglement de beide geslachten van el-kaar scheidde – bij andere gelegenheden werd over dit niemandsland de met linten getooide vlag van de Rode Pioniers binnengedragen, langzaam en plechtig en onder hinderlijk luid tromgeroffel –, maar ze ook haar hoofd wat moest draaien; en toch was ze heel dichtbij, stond ze vlak voor me; ik weet niet hoe lang het heeft geduurd voordat mijn argwaan verdwenen was en ik haar geheel had opgenomen; het met de winterse bleekheid van haar bruine huid contrasterende wit van haar ogen, haar bijna ziekelijk omrande ogen, waar de adertjes zo sterk doorheen schenen dat het bruin leek over te gaan in blauw, haar lange, dunne neus en opvallend kleine mond, de zich brutaal uitstulpende welving van haar bovenlip en haar voorhoofd, dat mij later bijzonder dierbaar zou worden, 's zomers was het gelijkmatig gebruind, 's win-ters vertoonde het vlekken door de bleke contouren der beenderen, zodat de zachte schelpvorm van haar slapen nog donkerder scheen, evenals haar met witte speldjes opgehouden haar, weerbarstig haar, dicht en stevig; haar even dichte wenkbrauwen welfden zich in sierlij-ke bogen over de ogen; zo zag dit meisje eruit, of beter gezegd: zoveel nam ik van haar waar; ik zou haast vergeten haar hals te noemen, die, uit de open kraag van de witte blouse oprijzend, met jongensachtige kracht verstard scheen in de voorzichtige halve draai van haar geneigde hoofd; haar lichaam begon ik echter pas een poosje later te observeren, op dit moment was haar blik het belangrijkst, en misschien de onmid-dellijke omgeving van die blik, het gezicht; tenslotte ging dit alles ver-loren om plaats te maken voor een op een flauwte gelijkend, onbe-stemd, warm gevoel, voor een psychische toestand waarin ik meende dat zij op dat moment hetzelfde voelde als ik, een toestand van uitzon-derlijke maar ondefinieerbare harmonie, want ik had gedachte noch lichaam en zelfs geen blik meer, alles loste zich op tot contouren en wat voor het opgeloste in de plaats kwam is niet onder woorden te brengen.

Haar ogen hadden zich in mijn ogen genesteld, mijn gezicht drong het hare binnen, maar mijn hals voelde een dodelijk gevaar, het gevaar dat ze zich zou omdraaien en me haar gelaat toekeren, en doordat zelfs het neerslaan en opslaan van de wimpers en oogleden onze voortdurende aandacht voor elkaar niet kon verminderen, was het alsof wij niet éénmaal onze ogen sloten en kwam er geen einde aan die blik.

We kijken elkaar vijandig aan, dacht ik toen, maar achteraf, nu ik mijn geheugen doorzoek, vind ik deze gedachte volstrekt belachelijk en zie ik in dat wij mensen met dergelijke gedachten, met zo'n innerlijke redenering, trachten de door de dialoog der blikken en gelaatsuitdrukkingen opgewekte emoties af te weren, dat zo'n redenering dus een dwaze zelfverdediging is, een leugen, of in het gunstigste geval een vergissing; we staarden elkaar op dat ogenblik absoluut niet vijandig aan.

Het is overigens niet zo vreemd dat het geconditioneerde organisme dat we als 'persoonlijkheid' aanduiden in het geweer komt tegen sterke emoties, het dreigt door zijn sterke betrokkenheid gedeconditioneerd te worden en tracht dit te voorkomen door naar de verklaring van die emoties te zoeken, verklaren is immers een manier van verdedigen.

Het was werkelijk onbegrijpelijk.

Ik kon niet begrijpen wat er met mij gebeurde, wat er reeds gebeurd was en wat er nog gebeuren zou, waartoe dit sterke, niet te onderdrukken maar uiteindelijk op niets gebaseerde geluksgevoel zou leiden, wat het eindresultaat zou zijn van de gemakkelijke wijze waarop we via die blik elkaars gemoed binnendrongen, en opeens werd ik bang, bang voor haar of misschien voor Prém, die zich, nu ik me eindelijk bij haar geborgen wist, opeens kon omdraaien om me een klap te geven, zodat ik wegens haar aanwezigheid zou moeten terugslaan, wat uiterst onaangename gevolgen kon hebben; bovendien kon ik niet begrijpen waarom dit alles zich op dat moment en nota bene in het gymnastieklokaal voltrok, terwijl daarvoor op een andere tijd en plaats gelegenheid te over zou zijn geweest, tenslotte was haar gezicht niet door een onverklaarbaar wonder in mijn nabijheid gebracht en het zou stellig een misleidende overdrijving zijn als ik beweerde dat de kracht der gevoelens de psychologische afstand tussen ons had opgeheven, nee, ik kende haar goed genoeg om haar ook op deze afstand en door hoofden en schouders van me gescheiden nabij te weten, ik zag haar echt niet voor de eerste keer, ofschoon ze me op dat ogenblik even vreemd scheen als iemand die we in een noodsituatie uit een grote menigte uitkiezen omdat hij ons om de een of andere reden betrouwbaar, bekend of vriendelijk voorkomt, omdat het lijkt dat we die persoon al eens hebben ontmoet en met hem hebben gesproken; ik kende haar gezicht, haar lichaam en haar bewegingen, kende ze zelfs goed, maar ik had me tot dat ogenblik niet gerealiseerd dat ik haar kende en dat die bekendheid voor mij belangrijk kon worden; ik begreep absoluut niet waarom ik haar aanwezigheid nooit eerder had opgemerkt, hoewel ik haar vaak genoeg had gezien, we zaten immers al zes jaar lang in parallelklassen van dezelfde school; al die tijd hadden mijn zintuigen de eigenschappen van haar gezicht onverschillig en zonder enig gevoel geregistreerd; eigenlijk kon geen enkele sterke gevoelsuiting van haar onschuldige, kuise wezen mij onbekend zijn, we hadden ons gedurende zo'n lange tijd zo dicht bij elkaar opgehouden dat we alle gelegenheid hadden gehad op een indringende wijze met elkaar in aanraking te komen; ongetwijfeld was dat ook gebeurd, want ze was de boezemvriendin van Hédi Szán en Maja Prihoda, twee meisjes met wie ik een hoogst eigenaardige en voor mij zeer kenmerkende relatie had, een dubieuze, dubbelzinnige, uiterst hartstochtelijke verhouding, die ik noch liefde zou willen noemen, dat zou een te groot woord zijn, noch vriendschap, want het was meer dan dat; ze was zo'n beetje de hofdame van genoemde meisjes, de stille afschaduwing van hun schoonheid en de bemiddelaarster tussen de twee grote rivales, die haar in hun kwade uren als gezelschapsdame en dienstmeisje gebruikten, wat ze echter dankzij haar aangeboren rechtvaardigheidsgevoel en wijsheid nooit erg scheen te vinden, want ze was als dienares even blijmoedig als wanneer de meisjes haar met veel lievigheid als hun gelijkwaardige metgezellin behandelden.

Die zomermiddag, toen ze over het bospad de weg naderde, hoorde ik nog even haar zolen knerpen, daarna heerste er stilte, de stilte van haar zoekende blik en haar zwoel, vibrerend zwijgen, die pas verbroken werd toen ze me aankeek; ik stond als gewoonlijk tussen de struiken, zo dicht mogelijk bij de omheining, vol hoop, maar zonder te weten waarop ik hoopte, en vol angst, maar zonder te weten waarvoor ik bang was, alsof er op dat moment iets heel wezenlijks zou gaan gebeuren, wat wist ik niet, want mijn fantasieën, hoe onschuldig ook,

lieten zich, als ze in levenden lijve voor me stond, nooit in daden omzetten; ik had net het laatste restje van mijn boterham met reuzel naar
binnen gewerkt en hield me met een hand vast aan de omheining; mijn
andere hand, die ik precies op het moment dat onze zoekende blikken
elkaar ontmoetten en vasthielden, aan mijn been had willen afvegen,
kwam met een stokkerige beweging op mijn dij terecht; we keken elkaar even lang en even roerloos aan als destijds in de gymnastiekzaal,
waar we echter, zonder dat we ons dat toen hadden gerealiseerd, beschermd waren geweest, beschermd door de afstand en de menigte; op
straat daarentegen waren we geheel onbeschut, weerloos overgeleverd
aan onze hartstochtelijke gevoelens; onze situatie was overigens even
onverklaarbaar en toevallig als tijdens die eerste keer, want hoewel we
intussen vaak genoeg de gelegenheid hadden gehad elkaar even dicht
met onze blikken, lichamen en bewegingen te naderen als toen, hadden we daar nooit gebruik van gemaakt en alleen getracht elkaar heimelijk gade te slaan; zodra zich de gelegenheid voor een echte ontmoeting voordeed, ontliepen we die door ons af te wenden en de andere kant uit te kijken, we wierpen alleen een snelle blik op elkaar om
ons ervan te vergewissen of we nog hetzelfde smachtende verlangen
voelden als indertijd; op een keer holde ze zelfs achteromkijkend weg,
waarbij ze struikelde en kwam te vallen, maar ze sprong vlug weer
overeind en rende verder; het vele vluchten had haar zo vlug en handig
gemaakt dat ik niet eens om haar had moeten lachen; toen ik daar bij de
omheining stond, was het net zo'n onheilszwangere middag als op de
dag van de rouwplechtigheid, hoewel er sindsdien veel was veranderd,
alleen al doordat onze prille verhouding, alhoewel we er met niemand
over hadden gesproken, een publiek geheim was geworden, zozeer
zelfs dat reeds enkele weken na ons contact in de gymnastiekzaal iedereen rondvertelde dat Livia Süli op mij verliefd was.

Het is geen wonder dat onze verliefdheid algemeen bekend was geworden, want we hadden ons al verraden tijdens de rouwplechtigheid,
toen Livia zich beschaamd van me had afgewend; weliswaar was haar
blik nog op mij gericht, dat zag ik, maar hij telde niet meer, zij had dus
een einde gemaakt aan dat ogenblik, waarvan het begin onmogelijk
kon worden vastgesteld; ze had haar blik laten afdwalen, alsof die per
ongeluk op mij had gerust, alsof ze niet mij, maar Prém had willen aankijken, maar de manier waarop ze zich terugtrok had ontegenzeggelijk
iets behaagzieks gehad, want de beweging was wel ernstig en bedachtzaam geweest, maar ondanks haar discretie zeer opvallend en op effect

bedacht; hierna had ze rustig en vol plichtsbesef voor zich uit gekeken, schijnbaar geheel geconcentreerd op de stille ceremonie, alsof er niets was gebeurd en alles slechts toeval of een vergissing was geweest, hoewel ze door die eigenaardige hoofdbeweging de uitwerking van haar blik juist had versterkt; ik wist op dat moment niet wat ik moest doen en had me eveneens afgewend, vol schaamte over mijn kwetsbaarheid; eigenlijk had ik haar willen blijven aankijken en ik had het gevoel dat me iets belangrijks werd ontnomen, iets waarvan ik tot dat moment niet had geweten dat het zo belangrijk was; in wezen was niet hetgeen ik ontvangen had belangrijk voor me, maar het feit dat me dat zo gemakkelijk ontnomen kon worden; het was alsof voortaan elk moment dat ik zonder haar blik moest doorbrengen, verspilde, doelloze en onverdraaglijke tijd zou zijn, tijd waarin ik niet echt leefde; ik kon haar ogen niet meer missen, vooral haar ogen niet, maar evenmin haar mond en haar voorhoofd, ik moest datgene wat zo belangrijk voor me was zíen, dromen en fantasieën zouden het niet meer kunnen vervangen; zonder haar aanblik scheen de wereld in een onaangename, drukkende en alles vervagende mist gehuld; toch had ik niet opnieuw naar haar gekeken, wat me veel inspanning had gekost; terwijl ik daar zo stond, kreeg ik geleidelijk een doof gevoel in mijn lichaam – in mijn gezicht, mijn hals, mijn schouders en mijn armen; ik wilde absoluut niet opnieuw naar haar kijken, maar het heeft geen zin je tegen je eigen wil te verzetten, je kunt jezelf nu eenmaal niet overwinnen; hoe langer ik daar zo in tweestrijd verkeerde, des te duidelijker en kwellender zag ik dat er nauwelijks een dwazer gevoel denkbaar is dan verliefdheid, het was alsof mijn lichaam uitgedijd was en haar in zich had opgenomen, alsof mijn huid niet alleen mijn maar ook haar lichaam bedekte en ik haar gedachten dacht; en hoe onaangenamer die om een oplossing en wellicht zelfs om de totale bevrediging van mijn verlangen vragende toestand werd, hoe meer mijn verbittering en woede toenamen, want ik begon de situatie, de reële machtsverhouding, te doorzien; toen ik alle mogelijkheden nauwkeurig had onderzocht, begreep ik tandenknarsend dat ik in dit geval de minste macht had van ons beiden, per slot van rekening had zij mijn aandacht getrokken en me vervolgens weer in de steek gelaten, zodat ik in geen geval nogmaals een blik op haar kon werpen; zij was de sterkste van ons tweeën, zij had getriomfeerd, er was voor de zoveelste maal iemand sterker geweest dan ik, en die iemand overheerste mij nu, ik was aan die iemand ondergeschikt, aan een meisje nota bene, en nog een lelijk meisje ook, een dienstmeid zelfs! mijn woedende conclusies waren niet geheel onjuist, want het meisje dat mij in haar macht had speelde bij Hédi en Maja dezelfde ondergeschikte rol als Prém, die voor me stond, bij Krisztián en Kálmán Csúzdi; ik was zo van streek dat ik me op dat moment plechtig voornam haar nooit meer aan te kijken, al zou ze haar leven lang niets anders doen dan naar mij staren; ze mocht geen vat meer op me krijgen; ze kon kijken tot ze paars zag; en ze mocht me gerust bewonderen, dan had ik tenminste iemand die mij – alleen mij! – met haar blikken volgde; ik zou doen alsof dit me volledig koud liet; en toen ik tenslotte toch weer een blik op haar wierp – noodgedwongen, want haar gezicht gloeide – voelde ik niets zo duidelijk als haar blik, ze keek naar me, ze keek weer naar me, waarom toch? en toen ze me bleef aankijken, gaf ik na een poosje toe, een ogenblikje maar, opdat ze nog intenser naar me zou staren en mij niet meer zou kunnen missen, opdat ze zou begrijpen hoe het zou aanvoelen als ik mijn blik van haar afwendde; maar opeens ontdekte ik dat niet zij degene was die naar me keek – weer namen mijn gevoelens me in de maling! – maar Hédi, die in een van de rijen achter me stond en tijd en mogelijkheden genoeg had om ons allebei te begluren; ze had vast alles gezien, want ze trok een vriendelijke, toegeeflijke en begrijpende grimas, die haar gezicht iets wreeds gaf.

Het laatste uur viel uit zodat we om twaalf uur naar huis mochten.

Terwijl we ons in rijen opstelden om de school te verlaten – buiten glansde een blauwachtige stilte –, begonnen de kerkklokken te luiden, eerst vier gewone slagen, daarna het zware gebeier van de grote klok, afgewisseld door het heldere geluid van de kleine klokjes; de klokken dreunden en galmden alsof er niets gebeurd was en het alleen middag was geworden, alsof het een doodgewone dag was.

Omdat ik met niemand wilde meelopen of een gesprek voeren, verliet ik al in het trappenhuis de rij; en terwijl de andere leerlingen uitgelaten schreeuwend de trap afholden en zich als een samengedreven kudde door de nauwe deuropening wrongen om zo snel mogelijk buiten te zijn, waar je het gevoel had eindelijk weer lucht binnen te krijgen, eindelijk weer adem te kunnen halen, en waar het hysterische getier van de leraren je nauwelijks meer iets kon schelen, ging ik de trap op naar de tweede verdieping; waarschijnlijk heeft Krisztián hierdoor gedacht dat ik naar de leraarskamer ging om hem aan te geven, maar toen ik op de tweede verdieping was gekomen, ging ik stiekem nog verder naar boven, ervoor zorgend dat niemand me zag; na de overloop op de tweede verdieping werd de trap smaller en stoffig; in mijn droom zie ik me nog vaak die stoffige, ongerepte trap opgaan, die waarschijnlijk zelden werd schoongemaakt, ik ben dan altijd de enige die die trap oploopt, wat in mijn droom een bijzondere betekenis heeft, ik doe dan iets verbodens, ik mag helemaal niet naar boven; bij elke stap dwarrelt het stof dicht en traag op om daarna even langzaam weer neer te dalen, en als ik achteromkijk, zie ik geen spoor meer van mijn voetstappen, ik hoor ook geen enkel geluid, het is doodstil, ik kan dus naar boven gaan, niemand heeft me gezien, hoewel ik weet dat in werkelijkheid iedereen mijn vergrijp heeft gezien; het is volkomen zinloos dat ik mijn ogen zo inspan of dat ik tegen mezelf zeg dat niemand me kan zien, want ik voel dat er wel degelijk iemand is die me gadeslaat; die iemand ben ik zelf en voor mezelf kan ik niets geheim houden; vol angst nader ik de zolderdeur, die natuurlijk op slot is; het is een zwarte, ijzeren deur, die altijd afgesloten is, wat mij echter niet de lust beneemt steeds weer opnieuw aan de klink te morrelen, in de hoop dat ooit iemand verzuimd zal hebben de deur af te sluiten.

Die zolder was het laatste toevluchtsoord voor iemand die zich op zijn diepste instincten verliet; ik had ook zo'n toevluchtsoord in de tuin, even schemerig als de zolder, want op die plaats in de tuin namen de ranken van de kamperfoelie bijna al het licht weg; de kamperfoelie slingerde zich via lommerrijke kastanjebomen en hoog opgeschoten struiken omhoog en was daarmee voortdurend in gevecht, het was leuk om te zien hoe de struiken steeds weer nieuwe uitlopers omhoogzonden en hoe de kamperfoelie, die daarop gewacht scheen te hebben, meteen de achtervolging inzette tot hij in de herfst de nieuwe loten geheel had overwoekerd; op de zolder wachtten mij ordeloos opeengestapelde oude banken, kasten, stoelen, schoolborden, vermolmde katheders, archiefkasten en de stilte van vertrouwde, maar toch vreemde meubels, in de tuin de gevoelens van mijn eenzame uren en niet te vergeten de herinnering aan de spelletjes met Kálmán, die ik als zondig ervoer; gebukt en met mijn handen beschermend over mijn hoofd gevouwen sloop ik over de zolder en wrong me zijwaarts tussen de hoekige, dicht opeengestapelde meubels door, hevig schrikkend wanneer er iets kraakte of rammelde en de meubelberg in beweging dreigde te komen, totdat ik eindelijk het heilige der heiligen had bereikt, dat niets anders was dan een op enkele andere meubels gedeponeerde, met de zitting naar de wand gekeerde, oude, leren canapé, waarachter juist voldoende plaats was om me te verbergen; ik vlijde me tegen de kussens van het zitvlak en zij vlijden zich tegen mij aan; het was daar volkomen donker en het leer bleef koel totdat ik er mijn lichaamswarmte aan had afgestaan.

Ik sloot mijn ogen en bedacht dat ik eigenlijk een eind aan mijn leven zou moeten maken.

Verder niets.

Het was niet onaangenaam daaraan te denken, integendeel, het was zelfs aangenaam.

Ik zou naar huis gaan, de la in vaders bureau openbreken, naar mijn plekje in de tuin gaan en het doen.

Ik zag de beweging, zag hoe ik het deed.

Ik stak de loop van de revolver in mijn mond en haalde de trekker over.

De gedachte dat de tijd daarna zou stilstaan overgoot alles wat er in mijn leven was voorgevallen met een schel maar toch weldadig licht.

Opdat ik het goed kon zien.

Het was alsof ik mijn leven voor het eerst onopgesmukt en vrij van elke sentimentaliteit zag, mijn leven zoals het werkelijk was, alles wat mij pijn deed, in mijn borst, aan mijn hals en zo nu en dan ook boven op mijn schedel, waarop op zo'n moment een kroon van pijn scheen te rusten; mijn hele lichaam trilde van pijn, een pijn die heel iets anders was dan een aangenaam zelfmedelijden; het leek wel of de pijn die ik in mijn lichaam voelde niets met mijn lichaamsdelen te maken had, want hij kon zich verplaatsen en werd steeds heviger, zodat de eerder gevoelde pijn, als je eraan terugdacht, een speels tijdverdrijf leek vergeleken bij de latere; de pijn was zo hevig dat ik hem niet langer kon verdragen en de neiging kreeg luidkeels te gaan gillen, wat ik echter niet durfde, en ook daardoor kon ik het niet langer volhouden.

De gedachte dat ik absoluut niet normaal was en, zij het op een andere manier, even ziek was als mijn zusje – zij was eigenlijk de enige mens met wie ik een soort kalmerende relatie van patiënten onder elkaar kon hebben – was niet nieuw, maar het inzicht dat ik het beste radicaal op kon houden met mijn kwellende pogingen me aan te passen en op mijn medemensen te gelijken, die pogingen waren immers toch tot mislukken gedoemd, ik zou er nooit in slagen zozeer op de andere mensen te lijken dat ik identiek met ze werd en ik zou ondanks al mijn inspanningen steeds geïsoleerd en alleen blijven, want van dit anders zijn, of hoe het ook mocht heten, was niemand gediend, ook ikzelf niet, ofschoon ik me er tevergeefs om haatte, want elke poging om uit de vicieuze cirkel te breken en iemand te verleiden, om gelijk te worden aan de anderen en iemand anders naar het gebied te lokken dat uitsluitend het mijne was, vestigde immers de aandacht op dit onderscheid, op mijn ziekte, op dat wat verstikt moest worden, door mijn verleidingspogingen verried ik wat ik beter kon verzwijgen, of liever gezegd: verzwijgen moest – dit inzicht leidde daar op die zolder voor de eerste maal tot de conclusie dat ik de gapende, niet te vullen leegte in mijn binnenste alleen kon opheffen door me van het leven te beroven.

Ze keek me niet meer aan.

Terwijl ik het gevoel had dat deze blik het enige was wat me nog kon redden.

Kon ik hem maar vasthouden, bleef de tijd maar stilstaan als ze niet naar me keek; het leek wel of in die blik, in die volledige concentratie, in die bijzondere manier waarop wij elkaar aankeken de verklaring was te vinden voor alle verwarring, voor alle onvervulde verlangens, voor alle begane, maar niet te betreuren zonden en voor mijn onophoudelijke leugens, want om mezelf te beschermen moest ik onafgebroken en op een kleinzielige, belachelijke manier liegen, terwijl ik eeuwig vreesde ontmaskerd te worden, ik leed zonder te weten hoe ik dit leed van me af moest schudden; en het was niet genoeg dat ik voortdurend loog, dat ik me alles moest ontzeggen waarin ik behagen schepte, niets was genoeg, alles wat ik wenste was onvervulbaar, waardoor ik moest leven alsof ik een vreemd wezen met me meesleepte, een vreselijke last waaronder ik verborgen hield wie ik werkelijk was; in mijn radeloze vertwijfeling had ik zelfs geprobeerd mijn moeder iets van mijn gedachten te vertellen, maar tenslotte had er zich zoveel in mij opgestapeld dat het niet meer onder woorden te brengen was, het was zo veel geworden dat ik niet wist wat ik haar het eerst moest vertellen, bovendien kon ik haar niet volledig in vertrouwen nemen omdat zij ook van alles op mij aan te merken had en al die aanmerkingen verband hielden met de geheimen die ik alleen al uit medelijden met haar voor de mensheid verborgen moest houden, een medelijden dat met name passend scheen omdat zij ondanks al haar ergernis, verwijten, onmachtige woede en zelfs afschuw, graag de volmaaktheid zelf in mij zag en daarom nog strenger, af en toe zelfs meedogenlozer tegen mij optrad dan andere mensen, wat alleen te verdragen was omdat ik met haar, evenals met mijn zusje, een gemeenschappelijke taal had, waardoor je ieder mis te verstaan woord vermijden kon, de taal van de aanraking, soms zelfs die van de tong, van de warme huid en van het lichaam, en nu ik in verband met mijzelf van ziekte heb gesproken, kan ik het misschien wagen er de veronderstelling aan toe te voegen dat haar ziekte op een raadselachtige wijze op mij oversloeg, evenals de ziekte van mijn zusje, deze twee zo geheel verschillende, maar in mij kennelijk bij elkaar passende ziektes, die wellicht niets anders waren dan de gevolgen van de psychische onzekerheid en onevenwichtigheid van mijn onmiddellijke omgeving, het lichamelijke effect van de omstandigheid dat bij ons iedereen ziek was, ofschoon mij dit lange tijd niet in het minst hinderde, ik aanvaardde het als iets wat bij het leven hoorde, ik vond de ziekte van mijn moeder zelfs buitengewoon mooi en waardeerde die, haar ziekte gaf mij, terwijl ik naast haar bed op de grond zat en haar hand vasthield of mijn hand op haar blote arm liet rusten, het gevoel dat ze een uitzonderlijk wezen was, ik liet mijn hoofd in haar schoot of tegen de rand van het bed rusten en inhaleerde de van koortsige warmte, zweet en medicijnen doortrokken geur van haar lichaam, van haar zijden nachtpon en van het kraakheldere gesteven beddegoed, die altijd in de kamer hing al werd er nog zo vaak gelucht, en ik luisterde naar haar adem terwijl zij tussen dromen en waken zweefde, totdat mijn eigen adem het eigenaardige, kalme, zwevende ritme van haar ademhaling overnam dat uit snelle stijgingen en langzame dalingen bestond; ja, zelfs aan dat luchtje was ik zo gewend geraakt dat het me geen afkeer meer inboezemde; soms zei ze iets op zachte toon, de ogen even openend en dan weer sluitend, 'je bent mooi,' zei ze bijvoorbeeld, welke opmerking mij altijd even aangenaam verraste als zij zich aangenaam getroffen voelde door mijn aanwezigheid; ik keek dan naar haar, naar haar in de witte kussens verzonken hoofd, haar zorgvuldig uitgespreide, dichte, donkerrode haar, dat boven de slapen grijze plekken vertoonde, haar sierlijke, gewelfde voorhoofd en haar fraaie neus, maar bovenal naar haar zware oogleden met hun lange wimpers, die moeizaam en uitgeput omhooggingen en een fractie van een seconde haar grote, kristalgroene ogen vrijlieten, die me zo helder, verstandig en doordringend aankeken alsof die hele ziekte van haar slechts een vergissing was, een schijn, een spel; als haar wimpers weer omlaaggingen en het blauw dooraderde, ietwat bruinige vlees van het ooglid de oogappels bedekte, leek haar ziekte, ik weet niet waardoor, te verergeren, maar haar zieke gezicht bewaarde die blik van daarstraks en om haar mond zweefde een glimlachje dat voor mij was bedoeld, een zeer vage glimlach; 'vertel eens wat!' zei ze dan, 'vertel eens wat je hebt meegemaakt,' en als ik niet antwoordde omdat ik niet antwoorden kon of wilde, vervolgde ze: 'zal ik je eens zeggen waaraan ik lag te denken? heeft je zusje behoorlijk gegeten? je grootmoeder heeft in ieder geval niet meer zo'n keel opgezet; je moest vandaag maar niet te lang bij me blijven, ik voel me zo zwak, daarom moest ik waarschijnlijk ook opeens aan dat weiland denken; nee, ik heb niet geslapen, ik ben op een reusachtige, uitgestrekte wei geweest, een prachtige weide, en op het moment dat jij binnenkwam, vroeg ik me juist af waar ik die wei van kende, want ik wist heel zeker dát ik hem kende'; ze zweeg even om adem te halen en ik zag de deken op haar borst op en neer gaan; 'als ik echt geleefd had zou ik me die wei nooit herinnerd hebben, want zolang een mens leeft, worden de oude beelden steeds weer door nieuwe verdrongen, maar ik heb al heel lang het gevoel dat er met mij nooit iets is gebeurd, nooit, hoewel er in werkelijkheid van alles is gebeurd, veel daarvan heb ik je al verteld, maar toch is het alsof ik dat niet zelf heb meegemaakt, alsof het alleen beelden zijn waarin ik ook ben opgenomen; eigenlijk is het enige beeld dat echt belangrijk is en bij mij hoort de manier waarop ik hier ziek lig, dit beeld verandert niet, ik lig hier altijd eender, en als ik uit het raam kijk zie ik steeds hetzelfde, nu eens wordt het licht, dan weer donker, het is steeds hetzelfde beeld, en intussen kan ik rustig in mijn oude beeld ronddwalen, omdat er geen nieuwe zijn die het oude verstoren'; ze zuchtte en haar uit de diepte opstijgende adem onderbrak het gelijkmatige ritme van haar woorden; 'eigenlijk weet ik helemaal niet waarom ik je dit allemaal vertel, ik wil eenvoudig dat je het begrijpt, maar toch heb ik gewetenswroeging omdat ik zoiets aan een kind vertel en er maar wat op los filosofeer, wat natuurlijk belachelijk is, hoewel ik denk dat mijn verhalen niet zo treurig, tragisch of ernstig zijn dat jij ze niet zou mogen horen, het spreekt eigenlijk vanzelf dat ik ze je vertel en ik heb nu eenmaal nooit iets nagelaten wat ik als vanzelfsprekend beschouwde en meende te moeten doen'; ze lachte en opende heel even haar ogen, daarna pakte ze mijn hand, alsof ze me wilde zeggen dat ik ook gerust alles kon doen wat ik als vanzelfsprekend beschouwde, zonder te aarzelen; 'laten we nu niet meer praten, ik ben moe en ik kan dat beeld waarvan ik je vertellen wilde niet meer van me afzetten; weet je, ik kon het je niet vertellen omdat wij mensen nu eenmaal niets behoorlijk kunnen vertellen, jij vertelt ook heel weinig aan mij, hoewel ik je altijd vraag me iets te vertellen, iets wat je hebt meegemaakt; ik begrijp overigens heel goed dat je wel graag iets zou willen vertellen, maar het toch niet doet, ik weet zelfs wat je verzwijgt; het enige waarop we kunnen vertrouwen is dat er steeds hetzelfde met ons gebeurt, zonder verandering, er moet steeds hetzelfde gebeuren, dan blijven ook onze gevoelens hetzelfde en verschillen alleen de beelden, we begrijpen elkaar dan ook als we niets vertellen, zo is dat; maar laten we nu een poosje stil zijn, goed? en blijf maar niet te lang bij me, jongen.'

Natuurlijk was het niet zo eenvoudig haar alleen te laten en ik geloof ook niet dat ze werkelijk wilde dat ik aan haar verzoek gevolg gaf; door de stilte groeide de spanning tussen ons nog meer en het was alsof zij dat ook beoogde, want ze herhaalde die laatste zin verscheidene malen; 'blijf maar niet te lang, jongen, ga liever je huiswerk maken'; intussen omhelsde ze me nog inniger en klampte zich, onder het voorwendsel dat ze afscheid van me nam, stevig aan me vast, alsof ze niet wilde dat ik wegging, totdat ik tenslotte, door een innerlijk gevoel voor evenwicht bewogen, werkelijk opstond en enigszins duizelig maar toch opgelucht naar een andere kamer strompelde, natuurlijk niet meteen, ik wilde het moment niet bederven en de tijd nog wat rekken, mijn gezicht nog een tijdje in mijn door haar koortsige lichaam verhitte adem houden en genieten van het idee dat ik van deze gemeenschappelijk geworden damp zelf koorts zou krijgen, daarom ging ik zo zitten dat mijn mond de huid van haar blote arm aanraakte, bij voorkeur de binnenkant van de elleboog, die fluwelig zacht aanvoelde, of haar hals, waar mijn mond de losse kracht van de pezen en spieren kon voelen, ervoor zorgend dat dit alles volstrekt toevallige bewegingen leken, ook als ik mijn mond opende en met de binnenkant van mijn lippen en mijn tongpunt de geur en de smaak van haar huid in me opnam.

Ze deed volstrekt niet alsof ze mijn verliefde aanrakingen niet opmerkte en trachtte evenmin mijn bedrieglijke manoeuvres te ontmaskeren of voor te wenden dat ze dit alles als onnozele uitingen van een kinderlijke aanhankelijkheid beschouwde of als hinderlijk ervoer, ze gebruikte zelfs niet haar ziekte als dekmantel door te doen, alsof alleen haar lichamelijke zwakheid deze gevaarlijke overdrijvingen van wederzijdse tederheid mogelijk en noodzakelijk maakten, nee, ze reageerde heel eenvoudig en natuurlijk, ja zelfs teder, en kuste me op mijn oor, in mijn hals of op mijn haar, overal waar ze me maar kon bereiken; op een keer boorde ze haar gezicht in mijn haar en merkte op dat het naar een bokje rook, een schoolgaand bokje, wat ze een lekkere lucht vond, een geur die ik zelf nog nooit had geroken, maar waar ik vanaf dat moment op lette, want ik wilde de oorzaak van haar vluchtig genot ontdekken; het was alsof ze me aanschouwelijk onderwijs gaf in de natuurlijkheid en de grenzen der natuurlijkheid; en als ze het genot van onze aanrakingen met woorden onderbrak, met woorden koelde, dan leek dat even natuurlijk en juist als de aanrakingen zelf en had haar houding niets verdedigends of afwerends, ze probeerde op die manier veeleer op een verstandige manier gevoelens af te leiden die geen andere uitweg konden vinden.

'Goed dan, jongen,' zei ze iets luider en lachend omdat we ons zo hadden laten gaan, 'dan zal ik je toch maar vertellen wat me vanmiddag niet over de lippen kwam, luister goed, ik wilde namelijk zeggen dat ik niet in mijn eentje in die wei was, ik geloof dat we in het hoge gras lagen, de zon scheen en aan de hemel vertoonden zich maar een paar wolken, van die lichte zomerwolken die zich nauwelijks verplaatsen, en ik hoorde allemaal kevers, wespen en bijen, maar het was er niet zo mooi als je misschien denkt, want af en toe ging er een vlieg op mijn huid zitten en het hielp niet of ik mijn armen of benen bewoog, de vlieg vloog alleen maar even op en kwam meteen weer terug, op warme middagen zijn vliegen altijd zo brutaal, het was middag, daar moet je eens op letten, je zou haast denken dat die beesten niet willen dat je rustig geniet van datgene waar je van wilt genieten, van de schoonheid van de natuur, dat laten ze niet toe, misschien niet omdat zij ook van iets willen genieten, namelijk van je huid, maar nu vertel ik alweer iets heel anders dan ik van plan was en ik realiseer me opeens dat het geen kinderverhaaltje is en helemaal niets voor jouw oren, eigenlijk zou ik er beter over kunnen zwijgen; nu dan, we lagen met zijn drieën in die wei, een werkelijk bestaande wei, waar we met de boot naar toe waren gevaren, we hadden aangelegd op de afgesproken plaats om daar andere mensen te ontmoeten; wij waren als eersten aangekomen en lagen op enige afstand van elkaar in het hoge gras, twee mannen en ik; toen je daarstraks binnenkwam, werd ik wakker, of beter gezegd: ik werd niet wakker, maar kwam bij mijn positieven, ik sliep namelijk helemaal niet, ik bevond me alleen maar in dat beeld, het was alsof ik vanuit de hoogte op ons neerkeek, zoals je dat in een droom hebt; ik zag hoe mooi, hoe verschrikkelijk mooi die wei was, want alles was in die tijd mooi, ongelooflijk mooi! maar toen ik daar werkelijk lag, voelde ik me alsof ik in de hel verkeerde, in een stinkend moeras, en niet vanwege die vliegen, maar omdat we toen niet konden uitmaken bij wie ik hoorde.'

'En papa?'

'Die was er ook bij.'

'En hoe ben je er tenslotte toch achter gekomen?'

'Ik ben er niet achter gekomen.'

Het leek of ze nog iets wilde zeggen, maar er viel zo'n abrupte stilte dat ik bijna vreesde dat ze voortaan geen woord meer zou uitbrengen.

Ik kon toen ook geen vragen meer stellen, we verstijfden allebei en hadden het gevoel dat we twee op elkaar liggende houtblokken waren, twee op een prooi loerende wilde dieren op het moment dat nog onzeker is welke van de twee die prooi in de wacht zal slepen.

Meer kon ze niet zeggen, want dan had ze alle denkbare grenzen overschreden, grenzen die we dicht waren genaderd, te dicht misschien.

Alleen al uit consideratie mocht ze niet meer zeggen, ik zou niet in staat zijn geweest meer te verdragen; ze glimlachte vriendelijk en geduldig, met een glimlach die alleen voor mij was bestemd maar geen deel uit scheen te maken van een proces en dus noch een begin noch een voorzienbaar einde had; ik keek haar aan als iemand die een foto van een reeds lang verdwenen, glimlachend gezicht bekijkt; het moment omvatte wezenlijk meer dan haar aanblik of de paar gedachten die onder invloed van het verstarde beeld in mij waren opgekomen, het mag wat sentimenteel en overdreven klinken, maar ik wil toch zeggen dat dit ogenblik een moment van verlichting was, althans van datgene wat wij, bij gebrek aan een beter woord 'verlichting' noemen; ik zag haar gezicht, haar onbedekte hals en het gekreukte beddegoed; elk kleinste detail vertelde een uitzonderlijk rijke historie, verhaalde van een verleden vol gevoelens en beelden, waarvan ik het bestaan nooit had kunnen vermoeden; ongrijpbare verbanden schenen opeens toch vatbaar; uiteraard was het een geschiedenis die niet als een ordelijk verhaal in het geheugen kon worden teruggeroepen, het was meer een beeld van mijzelf zoals ik voor de gesloten badkamerdeur sta; het is al laat in de avond en donker, ik wil naar binnen gaan maar durf niet, omdat ik weet dat datgene waar ik nieuwsgierig naar ben, absoluut taboe is; het is niet hun naaktheid, die ze nooit opzettelijk voor me verborgen houden, hoewel ik die toch als enigszins geheim moet beschouwen, als de buitenkant van het geheim, om het zo uit te drukken, want als de gelegenheid zich voordoet en ik ze naakt te zien krijg, ben ik degene die, al bewegen ze zich nog zo onbevangen in mijn bijzin, maar niet genoeg kan krijgen van het schouwspel van hun naakte lichamen, ik voel me dan verward, elke keer overvalt het me opnieuw, en misschien nog sterker dan de vorige keer, een zoet gevoel van nieuwsgierigheid dat me dwingt naar hun normaliter verborgen lichaamsopeningen te gluren; hun lichamen waren steeds nieuw voor me, steeds anders, iets waaraan niet viel te wennen; en het bezorgde me een nog wellustiger pijn, het kwetste mijn schaamtegevoel nog meer en verhoogde mijn afgunst op hun naaktheid dat die nadrukkelijke onbevangenheid slechts het vrome bedrog van een gemeenschappelijk spel was, ik voelde duidelijk dat deze twee onbedekte lichamen, of ze zich nu samen of afzonderlijk vertoonden, niets te maken hadden met mij maar uitsluitend en alleen met elkaar, werkelijk onbevangen waren ze slechts als ze alleen waren, en van deze gemeenschap was ik buitengesloten, zonder dat het ertoe deed of ze ruzie hadden, dagenlang geen woord wisselden en beiden deden alsof elkaars aanwezigheid niets voor hen betekende, of, integendeel, elkaar juist liefhadden en elke toevallige aanraking, elke vluchtige blik, elke onbedwingbare lachbui en veelbetekenende glimlach zo'n oneindig tedere betekenis had dat ik daar absoluut niets van kon begrijpen, dat die betekenis geheel aan mij voorbijging en mij overbodig maakte, al schenen ze me op zulke momenten juist het meest lief te hebben en als het ware met het overschot van hun wederkerige hartstocht te beminnen; dit laatste was echter niet minder vernederend dan wanneer ze in het geheel geen notitie van me zouden hebben genomen of wanneer ik voor hen slechts een nutteloos of hinderlijk voorwerp zou zijn geweest; en nu scheen die onverwachts uitgesproken en door zijn dubbelzinnigheid veel mogelijkheden suggererende zin, die onze dialoog in een gespannen zwijgen had veranderd, een licht te werpen op de oneffenheden in hun relatie waarnaar ik nieuwsgierig was en me in te wijden in het geheim dat ik onbewust trachtte te ontraadselen omdat ik voortdurend hoopte dat hun relatie toch niet zo exclusief was als het leek en ik me op de een of andere manier tussen hen zou kunnen dringen; binnen hoorde ik het geluid van stromend water, hun vrolijke gebabbel en moeders lach; dit lachen, dat ik nog nooit van haar had gehoord, gaf mij het gevoel – een bedwelmend gevoel – dat ik al eens eerder in het donker in mijn pyjama voor de badkamerdeur had gestaan; nu stond ik daar wéér en alles wat zich tussen die twee ondefinieerbare tijdstippen had afgespeeld was slechts een vage droom waaruit ik nu ontwaakte, een droom waarvan ik me het begin niet meer kon herinneren; en toen ik binnen moeders stem hoorde, die heel anders klonk dan gewoonlijk,

lager en krachtiger en met de nagalm van een schrille, speelse en overmoedige lach – 'wie staat daar in het donker voor de deur?' riep ze –,
antwoordde ik natuurlijk niet, misschien had de vloer gekraakt en dit
kraken haar op mijn aanwezigheid opmerkzaam gemaakt, hoewel ik
mijn uiterste best had gedaan dit te voorkomen, of had mijn aanwezigheid soms zo'n sterke uitstraling dat ze die door de deur heen had bespeurd? 'ben jij het, liefje, of is het een zwarte raaf die op de deur klopt?
kom toch binnen, wie je ook bent!' ik kon nog steeds geen antwoord
geven, maar ze leek dat ook in het geheel niet te verwachten; 'laat je
stem eens horen en kom binnen!' riep ze op zangerige toon en meteen
daarop hoorde ik hen allebei gesmoord lachen, en het water in de badkuip kabbelde en kletste en klaterde en pletste gulpend op de stenen
vloer; weggaan kon ik niet meer, maar antwoorden of naar binnen
gaan evenmin, en op dat moment ging de deur wagenwijd voor me
open.

Het was dus noch een vergissing noch een zinsbegoocheling geweest toen ik het gevoel had gehad dat ik al eens eerder zo voor een
deur had gestaan, en mijn moeders onvoltooide zin riep een nog ouder
beeld in me op, dat als een flits door me heen schoot: benen en een kussen op een gezicht, precies duidelijk genoeg om de afgrond waarin ik
keek nog aantrekkelijker, nog bodemlozer te doen schijnen, een beeld
dat zich daar voor die badkamerdeur alleen mijn zintuigen hadden
herinnerd, die, blindelings tastend naar de afdruk van een netjes opgeborgen ervaring, precies wetend om welke tijd en plaats het ging en
het volledige aroma van dat beeld proevend, het toch niet hadden
kunnen vinden, maar nu was het er opeens, ongeroepen en ongewild,
en het vermengde zich met dat andere beeld, zodat de twee beelden
van naaktheid demonstratief op hun onderlinge verband wezen; toen
mijn vader zich over de rand van het bad boog en de deur voor me
opende, werd mijn verbaasde gezicht opgevangen door de grote, beslagen spiegel van de badkamer; ik vond hem op dat moment imposant
zoals hij daar, voorovergebogen om de deurklink te kunnen bereiken,
in het bad stond, zijn rug met daarachter mijn gezicht een rode vlek in
de door neersijpelende straaltjes condenswater in vakken verdeelde
spiegel; mijn moeder zat in het bad en masseerde haar met veel shampoo ingesmeerde haar met haar handpalmen, zodat het zeepwater
schuimend tussen haar vingers door liep; ze lachte naar me en knipoogde want het schuim prikte in haar ogen, daarop dook ze met gesloten ogen vlug onder water om de shampoo uit te spoelen; ook toen

had diezelfde doffe onmacht mij overmeesterd en was mijn pyjama het enige geweest dat mijn aan mijn kolkende gevoelens overgeleverde lichaam steun had geboden, alsof hij werkelijker was dan ikzelf; en ook toen was ik in de richting gelopen van een geluid, een ver, dof, bijna onhoorbaar maar op de een of andere manier toch zeer doordringend geluid; het was nacht en ik was opgestaan omdat ik moest plassen, toen ik dat geluid hoorde, een geluid dat, hoewel onbekend, absoluut niet alarmerend klonk; het was een ijskoude winternacht met een heldere maan en het door het raam in starre, rechthoekige vlakken verdeelde licht zweefde golvend door de kamer; de schaduwen waren zo diep en vloeiend en ze absorbeerden alle bekende voorwerpen zo gretig dat ik de scherpe grens tussen licht en donker nauwelijks durfde te overschrijden; het geluid kwam uit de vestibule; in de spiegel zag ik in een flits mijn door het maanlicht griezelig blauw gekleurde gezicht; ik dacht dat er iemand in de vestibule schreeuwde of huilde, maar er was daar niemand, het geluid kwam uit de keuken; nog half versuft van de slaap liep ik door, mijn voetzolen kletsten zachtjes op de stenen vloer, maar er was niets te zien; in de keuken was het donker, even knarste er iets onder de opengaande deur, daarna was het weer stil, maar toch was het of ik de stilte van onbekende levende wezens kon voelen, alsof er niet alleen met koud licht overgoten meubels in het vertrek stonden en de stilte niet alleen werd veroorzaakt doordat ik mijn adem inhield; op dat moment hoorde ik achter de wijd openstaande deur van de meidenkamer een laag, rochelend geluid en het gelijkmatige steunen en kraken van het bed, en uit dat steeds luider klinkende gerochel scheen zich die gil los te wringen, die ijle, steeds hoger wordende, nu eens vreugdevol dan weer verdrietig klinkende gil waardoor ik was aangelokt; het was dus geen zinsbegoocheling geweest! ik hoefde maar één stap te doen om door de deuropening naar binnen te kunnen kijken, en ik wilde naar binnen kijken, maar het was alsof ik die vervloekte deuropening nooit kon bereiken, nog altijd had ik die niet bereikt, ze was nog steeds ver weg; en ik was zo vervuld van dat geluid, van de laagte, de diepte en het ritme ervan, dat ik absoluut niet merkte op welk moment ik er eindelijk in slaagde die felbegeerde, ene stap te doen en opeens zag ik ook wat ik hoorde.

Natuurlijk was mijn vader alleen maar in mijn ogen imposant, niet in werkelijkheid, hij was dun en slank; het onwillekeurige gebruik van het woord 'imposant' duidt erop met welk een sterke remmingen, met welk een tientallen jaren oud, kwellend zelfbedrog ik te kampen heb nu ik iets ter sprake wil brengen waarover het ongebruikelijk en ongepast is te spreken, maar omdat dit zelfbedrog onlosmakelijk verbonden is met mijn geestelijke ontwikkeling, moet ik het wel te berde brengen, laat ik dus diep ademhalen en voordat mijn stem het opnieuw begeeft er snel op wijzen dat dit imposant-zijn van mijn vader geheel losstond van die vroege herinnering, die tot mijn geluk of ongeluk enige tijd uit mijn geheugen was verdwenen en me pas weer te binnen was geschoten toen mijn moeder over die wei had verteld, en hoe was te binnen geschoten! mijn vader omstrengeld door vrouwenbenen op het bed in de meidenkamer, een goed bewaard geheim waarover ik nog steeds niet met hem kan spreken; haar gezicht kon ik niet zien, maar ik zag wel dat de schreeuw van genot en pijn zo dof had geklonken doordat mijn vader er met gespreide vingers een kussen op had gedrukt; de om zijn middel geklemde dijen verrieden bovendien dat deze vrouw niet mijn moeder was, hoe had zij dat trouwens kunnen zijn? waarom zou ze zich in die kamer bevonden hebben? doordat een dij, een kuit of de welving daarvan even feilloos zijn te herkennen als een neus, een mond of een paar ogen, was het absoluut zeker dat daar niet mijn moeder lag en ik niet haar stem onder het kussen had horen klinken, bovendien wist ik wie er in het meidenkamertje woonde; het merkwaardige was echter dat ik toch hoopte, ja er zelfs op rekende dat de benen die ik zag wel haar benen waren; ik wil absoluut niet beweren dat ik er het flauwste benul van had wat er daar aan de hand was, maar in mijn bewustzijn was toch het vage vermoeden aanwezig dat mijn vader een wederzijds en gezamenlijk genot van een dergelijke intensiteit slechts met mijn moeder behoorde te beleven, zodat wat daar gebeurde, al was het nog zo vreugdevol en daardoor in de ogen van een kind volstrekt natuurlijk, me tegen de borst stuitte; maar dit alles hield geen onmiddellijk verband met het feit dat mijn vader mij imponeerde toen ik daar in de deuropening stond, nee, mijn ontzag werd waarschijnlijk veroorzaakt doordat hij, toen hij vanuit het bad de deur had geopend, op zijn gewone, humorloze manier en zonder een zweem van een glimlach voor mij oprees maar me tegelijkertijd de weg versperde, zodat het meest beschaduwde gedeelte van zijn naakte, in het felle lamplicht vochtig glanzende lichaam, zijn schaamstreek, midden in mijn gezichtsveld kwam, vlak voor mijn neus om het zo uit te drukken, terwijl ik wist en voelde dat, zoals gewoonlijk, geen van mijn onvoorzichtige blikken of bewegingen aan zijn aandacht zouden ontsnappen; zijn natte haar plakte aan zijn schedel, zodat zijn voorhoofd geheel zichtbaar was, en zijn blik, die normaliter wat vriendelijker scheen dankzij het over zijn voorhoofd hangende steile, blonde haar, dat zijn gelaat verzachtte, overschaduwde en verfraaide – door zijn blauwe ogen en zijn dichte, achterovergekamde maar voortdurend naar voren vallende haardos had hij namelijk een streng en krachtig hoewel ook enigszins jongensachtig uiterlijk – zijn blik domineerde op dat moment volledig zijn gezicht en gaf het een open, oplettende, koele en dreigende uitdrukking, alsof hij de wereld voortdurend om rekenschap vroeg, alsof hij niet alleen op dat ogenblik boven me uit rees, maar zich gestadig op eenzame hoogte bevond, de hoogte van een absolute zekerheid, waarop hij zelfs in staat was te tolereren dat anderen geheel in beslag genomen werden door hun kleinzielige verlangens, instincten en kleffe gevoelens, terwijl hij observeerde en oordeelde, ook al bracht hij zijn oordeel slechts zeer zelden onder woorden; vanuit deze gezichtshoek, een weinig van onderen gezien, scheen mij dit lichaam volmaakt, althans overeenkomend met datgene wat wij 'een volmaakt mannenlichaam' plegen te noemen; ik gebruik alleen daarom al dit gevoelsmatig neutrale woord om iedere verdenking van een natuurlijke genegenheid op zedige wijze te vermijden en het niet eenvoudig 'mooi', misschien wel 'heel mooi' of zelfs 'onweerstaanbaar' te hoeven noemen, want noemen we iets 'mooi', dan moeten we ook toegeven dat we er geheel weerloos tegenover staan, eraan over zijn geleverd en ons er – in overeenstemming met de natuurlijke loop der dingen – ook gaarne aan overleveren, dat het onze innigste wens is erin onder te gaan, het volledig te verkennen, al was het alleen maar door er met onze vinger over te strijken en aldus te verinnerlijken wat onze ogen als mooi ervaren; brede schouders dus, waarvan de spieren door het vele roeien en zwemmen zo goed gevormd zijn dat ze de bekoorlijk uitstekende punten en rondingen van de schouders en het borstbeen bijna geheel bedekken en er een gladde en toch gewelfde vorm aan geven, waarna ze met onverwachte kracht overgaan in het met meer nadruk gelede spierweefsel van de armen en de hoekige, breed gewelfde vlakken van het borstbeen, dat, als om de kwetsbaarheid van deze naakte ruimte te accentueren of te verzachten, met een blonde haardos is bezet die in vochtige toestand nog aantrekkelijker is dan in droge omdat de samenklittende haartjes de donkere tepelhof met een losjes gevlochten krans omgeven, de blik de weg wijzend, die ofwel de zich bij de heupen versmallende buitenste lijnen van de romp volgt, ofwel over de zachte golven der spierbundels op de ribbenkast buitelt en misschien ook nog even blijft rusten op de zich als een stevige heuvel welvende buik, waar de donkere holte van de navel en vooral de wigvormige, omhoogwijzende beharing hem weliswaar belemmeren verder omlaag te gaan, maar toch niet blijvend kunnen stuiten, omdat het oog door zijn fysieke eigenschappen altijd onwillekeurig het donkerste of lichtste punt van een vlak uitkiest, zodat hij na over de buik te zijn gegleden onvermijdelijk in de schaamstreek belandt, eindelijk! en als de gelegenheid zich voordoet en we er zo behoedzaam een blik op werpen dat de ander het niet merkt – wat natuurlijk uitgesloten is, omdat zijn blikken in een dergelijke situatie precies eender reageren, maar wellicht doet hij goedmoedig alsof de zaak hem niet interesseert; indien ons gedrag hem niet zint, zal hij zich afwenden of tactvol iets voor zijn lichaam houden en misschien een onschuldig bedoelde, maar misplaatste opmerking maken om zijn verwarring te verbergen, tenzij hij over zo'n grote mensenkennis beschikt dat hij, alle morele scrupules over boord werpend, onze blik eenvoudig gedoogt –, verwijlen we hier gaarne om deze nogal gecompliceerde omgeving nauwkeurig in ogenschouw te nemen, alsof we zelfs het kleinste detail willen opmerken en alle mogelijkheden trachtten te verkennen, in de wetenschap dat de weg die onze ogen tot nog toe hebben afgelegd niet meer dan uitstel, hunkering en voorbereiding was; pas nu hebben we de plaatst bereikt die onze diepste en meest verborgen belangstelling heeft, dit is onze plaats, hier hebben we naar verlangd en alleen hier kunnen we de kennis verwerven die ons in staat stelt het lichaam in zijn geheel te beoordelen, zodat we zonder overdrijving kunnen stellen dat we, ook moreel gezien, op de meest kritieke plaats zijn aangekomen.

Eén keer heb ik toegegeven aan mijn verlangen hem daar aan te raken.

Het was een zondagochtend in de zomer; door de witte gordijnen voor de open ramen scheen de zon al naar binnen toen ik naar de slaapkamer van mijn ouders ging om, zoals mijn gewoonte was, bij hen in bed te kruipen, niet vermoedend dat ik die aangename gewoonte die ochtend voorgoed zou moeten opgeven; het was het bed waar mijn moeder later in de doordringende, hinderlijke lucht van haar ziekte alleen zou liggen, een breed bed, iets hoger dan gewoonlijk, waardoor het de bijna lege kamer scheen te overheersen; de spijlen en het frame waren van zwartgelakt hout vervaardigd, evenals de overige meubels: het gladde ladenkastje, de toilettafel met de spiegel, de met witte zijde beklede leunstoel en het nachtkastje; verder stond er niets, de muren waren volkomen kaal, wat de kamer merkwaardigerwijze toch niet kil of ongezellig maakte; het naar het voeteneinde geschopte tweepersoonsdekbed was op de grond gegleden en moeder lag niet meer op haar plaats, waarschijnlijk was ze opgestaan om het ontbijt klaar te maken, maar mijn vader sliep opgerold verder en zijn naakte lichaam was alleen met een laken bedekt; ik weet nog steeds niet wat mij toen zo heeft meegesleept dat ik alle natuurlijke schaamte en remmingen heb genegeerd, overigens zonder er enig benul van te hebben dat ik iets negeerde of wellicht een ongeschreven regel overtrad; misschien kwam het door de wulpse zomerochtendlucht, waarin koele windvlaagjes de dauwgeur van de 's nachts afgekoelde aarde omhoogvoerden, terwijl opkomende warmere stromingen al een voorproefje gaven van de verdovende middaghitte, vogels kwetterden, klokgelui zich mengde met het doffe gedruis van de stad in de diepte en in een naburige tuin een sproeier met een gelijkmatig geruis water uitstrooide over het gazon; hoe het ook zij, ik moet door dit alles in een uitgelaten, onverantwoordelijke stemming zijn geraakt, want ik trok zonder veel omslag mijn pyjama uit, liep over de deken op de grond naar het bed toe en kroop poedelnaakt naast mijn vader onder het laken.

Natuurlijk zou ik mijn gedrag thans enigszins kunnen verklaren, maar ik wil, zonder het ook maar in de geringste mate te willen vergoelijken, alleen zeggen dat een van de belangrijkste omstandigheden van dit zondagochtendbezoek was, dat het in mijn halfslaap plaatsvond, zodat ik, toen ik later op de morgen in de warmte van het ouderlijk lichaam ontwaakte, dankzij deze verwisseling van plaats het aangename maar bedrieglijke gevoel had ergens anders te ontwaken dan waar ik was ingeslapen en ik mij verbaasde over dit kleine, door mij zelf gearrangeerde wonder, terwijl ik in halfbewusteloze toestand de snelle wisselingen van ruimte en tijd herhaalde die we in onze droom zonder enige inspanning en geheel onbewust uitvoeren; uiteraard kan dit noch een verontschuldiging noch een verklaring zijn, maar toch dient dit gezichtspunt niet onderschat te worden, laten we niet vergeten dat we onze kindertijd gewoonlijk als gepasseerd beschouwen wanneer onze wrede spelletjes door het duister van een weldadige vergetelheid worden omhuld, wanneer al onze zenuwen hebben geleerd onze in fantasieën tot uitdrukking komende wensen nuchter en doelbewust aan te passen aan de armzalige mogelijkheden die de regels van de menselijke samenleving ons als realiteit aanbieden, die zij als 'werkelijk' erkennen, waardoor een kind geen andere keus heeft en gedwongen is op bijna anarchistische wijze de wetten van zijn innerlijke wezen te volgen, wetten die wij, laten we het maar toegeven, even realistisch of werkelijk achten als die andere, misschien omdat een kind de wetten van de nacht nog niet zo scherp scheidt van de wetten van de dag en wij zeer gevoelig zijn voor het geheel; een kind moet de grenzen van het aanvaardbare en het onaanvaardbare aftasten, en we blijven kinderen zolang we genoopt zijn grenzen te overschrijden en aan de hand van de reactie van onze omgeving, vaak in een tragisch conflict met onszelf, de zogenaamde plaats, tijd en naam der dingen te leren, waarmee we tevens worden ingewijd in een sacrosanct stelsel van schijnheilige leugens en zwendelarijen, van onderaardse sluipwegen en manieren om uiterlijke schijn op te houden en – niet te vergeten – in de kunst om de geheime deuren van zekere labyrinten onhoorbaar te openen en te sluiten, labyrinten waar onze diepste wensen vervuld worden; dit hele proces noemen we 'opvoeding' en daarover handelt deze roman, het is immers een ontwikkelingsroman; en ik wil er geen doekjes om winden: de schijnheilige tweeslachtigheid van het opvoedingsproces brengt mij ertoe de heimelijke gedachte te uiten dat we vaak alleen door de pik van onze vader aan te raken nauwkeurig de waarde van die zogeheten moraal kunnen bepalen, een moraal die we ons ondanks alle dwang en goede bedoelingen slechts zeer gedeeltelijk eigen kunnen maken; toen ik, mijn naakte lichaam tegen dat van mijn vader vlijend, terwijl ik hem zweterig van de slaap omhelsde en met mijn vingers zijn borstharen streelde, weer ontwaakte terwijl hij nog altijd sliep, had ik het gevoel dat ik mezelf voor de gek had gehouden, dat ik, om dicht tegen zijn billen en rug aan te kunnen kruipen, om mijn benen om zijn benen heen te kunnen slaan en zo zijn naaktheid te voelen, niet zozeer hem, maar in de eerste plaats mezelf had moeten bedriegen; dat was wat ik dacht toen ik wakker werd, verrast en verheugd dat gedurende de korte, diepe slaap onze ledematen zo dooreengestrengeld waren geraakt dat het minuten duurde voordat ik wist wat van mij was en wat van hem, maar ik begreep meteen dat ik verantwoordelijk was voor deze manier van ontwaken; voor mijn gevoel was echter niet het bewuste, maar het onbewuste, het instinctieve, hypnotische element het belangrijkst, ik durf zelfs te beweren dat dit het voorwerp van mijn onderzoek was, dit wilde ik eindeloos laten voortduren omdat ik me alleen zó prettig voelde, omdat alleen zó het gevoel van volledigheid kon ontstaan waarin verlangen en verbeelding harmonisch met list en bedrog samengingen, zodat ik, zonder mijn ogen te openen, alsof ik met mezelf verstoppertje speelde, mijn vingers langzaam, heel langzaam langs zijn lichaam kon laten glijden, nauwkeurig observerend op welke momenten hij kippevel kreeg van mijn aanraking, wanneer het water hem in de mond kwam, wanneer hij een zucht slaakte en of hij verder sliep; maar terwijl ik mij heimelijk deze gewaarwordingen toeëigende, werd ik mij er steeds duidelijker van bewust dat ik in de achtergebleven warmte van mijn moeder lag, dat ik haar plaats had ingenomen en haar alles wat ik voelde wederrechtelijk ontnam.

Het was alsof ik mijn moeder met mijn mond en mijn vader met mijn hand moest aanraken.

Bij zijn buik aangekomen moest mijn hand zich openen om zich over de stevige welving te kunnen vlijen; vandaar hoefde ze, alleen enigszins in haar loop belemmerd door het schaamhaar, nog maar een kort stukje naar beneden te glijden om zijn geslacht te bereiken.

Het ogenblik viel uiteen in twee duidelijk van elkaar te onderscheiden fasen.

De eerste fase was dat zijn lichaam, geenszins met tegenzin, bijna bereidwillig, bewoog en daarna ontwaakte.

De tweede dat hij zich door een krampachtig ineenkrimpen van zijn lichaam van mij losrukte en uit alle macht begon te brullen.

Hij gedroeg zich als iemand die een koude pad in zijn warme bed aantreft.

Tegen de morgen is de slaap heel diep en zwaar; als ik hem niet uit zo'n diepe slaap had opgeschrikt, had hij zich vast wel herinnerd dat hij zelf ook de hoofdpersoon was geweest van een ontwikkelingsroman, van een boek waarin niets menselijks vreemd is; wat er gebeurde was niet zo uitzonderlijk dat het een dergelijke brute reactie rechtvaardigde, bovendien had hij, als hij had willen vermijden dat zijn drastische verweer onoverzienbare gevolgen had, als hij als verstandig afwegend pedagoog geen negatief, maar een positief effect bij mij had willen teweegbrengen, toegeeflijker en vooral sluwer en bedachtzamer te werk moeten gaan en moeten weten wat iemand van zijn leeftijd – hij was al over de veertig! – op zijn minst behoorde te vermoeden, namelijk dat iedereen één keer in zijn leven dat ding moet beetpakken, hetzij in zijn verbeelding hetzij in werkelijkheid, symbolisch of concreet, dat iedereen tenminste éénmaal de eerbaarheid van zijn vader moet schenden, misschien wel om zelf ongeschonden te blijven, en dat iedereen dat ongetwijfeld ook op de een of andere manier doet, ook al ontbreekt hem na die beproeving misschien de kracht om dit aan zichzelf te bekennen, het is het gebod van de natuurlijke zelfverdediging en van die zogenaamde moraal, welke laatste slechts in extreme gevallen tastbaar wordt; maar mijn vader, die uit zijn slaap opschrok en zich door zijn eigen bloed verraden voelde, was alleen maar in staat om te brullen.

'Wat doe jíj hier? wat moet dat?'

Hij schopte me met zo'n kracht het bed uit dat ik op de grond viel, op het dekbed van mijn ouders.

Daarna voelde ik nog dagenlang de onthutsing van de betrapte misdadiger, de gespannen, doffe stilte van het wachten die, uit vrees voor de gevolgen, voor de straf, de daad nog onherroepelijker en daardoor heroïsch en grandioos maakt; maar de straf bleef uit; hoezeer ik mijn ouders ook met gespannen aandacht observeerde, ik kwam er niet eens achter of mijn vader het gebeurde aan mijn moeder had verteld, wat zijn gewoonte was omdat mijn ouders, als ik iets misdreven had, een uniforme gedragslijn tegenover mij trachtten te volgen, waarin ze natuurlijk nooit zo volledig slaagden dat ik niet op de hoogte was van hun meningsverschillen; deze keer deden ze echter allebei of ze van de prins geen kwaad wisten, alsof er niets was gebeurd en ik alles – de aanraking en het daarop volgende gebrul van mijn vader – slechts gedroomd had; en omdat ik op een spectaculaire bestraffing wachtte, ontging mij een gevolg van mijn daad dat veel ernstiger was dan enige bestraffing ooit had kunnen zijn – nu, als nuchtere volwassene, vraag ik me af op wat voor straf ik toen eigenlijk rekende? dat ik wreedaardig en tot bloedens toe zou worden geslagen? want wat voor straf kun je verzinnen als blijkt dat een jongen verliefd is op zijn vader? is die lichaam en ziel verwarrende, vreselijke, niet te bevredigen liefde niet de straf zelf? – ik merkte namelijk niet – misschien wilde ik dat ook wel niet, wellicht had ik geen andere keus dan te doen alsof ik het niet merkte – dat mijn vader zich vanaf dat moment nog terughoudender tegenover mij gedroeg dan hij al deed en voorzichtigheidshalve elke gelegenheid meed waarbij hij in lichamelijk contact met mij kon komen, hij kuste me niet meer, vermeed elke aanraking en sloeg me zelfs niet meer, alsof hij voelde dat slaag ook een beantwoording van mijn liefde zou zijn; je zou kunnen zeggen dat hij zich geheel voor mij afsloot, maar hij deed dit zo onopvallend, zijn terughoudendheid was zo volmaakt, zo weinig opvallend en openbaarde zich, waarschijnlijk tengevolge van zijn hevige angst, op zo'n subtiele wijze dat zelfs ik het verband tussen oorzaak en feitelijke gevolgen niet opmerkte, en misschien deed hij dat zelf ook wel niet; die oorzaak vergat ik trouwens gauw genoeg, evenals het feit dat ik hem met Maria Stein op het bed in de meidenkamer had zien liggen; misschien was hij dit zelf ook wel vergeten; het resultaat van dit alles was een onheilspellend gevoel waaraan ik niet kon wennen: het gevoel dat mijn vader niet ver genoeg van me afstond om me niet te irriteren en me niet nabij genoeg was om van me te houden; toen hij de deur opende om me tot de badkamer toe te laten, kon ik van zijn strakke gezicht en de demonstratieve naaktheid van zijn lichaam deze terughoudendheid benevens een zeker wantrouwen en een goed gemaskeerde verlegenheid aflezen, bovendien was het hem aan te zien dat hij me alleen op aandringen van mijn moeder binnenliet en normaliter niet door de vingers zou hebben gezien dat ik hem en mijn moeder bespioneerde en afluisterde; als het aan hem had gelegen had hij me naar mijn bed teruggestuurd in plaats van me deel te laten nemen aan deze nogal gewaagde gezinsidylle; 'naar je bed, mars!' zou hij hebben gezegd en daarmee zou voor hem de kous af zijn geweest; maar tegenover mijn moeder voelde hij zich even weerloos en machteloos als ik mij tegenover hem, wat voor mij geen geringe genoegdoening was; wilde ik enige kans maken mij tussen hen te dringen, dan moest ik deze mogelijkheid benutten, ik hoefde alleen maar mijn moeder te paaien, bij haar in de gunst zien te komen en haar met tact te bejegenen; tot mijn vader had ik geen onmiddellijke toegang.

'Doe de deur dicht!' zei hij, zich omdraaiend om weer in de kuip te gaan zitten, maar omdat ik niet kon besluiten naar binnen te gaan, bleef ik roerloos voor de drempel staan; het was een onverwachts en onheilspellend cadeau dat ik zo opeens ontving en ik voelde een vreugde die hij zelfs met zijn geforceerde, meer voor moeder dan voor mij bedoelde toon niet geheel kon bederven, ik had immers overwonnen, overwonnen zonder op deze victorie gehoopt te hebben; en de manier waarop hij zijn lichaam wendde was een nieuwe verrassing, een verbijsterend moment waarvan ik slechts kon genieten – met pijn genieten – totdat hij onder water was verdwenen; zoëven heb ik beweerd dat zijn lichaam van voren gezien volmaakt was, goed geproportioneerd, aantrekkelijk en mooi, maar ik moet er iets aan toevoegen, iets wat mij door mijn schaamte nog meer moeite kost om op te biechten dan het reeds gezegde, of zou het gevoel dat mij remt geen schaamte zijn? zou het slechts de eigenaardige neiging zijn onze ouders zowel geestelijk als lichamelijk als het meest volmaakte mensenpaar op aarde te zien, ook als zij dat niet zijn? een neiging die ieder mens heeft; dwingt deze neiging ons niet het lelijke mooi te vinden, althans, indien wij het onverzadigbare verlangen naar volmaakte schoonheid en evenredigheid niet kunnen laten varen, het onvolmaakte toegeeflijk en vergevingsgezind te aanvaarden en bij het zien van de lichaamsvormen te begrijpen dat elke schijnbare volmaaktheid de kiem bevat van deformatie, van perversie, van ziekte, ja zelfs van invaliditeit, en geeft juist dat niet een bijzondere bijsmaak aan onze gevoelens? niemand is immers gezegend met volkomen harmonieuze eigenschappen en het volmaakte en het onvolmaakte gaan altijd hand in hand, ze zijn onafscheidelijk met elkaar verbonden; worden we dus niet door onze verbeelding misleid als wij voor de gebreken van een menselijk schepsel de ogen sluiten en pogen het desondanks als volmaakt te aanbidden?

Wat er van voren zo volmaakt had uitgezien, scheen van de zijkant gezien bepaald misvormd; hij had twee uitstekende schouderbladen en een kromme rug, alsof hij niet in staat was een rechte houding aan te nemen, als ik niet zou schromen dit woord in de mond te nemen, zou ik zelfs zeggen dat hij op een haar na een bochel had, inderdaad, een bochel, waar iedereen van gruwt, het was louter toeval dat hij er geen had, het was alsof de natuur niet had kunnen beslissen of ze hem tot een menselijk ideaal of een gedrocht zou vormen en hem daarom aan zijn lot had overgelaten, terwijl hij, dit lot doorschouwende, had gepoogd deze duistere en laaghartige onbeslistheid te elimineren of op zijn minst te corrigeren, waarin hij ondanks al zijn vermoedelijke inspanningen en buitensporige energie slechts gedeeltelijk kon slagen, omdat lichaamslengte en -vorm, al hebben we het in onze christelijke vergevingsgezindheid nóg zo vaak over de betrekkelijkheid van uiterlijke schoonheid en het primaat van de ziel, zo belangrijk zijn dat ze op het moment van onze geboorte reeds als eigenschappen zijn te beschouwen.

En toch aanbad ik dit onvolmaakte lichaam, dat zowel mooi als lelijk was, met de absolute vooringenomenheid van de verliefde ziel, het kwam me in mijn tedere genegenheid tegelijk aantrekkelijk en afstotelijk voor; juist de onvolmaaktheid ervan maakte het in mijn ogen volmaakt, niets vormde een betere verklaring voor vaders koppige ernst, voor zijn strenge, nimmer verflauwende opmerkzaamheid of voor de ijver waarmee hij alles bestreed wat hij als verkeerd, onjuist en zondig, en dus als pervers en lelijk, beschouwde, dan dat kleine schoonheidsfoutje, dat bijna onzichtbare bocheltje, dat voorkwam dat hij er als een fat uitzag; door dit uiterlijk en door zijn karakter – hij was iemand die zich eeuwig en altijd verdedigde – scheen hij ondanks al zijn buitensporigheden nogal bars en kil van aard, maar hij had een ongemeen scherpe geest; het was alsof zijn naar tederheid snakkende, maar deze eigenschap zelf volstrekt ontberende en door zijn lichamelijke gesteldheid tot distantie gedwongen gemoed zich dermate had verfijnd dat geen enkele boosaardige bedoeling, hoe goed gecamoufleerd ook, hem ontging, zodat hij de energie die zijn geforceerde afstandelijkheid hem kostte dankzij zijn gevoeligheid en oordeelskracht – twee eigenschappen die hem in staat stelden elk verband onmiddellijk te doorzien – op uiterst gewelddadige wijze herwon; het geheim van zijn volmaaktheid was dat hij zijn verworven en zijn aangeboren eigenschappen met een onfeilbare, instinctieve zekerheid op elkaar in liet werken; bovendien kon je hem slechts zelden verwijten dat hij onoprecht was of zich anders voordeed dan hij was; hoewel ik toentertijd nog niet goed wist wat het werk van een officier van Justitie omvat, had ik me, wanneer hij in het schijnsel van de ook overdag brandende kroonluchters met zijn smalle handen de op de fraai gepolitoerde schrijftafel uitgespreide dossiers bijeenzocht, geen waardiger omhulling kunnen voorstellen voor zijn lichaam dan het stemmige, grijze maatkostuum; misschien was alleen de snit van zijn pak ietwat bedrieglijk, want de handig aangebrachte schoudervullingen maakten de kromming van zijn rug bijna geheel onzichtbaar; en dan die lange, brede, met marmer beklede gangen, waarin zich zelden iemand vertoonde, alleen zo nu en dan een met een stapel zware dossiers voorbijsnellende klerk of een paar mensen die zwijgend voor een imposante deur stonden te wachten en tot mijn verbazing deden alsof ze niets met elkaar te maken hadden! op die gangen heerste een eerbiedwaardige, stoffige verveling, slechts verjaagd wanneer naderende, steeds luider weerklinkende voetstappen de stilte verbraken en in een bocht van de gang een door twee bewakers begeleide, geboeide gevangene verscheen, die dadelijk weer achter een van de bruine deuren verdween; als mijn vader zich op weg naar een zitting door de gang spoedde, keek ik hem met genoegen na en lette daarbij vooral op zijn rug; het was alsof in die rug alles was geconcentreerd wat met de ruwe schoonheid van zijn lichaam contrasteerde, alles wat ik in hem als verfijnd, intelligent en voornaam ervoer; volledigheidshalve moet ik nog melding maken van de volgende lichaamsdelen: zijn ronde, gespierde achterwerk, waarvan de zachte lijnen iets uitgesproken vrouwelijks hadden, zijn stevige dijen, de zich onder de goudblonde beharing van zijn benen veelvuldig vertakkende, bultige aderen en de lange, breekbaar ogende tenen van zijn gewelfde voeten; maar die rug was toch wel het allermooiste! zijn passen waren licht en verend en verrieden kracht, zodat hij, als hij liep op een roofdier leek dat met een natuurlijk genot de levendige, soepele kracht van zijn lichaam in zijn zolen voelt; toch scheen hij de psychische lasten en noden die, naar ik mij voorstelde, de vervolging van de misdaad met zich meebracht, niet met zijn benen maar met zijn rug te dragen, alsof zijn macht in zijn rug zetelde, beter gezegd: in de kromming van zijn rug; mijn wens op hem te lijken en mij deze macht, superioriteit en kracht toe te eigenen – en met kracht bedoel ik hier niet alleen de naar de lendenen leidende en vandaar uitstralende schoonheid van lijnen, vlakken en verhoudingen – was zo groot, dat ik probeerde even krom te lopen als hij en precies zo door de bepaald niet eerbiedwaardige schoolgangen te lopen als hij zich door de gangen van het gerechtsgebouw verplaatste.

Maar tenslotte ging ik toch maar de badkamer in en sloot de deur achter me, zoals hij had gezegd.

Hij ging weer in het bad zitten en doordat moeder op hetzelfde moment lachend uit het water opdook, gulpte het water over de rand zodat de tegelvloer helemaal nat werd.

'Doe je pyjama maar uit, dan mag je bij ons in bad,' zei ze op zo'n luchtige toon dat het leek of dit de gewoonste zaak van de wereld was.

Toen ik in de badkuip stapte en tussen haar opgetrokken knieën ging zitten, waardoor er nog meer water over de rand klotste, stond de hele badkamervloer in een oogwenk blank en dreven de pantoffels vrolijk in het rond, waarom we alle drie moesten lachen.

En nu ik dit plotselinge lachsalvo te berde breng, dat door zijn natuurlijke vrolijkheid alle barrières uit de weg ruimde die door terughoudendheid, wantrouwen, angst voor zekere gevolgen en onnodige bezorgdheid waren ontstaan, moet ik aan mijn woorden toevoegen dat door dit lachsalvo het vlies scheen te breken dat ik zoëven heb aangeduid als de grens tussen de realiteit en de aan de realiteit superieure innerlijke werkelijkheid, zodat het lichaam van zijn normale gewicht en logheid scheen te worden bevrijd en wij in de eigenaardige toestand geraakten die een mens van de realiteit van het lichamelijke naar de onmiddellijke verwerkelijking van zijn wensen voert; we waren drie afzonderlijke naakte lichamen in het langzaam afkoelende water van een badkuip maar schenen toch met één mond te lachen, ja het was als-of ons enigszins boosaardig klinkende gelach dankzij de gelijksoortig-heid van onze gevoelens uit één reusachtige mond losbarstte; mijn li-chaam zat tussen mijn vaders gespreide knieën ingeklemd en mijn voe-ten rustten in mijn moeders geopende schoot en ik zag hoe het door de schuimende shampoo enigszins troebel geworden water haar grote borsten zachtjes ophief, zodat ze op het wateroppervlak leken te drij-ven; en toen mijn vader mij een duwtje gaf en mijn moeder mij weer de andere kant op duwde, zodat het water bij elke duw over de rand liep en op de vloer terechtkwam, moesten we weliswaar lachen om dit kinderachtige spelletje, maar tegelijkertijd schenen onze naakte licha-men door die gemeenschappelijke mond afwisselend verslonden en weer uitgespuwd te worden, steeds opnieuw verdwenen ze in die donkere grot van wellust om weer uitgebraakt te worden op het sto-tende, golvende ritme van het gelach, dat omhoogzweefde, op het hoogste punt stilhield en dan neerstortte om uit nog diepere lagen van het lichaam geheime, onvermoede schatten op te delven en vervol-gens weer op te stijgen en met wijd uitgezette longen van een nog gro-tere hoogte dan zoëven onnoemelijke vreugde uit te storten, precies zoals het water over de rand van het bad stroomde.

Maar om der wille van de rechtvaardigheid en de volledigheid moet ik ook iets anders ter sprake brengen en aldus proberen de mogelijk ge-wekte schijn weg te nemen dat mijn toenmalige leven slechts uit een oneindige reeks van verdrietelijkheden, vernederende kwellingen, jammerlijke nederlagen en ondraaglijke, ik herhaal, ondraaglijke te-leurstellingen bestond, nee en nog eens nee! om het ongetwijfeld een-zijdige karakter van mijn relaas te completeren moet ik benadrukken dat dat absoluut niet het geval was, vreugde en genot speelden in mijn leven een minstens even grote rol, maar het verdriet liet misschien die-pere sporen in mij achter, want verdriet verlengt door het gepieker en getwijfel waarmee het gepaard gaat de door het bewustzijn ervaren tijd, terwijl intense vreugde, die elke vorm van bewustheid mijdt en zich tot het zintuiglijke beperkt, zichzelf en ons slechts zoveel tijd schenkt als ze aanhoudt, waardoor ze schrikbarend toevallig en wille-keurig schijnt; en laat verdriet lange, verwarde geschiedenissen in ons geheugen achter, vreugde schenkt ons slechts vluchtige ogenblikken van geluk; maar ik heb de lezer nu lang genoeg verveeld met mijn overdreven gedetailleerde analyses en wil hem verder gefilosofeer over de zin van allerlei kleinigheden besparen; zulke analyses hebben alleen nut als wij de rijkdom van onze geest willen peilen en waarom zouden wij dat niet doen, als het ons vreugde schenkt? en omdat deze rijkdom zo onmetelijk is en onmetelijkheid tot de minst begrijpelijke zaken behoort, neigen wij er in onze analytische verwarring toe eenvoudige en als natuurlijk te beschouwen gebeurtenissen als oorzaken te beschouwen, oorzaken van onze frustraties en onze geestelijke mismaaktheid, van ons verdriet en onze zielsziekten en – laten we het gerust bekennen – in laatste instantie als de verwekkers van al onze ellende; omdat wij het totale gebeuren ten gunste van bepaalde, willekeurig uitgekozen details uit het oog hebben verloren, roepen we onszelf in onze angst voor de onmetelijke rijkdom der details een halt toe, terwijl we nog een heel eind verder zouden kunnen gaan; in onze ontzetting zoeken we naar zondebokken, richten we kleine offeraltaren op en zwaaien ceremonieel met offermessen, zodat we een veel grotere verwarring zaaien dan wanneer we nooit over onszelf zouden nadenken; o, hoe zalig zijn de armen van geest! laten we dus niet nadenken, laten we ons liever vrij en zonder voorbehoud overgeven aan de aangename voorstelling dat we aan moeders ziekbed op de grond zitten, ons hoofd rustend op de koele zijden deken waarmee zij is toegedekt, en onze lippen tegen de huid van haar blote arm gedrukt, terwijl we haar slanke vingers over onze hoofdhuid voelen glijden, zodat onze haarwortels aangenaam geprikkeld worden en zachtjes beginnen te jeuken, want in haar verwarring streek ze met haar hand door ons haar, alsof ze met die beweging de pijn wilde verzachten die haar woorden teweeg hadden gebracht; en hoewel die aangename prikkeling zich geleidelijk uitbreidde over mijn gehele lichaam, was ze niet in staat ongedaan te maken wat ze had gezegd; de gedachte dat mijn vader misschien niet mijn werkelijke vader was, was al eerder bij me opgekomen, en nu ze had verteld dat ze volstrekt niet had kunnen kiezen tussen die twee mannen, scheen mijn vermoeden bewaarheid te worden, maar daarover valt verder weinig te zeggen, laat ik er dus over zwijgen, dan zal voelbaar worden dat alle herinneringen die in me opkwamen toen ze die woorden uitsprak, alle emoties, die na enkele momenten weer wegebden, hoe belangrijk en beslissend ook, slechts de achtergrond vormden van mijn werkelijke gevoelens en belangstelling, want op de plaats waar ik al die indrukken trachtte vast te leggen en te verwerken, waarin zich mijn werkelijke leven afspeelde, was ik geheel alleen, daar hadden mijn ouders niets te maken en konden zij ook niets te maken hebben.

En als dit alles me toch niet geheel koud liet, dan was de oorzaak daarvan niet dat het zo belangrijk zou zijn geweest te vernemen wie van de twee mannen mijn werkelijke vader was, die vraag was weliswaar, behalve opwindend en pikant, zinnenprikkelend en bovenal geheimzinnig door haar aanstotelijkheid, even geheimzinnig als de door mij bewaarde foto waarop de man die ik voor mijn vader hield afgebeeld stond met een andere vrouw, maar toch van secondair belang, iets wat je kon vergeten, wat tot de achtergrond behoorde, zoals de wijde boog van de horizon boven een in avondlijke stilte dampende weide, een in het niets oplossende omlijsting, die weliswaar ontegenzeggelijk bij het beeld hoort, maar dit niet bepaalt, ons beeld begint en eindigt immers op de plaats waar wij ons bevinden, op onze standplaats, de beschouwing van ons wezen heeft slechts één middelpunt, ons lichaam oftewel de zuivere vorm die dit beschouwen überhaupt mogelijk maakt en waaraan we zoveel kracht, gewicht en zekerheid ontlenen dat ons in laatste instantie, ik zeg met nadruk in laatste instantie! niets anders interesseert dan het lichaam met alles wat daarbij hoort; mijn moeders woorden hadden me vooral met stomheid geslagen en me belet nog meer vragen te stellen omdat ze een niet geheel onschuldige toespeling schenen op alles wat me zo intens bezighield, ik kon evenmin een keuze maken, hoewel ik, evenals zij, de noodzaak daartoe duidelijk voelde, bovendien had ik in haar zin de levenslange gewetenswroeging geproefd die het gevolg is van het onvermogen om een besluit te nemen, die grenzeloze en volledige verwarring, die mijn eigen onheilspellende toekomst leek te symboliseren, de verwarring van een mens die zich erbij heeft neergelegd dat hij nooit meer een beslissing zal nemen, die wat dit betreft geen enkele hoop meer koestert, omdat er in wezen niets te beslissen valt; en in dit verband was haar bekentenis zelfs bevrijdend geweest, alsof ze had vermoed dat ze spoedig zou sterven, het was een testament geweest, een oproep aan mij om niet te trachten beslissingen te nemen die niet genomen kunnen worden, om alleen de vreugde te smaken van het onbeheersbare gebeuren, omdat de menselijke vrijheid niet meer is dan de mogelijkheid de toevallige verschijnselen van het leven vrij van de dwangmatige neiging tot oordelen op je in te laten werken; en door dit alles was zij op dat ogenblik niet meer mijn moeder – van een moeder verwachten we immers dat ze ons met haar lichaamswarmte beschermt tegen de kille realiteit – maar een na een avontuurlijk leven vol uitspattingen in zichzelf gekeerde vrouw, die onvermijdelijk kil en wreed was, aan wie ik weinig had, voor elke intermenselijke betrekking is immers warmte nodig, maar toch bleef ze iemand met wie ik mij, ongeacht haar leeftijd en haar geslacht, ten nauwste verwant voelde doordat zich verwante processen in ons binnenste voltrokken.

Het was alsof ze over iets had gesproken waar ze niets van kon weten.

En ook ons zwijgen scheen daarover te spreken.

En eindelijk gelukte het me haar iets te zeggen waarover ik tot dusverre altijd had gezwegen.

Ik sprak niet op hoorbare toon, natuurlijk niet, geen enkel gesproken woord verbrak de stilte, en dit alles speelde zich af in de kortstondige tijd dat mijn mond, kleine kusjes uitdelend, van de zachte binnenkant van haar elleboog omhooggleed naar haar schouder; 'de meisjes mogen mij heel graag, ze mogen mij meer dan alle andere jongens', had ik haar zachtjes bij wijze van liefdesverklaring willen toefluisteren, alsof ik iets moest bewijzen en me tegelijk een beetje schaamde over die verrassende, volstrekt ongepaste en in elk geval hanig aandoende bewering, want onze heimelijke gedachten hebben, op luide toon uitgesproken, een ontnuchterende, dubbelzinnige toevoeging nodig, zelfs al is de ontboezeming alleen voor onszelf bestemd; 'ze houden anders van me dan van de andere jongens, dat weet ik en ik schaam me daarover, beter gezegd: anders dan meisjes gewoonlijk van jongens houden, meer alsof ik zelf een meisje ben, net als zij, terwijl ik natuurlijk een jongen ben; en op dit verschil, dat mij van de andere jongens scheidt, ben ik onwillekeurig trots! maar zoudt u me willen helpen, want ik vertel alles ongewild verkeerd, het meervoud van het woord meisjes duidt namelijk niet zozeer op de meisjes in het algemeen, wat trouwens een denkbeeldig begrip is, als wel op drie van hen: Hédi, Maja en Livia; zij zijn die meisjes; en als ik het over de jongens heb, bedoel ik Prém, Kálmán en Krisztián; wanneer ik moet kiezen en mijn plaats moet bepalen binnen deze twee met elkaar verbonden maar toch onderscheiden drietallen van het tegengestelde geslacht, wanneer ik zou moeten zeggen tot welke van beide groepen ik me het meeste aangetrokken voel, zou ik zonder enige twijfel antwoorden dat de vrouwen, de meisjes, me verreweg het dierbaarst zijn, maar dat de mannen, de jongens, me het meest aantrekken.'

Dit zou ik allemaal gezegd hebben als je over zoiets hardop kon spreken.

En terwijl mijn hoofd nog steeds op moeders schouder rustte, schoot me opeens te binnen wat ik ervaren had toen ik vanuit de tuin geluidloos de ruime eetkamer van de familie Prihoda binnen was gegaan, waar het dienstmeisje, Szidónia, juist de tafel aan het afruimen was en ik een poosje zwijgend had toegekeken hoe zij op haar knieën en met haar achterwerk naar mij toe gewend door de kamer kroop om het tapijt van broodkruimels te reinigen.

Misschien had haar doordringende lijflucht mij ertoe gebracht haar alles te vertellen, al mijn geheimen toe te vertrouwen, alles wat ik geheel onafhankelijk van haar had doorleefd maar wat toch enigszins met haar verband hield.

Toen zij mijn aanwezigheid eindelijk opmerkte, hield ik mijn vinger voor mijn lippen om haar tot stilte aan te manen, want ik wilde geheimhouden dat ik me in dat huis bevond, ik wilde namelijk Maja verrassen; Szidónia staarde me roerloos aan en gelukkig ontging haar de diepere betekenis van mijn behoedzaamheid, ze dacht dat ik een of andere kwajongensstreek wou uithalen, ik was immers een echte grappenmaker; mijn glimlachje, mijn aanmaning tot stilte en mijn hele manier van doen maakten haar tot mijn handlangster; voorzichtig om de vloer niet te laten kraken ging ik naar haar toe; 'daar hebben we die kwajongen weer,' zeiden haar ogen verrukt, en hardop lachend volgde ze me met haar blik.

Ik moet steeds weer iets nieuws verzinnen, wat ik nu doe is slechts het voorspel, ik moet elke keer iets heel bijzonders bedenken om de betoverende uitwerking van mijn aanwezigheid te versterken en dat is volstrekt niet zo moeilijk als het op het eerste gezicht lijkt, ik moet heel verfijnd blijven temidden van al deze grofstoffelijkheid en alle mogelijkheden benutten die zich aandienen.

In die woordloze stilte waag ik het zelfs haar in het geheel niet met woorden te groeten, wetende dat alleen de meest overdreven gebaren effectief zijn knik ik alleen maar; bij andere gelegenheden pak ik volkomen onverwachts haar hand en druk daar een kus op, waarop zij mij vergenoegd een klapje in mijn nek geeft; onze relatie is volstrekt nonverbaal, alleen kletsende slagen verbreken soms de stilte, maar toch communiceren wij beter met elkaar dan mensen die met elkaar spreken, we geven elkaar tekens, en die vorm moet in ieder geval bewaard blijven, hij mag niet door onnozele woorden worden geschonden.

Ik hoef alleen maar op de gelige stippen in haar grijze katteogen te letten, wetende dat al haar van tevoren bepaalde of op een overweging gebaseerde bewegingen doelbewust en dus onecht zijn, ik moet een onmiddellijke verbinding tot stand brengen tussen deze stipjes en mijn volledig aan mijn instinct overgelaten bewegingen, die gelige stipjes in haar glanzende grijze ogen stellen me in staat te bepalen of ik op het goede spoor ben of me vergis; deze keer bijvoorbeeld wil ze me met haar luide lach stellig ergeren, ze spreekt niet maar zwijgt omdat ik haar dat opgedragen heb, maar ze lacht des te luider en dat vraagt om vergelding! we genieten er van elkaar voortdurend te jennen, te slaan, te trappen, te bijten, te stompen en te krabben, terwijl we trachten ons strijdlustige gehijg te onderdrukken en zelfs onze adem inhouden; langzaam zak ik door mijn knieën, maar zonder haar spottend te imiteren, wat ook niet nodig is, want ze weet precies wat ik bedoel! ik herhaal, ik weerspiegel als het ware, haar komische en tot op zekere hoogte vernederende lichaamshouding; we knielen naast elkaar tussen de poten van de opzij geduwde stoelen, alsof ik haar wil laten zien dat zij daar in huis een soort hond is, niet meer dan een hond.

Szidónia is een dikke meid die haar dichte bruine haar in vlechten om haar hoofd heeft gebonden en wier gezicht vettig glimt; haar ogen staan vrolijk en al haar bewegingen hebben iets charmants, iets kinderlijks en onhandigs; ter hoogte van haar oksels tekenen zich op haar witte blouse donkere zweetvlekken af; ik weet dat ik met die sterke zweetlucht iets moet doen; nu ben ik je hondje! luidruchtig snuffelend boor ik mijn neus in haar okselholte.

Haar lichaam zakt stil genietend ineen en rolt onder de stoel, terwijl ik de lauwwarme, vochtige uitwaseming van haar lichaam met mijn neus volg, maar opeens bijt ze me zo hard in mijn hals dat het echt pijn doet.

Nu eens doen we dit, dan weer dat, maar wat er ook gebeurt, dit alles is slechts het voorportaal der genietingen.

Want in het heilige der heiligen, achter in haar grote, donkere kamer, gebogen over boeken en schriften op de tafel, haar kin ondersteunend met haar handpalm en kauwend op een stompje potlood, vertoeft Maja, die haar blote, over elkaar geslagen benen in een enerverend, onberekenbaar ritme laat bengelen of onder de stoel heen en weer schuift.

Voor haar raam stonden dichte, hoogopgeschoten struiken, en lieten oude bomen hun bladerrijke takken als een gordijn neer, zodat haar kamer vol groenige, bevende schaduwen was, die door de zachtjes wiegende bladeren op de witte muur werden geworpen.

'Is Livia er nog niet?' vroeg ik zachtjes, opzettelijk het gesprek aanvangend met deze belangrijke vraag, die tegelijk een hint was, waardoor ze onmiddellijk zou begrijpen dat ze weinig voor mij betekende, tevergeefs op me had gewacht en tevergeefs veinsde dat ze niet op me had gewacht, omdat ik voor iemand anders was gekomen.

Ze keek me niet aan alsof ze mijn vraag in het geheel niet had gehoord; ze zat altijd in een onmogelijke houding aan de tafel en las niet werkelijk, ze bekeek de letters van haar boek van enige afstand en met een zekere weerzin en gedwongenheid, altijd zorgend er zo ver mogelijk vandaan te blijven, ze las op de manier waarop anderen een schilderij bekijken, gelijktijdig de details van het schouwspel en hun onderlinge samenhang beschouwend; over haar voorhoofd liepen boogvormige rimpels en haar ronde, donkerbruine ogen hadden de openheid van iemand die in een toestand van voortdurende gelijkmatige verbazing verkeert; terwijl ze met haar sierlijke witte tandjes op haar potlood kauwde, draaide ze dit om en om, ze kauwde en draaide het, waarna ze opnieuw toebeet, en het enige waaruit misschien viel af te leiden dat mijn aanwezigheid tot haar bewustzijn was doorgedrongen, was dat haar benen onder de stoel wat langzamer heen en weer gingen; ook de beweging van het potlood tussen haar tanden verlangzaamde zich; ik hoef de lezer wel niet te zeggen dat dit alles geenszins een teken van onverschilligheid was, maar integendeel van gespannen aandacht, deze eentonige, ritmische bewegingen stelden haar in staat informatie in zich op te nemen die met het lichamelijke weinig van doen had; toen ze er eindelijk in slaagde zich los te maken van wat haar zo sterk scheen te boeien, keek ze me met die voor haar karakteristieke verbazing en belangstelling aan; waarschijnlijk was ik in haar ogen niets anders dan een willekeurig voorwerp, zoals alle andere mensen, en misschien was elk voorwerp voor haar wel op zijn eigen wijze interessant; langzaam, heel langzaam hief ze haar hoofd, de rimpels verdwenen van haar voorhoofd en ze haalde, naar het scheen met enige moeite, het potlood tussen haar tanden vandaan, maar haar mond bleef geopend en haar gretige oplettendheid verminderde niet.

'Dat zie je toch,' zei ze droogjes, wat mij niet misleidde, want ik wist dat ze ervan genoot mij een onaangenaam bericht mee te delen.

'En komt ze vandaag niet meer?' vroeg ik bijna ten overvloede, alleen maar om haar te laten blijken dat ik beslist niet voor haar was gekomen, daarover mocht geen twijfel bestaan.

'Ik heb een beetje genoeg van Livia; vandaag komt ze misschien niet, maar volgens Kálmán zullen we elkaar vandaag toch ontmoeten, want Krisztián wil een voorstelling geven.'

Hiermee had ze een gevoelige snaar geraakt, want niemand had mij natuurlijk iets van dit plan gezegd en Maja wist heel goed dat de anderen mij er niet bij wilden hebben.

'Wat bedoel je met ontmoeten?'

'Gewoon, dat we elkaar zien,' antwoordde ze onschuldig, alsof ik ook in deze meervoudsvorm was inbegrepen, even misleidde ze me daarmee zelfs.

'Heeft hij ook gezegd of ik moest komen? moest je dat niet tegen me zeggen?'

'Hoezo? heeft híj je dan niets gezegd?'

Wat milder gestemd maar toch nog spottend, genoot ze van mijn verwarde zwijgen.

'Hij heeft het er wel over gehad,' zei ik, hoewel ik wist dat ze deze leugen zou doorzien; ze kreeg zelfs een beetje medelijden met me.

'Waarom zou je niet meegaan, als je daar zin in hebt?'

Maar ik was niet gediend van deze vorm van medelijden.

'Dan is deze dag dus ook weer verpest,' zei ik woedend, waarmee ik mezelf, tot haar grote genoegen, ongewild blootgaf.

'Mijn moeder is niet thuis.'

'En Szidónia?'

Ze haalde haar schouders op, wat ze met onnavolgbare charme wist te doen: ze trok een van haar schouders een heel klein beetje op en kromde tegelijk haar gehele lichaam, alsof ze zich volkomen hulpeloos voelde, waarna ze haar rug zo geleidelijk rechtte dat dit nauwelijks waarneembaar was; ze gooide het potlood op de tafel en stond op.

'Kom, laten we geen tijd verspillen!'

Het leek wel of ze nergens anders in geïnteresseerd was, maar ik kon me niet zo snel van mijn woede ontdoen en begreep ook niet goed waar ze precies op doelde, ik had alleen het gevoel dat er weer van alles achter mijn rug was gebeurd en dat moest ik haar in het gezicht slingeren.

'Ik wil alleen nog iets van je weten, zeg me alsjeblieft wanneer je Kálmán hebt gesproken.'

'Ik heb hem niet gesproken!' antwoordde ze bijna zingend, en haar ogen glinsterden vrolijk.

'Dat kan ook moeilijk, want we zijn na schooltijd samen naar huis gelopen.'

'Nou, zie je wel, dan hoef je toch niets meer te vragen,' zei ze brutaal grijnzend, want ze wilde me laten merken dat ze genoot van mijn ergernis.

'Maar als ik vragen mag, hoe weet je dan dat er een voorstelling zal worden gegeven?'

'Ik dacht dat dat mijn zaken waren, niet?'

'Er zijn dus zaken die alleen jou aangaan.'

'Inderdaad.'

'Je gaat er dus naar toe?'

'Waarom niet? misschien wel.'

'Je wilt absoluut niets missen, hè?'

'Daarop geef ik geen antwoord, al wil je het nog zo graag.'

'Het interesseert me geen barst.'

'Dat is maar goed ook.'

'Ik ben eigenlijk gek dat ik je achternaloop.'

Even bleef het stil, toen vroeg ze zachtjes en onzeker: 'zal ik het je zeggen?'

'Het interesseert me geen snars; houd het maar voor je.'

Ze kwam naar me toe en ging vlak voor me staan, maar haar blik, die volkomen ongevoelig scheen, dwaalde af en werd troebel, de vluchtige radeloosheid die ik erin las verried dat ze nauwelijks zag waar ze naar keek, mij in ieder geval niet, en zeker niet mijn hals, hoewel ze daarnaar scheen te staren, vooral naar de plek waar Szidónia me had gebeten; en omdat ze niet zag waar ze naar keek, maar haar verbeelding haar wegvoerde naar de geheime wereld die ze voor mij wilde verbergen en waarnaar ik zo grenzeloos nieuwsgierig was, want ik wilde Kálmán daarin zien, horen en zelfs voelen, al zijn bewegingen voelen en de woorden horen die hij haar toefluisterde, vatte ze met een aarzelende handbeweging, alsof ze zich van mijn aanwezigheid wilde overtuigen en zonder te beseffen wat ze deed, met twee vingers de kraag van mijn overhemd en trok me verstrooid en haar stem tot een zacht, vleierig gefluister dempend nog meer naar zich toe.

'Ik zeg het je alleen maar omdat we gezworen hebben geen geheimen voor elkaar te hebben.'

Ze herademde, als iemand wie het eindelijk gelukt is de eerste en zwaarste hindernis van zijn schaamtegevoel te nemen, glimlachte flauwtjes en richtte, nog steeds glimlachend, haar blik weer op mijn gezicht om, me strak aankijkend, de aangevangen zin af te maken.

'Ik heb een brief gekregen, hij heeft me gisteravond een brief gestuurd, Livia heeft hem me gebracht, er stond in dat ik ook moest komen, vanwege die kleren, je weet wel, en dat we elkaar vanmiddag in het bos zouden treffen.'

Maar nu had ik haar te grazen, want ik voelde dat dit onmogelijk waar kon zijn.

'Dat lieg je!'

'Jij bent echt helemaal geschift, joh!'

'Denk je dat ik achterlijk ben? dat ik niet zie wanneer je liegt?'

'Jij gelooft ook niks.'

Ik pakte haar bij de pols en rukte mijn kraag tussen haar vingers vandaan – wat friemelde die griet toch aan mijn hemd! –, maar ik liet haar niet meteen los, ik duwde haar van me af omdat ik niet wilde dat zij bepaalde hoe dicht we bij elkaar stonden en nog minder dat haar leugens daar invloed op hadden; ik duwde haar weg, hoewel ik van haar nabijheid – haar adem streek langs mijn mond! – genoot, zoals ik ook genoot van haar hartstochtelijke leugens, waarmee ze elke andere jongen stellig om de tuin zou hebben geleid; ik was me er echter ook van bewust dat het lichaam nimmer bereid is een ander menselijk lichaam, hoe verleidelijk en warm ook, zonder enig moreel voorbehoud in bezit te nemen of te houden en dat voor een volledige en volmaakte inbezitneming de zogenaamde waarheid – ik doel op de inwendige waarheid van het lichaam – een belangrijker voorwaarde is dan de hoedanigheid of de nabijheid van het lichaam zelf; en hoewel die waarheid natuurlijk niet werkelijk bestaat, dient ze merkwaardigerwijs toch nagestreefd te worden, zelfs al is te voorzien dat ze slechts vluchtig en van tijdelijke aard is; ik gedroeg me dus als een ijskoude regisseur die, om een zich vaag aftekenend doel te bereiken, weloverwogen en meedogenloos ingrijpt in het verloop van de handeling, ik wees het lichaam af om het in de onzekere toekomst des te volrediger te kunnen bezitten.

We kunnen iemand niet bruter bejegenen dan door hem opzettelijk en arrogant van ons af te duwen; ik deed afstand van haar mond en gaf mijn verlangen naar haar schoonheid op ter wille van een nog intenser verlangen en met de stille hoop haar nog mooier te zien worden, en wel uitsluitend en alleen voor mijn genoegen, want ik wilde mijn mededinger, de ander, de vreemde eend in de bijt, de indringer, die zoveel op mij leek, die bijna met mij identiek was, Kálmán, uitschakelen, hem het bezit van haar lippen ontnemen, zodat die in al zijn vormen en lijnen volmaakte mond me niet langer zou beliegen; ik hoopte met die bruuske beweging dus evenveel te winnen als ik ermee verloren scheen te hebben.

'Laat maar zitten, het interesseert me nauwelijks,' zei ik boosaardig.

'Wat verlang je eigenlijk van me?' riep ze hees van woede, haar pols, die ik nog altijd omklemde, losrukkend.

'Niets; je ziet er alleen afschuwelijk uit als je liegt.'

Natuurlijk had de leugen niets veranderd aan haar gezicht, het leek door haar kwaadheid zelfs aanmerkelijk knapper te zijn geworden; opnieuw haalde ze lichtjes haar schouders op, alsof het haar niets kon schelen hoe ik over haar dacht, maar doordat deze vluchtige beweging zo geheel in tegenspraak was met hetgeen zij werkelijk dacht, moest ze beschaamd haar ogen neerslaan; toen haar door gestadige verbazing wijd geopende ogen onder de vlezige, zware oogleden verdwenen, overheerste de mond het gezicht.

En meer kon ik me niet wensen dan haar onbeweeglijke mond gade te slaan, die zo buitengewoon was doordat de bovenlip – het volmaakte evenbeeld van de onderlip – zonder door de gebruikelijke twee uitstulpinkjes in zijn opwaartse of door de verdieping van de mondhoeken in zijn neerwaartse beweging beïnvloed te worden, in een steile boog naar het ondiepe gootje tussen neus en bovenlip opliep; bovenlip en onderlip samen vormden een volmaakt ovaal.

Een mond om te fluiten, om uit volle borst te zingen, gereed tot een onophoudelijk gebabbel, een mond waarvan de vrolijke, zorgeloze, onbevangen uitdrukking nog versterkt werd door haar fraai geronde wangen en overvloedige, donkerbruine haar, dat het gezicht met veel warrige lokken en springerige krulletjes omlijstte; ze draaide zich om en liep met nog steeds krampachtig opgetrokken schouders naar de deur, maar opeens scheen ze van idee te veranderen, want ze verliet de kamer niet maar liet zich languit op haar bed vallen.

Eigenlijk was het niet eens een bed waarin ze sliep, maar een soort divan die als bed werd gebruikt; het beddegoed werd 's morgens onder een dik Perzisch kleed verborgen; het bed was zacht, verend, warm en fluwelig en haar roerloze, verstijfde lichaam zonk er bijna geheel in weg; ze droeg die middag een met witte bloemetjes bedrukte, felrode zijden jurk, afkomstig uit haar moeders garderobe, een zonnig kamertje vol hoge, witte muurkasten, die geheel volgestouwd waren met lekker ruikende kleren, geliefde voorwerpen van onze onderzoekingsdrift; haar blote voeten, die hulpeloos van de divan neerhingen, gaven bijna licht in de schemerige ruimte, een schouwspel waarvan de aantrekkelijkheid nog werd vermeerderd doordat haar rok tot haar dijen was opgeschoven; terwijl ze daar zo lag, haar blote armen beschermend om haar hoofd gevouwen, barstte ze opeens in snikken uit, zodat haar schouders, haar rug en haar fraai geronde achterwerk zachtjes heen en weer schudden.

Haar gejammer maakte niet al te veel indruk op me, want ik kende alle mogelijke variaties waarin zich deze uiting van smart kon voordoen: het simpele drenzen, het ontroostbare, met hikken en schokschouderen gepaard gaande snikken en de langzaam in intensiteit toenemende uitbarstingen, die hun hoogtepunt bereikten in een hoogst onestetisch, tranenrijk en snotterig geblèr, waarop een langzame, veelzeggende kalmeringsfase intrad met zachte sidderingen en onderdrukte bevingen van uitputting, tot haar lichaam tenslotte licht en luchtig werd als een spons en ze zonder merkbare overgang haar gewone zelf hervond en zo mogelijk nog krachtiger en zelfbewuster werd dan voordien, bijna vergenoegd zelfs.

Deze wetenschap impliceerde uiteraard niet dat ik haar mijn medelijden kon onthouden, ik wist immers dat ze ook buiten mijn aanwezigheid huilde, want ze deed vaak en niet zonder enige gezonde zelfspot publiekelijk verslag van haar eenzame huilbuien en liet daarbij ongevraagd en bereidvaardig doorschemeren dat het huilen, die demonstratie van onbeteugeld, van zelfmedelijden doordrenkt leed, een bron van talrijke genoegens vormde; ze huilde bijvoorbeeld ook graag in het bijzijn van Livia, in wie ze een even meelevende en even tedere, alhoewel misschien iets objectievere trooster vond als in mij; toch hadden haar huilbuien in mijn aanwezigheid steeds een op mij betrokken, je zou kunnen zeggen op mijn persoon gericht accent, ze hadden iets speels en overdrevens, iets theatraals, ze vormden in zekere zin het organische bestanddeel of basiselement van onze wederkerige onoprechtheid, het grondbestanddeel van de leugenverhalen waarop we elkaar met de grootst mogelijke inzet en met een zo geloofwaardig mogelijke mimiek trakteerden, terwijl we onze onoprechte spelletjes op openhartige en schandelijk oprechte ontboezemingen trachtten te doen lijken; het was alsof ze met deze huilbuien haar toekomstige rol van echtgenote, die van de zwakke, weerloze, kwetsbare, gevoelige vrouw, speelde en op mij uitprobeerde, hoewel ze in werkelijkheid hard en koud, berekenend, wreed en sluw was; weliswaar kon ze in schoonheid niet wedijveren met Hédi, maar ze was zo taai en eigenzinnig dat ze alles en iedereen in bezit wilde nemen, waardoor ze ons in veel sterkere mate domineerde dan Hédi met al haar schoonheid, wat natuurlijk ook weer een spel was, en ze wist heel goed dat ik dat doorhad; ze onderzocht systematisch welke van de soepel vallende, met kant en ruches afgezette, zijdeachtig aanvoelende, luchtige japonnen van haar moeder, die ons door hun tere uitstraling aantrokken, de vrouwelijke vormen het bevalligst omhulden en benadrukten; het feit dat ze die jurken van haar moeder gapte, kruidde dit heimelijke spel der transformaties met een bijzondere opwinding, want ze wou dolgraag op haar moeder lijken; met vaste tred liep ik naar de divan, want volgens de mij toebedeelde rol moest ik op dat moment sterk, begrijpend, kalm, maar ook een beetje ruw zijn, mannelijk dus, welke vorm van gedrag zoveel speelse geneugten met zich meebracht dat hij, hoe onoprecht ook, mij niet zwaar viel.

Deze bewuste bereidheid om te veinzen was misschien een karaktertrek waardoor ik mij van andere jongens onderscheidde.

Ik kon me zo goed verplaatsen in haar meisjesachtige denkwereld dat het wel leek of ik slechts speelde dat ik een jongen was en elk ogenblik als een bedrieger kon worden ontmaskerd.

Het was alsof het mannelijke en het vrouwelijke in mij niet van elkaar waren gescheiden.

Alsof niet ik degene was die iets deed, alsof ik niet zelf handelde, maar er voor elke mogelijke handeling twee geprefabriceerde patronen in mij aanwezig waren: het meisjespatroon en het jongenspatroon, waartussen ik slechts te kiezen had, en omdat ik een jongen was, moest ik natuurlijk het jongenspatroon kiezen, hoewel ik evengoed het andere kon nemen; ik moest haar bijvoorbeeld op barse toon vragen wat er eigenlijk met haar aan de hand was, hoewel ik dat heel goed wist, en, als ze niet antwoordde, haar op nog nadrukkelijker toon verzoeken op te houden met die aanstellerij, ik moest haar er cynisch op wijzen dat we met haar onnozele gehuil slechts kostbare tijd verloren, ik moest vloeken en doen alsof haar gehuil mij stoorde, hoewel het dat in het geheel niet deed, of, in het andere geval, de rol van vriendin op me nemen en haar aanraden om, als ze haar lieve Kálmánnetje – die walgelijke papzak! – vandaag nog wilde ontmoeten – want het leed geen twijfel dat dat in haar voornemen lag, ofschoon ik niet kon begrijpen wat ze in die kerel zag, ik werd al onpasselijk als ik zijn naam hoorde! –, ze wat beter op de uitdrukking van haar knappe gezichtje moest letten en niet zo afgrijselijk moest huilen, omdat ze hem met dit uiterlijk allerminst zou bekoren, wat ze toch graag wilde; ze scheen, geheel opgaande in het zachte voorspel van haar huilbui, op deze grofheden te wachten, alsof het haar koud liet wat ik haar toevoegde, want ze had die symbolische oorvijgen nodig om haar zwakheid te bevestigen, zoals ik het vloeken gebruikte om mijn kracht te bewijzen; en toen ze eindelijk haar vet had gekregen, liet ze de opgekropte energie van haar geroutineerde aanstellerij de vrije loop, barstte in snikken uit en draaide zich op haar zij; toen ze met een heftige beweging haar arm voor haar gezicht wegrukte, toonde ze, een luid, snuivend geloei aan- heffend, haar door het huilen en jammeren verwrongen gezicht, dat bijna mijn medelijden opwekte.

Soms kan toneelspel een dusdanige graad van perfectie bereiken dat het haast werkelijkheid wordt.

'Wat willen jullie toch van me? waarom kwellen jullie me zo? wat willen jullie toch? iedereen is eropuit mij te kwellen!' brulde ze met een stem verstikt door tranen; op dat moment speelde ze geen toneel meer, wat mij een allerheerlijkst, heimelijk genoegen gaf, want haar jammerklacht sloeg zowel op Kálmán als mijzelf, ze kon werkelijk niet tussen ons kiezen, wat ik beschouwde als een fenomeen dat met koele aandacht diende te worden geobserveerd; ze rolde zich op haar buik en begroef haar hoofd weer in haar armen om zich, van alle remmingen bevrijd, in de hogere en waarachtige, de eigenlijke regionen van het geweeklaag te begeven; ik stond verbaasd en ontsteld naast haar, want wat zoëven nog een spel had geleken, waarbij ze haar tegenstribbelen- de lichaam langzaam, stapsgewijs en met allerlei kunstgrepen tot een gevoel, een gevoel van verdriet, moest overhalen, iets waar het li- chaam, door het ontbreken van een werkelijke reden niet aan wilde, werd nu opeens werkelijkheid; ze had het te kwaad, beefde, trilde en schokte, in de zachte divan wegzinkend, en nu was er geen sprake meer van een spel! en hoewel ik kalm genoeg bleef om een superieure mannelijke houding te kunnen aannemen – ik verroerde me niet en stak geen hand naar haar uit, ik trachtte haar niet aan te raken en troost- te haar natuurlijk evenmin – ontstelde haar aanblik me in de meest let- terlijke zin van het woord; terwijl ze met haar vingers en haar nagels aan de deken plukte en trok, erin beet en als een bezeten ritmisch haar hoofd liet slingeren, rustten haar voeten volkomen levenloos op de vloer, alsof de aanval slechts het gevolg was van een onoverbrugbare spanning tussen twee uitersten: volledige openheid en volledige geslo- tenheid; ja, ik had alle reden om te schrikken en in een geruststellende onverschilligheid en verstarring te vluchten, ik had dit alles immers ge- wild, ik had het absoluut gewild, ik had door mijn woorden de in haar schuilende waanzin geactiveerd en gestimuleerd, alleen maar om mijn macht over haar te voelen en via haar lichaam een overwinning te behalen op die andere jongen, die ik overigens op een te tedere en te ruwe wijze van nabij kende om werkelijk jaloers op hem te zijn; ze trachtte me alleen maar te bedonderen; en dan die stem! haar stemorgaan bracht een van gierend gehuil in gebrul overgaand geluid voort, alsof ze niet één, maar twee monden had, alsof er behalve de door de krampachtige stuiptrekkingen van haar lichaam voortdurend onderbroken kreten nog een afzonderlijk gegil uit de diepte opsteeg, een steeds hoger en ijler wordend geluid, iets onverdraaglijks, wat mij het gevoel gaf dat alles in elkaar stortte en onbeheersbaar werd.

En toen ik naast haar op de zachte divan neerplofte, me over haar heen boog en met mijn hand haar schouder aanraakte, werd die beweging noch door medelijden noch door een gevoel van tederheid ingegeven, ik voelde eerder afschuw en haat tegen haar, vóór alles vreesde ik echter dat die toestand eeuwig zou kunnen voortduren, tevergeefs hield ik mezelf voor dat aan elke huilbui vroeg of laat een einde komt, het onmiddellijke effect van haar aanblik en stem was zo krachtig dat geen enkele gedachte me kon kalmeren, nee, hier zou nooit een eind aan komen, het tot nog toe verborgene, dat onverhoeds aan de oppervlakte was gekomen, zou een blijvende toestand worden, Szidónia kon elk moment binnenkomen en dan zou alles uitkomen, de buren, die het lawaai natuurlijk ook hadden gehoord, zouden door de tuin komen aanrennen, er zou een dokter worden ontboden, mijn vader en moeder zouden komen, en zij zou nog altijd in de japon van haar moeder op bed liggen huilen en jammeren, en dan zou uitkomen dat ik de veroorzaker was van al dat vreselijks.

'Toe nou, Maja.'

'Klootzak!'

'Wat is er toch? huil toch niet zo! wat is er aan de hand? ik ben toch bij je; je weet toch dat ik je begrijp, volkomen begrijp? je hebt toch zelf gezegd dat we elkaar trouw hebben gezworen!'

'Aan mijn hoela!' ze rukte zich los en draaide zich naar de muur.

Ik kroop achter haar aan, al was het alleen maar om mijn hand op haar mond te leggen.

'Ik ga niet weg, dat heb ik alleen maar gezegd om je bang te maken, maar ik doe het niet, Maja; ik blijf hier; en jij mag er gerust naar toe, als je dat wilt; je weet dat je van mij alles mag doen wat je wilt; waarom geef je geen antwoord?' fluisterde ik haar in het oor, terwijl ik probeerde haar met mijn gehele lichaam te omhelzen en me tegen haar aan te drukken, min of meer hopend dat de rust van mijn lichaam zou doordringen tot het hare.

Maar waar was intussen die superieure mannelijke rust gebleven? ik voelde duidelijk dat ik zelf ook beefde en ik hoorde mijn stem trillen, niet vermoedend dat zij dit alles met de grootste nauwkeurigheid en aandacht waarnam; een grotere genoegdoening had ik haar op geen enkele wijze kunnen verschaffen.

Toch kalmeerde mijn nerveuze tederheid haar hysterie volstrekt niet, ze scheen die eigenaardig genoeg eerder te stimuleren, maar hoe geëxalteerd en angstaanjagend haar gedrag ook was, ik kon merken dat ze nog genoeg gezond verstand had overgehouden, want het was zinloos dat ik de beweging waarmee ik haar hoofd naar me toe trok als een uiting van tedere aandacht trachtte te vermommen in de hoop op gluiperige wijze de situatie te benutten door mijn hand op haar mond te drukken en haar aldus het zwijgen op te leggen: doordat we elkaar van haver tot gort kenden, doorzag ze de bedoeling van deze listige beweging onmiddellijk met de grootste nauwkeurigheid en nuchterheid; haar lichaam verstijfde, ze stootte me van zich af, begon me te stompen en te schoppen en beet me zelfs venijnig in mijn vinger, zonder op te houden met brullen en gillen; ze vertrok haar gezicht alsof ze een jongen was, het werd hard en hoekig en leek smoezelig door de tranen; en als mijn angst van daarstraks niet had plaats gemaakt voor een berekenende sluwheid, had ik haar slagen en trappen vast met slagen en trappen beantwoord en dan beslist het onderspit gedolven, weliswaar hadden we nog nooit werkelijk gevochten, maar ze was ongetwijfeld veel sterker dan ik, in ieder geval wilder en onbeheerster.

Ik verweerde me niet en merkte volstrekt niet op welk moment ze ophield met krijsen, ik trachtte haar ook niet meer te overmeesteren, maar ik beheerste me, en misschien is onze relatie nooit oprechter geweest dan op dat moment, ik liet toe dat ze me sloeg, krabde, schopte en beet, sterker nog: ik beantwoordde al haar aanvallen met een zachte, begrijpende en uiterst tedere aanraking, met strelingen en kussen, die in die weinig tedere situatie echter even weinig uitwerking op haar hadden als haar onhandig uitgevoerde, meisjesachtige slagen op mij; en toch was ze in die situatie min of meer een jongen geworden en ik een meisje, het wit van haar ogen, de witte tanden in haar dreigend opengesperde mond en haar gespannen halsspieren waren angstaanjagend om te zien, maar ik liet me door haar niet van de divan verdrijven; in de plotseling ingetreden stilte hoorde je niets anders dan haar hijgende adem, het kraken van de divan en het kletsende en ploffende geluid van de slagen.

Zich met haar vuisten tegen mijn borst afzettend probeerde ze me van de divan op de grond te gooien, maar toen mijn handen haar blote dijen aanraakten, schenen de woeste aanvalsdrift en door razernij opgezweepte kracht al haar ledematen te ontvlieden en in het niets te verdwijnen, en wel zo schielijk dat het haar zelf verbaasde; haar hele lichaam ontspande zich in een oogwenk en ze scheen uitermate verrast, zo verrast alsof ze me voor de eerste keer in haar leven zag, mij in haar nabijheid aan te treffen, maar mijn nabijheid deed haar zichtbaar goed; haar ogen gingen wijd open en ronden zich, ze waren niet meer zo krankzinnig wit, maar verwonderd, zoals gewoonlijk.

Ze hield haar adem in, alsof ze niet wilde dat die langs mijn gezicht streek; de afstand tussen ons was zo gering dat we elkaars lichaamswarmte konden voelen.

Haar blote huid onder mijn hand scheen te beven, alsof ze nu pas besefte dat ik haar aanraakte.

Hoe was die hand daar terechtgekomen?

Opeens brak ze opnieuw in tranen uit.

Waarschijnlijk was het mijn nabijheid, mijn lichaamswarmte die dit verdriet in haar opwekte, maar nu was het een echt, ik zou bijna zeggen een wijs verdriet.

Een verdriet dat niet hoopt zich door de heftigheid waarmee het zich manifesteert van zichzelf te bevrijden, het ging ook niet over in een werkelijke, met de vorige te vergelijken huilbui, alleen in een zacht wenen en nasnikken.

Toch raakte die uiting van smart me meer dan de vorige, op de een of andere manier sloeg haar verdriet op me over en ik slaakte een langgerekte, klaaglijke kreet, maar ik was niet in staat me door een huilbui te ontlasten, het was of mijn keel werd dichtgesnoerd en in mijn borst en mijn bovenbenen een onverbiddelijk drijvende en tegelijk verlammende kracht werkzaam was die weliswaar een totale verslapping of overgave verhinderde, maar me naar haar toe dreef, in haar richting dwong te gaan, en het bleek dat mijn aan een verdenking grenzende vermoeden, dat ze in haar razernij van daarstraks had getracht haar lichaam een niet-bestaand, een slechts ingebeeld verdriet op te dringen en me aldus te bedriegen en af te leiden, me tot medelijden en daarmee tot een capitulatie en een zekere zelfverloochening te bewegen, volkomen ongegrond was, er was werkelijk iets wat haar verdriet deed, oprecht verdriet deed, en datgene was ikzelf, de oorzaak van haar verdriet was dat ze van mij hield.

Ik kroop dichter tegen haar aan, en nu protesteerde ze niet alleen niet, maar hielp ze me zelfs; ze sloeg haar arm om mijn rug en trok me teder naar zich toe, mijn hand gleed omhoog langs haar dij, al was het slechts om haar beweging te beantwoorden, en mijn vingers glipten haar broekje in.

Zo lagen we naast elkaar.

Haar verhitte gezicht tegen mijn schouder.

Het was alsof we uitgestrekt lagen in een grote, ruime, glibberige en zachte poel, waarin je niet merkt hoe de tijd verstrijkt en waarin dat verstrijken eigenlijk ook niet belangrijk is.

Zacht wiegde ik haar in mijn armen, alsof ik ons allebei in slaap wilde brengen.

Ooit had ik zo met mijn zusje onder het bureau gelegen, in een tijd die ik me nog maar vagelijk herinnerde, toen ik met spelden experimenteerde en zij, steun zoekend, een steun die zij uitgerekend bij mij hoopte te vinden, zich met een kreet van pijn en nog meer van ontzetting op mij had gestort, alsof ze haar logge, misvormde en de afschuw van alle andere mensen opwekkende lichaam aan mij wilde toevertrouwen en me trachtte duidelijk te maken dat ze het wrede spel dat ik met haar speelde niet alleen begreep, maar me er zelfs dankbaar voor was, omdat ik de enige was die, via dit spel, de taal had ontdekt waarmee je met haar kon communiceren; ook toen hadden we elkaar zo in onze armen gewiegd, half liggend half zittend op de nogal koele vloer, totdat we laat in de middag, elkaar nog steeds omarmend, in slaap waren gevallen in de al schemerige kamer.

'Eens zul je begrijpen dat het zinloos is, volkomen zinloos, dat je me zo kwelt!' fluisterde ze later, en al wiegend raakte haar mond bijna mijn oor; 'of je het gelooft of niet, alleen van jou houd ik zoveel, niemand anders is mij zo dierbaar!'

Het was alsof haar stem afkomstig was uit die tijd, die middag, alsof ze rechtstreeks uit het lichaam van mijn zusje opsteeg, ietwat scherp maar ook zangerig, mijn oor kietelend, alsof ik het vormloze lichaam van mijn zusje in mijn armen hield, alhoewel ik wist dat het Maja's tengere lijf was.

Intussen fluisterde ze dankbaar en gelukkig allerlei lieve zinnetjes in mijn oor.

'Gisteren heb ik hem nog gezegd dat ik niet op hem verliefd ben, dat hij tevergeefs zo opdringerig is, dat jij mijn eerste liefde bent, dat heb ik hem allemaal gezegd, ook dat jij lief bent, niet zo gemeen als de anderen, ik weet heel goed dat hij het alleen maar met mij aanlegt om naderhand alles aan Krisztián te kunnen vertellen; jij bent voor mij veel belangrijker dan hij.'

Even zweeg ze, alsof ze de gedachte die in haar opkwam niet durfde uit te spreken, maar toen troffen haar woorden mijn oor als een heet windvlaagje.

'Je bent mijn popje, ik speel zo graag met je; en je hoeft echt niet beledigd te zijn als ik doe alsof ik op hem verliefd ben, hij interesseert me natuurlijk wel, maar dat is alleen een spel, ik plaag je alleen maar met hem, echt waar, ik houd van niemand meer dan van jou! ik mag hem eigenlijk helemaal niet, want het is een ruwe jongen, hij is absoluut niet lief voor me; soms heb ik zin om te spelen dat je mijn kindje bent; ik zou een kindje willen hebben dat precies op jou lijkt, ik zou me hem niet anders kunnen voorstellen, zo'n lief, onschuldig, blond ventje.'

Opnieuw zweeg ze, de loop van deze gevoelens werd gestuit door een dam van andere emoties.

'Maar je bent ook een klootzak; je maakt me altijd aan het huilen, want je wilt altijd alles weten, je chanteert me en laat niet toe dat ik een geheimpje heb, al hebben we samen dat grote geheim; je denkt toch niet werkelijk dat ik je voor de eerste de beste in de steek zou kunnen laten? jij bent voor mij belangrijker dan wat dan ook, voor eeuwig! en doe maar niet zo geheimzinnig, want ik weet al lang dat je helemaal niet op Livia maar op Hédi verliefd bent en schijt hebt aan mij.'

Er was niets veranderd, we maakten nog steeds wiegende bewegingen en toch was er iets wat me belette me helemaal over te geven aan die stem, het was alsof ik haar niet meer met mijn armen wiegde, maar zij mij met haar stem, alsof ze me hypnotiseerde en ik moest voorkomen dat we de drempel van de slaap overschreden.

'Nu kun je het me gerust vertellen,' zei ik luid, in de hoop met behulp van mijn stem uit die aangename verdoving te geraken.

'Wat bedoel je?' vroeg ze even luid.

'Wat jullie gisterenavond hebben gedaan.'

'Het was niet 's avonds, maar 's nachts.'

'’s Nachts?'

'Ja, 's nachts.'

'Ga je weer liegen?'

'Ik bedoel bijna 's nachts, 's avonds laat, heel erg laat.'

Het was alsof deze woorden een nieuwe afleidingsmanoeuvre inleidden, een nieuw kletsverhaal, waar ik even benieuwd naar was als naar de waarheid, maar ze ging er niet mee door en ik hield op met wiegen.

'Vertel het dan.'

Ze gaf geen antwoord en ook haar lichaam scheen in mijn armen te verstommen.

Melchiors dakkamer

Met een lichte, verende tred ijsbeerde hij door de kamer, als iemand die zich volkomen werktuiglijk beweegt, de merkwaardige, bijna uitdagend wit geverfde planken vloer kraakte bij iedere stap zachtjes onder zijn voeten; zijn zwarte, puntige schoenen schenen op het donkerrode, weelderige tapijt dat de witte vloer bedekte afgetrapt, versleten en smerig; alsof hij een mij onbekende, geheime ceremonie wilde voltrekken, een soort inwijdingsritueel, ontstak hij, het lucifersdoosje in zijn hand schuddend, kaarsen en hij bood me met een aan onverschilligheid grenzende beleefdheid een comfortabel ogende fauteuil aan, maar ik liet me door zijn nadrukkelijke beleefdheid niet misleiden, omdat ik in deze schijnbaar volkomen overbodige voorbereidingen een zweem van opdringerigheid bespeurde, het was alsof hij al te duidelijk liet blijken dat hij ons samenzijn zo aangenaam en vooral zo geriefelijk mogelijk wilde maken en mij met zijn bewegingen in dit voornemen trachtte te betrekken; hij trok met een nonchalante beweging zijn colbert uit, verwijdde de lus van zijn stropdas en maakte de bovenste knoopjes van zijn overhemd los, en terwijl hij verstrooid in de kamer om zich heen keek of er nog iets te doen was, streek hij, alsof ik niet aanwezig was, met onbewust welbehagen over zijn borstharen, daarop liep hij door het fraai gewelfde portaaltje naar de vestibule en na enig gescharrel, waarvan de bedoeling mij aanvankelijk onduidelijk was, klonk uit onzichtbare luidsprekers zachte, klassieke muziek, maar omdat ik me niet wilde overgeven aan deze smaakvolle maar toch ook vulgaire en al te nadrukkelijk gecreëerde sfeer, bleef ik liever staan.

Hij kwam terug om de kroonluchter uit te doen, wat me verraste of – laat ik oprecht zijn – als een te overhaaste toespeling op iets wat wij voor onszelf nog geheim hielden verbijsterde, maar in de met spiegeltjes verfraaide muurkandelaars en in de armkandelaars brandden de kaarsen al, de kamer bleef dus licht; het waren zo'n dertig slanke waskaarsen, die een oorlogs- of kerksfeer aan de kamer gaven; Melchior had de zware overgordijnen van rode zijde, waarvan de ingeweven leliepatronen goudachtig glansden in het kaarslicht, voor de ramen geschoven, zodat de golvende stof de muur van het plafond tot de vloer bedekte.

Hij bewoog zich genotzuchtig, maar omdat zijn ledematen, zijn armen, zijn vingers en zijn in een nauwe broek gehulde bovenbenen slank en soepel waren, hadden zijn bewegingen niets afstotelijks, hij hanteerde de voorwerpen met een wellust alsof het hem een elementaire vreugde verschafte ze aan te raken, tegelijkertijd scheen hij mij te betrekken in dit genoeglijke, huiselijk ceremoniële, bijna gekunstelde spel der aanrakingen, alsof hij niet alleen zichzelf maar ook mij iets wou bewijzen, ja, alsof het zijn doel was – want dit spel scheen volstrekt niet doelloos – mij te tonen hoe je in deze kamer genietend kon leven, welk bewegingsritme deze omgeving eiste; blijkbaar wilde hij me dit ritme, dat evenals de voorwerpen om hem heen bij hem hoorde, tot in details demonstreren; maar ondanks al zijn openheid en beminnelijkheid bespeurde ik in dit voornemen iets verkrampts, bespeurde ik er de niet geheel overtuigende schaamteloosheid van een poseur in, niet alleen omdat zijn gedrag niet geheel vrij van vertrouwelijkheid was, maar ook omdat achter de façade van ingestudeerde zekerheid, superioriteit en genot zijn overgevoeligheid en onzekerheid zichtbaar bleven, alsof hij vanuit het bastion van zijn zelfingenomenheid trachtte te ontdekken of ik eigenlijk wel geïnteresseerd was in het vertrouwen of de vertrouwelijkheid die hij me wilde aanbieden, en hij zich niet had vergist toen hij mijn persoonlijkheid beoordeelde.

En omdat ik in al zijn bewegingen, hoe harmonisch en zelfverzekerd en tot op zekere hoogte ook openhartig bedoeld, een gulzige, doelgerichte en zelfs egoïstische nieuwsgierigheid voelde, scheen die onuitgesproken vraag me geenszins ongerijmd, ik deed namelijk alsof ik volstrekt geen belangstelling had voor zijn demonstratie, alsof ik veel liever binnen de veilige grenzen van het fatsoen en de gewoonte wilde blijven of de geheime betekenis van zijn bewegingen niet eens doorgrondde, kortom, ik geloofde zozeer in mijn rol en was zo bang voor het aanlokkelijke onbekende dat ik het liefst mijn ogen had dichtgedaan om niet te hoeven zien hoe hij zich blootgaf en, in de hoop op respons, geheel aan mij uitleverde; maar zodra hij de richting en de zin van mijn vrees begrepen had, toonde hij zich onvoorwaardelijk bereid de signalen van zijn gebaren door een gedragsverandering te neutraliseren en de terugtocht aan te vangen.

Natuurlijk hadden we toen, zeker gezien alles wat aan deze ontmoeting vooraf was gegaan, al een punt bereikt waarop er geen sprake meer kon zijn van een echte terugtocht, alleen al het feit dat ik met hem mee naar boven was gegaan was een fout geweest, hij had voor me gestaan en geglimlacht met een glimlach die volmaakt betrouwbaar was, volhardend, onbevreesd en onbeklemd, niet om vertrouwen smekend maar dit juist aanbiedend en door een verborgen onzekerheid bovenal gevoelig en vluchtig, een glimlach die zijn hele gelaat overdekte, die zich in de loodrechte plooitjes van zijn lippen vertoonde, in zijn ogen, op zijn gladde voorhoofd en, als een schaduw, in zijn mondhoeken, en natuurlijk ook in de vleierige kuiltjes in zijn wangen, zodat ik mijn ogen niet had kunnen sluiten, want gedurende dit ondeelbare ogenblik voelde ik duidelijk dat ik alleen al met een onwillekeurige beweging van mijn wimpers de sympathie zou verraden die ik vanaf het moment van onze ontmoeting voor hem had gevoeld, een sympathie die volledig in tegenspraak was met de voorgewende onverschilligheid en stijfheid waarmee ik mijn gevoelens, bovenal de verrukking die hij door zijn mond, zijn ogen, zijn lage, melodische stem en zijn elegante, verende tred in mij opwekte, niet alleen voor hem maar ook voor mezelf trachtte te verbergen, trachtte te neutraliseren en in ieder geval binnen de perken van het fatsoen te houden; hij liep alsof hij wilde zeggen: kijk eens, zo loop ik! en het was dwaasheid en een zinloos streven te proberen mijn gevoelens te beheersen, ze een andere richting uit te drijven en hierdoor zijn bewegingen binnen de grenzen van het alledaagse en betamelijke te dwingen, te doen alsof de situatie waarin we ons in deze voor mij eerder afstotelijke dan aantrekkelijke kamer bevonden en waarin het verstand verstoppertje speelde met de zinnelijkheid, nog door enigerlei innerlijke discipline beheersbaar was; ik poogde krampachtig mijn in zijn glimlach verstrikte aandacht op de geïsoleerde elegantie van mijn omgeving te richten en te verdelen, ik zocht naar verbanden en trachtte die te begrijpen om een uitweg te vinden voor mijn aan mijn gevoelens prijsgegeven bewustzijn, maar intussen werd ik mij er op pijnlijke wijze van bewust dat mijn ogen en mijn mond zijn glimlach onwillekeurig hadden overgenomen, dat ik daarnet wel niet mijn ogen had gesloten, maar toch identiek met hem was geworden; en intussen verstreek de tijd, en wat ik ook zou doen of proberen te doen, alles zou ons in de richting drijven waarin hij ons voeren wilde als ik het zou toelaten, als zijn glimlach niet op mijn mond zou verstarren; ik kon mijn mond eenvoudig niet losmaken van zijn glimlach, wat niet meer of minder betekende dan dat ik zo langzamerhand het recht begon te verliezen om over mijn lichaam te beschikken! en zijn op ervaring stoelende, losse, toegeeflijke en tot op zekere hoogte smakeloze en arrogante doelbewustheid stoorde me vreselijk; de enig mogelijke manier om aan de situatie te ontsnappen was die op handige wijze in andere banen te leiden, zodat ik afscheid zou kunnen nemen en onmiddellijk vertrekken, weg van deze plaats! maar waarom was ik dan zo gewillig meegegaan? ik kon me natuurlijk ook zwijgend omdraaien en de woning verlaten, maar zo'n gemakkelijke oplossing was onmogelijk en ondenkbaar; tevergeefs trachtten we de zaak een natuurlijk en met de normale gewoontes overeenkomend aanschijn te geven, alsof er niets aan de hand was en er alleen twee jonge mannen tegenover elkaar stonden, van wie de een de ander voor een borrel had uitgenodigd, en daar was toch niets verkeerds aan; weliswaar bracht de sympathie die ze voor elkaar voelden een vluchtige verwarring bij hen teweeg omdat die sympathie veel heviger was dan ze zelf betamelijk achtten, maar dit euvel was stellig te verhelpen met een spirituele gedachtenwisseling waarin de kracht der gevoelens zich in steeds abstractere gedachten kon openbaren; als de situatie maar niet zo doorzichtig was geweest, als deze tweeslachtigheid niet juist het gevoel van intimiteit en nabijheid had versterkt, een gevoel waarnaar ik wel verlangde, maar dat ik toch wilde vermijden; onze wederkerige consideratie – ik zal hem niet krenken en hij zal niet te ver gaan – bevorderde deze verstandhouding, álles scheen die verstandhouding te bevorderen en er was niets wat die kon verstoren, want al mijn ascese, zelfbedrog, mildheid, verwarring, demonstratieve afstandelijkheid en tact bewerkstelligden exact het omgekeerde van wat ik beoogde.

Bovendien sprak hij onafgebroken, vlug en iets luider dan noodzakelijk, mijn blikken meedogenloos met zijn woorden begeleidend, een wisseling van onderwerp was op dit moment ondenkbaar, hij becommentarieerde en expliceerde alles waar ik volgens hem nieuwsgierig naar keek; enigszins cynisch uitgedrukt: hij praatte er maar wat op los om mijn verwarring weg te nemen en te verhinderen dat die uit de verkrampte, beverige glimlach van mijn mond blijkende verwarring over zou slaan op hemzelf, hij ratelde, hypnotiseerde, mompelde, charmeerde, wat ertoe bijdroeg dat zijn superioriteit – bijna zou ik zeggen het masculiene karakter van zijn superioriteit – onverdraaglijk en onaanvaardbaar voor mij werd, hij gedroeg zich eenvoudig te mannelijk, althans op een wijze die mannelijk wordt genoemd: zekerheid aanbiedend, vleierig, opdringerig, teder en tegelijk agressief; wat ik zag was het schaamteloze spiegelbeeld – wat zeg ik? de karikatuur! – van een gedragswijze die ik tot dan toe nooit had kunnen observeren, hoewel ik zelf ook vaak genoeg zonder enig gewetensbezwaar dergelijke trucjes had toegepast, het was die onaangename pose die je in je puberteit van iemand overneemt om een mannelijke indruk te maken, het onafgebroken praten zonder iets te zeggen, zodat je met behulp van je woordkeus en het listige gegoochel met woorden je verborgen bedoeling kenbaar maakt zonder dat je iets hoeft te expliciteren; ik vond het zeker wel vreemd dat hij de vloer wit had geschilderd, veronderstelde hij, niet op antwoord wachtend, maar op het moment dat hij mijn blik opnieuw met de zijne zou kunnen onderscheppen en vasthouden; natuurlijk wist hij dat dat niet gebruikelijk was, maar hij hield er nu eenmaal van om ongebruikelijke dingen te doen; en of ik die vloer niet mooi vond, hij had hem in ieder geval heel mooi gevonden toen hij ermee klaar was en hij had zich heel voldaan gevoeld, alleen al omdat de vloer na deze behandeling nauwelijks geschrobd hoefde te worden; het was een enorme keet geweest, die woning, een zwijnestal, kon ik me voorstellen dat hier een oude man had gewoond? hij trachtte zich vaak in te denken hoe het zou zijn om oud te worden, het leek hem afschuwelijk, want gezien zijn abnormale neigingen zou het vast de moeilijkste periode van zijn leven zijn, je lichaam was dan een wrak, maar het had nog dezelfde verlangens als vroeger, vooral het verlangen naar jeugdige lichamen; kortom, de buren hadden verteld dat de oude in de vestibule was gestorven, waar nu de divan stond, op een met urine bevuilde strozak, zo hadden ze beweerd, hij hoopte dat een dergelijke ouderdom hem bespaard bleef, ieder soort ouderdom trouwens; ik kon me niet voorstellen wat voor een smeerboel hij in huis had aangetroffen toen hij hier kwam wonen, de stank was zo penetrant geweest dat hij zelfs 's winters het raam open had gelaten, en hoewel het al vier jaar geleden was, rook hij die lucht soms nog; waarom zou een vloer trouwens niet wit mogen zijn? waarom moest die altijd een bruine of gele kleur hebben? was het geen uitstekend idee geweest dit vuil te bedekken met de kleur der smetteloze reinheid? zo'n witte vloer was trouwens in overeenstemming met de Duitse smaak en hij was een Duitser, weliswaar geen hele, maar toch een halve.

Een halve? vroeg ik verrast.

Dat is een lange, nogal vermakelijke geschiedenis, zei hij lachend, en als iemand die een onverwachte hindernis luchtig uit de weg ruimt vervolgde hij met onverflauwde ijver: had ik al eens de gelegenheid gehad zulke waarnemingen te doen? want als dat niet het geval was, zou ik stellig nog ontdekken dat de kleur wit op treffende wijze het nationale karakter symboliseerde van de in tweeën gedeelde Duitse natie.

Ik antwoordde dat mij veeleer het grijs was opgevallen, en omdat niet hij maar ikzelf mij voor deze frivole uitlating moest schamen, dwaalde mijn blik onwillekeurig af.

Maar hij volgde die; vond ik dit geen mooi bureau? de stoel, de kandelaars en de tapijten waren van zijn moeder geweest, bijna alles hier was familiebezit; hij had zijn moeder volkomen uitgekleed, maar dat vonden moeders juist fijn; pas naderhand, want aanvankelijk had hij alles volkomen leeg en wit willen hebben en had er alleen een bed in de kamer gestaan, een bed met een witte sprei, verder niets; maar nu kletste hij maar wat, omdat hij zo blij was dat ik bij hem op bezoek was, iets wat hij daarstraks niet had durven zeggen, moesten we daar niet een slokje op drinken? hij had toevallig een fles Franse champagne in de koelkast staan, voor een bijzondere gelegenheid, je kunt immers nooit weten; wat vond ik ervan als we onze ontmoeting als iets bijzonders beschouwden en de fles openmaakten?

En toen hij, mijn verstrooide stilzwijgen als toestemming opvattend, me alleen liet om de champagne te halen, sloeg de oude wandklok juist middernacht; gelaten en onnozel telde ik de slagen, het is dus middernacht, dacht ik, wat wel geen al te originele gedachte was, maar kenmerkend voor mijn toestand, want mijn denkvermogen had zich op dat moment reeds volledig uitgeschakeld, zodat ik alleen beheerst werd door mijn gevoelens en waarnemingen; ik beschouwde mezelf als een voorwerp waarvan de herkomst mij onbekend was, en hoewel dit gevoel mij geenszins onbekend was, had ik misschien nog nooit zo duidelijk gevoeld dat ik me op een uitzonderlijke plaats bevond, een plaats even ongewoon als het zojuist door telbare klokslagen aangegeven uur, er stond iets te gebeuren wat mij in het geheel niet zinde, wat mijn leven zou veranderen, maar aan dit gebeuren, wat het ook mocht zijn, wilde ik me toch overgeven, het uur van de spoken, van de geestverschijningen, was aangebroken, zo'n gunstige gelegenheid zou zich niet spoedig opnieuw voordoen! ik moest om mezelf lachen omdat ik me gedroeg alsof ik me nog nooit eerder ergens aan had overgegeven, alsof ik een jong meisje was dat niet kon beslissen of ze haar maagdelijkheid zou prijsgeven of bewaren, alsof in die kamer de ontknoping plaats zou vinden van een reeks tot dan toe onbegrijpelijke gebeurtenissen; toch deed ik noodgedwongen nog steeds – wat is het toch een elementair genoegen om jezelf iets wijs te maken! – of ik er geen idee van had wat er voor uitzonderlijks kon gebeuren of misschien al was gebeurd; maar wát was er dan gebeurd?

In de kamer brandden de kaarsen zachtjes knisperend, een mooi en geruststellend geluid, maar buiten stroomde de regen, en toen het geluid van de klokslagen was verstomd, hoorde ik niets anders dan het gelijkmatige ritme van de barokmuziek en het tikken en ruisen van de regen, alsof iemand de situatie op een overdreven, belachelijk mooie wijze had geënsceneerd.

Want dát de boel in scène was gezet, daarvan was ik wel zeker, niet door hem en ook niet door mij, maar wel door iemand, het stond voor mij vast dat hier een bestierende hand aan het werk was geweest, zoals bij elke 'toevallige' ontmoeting waar niemand bewust opuit is, maar waarin zich, als we later terugblikken, onze lotsbestemming blijkt aan te kondigen; op het eerste gezicht is alles alledaags, toevallig, onbeduidend, een verzameling brokstukken, gedachteflitsen, waaraan we geen bijzondere betekenis hoeven te hechten en waaraan we ook geen bijzondere aandacht schenken, omdat datgene wat in een verwarrende reeks gebeurtenissen volmaakt toevallig schijnt te zijn, wat eruit springt als 'teken' of 'waarschuwing', niets anders is dan een deel van een groter, niet onszelf aangaand gebeuren; hij is het voorwerp van Thea's enigszins belachelijke liefdesverdriet, dacht ik toen, want over hem had ze het op die saaie donkere herfstmiddag tijdens de gedwongen rust in de repetitiehal met mevrouw Kühnert gehad, hem een 'jochie' noemend, wat ongetwijfeld een merkwaardige en opvallend spottende benaming was, geschikt om mijn belangstelling voor iemand te wekken, maar ik had het op dat moment veel opwindender gevonden om het innerlijke proces te volgen, de stapsgewijze transformatie die haar in staat stelde haar voor de scène benodigde en flink opgewarmde gevoelens op het uiterlijke voorwerp te richten dat ze als een jochie had aangeduid; Thea had het buitengewone vermogen – een vermogen waarover, ik heb dit reeds in een vorig hoofdstuk gezegd, elke goede toneelspeler beschikt – om dit inwendige proces, dat zich als het ware met de ervaringen van haar privéleven vermengde, zichtbaar en navoelbaar te maken; en doordat de voor het acteren benodigde gevoelens bij haar door het privéleven werden gevoed, wist je nooit wanneer ze serieus was en wanneer ze speelde, speelde met iets wat overigens bloedserieus voor haar was; je zou kunnen zeggen dat ze, in tegenstelling tot elke normale sterveling, speelde met wat serieus was om serieus te kunnen blijven nemen wat spel was! dit verschijnsel nu boeide me veel meer dan de oninteressante vraag wie die met het smadelijke 'jochie' aangeduide persoon wel mocht zijn die ze zó verachtte, ja zelfs haatte, dat ze niet zijn werkelijke naam wilde uitspreken, een persoon die ze weliswaar niet durfde op te bellen omdat hij haar om een mij onbekende reden had verzocht dat nooit meer te doen, maar naar wiens aanwezigheid ze op het ogenblik dat ze gedwongen was haar tijdens het acteren onpersoonlijk geworden liefdesverlangen op te schorten, zo sterk had verlangd dat ze bereid zou zijn geweest voor de vervulling van dit verlangen elke denkbare vernedering te slikken; op dat moment kon ik niet vermoeden dat ik nog de avond van diezelfde dag bij die persoon op bezoek zou gaan, in zekere zin als vervanger van haar.

En toen ik ondanks alle onheilspellende voortekens – en dat waren er heel wat! – besloten had toe te geven aan haar gedram en de avond met haar door te brengen – nou zeg, waarom bent u zo onuitstaanbaar? waarom zou u niet met ons meegaan? waarom doet u dat niet als ik het zo graag wil? o, ik word nog eens gek van die kerels! u moet echt kennis met hem maken, het is een heel bijzonder exemplaar, maar u hoeft niet jaloers te worden, want hij is natuurlijk niet zo bijzonder als u! Sieglinde, vraag jij hem ook eens of hij met ons meegaat! ík vraag u of u met ons meegaat, ík, is dat niet voldoende om u over te halen? had ze vleierig en naar me lonkend gezegd, op dat moment de rol van de onhandige, meisjesachtige verleidster spelend en zich met haar tengere, lichte lichaam tegen mij aan vlijend, en opeens had ze haar arm door de mijne gehaakt –, had ik dat niet gedaan omdat ik zoveel speelse aandrang niet kon weerstaan, en ook niet omdat ze me nieuwsgierig of, erger nog, jaloers had gemaakt, ja zelfs niet omdat de waarschijnlijk uitermate perverse relatie van die twee mijn fantasie prikkelde, maar eigenlijk alleen maar omdat Thea op het moment dat het haar eindelijk gelukt was haar van ontzetting en liefdeshonger vervulde blik los te maken van Hübchens ontblote lichaam, naar ons had omgekeken en mijn door het ingespannen turen – bijna had ik gezegd door mijn visuele geilheid – minstens even hongerig lijkende blik had opgevangen; ook ik was tot in mijn ziel getroffen door het proces dat zich op het netelige grensgebied tussen beroepsmatige en persoonlijke expressiviteit in haar afspeelde, met name omdat het op dat moment niet geheel uitgesloten leek dat de door de grove, routineuze interruptie van de regisseur op haar hoogtepunt onderbroken scène tussen ons zou worden voortgezet, want dat die niet stopgezet kon worden leed geen twijfel.

Desondanks was het spel dat wij speelden vrij van elke dweperij en kon het door geen enkele verdwaalde of onbeheerste blik van zijn door het verstand gedicteerde baan afwijken, dergelijke blikken maakten het alleen maar amusanter en bewerkstelligden dat wat eigenlijk koud was en koud bleef, door korte haarspeldbochten en nieuwe gevoelsverstrikkingen nog gewaagder en hitsiger leek dan eerst; het was alsof we elkaar met trotse hoogmoed en vol bewondering voor elkaars geestelijke superioriteit hadden verzekerd dat wij absoluut in staat waren zulke toevallige en impulsieve blikken te verdragen zonder elkaar meteen als wilde dieren te bespringen; onze belangstelling voor elkaar, die ook de kleinste details gold, ja zelfs op een gemeenschappelijk belang scheen te duiden, bleef daardoor op een gevaarlijke manier in het werkzame bewustzijn aanwezig, zodat het ruwe spel der instincten zichtbaar werd, ze was zelfs zo hevig dat de in elke normale menselijke relatie noodzakelijke ontspanning geen ogenblik kon intreden; en toch is dit niet zo'n uitzonderlijk verschijnsel als het op het eerste gezicht lijkt, men denke slechts aan twee gelieven die, op het toppunt van wederzijdse hartstocht aangeland, een hartstocht die tot hun totale vernietiging schijnt te leiden, pas tot lichamelijke gemeenschap in staat zijn als ze vanuit de hemel der geestelijke liefde in de wereld der meer alledaagse gevoelens zijn neergetuimeld en de zuiverheid van hun liefde door de kwellingen des vlezes tot een beschamend minimum hebben zien ineenschrompelen, zodat die gemeenschappelijke, niet meer te dragen foltering hen bijna tegen hun zin de tuin van Wellust binnendrijft, alwaar ze, door het lichaam opgejaagd, in plaats van de eeuwige, definitieve verzadiging slechts een kortstondig genot smaken.

We stonden op de smalle, door tl-buizen onvriendelijk verlichte en onaangenaam ruikende gang die de repetitiehal, de kleedkamers, het magazijn, de douchecellen en de toiletten met elkaar verbond; de gang was volgestouwd met stoffige, naar lijm stinkende decorstukken en er hing een verstikkende lucht van verf, poeder, eau-de-cologne, zweterige kostuums, menselijke lichamen, verstopte afvoerbuizen, afgedragen pantoffels en schoenen, zacht geworden zeep en vuile, vochtige handdoeken; daar raakten we elkaar voor het eerst aan en zagen we elkaars gezicht van heel dichtbij; het was alsof ik geen menselijk gezicht aanschouwde, het gezicht van een vrouw, maar een ongewoon en toch vertrouwd landschap waarvan ik de verborgen hoekjes, de paden, de als schuilplaats bruikbare uithollingen, de schaduwen en herinneringen en zelfs de betekenis van de kleinste bewegingen al kende en waarvan de aanblik me weer tot een kind maakte; mevrouw Kühnert hield de hoorn van het aan de muur bevestigde telefoontoestel nog steeds in haar hand, haar gezicht verried verwarring en irritatie maar ook een zelfgenoegzaam plichtsbesef; zie je wel, al zijn je opdrachten nog zo vernederend, ik ben bereid alles voor je te doen! eindigde ze haar poging objectief verslag te doen van het gesprek dat ze zojuist met Melchior had gevoerd; nou, heb ik het je niet gezegd? zo onweerstaanbaar ben ik nu! riep Thea, waarop mevrouw Kühnert met een zegevierend lachje maar inwendig woedend de hoorn op de haak gooide; Thea gedroeg zich werkelijk onuitstaanbaar, hoewel niet onuitstaanbaarder dan anders, ze had de gewoonte zich elk succesje, hoe onbetekenend ook, toe te eigenen; overigens meende ze dat niet werkelijk, want ze kende haar zwakke kanten maar al te goed, maar toch! mevrouw Kühnerts irritatie was niet ongegrond, het was immers geen geringe opgave iemand tot iets over te halen waar hij absoluut geen zin in had, bovendien was het volkomen duidelijk dat Melchior de uitnodiging niet had aangenomen omdat Thea zo onweerstaanbaar was, maar doordat de krijgslist had gewerkt en hij in de val was gelopen; Melchior had de uitnodiging alleen aangenomen omdat hij de tussenpersoon, mevrouw Kühnert, die hij overigens nauwelijks kende, niet had willen beledigen, of beter gezegd: omdat hij – niet wetende dat Thea zonder enige geremdheid alles aan de grote klok hing, alsof ze door een dergelijke openhartigheid de werkelijk belangrijke feiten van haar leven geheim kon houden – de ruwe afwijzingen waarmee hij gedwongen was zich te verweren tegen haar onstuimige en, naar ik later te weten kwam, moreel gezien niet altijd onberispelijke aanvallen, niet openbaar had willen maken en mevrouw Kühnert niet in een geheim had willen inwijden dat voor haar helemaal geen geheim meer was; maar mevrouw Kühnerts verwijtende blik en verwijtende stem waren niet het gevolg van het onaangename telefoongesprek, en ook niet van de heimelijke wraak die in Melchiors antwoord lag opgesloten, hij had Thea namelijk bij voorbaat laten weten dat haar vastberaden pogingen tevergeefs waren en hij de situatie meester bleef door enerzijds de uitnodiging 'met veel genoegen' te aanvaarden, anderzijds aan te kondigen dat hij een Franse vriend zou meebrengen, die toevallig bij hem logeerde – 'hopelijk vindt Thea dat niet erg' –, waarop mevrouw Kühnert natuurlijk moeilijk had kunnen antwoorden dat hij dat niet moest doen, integendeel, ze had hem verzekerd dat het voor Thea een uitzonderlijk genoegen zou zijn deze vriend te leren kennen; nee, mevrouw Kühnerts teleurstelling en woede waren veeleer een reactie op de in elk opzicht verrassende en zelfs onverklaarbare handelwijze van Thea, die zich tijdens het telefoongesprek naar mij had omgedraaid, aan mijn arm was gaan hangen en me veelzeggend had toegelonkt, waarop ik met een verlegen grijns had gereageerd, me afvragend waarom ze zo aan me zat te friemelen terwijl ze verliefd was op een ander; moest ik die ander soms vervangen, zoals mijn gretige blik daarstraks Hübchens naakte lichaam had vervangen? of zat ze misschien achter ons allebei aan? wilde ze ons soms aan elkaar voorstellen en vervolgens tegen elkaar uitspelen om te bewijzen dat Melchior echt niet zoveel voor haar betekende, ze kon immers iedereen om haar vinger winden, de knapste jongens! wilde ze aldus de beledigingen wreken die ze had moeten incasseren toen hij haar had afgewezen en ruw behandeld, iets wat haar blijkens haar gedrag op de repetitie, toen ze die scène met Hübchen oefende, dodelijk had gekwetst, ze verlangde immers intens naar jeugdige schoonheid en liefde! Melchiors afwijzing had wonden geslagen die tijdens de afschuwelijke woordenwisseling met de regisseur waren gaan bloeden; hoe het ook zij, de aanblik van onze wederkerige genegenheid, vertrouwelijkheid en tederheid en de manier waarop we tegen elkaar aan gedrukt en in elkaars blik verzonken op de gang stonden, waar allerlei mensen passeerden en het bedrijvig toeging, hinderden mevrouw Kühnert danig; er werden toneelbenodigdheden en decorstukken voorbijgezeuld, iemand trok een wc door en Hübchen slofte naakt van de douche naar zijn kleedhokje en knipoogde in het voorbijgaan naar Thea, alsof hij haar op een nogal onbeschaamde manier wilde zeggen: zie je wel, dom sletje, nu krijg je van hem wat je daarstraks van mij wilde! mevrouw Kühnert begreep onze houding en blikken niet, bovendien bedankte Thea haar met geen woord voor haar bemiddeling, wat ook onmogelijk was, want ze had alleen maar aandacht voor mij, ze vond het kennelijk geheel vanzelfsprekend dat mevrouw Kühnert haar op haar wenken bediende.

Uiteraard zou weldra blijken dat haar aandacht mij slechts schijnbaar gold, zoals ook de mijne slechts schijnbaar op haar was gericht, maar toch deed haar geveinsde belangstelling me even goed als wanneer ze echt en onverdeeld zou zijn geweest, ze streelde mijn ijdelheid; haar lichaam was licht en gracieus en het was niet de eerste keer dat ik het tegen me aan wilde drukken, ik had het gevoel dat ik dit lichaam niet ruw mocht omarmen, omdat het zijn vermogen om zich weg te schenken, waarin ook een zekere hardheid school, alleen dan kon openbaren als ik voorzichtig bleef, als ik in staat was mijn bruutheid tot een ademvleugje terug te brengen; ze had me dus aan het lijntje; en terwijl ik haar met een intense, bijna onderdanige aandacht gadesloeg, lette ik er vooral op, hoe ze dat voor elkaar kreeg, want ze kreeg het voor elkaar, hoe ze het klaarspeelde zulke bedrieglijke spelletjes te verzinnen en zulke uitzonderlijk effectieve situaties te creëren zonder er zelf bij betrokken te raken; wie was die Thea eigenlijk die al haar gebaren zo goed onder controle had? en dus was ik slechts schijnbaar zo geïmponeerd en schooljongensachtig verliefd als mevrouw Kühnert dacht; eigenlijk was het deze met bijna bloedige ernst uitgevoerde maskerade die me al geruime tijd in de grootst mogelijke staat van opwinding hield; het was allemaal begonnen toen Langerhans me zo'n zes weken voor deze scène op de gang naar de regisseurstafel had meegetroond en me zijn stoel had aangeboden, die naast die van mevrouw Kühnert stond; hij zat er haast nooit op, want gedurende de repetities ijsbeerde hij, voortdurend zijn kin krabbend en zijn bril op- en afzettend, door de zaal, zodat het bijna leek of hij niet aanwezig was of iets heel anders deed dan regisseren.

Wanneer en hoe Thea bij ons tafeltje is beland, weet ik niet meer, maar één ding is zeker: nauwelijks had ik die, later in vele opzichten onaangenaam blijkende, plaats ingenomen of ze was er; het is best mogelijk dat ze al in de buurt was toen ik ging zitten, misschien heb ik op dat moment haar aanwezigheid niet opgemerkt.

Of ze er toen al gestaan heeft of pas later is opgedaagd, ik voelde in elk geval meteen dat ze voor mij was gekomen; die onoplettendheid, dat tekort-schieten van mijn geheugen bewijst opnieuw dat het raderwerk der gevoelens, waar we in deze roman zo benieuwd naar zijn, door onze steeds wisselende stemmingen zo wordt gecamoufleerd dat we er niets wezenlijks over kunnen zeggen; het is alsof elke gebeurtenis door een te grote aandacht aan onze waarneming wordt onttrokken, zodat we, als we terugblikken, ons niet herinneren wat er is gebeurd, maar alleen nog weten hoe onze waarneming zich heeft voltrokken en welke gevoelens die tijdens de waarneming vervagende gebeurtenis hebben begeleid, zodat we uiteindelijk de gebeurtenis niet als gebeurtenis, de verandering niet als verandering en de kentering niet als kentering ervaren, ofschoon we in ons leven voortdurend hoopvol uitkijken naar veranderingen en dramatische kenteringen, zulke veranderingen kunnen immers, hoe tragisch ze ook zijn, tot onze definitieve verlossing leiden, kunnen ons het verheffende gevoel

geven iets te ontvangen waar we altijd op hebben gewacht, maar doordat de waarneming het gebeuren, en het wachten de verandering aan
het gezicht onttrekt, zodat elke verandering in ons leven zich geheel
onmerkbaar en in de diepste stilte voltrekt, krijgen we pas argwaan als
de nieuwe situatie ons al volledig in bezit heeft genomen, zo volledig
dat elke terugkeer naar de verafschuwde, verachte maar wel veilige
toestand van vroeger onmogelijk is geworden.

Ik had gewoon niet gemerkt dat ik sedert het verschijnen van Thea
niet meer dezelfde was als vroeger.

Ze stond naast het podium, leunde met haar ellebogen op het tafelblad en vervolgde, alsof ik volstrekt niet aanwezig was, een reeds aangevangen maar om de een of andere reden onderbroken gesprek; beelden die ik op foto's of in films moest hebben gezien flitsten door me
heen: hoe ze, minstens tien jaar jonger dan nu, het bed opensloeg en bij
iemand in bed kroop en hoe haar kleine borsten omhooggingen bij
deze beweging, een vreemd maar toch bekend gezicht, alsof je een
vertrouwd gelaat, dat van je moeder of vriendin, voor de eerste keer
van je leven ziet; het waren gevoelens van vertrouwdheid en bekendheid, maar ook van onbekendheid en van schaamte, een schaamte opgewekt door natuurlijke nieuwsgierigheid, twee dermate hevige en
aan elkaar tegengestelde emoties dat ik niet anders kon doen dan eraan
toe te geven en intussen te doen alsof ik me tegen elk van beide verzette; vanaf dit moment lette ik alleen nog maar op haar, ik trachtte zelfs
de geur van haar lichaam in mijn neus te houden, hoewel ik deed alsof
ik overal in was geïnteresseerd behalve in haar; merkwaardigerwijze
gedroeg zij zich, overigens om geheel andere, pas naderhand door mij
begrepen redenen, precies eender, ze deed alsof mijn gezicht niet vlak
bij het hare was en ze de warme uitstraling ervan niet voelde, maar haar
woorden waren, hoewel tot mevrouw Kühnert gericht, in de eerste
plaats voor mij bestemd, en ook al waren ze de voortzetting van een
eerder begonnen gesprek, ze koos ze zodanig en gebruikte daarbij zulke subtiele accentverschillen dat ze voor mij, die het begin van haar
verhaal niet had gehoord, juist door hun onbegrijpelijkheid interessant
waren.

Ze had op de een of andere manier diepgevroren kreeftjes weten te
bemachtigen, die van 'drüben' kwamen, uit het westelijke deel van de
stad, van achter de muur, en dit vreemde, gekunstelde woord klonk in
de rumoerige zaal, waar de voorbereidingen voor de middagrepetitie
in volle gang waren, zo absurd alsof het niets met de werkelijkheid te

maken had en uit een sprookje of een belachelijk spookverhaal afkomstig was, het drong je de voorstelling op dat je, zodra je de zaal verliet, op een muur stuitte, op de muur die zelden ter sprake kwam en waarachter prikkeldraadversperringen, tankvallen en geniepige onderaardse mijnen loerden, mijnen die bij de eerste onvoorzichtige stap ontploften! het riep het beeld op van het niemandsland bij de grensversperringen, waarachter de stad oprees, de stad van 'drüben', een wonderbaarlijke stad, een spookstad, die voor ons niet bestond, maar waaruit iemand ondanks de strenge bewaking door met machinepistolen bewapende soldaten en tegen mensen afgerichte herdershonden die diepgevroren kreeftjes had gesmokkeld; die smokkelaar was een vriend met een voor mij onverstaanbare naam, iemand van wie ik mocht aannemen dat hij drüben een zeer belangrijk persoon was, die Thea mateloos vereerde; toen ze het zakje had opengesneden en de inhoud ervan in een schotel had gedaan, leek het of ze allemaal roze rupsen zag die op het moment dat ze zich wilden verpoppen door een vreselijke ijstijd waren overvallen, ze had die kreeftjes wel vaker gezien, maar deze keer, ze wist zelf niet waarom, had ze ervan gewalgd, ze had moeten kokhalzen en bijna overgegeven en niet geweten wat ermee te doen; is het niet walgelijk wat we allemaal naar binnen werken? was het niet veel mooier een nijlpaard te zijn en glanzende, knapperige, smakelijke grassen te eten? maar de smaakpapillen op de menselijke tong hebben allerlei onzinnige wensen, ze willen scherp, zuur, zoet en bitter proeven, ze barsten gewoon van de wensen en hebben meer verlangens dan er op de wereld aan smaken zijn te vinden, volgens haar was het niet schaamteloos om in het openbaar te naaien maar om zo te vreten, uiteindelijk had ze ondanks haar braakneigingen besloten de grondstoffen smakelijk voor zich uit te stallen, zoals ze altijd deed voordat ze ging koken, mevrouw Kühnert wist dat wel; als je naar de ingrediënten keek en ze in gedachten proefde, voelde je vanzelf aan welke smaken bij elkaar pasten; 'een voorproefje nemen' noemde ze dat; voor haar was koken een spel, een improvisatie, en een spel mocht niet door onpasselijkheid worden verstoord! daarom had ze aardappelpuree gemaakt, natuurlijk geen gewone, ze had de laffe smaak van de aardappels, de melk en de boter met wat gemalen oude kaas en zure room opgefleurd, daarna de hete puree in een schotel gedaan, met een lepel een kuiltje in het midden gemaakt, daarin de in kruidenboter opgewarmde kreeften gelegd en er gestoomde worteltjes met kruidnagel bij geserveerd; het was goddelijk geweest! eenvoudig en toch goddelijk, en ze hadden er een simpele maar toch geraffineerd smakende droge witte wijn bij gedronken; 'een wijntje dat net zo smaakt als ik ben!'

In de manier waarop ze haar hoofd op haar lange, door krachtig ontwikkelde spieren gesteunde maar toch kinderlijke, bijna onontwikkelde, magere hals naar voren strekte en zo als het ware presenteerde, haar smalle, knokige schouders een weinig opgetrokken, haar rug katachtig voor de sprong gereed en de mensen lang en ongegeneerd in de ogen kijkend, alsof ze hen uitnodigde voor een spelletje dat alleen met en op het gelaat werd gespeeld, een spel met de ogen en de gelaatstrekken, dat zij natuurlijk zou leiden, school een zekere behaagzucht, maar geen gewone, ze wilde namelijk in dit spel niet speciaal mooi en aantrekkelijk zijn, als anderen, maar eerder lelijk, het leek wel of ze zich opzettelijk lelijk maakte, of beter gezegd: alsof ze een afwijkende mening had over lichamelijke schoonheid en de alom verbreide opvatting dat het menselijk lichaam en gelaat niet slechts functioneel geordende, esthetisch neutrale stelsels van beenderen, spieren, huid en diverse drellerige stoffen zijn, maar een grote esthetische waarde bezitten, als dwaling en lafheid veroordeelde; hierdoor scheen ze absoluut niet naar schoonheid te streven, hoewel ze zich waarschijnlijk meer om haar uiterlijk bekommerde dan anderen, maar dit deed ze voornamelijk om haar verlangen naar schoonheid en volmaaktheid te bespotten, te ironiseren en ook voor haarzelf belachelijk te maken; met enige overdrijving zou je zelfs kunnen beweren dat ze zich graag vreemd toetakelde en uitdoste en door haar lelijkheid haar omgeving ergerde, irriteerde en provoceerde, als een kwajongen die door zijn ondeugende streken en weerspannigheid de aandacht trekt, maar eigenlijk alleen maar over zijn haar gestreeld en op schoot genomen wil worden; op haar bijna kogelronde hoofd kleefde wat onverzorgd haar, dat ze eigenhandig kort geknipt had – 'anders zweet mijn hoofdhuid zo onder die pruiken' –; zonder dat ik enige opmerking had gemaakt, begon ze haar kapsel in breedvoerige monologen te rechtvaardigen; volgens haar waren er twee manieren van zweten: het eenvoudige fysieke zweten, als het lichaam door de een of andere oorzaak niet in staat was zich aan de temperatuur van zijn omgeving aan te passen, of uitgeput was of, integendeel, overvoed en slap; veel vaker kwam echter het psychische zweten voor, als we namelijk niet willen weten wat het lichaam nodig heeft, als we doen alsof we de taal van ons lichaam niet verstaan en we leugenachtig, huichelachtig, zwak, ongelukkig, gulzig, laf, aarzelend of dom zijn, als we ons lichaam tot iets willen dwingen wat het fatsoen of de gewoonte eist en de botsing tussen de beide tegenstrijdige verlangens dan hitte produceert, zodat, zoals dat heet, 'het zweet in straaltjes over onze rug loopt'; en als ze ergens naar verlangde, dan was het wel naar vrijheid, ze wilde weten wanneer haar ziel zweette, en ze wou haar pruiken en dikke mantelpakken niet met haar zweet bezoedelen, vooral niet omdat zweet niets anders was dan 'zielevuil', dat was ook de reden waarom de mensen ervan walgden en zich ervoor schaamden; hoe kon je dit anders verklaren? ze verafschuwden hun angsten en geestelijke onreinheid; natuurlijk verklaarde dit niet waarom ze haar haar eigenhandig verfde, nu eens rood, dan weer zwart; soms echter bekommerde ze zich volstrekt niet om haar haar, ze liet het eenvoudig groeien, zodat je kon zien dat het al helemaal grijs was; het was ook nauwelijks echt haar, meer een dun, miezerig, schaars ingeplant, slap, waarschijnlijk al sedert haar geboorte kleurloos, blond noch bruin, onontwikkeld donskuifje op de kop van een jonge vogel; alleen de uitstekende jukbeenderen gaven de vorm van haar gezicht iets karakteristieks, overigens waren haar gelaatstrekken volkomen nietszeggend, ze had een saai gezicht met een hoog noch breed voorhoofd, een stompe neus, waarvan de punt iets teveel omhoogliep, zodat de beide, door uitzonderlijk vlezige neusvleugels geflankeerde neusgaten duidelijk zichtbaar waren, en brede, zinnelijke lippen, die, om het zo uit te drukken, nogal rommelig overgingen in het gezicht, alsof ze van een ander gezicht waren overgeplant op het hare; maar wat een stem kwam vanachter de wal der sterke, door het roken vergeelde tanden tussen deze lippen vandaan! een lage, rauwe, welluidende stem die ze naar believen zacht en buigzaam of hysterisch hoog kon laten klinken, alsof er in haar grofheid ook tederheid en zachtmoedigheid scholen, alsof haar fluisteren de kiem van een schreeuw bevatte, een schreeuw vol woedend, gesmoord gefluister, alsof elk geluid dat ze voortbracht ook zijn tegengestelde betekenis had; en het gelaat oefende een al even dubbelzinnige werking uit op de toeschouwer, want al was het schijnbaar niets anders dan het gezicht van een afgetobde, met gevoelsarmoede kampende, door ontevredenheid vreugdeloos en onverschillig geworden proletariër en verschilde het nauwelijks van de gezichten die je tijdens het spitsuur, vroeg in de morgen en laat in de middag, in de stadstreinen of de ondergrondse kon zien, wanneer de mensen door vermoeidheid en innerlijke leegte in een eigenaardige rust waren verzonken; haar van nature bruinachtig gepigmenteerde gezichtshuid was een soort camouflagemiddel, een masker, waaruit twee reusachtige, door hun dichte wimpers nog meer geaccentueerde, oneindig warme, goedige, begrijpende en intelligente donkerbruine ogen keken, die niet bij dit, maar bij dat andere, achter het masker schuilgaande gezicht schenen te behoren, en het is beslist geen sentimentele overdrijving als ik deze ogen stralend noem; een aannemelijke verklaring voor dit effect zou kunnen zijn dat haar oogappels groter of boller waren dan je in zo'n klein gezicht zou verwachten; het laatste is het meest waarschijnlijk omdat die indruk van grootheid en belangrijkheid volstrekt niet verdween als ze haar ogen sloot en de oogappels door haar zware, gladde, ietwat bolle oogleden werden bedekt; het sterk gerimpelde masker scheen de klassieke plattegrond te zijn van het verouderingsproces van een beweeglijk gezicht; over het voorhoofd liepen deze rimpels horizontaal, dicht en gelijkmatig verdeeld, maar als ze haar wenkbrauwen optrok, kruisten twee loodrechte, vanaf de binnenkant van de wenkbrauwen omhooglopende plooien de horizontale rimpels, zodat het leek of er twee haarfijn gerimpelde vlindervleugels boven haar voorhoofd zweefden; alleen in de holtes van haar slapen en op haar kin was de huid glad, ook over de neus zelf liep een meer als de rand van een lichte plooiing dan als een rimpel te karakteriseren lijn, die de lijn van het neusbeen volgde; als ze haar mond tuitte, ontstonden er rimpeltjes boven haar mond, die de ouderdom reeds aankondigden en zich, als ze lachte, vanaf de buitenste ooghoeken straalsgewijs verspreidden; waarschijnlijk hadden de uitstekende jukbeenderen de huid in haar jeugd te zeer gespannen, want die overdreven, maagdelijke gladheid scheen zich nu te wreken; op haar wangen, waar de rimpels een waar feest vierden, was een grondiger beschouwing noodzakelijk om een behoorlijk overzicht te krijgen, niet doordat die rimpels een chaos vormden, maar doordat het oog niet in staat was de rijkdom van zoveel rijpe details in één enkele blik in zich op te nemen en te interpreteren.

'We zullen hier wachten, terwijl u zich omkleedt, goed? dan kunnen we er straks verder over praten,' zei ik zachtjes, 'maar haast u zich wat.'

Nog keek ze naar mij, nog was het allemaal voor mij bedoeld: de lachrimpeltjes, de plooitjes onder haar ogen en de vlak naast elkaar lopende fijne boogjes, die de scherpe schaduwlijnen van bitterheid en verdriet om haar mond verzachtten, maar opeens was het afgelopen en trok ze langzaam, ervoor zorgend de overgang tussen de beide toestanden tactvol en elegant te laten verlopen, haar arm uit de mijne; aan de glans van haar ogen was te zien dat ze geen tijd meer had om mijn bereidwilligheid te honoreren, zodra ze iets bereikt had, hoefde ze zich daar niet meer mee bezig te houden, eigenlijk was ze al niet meer aanwezig, en als ze zich toch haastte, deed ze dat niet om mijn aansporing op te volgen of zich om te kleden, maar omdat ze iets heel anders van plan was.

'Het spijt me, maar ik ga in elk geval niet met jullie mee; ik denk er niet over! op mij hoeven jullie niet te rekenen,' zei mevrouw Kühnert met een hoge stem waarin haar verwijten en irritatie, die ze tevergeefs trachtte te verbergen, duidelijk hoorbaar waren, maar Thea, die zich al van haar had afgewend, rende de gang door en verdween in Hübchens kleedkamer, onder het lopen nog roepend: 'Ik heb nu geen tijd voor je!'

Mevrouw Kühnert barstte in lachen uit alsof ze een goede mop had gehoord, vermoedelijk was dit ook het enige wat ze kon doen, want schaamteloosheid en nonchalance kunnen een graad bereiken waarop irritatie niet het gepaste antwoord is, omdat daardoor van een genegenheid wordt blijk gegeven die onze ware bedoelingen doorkruist en degene die ons irriteert slechts plezier doet; ze kwam naar me toe en greep, alsof ze de nog niet afgekoelde plaats van mijn vriendin wilde innemen, instinctief en wat onbeheerst mijn arm, maar toen ze zich bewust werd van die beweging, verkrampte haar lach tot een verlegen grijns, die vervolgens abrupt, zonder overgang en zonder reden in een gemelijke gelaatsuitdrukking overging.

Op Thea's gezicht na vond ik elk gezicht, het mijne niet uitgezonderd, grof en ordinair, gezichten waren plompe, onbeheerste spiegels der gevoelens, ruw en onbeschaafd; zo was het ook op dat moment, toen ik mijn arm graag losgemaakt zou hebben uit mevrouw Kühnerts greep, zoals zij gaarne haar beweging ongedaan zou hebben gemaakt, maar toch bleven we het spoor volgen dat Thea had uitgezet, we konden er echter niets mee beginnen, zodat ze zich in haar verwarring, die mijn onbehaaglijkheid nog vermeerderde, liet verleiden tot een openhartigheid en een breedvoerige lompheid die volstrekt niet bij de situatie pasten en ons allebei zo in verlegenheid brachten dat je van solidariteit had kunnen spreken, ware het niet dat geen van ons beiden die solidariteit op prijs stelde.

'Ik moet u dringend verzoeken niet met haar mee te gaan!' zei, of beter gezegd, riep ze, zich aan mijn arm vastklampend; 'ik verzoek u dringend u niet met deze zaak te bemoeien!'

'Wat bedoelt u precies?' vroeg ik dom grijnzend.

'Dat kunt u toch niet begrijpen en dat hoeft ook niet! ik heb wel eens de indruk – u moet het me maar niet kwalijk nemen, hoor – dat u nauwelijks begrijpt waar we het over hebben en daardoor denkt dat ze gek is of zo! sorry dat ik u geen antwoord geef, maar het is niet uit te leggen, het is pure waanzin! gelooft u me, het is werkelijk waanzin! ik probeer haar altijd tegen te houden, voorzover ik daartoe in staat ben, maar ik moet haar soms een beetje toegeven, want als ze geen vuiligheid kan uithalen – daar is het namelijk allemaal om begonnen –, zou ze helemaal knetter worden! ik verzoek u dringend, heel dringend, geen misbruik te maken van uw positie! als u hier niet was, maar iemand anders, zou ze met hem hetzelfde uithalen! hoort u maar eens wat ze aan het doen zijn!'

En inderdaad kwam er uit Hübchens kleedkamer een wild geraas, de kreten van een man en Thea's gegil, het geluid van omvallende en neerploffende voorwerpen, gegiechel en de trotse toonladder van een parelend, ietwat gemaakt en uitdagend lachje, daarop sloeg de deur met een klap dicht en verstikte de kamer de geluiden van de stoeipartij een ogenblik lang zedig, maar even later vloog hij weer open; hoewel ik had begrepen wat mevrouw Kühnert bedoelde, scheen de rol die ze me had toebedacht niet onvoordelig, ze had me nieuwsgierig gemaakt en ik wilde graag zoveel mogelijk over Thea te weten komen; hetgeen ze me had onthuld deed vermoeden dat ze van nog veel meer belangwekkende details op de hoogte was, als ik me maar dom zou blijven voordoen, kon ik hopen die eveneens uit haar mond te vernemen.

'U moet het me maar niet kwalijk nemen, maar ik begrijp werkelijk niet waar u het over hebt,' zei ik, mijn onschuldig grijnzende gezicht een nog stompzinniger uitdrukking gevend en een zekere irritatie veinzend, waarop er precies gebeurde waarop ik had gerekend, want mijn onbegrip, dat natuurlijk de ijdelheid van mijn gesprekspartner streelde, dreef haar in de richting waarin ze sowieso al geneigd was te gaan, ze kon nu vrijuit spreken omdat ik toch maar een idioot was en tegelijkertijd al haar tijdens het telefoongesprek opgekropte woede op mij koelen; 'u begrijpt het niet, hè, u begrijpt het niet!' fluisterde ze gejaagd en ongeduldig, intussen een vluchtige blik opzij werpend om te zien of er zich nog mensen op de gang bevonden, 'maar ik zeg toch juist dat u het niet begrijpen kúnt! en ik wil ook niet dat u het begrijpt, want het is een privézaak, maar als u zo nodig alles begrijpen moet, dan zeg ik u dat ze dodelijk – begrijpt u dat? heeft u zoiets wel eens meegemaakt? – dodelijk verliefd is, of liever gezegd: ze gelooft, ik bedoel: ze heeft zichzelf wijsgemaakt dat ze op die knaap verliefd is!' woedend duidde ze met een hoofdbeweging op de telefoon; 'dat joch is niet alleen minstens twintig jaar jonger dan zij, maar nog homo ook, en toch heeft zij het in haar hoofd gehaald hem te verleiden, zogenaamd omdat ze nog nooit zoveel van iemand gehouden heeft als van hem; en hoewel ze net zo goed met die idioot van een Hübchen naar bed zou kunnen gaan of met wie dan ook, met u bijvoorbeeld, moet ze zo nodig hem hebben, omdat hij niet wil! snapt u het nu? daarom zou ik u willen verzoeken onmiddellijk te verdwijnen; neemt u me niet kwalijk, maar gaat u alstublieft weg! nu, meteen! misschien kan ik haar dan nog tegenhouden; ik kan er niet tegen als ze haar vernederen; begrijpt u dat niet? ik kan er niet tegen!'

Hoeveel oneerlijkheid deze tirade ook bevatte, want ik voelde duidelijk dat ze ervan genoten had me dit te zeggen, me in iets in te wijden waarover ze eigenlijk had moeten en ook willen zwijgen, haar hartstocht was zo hevig en oprecht dat ik die niet kon negeren; van achter haar iets afgezakte bril staarden mij twee abnormaal grote ogen aan en doordat de bovenste rand van het montuur de waterige, blauwe, sterk dooraderde oogappels als het ware halveerde, leek de onderste helft daarvan angstwekkend groot en grillig achter het sterk dioptrische glas; uit die ogen spraken hartstochtelijke goedheid, liefde en zorgzaamheid, ze duidden op reinheid en ondubbelzinnigheid, eigenschappen die niet ontkracht konden worden doordat ze, om haar goedheid duidelijk te onderlijnen, haar toevlucht tot zekere overdrijvingen nam, ze genoot er met volle teugen van dat zij de enige was die geen doorzichtige, egoïstische, begeerlijke, van hebzucht getuigende, kleingeestige, dwaze doeleinden najoeg, maar de medemens in zijn totaliteit begreep, zoals hij werkelijk was, ja, zij was de enige die Thea begreep, en het begrijpen van andermans persoonlijkheid, het deel hebben aan de geheimen daarvan, was de enige bevrediging die zij in ruil voor haar onzelfzuchtige goedheid en aandacht ontving en behoorde te ontvangen; de hand die me daarnet nog had vastgehouden, wees me nu de weg, stootte en duwde me weg, en bereidwillig liep ik in de richting van de uitgang, maar op dat moment stond het tweetal al in de gang, buiten adem en vuurrood, geheel opgaand in het kinderlijke genot van het stoeien en hijgend van inspanning; Hübchen week met zijn handen voor zijn kruis achteruit, terwijl Thea, die een soort schermhouding had aangenomen, voortdurend met een natte handdoek naar zijn naakte lichaam uithaalde en de kleine idioot – zo noemden zij hem onder elkaar – door de gang achtervolgde; als ze hem raakte zou hij het voelen ook! maar nauwelijks had ze, ongetwijfeld alleen vanuit haar ooghoeken, gezien wat ik van plan was, of ze liet, een fraaie volte producerend, de handdoek vallen; 'waar gaat u heen?' riep ze, en ze rende, haar slachtoffer de vrije aftocht latend, achter me aan.

Maar wat ze als een zegevierende stormloop had bedoeld, draaide meer op een stil afscheid uit.

Toen we namelijk in haar auto waren gestapt om de korte weg tussen de twee theaters af te leggen – we wilden naar de opera om een nieuwe enscenering van Fidelio te zien –, gedroeg Thea zich opeens heel rustig, ze zocht lang in het donker tot ze eindelijk haar bril, die ze alleen tijdens het chaufferen droeg, in het handschoenenkastje had gevonden, een onmogelijk geval met vettige, stoffige glazen, die sedert mensenheugenis niet waren schoongemaakt; bovendien ontbrak een van de veren, waardoor ze haar dunne hals nog meer moest uitrekken en op elke kleine hoofdbeweging moest letten, anders zou het evenwicht verstoord worden en de bril van haar neus glijden; het was een donkere avond, de straten waren verlaten en er stond een krachtige wind; in de lichtkegels van de autolampen was de regen als schuine strepen zichtbaar; we spraken geen van beiden een woord en ik observeerde haar natuurlijk vanaf mijn plaatsje op de achterbank, enigszins geënerveerd door haar zwijgzaamheid.

Omdat ze deze keer geen spelletje leek te spelen, ervoer ik ons samenzijn als een uitzonderlijk moment, als een weldadige adempauze; mogelijk ook kwam ze me dankzij de vertrouwelijke mededelingen van mevrouw Kühnert niet meer zo geheimzinnig voor, ze maakte een ernstige, in zichzelf gekeerde, dodelijk vermoeide en lichtelijk verstrooide indruk; weliswaar verrichtte ze alle handelingen die bij het chaufferen nodig zijn en voerde ze die gewone, tot een automatisme geworden bewegingen vlot uit, maar ze was er zo weinig met haar hoofd bij dat ze, toen we vanaf de bijna pikdonkere Friedrichstraße de iets beter verlichte Allee Unter den Linden moesten inslaan, wel overeenkomstig de voorschriften stopte en de richtingaanwijzer aanzette, wat door een rood lampje op het dashboard werd aangegeven, maar daarna niet doorreed, alsof de weg druk bereden werd en een onafzienbare rij passerende auto's haar belette in te voegen, we stonden daar maar, terwijl het rode lampje in het donker aan- en uitflitste, windvlagen de regen met vernieuwde kracht tegen de zijkant van de auto aan sloegen en de ruitewissers het neerstromende water piepend en knarsend van de voorruit veegden; als mevrouw Kühnert niet had gezegd dat we konden doorrijden, waren we nog minutenlang blijven staan voor dat kruispunt.

'O ja,' zei ze zachtjes, bijna alsof ze in zichzelf sprak, en pas toen gaf ze gas.

Voor mij betekenden deze paar langdurig schijnende en toch veel te korte ogenblikken, deze verloren tijd voor het afslaan, zeer veel, ik had erop gewacht zonder het te weten, ik had erop gehoopt zonder te weten dat ik op zulke alledaagse momenten hoopte, ogenblikken van toegeeflijkheid en ontspanning; ik was zelf ook te vermoeid en te opgewonden om alles onder controle te houden, ik dacht nergens over na en mijn gevoelens waren op dat moment natuurlijk en zuiver; en al kon ik haar gezicht slechts van terzijde zien en zag het er zo, opgesierd door die bril, niet bepaald indrukwekkend uit, toch leek het alsof het door het natte, donkere asfalt weerkaatste licht van de straatlantaarns haar gezicht veranderde, of beter gezegd: in een eerdere toestand terugbracht door de vlakken waaruit het bestond beter te doen uitkomen en het fijne netwerk van rimpeltjes dat eroverheen lag uit te wissen; naar dit gezicht was ik op zoek geweest, ik had het al eerder gezien maar door zijn beweeglijkheid niet kunnen vasthouden, hooguit heel even; dit was het gezicht achter het masker, het gezicht dat bij haar ogen hoorde, eigenlijk nog ouder en lelijker dan haar gewone gezicht doordat het was overschaduwd en in de naargeestige belichting een verstarde, doodse indruk maakte; het was echter ook het gezicht van het meisje, nog vormloos en strak, het meisje wier beeld ik sedert lang in mij droeg en dat ik teder beminde, een wonderbaarlijk mooi meisje, dat me trachtte in te palmen; en toch was dit beeld geen herinnering uit mijn jongensjaren of mijn pubertijd, ook al riep het, misschien door de onstuimige herfstbuien, allerlei nostalgische herinneringen in me op; hoewel Thea aan alle meisjes deed denken die ik ooit had gekend, leek zij in haar onbekendheid toch meer op mijzelf dan op de meisjes uit mijn jeugd, aan wie ik slechts heel zelden terugdacht. Waarschijnlijk had ik haar daarom al wekenlang met zo'n tegenzin, afschuw en toch ook intense belangstelling geobserveerd, ik voelde een onverklaarbare overeenkomst met haar, het was alsof ik mezelf in haar gezicht weerspiegeld zag, en waarschijnlijk bleef onze relatie daardoor ook zo afstandelijk en onromantisch, ondanks onze intense belangstelling voor elkaar, het scheen zelfs onmogelijk dat we elkaar zouden aanraken, we hadden onze omgang bewust gereglementeerd, want met je eigen spiegelbeeld, hoe vertrouwd ook, kun je niet werkelijk een relatie aangaan, eigenliefde kan alleen via omwegen, langs geheime paden worden bevredigd; en op dat ogenblik, dat ik me tot op de dag van vandaag veel scherper en duidelijker herinner dan latere, op zijn minst even innige en intieme momenten, kwam er een volkomen absurd beeld in me op dat het beeld van de werkelijkheid uitwiste: ik zag een meisje – dát meisje – dat voor de spiegel stond en aandachtig, bijna met een vermoeide ernst, haar gezicht bestudeerde, ermee speelde en het vertrok, het was echter niet te zien of ze alleen maar malligheid uithaalde of, aan een innerlijke stem gehoor gevend, observeerde welke uitwerking die grimassen op haar hadden; ook dit beeld was geen herinnering, misschien snelde mijn fantasie me te hulp; ik stelde me voor – waarom weet ik volstrekt niet – hoe dit meisje moeizaam trachtte de discrepantie tussen de door haar waargenomen en de werkelijke vorm van haar gezicht te ontdekken, hoe ze probeerde zichzelf zo te zien als andere mensen haar zagen.

Misschien ontdekte ik op dat moment de kern van haar persoonlijkheid, of beter gezegd: datgene in haar waar alles uit voortkwam: haar veinzerijen, haar clownerieën, haar komedies, haar huichelarijen, haar onechtheid, haar metamorfoses, haar leugens en de tot zelfvernietiging leidende strijd die zij tegen dit alles voerde, de vaste bodem waar ze in geval van vermoeidheid, onzekerheid of wanhopig verlangen naar kon terugkeren, het vaste punt in het achterland, waarvan ze zich al spelend en metamorfoserend verwijderde, de veilige basis van waaruit ze een uitval kon doen; en misschien betekende die tocht van twintig minuten tussen de beide theaters niets anders dan een terugtocht naar dit achterland om bij het binnengaan van de foyer met een nieuw gezicht en in een andere gedaante voor Melchior te kunnen verschijnen, om zich in haar beste vorm, geheel hersteld en met haar werkelijke schoonheid aan hem te kunnen presenteren; en deze metamorfose verklaarde tot op zekere hoogte ook welke innerlijke wegen ze moest bewandelen om zich op het podium naar believen in de meest extreme karakters te kunnen verplaatsen.

Misschien was ze noch een meisje noch een jongetje, maar een geslachtloos kind dat nog niets hoeft te overwegen en geen reden tot argwaan heeft omdat het zich niet kan voorstellen dat het niet wordt bemind en zich daardoor met het grootste vertrouwen tot ons wendt, ons op voorhand gul zijn vertrouwen schenkt, misschien beminde ook mevrouw Kühnert dit wezen in haar, was zij de moeder van dit kind, wiens vertrouwen, al was het maar met een automatisch lachje, beantwoord moest worden; en zo ging ze de foyer binnen, lichtvoetig, mooi en slank, bijna nog een kind, en ze ijlde naar Melchior, die met zijn Franse vriend boven aan de trap stond, verheven boven de rumoerige menigte die in de richting van de zaal stroomde, en al betrok zijn gezicht op het moment dat hij ons opmerkte, het klaarde op terwijl hij de trap afsnelde om Thea te begroeten, hij werd bijna tegen zijn zin vervuld van het warme vertrouwen dat Thea's glimlach uitstraalde; er was op dat ogenblik niets merkbaar van de cynische grofheid waarmee Thea zich op deze ontmoeting had voorbereid noch van het moorddadige, primitieve liefdesverlangen waarmee zij de punt van het zwaard op Hübchens borst had gericht of van de schrik waarmee zij in mijn blik naar zelfbevestiging had gezocht, en er was ook geen sprake meer van dat Melchior een jochie was als Hübchen, met wie zij naar hartelust kon ravotten, Melchior was een ernstige jongeman, rustig, aantrekkelijk en evenwichtig, een brave burger die niet kon vermoeden welke stormachtige emoties en gevoelens Thea na het verlaten van de repetitiezaal had doorstaan, een beminnelijke verschijning, gemoedelijk, ontspannen en goedlachs, tevens echter opvallend door zijn kaarsrechte, bijna stijve houding, die zowel op een goede opvoeding als op zelfdiscipline kon duiden; en het was heel duidelijk te merken dat wij, de getuigen van deze ontmoeting, eenvoudig niet meer bestonden toen zij op elkaar toe liepen.

Ze omhelsden elkaar, Thea reikte net tot zijn schouders, haar tengere lichaam verdween bijna geheel in zijn armen.

Melchior duwde haar zachtjes van zich af, maar zonder haar los te laten.

'Wat ben je mooi vandaag!' zei hij zachtjes lachend, zijn stem klonk warm, diep en vleierig.

'Mooi? doodmoe zul je bedoelen,' antwoordde Thea, met een kokette, zijwaartse buiging van haar hoofd naar hem opkijkend; 'ik wou je alleen maar even zien.'

En toen die paar, misschien wel vier, weken waren verstreken waarin we elk zonder elkaar doorgebracht uur als verspilde tijd ervoeren, trachtten we tevergeefs een punt achter onze relatie te zetten, hoewel dat op dat moment noodzakelijk was, we moesten ons van elkaar losmaken of, als dat niet lukte, ergens anders naar toe gaan, waarheen was

onbelangrijk, opdat we tenminste niet steeds op dezelfde plaats en onder dezelfde omstandigheden samen zouden zijn; het grootste deel van
onze tijd brachten we namelijk in die kamer door, al onze andere verplichtingen verwaarlozend, in die dakkamer, waaraan mijn ogen maar
moeilijk konden wennen, die op een kille wijze zwoel was en bij
kaarslicht op de salon van een deftig bordeel of een geheimzinnig hei-
ligdom leek, wat misschien wel op hetzelfde neerkomt; het was een
kille maar zwoele ruimte die zoveel eigenaardige tegenstellingen in
zich borg dat je ervan in de war raakte, die pas in een bewoonbare, aan
menselijke maatstaven voldoende kamer veranderde als de zon door
de smerige ruiten scheen en op elk meubelstuk – op de lijsten van de
schilderijen, in de plooien van de gordijnen en in de kamerhoeken –
fijn stof of lichte stofvlokken zichtbaar werden, als in dat vage, vermoeide herfstlicht vol warrelende stofdeeltjes de grauwe, verweerde,
starre brandmuren, daken en binnenplaatsen door de ramen naar binnen schenen te kijken, die kille maar toch mooie buitenwereld, waarvan hij zich met al zijn sensibiliteit, zijn zijden stoffen, zijn fel gekleurde tapijten en zijn wulpse fluwelen gordijnen trachtte af te zonderen,
maar waaraan hij zich toch, ondanks zijn verlangen naar eenzaamheid,
vastklampte; uiteindelijk was het ook volstrekt onbelangrijk waar we
waren, we waren daar en we konden nergens heen, en wie bekommerde zich nu om onbelangrijke smaakverschillen of zogenaamde
properheid! die konden ons alleen al daarom niet schelen omdat alleen
deze kamer ons een ongestoord samenzijn scheen te waarborgen, ze
verborg en beschermde ons, soms was het zelfs een onaangename ex-
cursie om naar de keuken te gaan en daar een hapje eten klaar te maken; het was daar koud, want Melchior had het idee-fixe dat het keukenraam open moest staan en geloofde me niet als ik zei dat alle geuren
bij lagere temperaturen duidelijker te ruiken zijn, hij had een hekel aan
etensluchtjes, daarom stond het raam altijd open; we zaten dus het liefst
tegenover elkaar in de warme kamer; 's morgens maakte hij de witte
tegelkachel aan, ik zat dan in de fauteuil die hij me de eerste avond had
aangeboden, die was mijn vaste stek geworden; we keken elkaar aan,
maar het liefst keek ik naar zijn handen, naar de witte maantjes van zijn
langwerpige, bij de vingertoppen tot een steile boog gekromde nagels,
en ik streek met mijn vlakkere, plompere nagels over het harde, fijnge-
ribbelde oppervlak van zijn nagels; en wat was het heerlijk om naar zijn
gezicht te kijken, naar zijn ogen, zijn voorhoofd en zijn wenkbrauwen! we hielden elkaars handen vast en soms streelde ik zijn dijen, zijn

kruis of de bovenkant van zijn pantoffel; we zaten met onze knieën tegen elkaar aan en voerden lange gesprekken; als ik mijn hoofd zijwaarts
draaide, zag ik op de door daken en kale brandmuren omsloten binnenplaats de enige boom die daar groeide, een slanke, rijzige populier
die tot boven Melchiors kamer op de vijfde verdieping reikte; de takken tekenden zich tegen de heldere herfsthemel af, ik zag de bladeren
wervelend neerdwarrelen en de boom steeds kaler worden.

We voerden gesprekken, zei ik, hoewel ik misschien beter had kunnen zeggen dat we elkaar verhalen vertelden, maar ook dat is geen
goede omschrijving voor de manier waarop we, beiden door een
koortsachtig drang tot vertellen en luisteren bezield, trachtten ons lichamelijke contact aan te vullen en toch ook te verhullen, voor onze
pogingen elkaar te bereiken met tekens die boven ons zinnelijke samenzijn uit gingen, met de muziek der klinkers en medeklinkers, met
onze stem; we hielden lange monologen, babbelden honderd uit en
overlaadden elkaar met woorden, en voorzover de onderlinge betrekkingen van woorden, hun klemtoon, de toonhoogte en het ritme van
de spraak een zinnelijke en lichamelijke betekenis hebben, onafhankelijk van de normale betekenis, verwezen ze naar dat lichamelijke, maar
zodanig alsof we wisten dat woorden slechts de symbolen zijn van het
geestelijke of bovenlichamelijke, want woorden kunnen wel oprecht
zijn, maar nooit de werkelijkheid omvatten! en doordat we onafgebroken en onvermoeibaar met elkaar spraken, niet in de laatste plaats
in de hoop elkaar met onze chaotische verhalen in elkaars leven te betrekken, dat leven met elkaar te delen, zoals we ook het lichaam met
elkaar deelden, was het alsof we ons met die verhalen tegen onze
kwetsbaarheid en afhankelijkheid beschermden, we hadden het immers over dat eigenaardige verleden, toen we nog onafhankelijk en
vrij waren! tegelijkertijd echter hechtten we instinctief niet al te veel
betekenis aan elkaars verhalen, niet wegens gebrek aan belangstelling,
maar omdat we elkaar zovéél wilden vertellen, alles, niet slechts een
gedeelte, maar het geheel, alles wat er elke seconde van ons leven was
gebeurd, wat natuurlijk een onmogelijkheid is, een belachelijke wens;
we gingen geheel op in elkaars verhalen; eigenlijk zou ik niet eens
kunnen zeggen waarover we het toen allemaal gehad hebben, ik kan
me onze gesprekken niet erg goed herinneren, het enige wat ik erover
kan meedelen is dat ik de meeste feiten waarover deze verhalen handelden al kende, maar doordat elk verhaal wel honderd te expliceren
details, dus nieuwe verhalen, opleverde, raakten we nooit uitverteld,

hoewel we daar hardnekkig naar streefden in de hoop erachter te komen waarom we van elkaar hielden; daarbij kwam nog dat onze verhalen die uit twee geheel verschillende werelden stamden en verschillende historische, sociologische, cultuurhistorische en psychologische elementen bevatten nogal gecompliceerd waren, zodat één enkel woord met wel honderd andere woorden moest aangevuld worden om begrijpelijk te zijn, bovendien sprak hij in zijn moedertaal, een voordeel dat hij gretig benutte, zodat ik me voor steeds nieuwe raadsels gesteld zag en we een aanzienlijk deel van onze tijd en aandacht aan de schepping van een gemeenschappelijke taal moesten besteden, aan tekstinterpretatie; alles wat ik hoorde bleef nogal vaag voor me, ik was er nooit zeker van dat ik hem werkelijk had begrepen en hij vulde zijn woorden steeds weer aan en was gedwongen te raden wat ik hem trachtte te zeggen, we gebruikten onaangenaam veel tijd om misverstanden op te helderen en begrippen, uitdrukkingen, woordverbindingen, grammaticale verbanden, regels en onregelmatigheden uit te leggen of te begrijpen, wat voor hem slechts schijnbaar een belangeloos spel was en voor mij even schijnbaar verloren tijd, in werkelijkheid waren het pogingen om heel wezenlijke, bijna symbolische communicatieproblemen te overwinnen die ons beletten elkaar te leren kennen en te begrijpen, elkaar in bezit te nemen, problemen die niet altijd door logisch redeneren konden worden opgelost, want bij de studie van een taal stuiten we voortdurend op kwesties waarbij verstand en logica het leerproces eerder belemmeren dan bevorderen; maar die waterval van woorden, die deels geremde, deels voortkabbelende woordenstroom, die verbale zelfbevlekking en zelfexpressie hadden ook eindpunten, kleine wendingen, wanneer de blik even afdwaalde en de vingertoppen voelden hoe het bloed in de aderen klopte, of wanneer het schijnsel van de in de tocht flakkerende kaarsen plotseling op onze pupillen viel, zodat het vanbinnen verlichte, begaanbare plaatsen leken en de blik zomaar die twee donkere poorten kon binnengaan om het blauw van het oog te betreden; in dit land kon hij onmogelijk leven, zei hij, en het klonk alsof hij niet over zichzelf sprak, maar over een vreemde; hij glimlachte zelf om wat hij had gezegd; nee hij kon hier niet existeren, hij kon het eenvoudig niet! niet omdat hij er de minste last van had dat alles hier tot in het merg verrot, vals en leugenachtig was, omdat alles hier een dubbele bodem had en glad, kleverig of ongrijpbaar was, nee dat vond hij juist vermakelijk, hij kende deze wereld maar al te goed en beschouwde het eerder als een uitzonderlijk voorrecht op een plaats van de wereld geboren te zijn waar – daar moest ik eens goed over nadenken – al meer dan een halve eeuw lang een uitzonderingstoestand heerste, waar al meer dan een halve eeuw lang geen normaal woord gezegd kon worden, zelfs niet onder buren; hier, waar Adolf Hitler! met overweldigende meerderheid was gekozen, hielden de mensen er tenminste geen overbodige illusies op na, en vanaf een zeker punt – 'en dit punt hebben we al lang bereikt' – hield hij leugens voor zeer menselijk, zelfs voor normaal, en dus moest ik hem de perverse vreugde gunnen dit door leugens gevoede en door leugens geoliede systeem niet onmenselijk te noemen, het niet van fascisme te beschuldigen, zoals de hele wereld deed; was het niet eerlijk, onbeschaamd eerlijk, steeds het tegenovergestelde te verkondigen van wat men dacht en steeds het tegenovergestelde te doen van wat men voorgaf te doen? op eigenschappen te bouwen als leugenachtigheid, achterbaksheid, heimelijkheid, onbetrouwbaarheid, valsheid en geheimzinnigheid en niet op waarheidsliefde, openhartigheid, oprechtheid of op de zogenaamde rechtvaardigheid, die overigens niet minder moeilijk te verdragen was! en zoals het humanisme trachtte het gezonde, natuurlijke verstand te institutionaliseren, zo had het fascisme de natuurlijke leugen geïnstitutionaliseerd, en daar was niets op tegen; je zou kunnen zeggen dat die leugen alleen maar een andere vorm van de waarheid was, een vorm die de wereld nog niet kende; overigens had hij schijt aan dat alles, alles wat hij tot nog toe had gezegd was zuiver politiek en hij had schijt aan de politiek, aan haar waarheden en haar leugens, ook die van hemzelf, hij had schijt aan haar theorieën en haar gevoelens, om maar te zwijgen van zijn eigen gevoelens, waaraan hij, overigens zonder enige hartstochtelijkheid, eveneens schijt had, maar zonder dat daar een speciale reden voor was, zomaar, voor de grap, want hij had de innerlijke aard van de leugen van te nabij leren kennen om die niet te waarderen en lief te hebben, hij beschouwde de leugen als een heilige zaak, het was goed om te liegen en het was bovendien noodzakelijk en amusant, hij loog voortdurend, ook nu, tijdens ons gesprek, hij loog onafgebroken, hij beloog ook mij, daarom verzocht hij me absoluut niets te geloven van wat hij zei, maar het als scherts op te vatten, om hem niet te vertrouwen, mij niet op zijn woorden te verlaten en niet op hem te rekenen; hij wist bijvoorbeeld heel goed, al was ik nog zo tactvol geweest, dat ik deze kamer afgrijselijk vond omdat hij niet eerlijk was ingericht; ik moest het hem maar niet kwalijk nemen, maar hij had het gevoel dat ik er nog wat ouderwetse ideeën, wat burgerlijke vooroordelen op na hield om- dat ik zo aarzelend loog, omdat ik mijn leugens als het ware in vloeipa- pier verpakte; juist vanwege die oneerlijkheid was die kamer hem zo dierbaar, niet omdat hij was ingericht overeenkomstig zijn smaak, hij wist niet eens hoe een kamer eruit zou moeten zien om werkelijk van hem te zijn, hij wist het niet en hij wou het ook niet weten! als hij de kamer leeg had gelaten, zoals hij oorspronkelijk van plan was geweest, was dat ook een leugen geweest, en als je tussen twee leugens moest kiezen, was het volkomen onbelangrijk welke je koos, hij had eenvou- dig een kamer gewild die niet zo was als een kamer behoorde te zijn, omdat hij zelf ook niet zo was als een man behoorde te zijn, als je loog moest je dat consequent doen, het had geen zin mooi en lelijk met el- kaar te combineren, bij het slechte hoorde het nog slechtere, enzo- voorts, dus bij de leugen de leugen; nee, het was hem niet ontgaan dat ik hem beloog; natuurlijk kwam zijn gedrag neer op demonstratieve verontwaardiging, protest, baldadigheid en agressie, hij erkende dat hij wat dat betreft zijn Duitse aard niet kon verloochenen, ik moest maar eens aan Nietzsche denken, als ik die kende, aan de meedogenloze pre- cisie waarmee die het bestaan van God ontkende, hij moest daar altijd om lachen, want Nietzsche creëerde zo juist die niet bestaande god, omdat hij hem nodig had, omdat hij wanhopig en verbitterd was door zijn afwezigheid en naar hem verlangde, maar als die god wel had be- staan, zou hij getracht hebben hem te vernietigen! ja zeker, hij stak het niet onder stoelen of banken dat hij het leven in dit land afschuwelijk vond, maar toch leefde hij hier, zoals ik zag, hoewel hij zich voortdu- rend aan vreemde onbekende en overbodige voorwerpen stoorde, maar hij wist tenminste waarvoor die dienden, hij hield van hun onechtheid; en hoewel hij niet dacht dat het ergens anders beter was, zou hij dit land toch verlaten, hij was het hier gewoon zat; zelfs al zou het hem het leven kosten, hij zou proberen hier weg te komen, het ge- vaar kon hem niet tegenhouden, waarmee hij niet wilde zeggen dat hij zelfmoord wilde plegen, maar als hij vandaag of morgen of wanneer dan ook dood zou gaan, was dat volmaakt in orde, ik moest me eens in- denken: een leven van achtentwintig jaar waarin slechts éénmaal een moment was geweest dat je waarachtig of authentiek kon noemen, hij wist precies welk moment dat geweest was, namelijk toen hij van zijn ziekte, waaraan hij bijna was bezweken, begon te herstellen; daar had hij het al over gehad toen ik naar de twee lange littekens op zijn buik had geïnformeerd en hij over die twee operaties had verteld; hij was

opeens uit bed gestapt – zeventien was hij toen – en had voor de eerste
maal geprobeerd weer op zijn benen te staan, hij had voorzichtig moeten zijn en zich aan de meubels vastgehouden om niet zijn evenwicht
te verliezen, zodat het hem helemaal niet was opgevallen dat hij het
eerst naar de plaats was gelopen waar zijn viool was opgeborgen; de
stoffig geworden vioolkist lag op de boekenplank; kon ik me voorstellen wat zo'n zwarte kist voor een viool betekende? hij had pas gemerkt
wat hij aan het doen was toen hij de viool in zijn hand had gehouden;
op dat moment had hij het instrument het liefst doormidden gebroken, nee, niet gebroken maar onbruikbaar gemaakt, bijvoorbeeld
door het tegen de scherpe kant van de boekenplank kapot te slaan,
waar hij toen natuurlijk niet sterk genoeg voor was; alles om hem heen
was vaag en nevelachtig geweest, maar de geluiden die hij hoorde waren zo luid alsof iemand in de buurt aan het zagen was, alsof er een
elektrische zaag snerpend door een blok hout ging; hij was alleen thuis
en had alles kunnen doen wat hij wilde, maar hij kon het niet vanwege
zijn lichamelijke zwakte, hij had nog net genoeg kracht gehad om de
viool in de met donkergroen fluweel gevoerde kist terug te leggen,
daarna was hij langzaam in elkaar gezakt en had hij het bewustzijn verloren, zodat het had geleken of het heel snel donker werd; op dat moment was er vanbinnen iets bij hem geknapt, iets wat die viool symboliseerde; sedertdien was de viool geen middel meer om zijn behoefte
aan lof te bevredigen, een lof die hij met zijn ongetwijfeld jammerlijke
en onbeholpen spel bij zijn omgeving had geoogst, sedertdien gebruikte hij het instrument niet meer om het goedaardige bedrog te
plegen waarmee zijn moeder hem, en hij zichzelf en alle anderen had
misleid, iedereen die hem tot dan toe als wonderkind had verafgood,
zodat hij was gaan geloven dat hij dankzij die viool anders was dan zijn
leeftijdsgenoten, dat hij verfijnder en bijzonderder was, een uitverko-
rene, een genie, de tot-leven-wekker van een dood voorwerp! de viool is echter geen middel, maar doel, ze wil zichzelf ten gehore brengen, ze wil de fysieke eigenschappen van een mens met de hare verenigen; wie werkelijk geniaal is, beweegt zich in het smalle grensgebied
waar het voorwerp ophoudt een voorwerp en de mens ophoudt een
mens te zijn en waar het eerzuchtige verlangen om het voorwerp te laten klinken onpersoonlijk is geworden omdat het niet op het eigen
ego is gericht maar uitsluitend op dat voorwerp; hij had net voldoende
talent om dit in te zien; hoe ijverig, gevoelig en oplettend hij ook was,
hij zou enkel een briljante show kunnen opvoeren met die viool, haar

werkelijk ten gehore te brengen zou hem nooit gelukken; het was dus zinloos verder te oefenen en hij had het instrument dan ook nooit meer aangeraakt; iedereen had hem verzocht, ja bezworen weer te gaan spelen, niemand had begrepen wat hem bezielde, hijzelf ook niet, maar hij was niet meer in staat geweest die viool ook nog maar één keer ter hand te nemen.

Hij had het instrument daarom maar in de kinderkamer opgehangen, aan de muur, omdat het zo mooi was; het was voor hem niets anders meer dan een fraai gevormd voorwerp, rustgevend en volmaakt voor het oog, iets wat niet veranderde, maar – gelukkig – altijd bleef zoals het was, daarom had hij het hier ook aan de muur gehangen; maar nu hij me verteld had wat hij nog nooit eerder aan iemand had verteld, besefte hij plotseling dat dit verhaal, dat hij tot nog toe met zoveel genoegen in zijn hart had gekoesterd, niet helemaal eerlijk was, dat hij daarmee zijn wanhoop, zijn cynisme, zijn ontgoocheling en zijn lafheid trachtte te rechtvaardigen, al die verpletterende gevoelens die zijn moeder in hem had gewekt toen hij – hij had me dat al eens verteld – heel argeloos, speels en zelfs wat behaagziek aan haar had gevraagd of het niet mogelijk was dat hij niet de zoon was van de dode man wiens naam hij droeg – hij kon namelijk op foto's geen spoortje gelijkenis met hem ontdekken –, maar van een andere man, zijn moeder moest dat toch weten, hij was nu al een grote jongen, dus zijn moeder kon hem dat best zeggen; hoe weet je dat? had ze geschreeuwd; ze was juist met de afwas bezig en toen ze zich naar hem omdraaide leek het of er allemaal wriemelende wormen over haar gezicht kropen; terwijl hij nota bene helemaal niets had geweten of gehoord! wat had hij trouwens kunnen weten? het was alsof zijn eigen dood hem had aangegaapt, zijn noodlot; door haar schreeuw had hij begrepen dat ze allebei volkomen onverwachts en zonder enige zin in een uiterst gevaarlijke situatie waren geraakt, ja in levensgevaar verkeerden, een gevaar dat, vooruitlopend op de starheid van de dood en nog voordat je een impuls kreeg om vastberaden te handelen, al je ledematen en je zintuigen verlamde en je de rillingen over je lijf deed lopen; ontzet had hij in de dode ogen van zijn moeder gestaard; lange tijd had hij zijn blik niet van haar kunnen afwenden en ze waren tot het vallen van de avond bij het aanrecht blijven staan, waar ze hem het verhaal had verteld van de Franse krijgsgevangene die zijn werkelijke vader was; daarna was hij ziek geworden, maar hij geloofde niet dat die ziekte iets te maken had gehad met die schok, in ieder geval leek hem dat onwaarschijnlijk;

weet je, zei hij, als je geen vader meer hebt, tracht je je een beeld van hem te vormen en als dat dan eindelijk gelukt is, blijkt opeens dat degene die werkelijk bestaan heeft, niet werkelijk is en dat degene die niet bestaat, de enige werkelijke is, net als God! nu wist hij waarom zijn moeder zo graag wilde dat hij viool speelde en niet als andere kinderen was, per slot van rekening was hij ook niet hetzelfde, hij moest een genie zijn, hoewel hij dat niet was, en hij mocht geen Duitser zijn, hoewel hij dat wel was; maar nu schoot hem iets te binnen wat hij nog niet verteld had: nadat hij twee maanden tussen de stervenden had gelegen, die zo snel uit de bedden waren verdwenen dat hij tenslotte als enige in de ziekenzaal was achtergebleven, eveneens stervende, want niemand verliet die zaal levend, had hij plezier gekregen in zijn situatie, hoewel zijn buikholte steeds opnieuw begon te etteren, maar de dokters vonden een nieuwe operatie zinloos, ze verwijderden alleen met een catheter de etter uit zijn buikholte, op de plaats waar die catheter had gezeten, zat nog steeds een bobbel, die zou hij me weleens laten zien; ze wisten in het ziekenhuis absoluut niet wat ze met hem moesten beginnen, hij was stervende, maar niet zoals het hoorde, want hij wilde niet fatsoenlijk dood; tenslotte, na twee maanden, hadden ze zijn moeder, die van louter schuldgevoel helemaal grijs en bijna krankzinnig van verdriet was geworden, gevraagd of ze hem weer mee naar huis wilde nemen; ze was vermagerd, beefde en liet alles uit haar handen vallen en haar ogen schenen hem voortdurend om vergiffenis te smeken, maar hoe graag hij haar ook vergeven had, hij kon het niet; ze bewoog zich als een geest om hem heen, alsof elke slok water die ze hem gaf haar schuld kon verminderen, alsof ze voor die indertijd begane zonde – stel je voor, een Duitse vrouw met een Fransman! gelukkig had ze de straf die op 'rasschennis' stond weten te omzeilen, al had ze wel om andere redenen drie maanden lang met hem in haar buik gevangengezeten – na al die jaren nog moest boeten; maar dat zou hij me later weleens vertellen; en op een goede dag had de huisarts, die hem twee keer per week bezocht, een ingeving gekregen en gezegd: doe je mond eens open, jongen! hoe zien je tanden er eigenlijk uit? laten we eens even naar je tanden kijken! en nadat ze twee kiezen bij hem hadden getrokken, was hij binnen twee weken weer zo gezond als een vis geweest, zoals ik met mijn eigen ogen kon zien, dankzij die twee rotte kiezen ploeterden we nu in het stinkende moeras van zijn ziel rond; maar alle gekheid op een stokje, het moest hem van het hart dat hij me dankbaar was, dat hij een waarachtige, diepe dankbaarheid voelde omdat hij alles wat hij over zichzelf wist nu voor het eerst hardop durfde te vertellen, ik was voor hem net zo iemand als die tandarts die die twee Adolf Hitlertjes uit zijn mond had verwijderd, ik had ook iets uit hem getrokken, iets in hem losgemaakt, en terwijl hij alles had verteld, had hij allerlei dingen begrepen die eerst niet duidelijk waren geweest, al kon hij daarover nog niet goed spreken, en opeens – want hij was een verschrikkelijke egoïst – was de gedachte in hem opgekomen dat ik alleen maar in zijn leven was verschenen opdat hij dat alles met een vreemde kon delen, hij zou hier weggaan, dat stond voor hem vast, hij had er schoon genoeg van zich een buitenlander te voelen in zijn eigen land, maar het was beter als hij met een helder hoofd en zonder verwijten of haat vertrok, en dat dat mogelijk was, had hij aan mij te danken en misschien wel aan het feit dat ik buitenlander was.

Ik mompelde dat hij nu toch overdreef en dat ik onmogelijk zo belangrijk voor hem kon zijn omdat een ander nu eenmaal niet zijn problemen kon oplossen.

Maar hij zei dat hij dat absoluut niet overdreven vond, want als iemand iets voor je had gedaan, moest je hem er fatsoenlijk voor bedanken; en terwijl hij dat zei, schoten zijn ogen vol tranen.

Misschien was dat het moment dat ik zijn gezicht aanraakte en zachtjes tegenwierp dat Pierre toch ook een buitenlander was.

Met Pierre sprak hij niet in zijn moedertaal, zei hij, Pierre was een Fransman, en dat was hij zelf eigenlijk ook, al was zijn moedertaal dan Duits.

Ik antwoordde dat hij helemaal geen Fransman was en dat hij gewoon overdreef, wat me overigens wel beviel en waarmee hij mijn ijdelheid streelde, maar hij hoefde me echt niet zo nadrukkelijk te bedanken, ik voelde het zo ook wel; maar toen ik trachtte onder woorden te brengen wat ik voelde, slaagde ik daar niet in.

Ik kon alleen maar zeggen dat ik te verlegen was om mijn gevoelens te uiten.

Ik hield zijn gezicht in mijn handen en hij het mijne in zijn handen, onze bewegingen waren eender en toch was het alsof we elkaars bedoelingen doorkruisten; misschien zei ik wel niets over die verlegenheid omdat ik voelde dat ik, als ik dat zou doen, werkelijk verlegen zou worden door zijn onvermogen daarop anders te reageren dan op zijn gebruikelijke, afwijzende manier en met zijn nauwelijks zichtbare, ironische glimlachje, dat praktisch nooit van zijn gezicht verdwijnende, afschuwelijk mooie glimlachje; mijn verlegenheid zou iets beder-

ven wat in geen geval bedorven mocht worden, ik zou mijn handen
beroven van de warmte en gladheid van zijn gezicht, zijn baardharen
zouden niet meer onder mijn strelende vingertoppen raspen, iets waar
ik dol op was, maar wat die eerste avond nog in sterke mate mijn afkeer
had gewekt, een door angst veroorzaakte afkeer van het onbekende,
hoewel ik het eigenlijk ook wel interessant had gevonden de overgang
van glad naar ruw op een mannengezicht te voelen en met mijn mond
een mond aan te raken die, evenals de mijne, door stoppels was omgeven, en in hem dezelfde kracht te voelen als ik hem gaf, zodat het leek
of ik niet andermans energie terugkreeg, maar die van mijzelf; waarom
de mond van mijn vader? had iemand anders die eerste avond met mijn
stem uitgeroepen toen zijn lippen de mijne raakten en ik onze baardharen tegen elkaar hoorde schuren, zodat het was alsof de stoppels van
onze vaders over de gladde huid van de vergeten kindertijd raspten!
genietend koesterde ik mij in die walgelijke mengeling van eigenliefde
en zelfhaat, ja, het was me op dat moment volkomen duidelijk dat er
een einde moest komen aan ons gesprek, dat, zonder dat we het hadden gemerkt, opgehouden had een gesprek te zijn; ik was blij dat ik
mijn afkeer van mezelf had overwonnen en ik had hem lief omdat
dankzij hem alles wat me beklemde en beangstigde in orde kwam; en
aldus stapte ik in de letterlijke zin des woords over het lijk van mijn vader, ik vergaf hem zelfs alles, hoewel ik er niet geheel zeker van kon
zijn wie van de twee mijn werkelijke vader was, dat was niet belangrijk
meer, ze waren op dat moment verenigd en ineengevloeid, en dat
maakte stil, dat liet de taal van het lichaam klinken; in mijn oren weer-
galmden zijn snel opeenvolgende woorden, de elektrische stroompjes
in de hersenwindingen hadden tijd nodig om het gehoorde te analyseren en de essentie in blikken, mandjes, cassettes, doosjes, luchtige rekken en doorzichtige kooien op te bergen; en toen het met die koortsachtige verwerking gepaard gaande gedruis verstomd was, zweefden
er nog altijd brokstukken zoemend en sissend in het rond, brokstukken waarvoor om de een of andere reden geen plaats was in de rommelkamer van het geheugen, betekenisloze flarden van gesprekken,
zoals 'een Franse dood'; de beweging waarmee ik zijn gezicht naar me
toe trok, zijn kin met mijn beide handpalmen omvatte en de huid van
zijn wangen met mijn vingertoppen aanraakte, was slechts een onbewust toegepast middel om een mij niet geheel duidelijk voor ogen
staand doel te bereiken; spreken konden we niet meer, hij noch ik;
hoewel hij me tijdens het spreken onafgebroken in de ogen had geke-

ken, alsof zich daarin het vaste punt bevond waaraan hij zich kon vastklampen, leek het nu alsof hij mij eigenlijk niet zag, alsof ik slechts een
levenloos voorwerp voor hem was, en daardoor kon hij zich in zichzelf terugtrekken, kon hij uitwijken naar plaatsen waar hij zich alleen
misschien niet gewaagd zou hebben, en dankzij zijn terugtocht kon ik,
door hem te volgen, in gebieden doordringen waar ik nog nooit eerder was geweest; hoe meer zijn blik zich vasthechtte aan de mijne en ik
een voorwerp voor hem werd, des te verder verwijderde hij zich van
mij, ik moest goed opletten, maar ik slaagde er steeds in hem te volgen;
en omdat ik bij hem bleef, kon hij zijn werkelijke onderwerp – zijn
gedachten, zijn herinneringen en, laat ik dit niet vergeten te vermelden, zijn eenzaamheid, die veroorzaakt werd door het enkele bestaan
van het lichaam en door het gevoel een levend voorwerp in een dode
ruimte te zijn – in steeds ingewikkelder zinnen vol koele logica en met
een vervagend glimlachje uiteenzetten, totdat hij zich door die koelheid en dat glimlachje zover van zijn lichaamsverhaal had verwijderd
dat hij bijna in staat was de onbelangrijke feiten van zijn leven met mijn
ogen te zien; en misschien was hij me wel zo dankbaar omdat hij heel
even kon voelen hoe de dode ruimte de levende vorm ziet, omdat hij
de zeldzaam bereikbare ervaring had één met de buitenwereld te zijn;
vermoedelijk werden zijn ogen daardoor vochtig, maar niet voldoende om de achter de oogleden opgeslagen druppels te voorschijn te laten
komen, het enige effect was dat hij me wat vager zag, dat alles om hem
heen nevelig werd; de fysieke verwarring die deze storing teweegbracht, voerde hem vanuit die innerlijke verte weer naar mij toe, zodat
ik van voorwerp weer een mens werd, weer mezelf werd, en me even
schielijk uit zijn ogen moest terugtrekken als hij uit zijn innerlijk was
teruggekeerd, natuurlijk geschrokken, bang om te verliezen wat ik
verworven had: het recht om zijn knie tussen mijn knieën te klemmen
en licht voorovergebogen zijn gezicht aan te raken, terwijl hij mijn
knie tussen zijn knieën klemde en licht voorovergebogen mijn gezicht
aanraakte.
Aanraakte.
Aanraakte en betastte.
Nu eens luisterden we naar muziek, dan weer las hij me iets voor of
zei ik Hongaarse gedichten op, ik wilde dat hij hun betekenis aanvoelde en zo mogelijk begreep, bovendien wou ik hem bewijzen dat er een
taal was waarin ik me vlot en betrekkelijk foutloos kon uitdrukken, hij
vond dat zichtbaar vermakelijk, lachte en keek me met open mond

aan, zoals kinderen doen wanneer je ze een onbekend stuk speelgoed laat zien; ik voelde me licht en zorgeloos, we vielen aangekleed of naakt en elkaar omarmend in slaap op de divan in de schemerige vestibule, terwijl het langzaam donker werd; als we ontwaakten was het al avond, een winteravond; we staken kaarsen aan en schoven de gordijnen dicht om weer tot diep in de nacht tegenover elkaar te kunnen zitten, soms tot het ochtendgloren, terwijl de kamer langzaam afkoelde, de klok gemoedelijk tikte en de kaarsen met hun flakkerende vlammetjes tot het laatste stompje opbrandden; we hielden ieder een fraai geslepen glas in onze hand, een slanke kelk vol zware Bulgaarse rode wijn; maar het valt mij even zwaar verslag uit te brengen over deze uren, dagen en weken, die ons onmerkbaar van de herfst naar de winter voerden, zodat de populier 's morgens een in nevel gehuld, kanten geraamte leek, als de vraag te beantwoorden met welk recht ik de gevoelens van een ander mens – zíjn gevoelens – als onderdeel van een gemeenschappelijk gebeuren beschrijf, met welk recht ik vertel dat er dit of dat met ons gebeurde, terwijl ik me overigens, en niet zonder reden, slechts in staat voel over mezelf te spreken, dat wil zeggen met een niet al te grote nauwkeurigheid te beschrijven wat mij is overkomen; op die vraag kan ik geen antwoord geven, anders en beter uitgedrukt: op die winteravonden merkte ik hoeveel we van elkaar hielden, als het koesteren van een diepe en intensieve genegenheid voor elkaar althans als 'houden van' mag worden gedefinieerd, maar misschien kan ook het volgende een antwoord zijn: na enige weken, misschien na een maand constateerden we een gevaarlijke innerlijke verandering, zowel bij hem als bij mij; die verandering werd steeds onheilspellender, zo onheilspellend dat ik af en toe mijn ogen even moest sluiten om hem te zien zoals hij voor die verandering was geweest, en ze daarna opende in de hoop dat alles wat mij stoorde verdwenen zou zijn en ik zijn ernstige gezicht weer zou zien en zijn hand weer als vroeger in de mijne zou voelen, want zo leek het wel of ik het stompje van mijn eigen arm omklemde! en ook zijn glimlach moest weer hetzelfde worden, tenslotte was er niets gebeurd en kon er ook niets gebeuren; ik herinner me niet meer nauwkeurig wanneer het is geweest – wat kon ons toen de kalender schelen! – waarschijnlijk tegen het einde van november of in het begin van december, mijn enige aanknopingspunt is Thea's première, waar ik samen met Melchior naar toe ben gegaan, hoewel Thea en hij elkaar toen al negeerden; het moet dus daarvóór zijn geweest dat Thea op het toppunt van de radeloosheid, verwarring en wanhoop waar ze vlak voor de première altijd aan ten prooi was, op een avond had aangebeld, in de hoop – een hoop die ik getracht had aan te wakkeren – Melchior alleen aan te treffen, maar in plaats van hem had ik boven aan de trap gestaan, wat natuurlijk de hele situatie had veranderd, hoewel schijnbaar alles bij het oude was gebleven: we zaten op dezelfde stoelen, de kaarsen brandden net als vroeger, het was stil, de kamer was eender ingericht, de telefoon rinkelde niet en niemand belde aan, niemand had ons nodig en wij hadden evenmin iemand nodig, het was alsof we op een hoge uitkijkpost naar de ruïnes van een verwoeste en ontvolkte Europese stad zaten te staren, zonder enige hoop ooit bevrijd te worden, en als er ergens in de stad geestverwanten in een dergelijke kamer hadden gezeten, hadden we ze onmogelijk kunnen vinden; om de een of andere reden beviel onze voor de buitenwereld angstvallig verborgen gehouden relatie, die mij tot dan toe dierbaar was geweest en die door ons schuilevinkje spelen steeds hechter was geworden, mij plotseling niet meer; en ook al was ik mij bewust van het onrechtvaardige van mijn verwijten aan Melchior en wist ik dat hij de afgelopen weken terwille van mij iedereen op een afstand had gehouden, de telefoon uit het stopcontact had getrokken, als er gebeld werd, de deur niet had opengedaan en zijn woning hermetisch had afgesloten, ik had er eenvoudig behoefte aan om hem verwijten te maken, natuurlijk niet hardop, want alles wat met hem verband hield, ging alleen mij aan; en het was zinloos te trachten dergelijke gedachten uit mijn geest te verbannen, want diep in mijn hart vond ik het afschuwelijk zo'n intieme relatie met hem te hebben, ik moest die betrekking losser proberen te maken; het was alsof ik me pas op dat moment bewust werd van de diepte van onze gevoelens en er daardoor een gruwelijke hekel aan kreeg; ik moest iets nieuws zien te ontdekken, iets wat ik nog niet kende, wat ook hem onbekend was, wat niet van ons samen was; maar als ik weer mijn ogen opende, kwam zijn gezicht mij onverschillig en vreemd voor, alsof hij niet een geliefde persoon was, wat ik zowel verdrietig als aangenaam vond, aangenaam omdat een vreemd gezicht de mogelijkheid van een kennismaking impliceert, verdrietig omdat dit gezicht volkomen leeg en oninteressant was, het gaf geen hoop, het hing me de keel uit; ik dacht dat ik hem kende, maar als ik op de afgelopen weken terugkeek, bleek dit kennen even onbelangrijk als elke andere ervaring; geen enkele ervaring, hoe enerverend ook, was immers in staat me een rustpunt of het vooruitzicht op iets wezenlijks en definitiefs te bieden, onze relatie was dus een nutteloos avontuur, we waren vreemden voor elkaar gebleven en ik begreep niet hoe ik hem ooit aantrekkelijk had kunnen vinden, eigenlijk was hij gewoon lelijk, nee, niet eens lelijk, alleen maar saai, hij was een man die niets voor me betekende, iemand als zovelen.

Ik haatte hem, maar ik gruwde evenzeer van mezelf.

En hij scheen net zoiets te denken, of aan te voelen wat ik dacht, want opeens trok hij zijn hand uit de mijne, zodat ik tenminste bevrijd was van dat afschuwelijke stompje; hij stond op en gaf een schop tegen zijn stoel, die hem kennelijk in de weg stond, daarna zette hij de tv aan.

Omdat hij nogal ruw tekeer was gegaan, zei ik evenmin iets, schopte mijn stoel ook opzij en liep de vestibule in.

Op goed geluk nam ik een boek van de plank en ik ging languit op het zachte, donkere tapijt liggen lezen, mezelf wijsmakend dat dat boek me interesseerde.

Het was niet alleen het patroon van het kleed dat me ergerde, maar ook de ouderwetse stijl van het boek waar ik me doorheen worstelde, ik las namelijk dat er slechts één tempel op de wereld is: de tempel van het menselijke lichaam, en dat niets zo heilig is als de verheven gestalte van de mens; het deed me goed daar op dat knusse tapijt te lezen dat wij, indien wij voor de mens buigen, zijn openbaring in het vlees huldigen en dat we, zijn lichaam aanrakend, ten hemel varen.

Terwijl ik trachtte de voor mij absoluut niet actuele inhoud van dat boek te begrijpen en er geen acht op te slaan dat er ergens een vrouw door het raam naar buiten klom, zich aan de ranken van de wilde wingerd vastklampte en met een deel van de bepleistering gillend omlaagstortte, had ik het gevoel dat alles wel in orde zou komen, maar toch kon ik de gedachte niet van me afzetten dat ik op ruwe wijze tegen de stoel had geschopt, ofschoon hij niet van mij was; buiten gilde de sirene van een ambulance, daarop hoorde ik allerlei instrumenten rinkelen, ik wist dat ik me in een operatiekamer bevond; hoewel het een dwaze, onbetekenende zaak scheen, kon ik toch niet verkroppen dat ik me ruw had gedragen, ik zag steeds die stoel voor me, waar ik een trap tegen had gegeven, hoewel hij niet van mij was; opeens klonk er treurmuziek, de vrouw was waarschijnlijk gestorven en werd nu begraven; ik had dat niet mogen doen, het was baldadig geweest, je hoort andermans stoel niet te maltraiteren, ook al is het lichaam een verheven tempel; hij mocht dat wel doen omdat het zijn stoel was, ik niet, maar ik had het toch gedaan en het had me opgelucht.

Later vroeg ik hem op nogal luide toon of hij wilde dat ik wegging.

Zonder zelfs maar een hoofdbeweging te maken antwoordde hij dat ik moest doen wat mij goeddacht.

Ik vroeg hem of hij wat tegen me had en voegde daaraan toe dat me dat zou spijten.

Dat kon hij mij evengoed vragen, was het antwoord.

Ik zei nadrukkelijk dat ik niets tegen hem had.

Hij beweerde dat hij alleen maar een film wilde zien.

Speciaal die film? vroeg ik.

Speciaal die film.

Dan moest hij maar kijken.

Dat deed hij ook.

Het vreemde was echter dat we elkaar niet zakelijker hadden kunnen bejegenen dan we op dat moment deden, op die manier waren we veel eerlijker tegen elkaar dan wanneer we elkaar eenvoudig hadden gezegd wat we werkelijk dachten, of liever gezegd: die voorzichtige uitwijkmanoeuvres met leugentjes bleken in de omgang veel effectiever om elkaar iets duidelijk te maken dan gevoelsopenbaringen; onze gevoelens waren op dat moment ook veel te heftig om waarachtig te kunnen zijn.

Ik had niet de moed om weg te gaan en hij niet om me te vragen of ik wilde blijven.

De wetenschap van dit simpele, uit elkaars woorden af te leiden feit smeedde ons hechter aaneen dan een bloedbroederschap had kunnen doen.

Maar het was alsof door die leugens iets vervluchtigde, misschien een primitieve kracht of uitstraling, iets wat zich tot nog toe onmerkbaar en met instinctieve natuurlijkheid tussen ons had bewogen, het verdween niet geheel en bleef op de een of andere manier bestaan, maar het werd minder krachtig, in elk geval miste ik iets en door dit gemis begreep ik wat ik tot nu toe werkelijk had gevoeld.

Ik wist dat hij hetzelfde voelde.

Het scheen nog altijd te vibreren en vulde de ruimte tussen de kamer en de vestibule bijna even tastbaar als het blauwe schijnsel van de tv, misschien hadden we het nog te pakken kunnen krijgen of definitief kunnen uitschakelen, maar die van ons onafhankelijke, vibrerende beweeglijkheid was zo verlammend dat we geen van beiden meer een vin konden verroeren, het was alsof het ons met zijn koude adem influisterde dat we niets anders konden doen dan die roerloosheid – de enige band tussen ons, die even onherroepelijk scheen als een vonnis –

te erkennen en te verdragen; het was alsof een buitenstaander ons de ware aard van onze verslechterende relatie toonde.

In een dergelijke situatie zoeken we onwillekeurig naar de meest voor de hand liggende, dus eenvoudigste en meest praktische oplossing, maar het scheen even onmogelijk zo'n oplossing te vinden als op te staan, de van hem geleende pantoffels uit te schoppen, mijn schoenen en jas aan te trekken en te vertrekken, vooral omdat er eigenlijk niets onaangenaams tussen ons was voorgevallen, want wat was er uiteindelijk voorgevallen? niets! het zou veel te omslachtig en te tijdrovend zijn, er zouden te veel bewegingen en onverdraaglijke dramatiek aan te pas komen; het was echter evenmin mogelijk in deze gemoedelijke houding op het kleed te blijven liggen, dat zou om andere redenen tegen mijn gevoel voor betamelijkheid hebben ingedruist, tenslotte was het zijn tapijt waarop ik lag en zelfs in de liefde – laten we niet vergeten dat de verliefde zich in een bijzonder kwetsbare positie bevindt! – zijn rechten belangrijker dan gevoelens; ik moet hier weg, ik moet opstaan en de deur uitlopen, dacht ik dwangmatig, alsof ik daardoor de handeling kon laten plaatsvinden die ik niet kon verrichten, want in werkelijkheid bleef ik gewoon liggen en deed ik alsof ik las, terwijl hij deed alsof hij tv keek.

We verroerden ons geen van beiden.

Hij zat met zijn rug naar me toe in het blauwe schijnsel van de tv en ik had me over mijn boek gebogen; en hoewel het maar een kleinigheid is, wil ik toch vermelden dat mijn stijve houding me nog het meest van alles hinderde, ze verried mijn onbehaaglijkheid, en al kon hij me niet zien, ik wist dat we elkaar scherp in de gaten hielden, waardoor hij evenzeer van mijn verkramptheid op de hoogte was als ik van hem wist dat hij maar deed alsof hij naar die onnozele film keek, terwijl hij in werkelijkheid mij bespiedde en bovendien wist dat ik dat wist, maar er was iets wat ons dwong door te gaan met dit doorzichtige spelletje, dat enerzijds schaamtelozer was dan welk soort naaktheid ook, anderzijds belachelijk en zelfs vermakelijk, niettegenstaande al onze ernst.

Ik wachtte en wachtte en overwoog intussen of het wellicht die vermakelijkheid en lachwekkendheid was die hij wilde uitbuiten, de enige kier, dacht ik, waardoor we zouden kunnen ontsnappen uit de val van onze eigen ernst, of liever gezegd: ik dacht dit niet, maar ik voelde dat er achter zijn tragische pose een lachje of op zijn minst lachlust op de loer lag.

Want het was een spel dat we speelden, een spel waarin we om beurten aan zet waren, een onhandig spelletje met gevoelens, dat, hoe doorzichtig en kinderlijk ook, ons met zijn regels dwong de in het intermenselijke verkeer gangbare regels in acht te nemen, het was ons streven naar gelijkheid dat ons parten speelde, het eeuwige verlangen naar aanpassing aan elkaar; en omdat onze manier van reageren een spel was, in de meest nobele zin des woords, kon ik hem niet langer als indifferent of neutraal beschouwen, ik speelde mee, we speelden samen, speelden samen dat wrede spel; het gevoel dat we samen iets deden verminderde zelfs tot op zekere hoogte onze haat, maar ik kon me desondanks niet bewegen of iets zeggen, ik moest wachten; ik had mijn kansen al verspeeld toen ik in strijd met de waarheid had gezegd dat ik niets tegen hem had, nu was hij aan zet volgens de spelregels.

En dat wachten, dat vibreren van een op handen zijnde beslissing, het onvermogen om te beslissen, die derde persoon, met wie ik evenveel te maken had als hij, die kracht die aanwezig was, maar niets uitrichtte en waarvan je niet wist of ze van mij naar hem of van hem naar mij stroomde dan wel eenvoudig in de lucht zweefde, een toestand die spitsvondig wordt aangeduid met de uitdrukking: 'het hangt in de lucht', hield op de een of andere manier verband met en herinnerde aan de gevoelens die we die avond hadden gehad toen ik voor het eerst boven was gekomen en hij naar de keuken was gegaan om champagne te halen.

Hij had de deur opengelaten en ik had eigenlijk iets moeten horen, geluiden, het openen en sluiten van de koelkast, gerinkel van glazen, voetstappen, maar pas later, toen we elkaar steeds minder goed begrepen en, om ons te verdedigen, elkaar vertelden wat we samen hadden meegemaakt, zei hij, in een poging die eerste minuten te reconstrueren, dat hij zich herinnerde bij het keukenraam te zijn blijven staan om naar de regen te luisteren en te kijken, en dat hij toen, zonder te weten waarom, niet in staat was geweest zich van die plaats te verwijderen, hij wilde niet meer naar de kamer terugkeren maar mij vanuit de keuken zijn stille hulpeloosheid, verlangen en onzekerheid laten merken, die ik op dat moment trouwens ook werkelijk had gevoeld; ik moest merken dat hij op dat moment de regen, de donkere daken en het ogenblik zelf belangrijker vond dan mij, die daar in zijn kamer wachtte, want dat wachten gaf hem een eigenaardig geluksgevoel, dat hij met mij had willen delen, het kwam immers maar zelden voor dat je zoiets heerlijks meemaakte.

Hij stond op en liep, alsof hij nu ook weer naar de keuken wilde gaan, in de richting van de vestibule, waar ik op het kleed lag.

We wisten niet hoe onze beslissing zou uitvallen, maar we voelden beiden dat het al vaststond wat we zouden besluiten.

Maar opeens ging hij, alsof hij van plan veranderd was en toch niet naar de keuken wilde gaan, naast me op het kleed liggen, leunend op zijn elleboog en zijn hoofd comfortabel met zijn hand ondersteunend, en terwijl hij daar zo half zat, half lag, keken wij elkaar aan.

Het was een van de zeldzame ogenblikken dat hij niet glimlachte.

Zijn blik scheen van ver weg te komen en hij keek niet naar mij, maar naar het verschijnsel dat ik voor hem was geworden, terwijl ik zijn gezicht observeerde op de manier waarop je naar een voorwerp kijkt waarvan de schoonheid of goede eigenschappen met de beste wil van de wereld niet in twijfel kunnen worden getrokken, maar dat toch anders is dan je zou willen, dat niet de schoonheid bezit waarvan je houdt of meent te houden.

En toen zei hij zachtjes dat het onbegonnen werk was.

Ik vroeg wat hij bedoelde.

Hij antwoordde dat hij erachter probeerde te komen wat ik voelde.

Ik zei haat, hoewel dat niet meer helemaal klopte.

Waarom? kon ik hem dat uitleggen?

Warrig, blond kroeshaar, een oerwoud, een massa, leeuwemanen, een gladde, gespannen huid over een gewelfd voorhoofd met de twee knobbeltjes van het voorhoofdsbeen, de ondiepe holtes van de slapen en dichte, donkere, bijna zwarte en met enkele lange haren opgesierde wenkbrauwen, die elkaar, wat dun geworden, boven de neuswortel ontmoetten, met bleke haren vermengd naar het voorhoofd liepen en vandaar schuchter en geheel verbleekt naar de holtes van de slapen afdaalden om de zachte, gevoelige kussentjes van de oogleden te beschaduwen en te benadrukken, oogleden die, verdeeld door de lange, gebogen wimpers, een levendige en beweeglijke omlijsting vormden voor het zich in het blauw der ogen verwijdende en vernauwende middelpunt der pupillen; en dan dat blauw met al zijn koelheid en kracht, dat in die zwarte omlijsting zo vreemd contrasteerde met zijn melkwitte huid! en het zwart, dat zonder enige geleidelijkheid in blond overging! al die in wezen opdringerige kleuren! de rechte neusrug die, naar de bogen der neusvleugels aflopend en steil in de diepte van het gelaat afdalend, de kleine, donkere holtes der neusgaten met een paar elegante, barokke krullen omlijstte en vervolgens, onzichtbaar onder de huid doorlopend en twee loodrechte bergruggen boven de mond vormend, de binnenzijde der neusvleugels bijna symbolisch met de omgekrulde rand van de bovenlip verbond, aldus twee zeer verschillende lichaamsdelen met elkaar verzoenend binnen het langwerpige, ovale, maar, als je het hoofd in zijn geheel beschouwde, toch rond schijnende, gesloten vlak van het gezicht: de loodrechte neus en de verticale mond of lippen, dit tweeledige, zijn rauwheid nauwelijks verhullende stuk mensenvlees.

Ik zei hem dat hij niet boos op me moest zijn.

Dat ik dat ernstig meende, had ik slechts kunnen bewijzen door hem te kussen, maar nu had hij geen mond meer maar een Mond, en ik had ook een Mond, kussen was dus onmogelijk geworden.

Waarom zou hij boos zijn? Daar was geen sprake van.

Misschien waren het niet eens de details van zijn gezicht maar vooral de bewegingen van zijn lippen, de manier waarop ze zich bij het spreken openden en sloten, die mechanische bewegingen, die, in combinatie met zijn kalmte, op mij een enorm koele indruk maakten, of was ik juist degene die koel was? of waren we dat allebei? en alles – zijn gezicht, zijn mond, vooral bij het openen en sluiten, maar ook mijn arm, die onder het gewicht van mijn lichaam langzamerhand gevoelloos werd en door mijn verkrampte houding begon te tintelen, en zijn hand, de manier waarop hij zich ondersteunde – alles scheen beheerst te worden door die onbekende, onpersoonlijke kracht in ons lichaam, een kracht die tevergeefs functioneert aangezien elke willekeurige of onwillekeurige beweging door doelmatige vormen wordt bepaald, aangezien door die vormen alles van meet af aan vaststaat; tevergeefs ervaar ik dat God in mij is als de beweging niets meer en niets anders kan zijn dan hetgeen de doelmatigheid van de vorm veroorlooft en elke beweging dus wordt beperkt door de doelmatigheid van de lichaamsvormen, als die lichaamsvormen het stramien vormen voor die kracht, zodat een beweging slechts een teken of een signaal kan zijn, de waarneming van het doelmatig functioneren van die vormen, het gadeslaan van de manier waarop allerlei patronen zich in mij realiseren; we noemen dat 'gevoel', ofschoon het niets anders is dan narcisme, ik neem niet een mens waar, maar alleen zijn vormen, zijn patroon, niet hemzelf, maar een teken, een signaal; we kunnen elkaar uitsluitend begrijpen voorzover onze lichamen eender functioneren, voorzover onze bewegingen overeenkomstige patronen in elkaar opwekken, zodat we elkaars bedoelingen kunnen raden; waarnemen is alleen genieten van een weerspiegeling, en alles wat daarbij komt is zelfbedrog; toen ik tot dit inzicht kwam, voelde ik me als iemand die tijdens een concert ineens gaat letten op de functie van de instrumenten en op de snaren en de hamertjes, zodat het geluid, waar het eigenlijk om gaat, steeds meer op de achtergrond raakt.

Ik zei dat hij het me maar niet kwalijk moest nemen, maar dat ik er niets van begreep.

Wat zou je moeten begrijpen? vroeg hij, en waarom?

Ik zei dat hij het me maar niet kwalijk moest nemen, maar dat ik het niet beter kon uitleggen, misschien kon ik hem wel zeggen wat hij laatst zo graag had willen weten, maar waarover ik toen gezwegen had omdat ik het te sentimenteel had gevonden en bang was geweest daardoor iets te bederven, sindsdien – en dat moest hij me evenmin kwalijk nemen – waren zijn bewegingen niet meer zo belangrijk voor mij, en kon het me ook niet zoveel schelen of hij mij aanraakte of ik hem, want wat we ook deden of probeerden te doen, iemand had dit alles geregisseerd en daarmee was de kous af! misschien waren we ook al met elkaar verbonden geweest toen ik hem nog niet kende, maar hadden we dat alleen niet geweten, kon hij zich dat voorstellen? al bijna dertig jaar lang, dat was mijn idee-fixe, waarvan ik helemaal bezeten was, en ik voegde eraan toe dat hij mijn broer was.

Hij begon te lachen, ja schaterde het bijna uit, en zodra ik dat woord had uitgesproken, moest ik zelf ook lachen, maar om te voorkomen dat zijn gelach kwetsend zou zijn, raakte hij voorzichtig en toegeeflijk met zijn vinger mijn gezicht aan; we moesten echter niet alleen lachen omdat dit alles de indruk wekte alsof ik op dit stille moment op hypergevoelige toon de grootste dwaasheid had verkondigd, maar ook omdat ik iets heel anders had gezegd dan ik bedoelde, het woord 'broer' betekende namelijk in de gegeven situatie in zijn taal niet hetzelfde als in mijn taal; toen ik dit in mijn taal bedachte woord in de zijne had gebruikt, was mij onmiddellijk mijn fout opgevallen: ik had aan het bijvoeglijke naamwoord 'warm' moeten denken, dat in zijn taal aan het woord 'broer' wordt toegevoegd als men 'homo' bedoelt, dus leek het alsof ik op de meest sentimentele toon had verkondigd dat hij mijn *warmer Bruder,* mijn holmaatje was, wat misschien een geestige woordspeling was geweest als ik het niet op die overdreven gevoelige toon had gezegd, maar door in het huis van de gehangene zo over de galg te spreken hadden mijn woorden een heel andere, overigens niet ontoepasselijke betekenis gekregen, het was werkelijk belachelijk en we

lachten dan ook, hij zelfs zo hevig dat de tranen over zijn wangen rolden, en zijn vrolijkheid werd er niet minder om toen ik hem uitlegde
dat het Hongaarse woord voor broer – *testvér* – uit twee woorden is
samengesteld die 'lichaam' respectievelijk 'bloed' betekenen en dat ik
daaraan had gedacht.

Toen hij weer wat gekalmeerd was en alleen nog wat nalachte,
merkte ik dat we ons nog verder van elkaar hadden verwijderd.

Het was alsof hij weer dat air van superioriteit had aangenomen dat
hij al de eerste avond voorzichtig had laten varen.

Op zachte toon zei ik hem dat ik overigens ook dat niet had bedoeld.

Hij nam mijn gezicht in zijn handen als bewijs dat hij me mijn stom-
miteit vergaf, maar dit gebaar verhoogde in mijn ogen, vooral na die
lachbui, zijn superioriteit.

Eigenlijk had ik je iets willen zeggen wat ik tot nog toe niet heb durven zeggen omdat ik bang was je te kwetsen, zei ik, maar ik zie nu wel
in dat het allemaal zinloos is, ik hoop dat je het me niet kwalijk neemt,
maar ik voel me alsof ik in een gevangenis zit.

Waarom zou ik je dat kwalijk nemen, vroeg hij, dat zou toch dwaas
zijn?

Ik zei dat het misschien beter was als we een tijdje uit elkaar gingen.

Daar kon je wel eens gelijk in hebben, zei hij, daarom zei ik daarstraks ook dat er niets aan te doen is. Nu kun je zelf zien dat dat klopt.

Maar ik deed alsof ik hem niet begreep.

Ik begrijp het niet.

Hij zei dat hij er deze keer ook niet aan had gedacht, sinds hij mij had
ontmoet, was hij helemaal vergeten dat het onbegonnen werk was, en
toen hij daarstraks mijn hand had gevoeld, was hij verbaasd geweest, ja
zelfs bang geworden; blijkbaar duurde zoiets als tussen ons was ontstaan slechts zo lang, niet langer; terwijl hij gedaan had of hij naar de televisie keek, was hij tot de conclusie gekomen dat hij, als ik er genoeg
van had, dat moest accepteren, en die gedachte had hem gekalmeerd,
want ik kon rustig van hem aannemen, hij wist uit ervaring, dat twee
mannen, of, zoals ik het net had uitgedrukt, twee broers – op dat moment liet hij een hikkerig lachje horen, dat echter meer als een droge
snik klonk – het nu eenmaal niet lang samen uithielden, daar kon je
vergif op innemen; ik had tot nog toe geprobeerd onze relatie de emotionele lading te geven waaraan ik door de omgang met vrouwen gewoon was geraakt en hij kon er natuurlijk niets aan doen dat ik zo'n eigenaardige voorgeschiedenis had, ik moest niet vergeten dat je met

270

een vrouw desnoods een relatie kon continueren die noch zij noch jij wilde, zelfs al wist je dat het eigenlijk onmogelijk was, alsof de mogelijkheid om ermee door te gaan door geen enkele ongunstige omstandigheid kon worden beïnvloed, maar als het om een relatie van twee mannen ging, waren er geen tussenoplossingen, het was of zus of zo, en daarom kon hij me alleen de raad geven dat je in zo'n geval het beste je biezen kon pakken, het had dan geen zin het spel verder te spelen, je moest je met een smoesje zo snel mogelijk uit de voeten maken en nooit meer terugkomen, zelfs achteromkijken was verkeerd; wat ik zo kon behouden, was voor ons allebei veel kostbaarder dan wat ik kon winnen door mezelf voor het lapje te houden, hem zou ik namelijk – sorry dat hij het zo cru zei – niet in de maling kunnen nemen, daarvoor had hij teveel meegemaakt; het enige verstandige was de zaak zo snel mogelijk te vergeten.

Ik zei hem dat hij op een wat al te doorzichtige manier de stoere bink uithing en dat zijn manier van doen zelfs iets fascistisch had.

Hij noemde me sentimenteel.

Ik antwoordde dat ik dat misschien wel was, maar dat ik me in die klotetaal van hem niet fatsoenlijk kon uitdrukken.

Dan zou hij mij wel uitdrukken in plaats van ik mezelf.

Ik zei dat hij niet zo raar moest doen.

Hoezo raar? vroeg hij.

Laat maar zitten, zei ik.

Begreep ik wel waar we het over hadden?

Begrijp je het zelf wel? riposteerde ik.

Aantekeningen bij een antieke muurschildering

De reproduktie die ik vroeger tussen mijn aantekeningen bewaarde omdat ik die nodig meende te hebben bij het schrijven van een novelle over de supergeheime wereld van mijn vermoedens en gissingen, hopende dat ik daarvoor voldoende talent en uithoudingsvermogen bezat, toonde een lieflijk Arcadisch landschap: een licht glooiende open plek aan de voet van eindeloos voortgolvende heuvelruggen, begroeid met schaarse struiken, zijige grassen, kleurige bloemen, verwaaide olijfbomen en verweerde eiken; deze reproduktie was een geslaagde afbeelding van een kolossale, kleurrijke antieke muurschildering die ik enkele jaren geleden, toen ik door Italië reisde, in haar volle glorie had mogen aanschouwen, ze stelt de aarde voor op het moment dat Aurora zich langzaam uit Oceanus verheft om de mensen het licht te brengen en de langs grassprieten en bladeren omlaagrollende dauwdroppels met haar oneindig tedere schijnsel te overgieten, een schijnbaar eeuwigdurend moment, de dauw zet zich af, geen blad beweegt en de wind lijkt te rusten; weliswaar heeft de nacht reeds haar zilveren ei gelegd, maar Eros – volgens zekere mythen de zoon van de windgod – bevindt zich nog in de schaal, alles is nog zoals het was, er zijn belangrijke gebeurtenissen op handen die elk moment kunnen plaatsvinden; één gewichtige handeling heeft reeds plaatsgevonden, een edele bevruchtingsdaad en ontvangenis: de geslachtelijke vereniging van twee machtige oerelementen: de onstuimige wind en het nachtelijke duister; nergens is nog schaduw, we zijn nog in afwachting van wat gaat komen, dit is de antieke dageraad! en doordat er nog van alles staat te gebeuren, is dit uitzonderlijke ogenblik, al vertoont het er nog zoveel overeenkomsten mee, niet te vergelijken met dat andere moment, wanneer Helius met zijn met paarden bespannen wagen achter de horizon verdwijnt en al het bestaande uit angst voor de vergankelijkheid en in de hoop de vertrekkende zon te achterhalen zijn schaduw zo ver mogelijk uitrekt – laat me niet achter, zon, laat me niet alleen! – en het afscheid zo'n pijn doet dat alles een onheilspellend, bloedrood aanschijn krijgt en glanst als goud; op dit vroege ogenblik is de wereld nog doods en verstard, bleek, bijna grauw, zilverachtig uit het donker opdoemend en koud; en toen ik daarstraks van felle kleuren sprak, wilde ik zeggen dat we op dit moment niet meer het zilver van de nacht zien dat de kleuren van de wereld gretig absorbeert en ze in een eentonige, metalige glans omzet, nee, al het bestaande heeft reeds zijn normale kleur herkregen, de kleuren zijn al verwekt, maar leven nog niet; in het geometrische middelpunt van de muurschildering zien we het naakte, wulpse lichaam van de rustende god Pan, dat een weelderige, bruine glans heeft; aan zijn voeten, in het gifgroene gras, ligt zoals gewoonlijk het vuilwitte, sierlijke geitebokje en rondom hem prijken donkergroene eiken en hagelwitte rotsen; de lichte gewaden der drie nimfen zijn van turkooizen, olijfgroene en purperen zijde; en niet alleen hun lichamen zijn op deze bedauwde grens van nacht en dag volkomen roerloos – ze hebben hun laatste nachtelijke beweging al gedaan en moeten hun eerste daagse gebaar nog maken –, maar ook de kleuren van hun gewaden en lichamen hebben iets onbeweeglijks en schijnen in de schaduwloze omtrekken van de pure vorm opgesloten te zijn, en hetzelfde geldt voor de kleuren der schaduwloze bomen, grassen en stenen; en zoals de nimfen op deze grens tussen einde en begin niets met elkaar gemeen hebben – ze kijken immers allen een andere kant uit, waardoor de muurschildering zelfs op de reproduktie groter lijkt dan ze in werkelijkheid is –, zo houden ook de kleuren geen verband met elkaar, het rood is rood door zijn roodheid, het blauw blauw door zijn blauwheid en niet bijvoorbeeld ten opzichte van het groen; het lijkt wel alsof de vervaardiger van de barbaars aandoende, bijna primitieve muurschildering het ogenblik van de schepping heeft willen vereeuwigen, maar het is ook mogelijk dat hij zich tot een bijna onmenselijk nauwkeurige weergave van een zomerochtendstemming heeft beperkt, zo'n ochtend waarop je zonder te weten waardoor onverwachts uit je slaap wakker schrikt, de beschutting van je warme bed verlaat en nog half slapend naar buiten wankelt om, nu je toch eenmaal wakker bent, je blaas te legen; buiten heerst echter een vreselijke stilte waarin, uit vrees de stilte te verstoren, zelfs de tot druppels samengevloeide dauw niet meer druipt, en hoewel je weet dat de warmgele zon het heelal zo dadelijk uit die doodse starheid zal verlossen en tot leven zal wekken, blijken al je kennis en ervaring nutteloos in die stilte van het niet-bestaan, en zocht je de dood tot nog toe in het nachtelijk duister of de daagse schaduwen, nu ontdek je hem in dit kleurloze maar toch kleurige moment dat je tot nog toe in de warme schoot der goden geborgen placht te doorslapen, hetgeen zo'n schokkende ervaring is dat je niet meer in staat bent je blaas geheel te ledigen.

En misschien was het wel iemand anders dan Pan die daar op de steen zat, ondanks mijn grondige en veelomvattende bestudering van de muurschildering had ik dat niet met volledige zekerheid kunnen vaststellen, zodat het onduidelijk was gebleven of de centrale figuur van de voorstelling Hermes was of Pan, en dan niet Hermes senior, maar junior, wat geen onbelangrijk verschil is! als dat inderdaad zo was, konden de drie nimfen niet de speelse geliefden van de knaap zijn, drie vrolijke meisjes, maar symboliseerden zij de moedergodin in eigen persoon; elk motief van de schildering, hoe klein ook, scheen mijn theorieën op hoogst dubbelzinnige wijze te bevestigen en te ontkennen, zodat ik me zelfs heimelijk tot de gewaagde veronderstelling liet verleiden – ja eigenlijk was het die hypothese die me het meest intrigeerde – dat de schilder wellicht opzettelijk de zaken zo stoutmoedig had vermengd en de vader had geschilderd als hij de zoon bedoelde en, omgekeerd, de zoon wanneer hij de vader in zijn jonge jaren afbeeldde, ja ik achtte het zelfs niet onmogelijk dat hij de moeder als hun beider geliefde had uitgebeeld, een van de nimfen namelijk, die op de rechterzijde van de schildering was afgebeeld en gehuld in een geelgroen gewaad met licht voorovergebogen hoofd en aandachtig glanzende ogen het spel van haar over de liersnaren glijdende vingers volgde, leek aanmerkelijk ouder dan de naakte jongeling, een indruk die mij buitengewoon belangrijk toescheen, al hield ik er rekening mee dat ik mezelf, om mijn verbeelding bevestigd te zien, door mijn ogen liet misleiden, bovendien wist ik maar al te goed dat de goden geen leeftijd hebben, wat natuurlijk, wat de nimfen betreft, niet helemaal klopt: zij zijn, zoals oude mythen leren, onsterfelijker naarmate ze dichter bij de oppergod staan, maar er zijn onder hen ook stervelingen; als onsterfelijk gelden de zeebewoonsters, evenals de zee zelf natuurlijk, maar niet onsterfelijk zijn de eenvoudige bronnimfen en nog minder de weide-, struik- en boomnimfen, met name niet de bewoonsters der eiken, die tegelijk met hun behuizing sterven; en wilde ik werkelijk trachten met behulp van de verwarrende aanwijzingen van onze schilder de leeftijd van die nimf van haar gezicht af te lezen – haar vinger bewoog zich juist in de richting van de verst verwijderde snaar van de lier en haar blik mat nauwkeurig de afstanden af, ze stond namelijk op het punt een licht en snel getokkeld akkoord aan haar instrument te ontlokken –, dan moest ik me de oude berekeningswijze voor de geest halen die van het volgende uitgaat: de babbelzieke kraai leeft negen menselijke generaties, een hert even lang als vier kraaien, de raaf bereikt de leeftijd van drie herten, de palm worden negen ravelevens vergund en de schoonharige dochters van Zeus, de nimfen, bereiken de leeftijd van tien palmen; de onderhavige nimf had vermoedelijk zes ravelevens achter de rug; dat ik haar voor ouder hield dan de jongeling kwam natuurlijk niet doordat ik haar leeftijd naar menselijke maatstaven berekende of doordat op haar gelaat ook maar het kleinste rimpeltje zichtbaar was, maar doordat ze met de wijsheid van het moederschap scheen gezegend te zijn, in tegenstelling met de twee andere nimfen, die niet alleen qua leeftijd beter bij de jongeling pasten, maar ook verstoken schenen van de gelukzaligheid, volgend op geleden pijn; op die moederlijke wijsheid duidde trouwens ook haar hals, die uit haar in weelderige plooien om de schouders gedrapeerde gewaad oprees – o, wonderbaarlijke vrouwelijke halslijn! – en wit en naakt in het oog viel onder het met een zilveren band losjes bijeengehouden donkerbruine haar; en misschien was die hals vooral zo aantrekkelijk en schaamteloos bloot doordat hij door enkele weerbarstige krullen werd omspeeld en zich daar korte haartjes wanordelijk krulden, het is immers de afwisseling van gekleed en naakt die ons zo bekoort; zou ik pogen de hals van de nimf nog gedetailleerder te beschrijven, dan vergeleek ik die stellig met de hals van mijn verloofde, waarvan ik het beeld in mijn geheugen bewaar, wat zeg ik? bewaar? vertroetel! ik zou beschrijven wat ik voelde wanneer we, een album doorbladerend, naast elkaar zaten en zij zich vooroverboog om een schijnbaar bijkomstig detail beter in ogenschouw te nemen, terwijl ik haar van terzijde gadesloeg, van heel dichtbij, en zin kreeg mij over haar heen te buigen, mijn lippen tegen haar hals te drukken, haar door haar houding gespannen huid vele malen achtereen zachtjes te kussen, haar warmte en lichaamsgeur te proeven en mijn lippen al kussend langs haar hals omhoog te laten glijden, tot aan haar lokken, wat ik echter fatsoenshalve of uit respect achterwege liet.

En als de opstijgende dageraad dan het resterende zilver van de nacht tot goud omsmolt – ach, was het me maar gegeven in zulke zinnen de antieke morgenstond te bezingen! –, gleden haar vingers over de snaren en weerklonk er een lichtvoetig akkoord waarmee zij als eerste de zon begroette, die met haar licht reeds de milde schaduwen werpende eik verwarmde.

Ik hoef de lezer wel niet te zeggen dat er achter haar rug een grote eik stond, een oude, door de wind verweerde boom die ooit, lang geleden, door de bliksem was getroffen en daardoor slechts één zijkant leek te hebben; de wind had zijn verdorde takken afgerukt en verstrooid en op de plaatsen waar vroeger takken hadden gezeten waren kleine bosjes loof uitgebot, wat niet alleen mijn vermoeden bevestigde dat de boom zeer oud moest zijn, maar tevens erop duidde dat het afgebeelde vrouwelijke wezen alleen de eiknimf kon zijn; degene die op mijn reproduktie 's ochtends vroeg de lier hanteerde, was dus niemand minder dan Dryops, van wie wij weten dat zij met de schoonheid van haar lenige gestalte en de edele trekken van haar gelaat de liefde van de god Hermes deed ontvlammen toen deze ergens in Arcadië zijn schapen weidde, en wel dermate hevig dat de hartstochtelijke god haar zo lang achtervolgde – terloops zij echter opgemerkt dat dit spel alleen naar onze menselijke maatstaven lang duurde, ongeveer drie generaties, wat niet meer is dan éénderde van een kraaieleven –, totdat zijn liefdevuur op heerlijke wijze werd geblust, hetgeen overigens niets bijzonders is, men zou kunnen zeggen dat de nimf, die, zoals het woord al zegt, een vrouwelijk wezen is dankzij wie de man een *nymphios* of bruidegom wordt, iemand die het doel van de mannelijkheid heeft bereikt, slechts datgene deed waartoe zij was geschapen, zoals ook de godheid met al zijn lichaamskracht zijn bestemming vervulde; alleen kon het kind dat door de schone Dryops als vrucht van deze liefde in de wereld der onsterfelijken werd gebaard niet met de maatstaven worden beoordeeld waaraan het arme, sterfelijke, plichtgetrouwe, ja bijna menselijke moedertje gewend was.

Het zij natuurlijk verre van mij te beweren dat Dryops een schuchter, tenger, wellicht zelfs schrikachtig meisje was, ze wordt veeleer als rijzig en zwaar gebouwd beschreven, soms werd haar naam door de ouden zelfs voorzien van het epitheton de sterkstammige, en als goden of mensen haar met hun liefde achtervolgden, vluchtte ze niet altijd, maar ging ze weleens tot de aanval over, ze bleef dan, als hadden haar voeten wortel geschoten, onbeweeglijk als een eik staan, siste, liet haar tanden zien en sloeg met haar vuisten, ja ze was zelfs bereid te bijten; legde ze echter haar groene gewaad af om aan de oever van een koele bron het zweet van haar lichaam te wassen, dan kon men op haar door het rennen gestaalde dijen en ronde armen krachtige spierbundels onder de parelmoeren huid zien opzwellen, ook haar boezem zat in gespannen ronding op de juiste plaats en haar kittelaar was, ter verhoging van haar wellust, even groot geschapen als de fallus van een uit de slaap ontwakend kind, hetgeen op het hoogtepunt van het liefdesspel merkbaar werd; men kan dus wel zeggen dat de godheid niet zonder reden verlangde die hardheid te verzachten, die wildheid te temmen en die kracht tot tederheid te dwingen; maar toen Dryops de navelstreng had doorgebeten en in het bloedige geboortevlies tussen haar dijen de knipogende, huilende, lachende en trappelende vrucht ontwaarde, slaakte ze ondanks al haar flinkheid in meisjesachtige ontzetting een schreeuw en sloeg ze haar handen voor haar ogen; hoe had ze ook kunnen weten dat er geen reden was om te schrikken omdat ze een god ter wereld had gebracht? hoe had ze kunnen weten dat ze alleen maar zag wat ze zien moest! het was alsof ze niet aan de begeerte van de vrolijke Hermes had toegegeven, maar aan die van een stinkende geitebok, want het hoofdje van de boreling was begroeid met lange, harde haren en aan zijn voorhoofdje, waar bij goden en mensen de beenderen slechts in harde knobbels eindigen, ontsproten twee gedraaide horens, en zijn voeten waren niet om aan te zien! ze eindigden niet in zolen, zoals bij ons, maar in geitehoefjes, die nog wel rozig en teer waren, maar waaraan je al kon zien dat ze met de jaren afschuwelijk hard en zwart zouden worden en bij het lopen zouden roffelen en vonken uit de stenen slaan.

Geheel ontsteld door deze vrucht van haar lichaam sprong Dryops op en rende weg.

Hier eindigt haar verhaal, meer weten we niet over haar, of liever gezegd: haar overige lotgevallen zijn ons onbekend; als we daarover iets willen vernemen, moeten we ons op onze fantasie verlaten.

We weten echter wel dat Hermes zijn zoon in het gras vond en niet alleen niet schrok van het uiterlijk van het knaapje, maar er zelfs hoogst verrukt van was; op dat moment stond de kleine al op zijn benen, of liever gezegd: op zijn hoeven, kopjebuitelend, mekkerend en bokkesprongen makend, vol vreugde omdat de grassprieten hem bij het rollen door de dauw kietelden en prikten, wespen en vliegen achtervolgend, bloembladen afrukkend en verorberend, met zijn zachte, nog onvolgroeide horentjes tegen stenen en bomen stotend en genietend van elk pijnscheutje dat zijn lichaam kietelde; om zijn behoefte aan guitenstreken te bevredigen plaste hij op een vlinder en deponeerde een drolletje op de kop van een slang, alle natuurkrachten werkten dus volmaakt in hem en het verbaast ons niets dat de vader zijn zoon met welgevallen gadesloeg; en omdat vaders altijd geneigd zijn te geloven dat hun zoon hetzelfde lot ten deel zal vallen als hunzelf, dacht Hermes terug aan de ochtend van zijn geboorte, toen de zachtmoedige Maja hem ter wereld had gebracht en in de wieg gelegd, waar hij echter in een onbewaakt ogenblik uit was geklommen, waarna hij de grot had verlaten; buiten vond hij een schildpad, waarvan hij een lier vervaardigde en daarmee gewapend begon hij aan een zwerftocht; toen de oren van Helius' paarden reeds achter de purperen straling van de horizon waren verdwenen – de exacte datum is ons natuurlijk bekend, het was de avond van de vierde dag van de maanmaand –, velde hij twee ossen met de blote hand, hieuw ze aan stukken, vond, om het vlees te kunnen braden, fluks het vuur uit en roofde in aansluiting hierop een hele kudde, waarna hij, om zijn stoute stukje te verbergen, weer ongemerkt in zijn wieg klom; na zich dit alles herinnerd te hebben nam hij het knaapje op zijn schouders, precies zoals Apollo eens met hemzelf had gedaan, en droeg hem omhoog naar de goden, opdat die zich ook over zijn aanwezigheid zouden kunnen verheugen.

Van de goden was Dionysus het meest verblijd met de komst van het knaapje, dat dadelijk Pan werd genoemd, wat in de taal der onsterfelijken alles of het Al betekent, waarschijnlijk zagen ze dit begrip in ruime mate in hem belichaamd.

Toch was ik er niet zeker van dat de schone, jeugdige mannenfiguur die midden op mijn reproduktie in zittende houding was afgebeeld, de god Pan was, ofschoon hij met zijn ene hand een rietfluit aan de mond bracht, het onmiskenbare attribuut van Pan, die volgens de mythe 's nachts de dans der nimfen moet leiden en wiens taak het dus ook is de ochtend te voorschijn te brengen; Pan is soms een opvliegende, boosaardige god, die zijn toorn vooral de vrije loop laat als hij tijdens zijn middagslaapje in de weldadige schaduw van een eik wordt gestoord, maar afgezien hiervan is hij de vriendelijkste aller goden, vrolijk en gul, speels, bevruchtend en dol op grappen, muziek en lawaai; nee, al waren er nog zo veel aanwijzingen die in zijn richting wezen, ik kon de gedachte niet van me afzetten dat de gestalte iemand anders was dan de machtige fallische god, maar wie dan? het scheen bijna onmogelijk op deze vraag een aanvaardbaar antwoord te geven, want hij hield niet alleen een met loof getooide staf in zijn andere hand, de staf die de god Hermes volgens de overlevering van Apollo had gekregen in ruil voor diens lier, maar ook was zijn lichaam niet behaard en droeg hij geen horentjes op zijn voorhoofd, bovendien had hij geen hoeven, al stond daar tegenover dat de dartele geitebok die als een waakhond aan zijn voeten rustte, alles belichaamde wat aan zijn gladde, door de schilder menselijk voorgestelde lichaam ontbrak; nu is het bekend dat er schilders waren die het in zijn lelijkheid volmaakte met schoonheid bekleedden, omdat zij ervoor terugschrokken datgene wat als het Al werd aangeduid met ruige haren, hoeven en horens voor te stellen, wat natuurlijk op een belachelijke menselijke zwakheid duidt; kortom, ik kon de mogelijkheid niet uitsluiten dat de schilder van het fresco door een dergelijke belachelijke zwakte gedreven op misleidende wijze had gepoogd de geschiedenis der goden te verfraaien; toch kon uit de aanwezigheid van die vervloekte staf met loof ook weer niet worden afgeleid dat de afgebeelde god Hermes was, want hoe was dan die fluit in zijn andere hand te verklaren? het was een uitermate ondoorzichtige kwestie en ik zou me er vast niet zo indringend mee hebben beziggehouden, als de oplossing van dit raadsel niet tot de voorbereidende werkzaamheden had behoord die aan het schrijven van mijn minutieus ontworpen novelle voorafgingen; ik peinsde, vorste, liet alle mogelijkheden de revue passeren, experimenteerde en stelde op die manier de aanvang van het werk steeds weer uit, omdat ik bang was te veel hooi op de vork te nemen; als ik er zo nu en dan in slaagde een bepaalde conclusie te trekken, kreeg ik meteen weer nieuwe ideeën, zoals: goed, laten we aannemen dat de godheid op de muurschildering noch Pan noch Hermes is, dan moet hij wel Apollo zelf zijn, over wie verteld wordt dat hij op een keer eveneens op Dryops verliefd raakte en haar, zoals te doen gebruikelijk, achtervolgde, maar omdat de schone boomnimf gewetensvol weigerde de god zijn zin te geven, veranderde de geile Apollo zich in een schildpad om de speelse nimf gemakkelijker te kunnen benaderen; Dryops raapte de schildpad op en legde hem op haar schone boezem, waarop de god zich vlug in een slang veranderde, onder haar gewaad kroop en zich daar met haar verenigde; maar dit idee van me spatte als een zeepbel uit elkaar, want het verklaarde niet hoe Dryops aan die lier was gekomen, die, zoals ik al vermeld heb, door Hermes was vervaardigd toen hij op de ochtend van zijn geboorte de grot had verlaten, bovendien heeft deze gebeurtenis zich op een veel later tijdstip voorgedaan.

Mijn vragen zouden vragen en mijn veronderstellingen veronderstellingen zijn gebleven als het gedrag van de op de linkerzijde van de schildering afgebeelde nimfen mij niet zo had bevreemd; een van hen zat evenals de bruinharige jongeling op een witte steen, ze droeg een purperen gewaad, had een tamboerijntje op haar schoot en twee trommelstokjes in haar handen, maar haar gezicht ontbrak doordat de verf op die plaats van de muur was gebladderd, aan de houding van haar lichaam kon je echter zien dat ze, toen ze nog een gezicht had gehad, naar voren had gekeken; zij is degene die in buitenwaartse richting blikt, de toeschouwer aankijkt en hem, waar hij ook voor de muur gaat staan, met haar strenge? toegeeflijke? tedere? blik volgt; maar meer nog dan deze gelaatloze nimf intrigeerde me de andere, die in haar turkooizen gewaad vlak achter haar stond, want zij was van de drie nimfen de enige die belangstelling toonde voor de jongeling die ik zoëven nog zo driest Pan noemde; de nimf die ik bedoel was de bevalligste van het drietal, ze had ronde wangen, een fraai gewelfd voorhoofd, los, blond haar, dat tot een krans was opgebonden, en een sierlijk doch breekbaar lichaam; ze stond daar met licht vooruitgestoken heupen en had haar armen over haar rug gekruist, een houding die op rust, toeschietelijkheid en zekerheid duidt; haar opvallend grote ogen waren bruin, teder, en enigszins verdrietig, vol smachtende melancholie, het was de melancholie van het verlangen die eruit sprak, en diezelfde melancholie! ik gaf bijna een kreet van blijdschap toen ik mijn ontdekking deed, ik zag namelijk opeens dat diezelfde melancholie zich in de ogen van de jongeling weerspiegelde, die echter met afgewend gelaat, nauwelijks notitie nemend van de smachtende blik die over zijn gewelfde borstkas gleed, over de schouder van de lier spelende Dryops in de verte staarde, en omdat dit onmogelijk een toevallige overeenkomst kon zijn, was het duidelijk dat hij iemand aankeek die zijn blik beantwoordde, iemand die onzichtbaar was en zich wellicht niet eens op die open plek bevond maar tussen de bomen van het woud.

Ik was eigenlijk het meest geïnteresseerd in dat woud, waarin die onmogelijke liefde tot vervulling zou kunnen komen, al was de kans daarop misschien niet zo groot; daarover had ik graag willen schrijven.

Maar terug naar de reproduktie, in de hoop dat in de loop van dit verhaal duidelijk zal worden waarom deze scène mij zo bezighield, ofschoon ik in die te schrijven novelle de muurschildering of de daartoe behorende personen met geen woord zou hebben vermeld: opeens meende ik in de gedaante van de zich op de achtergrond ophoudende nimf Salmakis te herkennen en deze naam, die mijn opgewonden gevoelens nieuw voedsel gaf – hij scheen mij namelijk de sleutel van het raadsel in handen te geven –, herinnerde mij aan een derde, even ingewikkelde geschiedenis, we zijn op de goede weg, dacht ik tevreden, Hermes heeft namelijk, zoals iedereen weet, nog een andere zoon, hoewel de aanduiding zoon misschien niet de juiste is voor een schepsel dat aan de liefde van Hermes en Aphrodite is ontsproten, met name niet omdat deze twee hemelbewoners volgens zekere genealogieën broer en zuster zijn, het zijn de kinderen van Uranos, de nachtelijke hemel, en Hemera, het daglicht, en ze zijn niet alleen broeder en zuster, maar ook tweelingen, we weten immers dat ze geboren zijn op de vierde dag van de maanmaand; door deze verwantschap vermengden zich hun gelaatstrekken en andere eigenschappen, geestelijke en lichamelijke, in gelijke mate in de vrucht hunner liefde, gelijk twee waterrijke beken die bruisend in elkaar vloeien en zich tot één stroom verenigen, wie zal dan nog water van water onderscheiden? dientengevolge vermengden de elementen die onze taal met de woorden mannelijk en vrouwelijk van elkaar onderscheidt, maar die bij sommige goden ongetwijfeld bij elkaar horen, zich in het kind in gelijke mate; en opdat deze goddelijke vermenging van mannelijke en vrouwelijke eigenschappen onmiskenbaar zou zijn, kreeg het kind een naam die in gelijke mate was samengesteld uit de naam van zijn vader, Hermes, en die van zijn moeder, Aphrodite.

Intussen zal iedereen wel vermoeden aan wie ik denk, inderdaad, de boreling was Hermaphroditos, die Aphrodite dadelijk na zijn geboorte aan de nimfen van de berg Ida toevertrouwde, zij ook brachten hem zorgzaam groot; alweer zo'n moeder die haar kind in de steek liet! maar als we van onze verbazing zijn bekomen, moeten we toegeven dat een dergelijke handelwijze voor de goden slechts natuurlijk was, ieder van hen was immers een op zichzelf staand geheel, dat hadden zij allen gemeen, waarmee ik bijna zou zeggen dat de goden reeds geboren democraten waren; maar nu terug naar de geschiedenis van Hermaphroditos; toen hij de volwassenheid naderde was hij zo oogverblindend schoon dat velen hem met Eros verwisselden en ervan overtuigd waren dat Eros eveneens de vrucht van Hermes' lendenen en Aphrodite's schoot was, wat natuurlijk onwaarschijnlijk is; op vijftienjarige leeftijd ondernam Hermaphroditos een zwerftocht, hij trok geheel Klein-Azië door en bewonderde daar, zijn buitenissige geaardheid volgend, alle wateren, waar hij ze ook aantrof, tot hij in Karië, aan de oever van een wonderbaarlijke bron, Salmakis ontmoette.

Op dit punt aangeland wordt ook onze derde historie helaas ondoorzichtig, doordat er zovele verschillende versies van in omloop zijn, hetgeen ons doet beseffen dat dit alles zo lang geleden heeft plaatsgevonden dat de ware toedracht der gebeurtenissen niet meer te achterhalen is, iets wat overigens kenmerkend is voor dergelijke overleveringen, aan het menselijke geheugen zijn nu eenmaal grenzen gesteld;

maar als we ons niet vergissen bij het trekken van onze conclusies, mogen we aannemen dat de heldere bron een meertje had gevormd op de plaats waar ze opwelde en dat Salmakis, gehuld in haar turkooizen gewaad, zich daarin spiegelde tijdens het kammen van haar lange haar; doch toen zij de nachtelijke klitten eruit had gekamd en het wilde opsteken, beviel de aanblik ervan haar niet, mogelijk ook rimpelde een windvlaagje het oppervlak van het meer, zodat zij zichzelf niet goed meer kon zien; hoe het ook zij, ze ontbond haar lokken weer en begon ze opnieuw te kammen, steeds weer van voren af aan, thans zouden wij haar krankzinnig noemen, ze deed haar leven lang niets anders dan haar haar kammen, maar omdat ze een bronnimf was, kunnen we niet zeggen dat ze deze handeling ontelbare malen verrichtte.

En zoals bij elke veelbelovend schijnende menselijke ontmoeting scheen ook in dit geval het eerste ogenblik, toen zij elkanders verrassende aanwezigheid opmerkten, een volstrekt onbelangrijke, nauwelijks waarneembare gebeurtenis te zijn, en niet zonder reden! in het nu volgende zullen zich namelijk twee voor elkaar geschapen en door de goden bijeengebrachte wezens in elkaar herkennen, maar omdat de een zichzelf in de ander ziet, is hij niet meer genoodzaakt datgene te doen waaraan hij in zijn normale, alledaagse betrekkingen zozeer is gewoon geraakt, namelijk uit zichzelf te treden, de blik buitenwaarts te richten en wegens de aanwezigheid van de ander de grenzen van zijn eigen persoonlijkheid te overschrijden, neen, de beide zelfstandige persoonlijkheden kunnen in een dergelijk geval ongestoord in elkaar binnendringen, dat wat gewoonlijk ondoordringbare grenzen heeft, blijkt opeens grenzeloos te zijn! later, als men terugblikt op het inmiddels als belangrijk herkende ogenblik, heeft men opeens het gevoel op een onverklaarbare wijze niet werkelijk te hebben waargenomen wat er bij die eerste ontmoeting plaatsvond, al heeft men het ook nog duidelijk gezien, het is geheel aan de aandacht ontsnapt; dit alles nu gold tot op zekere hoogte ook voor dit goddelijke geval: Hermaphroditos keek naar het water en daardoor was Salmakis, die boven het spiegelende wateroppervlak haar haar aan het kammen was, voor hem niet meer dan een der eigenschappen van dit voor hem zo aantrekkelijke water, een detail dat hij wel zag, maar er was zoveel meer dat zich in het water spiegelde: rotsen, langzaam overtrekkende, witte wolken en dicht opeenstaand riet, en ook Salmakis, die haar gezicht en de bewegingen van haar kam gadesloeg, beschouwde het slechts als een bijkomende omstandigheid dat ze onder het spiegelbeeld van haar gezicht,

haar blote armen en haar glinsterende kam het blinkende zilver van de
met kalme vinslag voortglijdende vissen en de gouden ribbels van de
zandige meerbodem kon zien, zodat Hermaphroditos' verschijning in
deze spiegeling voor haar niets anders was dan, laat ons zeggen, een
waterspin, die, zijn lange poten slechts een klein eindje in het water
dopend, over haar gezicht liep, zodat het spiegelvlak van het water begon te rimpelen; Hermaphroditos dacht op dat moment helemaal nergens aan, hij voelde zich alleen verdrietig, eindeloos verdrietig, even
verdrietig als altijd, en verdriet belet ons grondig over de dingen na te
denken; de natuur had hem niet alleen in zijn geheel geschonken wat
wij van haar slechts voor een deel plegen te ontvangen, maar hem ook
met de bijbehorende verlangens bedacht, toch wist hij niets af van het
edele en opwindende tijdverdrijf waarmee men deze verlangens kan
bevredigen, want elk verlangen bereikte bij hem onmiddellijk moeiteloos zijn doel, anders gezegd: de natuur gunde hem niet de normale
bevrediging omdat hij zelf zijn bevrediging was, vandaar zijn droefheid, die eindeloze droefheid, die mij in mijn vermoeden sterkte dat
de figuur op mijn reproduktie Hermes noch Pan was, welke goden,
zoals men weet, vrolijk en wild zijn, en ook bij Apollo kan men geen
neiging tot treurigheid ontdekken, want die voelde zich met gelijke
hevigheid aangetrokken tot godinnen, goddelijke jongelingen, nimfen en gewone herdersjongens, en ons is geen geval bekend waarin hij
niet precies wist hoe hij het probleem der tweeslachtigheid moest oplossen, neen, droefenis was uitsluitend een eigenschap van Hermaphroditos, dacht ik bij mezelf, de buitengewone eigenschap van degene die op dat grootse ogenblik achter Salmakis stond, toen zij, zonder haar blik van haar spiegelbeeld af te wenden, de kam in haar schoot
liet vallen; nog steeds keken zij elkaar geen van beiden aan, hoewel ze
elkaar wel zagen, Salmakis heeft op dat moment waarschijnlijk gedacht
– wat in latere verhalen tot zoveel misverstanden heeft geleid – dat degene die ze zag en wiens wonderschone gelaat als een waterspin over
haar gezicht gleed, Eros was, en ze had voldoende eerbied voor die god
om meteen verliefd op hem te worden, ze was eigenlijk een antieke
blauwkous, maar op dat moment deden het hoe en waarom er absoluut niet meer toe, want de twee spiegelbeelden schoven over elkaar
heen, oog op oog, neus op neus, mond op mond en voorhoofd op
voorhoofd, en toen voelde de droevige Hermaphroditos wat hij nog
nooit eerder had gevoeld en twee zachte lippen smoorden zijn goddelijke lustkreten! hij voelde hetzelfde als elke gewone sterveling die zich

in een ander verliest, stel u voor, lezer! storm, bliksem en donder terwijl er geen blad aan de bomen beweegt, rotsen die dreunend in zee storten! stel u voor! welk een wellust het is als een complete god zijn eigen grenzen doorbreekt; op het moment dat Salmakis haar spiegelbeeld uit het oog verloor, zag Hermaphroditos het water niet meer, beiden verloren wat ze volgens het Lot dienden te bezitten, en omdat ze die bestemming hadden, verwondert het ons niet dat ze niet op dezelfde wijze gemeenschap met elkaar hadden als wij stervelingen, ook al spreekt de mythe in dit geval van een volkomen bevredigd liefdesverlangen.

Toen ik op dit punt was aangeland, probeerde ik samen te vatten wat ik wel en wat ik niet wist van de geheimzinnige jongeling die over Dryops' schouder turend vol verlangen een onzichtbaar iemand gadesloeg, terwijl Salmakis, die van dezelfde gevoelens was vervuld, hem observeerde, en het werd me duidelijk dat de begeerde persoon voor hen allebei even onbereikbaar was, en dat terwijl ze goden waren! maar wat was dan de zin van dit alles? duid mij niet euvel dat ik deze onnozele vragen stel, lezer! ik voelde dat ik evenzeer verstrikt was geraakt in mijn gevoelens als de figuren van de muurschildering met elkaar en zichzelf overhoop lagen; in de blik van Salmakis herkende ik op een heel grove en directe wijze, zonder beïnvloed te worden door mijn precieuze artistiekerigheid, de manier waarop mijn verloofde, Helene, placht te kijken als ze verlangend en droefgeestig maar ook vol begrip mijn bewegingen observeerde en mijn gedachten poogde te raden, terwijl ik, gedoemde en vervloekte, ondanks mijn liefde voor haar evenmin in staat was tot het geven van liefde als die jongeling, met wie ik in schoonheid helaas niet kan wedijveren, ik had totaal geen oog voor haar; en ik was haar niet alleen niet dankbaar voor haar liefde, maar haar gevoelens maakten me zelfs nerveus, stootten me af en boezemden me afkeer in; ik voelde me namelijk aangetrokken tot iemand anders, ja, tot iemand anders! en ik veroorloof me op deze plaats de nogal boud klinkende opmerking dat die ander me vooral daarom meer aantrok dan Helene met haar bijna tastbare liefde omdat die me niet naar de veilige haven van het knusse gezinsleven beloofde te voeren, maar naar het dichte oerwoud van mijn instincten, naar de hel, naar een bos vol wilde dieren, naar het onbekende, wat ons mensen altijd meer aantrekt dan het bekende, berekenbare en overzienbare; maar toen ik die emotionele verwarring bij mezelf opmerkte, had ik me evengoed een andere, niet minder banale en onmiddellijk mijn leven rakende geschiedenis kunnen herinneren, weg met die antieke verhalen dus! ik had kunnen denken aan een welriekende schoonheid, wier naam ik hier, omwille van haar reputatie, geheim moet houden, aan de vrouw die tegen mijn wil en bedoeling en zelfs in strijd met al mijn wensen het middelpunt vormde van mijn geheime leven, een wezen even streng, schoon en koel als op modieuze namaak-antieke platen het Noodlot wordt afgebeeld, een vrouw die mij aan Dryops deed denken; ze kon mijn liefde niet beantwoorden met de brandende hartstocht die ik voor haar voelde, omdat ze verliefd was op de man die ik in mijn nog onvoltooide memoires opzettelijk misleidend als 'mijn oudere vriend' aanduid en, om zijn ware naam geheim te houden, Claus Diestenweg noem; ik heb daarvoor een goede reden, ik ben namelijk van plan te schrijven dat hij deze vrouw niet met de intensiteit liefhad waarmee ik haar zou hebben kunnen beminnen, ja dat hij überhaupt niet van haar maar van mij hield, dat hij mij met zijn waanzinnige liefde begeerde; en als hij een enkele keer aan de hartstochtelijke liefde van die vrouw toegaf, deed hij dat alleen om iets van de liefde te ervaren die ik voor haar voelde, om mij te vervangen en aldus te ontvangen wat ik hem onthield; hij hield alleen van die vrouw omwille van mij, terwijl ik genoodzaakt was – wilde ik haar althans een heel klein beetje bezitten – hem als een vriend of een vader lief te hebben en zo te ontdekken hoe ik mij moest gedragen om die vrouw voor mij in te nemen; deze kwestie speelde in mijn jonge jaren, ik was erin verwikkeld geraakt toen ik mij na mijn vaders vreselijke misdaad en zijn daaropvolgende zelfmoord in Berlijn had gevestigd, en bleef dat totdat een nieuwe afschuwelijke tragedie een eind maakte aan onze kleine *affaire à trois*, die een blijvende invloed op mijn leven heeft uitgeoefend; omdat ik toen niet de moed of de kracht had mijzelf van het leven te beroven, moest ik een nieuw leven beginnen, maar hoe leeg, kleinburgerlijk saai en kleinzielig onoprecht werd dit nieuwe leven! wat was de zin van dit alles? vroeg ik me af; was het geheel zinloos of zou een dergelijke extreme menselijke catastrofe, een dergelijke vreselijke toestand van machteloosheid, de mens misschien helpen het goddelijke in zich te ontdekken? was daarvoor een tragedie nodig en was dat het enige middel? maar waartoe diende al het overige dan, het vele, tevergeefs verzamelde materiaal, de aantekeningen, de ideeën, het papier en de gedachten? en ik bedacht ook dat we ons in tragische omstandigheden misschien wel door de wijsheid der goden laten leiden, maar dat we daardoor natuurlijk geen goden worden, zodat ik u niet alleen niet kan zeggen wie die op mijn reproduktie afgebeelde jongeling is, maar ook niet waarom dit alles mij belang inboezemt of hoe ik iets te boven zou kunnen komen wat alleen goden vergund is te boven te komen.

En toch kon ik die reproduktie niet uit mijn hoofd zetten.

Alsof ik een raadsel moest oplossen en daarbij alle denkbare argumenten – pro en contra – in aanmerking diende te nemen, constateerde ik steeds weer opnieuw dat de jongeling, hoewel inderdaad zo schoon als Eros – zijn schoonheid hield me zelfs gevangen – toch Eros niet was; en ofschoon hij even droevig was als Hermaphroditos, kon hij die evenmin zijn omdat hij Pans fluit en Hermes' staf in zijn handen hield; ik overwoog verder, een nieuw tegenargument zoekend om het onvatbare te doorgronden en intussen met welgevallen de met de fijnheid van een miniatuur geschilderde fallus bekijkend, dat hij alleen al daarom Pan niet kon zijn omdat de machtige fallische god nimmer in een dergelijke schaamteloze houding met gespreide dijen, en dan nog wel van voren, werd afgebeeld, we zien hem altijd van opzij of in een houding waarin zijn schaamstreek onzichtbaar is, dat is ook vanzelfsprekend, omdat hij vanaf de punten van zijn horens tot aan zijn hoeven de gepersonifieerde fallus is, het zou dus absurd, ja belachelijk zijn als iemand, op zijn eigen, beperkte menselijke oordeel afgaand, zou willen beslissen of Pans fallus groot, klein, dun of dik moet worden afgebeeld of zou beweren dat dit orgaan slap naast zijn neerhangende balzak bungelt en niet als een vuurrode knots omhoogsteekt; op mijn reproduktie was de fallus meer een fraai, klein sieraad, onschuldig als bij een pasgeboren kind, onbehaard als de rest van zijn lichaam, waarvan de strakke, met olie ingesmeerde huid glansde in het zonlicht; en toen ik helemaal niets meer te overdenken had omdat ik zelfs de kleinste details van de afbeelding met het blote oog of met een vergrootglas zo grondig mogelijk had onderzocht en alle denkbare verbanden met behulp van geleerde boeken had getracht te verklaren en aan het duister van mijn onwetendheid en ongeletterdheid te ontrukken, kwam ik er tenslotte achter dat het me volkomen koud liet wie op die reproduktie werd afgebeeld en dat het ook absoluut niet het bijbehorende verhaal was dat me interesseerde, de verhalen over Apollo, Hermes, Pan en Hermaphroditos zijn immers evenzeer met elkaar vervlochten als alles wat ik over mezelf wilde vertellen, wat ik overigens heel vanzelfsprekend vind, ja zelfs naar hun broze lichamen ging niet mijn werkelijke belangstelling uit, nee, wat mij werkelijk belang inboezemde was het feit, dat het onderwerp van de novelle die ik wilde schrijven, samen scheen te vallen met het onderwerp van de reproduktie en dat dit wellicht het eerst in de blikken van de daarop zichtbare figuren was te vatten, blikken die weliswaar zakelijk waren en aan het lichaam gebonden, maar toch iets onlijfelijks hadden en het lichamelijke als het ware overschreden; en één ding was zeker: wilde ik hierover schrijven, dan moest ik me naar de plaats begeven waar de jongeling naar keek, waar ook ik naar keek, naar het bos, om vast te stellen wie daar achter de bomen stond, wie degene was op wie hij zo hartstochtelijk en zo hopeloos verliefd was, terwijl iemand anders even hopeloos verliefd was op hem, en waarom? waarom toch? maar dan zouden we weer terug zijn bij de oorspronkelijke vraag en ik kan de zin van mijn ongetwijfeld dwaze levensproblemen bezwaarlijk met behulp van een antieke muurschildering trachten te ontdekken; goed dan, dacht ik, laten we er maar over ophouden en iets geheel anders ter sprake brengen, laat ik geheel zonder masker schrijven over wat ik zelf ben, over mijn eigen lichaam en mijn eigen blikken, en ik huiverde al bij de gedachte alleen, toen ik plotseling ontdekte waar ik al die tijd blind voor was geweest, hoewel ik dikwijls genoeg het gewaad, de voeten, de vingers, de armen, de mond, de ogen en het voorhoofd van de jongeling met mijn vergrootglas had bestudeerd, met de liniaal de richting van zijn blik had gepeild en met omslachtige berekeningen had gepoogd de plaats van dat raadselachtige wezen vast te stellen; ik had namelijk absoluut niet gezien dat de twee omgekrulde haarlokjes op zijn voorhoofd in werkelijkheid geen lokken maar horentjes waren, zodat ik dus met zekerheid en zonder de geringste twijfel mocht aannemen Pan voor me te hebben, alleen interesseerde die zekerheid mij intussen volstrekt niet meer.

En zelfs het bos liet me koud.

Als ik in de schemering voor het raam van mijn woning in de Weißenburgstraße stond, mezelf wijsmakend dat ik last had van een zekere verstrooidheid, zodat ik op elk gewenst moment achter het gordijn kon postvatten en me niet voor mijn gegluur hoefde te schamen, maar ongestoord getuige kon zijn van een zich tweemaal per week voordoende scène, voelde ik dezelfde, licht vibrerende opwinding als tijdens het bestuderen van de reproduktie, want zoals in een klassieke vertelling – hoe abstract en gesublimeerd daarin ook allerlei menselijke wederwaardigheden worden weergegeven – de tijd en plaats van handeling altijd met de uiterste zakelijkheid en concreetheid worden genoemd, zo begon mijn kleine straatnovelle ook altijd op een van te voren vaststaand tijdstip: op dinsdag of vrijdag tegen zonsondergang; met de regelmaat van de klok maakte zich dus een gevoel van opwinding van mij meester, vooral in mijn keel, in de omgeving van mijn maag en in mijn schaamstreek; ik weet niet eens welk beeld voor mij belangrijker was, dat van de muurschildering of het echte, het levende, dat ik door het raam kon zien; in ieder geval had ik mijn novelle met dit moment willen laten aanvangen, met deze scène, al had ik de waarnemer zelf en zijn op liefdesdrift gelijkende creatieve gevoelens in elk geval onvermeld willen laten, ik wilde de gebeurtenissen dus niet zodanig beschrijven dat het leek alsof ze door iemand gezien werden, maar in hun eigen directheid, zoals ze zich voordeden en op gezette tijden herhaalden; de gang van zaken was altijd als volgt: de wagen kwam aanrijden; op de naburige Wörther Platz brandden de gaslantaarns al, maar de lantaarnopsteker moest nog het hele plein rond voordat hij met de gevorkte stok waarmee hij het kegelvormige lampeglas opende en de geelblauwe vlam opdraaide, onze straat had bereikt; als de witte, gesloten wagen tenslotte in de schaduw van enkele jonge platanen langs de stoeprand stopte, recht tegenover de kelder aan de overzijde van de straat waarin een slagerij was gevestigd, was het nog niet geheel donker, maar het daglicht was al bezig afscheid te nemen van de wereld; de slanke voerman sprong van de bok en gooide de teugels met een zwaai over de glanzende handgreep van de rem; 's winters en in andere jaargetijden wanneer er een koude wind stond, trok hij met een snelle beweging twee grijze dekens onder de bok vandaan en wierp die over de bezwete paarderuggen om te voorkomen dat de dieren zouden kouvatten; als het daarentegen warm weer was, in de herfst of in de lente, of 's zomers, wanneer het avondrood alles in een rossige gloed zette en er een lauwwarm windje over de bomen en de roetige gevels van de armoedige huurkazernes streek, bleef deze beweging achterwege; hij pakte dan alleen de zweep en borg die naast de teugels op na er een tikje mee tegen zijn laarzen te hebben gegeven; de drie vrouwen stonden op dat moment al naast de wagen; doordat ik dit alles vanaf de vierde verdieping gadesloeg, praktisch van onder de schaduw van de daklijst, werden de fiere, welgevormde lichamen van de vrouwen niet door de wagen aan het oog onttrokken; ik had hun hoofden in de smalle opening van de keldertrap zien opdoemen toen de wagen voor het huis was gestopt; een van hen, de moeder van de beide overige vrouwen, was tamelijk fors, maar bepaald niet dik; vanuit de hoogte gezien leek ze nauwelijks ouder dan haar ongehuwde dochters, ze had de oudere zuster kunnen zijn van de tweelingzusjes, die zowel qua uiterlijk als qua motoriek sprekend op elkaar leken; toch waren ze, als men zich in hun nabijheid bevond, niet moeilijk uit elkaar te houden, want de een had asblond haar, terwijl het eveneens blonde haar van de ander naar het rossige zweemde, zodat het wat donkerder was; hun niet al te pientere blauwe ogen en vollemaansgezichten waren echter wel precies eender; ik kende ze wel, hoewel ik nog nooit in de kille, ondergrondse winkel met de witte, betegelde muren was afgedaald; soms kwam ik ze op straat tegen, als ze in de middagpauze gearmd en met gelijkmatig om de heupen zwaaiende rokken naar het plein wandelen; ik gluurde ook wel eens door het getraliede venster van de winkel naar binnen en zag dan hoe ze in hun keurslijfjes met tot de ellebogen opgestroopte mouwen als twee moordlustige godinnen achter de toonbank bloedige hompen vlees in stukken stonden te hakken; dankzij mijn brave hospita, mevrouw Hübner, die natuurlijk ook voor mij kookte en broodbeleg en vlees bij hen kocht, wist ik alles wat de dienstboden over hen vertelden, maar toch wilde ik in mijn novelle geen gebruik maken van deze in de hele buurt bekende roddelpraatjes omdat ik veel meer geïnteresseerd was in het enkele verloop van de scène of, zo men wil, in de stomme choreografie daarvan en in de zich daaruit ontwikkelende opwindende relaties dan in die persoonlijke gegevens.

De wagen was afkomstig van het grote abattoir in de Eldenaer Straße.

De voerman was zeker niet ouder dan twintig jaar, dus nauwelijks ouder dan de meisjes, bovendien was hij nog in het bezit van zijn jeugdige lenigheid, die hij door het zware lichamelijke werk met de jaren stellig zou verliezen; hij had een glanzende, bruine huid en zulk zwart haar dat het bijna glinsterde, en uit zijn altijd half openstaande overhemd puilde een dichte, donkere bos krullend borsthaar; de vrouwen leken bij deze gelegenheid als drie druppels water op elkaar doordat ze met bloed bevlekte witte slagersjassen over hun kleren droegen.

Terwijl hij met verende tred naar de achterkant van de wagen liep, gaf hij ze één voor één een liefkozend tikje op hun wangen, de moeder evengoed als de dochters, die daar al op schenen te wachten, alsof ze bij voorbaat de warmte van de eeltige handpalm op hun gezicht voelden; ze volgden hem lachend, tikten elkaar ook op de wangen en betastten en knepen elkaar speels onder het lopen, alsof ze wat ze ieder afzonderlijk van de man hadden ontvangen met elkaar wilden delen; intussen zette hij de deur van de wagen wijd open en sloeg een wit laken om, dat eveneens vol grote bloedvlekken zat, daarna begon hij het bestelde vlees uit de wagen te slepen.

Terwijl de drie vrouwen de kleinste stukken droegen: bouten, in repen gesneden ribben, doormidden gehakte koppen, en, in blauwe geëmailleerde bussen, levers, harten, milten, magen, nieren en darmen, nam de voerman met het nodige krachtvertoon om de vrouwen te imponeren doormidden gezaagde varkens en in drieën gedeelde runderen op zijn schouders en sjouwde ze de kelder in; tot zover was alles normaal, maar op dit punt aangeland zou mijn verhaal ingewikkelder zijn geworden, want hoewel ze ogenschijnlijk met volledige inzet en in een gelijkmatig tempo werkten, zagen ze steeds weer opnieuw kans elkaar te betasten, aan te stoten of weg te duwen, ja zelfs door te doen alsof ze de voerman wilden helpen zo zijn blote borst, hals, armen en handen aan te raken; als dat gelukt was, gaven ze het genoegen dat ze aan die aanrakingen beleefden aan elkaar door op de wijze waarop men bij het blussen van een brand emmers aan elkaar overhandigt; soms slaagden ze er zelfs in zich tegen hem aan te vlijen; maar hoe geraffineerd en gretig ze ook te werk gingen, je kon duidelijk zien dat dit niet het einddoel van hun spel was, dat ze, na dit bereikt te hebben, op de bevrediging van nog andere verlangens uit waren, die vluchtige contacten schenen het voorspel te zijn van een nog volmaakter en zuiverder aanraking, van een nog groter spel, dat geleidelijk moest worden voorbereid; dit te aanschouwen was mij echter niet vergund, want als ze op dat punt waren aangeland, verdwenen ze steevast in de diepte van de kelder om aldaar geruime tijd, soms wel een uur lang, te vertoeven, zodat de vleeswagen al die tijd onbeheerd openstond en allerlei verwaarloosde honden en uitgemergelde katten ten tonele verschenen om de wagen te besnuffelen en zich aan het op straat terechtgekomen bloed en afval te goed te doen; merkwaardigerwijze durfden ze nooit in de wagen te springen of erbovenop te klimmen; ik stond hoog boven hen verheven in de schemerige kamer, achter het gordijn, en wachtte geduldig; als ze heel lang wegbleven, opende en verbreedde de kelder zich in mijn verbeelding en zag ik hoe ze hun bloedige kleren afwierpen en, uitgekleed tot op het levende kostuum van de huid, de Arcadische velden betraden, hoe wist ik niet, dat wil zeggen, natuurlijk wist ik het! ik stelde me namelijk een onderaardse gang voor die hen van de stad naar een ongerepte omgeving bracht, waar de twee beelden eenvoudig in elkaar overvloeiden, het waargenomen in het gefantaseerde; ze werden dan rein, onschuldig en natuurlijk; en vanaf dit punt zou mijn novelle over de ongelikte adonis en de drie vrouwen ingewikkelder worden.

Ik vond het vooral daarom niet prettig wanneer mevrouw Hübner zonder te kloppen mijn kamer binnendrong omdat ik op die schemerige dinsdag- en vrijdagmiddagen, wanneer ik me eerst overgaf aan het levende beeld en vervolgens aan de daardoor opgewekte voorstelling, bijna steeds door zo'n hevige lichamelijke opwinding werd overvallen dat ik mij genoodzaakt zag mezelf te kalmeren door mijn hand in mijn broek te steken en mijn geslacht aan te raken, wat natuurlijk tot een verhoging van het lustgevoel leidde; ik ging niet achter het boogvormig gedrapeerde gordijn vandaan, maar bleef staan op de plaats waar ik mij bevond; de angst betrapt te worden verhoogde mijn opwinding nog meer; en terwijl ik met vijf vingers tegelijk voorzichtig mijn stijve geslachtsdeel aanvatte, dat zich onder mijn ochtendjas duidelijk aftekende, vlijde ik met de behoedzaamheid van een fijnproever mijn zachte balzak en mijn zwellende lid in mijn warme handpalm, als vatte ik wat naar boven werd gestuwd bij zijn oorsprong, in de diepte, waarbij het van geraffineerde zelfbeheersing getuigde dat ik intussen met de grootste aandacht het straatgebeuren, dat wil zeggen de stilte, het gebrek aan activiteit en de nietsvermoedende voorbijgangers bleef observeren; ik was niet uit op een snelle bevrediging, want door die uit te stellen was ik in staat in het grensgebied van het werkelijk geziene en mijn creatieve verbeelding te vertoeven; huiverende schokken van wellust en opwellend zaad zouden mij van een onmetelijk genot hebben beroofd dat gestadig het welbehagen van het lichaam voedde; door mijn wellust aldus te vertragen en te rekken kon ik mij via mijn eigen lichamelijke gevoelens in de gelukzaligheid van andere lichamen verplaatsen, zodat die schandelijke ogenblikken ogenblikken van menselijke solidariteit en creativiteit werden; het zou me uiteraard buitengewoon onaangenaam zijn geweest als de brave mevrouw Hübner op zo'n ogenblik de kamer was binnengekomen; ik zag niet alleen de straat, maar bevond mij met de man en de drie vrouwen in de kelder, ja ik wás die man, en ook die drie vrouwen; ik voelde hoe hun handen mijn lichaam betastten, en mijn verbeeldingskracht verplaatste hun met edele ernst gespeelde spel naar die open plek in het bos, want daar hoorde het thuis; en in mijn fantasie was de voerman Pan en waren de moeder en haar dochters nimfen; deze voorstelling was niet overdreven of vals, want ik kende zo'n heerlijke weide, mijn fantasie voerde mij niet naar een vreemde plaats, maar naar een plek van mijn jeugd, naar de plek die ik steeds voor me zag als ik aan de zomers in Heiligendamm terugdacht. De weide op de antieke muurschildering leek overigens slechts in geringe mate op die bijzondere plek.

Als je namelijk, voortdurend over losliggende stenen uitglijdend, via het talud van de dam naar een aangestampt pad afdaalde, kon je, als je dit volgde en je arm beschermend voor je hield om de scherpe, zwiepende rietstengels af te weren, het moeras oversteken; je passeerde dan de plaats waar ik, zoals ik al eerder vermeldde, ooit de jonge graaf Stollberg, mijn jeugdige speelkameraadje, had betrapt toen hij uitgestrekt in het zompige gras met zijn piemel lag te spelen; de graaf lag op zijn rug; hij had zijn broek tot aan zijn knieën omlaaggestroopt, zijn hoofd achterovergeworpen en zijn ogen gesloten, maar zijn mond was wijd geopend; de met linten getooide matrozenmuts die hij gewoonlijk droeg was – waarschijnlijk door de gelijkmatige bewegingen die hij maakte – van zijn hoofd gegleden en aan een bosje gras blijven hangen en de donkerblauwe linten van de muts dreven in het water; hij had zijn heupen tot een lichte brugstand geheven en zijn dijen zover gespreid als de om zijn knieën slobberende broek toeliet; met snelle, rukkerige bewegingen van zijn vingers schoof hij de voorhuid van zijn penis over zijn eikel heen en weer; alles was klein en welgevormd aan hem; terwijl zijn voorhuid op en neer ging, stak zijn penis als een roodkoppig diertje boven zijn gesloten hand uit, maar het kopje verdween daar voortdurend in; zijn gezicht was hemelwaarts gericht, zodat hij met zijn gekromde romp, zijn geopende mond en zijn dichtgeknepen ogen met hogere machten leek te communiceren en tegelijkertijd op de meest innige wijze tot zichzelf was ingekeerd, hij hield zijn adem zelfs in; toen ik hem verbijsterd en verontwaardigd ter verantwoording riep, legde hij me op zijn beminnelijke en vrolijke manier uit hoe men via deze aangename methode plezier aan het lichaam kan beleven en hij verklaarde dat daar niets verkeerd aan was en dat mijn boosheid volkomen ongegrond was, ik kon beter zijn voorbeeld volgen, dan konden we elkaar intussen gadeslaan, wat het genot wellicht nog zou verhogen; als je dat pad verder volgde, kwam je na een voettocht van ruim tien minuten door het moeras, dat een benauwde, verstikkende lucht verspreidde, op de door mij bedoelde open plek; plotseling opende het riet zich en in de verte doemde het bos op dat met de ouderwetse naam De Grote Wildernis werd aangeduid; indien het me gelukt was mijn novelle in klare zinnen op papier te brengen, zou ik het viertal naar deze plaats hebben geleid.

Ik heb die weg heel wat keren afgelegd, samen met de jonge graaf, tot wie ik me vanaf het moment dat we een gemeenschappelijk geheim hadden nog sterker aangetrokken voelde dan eerst, maar voor wie ik natuurlijk ook bang was, ja, die ik wegens dit geheim bijna haatte; door het moeras te lopen was voor mij een soort koketteren met de dood, want ik moest altijd aan Hilde's waarschuwing denken, die me op een keer met grote stelligheid had toegefluisterd, alsof ze wist wat ik in het moeras uitvoerde en hoe gevoelig ze me met haar woorden trof: 'wie van het pad afwijkt en het moeras betreedt is een kind des doods!'

Ondanks deze angstaanjagende woorden liepen we vaak over dat pad, alleen moesten we altijd een aannemelijke reden voor onze bezoeken aan het moeras bedenken om onze ouders op een dwaalspoor te brengen, maar het feit dat dr. Köhler op de open plek zijn slakkentuin had en wij daarnaar toe wilden om wat rond te kijken, de slakken te bezichtigen en ons met de geleerde doctor en het personeel over de leefgewoonten van de slakken te onderhouden, leverde een uitstekend voorwendsel op en maskeerde onze liefste bezigheid; de slakken werden zo onze bondgenoten; waarschijnlijk zijn de spoken waarop ik mijn vader geschrokken opmerkzaam had gemaakt ontsproten aan het moeras van deze op jeugdige leeftijd te baat genomen leugens.

Om mijn novelle te kunnen schrijven had ik met mezelf in het reine moeten komen en de muur van zelfbedrog moeten doorbreken die ik om mijn hart had opgetrokken.

Doordat onze uitstapjes naar het moeras een onbevredigd gevoel in mij achterlieten, werd de zinnelijkheid van mijn lichaam mijn grootste vijand, het hielp niet dat ik ouder werd, ik werd door te veel verschillende, met elkaar onverenigbare verlangens gekweld, verlangens die ik niet kon begrijpen en evenmin binnen de perken kon houden, binnen de perken van de rede, ik was niet in staat een passend evenwicht te vinden tussen verstand en zinnelijkheid of op een heldere en begrijpelijke manier een systeem te definiëren waarmee ik dat evenwicht kon handhaven, dat lukte mij niet, dientengevolge was elke minuut, ieder uur van mijn leven doortrokken van de gedachte dat ik beter de hand aan mezelf kon slaan, een gedachte die mij als een attente begeleider overal volgde, maar waarmee ik toch alleen maar speelde, omdat mijn seksuele geaardheid, mijn dromen, mijn verlangens, de wens om literaire successen te behalen en de hoop op heimelijke pleziertjes mij zoveel genot verschaften, lichamelijk genot, dat het dwaasheid zou zijn geweest mezelf daarvan te beroven, ook lijden geeft trouwens lust; en zo vergde ik teveel van mezelf en dacht ik voortdurend aan de dood, die me zou kunnen bevrijden van de druk waaronder ik leefde, ik wilde van die verlossing genieten, ja ik ben zelfs bereid toe te geven dat ik zozeer aan het genot van het lijden gewend was geraakt dat ik niet eens meer in staat was geluk te ervaren; neem nu die keer toen ik op de ochtend van mijn vertrek in de armen van mijn verloofde op het tapijt lag: toen ik als eerste van ons tweeën mijn ogen opende, zag ik het zwarte koffertje van lakleer staan, waarin ik alles wat ik bij het schrijven van mijn novelle dacht nodig te hebben, zorgvuldig had opgeborgen, en al vloeiden onze liefdessappen nog in haar schoot te zamen, mijn eerste concrete gedachte was, dat ik op dat moment daar in die kamer eigenlijk zou moeten creperen, de kraaienmars blazen, ik kon maar het beste de pijp aan Maarten geven, ophouden te bestaan, in het niet verdwijnen, dan zou ik geen andere sporen nalaten dan enkele in gekunstelde stijl geschreven korte verhalen, schetsen die in verscheidene literaire tijdschriften waren gepubliceerd en snel door de mensen vergeten zouden worden, en dan nog die met zwart lakleer overtrokken koffer, die in een nog ruwe en voor een buitenstaander onbegrijpelijke vorm de echte geheimen van mijn leven bevatte, misschien wel de kern zelf, die zich op dat moment verenigde met de kern van haar lichaam.

Vaak zag ik in mijn dromen iemand onbevoegdelijk in mijn papieren snuffelen en bladeren, een geheim agent die na mijn dood ten tonele was verschenen om mij op grond van de in mijn nalatenschap gevonden geschriften aan te geven; het was een man zonder gezicht en ook zijn leeftijd kon ik niet exact bepalen, maar des te karakteristieker en opvallender vond ik zijn smetteloos plastron, zijn hoge, stijve kraag, zijn gestippelde stropdas, die met een fonkelende diamanten dasspeld was getooid, en vooral zijn versleten, glimmende pandjesjas; met zijn lange, benige vingers doorbladerde hij bedreven mijn geschriften en soms hield hij een papier dicht bij zijn gezicht, waaruit ik de conclusie trok dat hij bijziend was, hoewel ik niet kon zien of hij een bril droeg; zo nu en dan las hij vluchtig een paar regels door en het deed mij bijzonder veel genoegen dat hij tussen mijn zinnen geheel andere verbanden meende te ontdekken dan ik erin had gelegd; het was overigens geen wonder dat het mij gelukt was hem om de tuin te leiden, want ik had mijn vluchtige invallen, brokstukken van gedachten en haastig neergekrabbelde beschrijvingen zo geformuleerd dat ze het kader van het burgerlijk fatsoen absoluut niet te buiten gingen, alleen al omdat ik vreesde dat de brave mevrouw Hübner mijn afwezigheid zou benutten om met gretige nieuwsgierigheid de stapel papieren op mijn bureau te doorsnuffelen; ik gedroeg me dus zelf als een geheim agent, want hoewel ik me een zondaar en een mislukkeling voelde, trachtte ik me als de volmaakte gentleman voor te doen, ik was dus zelf dat afgedragen jacquet, dat gesteven plastron en die dasspeld, die onberispelijke, maar lege burgerlijke huls; intussen ging ik er heimelijk en trots op mijn sluwheid van uit dat ik, als ik met de nodige zorgvuldigheid allerlei belevenissen verzamelde en die codeerde, op ieder gewenst moment in staat zou zijn het slot te openen met de sleutel die ik in mijn bezit had, maar toen ik dit uiteindelijk probeerde, bleek het, zoals gewoonlijk het geval is, zo ingewikkeld te zijn dat mijn door talrijke zorgen beverig geworden hand eenvoudig niet het sleutelgat kon vinden.

Zo blijft mijn geheim voor eeuwig een raadsel, maar dat deert me nauwelijks! waarom zou de wereld zich druk maken om iets wat helemaal niet bestaat, wat door niemand als een publiek en dus algemeen erkend geheim wordt beschouwd? het zal dus altijd een raadsel en een mysterie blijven waarom ik, toen ik naar Heiligendamm vertrok, die twee boekjes meenam, de wetenschappelijke publikaties van dr. Köhler over de *Helix pomatia* of wijngaardslak, en welk verband er bestaat tussen de slakken en die onbeduidende scène op straat of die wonderschone wandschildering uit de oudheid.

Ik had namelijk zekere plannen met die slakken, die Köhler in zijn boeken in zulke droge en emotieloze zinnen beschreef en de badgasten bij dozijnen aan het ontbijt consumeerden – de diertjes werden voor dit doel met hun kalkachtige huisjes fijngemalen, licht gekruid, met citroensap besprenkeld en rauw opgediend en het nuttigen van dit gerecht behoorde evenzeer tot de kuur als de ademhalingsoefeningen in de avondschemering; slakken – de geneesheer had ze op grond van hun uiterlijk, lichaamsbouw, verspreidingsgebied en andere eigenschappen zorgvuldig in soorten en ondersoorten ingedeeld – zijn uiterst eenzame, maar levendige dieren, die, zoals onderzoekers hebben vastgesteld, hevig schrikken als ze door een soortgenoot worden aangeraakt; het duurt uren – en uren kunnen in dit verband dagen, weken en zelfs maanden betekenen! – voordat ze, eerst met hun fijne voelhoorntjes en later, als ze wat gekalmeerd zijn, met hun mondje en hun geplooide zool, hebben vastgesteld dat ze voor elkaar bestemd zijn, als dat althans het geval is en ze zich niet om een essentiële, nader contact uitsluitende reden genoodzaakt zien onverrichterzake verder te kruipen en een andere partner te zoeken; overigens kan in beginsel elke slak met elke slak paren, in dit opzicht zijn het de uitzonderlijkste dieren die er bestaan, zij alleen bezitten en doorleven de oorspronkelijke eenslachtigheid van de schepping, het zijn androgynen en ze belichamen datgene wat wij ons nog slechts vagelijk herinneren, wellicht zijn het daarom zulke gevoelige en schrikachtige dieren; elke slak is een volmaakt geheel, hun paring is dus de ontmoeting van twee gehelen, wat waarschijnlijk een veel zwaarder karwei is dan een normale vereniging, want als ze tenslotte in volmaakte eendracht copuleren, moeten ze in staat zijn gelijktijdig te geven en te ontvangen; Köhler beschrijft dit proces tot in de kleinste details en naarmate hij vordert, wordt zijn toon steeds geestdriftiger; de slakken kleven op het moment suprême met zo'n kracht aan elkaar – wat ons niet behoeft te verbazen, we hebben hier immers met de kracht der oudste goden te doen! – dat men ze, naar experimenteel is vastgesteld, niet van elkaar kan scheiden zonder hun lichamen uiteen te rijten; overigens zouden ze in mijn novelle evenmin zijn voorgekomen als de figuren van de wandschildering, mijn studie van hun leefgewoonten maakte alleen deel uit van de voorbereidende werkzaamheden, ook zij behoorden tot de elementen die het werk wel moesten verrijken maar daarin toch onzichtbaar zouden zijn; dergelijke onzichtbare elementen zijn in elk fatsoenlijk kunstwerk ruimschoots te vinden; en wellicht had ik ze uiteindelijk toch wel ten tonele gevoerd, maar alleen als een bijkomstig, niet als een belangrijk element, als een soort embleem, bijvoorbeeld aan de rand van een bos, kruipend over een groot varenblad of over de welriekende rottende bladeren op de grond, misschien zelfs tijdens een tête-à-tête, terwijl ze elkaar met hun van oogjes voorziene voelhoorns betastten.

Ja, alle schreden die ik uit verlangen naar de geslachtloze dood of de gelukzalige geslachtloosheid zette, voerden me naar dit bos.

Het was geen dicht bos, maar wie een der paden ontdekte en zich tussen de bomen begaf om met het toeval als leidsman op weg te gaan, merkte alras dat de volksmond het niet ten onrechte een wildernis noemde: niemand kwam daar om bomen met krijt te merken, van takken te ontdoen of met een wagen af te voeren, zelfs niet om hout te sprokkelen of op de met slakken bevolkte open plekken bosaardbeien, frambozen, bramen of paddestoelen te plukken, sinds onheuglijke tijden was er niets anders gebeurd dan wat we in boeken over de geschiedenis van de planten- en dierenwereld kunnen lezen, wat natuurlijk niet weinig was: eeuw na eeuw waren er bomen ontsproten, opgegroeid en, na hun leven geleefd te hebben, weer gestorven; voorzover de zonnestralen door de bladerrijke kronen hadden kunnen dringen, waren er ook allerlei andere planten ontkiemd, opgegroeid en gestorven: struikgewassen, varens, klimplanten, gras, brandnetels, duizenden soorten onkruid en kakelbonte of vreemde, doorschijnende bloemen, al naar gelang het seizoen; zodra deze vegetatie echter door de boombladeren van het licht was beroofd, was ze langzaam weggekwijnd en had haar plaats afgestaan aan koel schemerlicht prefererende korstmossen, gewone mossen en paddestoelen, die, in de verrotting gedijend, het leven op de sponsachtige bodem hadden voortgezet; er heerste stilte, een stilte even oud en ondoordringbaar als het bos zelf, zelfs niet door de wind te verstoren, en de lucht was er verzadigd van sterke geuren, zodat wie hier liep reeds na enkele ogenblikken op een aangename wijze werd verdoofd; het was in het bos altijd iets warmer dan in de kille buitenwereld, er hing een vochtige warmte, die je huid glibberig en slijmerig maakte, als een slakkelichaam; natuurlijk liepen er geen echte paden door het bos, geen menselijke voetstap had hier het leven vertreden, de dieren van het bos hadden gezorgd dat er doorgangen waren ontstaan, soms genadige, soms grillige, onberekenbare paden, onderbrekingen van de bodemprocessen, pauzetekens waaraan alleen het op doeleinden gerichte mensenverstand namen durfde te geven, omdat dit de gewoonte heeft zich kordaat een weg te banen door het oerwoud der dingen en de rust van de natuur op zijn eigen, onnozele manier te benutten, ongeacht andere, misschien veel belangrijker gebeurtenissen.

Door het water uitgesleten greppels waarin kiezelstenen en grind tegen elkaar aan rolden, uitwaaierende laagtes, waarin overvloedig regenwater verbrokkelde aardkluiten had meegevoerd, lange lopers van zacht mos en zulke dikke lagen afgevallen bladeren dat de verrotting zelfs de paddestoelen te machtig was; men kon zich er wel voortbewegen, maar niet snel, want talrijke door de warmte van het invallende zonlicht hoog opgeschoten struiken en dikke boomstammen versperden de wandelaar de weg, soms ook grote, gladde, grillig gevormde blokken lavasteen, zwart van kleur, die het volk 'vondelingen' noemt, waarmee het ons op treffende wijze herinnert aan het verband tussen gevonden voorwerpen en gevonden kinderen; volgens zekere mythen zijn deze vondelingen door de reuzen van de noordelijke zeeën op de vlakke oever geworpen; later, toen hun strijdgedruis verstomd was, ontstonden hier stille bossen.

Een helgroene schemering.

Af en toe geluiden: schuren, kloppen, kraken, breken; het is niet te begrijpen hoe de tijd hier verstrijkt, maar zolang je nog de takken onder je voeten hoort kraken en vindt dat dit de stilte verstoort, ben je hier nog niet echt.

Zolang je nog iets wilt bereiken, een voor jou geschikte plaats, waarvan je je niet eens een voorstelling kunt maken, zolang je nog niet bereid bent je door het eerste het beste slingerpaadje te laten leiden, zolang ben je hier nog niet echt.

Een boomstam verplaatst zich achter het doorzichtige gordijn van kreupelhout, het lijkt alsof er iemand achter vandaan komt, iemand die er tot nog toe roerloos achter heeft gestaan, zoals ook jij steeds achter iets vandaan komt en dan weer in de beschutting van de struiken verdwijnt.

Zolang je er zin in hebt.

Iedereen die ogen heeft, kan je zien, en toch houd je je voortdurend schuil.

Het bos kon ik niet beschrijven, ik wilde de gevoelens die het in me wekte onder woorden brengen.

Zolang je tracht de splitsingen, bochten, hindernissen en kruisingen van het afgelegde pad in je geheugen te prenten om de plaats terug te kunnen vinden waar je vandaan komt, en je in je angst de planten voor menselijke gezichten of wegwijzers aanziet en ze een karakter, een levensloop en zekere eigenschappen toekent, in de hoop dat ze je als dank de terugweg zullen wijzen, ben je hier nog niet echt.

Maar zelfs al heb je gemerkt dat je niet alleen bent met de bomen en de planten, dan ben je hier nog altijd niet echt.

Ik wilde net zo over de boswezens schrijven als Köhler over zijn slakken, in dezelfde stijl als hij.

Als je jezelf niet meer voelt, of beter gezegd: als je merkt dat er enige tijd is verstreken, maar niet weet hoeveel, het kan veel of weinig zijn, maar dat kan je niet schelen.

Als je staat, maar niet weet dat je staat, en je naar iets kijkt, maar niet weet waarnaar, en je om de een of andere reden je armen hebt uitgestoken, alsof je zelf een boom bent.

Ik kon die novelle onmogelijk schrijven.

Als je in staat bent datgene te voelen wat bomen waarschijnlijk niet kunnen voelen.

Als je het geritsel hebt gehoord, dat eeuwige gedruis, maar niet weet dat je het hebt gehoord.

Als je nog wel weet dat je in het bos bent, maar niet meer hoe je erin bent gekomen, want de wegwijzers zijn nergens meer te bekennen.

Zolang je nog waakzaam bent, zolang je nog naar de uit het oog verloren wegwijzers speurt, ben je hier niet echt, je trekt je nog te veel aan dat ze je begluren.

Als het tussen twee bomen door glipt en verdwijnt, blauw in groen.

Je loopt het achterna maar weet niet dat je het volgt, je kunt het niet vinden.

Zolang je onderscheid maakt tussen bomen en kleuren, zolang je nog tracht moeilijk leesbare wegwijzers te ontcijferen, ben je hier nog altijd niet echt.

Zolang je nog denkt dat je verbeelding je parten speelt wanneer je het wezen ziet voorbijschieten, blauw in groen; en wanneer je het angstig naloopt, zonder verder de paden te volgen, zwiepen de takken in je gezicht, je hoort het knerpen van je voetstappen niet, je merkt niet dat je gevallen bent, je springt op en rent erachteraan, brandnetels en doornen teisteren je huid, ze steken je, omdat je inhalen wil wat steeds verdwijnt en zich dan weer opnieuw vertoont, desondanks meen je dat je de verleiding zou moeten weerstaan.

Zolang je nog beslissen wilt, zolang je nog nadenkt, maak je geen kans, ze zullen van verre je zure lijflucht ruiken en je steeds ontglippen.

Nu staat hij in een kuil, als je je niet verroert, kun je tussen de geluidloos bewegende, zachtjes wiegende bladeren zijn ogen zien, die je fonkelend aanstaren, maar het is niet meer hetzelfde wezen, het is een ander, een onbekende, iemand, en jij laat gedurende dit oogcontact de tijd verstrijken, en terwijl je ziet dat hij naakt is, ontdek je dat je zelf ook geen kleren draagt.

Maar zolang je zijn naakte lichaam naderen wilt en de takken opzij duwt om het beter te kunnen zien, zolang je de wens koestert het tegen je aan te drukken en in bezit te nemen en je daarom op hem toeloopt, hoewel je al tegenover hem staat, ben je hier nog altijd niet echt.

Opeens is hij verdwenen.

En zolang je naar ze zoekt, naar die wezens die je tot nog toe door je lompheid en je zure lijflucht hebt afgeschrikt en op de vlucht gejaagd, zolang je hoopt ze opnieuw te ontmoeten en intussen spijt hebt dat je niet listiger en voorzichtiger te werk bent gegaan, zolang ben je hier nog altijd niet echt en kan niemand je bereiken.

Maar eens zal het toeval je te hulp komen, want je bent hier tenslotte lang genoeg om er een klein beetje bij te horen.

Je draait je om, en wat tot nog toe achter je rug was, is nu voor je, het ligt aan de zachte oever van een vijver op zijn buik in het groene mos, je laat je blik over zijn rug glijden, omhoog langs de lijn van zijn ronde achterwerk en omlaag over zijn benen, hij legt zijn hoofd op zijn armen en kijkt naar je, en dit geeft je zo'n warm gevoel dat je mond zich tot een grijns vertrekt, en niet alleen je mond, maar zelfs je tenen beginnen te glimlachen, en ook je knieën lachen mee, en nu blijf je natuurlijk waar je bent, je hebt je plaats gevonden, je lach is je plaats op de wereld, en dan merk je opeens dat zijn ogen niet op jouw ogen zijn gericht, er is nog een derde op de reproduktie afgebeeld, ginds in die kuil, iemand van wie je meende dat hij voorgoed was verdwenen, en je ziet ze naar elkaar kijken en denkt dat je het misschien van ze zou kunnen leren.

Ze kijken naar elkaar, terwijl jij naar hen kijkt.

Maar je verwisselt jezelf nog steeds met je gedachten, zolang je iets wilt leren, ben je hier niet echt.

Je gretige blikken maken hen bang, ze springen overeind en verdwijnen tussen de struiken.

Zoals jij je ook verbergt voor degene die je beloert.

Lange tijd is er niemand te zien.

Zolang je ergens opuit bent, blijft het bos stil, maar het is een andere stilte dan gewoonlijk, een stilte die je poriën binnendringt.

Maar eens zal het lachen je gebeente bereiken.

En ook je lichaamsgeur zal dan veranderen.

Gras overwoekerde
de sporen van het vuur

Zelfs de geringste beweging had die rust al kunnen verstoren, ik had er dus geen enkele behoefte aan mijn ogen te openen, ik wilde iets vasthouden wat definitief was geworden in ons, in onze gemeenschappelijke warmte, en ik wilde niet dat ze aan mijn blik kon zien hoe bang ik was voor wat er ging gebeuren, het was goed zo, ik zou de angst aanvaarden als iets onvermijdelijks! ik voelde van mijn lichaam uitsluitend wat haar lichaam het mijne kon geven: op het vochtige oppervlak van de naakte huid onder de zijde van de omhooggeschoven jurk het vochtige oppervlak van mijn naakte huid, van mijn dij, de uit haar okselholtes opstijgende weeë, wurgende lucht die zich met de geur van mijn adem vermengde, de harde lijnen van haar heup, die wellicht de harde lijnen van mijn heup waren, de hardheid van het gebeente onder het massieve gewicht van haar arm, die ze heel langzaam wegtrok, mijn schouders en mijn rug, die dit gewicht nog steeds voelden toen ze haar arm had weggehaald, want het was achtergebleven in het vlees en de beenderen, en toen ze haar hoofd even ophief om de afdruk van die tanden beter te kunnen zien, was ik blij dat je ook met bijna gesloten ogen kunt kijken, door je nauwelijks opgelichte wimpers heen, ze kon alleen het trillen van mijn oogleden en het beven van mijn wimpers zien en wist absoluut niet hoe bang ik was, hoewel we nog niet eens waren begonnen, ik kon heel duidelijk zien hoe ze mijn hals bekeek en ze had er geen idee van dat ik haar bespiedde, ze keek lang naar de bewuste plaats en raakte die voorzichtig met haar gestrekte vinger aan, haar lippen gingen uit elkaar en kusten me, precies op de plaats waar het nog een beetje pijn deed.

Het was alsof Szidónia's mond mijn hals kuste.

Zo lagen we lang, heel lang zwijgend en roerloos tegen elkaar aan, haar hoofd op mijn schouder, mijn hoofd op haar schouder, althans zo herinner ik het me.

Misschien zelfs met gesloten ogen.

Maar ook als ik mijn ogen open had, kon ik niets anders zien dan het patroon van de gekreukte beddesprei en haar haar, haar krullen, die mijn lippen kietelden.

En als zij haar ogen opende, zag ze niets anders dan de groene schaduwen van de middag, die geluidloos verschoven op het lege vlak van het plafond.

Waarschijnlijk ben ik in slaap gevallen en pas na een poosje wakker geworden en misschien heeft zij ook wel wat geslapen.

Opeens zei ze met een stem, zo zacht dat de boodschap meer door het ritme van haar ademhaling dan door het trillen van haar stembanden werd overgebracht, dat het tijd was om te beginnen.

Ja, we moeten beginnen, zei ik haar na, tenminste zo herinner ik het me, maar we verroerden ons geen van beiden.

Toch was er geen enkele objectieve omstandigheid die ons belette tot handelen over te gaan, het enige wat dit belette, waren wijzelf, maar hoe hadden we dat kunnen weten?

's Middags om die tijd was Szidónia namelijk altijd afwezig, ze was op bezoek bij de buren of ontmoette een van haar vriendjes, ze deed gewoon waar ze zin in had, en zolang zij Maja's ouders niet vertelde wat hun dochter 's middags allemaal uitspookte, kon ze er zeker van zijn dat Maja háár uitstapjes evenmin verklapte, op die manier hielden ze elkaar de hand boven het hoofd, bovendien vertelden ze elkaar altijd wat ze hadden meegemaakt, ze wisselden de tijdens hun heimelijke escapades opgedane ervaringen uit alsof ze vriendinnen waren en er geen leeftijdsverschil van zeven jaar tussen hen bestond; op een keer luisterde ik ongewild en met stokkende adem vanwege dit buitenkansje, hun gesprek af, Szidónia vertelde, terwijl ze met loshangend haar in de hangmat schommelde, wat ze had meegemaakt en Maja, die geheel verdiept was in haar relaas, zat in het gras en gaf nu en dan verstrooid een duw tegen de hangmat.

Dat waartoe we elkaar aanspoorden, wat we ons voorgenomen hadden uit te voeren, en wat we uiteindelijk ook hébben uitgevoerd, het onderzoek, waarmee we tenslotte bevend van spanning zijn begonnen, was zo'n gewichtig en duister geheim dat ze ongetwijfeld tot op heden met niemand ooit daarover heeft gesproken, daarvan ben ik overtuigd, zoals ook ik daarover nooit met wie dan ook heb gesproken, het geheim komt dus nu voor het eerst, via het papier waarop ik schrijf, in de openbaarheid; we hadden niet eens de moed er met elkaar over te spreken, we zinspeelden er slechts op, en dan nog terloops en in bedekte termen, het bleef een ongenoemd gebeuren, en tot op zekere hoogte terroriseerden we elkaar met het feit dat we zo'n verschrikkelijk, aan niemand mee te delen geheim hadden, een geheim dat ons op een fatalere manier met elkaar verbond dan ooit een liefde had kunnen doen.

Ze vroeg me met die nauwelijks hoorbare fluisterstem hoe ik aan die plek op mijn hals kwam.

Die rode plek.

Ik begreep niet onmiddellijk wat ze bedoelde en dacht dat ze alleen de tijd probeerde te rekken omdat ze ertegen opzag te beginnen, wat me overigens goed uitkwam, want ik wilde zelf ook niets liever dan uitstel.

Hoe ik aan dat plekje kwam? o, gewoon, iemand had me in mijn hals gebeten; ik hoefde er niet aan toe te voegen wie degene was die dat gedaan had, dat begreep ze meteen; het deed me bijzonder veel genoegen dat de sporen van de beet nog zichtbaar waren en dat zij die had opgemerkt.

Traag zwaaide de hangmat van de schaduw van de appelboom naar het licht.

Die middag zal ik nooit vergeten.

Het was alsof haar mond zich aan mijn hals had vastgezogen en ze daarna in slaap was gevallen, in zo'n houding lagen we daar.

Zodra de hangmat omhoogzwaaide in de richting van het licht en de twee strakgespannen touwen aan de bomen rukten, werd haar stem luider; de bladerkronen van de appelbomen ruisten, de takken kraakten, en als ze daarna weer omlaagzwaaide, naar de schaduw, dempte ze haar stem, wat haar verhaal niet alleen een eigenaardig, bijna opzwepend ritme gaf, maar ook bepaalde zinsdelen geheel ten onrechte benadrukte, terwijl andere zinsdelen en woorden zacht klonken, alsof ze gefluisterd werden, en nauwelijks verstaanbaar waren, zodat niet alleen haar lichaam, maar ook haar stem tussen de onrijpe, bevende appels scheen te schommelen; ik stond achter een rondgeknipte buksboom en rook voortdurend de volle, weeë geur van de vettige, donkere bladeren; Szidónia vertelde iets over een tramconducteur die ze had ontmoet; het ritme van het mechanisch aanzwellen en zwakker worden van haar stemgeluid scheen een rechtstreekse invloed op Maja te hebben, die, alsof ze motorisch op het vertelde reageerde, nu eens krachtig, dan weer zachtjes tegen de hangmat duwde, waardoor ze het verhaal afwisselend bespoedigde en vertraagde; ze gedroeg zich hierbij volkomen onvoorspelbaar, want nu eens gebruikte ze zoveel woeste kracht dat Szidónia hoog de lucht in zwaaide, dan weer raakte ze de hangmat nauwelijks aan; de conducteur was een klein mannetje met grote, bruine, bloeddoorlopen ogen die uit hun kassen puilden, en een voorhoofd vol puisten, 'moet je je voorstellen, zo groot als mijn duim!' vertelde Szidónia, 'van die rode, bobbelige', welke mededeling Maja tot een gillerig lachje inspireerde, waarna ze de hangmat een fikse opstopper gaf, hoewel Szidónia's manier van spreken daar volstrekt geen aanleiding toe gaf, want die vertelde alles op een nogal eigenaardige, afstandelijke manier, met de opgewekte glimlach van iemand die de details wel belangrijk vindt, maar geen enkel feit van uitzonderlijke, laat staan wezenlijke betekenis acht, de details waren voor haar alleen op zichzelf belangrijk; ze moest ergens naar toe met lijn drieëntwintig en was in het achterste rijtuig gestapt, wat ze bij voorkeur deed, omdat je daar 'zo lekker door elkaar wordt geschud'; de tram was bijna leeg geweest; omdat het warm was, was ze aan de schaduwkant gaan zitten; ze had haar witte blouse aan, die met die ronde kraag en dat lichtblauwe zigzagbandje, die Maja ook zo leuk vond omdat hij zo lekker om haar middel viel, en haar witte plooirok, die ze thuis alleen op feestdagen mocht dragen, met Pasen bijvoorbeeld, omdat hij zo gauw vuil werd; als ze ging zitten legde ze altijd eerst een zakdoek op haar stoel; het was ook zo moeilijk al die vouwen te strijken! het was erg warm in de tram en de conducteur – ze had de indruk dat hij een zigeuner was, want zigeuners hebben van die uitpuilende ogen – liet met behulp van een kruk alle ramen neer, wat een moeizaam karweitje was, want de kruk schoot steeds uit het gaatje; toen hij daarmee klaar was, ging hij tegenover haar zitten, maar op enige afstand, aan de zonkant, en toen hij de kruk in zijn tas had opgeborgen, gaapte hij haar voortdurend aan, maar ze had gedaan alsof ze niets in de gaten had en haar ogen gesloten omdat de wind in haar gezicht blies; ze vond het het leukst als de tram keihard door de bocht ging, dat was zo lekker eng! ze had eens met de dochter van haar peettante een ritje in de achtbaan gemaakt en was toen zo bang geworden dat ze dacht dat ze doodging; een van haar medepassagiers was het ook opgevallen dat die vent steeds naar haar zat te gluren, maar af en toe had ze er helemaal geen erg in gehad, want ze had voortdurend naar buiten gekeken of haar ogen gesloten en aan heel andere dingen gedacht, maar toch was ze bij de halte waar ze had moeten uitstappen blijven zitten, want die conducteur zat inmiddels op een plaats vlak bij haar; natuurlijk had ze ook naar zijn handen gekeken, hij droeg geen trouwring; hoewel ze niet veel in hem zag – alleen zijn zwarte lokken en de zwarte haren op zijn armen konden ermee door, overigens was het maar een vies mannetje –, was ze toch benieuwd hoe het zou aflopen, of hij het wagen zou haar aan te spreken, te meer daar die andere kerel ook steeds naar haar zat te loeren.

Ik kon haar dichte, donkerbruine haar in de middagwarmte zien drogen; toen ik me achter de buksboom had geposteerd, was het nog nat geweest en had het op haar rug en schouders geplakt; ze droeg een wit, linnen hemd en een eveneens witte, met kant afgezette onderrok; het hemd, dat door haar lijfje werd genoemd, drukte haar opvallend grote borsten bijna plat, het werd van voren met haakjes gesloten en liet haar rug, haar ronde schouders en haar mollige, krachtige armen vrij; telkens wanneer de hangmat in zijn onvoorspelbare ritme omhoogzwaaide in de richting van het licht en weer terugviel in de schaduw, maakten de drogende haren zich langzaam los van haar schouders en haar rug, het eerst aan de zijkant; ze wapperden en golfden in de door het schommelen veroorzaakte luchtstroom.

Tenslotte, na een heel lange reis, waren ze bij het eindpunt aangekomen; ze had niet eens in de gaten gehad dat die halte het eindpunt was, maar de conducteur, die toen al een hele poos tegenover haar had gezeten, was opgestaan, en die andere man was, nog steeds geïnteresseerd toekijkend hoe het zou aflopen, eveneens opgestaan, om uit te stappen; hij zag er keurig uit en droeg nette kleren, een wit overhemd en een zwarte hoed; hij had een pakje bij zich dat waarschijnlijk etenswaren bevatte, want er zaten vetvlekken op het papier, toch zag hij er hongerig uit, maar hij leek wel nuchter; toen ze ook was opgestaan, zei de conducteur tegen haar dat dit het eindpunt was en ze dus helaas van elkaar moesten scheiden, waarop zij hem had toegelachen en gezegd dat dat niet nodig was omdat ze immers weer met hem mee terug zou rijden.

Toen Szidónia op dit punt van haar verhaal was aangeland, stootten de meisjes allebei een kort, droog lachje uit; twee lachjes stuitten rinkelend op elkaar en verstomden verrast; Maja hield op met duwen, ze stopte met een vlugge beweging haar rok tussen haar gespreide dijen en liet zich vanuit haar zittende houding stijf voorovervallen; de hangmat verloor vaart en schommelde in de plotseling ingetreden stilte zachtjes en vereenzaamd door met Szidónia's lichaam; ik voelde dat ik het allerbelangrijkste geheim van de meisjes aan het afluisteren was, een geheim zo ontzagwekkend dat ze haast onbekenden leken, meisjes die ik nog nooit eerder had gezien; het was alsof Maja Szidónia beurtelings aantrok en afstootte met haar blik en zo de schommelende beweging van de hangmat aan de gang hield, terwijl Szidónia's vage, zwevende blik Maja scheen te betoveren, zodat ze tot die geheimzinnige roerloosheid was gedoemd; de meisjes omhelsden elkaar niet alleen met hun blikken, maar ook met hun lach, met dat korte, droge, ietwat spottende lachje van daarnet, dat ze met geopende mond, opengesperde ogen en opgetrokken wenkbrauwen geluidloos continueerden; en hoezeer ze uiterlijk ook van elkaar verschilden, door het zusterlijk gedeelde geheim kregen ze een opvallende gelijkenis.

Toen de hangmat bijna tot stilstand was gekomen en nog maar heel zachtjes heen en weer ging, pakte Maja hem met twee handen beet en stootte hem van zich af; het was een beweging vol gretigheid en wreedheid, bijna boosaardig, maar ze was niet tegen Szidónia gericht, ze was een uiting van solidariteit met het meisje, dat, omhoogzwaaiend naar het licht, met een stem verstikt door eenzelfde boosaardigheid opnieuw begon te spreken, ditmaal tamelijk luid.

Op de terugweg had de conducteur alle mogelijke onzin uitgekraamd, waarop ze met geen syllabe had geantwoord, ze had het alleen aangehoord en naar zijn uitpuilende ogen gekeken, bovendien was ze van tijd tot tijd plotseling opgestaan en ergens anders gaan zitten, dit spelletje had ze een hele tijd volgehouden; de conducteur was achter haar aan gelopen zonder te merken dat ze hem voor de gek hield, hij bleef maar doorpraten en volgde haar voortdurend, wat mogelijk was doordat er geruime tijd niemand instapte; hij zei dat hij ook van het platteland afkomstig was, in een barak woonde en graag wilde weten hoe ze heette, maar ze had daar geen antwoord op gegeven; verder beweerde hij dat hij op het eerste gezicht verliefd op haar was geworden en al heel lang naar een meisje als zij op zoek was, ze hoefde niet bang voor hem te zijn, hij zei haar meteen heel eerlijk dat hij een week geleden uit de gevangenis was ontslagen, hij had anderhalf jaar gezeten en in die tijd geen vrouw aangeraakt; ze moest hem geloven als hij zei dat hij volmaakt onschuldig was; hij was een onecht kind; zijn moeder had een vriend gehad, een drankorgel en een nietsnut, die ze de deur uit had gebonjourd; van die kerel had zijn moeder nog een kind, zijn zusje, dat hij boven alles, ja meer dan zijn eigen leven liefhad; zijn moeder was een doodzieke vrouw, de stakker had last van haar hart, hij had daardoor zelf zijn zusje moeten grootbrengen, een lief, blond meisje; maar die kerel kwam steeds weer terug; als hij platzak was of geen slaapplaats had, trapte hij tegen de deur om binnengelaten te worden, hij had zelfs een paar keer een ruit ingeslagen; als ze hem dan binnenlieten, sloeg hij zijn moeder en schold haar voor hoer uit, en als hij dan probeerde tussenbeide te komen, kreeg hij er ook van langs, die kerel was namelijk zo sterk als een beer; op een avond, toen ze de kleine al gebaad en in bed hadden gestopt en hij juist met de afwas bezig was, had hij een mes op de tafel laten liggen, geen groot mes, maar wel scherp, hij was degene die thuis altijd de messen sleep; opeens had die kerel weer voor de deur gestaan en was alles van voren af aan begonnen, ze wilden hem niet binnenlaten en de buren hadden zich ermee bemoeid en geroepen dat het afgelopen moest zijn, maar tenslotte had zijn moeder toch maar de deur geopend, maar toen die schoft binnenkwam, was zijn moeder achteruitgeweken tot aan de tafel; op het moment dat ze zich daaraan wilde vastklampen, had ze het mes gevoeld, opgepakt en in zijn borst gestoten; daarna had hij, om te voorkomen dat zijn zusje haar moeder zou kwijtraken, gezegd dat hij de dader was, maar tijdens de rechtszitting was uitgekomen dat hij gelogen had, want de buren hadden door de openstaande deur alles gezien, zodat hij anderhalf jaar had gekregen wegens medeplichtigheid en meineed; hij smeekte haar hem voor het uitstappen haar adres te geven of een afspraak met hem te maken omdat hij haar niet meer kon missen; als hij haar kwijtraakte, zou hij voortdurend aan haar knappe gezichtje moeten denken.

Maja was intussen overeind gesprongen uit haar zittende houding om beter te kunnen duwen, ze deed twee stappen achteruit, nam een spreidstand aan en gaf Szidónia elke keer een zo hard mogelijke zet, alsof ze haar een volledige omwenteling wilde laten maken, wat natuurlijk onmogelijk was; de appelbomen kraakten en steunden en hun bladeren sidderden en beefden, maar de hangmat kwam elke keer hoog in de lucht tot stilstand en zwaaide dan door zijn gewicht met dezelfde kracht terug, waarop Szidónia met een van de terugzwaai nog stokkende adem de snelheid van de opwaartse beweging trachtte te overschreeuwen en 'nog een keer!' riep.

Als hij haar zo nodig moest ontmoeten, moest hij op zaterdagmiddag met deze tram naar het Borároplein rijden en daar overstappen op lijn zes; o, had hij zaterdag dienst? tja, dan moest hij maar met een collega ruilen! vervolgens moest hij met lijn zes naar het Moszkvaplein rijden, daar overstappen op lijn zesenvijftig, uitstappen bij het beginpunt van de tandradbaan en met het tandradtreintje omhoogrijden tot de Adoniszstraat, waar hij moest uitstappen; die Adoniszstraat moest hij aflopen tot voorbij de tuinmuur van het eerste huis, daar zou hij een paadje vinden dat het bos in liep, het was gemakkelijk te vinden, want er stonden drie hoge sparren; hij moest dat pad net zo lang volgen tot hij bij een grote open plek kwam, daar zou ze op hem wachten.

Ik vertelde er natuurlijk niet bij dat ik op diezelfde plaats al met Pisti had afgesproken! riep ze.

Die Pisti, haar vriendje, kende ik ook.

Ze was benieuwd hoe die twee op elkaar zouden reageren.

Maja kon zich niet langer beheersen, haar lichaam werd lang en stijf van opwinding, je kon zien dat de spanning weldra zo hevig zou zijn dat ze niet meer in staat zou zijn Szidónia's verhaal rustig aan te horen; ze gaf haar nog een duw en sloeg toen haar beide handen voor haar gezicht, alsof ze even hard moest lachen als Szidónia schreeuwde, maar er kwam absoluut geen geluid uit haar mond; ze vermaakte zichzelf en Szidónia door te doen alsof ze onbedaarlijk moest lachen, terwijl de hangmat door zijn vaart nog wat doorschommelde; maar nu ze eenmaal begonnen was met dat spelletje, dat misschien niet eens werkelijk een spel was, moest ze ermee doorgaan ook; ze kromp met haar handen op haar buik gedrukt geluidloos bevend in elkaar, zakte door haar knieën, liet haar handen tussen haar samengeperste dijen glijden en staarde met een gelaatsuitdrukking alsof ze het in haar broek deed van het lachen, omhoog naar Szidónia; de huid van haar gezicht en hals werd bleek en vlekkerig en het leek wel of haar lichaam aan het gras was vastgekleefd; ik wist dat ze zich vreselijk schaamde, maar waarschijnlijk brandde ze evenzeer van nieuwsgierigheid, want haar mond was wagenwijd geopend en haar ogen flikkerden onrustig tussen de hoog opgeschoten gelige grashalmen, alsof ze zowel om consideratie als om de voortzetting van het verhaal smeekten.

Maar Szidónia wachtte niet af tot de hangmat geheel tot stilstand was gekomen, ze ging rechtop zitten, pakte met beide handen de uitgespannen touwen waaraan de hangmat hing en begon de hangmat aan te drijven door haar blote benen afwisselend te strekken en te buigen, alsof ze op een schommel zat, zodat haar gefronste voorhoofd, dat vol dwaze rimpeltjes zat, rood werd van inspanning, haar stem bleef echter weloverwogen zacht en het glimlachje, waardoor je voortdurend haar tanden kon zien, verdween geen ogenblik van haar gezicht, wat Maja bijzonder scheen te irriteren.

Toen ze daar aankwam, was Pisti er al; ze verstopte zich in het struikgewas, op een plek waar de weg steil omhoogloopt, boven op de platte rots waar je altijd condooms zag liggen, Maja wist wel waar, daar kon je alles goed overzien zonder zelf gezien te worden door iemand;

op die vlakke steen was ze op haar hurken gaan zitten, ze dorst namelijk niet gewoon te gaan zitten omdat ze dan niet snel genoeg zou kunnen weghollen als er iets gebeurde; Pisti was die dag niet in uniform, hij droeg een wit overhemd en een blauw pak; ze had dit alles tot nu toe niet aan Maja durven vertellen omdat ze bang was dat het gebeurde ernstige gevolgen zou hebben; Pisti lag in het gras een sigaret te roken, naast hem lag zijn jas, die hij netjes had opgevouwen, het was een heel nette jongen, die Pisti; ze wilde die dag met hem gaan dansen; geruime tijd was er niets gebeurd; Pisti was niet ongeduldig geweest; je hoorde nergens geritsel waardoor Pisti had kunnen denken dat zij er aankwam; het was vreselijk warm door de felle zon en waarschijnlijk had hij last van de vliegen, want hij maakte allerlei gekke bewegingen, zodat ze met moeite haar lachen had ingehouden daarboven op die steen; ze dacht dat de conducteur wel niet meer zou komen, want ze had het tandradtreintje horen stoppen en weer wegrijden en als hij daar in had gezeten, had hij er al moeten zijn; ze moest daar in totaal dus minstens een uur hebben gezeten, want de conducteur was pas met het volgende treintje gearriveerd; Pisti rookte onophoudelijk en wentelde zich van de ene zij op de andere om de vliegen te verjagen en zij ging af en toe ondanks haar angst toch maar op de steen zitten.

Pisti doet altijd net alsof hij haar niet aan hoort komen, dat is zijn gewoonte, ze sluipt naar hem toe en geeft hem een zoen, maar hij haalt dan niet eens zijn hand onder zijn kin vandaan en gooit ook zijn sigaret niet weg, hij heeft zijn ogen wel open, maar doet alsof hij niets ziet, en ze moet hem zo lang kussen, zijn mond, zijn ogen, zijn wangen en zijn hals, tot hij het niet meer uithoudt en haar begint terug te zoenen en omlaagtrekt, naar zich toe, en dan kan ze er niet meer vandoor gaan, want hij is zo sterk als een beer en laat haar niet meer los; opeens was de conducteur ten tonele verschenen, die, toen hij Pisti zag, stokstijf bleef staan, hij was nog in uniform en droeg zijn tas over zijn schouder, misschien had hij de tram wel in de steek gelaten om haar te ontmoeten; hij keek nerveus knipogend om zich heen om te zien of hij wel op de goede plaats was en liep daarna heel zachtjes, opdat Pisti zijn voetstappen niet zou horen, naar de bomen toe, waar ze hem niet meer kon zien; op dat moment was Pisti overeind gaan zitten.

Vanaf haar plaats kon ze zien dat de conducteur voor Pisti onzichtbaar was, terwijl de conducteur hem wél zag, maar Pisti voelde kennelijk dat er iemand naar hem keek.

Hij deed namelijk alsof hij zomaar wat in het gras had gelegen, stond op, raapte zijn jas van de grond op en liep weg, maar toen hij bij de bomen was gekomen, draaide hij zich vlug om en keek in de richting waar de conducteur vermoedelijk stond.

En opeens, terwijl ze daarboven op haar hurken zat, had ze gemerkt dat ze ongesteld werd, terwijl ze niet eens een onderbroekje aan had.

Je bent gek, hartstikke gek! riep Maja.

De conducteur durfde toen langzaam voor de dag te komen, maar niet meteen, hij bleef eerst een poosje onder de bomen staan, luisterde of hij iets hoorde, hing zijn tas beter over zijn schouder en wiste zijn puistige voorhoofd af, hij vreesde kennelijk dat hij toch niet op de goede plaats was, maar opeens kwam hij tussen de bomen vandaan, zonder in de gaten te hebben dat Pisti hem observeerde, en op dat moment kreeg ze zo'n vreselijke pijn in haar buik dat ze dacht dat ze in stukken scheurde, en toen ze onder haar rok voelde, zat alles onder het bloed, het gulpte eruit, en doordat ze daar zo hurkte, liep het over haar achterwerk en drupte op de steen, ze wist zich geen raad, opstaan kon ze in geen geval; toen de conducteur al bijna het midden van de open plek had bereikt, kwam Pisti plotseling tevoorschijn en liep naar hem toe om hem de pas af te snijden; gelukkig had ze een zakdoek bij zich, die had ze een paar keer dubbelgevouwen, opgerold en tussen haar benen gepropt, alleen kon ze het bloed niet afvegen en zich ook niet goed bewegen; Pisti wist vast en zeker dat het allemaal haar werk was geweest, hij sprak er wel nooit over, maar ze wist het zeker; hij liep recht op de conducteur af, maar deed alsof hij hem niet zag; als het zo warm was, stak Pisti altijd zijn vinger door het lusje van zijn jas en gooide die over zijn schouder; kortom, de conducteur kon niet meer rechtsomkeert maken, hoewel hij dat maar al te graag wilde, hij bleef staan en Pisti bleef ook staan, maar ze kon bijna niets zien, alleen dat hij zijn jas van zijn schouder trok en de conducteur daarmee in zijn gezicht sloeg, en toen de conducteur afwerend zijn hand ophief en in elkaar kromp om zich te beschermen, gaf Pisti hem een slag in zijn nek, een flinke mep met zijn vlakke hand, de hand waarmee hij zijn jas vasthield, zodat de conducteur onmiddellijk in elkaar zakte en zijn tas zo ongelukkig omviel dat al het geld eruit rolde en in het gras terechtkwam.

Ze strekte en boog haar welgevormde, blote benen, maar ze zat te diep in de hangmat om hem in beweging te kunnen krijgen, hij zwaaide alleen maar zachtjes heen en weer.

Pisti keek daarna niet eens om, hij liep gewoon weg; zij had hem natuurlijk niet verteld dat ze alles had gezien; als ze de conducteur nog eens tegen het lijf zou lopen, zou die haar vast een flink pak slaag geven. Maja ging rechtop zitten; haar gelaatsuitdrukking en de geheimzinnige waardigheid die van haar rechte houding uitging weerspiegelde iets van Szidónia's rust en oneindige tevredenheid, geruime tijd keken de beide meisjes elkaar zwijgend en bijna extatisch aan, hun ogen bleven op elkaar gericht; ik vond dit zwijgen nog veelzeggender dan het verhaal dat ik zojuist had gehoord; Szidónia's uitgestoken voeten raakten elke keer dat ze aan kwam zeilen bijna Maja's gezicht, maar Maja bewoog niet eens haar wimpers, alsof er op dat moment belangrijker zaken aan de orde waren dan de zojuist vertelde, alsof zich in die stilte de gebeurtenis voltrok die ik daarstraks als een geheim had herkend, als hun geheim, een geheim dat misschien niet meer inhield dan dat Szidónia alles wat ze meemaakte moest vertellen, terwijl het Maja's taak was dit aan te horen.

Beneden, in de schoot van de zacht golvende heuvels, in de diepte, zweefde de stad in een waas van zomerlicht.

En toen begon Maja met een eigenaardige, nooit eerder gehoorde stem te spreken.

In de verte zag ik de huizen van Boeda, die witachtig glansden, ze vormden een onregelmatig heuvellandschap van opeengestapelde daken en torens.

Wat was dat eigenlijk voor zakdoek, troel? vroeg ze.

Achter de slaperige rivier die zich als een grijs lint door het landschap slingerde, strekte zich de stad Pest uit, een zich eindeloos voortzettende, rook en stof uitwasemende chaos.

Ze sprak met een kopstem, kwetsend, scherp, niet zoals gewoonlijk.

Nou, gewoon, antwoordde Szidónia met een lage, onverschillige stem; haar tenen raakten juist Maja's gezicht.

Wat bedoel je met gewoon, troel?

Het was een rode zakdoek, antwoordde Szidónia toen de hangmat weer omhoogzwaaide en ze opnieuw Maja's gezicht raakte, maar nu met haar voetzolen; hij was hartstikke rood van het bloed.

Je hebt mijn witte batisten zakdoekje in je snee gepropt! riep Maja met een nog schrillere stem, hoewel ze zichtbaar genoot van de warme aanraking van Szidónia's voetzolen en, daardoor gekalmeerd, bijna wellustig even haar ogen sloot; mijn kanten zakdoekje, geef het maar toe!

Het vreemdste van dit alles was dat op dat moment het glimlachje van Szidónia's gezicht verdween; ook Maja glimlachte niet meer, de meisjes waren zichtbaar met elkaar ingenomen en vertoonden, misschien door hun waardige gedrag, dat overigens niet ernstig was bedoeld, een opvallende uiterlijke gelijkenis.

Maja zat met haar benen onder zich gevouwen in het gras, ze spreidde haar dijen, rechtte haar lichaam en hief haar hoofd; met een gelijkmatige, niet al te krachtige beweging gaf ze elke keer als de hangmat terugzwaaide een duwtje tegen Szidónia's uitstekende voetzolen; de meisje zwegen en keken elkaar niet meer aan, waardoor het onmogelijk was te voorspellen wat ze zouden gaan doen.

Maja droeg die middag, zoals gewoonlijk, een jurk van haar moeder, een onmogelijk wijd en lang geval van paarse kant, waarvan de schoudervullingen bijna tot haar ellebogen afhingen; ook haar verdraaide stem herinnerde aan de stem van haar moeder, maar toen ik dit constateerde, werd ik mogelijk beïnvloed door haar jurk; de meisjes hadden hun gesprek zo snel en luchtig gevoerd dat ik begreep dat het een soort toneelstukje was dat ze samen opvoerden, een toneelstukje dat ze kennelijk al heel dikwijls hadden vertoond.

De zon brandde in mijn nek; pas toen de meisjes zwegen werd ik mij van mijn eigen aanwezigheid bewust en van het feit dat ik het warm had, het was alsof ik daarvoor ergens anders was geweest.

Ik had er geen idee van hoe lang ik al achter die warme, groene buksboom had gezeten, zonder overigens mijn best te doen onzichtbaar te blijven, tenslotte was het helemaal niet nodig dat ik me verstopte en voor luistervink speelde, want de meisjes hadden vaak genoeg hun avonturen in mijn tegenwoordigheid of zelfs met mij besproken, ze vroegen me dan om raad en ik gaf hun die; ik had dus elk moment voor de dag kunnen komen, het zou beslist geen onaangename gevolgen hebben gehad als ze mijn aanwezigheid hadden opgemerkt; dat ze me niet hadden opgemerkt kwam door hun argeloosheid en hun belangstelling voor elkaar; de bolvormige kroon van de buksboom was zo dicht dat ik, als ik erdoorheen wilde kijken, en dat wilde ik, genoodzaakt was mijn hoofd erin te steken; toch wilde ik mijn merkwaardige uitkijkpost niet verlaten, het liefst was ik spoorloos verdwenen of in rook opgegaan, maar ik had tegelijk de neiging om hun samenzijn ruw te verstoren, om eindelijk een einde te maken aan dat gedoe, bijvoorbeeld door een zware steen tussen hen in te gooien of ze nat te spuiten, de tuinkraan was binnen handbereik, ik zag de kronkelige slang in het gras liggen, het zou alleen moeilijk zijn de sproeikop naar me toe te trekken en de kraan open te draaien zonder intussen opgemerkt te worden; kon ik maar in één klap een einde maken aan al die ergerlijke, vreemde intimiteiten tussen hen, die ik alleen maar te zien kreeg zolang ik niet tevoorschijn kwam en ze zich niet van mijn aanwezigheid bewust waren; het had geen zin mezelf voor de gek te houden, elk moment, ja onderdeel van een moment gebeurden er dingen tussen hen die zich in mijn aanwezigheid nooit voordeden en ik eigende me die dingen toe, ik bestal de meisjes, zonder er enige notie van te hebben wat ik me toeëigende; ik voelde me steeds opgewondener worden, zodat ik de spanning haast niet meer kon verdragen, en ik schaamde me erover dat ik de meisjes iets ontnomen had en dat elke minuut dat ik hier langer stond opnieuw zou doen, iets ontnomen had waar ik niets aan had, wat ik gebruiken noch misbruiken kon, het behoorde immers alleen hun toe; het vertrouwen dat ze me tot nog toe gegund hadden was alleen maar schijn geweest, alleen bedrog, ze hadden me slechts wat schamele brokstukken van hun vertrouwen toegeworpen, ze hadden me bedrogen, omdat ze me het echte vertrouwen, dat zich hier openbaarde, nooit konden schenken om de eenvoudige reden dat ik geen meisje was en zij nu over hun meisjeszaken spraken, zodat alleen al mijn aanwezigheid mij tot een dief maakte.

Ik stond juist op het punt de meest smadelijke oplossing te kiezen en me in achterwaartse richting terug te trekken om me ongemerkt uit de voeten te maken en nooit meer terug te keren, hopende dat ik ongemerkt het tuinhek zou weten te bereiken, toen Szidónia haar benen om Maja's hals sloeg, waarop Maja die sterke benen vastgreep en trachtte zich uit de omstrengeling te bevrijden, maar de hangmat zwaaide weer terug en sleepte de uitgestrekte Maja over het gras achter zich aan; ik kon bijna niet meer zien wat er verder met ze gebeurde, want terwijl ze worstelden en naar elkaar trapten, kwam Szidónia plotseling op Maja terecht, die zich echter handig onder haar uit wist te wurmen, opsprong en krijsend wegrende, waarop Szidónia even oorverdovend krijsend de achtervolging inzette; terwijl de meisjes − Maja in haar wijde paarse jurk en Szidónia in een wit hemdje waarboven haar tot over haar heupen neergolvende haar als een sluier achter haar aan wapperde − over het steil afhellende groen van de tuin omlaagvlogen, leken ze op twee elkaar najagende, exotische vlinders; beneden aangekomen botsten ze tegen elkaar op en ik zag hoe ze elkaar kusten, maar het volgende moment grepen ze elkaars handen en wervelden, hun lichaam stijf houdend, langdurig in het rond, totdat een van beiden de ander vermoedelijk losliet, want ze schoten opeens elk een andere kant uit en belandden vrij onzacht op de grond, waar ze hijgend bleven liggen.

Maja was niet in mij geïnteresseerd maar in de afdruk van Szidónia's tanden in mijn huid.

Wat later gleden haar twee lippen over mijn hals, het onverwachte, ruwe wrijven bezorgde me koude rillingen en ik voelde hoe mijn lichaam zich met het hare verstrengelde.

Ik ben ongesteld, zeiden de tegen mijn huiverende huid gedrukte lippen.

En terwijl ik daar bij mijn moeder op schoot lag en mijn lippen tegen de binnenkant van haar elleboog drukte, waar zich door het veelvuldige bloedafnemen gele en blauwe bloeduitstortingen aftekenden – mijn mond vond een heel zacht plekje op de geteisterde ader –, had ik haar ook dit verhaal moeten vertellen, en op de een of andere manier scheen ik dat ook te doen.

Misschien was het de aanraking zelf die het haar vertelde, want ik gaf haar daarmee door wat ik van Maja's mond had ontvangen op de plek waar Szidónia me had gebeten.

Over die verwarrende chaos van aanrakingen kon ik niet met woorden spreken, hoe graag ik dat ook gedaan had, het verhaal dat daarover te vertellen was, had geen begin omdat bij elke aanraking verscheidene andere aanrakingen hoorden en ook Krisztiáns mond erbij betrokken was.

Kom, zei ik, maar we verroerden ons niet.

Ik voelde hoe zij vol genot tegen mijn hals fluisterde, ik moest niet boos op haar zijn, ze was vermoedelijk door haar ongesteldheid zo zenuwachtig, daar had ze altijd veel last van, dat wist ik toch, en nu had ze me iets gezegd dat ze aan niemand anders zou vertellen, zelfs aan haar beste vriendinnen niet.

Als ze ongesteld was, was ze helemaal van streek en werd ze onvoorstelbaar overgevoelig, ik moest dan lief voor haar zijn, anders ging ze huilen.

Ik had mijn hand graag uit haar broekje getrokken, want mijn arm was door het gewicht van haar lichaam volkomen gevoelloos geworden en wat ik eerst voor de uitwaseming van haar huid, voor zweet, had gehouden was misschien bloed; háár bloed dacht ik plotseling, mijn hand rust in haar bloed, maar ik verroerde me niet, ik wilde haar niet voor het hoofd stoten, het was alsof ik een gevoel van haar moest ontzien dat ikzelf niet kende, ik benijdde haar om die ongesteldheid en bekommerde me niet om mijn arm, die steeds gevoellozer werd, ik wilde absoluut niet dat ze zou merken hoezeer ik van haar woorden was geschrokken en hoe bang ik was dat mijn vingers met haar bloed zouden worden besmeurd.

Ik wist niet eens precies wat het woord ongesteld betekent, wat er aan de hand is als een vrouw bloedt, terwijl ik het niet voor onmogelijk hield dat Maja loog en alleen maar voorgaf dat ze ongesteld was om zoveel mogelijk op Szidónia te lijken.

Je wilt me toch niet ongelukkig maken?

Ik mocht me niet bewegen, want dan zou haar lichaam kunnen voelen dat ik haar doorhad, dat ik de leugenachtigheid van haar woorden en bewegingen onderkende en wist dat haar liefdesbetuigingen voor iemand anders waren bestemd, dat alles wat ik een ogenblik tevoren nog als mijn eigendom had beschouwd, iemand anders toebehoorde, ze had me voor de zoveelste maal iets gegeven wat niet werkelijk voor mij was bestemd, me iets toegestopt omdat ik toevallig aanwezig was, omdat ik voorhanden was, iets wat ze veel liever aan degene zou schenken voor wie het werkelijk was bestemd, maar dat durfde ze niet, nu niet en nooit niet.

Ze wilde dat ik even verkikkerd op haar zou raken als zijzelf verliefd was op een ander.

Maar ik had haar ook te pakken, want ik was niet voor haarzelf of vanwege ons onderzoek bij haar op bezoek gekomen, maar in de hoop iemand anders aan te treffen, Livia, een meisje wier naam ik zelfs in gedachten nauwelijks durfde uit te spreken; op die bewuste middag had ik tevergeefs op haar staan wachten bij de omheining, ze was weer eens niet komen opdagen; ik had het wachten niet langer vol kunnen houden en was door mijn verlangen naar het huis van Maja gedreven, waar ik haar hoopte aan te treffen, zodat ik tenminste heel even een blik op haar kon werpen en zij dan misschien terug zou kijken, net als toen; haar aanspreken durfde ik sowieso niet, en aanraken nog veel minder.

Maar al wist ik ook dat we elkaar bedrogen, dat ik voelde wat Kálmán zou moeten voelen en haar ongewild gaf wat voor Livia bestemd was, toch was het zalig, eindeloos en verschrikkelijk zalig om te voelen en te horen wat ze in mijn hals fluisterde en om al dat andere te ervaren: de geur van haar lichaam, van haar bloed, het inslapen van mijn arm, haar gewicht, onze lichaamswarmte en de duistere vreugde over mijn diefstal, die mij voor de zoveelste keer iets had opgeleverd wat mij niet toekwam, al werd ik bij dit spel evenzeer bedrogen als zij.

Alleen al door op dit moment aan Livia te denken, eigenlijk niet aan haarzelf, maar aan haar afwezigheid, scheen ik Maja op een onherstelbare manier te krenken en mee te sleuren in een moeras, een moeras waarin ik me overigens kiplekker voelde, ondanks mijn woede over het wegblijven van Livia.

Later word ik vast een hoer! zei Maja.

Weer zo'n zinnetje dat niet van haarzelf was, de weergalm van een uitroep van Szidónia, een uitroep die ze in zich had opgenomen en nu in mijn hals fluisterde, als een gevoelloze steen die overdag de zonnehitte absorbeert en 's nachts weer uitstraalt, de weergalm van het meisje op wie ze wilde lijken, aan wie ze hing en die ze gekust had, die ze met haar hele wezen verafgoodde; het plagiaat was zo schaamteloos dat ik een steek door mijn borst voelde en opeens aan Krisztián moest denken; gisterennacht, vervolgde ze in één adem, uit vrees dat ik iets onaardigs zou zeggen, of eigenlijk niet gisterennacht maar gisteravond, al lag iedereen al op één oor, was Kálmán weer door het raam van haar kamer naar binnen geklommen, kon ik me dat voorstellen? hij had waarschijnlijk onder haar raam zitten wachten tot hij het licht had zien uitgaan, ze was zich dood geschrokken, want ze sliep al bijna, zo vreselijk geschrokken dat ze niet eens had kunnen huilen; hier voor het bed had hij haar op smekende toon gezegd dat hij niets bijzonders wilde, dat moest ze van hem aannemen, hij wilde alleen maar wat bij haar liggen, niets anders, ze moest hem in haar bed toelaten; ze was wakker geschrokken toen hij met zijn koude voeten bij haar in bed wilde kruipen, maar had dat niet toegelaten en hem eruit geduwd; Kálmán was toen in huilen uitgebarsten, hij had zo verschrikkelijk gehuild dat ze hem nota bene moest troosten, dat misbaksel! om van hem af te komen, had ze gezegd dat het één keertje mocht, later; met hem naar bed gaan? nooit! begreep ik dat? ze zou zich wel als hoer laten gebruiken, maar nooit door hem, nooit, nooit en nog eens nooit! en toch had ze het hem beloofd, in de hoop dat hij dan zou ophoepelen; en omdat hij zo verschrikkelijk huilde en zij hem wilde troosten, had ze zijn hoofd en zijn wangen gestreeld, en toen had hij haar hand gepakt en was hij opnieuw in huilen uitgebarsten; als hij toch zou proberen bij haar in bed te kruipen, zou ze gaan gillen, had ze gezegd, en ze had hem gevraagd niet voortdurend haar hand te kussen, omdat ze een hekel aan hem had en wou dat hij opduvelde; haar hand was helemaal nat van zijn snot en zijn tranen, want hij huilde aan een stuk door; ze had, omdat hij zo aandrong, gezworen dat ze hem graag mocht, maar eraan toegevoegd dat ze zou gaan gillen als hij handtastelijk werd, zodat haar vader de kamer in zou stormen en hem een geducht pak slaag zou geven; hij moest dus verstandig zijn; als hij braaf wegging, zou ze proberen van hem te houden.

Het was of een hete vloedgolf mijn hersenen overspoelde, een golf die haar stem uit mij verdreef, zodat ik niets meer hoorde, die haar armen van mijn lichaam losmaakte en haar hele lichaam van mij weg spoelde, zonder een spoor achter te laten, terwijl de aanraking van haar lippen en haar adem mij koude rillingen van afschuw bezorgde.

En nu wist ik alles, ik had haar gedwongen alles op te biechten en ze wenste me veel succes met al die kennis.

Op dat moment haatte ik haar, haatte ik haar met dezelfde haat waarmee ik daarstraks Livia had gehaat omdat ze niet was komen opdagen en ik in plaats van haar Maja had aangetroffen, met wie ik nu in dat onopgemaakte bed lag; en Maja haatte mij natuurlijk evenzeer.

Ik weet dat je hem gekust hebt, zei ik, en ik hoorde dat mijn stem een uitbarsting van haat was.

Ze had hem niet gekust en verzocht me dringend haar niet langer te kwellen.

Ze kon niet weten dat ik me op dat moment voorstelde dat ik Krisztián kuste, want ik wou opnieuw dat ik haar was, degene die Szidónia op haar mond had gekust, ik had het met mijn eigen ogen gezien, en opeens voelde ik een razende jaloezie omdat zij haar leven dapperder leefde dan ik, omdat ze zich niet alleen door Szidónia liet kussen, maar ook Kálmán 's nachts in haar bed ontving.

Ze bewoog zich in mijn armen, kennelijk verkneukelde ze zich over mijn door haar veronderstelde en in elk geval misverstane jaloezie, ik was op dat moment namelijk volstrekt niet jaloers op Kálmán maar op haar en op Szidónia, ik haatte haar omdat ze Szidónia zo schaamteloos napraatte en imiteerde, zodat ik er misschien nooit achter zou komen wat echt en wat vals was, en ik haatte haar bovenal omdat ik Krisztián niet zo onbeschaamd durfde na te bootsen; ik zou er dus wel nooit achter komen of dit zalige samenzijn een produkt was van de waarheid of van de leugen en dus evenmin weten hoever ik kon gaan.

En in die heftige, duistere maalstroom van het bloed verrees opeens het bleke gezicht van Livia voor mijn geestesoog, het gezicht van een drenkelinge; doordat ik zo naar haar verlangde moest ik weer aan die gedenkwaardige ochtend in maart denken, toen ik me tevergeefs had voorgenomen niet langer naar haar te kijken maar haar toch voortdurend had gefixeerd, hoewel Hédi Szán toen al naar ons stond te loeren; plotseling, alsof mijn blik een kwade invloed op haar had, was Livia in elkaar gezakt, ze wankelde uit de rij meisjes en viel languit op de donkere, glimmende vloer van de gymnastiekzaal; de meisje begonnen te gillen, maar niemand verroerde zich, we staarden allemaal naar haar levenloze lichaam, van de rest herinner ik me niet veel, alleen haar bezwijmde, slap neerhangende lichaam dat onder veel gestommel en voetgestamp haastig naar buiten werd gedragen, en haar bungelende voeten; ze had witte sokken aan.

Het was allemaal zo snel gegaan dat we nauwelijks hadden begrepen wat er aan de hand was, we stonden daar maar, nog veel roerlozer dan eerst, maar die stilte had niets meer met rouw te maken.

En al wist niemand het, het grote oog had het gezien, had duidelijk gezien dat ik de dader was, de schuldige.

Natuurlijk gruwde ik van wat Maja me had verteld, van wat ik haar zogenaamd gedwongen had op te biechten, en ik voelde me vernederd door haar openhartigheid en lichtzinnige verraad, hoewel het prijsgeven van dit geheim onze relatie tijdelijk scheen te verstevigen, ik had immers bereikt waarnaar ik zo hardnekkig streefde, ik had haar nu in mijn macht en was erin geslaagd me tussen haar en hem te dringen, ik had zijn plaats willen innemen en dat was me gelukt, ik had willen weten hoe hij met meisjes omging om daar lering uit te trekken, om erachter te komen hoe ik het zelf moest aanleggen en wat al dat gedoe dat zich achter mijn rug afspeelde betekende, en ik was ook benieuwd geweest of de jongens werkelijk zo onweerstaanbaar waren als ze me met hun pikante praatjes trachtten wijs te maken, want wat ze over meisjes zeiden klonk altijd even onoprecht; uit wat Maja me in bittere, heftige, ja ruwe bewoordingen had toegefluisterd, viel af te leiden dat Kálmán even hopeloos verliefd was op haar – al gedroeg hij zich tot op zekere hoogte moediger dan ik – als ik op Livia, het meisje dat ik met mijn blikken volgde, dat me door haar afwijzende houding fascineerde omdat ze ongetwijfeld een spelletje met me speelde, omdat ze van plan was me te vernederen door, genietend van haar schaamteloze superioriteit, op de avances van een andere aanbidder in te gaan, op de avances van iemand om wie ze nog minder gaf dan om mij; en in een woeste, mijn keel dichtsnoerende opwelling van jaloezie stelde ik me voor dat op het moment dat ik daar zo aangenaam met Maja op bed lag, Livia ergens anders met Krisztián vrijde en over mij praatte.

Het was alsof Maja niet tegen mij maar tegen Krisztián fluisterde, alsof ze hem de verraderlijke woorden van Livia toelispelde.

Pas maar goed op, Maja, zei ik, geloof hem maar niet, al jammert die lieve Kálmán van je nog zo hard; ik genoot van de zachte, beheerste manier waarop ik fluisterde.

En waarom dan niet? vroeg ze.

Daarom niet, zei ik, er is niets bijzonders aan de hand, maar je moet wel oppassen.

Maar waarvoor dan?

Dat kan ik je niet zeggen.

Ze vond het niet netjes van me omdat zij mij wel alles had verteld.

Ga in ieder geval vandaag niet naar het bos, zei ik.

Waarom niet? wilde ze weten.

Ik kan alleen maar zeggen dat je daar weg moet blijven, zei ik, en daar heb ik een goede reden voor.

Ik zal me een beetje door jou laten voorschrijven wat ik moet doen en laten! schreeuwde ze en ze duwde me van zich af.

Nu kon ik mijn hand eindelijk uit haar broekje terugtrekken en mijn gevoelloze arm bevrijden van haar lichaamsgewicht.

Ze kon natuurlijk doen wat ze wilde, ik wilde haar alleen waarschuwen omdat Kálmán me het een en ander verteld had, wat ik haar echter niet kon doorvertellen.

We schoten allebei overeind en keken elkaar roerloos aan, alsof we elkaar met onze blikken te lijf wilden gaan; ik kon het duistere fonkelen van haar ogen, die mij woedend en verontwaardigd aanstaarden, niet ontwijken en ik wilde dat ook niet; nog steeds waren onze benen met elkaar verstrengeld; onwillekeurig boog ze haar van woede verkrampte bovenlichaam in mijn richting, mijn lichaam bleef daarentegen ontspannen, een ontspanning die overigens slechts schijnbaar was; ik meende haar blik met de milde superioriteit van mijn achterbaksheid te kunnen bedwingen; eindelijk ben ik de situatie meester geworden, dacht ik, eindelijk kan ik alles wat me zo gekweld heeft voor goed in haar en mezelf vernietigen, en een bijna geheel tot zwijgen gebrachte innerlijke stem voegde er fluisterend aan toe dat ik om dat te bereiken weliswaar het allersnoodste verraad plegen moest, maar uiteindelijk zegevierend uit de strijd te voorschijn zou komen; de onverwachte verandering van mijn gevoelens verraste en enerveerde me enigszins; wat ik haar in het zwoele duister van onze nabijheid over Kálmán had willen verklappen, het geheim waarop ik nadrukkelijk, geniepig en listig had gezinspeeld, met een air van alwetendheid, scheen mij, toen we zo oog in oog met elkaar zaten, onzegbaar geworden, het was een te afschuwelijk en te vreselijk geheim, ik had het bij die nuchtere, liefdeloze kamerverlichting niet eens aan mezelf durven vertellen; daarstraks was het nog een enkele, toevallige gedachteflits geweest in het donker van de innerlijke monoloog, een onschuldig lijkend beeld dat onder woorden moest worden gebracht, maar omdat er geen woorden voor waren, beter zo snel mogelijk vergeten kon worden; er speelde zich dus een innerlijk proces in mij af dat een zekere overeenkomst vertoonde met de manier waarop mijn lichaam mij misleidde; nu ik met de bezonkenheid en de levenswijsheid van de man op leeftijd deze regels neerschrijf, herinner ik me met een niet gering genoegen de buitengewone, bijna als noodlottig te bestempelen verwarring van die door zijn geest op een dwaalspoor gebrachte en door zijn lichaam in de val gelokte knaap, die, liggend in de armen van een meisje en verdoofd door de woedende uithalen van haar meisjesstem, wel merkte hoe het bloed naar zijn hersenen werd gestuwd en in zijn slapen bonsde, gloeide en bruiste – overigens wat een zonderlinge speling van het Lot dat het meisje op dat moment ook van bloed gewag maakte door over haar ongesteldheid te spreken! –, maar niet dat zijn pogingen om haar klein te krijgen, zichzelf te beheersen en de innerlijke machten te overwinnen in minstens even krachtige, zo niet krachtiger verschijnselen in zijn onderlichaam resulteerden; een niet nader te noemen gedeelte van zijn lichaam, dat tussen de schoot van het meisje en zijn eigen omgedraaide hand klem zat, begon namelijk langzaam te verstijven, wat natuurlijk een verwijzing was naar de zoëven bij hem opgekomen herinnering, naar de zin die hij als beslissend argument had willen, maar niet kunnen uitspreken.

Overigens scheen Maja ook niet echt te willen dat ik haar het geheim onthulde.

Wat heeft hij tegen je gezegd? toe, zeg het nu!

Een toespeling op onze verboden spelletjes en de plaats waar Szidónia's avonturen zich afspeelden, het bos, volstond om mijn waarschuwing nog wat meer gewicht te geven.

Nee, dat hoef ik niet te weten! riep ze meer dan dat ze zei; haar bruine ogen staarden me vol haat aan en vernauwden zich afwerend en onzeker.

Verliefdheid en waarheid verdragen elkaar slecht; ze trok een pruillip.

Ik gaf geen antwoord maar hield mijn ogen strak op haar gericht om te voorkomen dat haar blik naar mijn onderlijf zou afdwalen en ze aan mijn broek zou zien wat ik voelde.

Ik had haar willen vertellen wat Kálmán had gedaan toen we op die door overhangende struiken beschutte platte, witte rots lagen uit te rusten, iets waarbij ik hem graag zou hebben geassisteerd, maar zolang hij de mijne niet aanraakte, dorst ik niet aan de zijne te komen; en toen mijn arm tenslotte, als reactie op zijn initiatief, de zijne had gekruist, en wij elkaars pik vasthielden, waarbij het mij opviel dat de door mij aangevatte zijne minder hard aanvoelde dan de door hem aangevatte mijne, hoewel de beide organen op het oog even stijf waren, zei Kálmán met schorre stem – en dat had ik haar willen vertellen! – dat hij Maja binnenkort eens een flinke beurt zou geven.

Dat had hij gezegd!

Om tijd te winnen en haar aandacht af te leiden van mijn gezwollen lid zei ik dat ze het in de toekomst zeker van me zou vernemen, omdat ik haar immers alles vertelde, maar nu nog niet; intussen was ik doodsbang dat ze zou zien hoe erg ik bloosde.

Ik wist bij voorbaat dat ik haar nooit iets over het gebeurde zou vertellen.

Het was echter niet de angst om een lage daad te begaan die me daarvan weerhield: als het erom ging wie Maja zou bezitten, was ik tegenover een mededinger tot elke laagheid in staat.

Wat me weerhield was dat ik dat zinnetje niet los kon maken van de context waarin het was uitgesproken; had Kálmáns hand, waarin de hitte van de witte steen nog nagloeide, mij niet op dat moment aangeraakt, dan had ik het haar misschien wél toegefluisterd.

Ik kon haar Kálmáns verborgen bedoelingen niet openbaren, zonder mijn eigen verdorvenheid aan het licht te brengen, mijn persoon was onlosmakelijk verbonden met die zin, ik kon me er niet van bevrijden omdat de uitgesproken woorden niet zozeer op Maja als wel op ons beiden, op Kálmán en mij betrekking hadden.

Hoewel je nauwelijks van ons beiden kon spreken omdat deze aanraking geen ouverture maar het slotakkoord, het eindpunt of, zo men wil, het eindresultaat van onze relatie was geweest; we hadden ons hierdoor aan de uiterste grens van het voor jongens toegankelijke, maar voor meisjes verboden gebied gewaagd, een gebied dat trouwens niet eens voor alle jongens toegankelijk was; het pleit voor Kálmán en bewijst hoe natuurlijk en gezond zijn gevoelsleven functioneerde dat hij, bij die grens aangeland, niet alleen schrok van zijn intiemste ver-

langen: zich ervan te vergewissen of andere jongens dezelfde lichamelijke gewaarwordingen hadden als hij, maar dat hij met de voor hem
kenmerkende overmoed het aanraken van een jongen in verband
bracht met het onverzadigbare verlangen naar een meisje, waardoor
hij een onbevredigbaar verlangen in een bevredigbaar omzette en een
hemzelf betreffend gevoel in een emotie die op een ander betrekking
had; bovendien verenigde hij hiermee twee aan elkaar grenzende maar
geheel verschillende geheime gebieden.

Door dit zinnetje uit te spreken had hij als het ware zijn excuus aangeboden voor onze vunzigheid, bovendien had hij daarmee een zeer
duidelijke toespeling gemaakt op wat Szidónia met hem had getracht
uit te halen, iets wat hij mij gedetailleerd had beschreven.

Laten we niet te zeer ontsteld zijn over het gebeurde tussen de twee
knapen, we weten immers uit andere, meer alledaagse ervaringen dat
wij mensen onophoudelijk steun zoeken bij het eendere om de vreselijke eenzaamheid van het anders zijn te verdragen, en als we die gevonden hebben ons daaraan vastklampen.

Ook meisjes hebben zo'n gebied, dat jongens slechts vanbuiten af
kunnen bespieden, besnuffelen en bespioneren, maar niet betreden, ze
kunnen daarin hoogstens als geheim agent infiltreren om achter belangrijke details te komen, maar het heilige der heiligen, de binnenste,
verboden cirkel blijft volstrekt ontoegankelijk voor hen.

Ik had haar het gepasseerde alleen kunnen vertellen als ik ook een
meisje was geweest, als ik een dergelijk gebeuren tussen jongens als
meisje had kunnen bespieden, ons met de ogen van een meisje had
kunnen gadeslaan, met de onwetende, goedgelovige ogen van een
meisje; en omdat ik zo verschrikkelijk graag een meisje wilde zijn,
meende ik daarvan slechts door één enkel dun, geheel doorzichtig
vliesje, afgehouden te worden, en het verlangen dit vliesje te doorbreken, door deze belemmering heen te dringen, welde op uit het diepst
van mijn hart; het was alsof ik hoopte door een dergelijke doorbraak in
een stralende wereld zonder laagheid en duisternis terecht te komen,
in een soort Elyzeese velden; dat was ook de reden waarom ik tijdens
het samenzijn met Maja trachtte mijn mannelijkheid te loochenen en
mijn geslacht te verbergen, ik wilde identiek met haar worden en in
een meisje veranderen, maar doordat ik Kálmáns woorden niet aan
haar dorst over te brieven – woorden die ze trouwens niet eens wilde
aanhoren –, kon ik dat verboden gebied niet binnendringen, zelfs niet
als spion, en bleef mij de toegang tot de meisjeswereld ontzegd.

Het feit dat wij dankzij de boven elke twijfel verheven politieke be-
trouwbaarheid van onze ouders aan de rand van een onafzienbaar
groot, bewaakt gebied woonden, de residentie van Mátyás Rákosi,
had natuurlijk een belangrijke invloed op ons gevoelsleven.

Als ik van Maja kwam, liep ik bij voorkeur niet langs de lange prik-
keldraadversperring van dit van de buitenwereld afgegrendelde gebied, waar een vijandige stilte heerste en zich geen mens waagde op de
door overhangende takken beschaduwde straat, die het bos als een cor-
ridor doorsneed, een straat waarboven zelfs de luchtstromingen tot
stilstand schenen te zijn gekomen en je alleen je eigen voetstappen
hoorde weerklinken; de gewapende bewakers bleven onzichtbaar,
hoewel we heel goed wisten dat ze vanuit hun met bomen en struiken
gecamoufleerde of in de aarde uitgegraven uitkijkposten alles konden
zien en voortdurend op de loer lagen, dat ze je met hun periscopen of
verrekijkers naar zich toe haalden en bleven volgen terwijl je daar liep,
zodat geen enkele beweging aan hun aandacht ontsnapte; als ik, omdat
het de kortste weg was, soms toch deze route koos en niet door het bos
naar huis liep, voelde ik hun aandacht bijzonder duidelijk, of beter gezegd: het was geen aandacht die ik voelde, ik wist ook helemaal niet of
zoiets merkbaar is, maar op de een of andere manier werd mijn eigen
aandacht door die der bewakers verdubbeld, ik zag mezelf daar argeloos lopen en argeloos kijken naar alles wat mijn ogen zagen, maar tegelijkertijd observeerde ik argwanend mijn met argeloosheid gecamoufleerde argwaan met hun ogen; dit eigenaardige gevoel leek een
beetje op wat ik ervoer wanneer er op school iets verdwenen was en ik
in de afschuwelijke atmosfeer van algemene verdenking plotseling het
gevoel kreeg dat ik dat voorwerp had gestolen, dat ik de dief was; onder de blikken van de bewakers, voelde ik me net iemand die op het
punt staat een aanslag te plegen of te spioneren; door deze inspanning,
door de gedwongen hersengymnastiek die een dergelijke beschouwingswijze met zich meebrengt, kreeg ik elke keer kippevel op mijn
armen, rug en hals als ik daar liep en voelde ik me als iemand die elk
ogenblik geëxecuteerd kan worden; ik trachtte de omheining dan ook
zoveel mogelijk te mijden; die omheining was een afzetting van doodgewoon, in de loop van de tijd roestig geworden prikkeldraad, bewaakt door mannen met honden; voor die honden was ik nog banger
dan voor de ogen van de bewakers.

Overigens waren niet alleen wij kinderen bang voor die reusachtige
waakhonden, ook volwassenen en zelfs andere honden, zoals Kálmáns

gewoonlijk uiterst vechtlustige hond Vitéz, een kanjer van een beest; hij was zo bang dat hij zich onder geen voorwaarde van het bos naar de weg liet lokken, zelfs niet wanneer we een touw om zijn nek bonden en probeerden hem mee te sleuren, in de hoop dat hij met de waakhonden zou gaan vechten; we hoopten op een bloedig, liefst gruwelijk hondengevecht met dodelijke afloop, maar Vitéz drukte zich tegen de grond en maakte zich zo klein mogelijk terwijl zijn rugharen recht overeind stonden en hij angstig jankte, en hoe we ook aan hem trokken en sjorden, hem toespraken, meetrokken of ophitsten, we slaagden er niet in ook maar de geringste strijdlust in hem op te wekken, terwijl die reusachtige krengen achter de omheining onze dwaze pogingen onbewogen gadesloegen.

En hoewel ik heel goed wist waartoe die honden dienden, werd het hele verboden gebied geleidelijk het middelpunt, ja de levende kern van al mijn irrationele angsten.

Het merkwaardige was dat er zich achter de omheining een ongerept bos uitstrekte, een vredig, stil eikenbos, dat in geen enkel opzicht scheen te verschillen van het gewone, vrij toegankelijke bos aan de andere kant van de weg, ons bos, waar alles aanwezig was wat er in een bos aanwezig hoort te zijn: verdroogde, afgebroken takken; door de wind geteisterde boomkruinen met bosjes witte en gele vogellijm; omgevallen boomstammen; uit de steenachtige bodem losgerukte boomwortels; versteende tondelzwammen, die op reusachtige lippen leken en op rot hout gedijen; diepe, donkere holletjes; helgroene moskussentjes; buigzame, in de beschutting van oude, ruige bomen opgeschoten eikeboompjes en andere ranke spruiten; paardestaarten en varens, die woekerden in de zachte, in de loop van eeuwen laag voor laag aangegroeide humusbodem; op plekken, verwarmd door het door de boombladeren schijnende zonlicht, kortstondig levende, groene bodemplanten; de paarse kammen van de bij het lichtste zuchtje in beweging komende holwortel; de blauwe trossen van het lelietje-van-dalen; de hoge, schommelende witte schermen van de gevlekte scheerling met haar als een kantwerk uitgespreide bloemkronen; de gelige aren van het beemdgras en de blauwgroene kweek; op lage, vochtige plaatsen de dotterbloem met haar glanzende bladeren; in de schaduw van stenen de vettig-groene cyclaam, die daar nooit wilde bloeien; op zonnige plaatsen talrijke wollige aardbeiblaadjes en de tussen omkrullende, geribde blaadjes knikkebollende witte bloemklokjes van de salomonszegel met hun dikke stengels, en natuurlijk het hoog opgeschoten eikehakhout en de meidoorn, die, als hij voldoende ruimte heeft, tot een boom uitdijt, verder nog de taaie kardinaalsmuts en niet te vergeten de tot ondoordringbare doornbossen uitgroeiende, rankenschietende braam, die in de nazomer aangenaam smakende, bitterzoete vruchten voortbrengt; een geoefend oog kon meteen constateren dat het bos aan de overzijde van de weg, achter de afrastering, verschilde van het gewone bos, er lagen daar namelijk geen omgevallen boomstammen, en de afgerukte of afgevallen takken waren er door zorgzame handen verwijderd, vermoedelijk kort na het invallen van de duisternis, als er bij het zwakke schijnsel van de haast transparant lijkende hemel nog voldoende licht was, of 's morgens vroeg, in ieder geval heimelijk, want we zagen er nooit iemand werken, geen levende ziel! in dat gedeelte van het bos stonden de struiken verder uit elkaar en ze waren daar ook minder bladerrijk dan in het voor iedereen toegankelijke, en doordat daar in de herfst niet zoveel blad afviel, kon het gras er hoger opschieten en meer uitstoelen; langzamerhand was er zo een goed onderhouden bos ontstaan, dat op de argeloze passant een natuurlijke indruk moest maken; eigenlijk heb ik nooit begrepen waarom men zich al die moeite gaf, want al die op misleiding gerichte activiteiten waren, vooral in de buurt van de afrastering, zo doorzichtig als glas, de geheimzinnige tuinlieden hadden daar namelijk een strook aarde van circa twee meter breedte van alle planten ontdaan en met wit zand bestrooid, en in dit zand waren elke ochtend tekenen zichtbaar van door geheimzinnige handen heimelijk verrichte werkzaamheden, zoals sporen van harktanden; hier liepen de waakhonden ook gewoonlijk.

Als ik op de Istenhegyiweg de licht oplopende Adoniszstraat insloeg, was het zinloos de straat over te steken of de roerloze struiken achter de afrastering in de gaten te houden in de hoop de komst van de waakhonden tijdig op te merken, ze verschenen altijd onverwachts, geluidloos en bijna onmerkbaar, en steeds een voor een; ik wist dat ze voortdurend werden afgelost, evenals de onzichtbare bewakers; het waren reusachtige, goed doorvoede dieren, Duitse herdershonden met een zwartgevlekte, kameelkleurige of grijze vacht en een volle, spits toelopende staart; ze hadden schrandere, zachtaardig schijnende ogen, een wigvormige snuit en steil opstaande, gevoelige oren, die op elk geluid reageerden; als ze hijgden, en dat deden ze meestal, kon je hun beweeglijke, felrode tong zien, een tong met een ruw oppervlak, die de witte kronen van hun vervaarlijke, slagtandachtige hoektanden bloot liet; ze liepen zonder te grommen of te blaffen achter de omheining met me mee en pasten hun snelheid voortdurend aan de mijne aan, zodat het geen zin had sneller of langzamer te lopen om ze kwijt te raken; het griezeligste was, dat ze zich volkomen geluidloos voortbewogen, want het zand, waarin hun zware poten een eindje wegzonken, dempte ieder geluid; aanvankelijk bleef ik weleens even staan, om te zien hoe ze daarop reageerden, maar dat experiment voerde ik later niet meer uit, want ze bleven dan eveneens staan, keerden me hun geopende bek toe en staarden me strak aan; de blik waarmee deze dieren uit hun ogen keken was misschien wel het meest angstaanjagende aan ze: ze hadden fraai geronde, kogelvormige ogen, die, hoewel vurig schitterend, volkomen uitdrukkingsloos waren; als ze zo stonden te kijken, kon je zien hoe ze hun onder hun dikke vacht verborgen spieren spanden en zich gereed maakten voor de sprong; daarbij lieten ze niet alleen geen enkel geluid horen, geblaf noch gegrom, maar ook hun adem bleef even rustig als gewoonlijk; Kálmán maakte weleens een praatje met Pisti, die in een ander gedeelte van het verboden gebied dienst deed, bij de slagboom in de Lorántstraat; Pisti gaf hem dan Russische sigaretten met papieren mondstuk, die Kálmán in de grote pauze met zijn vriendjes op de wc oprookte; van Pisti had hij gehoord dat de honden het gevaarlijkst waren als je bleef staan, dat moest je dus in geen geval doen, en je moest ze ook niet aankijken, want ook al waren ze op alle eventualiteiten afgericht, hun zenuwstelsel was door de strenge dressuur volkomen geruïneerd, ze konden en begrepen wel van alles, maar het waren echte zenuwwrakken, zodat zelfs de dresseurs bang voor ze waren, en ze hadden ijzersterke spieren, zo sterk dat ze zonder aanloop over een dergelijke, niet te hoge omheining konden springen; er werd beweerd dat de afrastering om die reden aan de bovenkant niet van prikkeldraad was voorzien; aanvankelijk zou dat wel het geval geweest zijn, maar de dresseurs hadden zich tot de commandant gewend met de eis dat het prikkeldraad zou worden verwijderd, zodat de honden daar niet met hun staart aan konden blijven hangen; de commandant had de eis niet ingewilligd omdat de afrastering dan niet overeenkomstig de voorschriften zou zijn geweest; daar een dergelijke hond echter buitengewoon kostbaar is, had kameraad Rákosi tenslotte persoonlijk ingegrepen en opdracht gegeven het prikkeldraad weg te halen; zelfs binnen het verboden gebied bleven de honden zoveel mogelijk aangelijnd en het was onmogelijk goede maatjes met ze te worden, voer of versnaperingen namen ze van nie-

mand aan, ze roken er niet eens aan en deden alsof je lucht was of nog
minder dan dat, en als je ze trachtte op te hitsen, bijvoorbeeld door tegen het draad van de afrastering te trappen, iets wat elke normale hond
tot razernij zou drijven, lieten zij alleen maar hun tanden zien, dat was
de manier waarop ze je waarschuwden; ze waren zo getraind dat ze
niet onnodig gromden, en als ze dat toch deden, kregen ze een vreselijke aframmeling met een stok of een riem; bleef je echter rustig staan en
keek je ze alleen maar aan, dan wisten ze niet wat er aan de hand was en
werden ze steeds nerveuzer, waaraan je kon merken dat het echte ze-
nuwpezen waren; het was onmogelijk ze af te leren in een dergelijke
situatie over de omheining te springen, ze konden zich eenvoudig niet
beheersen, sprongen omhoog en grepen je van achteren in je nek; de
honden begeleidden me dus, of beter gezegd: na de eerste gezamenlijk
afgelegde meters leek het wel of ik de honden begeleidde, ze draafden
een stap voor me uit op hun zandige pad, dat op het hoogste punt van
de helling plotseling een bocht maakte, evenals de weg langs de omheining, daarna volgde een lang, recht stuk, dat ze met gestrekte staart
aflegden, en als ik me inhield en niet trachtte voor te raken of achter te
blijven en vooral niet angstig begon te hollen, wat absoluut geen oplossing was omdat ik op het rechte stuk na de bocht bijna driehonderd
meter voor de boeg had, die ik dan begeleid door hun helse geblaf
moest afleggen, als ik me dus ondanks mijn schande en mijn vernedering, mijn haat en mijn woede aan hun wensen conformeerde, als ik
niet staan bleef en niet rende, niet mijn pas versnelde en niet achterbleef en er bovendien voor zorgde niet te luid te ademen en ongewoon schijnende bewegingen of gevoelsuitingen achterwege te laten,
zodat hun nervositeit bedaarde en ons wederzijdse wantrouwen wat
verminderde, verbeterde na een poosje ook het contact tussen ons, het
werd minder bedreigend, ik deed mijn plicht en de hond, die nu bijna
onverschillig tegenover me stond, deed de zijne; maar als ik, van Maja
komend, geen zin had in of niet bereid was tot dit spel – want het was
werkelijk een spel, een experiment, een niet ongevaarlijk balanceren
op het randje van zelfbeheersing en afhankelijkheid, van zelfdiscipline
en onafhankelijkheid, een soort politieke gymnastiek –, koos ik een
kortere en aangenamere weg en sloeg bij de drie hoge dennen die de Szidónia als oriëntatiepunt had genoemd toen ze de tramconducteur de
weg uitlegde, het bospad in en dan kon ik vanuit de beschutting van de
struiken met enig boosaardig genoegen de dienstdoende hond gadeslaan, die me verbaasd en wat teleurgesteld nakeek; het bos onttrok mij

327

onmiddellijk aan zijn blik, maar ik was me ervan bewust dat de bewakers me ook daar nog door hun verrekijkers bespiedden; het pad dat ik moest volgen liep steil omhoog; soms prefereerde ik deze weg zelfs na zonsondergang, hoewel me hier nog duisterder, om niet te zeggen raadselachtiger gevaren schenen te bedreigen dan bij de omheining, maar die gevaren kon ik zelfbewuster en moediger trotseren dan die vervloekte honden.

In die tijd was het bos nog een werkelijk bos, de misschien laatste samenhangende groene vlek op de heuvels en bergen die de stad omringden, het laatste overblijfsel van de oorspronkelijke fauna en flora, die door de stad in de loop van haar ontwikkeling langzaam was opgeslokt en verteerd; tegenwoordig staan daar evenals elders flink uit de kluiten gewassen huurwoningen, het enige wat van het bos resteert zijn een paar geïsoleerde boomgroepen, die op een weinig opvallende wijze de tuinen sieren.

Niet dat mij dat wat kan schelen, er is immers niets waarmee ik een inniger relatie heb dan met de ondergang, ik ben de beschrijver van mijn eigen ondergang, en als ik in deze zinnen de ondergang van het bos openbaar maak, beschrijf ik – nog eenmaal, voor de laatste keer – tegelijk de geschiedenis van mijn eigen ondergang en ik erken dat ik niet geheel emotieloos terugblik op de eindeloos lang schijnende, maar in werkelijkheid zeer eindige tijd van mijn jeugd, de tijd waarin niets bestendiger scheen dan de fraai gegroefde bast of merkwaardig gekromde wortels van een kolossale boom en de voelbare kracht waarmee deze boom zich aan het terrein aanpaste en zich daaraan vastklampte; ja, er is voor de kinderlijke beschouwingswijze geen doeltreffender zekerheid en steun te vinden dan in de natuur, waar alles tegen de ondergang pleit en op onpersoonlijkheid, bestendigheid en continuïteit duidt, zelfs de dood.

Maar ik wil mijn lezers niet vermoeien met mijn overdreven subtiele gedachten over het verband tussen de willekeurige kinderlijke waarneming en het onwillekeurige leven van de natuur, ik beperk mij tot de opmerking dat de natuur klaarblijkelijk onze grote leermeesteres is, uiteraard alleen voor de verstandigen, aan de dommen is haar onderricht niet besteed; laten we nu onze tocht voortzetten over dat eenzame pad, dat ons naar de open plek in het bos voert en intussen in ons opnemen wat de jongen daar ervaart; zijn gevoelige voetzolen kennen elke kleine oneffenheid van de bodem: een steen waaraan hij zich het volgende moment kan stoten en een andere die hem noopt een abnor-

maal grote stap te nemen, bovendien kent hij van elke plaats de licht-
sterkte en de richting der veranderlijke vlaagjes die zijn gezicht koelen;
en mocht er iemand anders vóór hem over het pad hebben gelopen,
dan kan zijn gevoelige neus ruiken of dat een man of vrouw is geweest;
alleen zijn oren misleiden hem af en toe, want als hij geritsel, gekraak,
geknars, doffe plofjes of een soort gehoest meent te horen, blijft hij onmiddellijk staan en moet hij, alvorens verder te kunnen gaan, eerst zijn
angst overwinnen, angstige voorgevoelens van zich afzetten en trachtten niet te denken aan griezelig bewegende schaduwen, waarschuwende signalen en afschuwelijke verhalen die hij heeft gehoord.

Tenslotte loopt het pad verloren in het hoog opgeschoten gras van
de bosweide; de blote voeten van de jongen zijn nat van de dauw, hij
hoort het suizen van de wind en ziet dat de zomerhemel boven zijn
hoofd nog niet geheel donker is, alles is roerloos, niets beweegt zich,
behalve hijzelf, wat heel onwerkelijk aandoet, alleen een vleermuis
vliegt geluidloos voorbij en cirkelt om hem heen; na de weide overge-
stoken te zijn gaat hij weer het bos in, waar het pad opnieuw begint en
zich weldra vertakt in twee richtingen, zodat hij de keus heeft tussen
omhooggaan of doorlopen.

Boven op de berg loopt een eenzame weg langs het bos en vandaar
zijn het maar een paar stappen naar de Felhöstraat, waar Hédi in een
klein, geel geverfd huis tegenover de school woont en tante Hüvös om
die tijd de gordijnen dichtschuift en het licht aanknipt.

Vanuit Hédi's kamer kun je Livia's raam zien.

Ik koos de andere weg.

Want hoe laat ik ook thuiskwam, nooit vroeg iemand waar ik al die
tijd uitgehangen had.

Op die plaats werd het bos minder dicht en kon je de sierlijke gevel
van het huis van de familie Csúzdi zien; in de buitengalerij brandde een
lamp, waarvan het zwakke schijnsel lange, vale strepen en vlekken toverde op de donkere bosgrond en de bomen; het was een vriendelijk
en kalmerend gezicht, dat je deed beseffen hoe heerlijk eenzaam hun
huis was gelegen; als ik deze weg naar huis nam, kon ik er bijna zeker
van zijn Kálmán nog buiten aan te treffen.

Ik was nog een heel eind van het huis verwijderd toen zijn zwarte
hond reeds de stilte verstoorde met zijn geblaf.

Het huis stond in het midden van een rechthoekige open plaats in
het bos; op de helling erachter strekte zich een maïsveld uit, ervoor lag
een grote moestuin, de Csúzdi's noemden hun huis een 'boerderij',

het was een oud, deftig vakwerkhuis, gebouwd in de traditionele stijl van de Duitstalige wijnboeren; de eenvoudige voorzijde werd opgeluisterd door een ruime houten veranda met een puntig dak; een zware, dubbele deur gaf daar toegang tot de wijnkelder; tegenover het langwerpige gebouw, aan de andere kant van het ruime, maar toch een knusse indruk makende, betegelde erf, stond een soortgelijk maar iets lager vakwerkhuis, dat als paardestal, wagenschuur en varkenshok fungeerde; midden op het door een simpele haag omgeven erf stond een fikse noteboom en iets verderop een hoog opgetaste, uitpuilende hooimijt; heden ten dage schijnt ons dat ongelooflijk, maar toentertijd stonden er op de stenige, leemachtige hellingen van de Zwabenberg nog dit soort boerderijen, die ver van de bewoonde wereld hun bestaan rekten.

Lui kwam de hond me tot de haag tegemoet, hij blafte niet en sprong niet om me heen, zoals hij anders altijd deed, maar hij wachtte verstrooid voor zich uit starend en zo nu en dan loom kwispelstaartend bij de heg, alsof hij me wilde laten zien dat er iets ongewoons aan de hand was; toen ik over het erf liep, ging hij me bedachtzaam dribbelend voor.

Het was daar warmer dan op het pad, de tegels straalden de opgenomen zonnewarmte weer uit en de dichte haag hield de avondkoelte van het bos tegen.

In die tijd bezaten de Csúzdi's nog een paard, twee koeien, varkens, kippen en ganzen; in de duiventil boven de hooizolder koerden duiven en bij het nest onder de dakrand scheerden beurtelings twee zwaluwen door de lucht, als de ene uitvloog, keerde de andere terug; het erf was op dit uur van de dag – het liep al tegen de avond –, rumoerig door de geluiden van de zich op de nacht voorbereidende en naar rust verlangende dieren; door de lome hitte leek de stank van urine, uitwerpselen en rottende mest sterker dan gewoonlijk.

Verrast volgde ik de hond; bij de stal verspreidde een petroleumlamp een eigenaardig geel licht in de blauwige schemering; in de deuropening van de stal stond Kálmán; hij keek naar iets wat door de opgeheven lamp werd beschenen.

Terwijl hij daar stond te kijken leunde hij met zijn voorhoofd tegen de lateibalk en bewoog zich niet.

De vlam flakkerde en suisde in de glazen cilinder en wierp een onregelmatig, geel licht op zijn blote armen, rug en hals.

Al vroeg in het voorjaar trok hij, als hij van school thuiskwam, zijn schoenen, overhemd en broek uit, zodat hij alleen nog een onderbroek aan had; in dat katoenen onderbroekje liep hij tot de herfst rond en hij sliep er zelfs in, zoals ik gezien had.

Uit de stal kwam een laag, nu eens in gekrijs overgaand, dan weer stokkend gerochel, dat na elke korte pauze weer aanzwol.

Overigens stond dat zwarte onderbroekje hem lang niet slecht, zijn krachtige bovenbenen en zijn gespierde achterwerk vulden het kledingstuk volledig en de door het vele wassen grauw en slap geworden stof paste zich al plooiend volmaakt aan aan de vorm van zijn grote lichaam en aan zijn bewegingen, ze omspande zijn buik, vormde een kleine uitstulping over zijn geslacht en zat zo strak om zijn achterwerk dat hij wel naakt leek.

De hond bleef lui voor de stal staan, kwispelde even en dribbelde toen, alsof hij plotseling op andere gedachten was gekomen, naar Kálmán; bij de jongen aangekomen ging hij op zijn achterpoten zitten en gaapte nerveus.

In een afgescheiden gedeelte van de stal lag een reusachtige zeug op haar zij; Kálmán hield de lamp zo hoog dat het licht door het deurkozijn werd gebroken, op het eerste moment zag ik daardoor slechts de opgezwollen, op de vuile stalvloer uitgespreide uiers en het naar ons toegekeerde achterwerk van het dier; de geluiden kwamen uit het donker.

Ik wilde vragen wat er aan de hand was, maar bij nader inzien deed ik dat niet.

Bepaalde vragen kon je hem beter niet stellen, hij beantwoordde ze toch niet.

Hij moest daar al geruime tijd hebben gestaan, waarschijnlijk leunde hij daarom met zijn voorhoofd tegen de balk; hij staarde roerloos de stal in; hoewel hij volkomen onbewogen leek, kende ik hem goed genoeg om te weten dat een dergelijk uiterlijk bij hem een teken was van een ondraaglijke spanning, die elk moment tot een uitbarsting kon komen.

Toen ik naast hem stond en in dezelfde richting keek als hij, zag ik, nadat mijn ogen aan het schemerduister waren gewend, de geopende bek en de ogen van het varken; het dier haalde rochelend adem en af en toe stokte zijn ademhaling zelfs, waarbij het fluiten van de zich beurtelings verwijdende en vernauwende neusgaten in een benauwd gepiep overging; zo nu en dan leek het dier te willen opstaan, maar zijn korte, wild in het rond zwaaiende poten konden de bodem niet vinden; intussen trilde en vibreerde zijn dikke huid hulpeloos op zijn blubberige lichaamsvet, alsof het door een veel grotere kracht werd vastgehouden, terwijl zijn spieren door de verschillend gerichte inspanningen beefden en sidderden; opeens stopte Kálmán me, zonder me een blik waardig te keuren, de lamp toe en klom in het hok.

Ik trachtte de lamp goed vast te houden, wat niet gemakkelijk was, want het glas was gloeiend heet en de slappe pit walmde en rookte als hij door de petroleum zwierde.

Kálmán maakte een enigszins angstige indruk, hij drukte zich op alles voorbereid tegen de muur van het hok en wachtte.

Misschien was hij bang dat het varken agressief zou worden en hem zou bijten.

Opeens schoot zijn hand uit naar de kop van het varken en krauwde hij het dier achter de oren om het wat te kalmeren, waarop het inderdaad woedend begon te knorren, maar Kálmán drukte de kop van het varken meteen met een geoefende beweging tegen de stalvloer en begon met zijn andere hand de opgezwollen buik en ingevallen flanken van het dier te betasten en op een weinig zachtzinnige wijze te bekloppen, waarop het geknor verstomde en het dier hem vol verwachting aankeek.

Op dat moment maakte hij een nog veel merkwaardiger beweging; ik had nog volstrekt niet gezien dat de schaamspleet van de zeug, die zich duidelijk aftekende onder haar donkere, geplooide, dichtgeknepen aars, wijd was geopend en dat haar roze, opgezwollen, tegenover elkaar liggende schaamlippen, die er fris, gespannen en zijdeachtig glad uitzagen, naar buiten werden gestulpt, zodat ze de met ontlasting en urine bevuilde anus raakten; voorzichtig haalde Kálmán zijn vinger door de krater van deze levende vulkaan, waarop de staart van het dier even subtiel reageerde als hij de beweging had uitgevoerd en even trilde, vervolgens deinsde hij snel achteruit en veegde zijn vinger met een nonchalante beweging aan zijn bovenbeen af.

Het leek wel of de zeug ons observeerde.

Kálmán griste ongeduldig de lamp uit mijn handen; de oplettende ogen van het dier verdwenen weer in het donker, gedurende enkele ogenblikken gedroeg het zich rustig en was het stil in de stal, alleen in het belendende hok klonk een onrustig geknor en getrappel van elkaar verdringende dieren; Kálmán leunde opnieuw met zijn voorhoofd tegen de ruwe balk.

De vliezen zijn al een uur geleden gebarsten, minstens een uur geleden, zei hij.

Ik durfde niet te vragen wat voor vliezen hij bedoelde.

Opeens barstte hij los: ze hadden hem alleen gelaten, helemaal alleen gelaten! hij praatte zo hard dat de lamp in zijn hand trilde en het lampeglas tegen de balk stootte, verwijtend en wanhopig; daarna brak hij in snikken uit, maar zijn lichaam bleef gespannen, de huilbui nam kennelijk niet zijn spanning weg; hij trachtte te slikken, maar begon opnieuw te snikken; voor de derde keer zei hij met trillende stem dat die klootzakken hem alleen hadden gelaten, alleen met het varken, hoewel ze wisten dat het dier moest werpen.

Opeens kwam het op de glibberige stalvloer uitgestrekte achterlijf van het varken in beweging en bijna gelijktijdig schoot zijn kop met een ruk omhoog en zakte vervolgens weer langzaam omlaag; het dier had zijn bek wijd geopend, alsof het lucht wilde happen; met ontzetting zag ik dat het probeerde te krijsen maar door de pijn geen geluid meer kon uitbrengen.

Kennelijk was er in het varkenslijf een proces op gang gekomen dat geen einde meer wilde nemen.

Kálmán zei dat hij naar boven zou gaan om zijn vader te halen.

Die vader en zijn twee broers, die veel ouder waren dan hij, hadden een eigen bakkerij boven op de berg; omdat ze een bakkerij bezaten, werd Kálmán, evenals Krisztián, als de zoon van een kapitalist beschouwd; reeds 's middags begonnen de mannen het deeg te kneden en de ovens te verhitten en ze kwamen pas 's morgens vroeg, als ze de broden hadden weggebracht, weer thuis; ook zijn moeder was voortdurend afwezig, want als de twee koeien na het weiden thuis waren afgeleverd en door haar gemolken, haastte ze zich naar het Jánosziekenhuis beneden in de stad, waar ze 's nachts als schoonmaakster werkte.

Wij genoten beiden een onbeperkte vrijheid: mij vroeg niemand waar ik naar toe ging of wat ik had uitgespookt, en hij werd elke avond aan zijn lot overgelaten.

De hond, die aan onze voeten was gaan liggen, kwispelstaartte en begon zachtjes te janken.

Opnieuw stopte hij me de lamp toe, hij aarzelde even zodat ik een moment dacht dat hij zich wilde omdraaien en weghollen om hulp te halen, wat betekend zou hebben dat hij me daar alleen achterliet, hulpeloos uitgeleverd aan al die verschrikkingen, maar waarschijnlijk was hij op dat moment volkomen radeloos; ik had hem graag aangeboden hulp te gaan halen en het liefst was ik gewoon naar huis geheld; op dat moment ging het varken geluidloos verliggen, waarop Kálmán weer in het hok klom.

Ik boog me dieper over het beschot om hem bij te lichten, ik wilde hem zoveel mogelijk licht geven, hoewel ik er geen idee van had wat hij zou kunnen doen en of hij überhaupt wist wat je in zo'n situatie moet doen, maar om de een of andere reden had ik toch vertrouwen in hem, al zag hij er op dat ogenblik uit alsof hij volkomen de kluts kwijt was, ik wist dat hij, als het om planten en dieren ging, een heleboel wist, eigenlijk alles wat er te weten viel; voor mij was het schouwspel zo onbegrijpelijk en het gevoel dat het in me opwekte zo volstrekt onbekend, dit leed dat door je machteloosheid onmiddellijk je eigen leed werd en je de tijd noch de kracht liet om je laf uit de voeten te maken, dat ik hem dankbaar was dat hij me niet alleen achterliet maar probeerde iets te doen, iets waarbij ik hem niet kon helpen, ik kon hem alleen zo goed mogelijk bijlichten.

Hij hurkte bij het achterlijf van het varken en deed geruime tijd niets.

Het was warm in de stal en het stonk er, de benauwde lucht sloeg op mijn borst, wat me echter op dat moment niet deerde; ondanks de wetenschap dat er een geboorte aan de gang was, voelde ik de aanwezigheid van de dood.

Opeens hief hij eigenaardig langzaam en nadenkend zijn hand, die in zijn schoot lag; zijn vingers losjes naar elkaar toe buigend, schoof hij zijn hand tussen de roze, tegen elkaar gedrukte schaamlippen, die helemaal opgezwollen waren van het bloed; ik zag hoe zijn hand tot aan het polsgewricht in het varkenslijf verdween.

Het dier begon te kreunen en kreeg eindelijk lucht, het reutelde niet meer maar werd nu zo door krampen gepijnigd dat het begon te kokhalzen en wild met zijn poten maaiend naar Kálmán hapte; ik zag het speeksel uit zijn bek druipen en hoorde zijn tanden tegen elkaar slaan.

Kálmán trok snel zijn hand terug, maar doordat hij gehurkt zat, kon hij niet vluchten, bovendien hinderde ik hem, want ik stond met de lamp in de nauwe deuropening van de stal en kon van schrik niet achteruitspringen; hij plofte met zijn achterste in het smerige stro.

Het varken liet zijn kop weer zinken, maar hield zijn bek open; het haalde snel, onregelmatig en rochelend adem en nam de kostbare lucht gulzig in zich op; intussen staarde het met zijn lichtbruine, door kleurloze, borstelige wimpers omgeven ogen onafgebroken naar Kálmán.

Ik voelde de warme adem van de hijgende hond aan mijn been.

De uitpuilende ogen van de naar Kálmán opkijkende zeug waren met bloed belopen.

Op dat moment vermande Kálmán zich: met zijn ogen op de ogen van de zeug gericht knielde hij bij haar neer en liet zijn hand opnieuw in haar vagina glijden; en terwijl hij die dieper en dieper naar binnen schoof, leunde hij, zonder zich te bekommeren om de urine en de uitwerpselen waarin hij terechtkwam, voorover, totdat hij met zijn naakte lichaam op de gewelfde zijde van het dier lag en het met zijn lichaamsgewicht in bedwang hield; zo liggend keken ze elkaar aan en hun adem nam hetzelfde ritme aan; als hij de zeug met zijn lichaam omlaagdrukte, ademde ze de ingeademde lucht uit en als hij opveerde, ademde ze bereidwillig in; zijn arm was al tot de elleboog in het varken verdwenen, maar op dat moment trok hij hem, als door de bliksem getroffen, geheel terug en begon hij bevend en trillend over zijn gehele lichaam te brullen.

Hij brulde iets wat ik niet kon verstaan, een paar ongearticuleerde woorden.

De zeug begon oorverdovend te krijsen en probeerde haar achterlijf weg te draaien; ze hapte naar lucht, strekte haar poten en stootte opnieuw een langdurig, hoog, gillend geluid uit, waarna ze weer in elkaar kromp en verstijfde, maar op de een of andere manier hield ze haar oorspronkelijke ademhalingsritme aan, of beter gezegd: haar lichaam verfijnde het ritme dat de jongen en zij van elkaar hadden overgenomen, intussen dwaalden haar ogen niet meer van Kálmán af, ze bleven volkomen rustig op hem gericht; Kálmán, die zijn in het petroleumlicht vochtig glanzende arm als een vreemd voorwerp voor zich hield, staarde naar de ogen van de zeug; plotseling zweeg hij even onverwachts als hij was begonnen te brullen; als ik zou zeggen dat de ogen van de zeug om hulp smeekten, dat ze hem om hulp vroegen en hem vertelden hoe hij kon helpen, dat ze hem dankbaar aankeken, aanmoedigden en verzekerden dat hij met zijn pogingen op de goede weg was – ga zo door, jongen! –, zou ik met deze sentimentele menselijke voorstellingen de eenvoudige en natuurlijke maar geenszins primitieve gevoelens bezoedelen die waarschijnlijk alleen door de ogen van een dier kunnen worden uitgedrukt.

Zijn gebrul had het varken met een gillend gekrijs beantwoord, op de kalmte van het dier reageerde hij door te zwijgen.

Ondanks de afstand waarop ze zich van elkaar bevonden, bleven ze met elkaar in contact.

Diep in de geopende schaamspleet was een zuigend, kolkend en pulserend proces aan de gang, dat enigszins geleek op de ademhaling of de hartslag.

Kálmán stak zijn hand weer in het varken, even diep als daarnet, toen hij zo was geschrokken; hij deed het met de vanzelfsprekendheid waarmee we naar een bekende plaats terugkeren waar onze aanwezigheid volstrekt noodzakelijk is.

Hij wendde hierbij zijn hoofd zijdelings af, alsof hij me trachtte aan te kijken, maar hij had zijn ogen gesloten.

Het dier gaf nog steeds geen kik, het leek wel alsof het zijn adem inhield.

Het was alsof Kálmán daarbinnen een moeilijk karwei uitvoerde en hij daarom zijn ogen had gesloten, hij moest niet zien maar voelen wat hij uitvoerde.

Na enige tijd trok hij zijn hand langzaam en met een vermoeide beweging terug en ging op zijn knieën zitten, zijn hoofd zonk voorover, zodat ik zijn gezicht niet kon zien.

Nog altijd was het doodstil en lag de zeug roerloos op de vloer; opeens begon eerst alleen haar flank en vervolgens haar hele lichaam te golven van de weeën, alsof ze verlaat reageerde op wat Kálmán met haar had gedaan; na elke wee liet ze een bloedstollend gekrijs horen, dat verstikt wegstierf in de ondraaglijke atmosfeer van de nauwe, stinkende stal.

Ze gaat de pijp uit, het lukt gewoon niet, zei hij zachtjes, alsof hij onverschillig was geworden voor de beurtelings opkomende en wegebbende pijn van het dier en de moed had opgegeven, toch verroerde hij zich niet en bleef hij zitten waar hij zat, maar hij deed niets meer.

Maar het proces dat zich in het lichaam van de zeug voltrok, was nog lang niet afgelopen, want het volgende moment verscheen er iets roods tussen de lillende huidplooien; Kálmán stortte zich erop, even klaaglijk huilend als het varken zoëven had gedaan, maar zijn gehuil verstomde vrijwel onmiddellijk, want het onbekende glipte tussen zijn vingers door, alsof het een vreemd organisme was dat door zijn lichaam werd uitgestoten; toen hij het opnieuw trachtte te grijpen, ontglipte het hem nogmaals.

De doek! brulde hij, en dit verzoek was kennelijk aan mij gericht, maar ik had het gevoel dat er eindeloos veel kostbare tijd verstreek voordat ik begreep dat er ergens in de stal een doek moest liggen.

Het was alsof de verlamming die me belette de doek te zoeken, een uitvloeisel was van mijn allergeheimste zonde.

De doek was nergens te bekennen.

Plotseling scheen ik de betekenis van het woord 'doek' niet meer te kennen, het was als het ware uit mijn moedertaal verdwenen, terwijl Kálmán, nog steeds roepend om een doek, dat wat hij vasthield voor de derde keer uit zijn handen liet glippen.

Hij bleef maar brullen.

Het scheelde maar weinig of de lamp was omgevallen, want toen ik voor de stal wilde kijken of daar soms een doek te vinden was, stootte de puntige bovenkant van de lamp tegen de lateibalk; buiten vond ik de doek, ik zag hem meteen, de hond sloeg er met zijn staart tegenaan, maar ik moest eerst haastig het lampeglas beetpakken.

Dat het lampeglas toch niet brak en ik de doek had gevonden, was een grotere triomf dan ik sindsdien ooit in mijn leven heb behaald.

Er hingen twee piepkleine pootjes met gespleten nageltjes uit de vagina van de zeug.

Kálmán draaide de lap eromheen en begon toen ineengedoken, zich achterwaarts bewegend en zich aanpassend aan het ritme waarin de zeug perste en krijste, te trekken.

Het werd een langdurige strijd; hoe zwaar die strijd was, kon je nauwelijks zien.

Het gladde lichaampje gleed opeens zo gemakkelijk naar buiten dat Kálmán door zijn gebogen houding niet snel genoeg achteruit kon wijken en op zijn achterste neerplofte; ik zag het bijna levenloze, dofglanzende lichaam van de pasgeborene in een glazige massa slijm tussen Kálmáns gespreide benen op de smerige stalvloer liggen.

Ik geloof dat we alle drie onze adem inhielden.

Ik meen me te herinneren dat de zeug zich het eerst bewoog, ze lichtte haar kop op, alsof ze zich ervan wilde vergewissen of de geboorte werkelijk had plaatsgevonden, maar ze was zo uitgeput dat ze weer in elkaar zakte; op het moment dat haar kop met een plofje op de grond neerkwam, voer er echter een nieuwe onrust in haar lichaam, een elementaire energie, een gelukzalige kracht, die haar veel vlugger, handiger, leniger en vindingrijker maakte dan je van zo'n groot, plomp dier zou verwachten; ze schoof, ervoor wakend dat ze de boreling met haar poten raakte, haar achterwerk wat opzij, waardoor de lange navelstreng iets werd uitgerekt; het biggetje bleef intussen nauwelijks bewegend tussen Kálmáns benen liggen; met een verheugd geknor boog het moederdier zich naar achteren, besnuffelde het jong zorgvuldig, stootte, toen ze de lucht van het biggetje in haar neusgaten kreeg, bevend nog meer blijde geluiden uit en beet met twee snelle happen de navelstreng door, wat een knappend geluid maakte; terwijl Kálmán onhandig van haar wegkroop en uit het hok klauterde, stond ze op, of beter gezegd: schoot ze overeind uit haar liggende houding en begon ze het biggetje af te likken, terwijl ze er trappelend omheen draaide; af en toe duwde ze met haar snuit ongeduldig knorrend tegen het kleine dierelijfje en likte ze dit, alsof ze het van de vloer wilde opeten; ze ging daar net zo lang mee door totdat het diertje begon te ademen.

Toen we een goed uur later de staldeur sloten en de houten grendel met een zacht klikje in het grendelgat schoven, zogen vier biggetjes met smakkende geluidjes aan de tepels van de warme, paarsrode, met melk gevulde varkensuiers.

De zomernacht was donker en stil en er straalden sterren aan de hemel.

De hond draafde achter ons aan.

Kálmán ging naar de mesthoop, schoof zijn broek omlaag en urineerde langdurig.

Ik bleef met de hond midden op het erf staan.

Op de mesthoop begroef hij ook de nageboorte.

We hadden elkaar niets meer te zeggen en ik had het gevoel dat we dat ook niet moesten proberen.

Het was al voldoende dat ik daar had gestaan en hem langdurig en luidruchtig had horen urineren.

Na de geboorte van het eerste biggetje, toen hij snel uit het hok was geklommen en ik met de opgeheven lamp een stap opzij had gedaan, hadden we elkaar heel even aangekeken; onze bewegingen waren op dat moment wel tegengesteld geweest, maar onze blikken hadden elkaar ontmoet en hetzelfde geluksgevoel uitgedrukt; dit ogenblik had zo lang geduurd en was zo geconcentreerd geweest dat het uit de normale tijd scheen gelicht, op dat moment voelde ik dat we de doorstane emoties slechts gezamenlijk zouden kunnen verwerken; onze gezichten waren heel dicht bij elkaar en de lamp bescheen zijn dwaze grijnslach, waarin zijn ogen leken te verdwijnen, maar ondanks de duisternis bleven zijn mond, zijn tanden, zijn opvallend brede kaken en zijn bezwete, over zijn voorhoofd hangende haar wel zichtbaar, en terwijl hij daar op zo'n verrassende wijze voor me stond, zag ik dat zijn gezicht sprekend op het mijne leek, want ik grijnsde even gretig en dwaas als hij, en ik begreep dat we alleen uit de verstarring van die grijnslach konden breken als we elkaar om de hals vlogen, als we elkaar liefhadden.

Pas dan zouden we het gebeurde kunnen verwerken.

Maar ook dit zou niet genoeg zijn geweest, de overwinning van het varken zou daardoor niet voldoende tot haar recht zijn gekomen.

Er ontspon zich een soort gesprek.

Een stroom van lachende woorden.

Ik zei dat ik de lamp bijna had gebroken, en hij dat het beslist een dwarsligging was geweest, ik vroeg waarom hij zo gebruld had, iets gebruld had wat ik niet had kunnen verstaan, en hij zei dat zijn vader het hem niet zou hebben verbeterd, en ik dat ik eerst had gedacht dat het varken ziek was en dat het doorbijten van die navelstreng mazzel was geweest en dat ik die doek haast niet had kunnen vinden, en tenslotte zei hij dat het varken zo intelligent had gereageerd.

En de hond rende keffend rondjes over het erf, steeds grotere rondjes, wat ook een uiting van blijdschap was.

De lamp in de buitengalerij verspreidde een kil licht.

Langzaam liepen we de trap op, lichamelijk en geestelijk uitgeput.

Het water borrelde nog in de pan; toen hij op de nageboorte wachtte, had ik dat opgezet omdat hij de uiers van de zeug met lauw water wilde afsponzen.

Hij liep naar de tafel, trok er een stoel onder vandaan en plofte neer.

Ik bekeek eerst de belangrijkste voorwerpen in de keuken: het witte, geëmailleerde fornuis, de appelgroene kast en het roze dekbed op de rieten ligbank, en zette pas daarna de lamp op de tafel; doordat de deur achter ons open was gebleven en het een beetje tochtte, rookte hij meer dan dat hij brandde; toen ging ik ook zitten.

We zaten zwijgend tegenover elkaar en staarden voor ons uit.

Godverdomme! zei hij na een poosje zachtjes.

We keken elkaar niet aan, maar ik merkte dat hij graag wilde dat ik nog wat bleef en ik had zelf ook nog geen zin om weg te gaan.

Dat vloeken van hem was een soort blijk van erkentelijkheid en gold mij.

Hij vloekte overigens zelden en gebruikte in tegenstelling tot de andere jongens ook bijna nooit ruwe woorden; ik kan me behalve die avond nog slechts twee gelegenheden herinneren waarbij hij dat wel deed: toen hij beweerde dat hij Maja te grazen zou nemen en die keer op de wc, toen hij gezegd had dat ik Préms piemel als middagmaal zou krijgen.

Deze uitlating was een ernstige belediging, die als een nimmer genezende wond in mijn binnenste schrijnde, ik kon haar wel uit mijn hoofd zetten, maar niet vergeven.

Niet omdat hij zich met deze schijnbaar onschuldige grofheid aan Préms en Krisztiáns zijde had geschaard, want wat had hij anders kunnen doen? hoezeer het me ook speet en verontrustte dat intermenselijke relaties zo onbestendig zijn, ik kon hem dit niet kwalijk nemen, in het feit dat je nooit onderscheid kon maken tussen vriend en vijand en eigenlijk iedereen als vijand moest beschouwen, openbaarde zich de natuurlijke ordening van de wereld of wellicht de geest van de tijd; ik hoefde alleen maar aan de haat en de angst te denken die me voor die afrastering altijd overvielen, of aan de kwellende wetenschap dat ik vanwege de positie van mijn vader door mijn kameraden als verklikker werd beschouwd, en ik wist zelf ook niet meer aan welke kant ik stond, hoewel ik nog nooit iemand had verraden; maar Kálmán had door zijn noodgedwongen stellingname het meest delicate aspect van onze vriendschap verraden, al konden de anderen niet weten waarop de mededeling dat ik de lul van Prém als middageten geserveerd zou krijgen, werkelijk sloeg, ze konden onmogelijk begrijpen waarop hij daarmee zinspeelde; het was alsof hij me daar in het bijzijn van de andere jongens had verweten dat ik zijn pik had aangeraakt, en dit was erger dan het meest schaamteloze verraad! bovendien had hij gesuggereerd dat het mijn liefste wens was zo'n lichaamsdeel als middagmaal te verorberen! hij had hierdoor gedaan alsof ons lichamelijke contact niet volstrekt wederzijds was geweest en niet hij maar ik het initiatief daartoe had genomen!

Hij sprong op, stootte zijn stoel onder zich vandaan en haalde uit de keukenkast een fles brandewijn en twee glazen tevoorschijn.

Hij had me met dezelfde koelbloedigheid en impulsiviteit verraden als hij zijn hand naar me had uitgestoken.

Om zich voor de anderen niet te hoeven schamen had hij zich van zijn allerintiemste beweging gedistantieerd, maar nu scheen hij met die vloek zijn verraad weer goed te willen maken en me te bedanken voor mijn aanwezigheid.

Ik kreeg zo'n warm gevoel in mijn borst dat ik geen woord meer kon uitbrengen.

Over dit alles kon ik evenmin met Maja praten als ik, mijn moeders arm kussend, over de meisjes had kunnen spreken.

De brandewijn steeg ons naar het hoofd en maakte ons zwijgzaam.

Was het maar voldoende de belangrijkste dingen van het leven te leren, maar je moest vooral leren daarover te zwijgen!

Lange tijd zaten we dronken tegenover elkaar en staarden naar het tafelblad, om de een of andere reden vermeden we elkaar aan te kijken na zijn vloek.

Hoewel dit vloeken alles had opgehelderd, voorgoed.

Ik wist daardoor dat hij me toch trouw was gebleven en dat niemand zijn diepste gevoelens kan loochenen.

Aarzelend begon hij aan de lamp te prutsen, hij wilde die uitdoen, maar al draaide hij de pit nog zo ver omlaag, de vlam doofde niet en begon nog meer te roken; tenslotte lichtte hij het glas op om de lamp uit te blazen, maar toen hij dit probeerde, lukte het niet, want hij blies er steeds naast, en terwijl hij daarom grinnikte, glipte het hete, beroete lampeglas uit zijn handen en viel kapot op de stenen keukenvloer.

Hij sloeg er totaal geen acht op.

Het breken van het glas was aangenaam om te horen; de glazen cilinder was geheel versplinterd.

Later had ik het gevoel dat ik vanuit een volkomen heldere toestand in een heerlijke roes was geraakt of in mijn eigen gedachten was verdwaald, hoewel ik op dat moment absoluut niet had kunnen zeggen waaraan ik dacht en of ik überhaupt wel aan iets dacht; het denken zonder gedachten was een geheel nieuwe ervaring voor mijn door de drank afgestompte bewustzijn, zodat ik niet merkte dat Kálmán intussen opstond, de grote waskom op de vloer zette en het water dat nog in de pan zat erin begon te gieten.

Ik zag hem niet vaag, maar van een afstand, zodat hij onbelangrijk leek.

Hij bleef maar water in de kom gieten.

Ik stond op het punt hem te vragen daarmee op te houden, toen ik zag dat hij niet meer uit de pan maar uit iets anders goot.

Uit een emmer.

Ik had niet eens in de gaten dat hij, toen hij klaar met gieten was, zijn broek uitschopte en naakt in de waskom ging staan, waarop de zeep uit zijn hand glipte, op de vloer terechtkwam en onder de keukenkast gleed.

Hij vroeg of ik hem de zeep wilde aangeven.

Aan zijn stem was te horen dat hij even bezopen was als ik, wat enorm op mijn lachspieren werkte, vooral toen ik merkte dat ik niet meer op kon staan.

Toen ik daar eindelijk toch toe in staat was, pletste en klotste het water al en stond hij zich in te zepen.

Hij had geen grote, als een paard, maar een klein, dik, stevig geval dat, lichtelijk gekromd, over zijn opgetrokken ballen vooruitstak en een flinke bobbel in zijn onderbroek veroorzaakte; hij begon het in te zepen.

Ik stond al overeind en voelde dat het me nog steeds pijn deed niet te weten wie mijn vriend was.

Ik weet niet hoe ik van de tafel naar de waskom ben gelopen, het besluit loodste me ongemerkt door de tijd die daarvoor nodig was; ik stond voor hem en gebaarde dat hij me de zeep moest geven.

Er was een relatie, vrij van elke erotische hartstocht tussen ons ontstaan, iets wat ik ook dolgraag met Krisztián had gehad, een bijna neutraal gevoel van broederlijkheid, waar ik met hem nooit aan toekwam maar dat toch even vanzelfsprekend is als zien, ruiken of ademhalen, de genade van de platonische liefde; en misschien is het niet overdreven als ik van hartstochtelijke dankbaarheid spreek, ja ik was dankbaar en nederig omdat ik van hem kreeg wat ik van die ander tevergeefs had gehoopt te ontvangen; en toch voelde ik me niet verplicht aan hem, ik hoefde hém niet dankbaar te zijn voor deze genade, mijn dankbaarheid was geheel abstract, ze gold alleen het feit dat hij aanwezig was en ik er ook was.

Weifelend keek hij me aan, zijn hoofd wiebelde op zijn hals, hij wilde me recht in de ogen kijken, maar vond mijn blik niet, toch had hij me onmiddellijk begrepen, want hij drukte de zeep in mijn hand en hurkte in de waskom neer.

Ik maakte zijn rug nat en zeepte die zorgvuldig in, want ik wilde dat hij goed schoon zou worden.

Ik wist dat Prém die onzinnige opmerking alleen maar had gemaakt omdat hijzelf zo'n grote had; op Krisztiáns bevel liet hij hem soms aan ons zien, wij staarden er dan enige tijd zwijgend naar en lachten tenslotte geamuseerd omdat hij zo onmogelijk groot was.

Ik was onbeschrijfelijk gelukkig dat Kálmán ondanks het gebeurde mijn vriend was.

Toen ik merkte dat zijn ingezeepte rug nog steeds naar de stal rook, begon ik de zeep met veel water af te spoelen.

Prém had dat alleen maar gezegd omdat hij niet wilde dat Kálmán zich bij me aansloot, om hem als vriend te behouden.

De zeep gleed in de waskom, glibberde tussen zijn gespreide benen door en was verdwenen.

Ik moest de open lucht in gaan, zo walgde ik van Prém.

Mijn voet kwam in iets zachts terecht.

Ik had zo'n hekel aan hem dat ik misselijk werd.

De hond lag vredig uitgestrekt te slapen in de buitengalerij.

Mijn handen zaten nog onder de zeep.

Ik lag op de grond, iemand had de lamp uitgedaan, het was donker.

De sterren waren verdwenen, de nacht was zwoel en stil.

Een poosje dacht ik nergens anders aan dan dat ik naar huis moest gaan; naar huis, dat was het enige belangrijke!

In de verte weerlichtte het zo nu en dan, ik hoorde ook donderslagen.

Tenslotte ging ik, gedragen door mijn benen en getrokken door mijn hoofd, op weg; mijn voetzolen vonden een pad, maar ik wist niet waar het naar toe liep.

Toen donderslagen de nadering van het onweer aankondigden, kwam ook de lucht in beweging en gierde de wind door de takken van de bomen.

Pas toen ik aan mijn mond iets hards en koels voelde en een roestsmaak proefde, wist ik dat ik weer thuis was; tussen de bomen tekende zich het bekende, verlichte raam af en mijn lippen rustten tegen het ijzeren hek voor het huis.

Het was alsof ik ergens naar binnen ging waar ik nog nooit was geweest, maar toch goed de weg kende, alsof ik deze onbekend schijnende plaats al eens eerder had gezien.

Ik moest om me heen kijken om te ontdekken waar ik me bevond.

In de koelte van de losbarstende storm kwam de eerste regen in grote, lauwe druppels neer, daarna bleef het even droog, maar even later begon het opnieuw te regenen.

Ik lag een poosje in het lichtschijnsel onder het open raam en hoopte dat niemand me daar ooit zou vinden.

Intussen zag ik de bliksemschichten over de muur dansen.

Ik had geen zin om naar binnen te gaan omdat ik dat huis verafschuwde, en toch was het de enige plaats waar ik naar toe kon gaan.

En zelfs nu nog, nu ik tracht mij alles te herinneren, als een onpartijdig toeschouwer en met de nodige distantie, kost het me moeite onbevooroordeeld te spreken over dit huis, waarin mensen die onder één dak leefden zó ver uit elkaar waren gegroeid en zó werden geobsedeerd door het proces van hun eigen fysieke en morele ondergang,

kortom, zó met zichzelf bezig waren, dat ze het absoluut niet merkten
– althans deden alsof ze het niet merkten – als de zogenaamde familie-
gemeenschap niet compleet was, als daaraan een kind ontbrak.

Waarom merkten ze dat niet?

Ze misten me zo weinig dat ik me er niet eens van bewust was dat ik
in de hel van het tekort leefde, de hel van het tekort was voor mij de
wereld geworden.

Binnen hoorde je de parketvloer zachtjes kraken en af en toe klonk
er een knarsend of schurend geluid, alsof iemand iets aan het zoeken
was.

Ik bevond me onder het geopende raam van mijn grootvader.

Hij verwisselde de dag met de nacht, leefde 's nachts en dwaalde dan
door het huis; overdag dommelde hij in zijn verduisterde kamer in een
stoel of op de divan; door deze wonderlijke leefwijze had hij zich geheel van zijn omgeving geïsoleerd.

Als ik wist wanneer dit wederzijdse en veelzijdige verval is begonnen – of het überhaupt een begin heeft gehad en wanneer en door
welke oorzaak ons ruime familienest is afgekoeld –, zou ik stellig veel
kunnen zeggen over de menselijke natuur en natuurlijk ook over de
toenmalige tijd.

Ik wil mezelf echter niets wijsmaken, met de verheven wijsheid der
goden ben ik niet gezegend.

Had de ziekte van mijn moeder wellicht dit verval teweeggebracht?

Haar ziekte was stellig een der belangrijke onderdelen van dit proces, maar ik beschouw haar lijden meer als een gevolg dan als een oorzaak van het gestadige verval, hoe vreemd het ook moge klinken; in
elk geval was haar ziekte door een ogenschijnlijk tactvolle maar in wezen kwaadaardige sluier van familieleugens omgeven, evenals de toestand van mijn zusje of de astmatische aanvallen van mijn vader, waarover mijn grootmoeder achter zijn rug zei dat ze noch door medische
behandeling noch door diëten noch door nauwkeurige medicatie waren te cureren omdat ze doodgewoon uit hysterie voortsproten.

Het enige wat volgens haar zou kunnen baten was een emmer koud
water.

Over dit lichamelijke vormen aannemende verval was het even ongepast te spreken als over het feit dat mijn grootmoeder nimmer het
woord tot mijn grootvader richtte, terwijl die weer geen woord wilde
wisselen met mijn vader, zodat er dagen voorbijgingen zonder dat de
twee mannen elkaar groetten en beiden deden of de ander lucht was,

hoewel het huis waarin wij woonden aan mijn grootvader toebehoorde.

Misschien was het een uitzonderlijk geluk, misschien ook juist een
uitzonderlijk ongeluk, dat ik niet alles wist wat er te weten viel, dat zou
ik zelfs nu nog niet kunnen uitmaken; hoezeer ik me toentertijd ook
aan de in onze familie gangbare leugens conformeerde – mezelf als het
ware in dit stelsel van onwaarheden voegend en het fijnmazige web
van leugens en bedrog verder uitbreidend en met mijn eigen sluwe
verzinsels verstevigend –, ik wist niet welke oorsprong ze hadden en
wat ze moesten verhullen, al keek ik er wel gedeeltelijk doorheen; zo
wist ik bijvoorbeeld dat mijn grootvaders ziekte reëel en ernstig was,
elke aanval kon dodelijk zijn, en omdat mijn grootmoeder de aanvallen passief en zonder enig blijk van medelijden gadesloeg, had ik het
gevoel dat ze eigenlijk naar zijn elk ogenblik te verwachten dood uitkeek; bovendien wist ik dat mijn zusje ongeneeslijk ziek was – ze was
vanaf haar geboorte zwakzinnig en zou dat altijd blijven – en dat mijn
ouders de omstandigheden waaronder ze geboren of misschien zelfs
verwekt was, de oorzaak van haar afwijking dus, als er althans zo'n oorzaak was, met een uit gewetenswroeging voortspruitende eensgezindheid verheimelijkten, terwijl ze voortdurend de hoop op haar genezing benadrukten, alsof ze met hun hoop dit vreselijke geheim, waar
niemand achter mocht komen, poogden te verbergen; het leek wel of
iedereen in onze familie het leven van een der anderen in zijn hand
hield vanwege een of andere leugen; wat de ziekte van mijn moeder
betreft: dankzij een toevallige beweging wist ik, dat ze niet herstellen-
de was van een geslaagde galblaasoperatie.

Ik noem deze beweging toevallig omdat ik, toen ik indertijd met
mijn gezicht op haar arm lag en naar haar ademhaling luisterde, alleen
maar haar hals wilde aanraken en haar wangen strelen; ze sliep niet,
maar had haar ogen gesloten en toen ik mijn hand onhandig naar haar
hals toe bracht, bleef mijn vinger haken achter het bandje waarmee de
halsuitsnijding van haar nachtjapon was dichtgeregen; doordat het niet
was vastgestrikt of losging, gleed de dunne, witte zijde plotseling omlaag en werden haar borsten zichtbaar, of beter gezegd: ik zag die zijde
in een flits omlaagglijden en meende haar borsten te zien, meende te
aanschouwen wat er te aanschouwen viel, hoewel ik in werkelijkheid
alleen het straalvormige litteken zag van een nog niet geheel genezen
wond, een netwerk van vurige lijnen op de huid, de sporen van talloze
hechtingen.

Ik hoorde glas rinkelen en boven mijn hoofd sloot iemand haastig het venster.

Nooit is een onweersbui mij welkomer geweest dan op dat moment, ik lag daar in de hoop dat de neerstromende regen me onder de grond zou spoelen, dat de aarde me zou opzuigen, maar tenslotte werkte het koude water ontnuchterend.

Ik krabbelde overeind om tegen het raam te tikken en op die manier kenbaar te maken dat ik naar binnen wilde, maar tot mijn grote verrassing zag ik opeens het ontstelde gezicht van mijn grootmoeder achter het raam; mijn grootvader lag ruggelings op de divan en had zijn ogen gesloten.

Terwijl ik voor de deur stond te wachten, werd ik tot op mijn onderbroek en mijn hemd nat; het goot, donderde en bliksemde, en toen grootmoeder me eindelijk binnenliet, droop het water zelfs uit mijn haar.

Ze maakte niet eens licht, zei geen woord en ijlde, zonder zich om me te bekommeren, terug naar grootvaders kamer.

Ik volgde haar op de voet.

Ze had zich niet gehaast omdat ze iets te doen had, want ze nam dadelijk weer plaats op de stoel waaruit ze zo verrast was opgestaan, ze had alleen zo snel gelopen om aanwezig te zijn wanneer er iets zou gebeuren.

De regen stroomde overvloedig over de grote ruiten van het gesloten raam, zodat het leek of er een gordijn voor hing; de talrijke blauwe lichtflitsen van de bliksem weerspiegelden de op wonderbaarlijke wijze vervaagde bomen in het door de nabije donderslagen trillende glas; de zwoele middaghitte hing nog in de kamer.

Grootvaders borstkas ging zwoegend op en neer en het geopende boek dat hij in zijn hand hield bungelde over de rand van de divan, alsof hij het elk ogenblik kon laten vallen maar zich er toch aan vastklampte omdat dit het laatste voorwerp was dat hem met deze wereld verbond; zijn gezicht was bleek en glom van het zweet; aan de baardstoppels boven zijn geopende mond kleefden kleine zweetdruppeltjes en hij ademde snel maar moeizaam, je kon zijn ademhaling horen piepen.

Boven zijn hoofd brandde een schemerlamp die zijn gezicht verlichtte, opdat er niets verborgen zou blijven van zijn strijd; mijn grootmoeder zat in de schaduw en sloeg hem vanuit het vriendelijke, warme schemerlicht roerloos gade, haar houding was zowel gespannen als

346

verwachtingsvol.

Ze leek even stijf als de rugleuning van de stoel.

Mijn grootmoeder was een lange, kaarsrechte vrouw, een eerbiedwaardige oude dame; overigens heb ik zoëven uitgerekend dat ik haar toentertijd voor ouder hield dan ze in werkelijkheid was, ze was toen nog maar iets over de zestig, bijna twintig jaar jonger dan mijn grootvader, een verschil dat ik me door mijn typisch kinderlijke beleving van de tijd absoluut niet realiseerde, voor mij waren ze even oud, het waren allebei stokoude mensen die door hun uiterlijk veel op elkaar leken.

Ze waren beiden mager, bijna vel over been, en uiterst zwijgzaam, wat ik als kenmerkend voor hun leeftijd beschouwde, ofschoon er waarschijnlijk twee geheel verschillende oorzaken aan die zwijgzaamheid ten grondslag lagen; maar niet alleen de oorzaak, ook de kwaliteit van hun zwijgzaamheid was geheel verschillend: mijn grootmoeders zwijgen drukte een lichte gekwetstheid uit; met die nooit aflatende, ostentatieve gekwetstheid gaf ze te kennen dat ze niet zweeg omdat ze niets te zeggen had, maar omdat ze de wereld wilde straffen door haar zoveel mogelijk woorden te onthouden, een straf waarvoor ik bijzonder beducht was; ik wist niet hoe ze in haar jonge jaren was geweest, maar speurend naar de oorzaken van haar gekwetstheid begon ik te vermoeden dat ze de pas enkele jaren geleden ingetreden verandering van hun levensstijl niet zonder frustraties had kunnen accepteren en verwerken, daarvoor was die verandering te radicaal geweest, bovendien was ze als jong meisje vanwege haar schoonheid dermate vertroeteld dat ze zich tot haar dood als een verwend kind is blijven gedragen; in de eerste naoorlogse jaren reden mijn grootouders, als ze naar de stad gingen, nog in een zwarte, altijd fraai blinkende, op een grote koets lijkende Mercedes, die, zoals het behoort, door een eerbiedwaardige chauffeur met een gegalonneerde pet op werd bestuurd, maar tenslotte moesten ze die auto verkopen; ik heb jarenlang mijn schoolboeken en schriften in hun waardeloos geworden aandeelbewijzen gekaft, waarvan de hagelwitte keerzijde, als je de geperforeerde coupons eraf had gescheurd, bijzonder geschikt was voor dat doel; op een gegeven moment doekte mijn grootvader onverwachts zijn advocatenkantoor op de Theresiaboulevard op, met als gevolg dat grootmoeder haar dienstbode moest ontslaan en Mária Stein voor een poosje haar intrek nam in het meidenkamertje, en tenslotte, om de ramp volledig te maken, deed mijn grootvader zonder dit met mijn grootmoeder te hebben besproken afstand van zijn woonhuis om onteigening door de communistische overheid te voorkomen, wat, zoals mijn moeder me lachend vertelde, mijn grootmoeder zo schokte toen ze dit pas weken later en nog geheel toevallig ook vernam, dat ze flauwviel, ze had per slot van rekening haar erfdeel in dat huis gestoken; toen ze eindelijk, dankzij de oorvijgen die mijn moeders oudste zuster, tante Klára, haar toediende, weer bij kennis kwam, legde ze zichzelf en haar familie de zwaarst denkbare straf op en sprak ze vanaf dat moment geen woord meer tot mijn grootvader; het vermakelijke was echter dat grootvader gewoon doorging met tegen haar te praten, alsof haar zwijgzaamheid hem totaal ontging; de gekrenktheid van mijn grootmoeder is overigens zeer wel te begrijpen, ze was er waarachtig niet voor in de wieg gelegd om als dienstmeid, verpleegster en barmhartige non drie ernstig zieke en twee geestelijk gestoorde mensen – ze was er heilig van overtuigd dat mijn vader en ik niet normaal waren, waarin ze gedeeltelijk nog gelijk had ook! – te verzorgen; nee, dat was niets voor haar, ze had aanleg noch geduld voor dit soort werkzaamheden, al deed ze nauwgezet en gewetensvol maar met de hoogmoed van iemand die zich diep beledigd voelt, alles wat ze moest doen; mijn grootvader was eveneens geneigd tot zwijgen, maar dat had vermoedelijk een geheel andere achtergrond, zijn zwijgzaamheid hield verband met zijn eindeloze geduld en zijn waarachtige gevoel voor humor; hij voelde zich niet gekrenkt, of beter gezegd: hij was niet in staat zich zodanig te voelen, want op oudere leeftijd vond hij het menselijke gedrag zo komisch, zo bizar, kleinzielig, voorspelbaar, doorzichtig en belachelijk dat hij uit pure wellevendheid niemand door het geven van zijn mening wilde krenken; hij vond alles wat anderen hoogst ernstig namen zo onbelangrijk dat hij, om conflicten te voorkomen, zijn mening, voorzover hij die had, voor zich hield, wat hem, denk ik, even zwaar is gevallen als mijn grootmoeder het verlies van hun woonhuis.

Zelfs tijdens de astma-aanvallen zweefde er een half bitter half ironisch lachje om zijn lippen, alsof hij zich achter de neergelaten luiken van zijn gesloten oogleden vrolijk maakte over zijn ademnood en hij de vergeefse strijd die zijn organisme daartegen voerde voor een betreurenswaardige maar onvermijdelijke vergissing hield, die verhinderde dat er gebeurde wat op den duur toch onvermijdelijk was.

Mijn grootmoeder sloeg hem echter bijna toornig gade, ze was vooral woedend omdat hij door zijn humoristische gedrag onmogelijk voor een dankbare patiënt kon doorgaan; hij wilde graag sterven maar kon dat niet, daarom vertrouwde hij zich niet willoos aan de goede zorgen van zijn verpleegster toe, maar gaf hij zijn lichaam en ziel met een soort ultieme wijsheid over aan de macht die, naar hij geloofde, over zijn lot beschikte, waardoor hij zich aan de per definitie milddadige, wereldse goedheid van de verpleging onttrok en de weldaden waaruit deze bestond zelfs enigszins belachelijk maakte.

Het is niet zo vreemd dat mijn grootmoeder, die zich toch al gekrenkt voelde, meende dat dit heilloos langgerekte, ietwat humoristisch verlopende sterven uitsluitend bedoeld was om haar tot het laatste moment te ergeren en te kwetsen.

En toch had deze strijd, dit duel tussen hen beiden, althans uiterlijk gezien, niets beschamends, onhandigs of armzaligs, ze bewaarden daarbij allebei hun waardigheid.

Ze kleedden zich zorgzaam, omslachtig en met smaak, nooit heb ik ze onvolledig, wanordelijk of slonzig gekleed gezien; mijn grootvader schoor zich, hoewel hij nooit de deur uitging, dagelijks voor het middageten; hij droeg witte, uitsluitend witte, overhemden met gesteven kragen, ietwat onhandig, met een grote knoop gestrikte zijden halsdoeken, netjes geperste grijze broeken met wijde pijpen en een kort, koffiekleurig huisjasje van fluweel, en mijn grootmoeder droeg tijdens het koken, afwassen en boenen zachte, leren pantoffels met halfhoge hakken en nauwe, klokvormig getailleerde, tot haar tenen reikende peignoirs, die, al naar gelang het jaargetijde en de gelegenheid waarbij ze moesten worden gedragen, van uiteenlopende stoffen waren vervaardigd, zoals katoen, zijde, zachte wol en donker fluweel, en haar lichaam zo gracieus omhulden dat ze meer op avondjaponnen dan op kamerjassen leken, wat geen belachelijke indruk wekte, maar haar, integendeel, een streng en onbuigzaam voorkomen gaf; ze bewoog zich voorzichtig, het huisraad met de behoedzaamheid van een nieuw dienstmeisje hanterend en bijna voortdurend sigaretten rokend, in haar lange peignoir door het huis en alleen als er zwaardere karweitjes moest worden verricht, zoals ruiten lappen, vloeren boenen of de grote schoonmaak, riep ze de hulp van een ander in, liet ze daarvoor, om met haar woorden te spreken, 'een vrouw komen', zoals ze ook niet eenvoudig een taxi bestelde of op de tram stapte, maar deze voertuigen 'nam'; ze liet haar was door Kálmáns moeder doen, die wekelijks het wasgoed kwam ophalen en dit schoon en gestreken weer terugbracht.

In de korte pauze tussen twee langdurige aanvallen van benauwdheid zei mijn grootvader iets wat klonk als 'lucht!' of 'raam!', het was niet goed te verstaan, want de hevige ademnood belette hem duidelijk

349

te articuleren, waarop mijn grootmoeder opstond, maar, in plaats van het raam te openen, de lamp boven zijn hoofd uitdeed en weer ging zitten.

Het moet toen al bijna middernacht zijn geweest.

We laten het raam dicht, zei ze in het donker, anders moeten we straks, in het holst van de nacht, de vloer nog opdweilen; er is hier trouwens lucht genoeg.

Als ik aanwezig was, deed ze altijd net alsof haar woorden niet voor hem maar voor mij waren bestemd.

Hierna wachtten we een tijdje in het donker, hopende dat de aanval over zou gaan.

De volgende ochtend werd ik, hoewel ik maar kort had geslapen, heel vroeg wakker.

Het was een bijzondere, ja zelfs zeer uitzonderlijke zomerochtend; het blauw van de hemel was enigszins gesluierd door de opstijgende dampen van de nachtelijke stortbui, maar afgezien daarvan was de lucht helder en klaar; er stond alleen een stormachtige wind.

Deze wind suisde en floot onafgebroken ergens hoog in de lucht, het was onduidelijk waar, met heftige, omlaagjagende vlagen; hij schudde de boomkruinen heen en weer, geselde de struiken en gierde over het glanzende gras, hij beukte, rukte en wrong, zodat het geraas van de langs elkaar glijdende, ritselende, wervelende en tot hoopjes opge- waaide bladeren, van de krakende boomstammen en de tegen elkaar schurende, kreunende, knappende takken zich verenigde met dit he- melse weeklagen; en doordat de natuurlijke licht- en schaduwvlekken werden dooreengemengd, verschoven, doorschenen of verplaatst – uiteraard zonder van de wind een definitieve nieuwe plaats te krijgen, want dan zou de storm reeds uitgeraasd zijn geweest – scheen alles op de aarde heen en weer te glijden en te flitsen, het enige constante was dat hemelse geraas, maar dat leverde niets op, het voltooide de aange- vangen beweging niet, zoals het gedonder, volgend op een bliksem- straal, bij de volgende schicht weer van voren af aan begint, onbere- kenbaar, zonder wolken of regen te brengen of de zomerse rust met een nieuwe storm te verstoren, het brengt warmte noch koelte, de lucht blijft schoon, wordt zelfs steeds schoner en doorzichtiger, er ont- staan geen windhozen die het stof kunnen opzuigen en het hameren van de specht blijft hoorbaar en toch is het een storm en misschien wel meer dan dat, misschien wel de lege, droge, alles bewegende kracht zelf.

Een kracht waaraan we ons, hoewel angstig bevend en met kloppend hart, overgeven, zoals vogels, die bij zulk weer hun lichaam lustig
zwierend door de ongevaarlijke wind laten meevoeren.

Het was aangenaam dat het woei en het was ook aangenaam dat de
zon scheen.

Ik trof mijn zusje in de tuin aan; ze stond op de trap bij het hek en
klampte zich met één hand aan de roestige spijlen vast; haar hoofdje,
dat zwaar en hulpeloos vooroverhing, rustte op haar borst en de wind
bolde haar lange witte nachtpon op.

Ik was met een kroes warme melk de winderige tuin ingestapt en het
stoorde me dat ik haar daar zo vroeg aantrof, als ze me zag, wist ik, zou
het moeilijk zijn van haar af te komen, dat was altijd een ingewikkelde
operatie; met hoeveel overgave ik ook met haar speelde, ik probeerde
haar altijd op de een of andere manier van me af te schudden.

Op dit tijdstip was het gevaar nog niet al te groot, want ze bleef 's
morgens, als ze mijn vader uitgeleide had gedaan, meestal een hele tijd
bij het hek staan, zo verdiept in haar verdriet dat ze wel verstijfd leek.

Soms was ze daardoor dermate in zichzelf gekeerd dat zelfs mijn
grootmoeder, voor wie ze toch veel ontzag had, er niet in slaagde haar
daar weg te halen.

Mijn zusje had een uiterst betrouwbare psychische dienstregeling,
ze voelde dankzij haar geheime gevoelens tot op de seconde nauwkeurig aan wanneer mijn vader wakker werd, kroop dan vrolijk lachend
meteen uit bed, volgde hem naar de badkamer en keek toe hoe hij zich
voor de wasbak begon te scheren; dit scheren was in wezen het hoogtepunt van hun relatie, de vervulling van het liefdesverlangen van mijn
zusje, een elke morgen herhaalbaar en herhaald gebeuren dat haar tot
jubelende vreugde stemde; mijn vader stond voor de spiegel en liet,
terwijl hij de scheerzeep met behulp van de kwast op zijn gezicht aan-
bracht, regelmatig een lage keelklank horen, een soort gebrom, en hoe
meer de geurige zeep onder de kwastharen begon te schuimen, des te
sterker werd dit geluid, alsof het hem genoegen deed zo'n mooie, stevige, smakelijk uitziende berg schuim uit het niets te voorschijn te toveren, en mijn zusje imiteerde dit geluid, maar als zijn gezicht geheel
was ingezeept en het gebrom tot een luid, bijna zangerig geloei was
aangezwollen, verstomde hij opeens en ook mijn zusje viel stil, er
volgde een weldadige pauze, totdat vader de kwast had uitgespoeld en
op de glasplaat neergezet; als hij dan met een ceremoniële beweging
het scheermes opnam, staarde mijn zusje met ingehouden adem naar

mijn vaders hand en hij keek haar via de spiegel aan; en terwijl hij een wellustige borsttoon liet horen, een soort geloei, kliefde hij, zijn huid met zijn vingers uitrekkend en bij elke haal dit geluid herhalend, met het mes het schuim en begon hij de stoppelige baardharen daaronder te verwijderen; hij deed om mijn zusje te plezieren alsof het mes het schuim pijn deed maar tegelijkertijd genot bezorgde, en mijn zusje reageerde hierop door, evenals mijn vader, bij elke haal van het mes een kreet van pijn te slaken, die tegelijk als vreugdekreet was bedoeld; als deze ceremonie achter de rug was, keek ze opgewonden toe hoe hij zich aankleedde, en ze zat lallend naast hem terwijl hij het ontbijt nut- tigde; zodra hij echter van de ontbijttafel opstond en zijn mond aan zijn servet afveegde om op pad te gaan, als het dus geen zondag was, op welke dag hij, na zijn mond te hebben afgeveegd, op zijn gemak een si- garet placht te roken, verscheen op het vrolijke snoetje van mijn zusje een uitdrukking van diepe wanhoop, ze klampte zich aan zijn hand en arm vast en als hij verzuimd had de dossiers die hij die dag nodig had klaar te leggen, moest hij haar, terwijl ze zwijgend aan zijn arm hing, helemaal door de hal naar zijn studeerkamer slepen en vandaar weer terug; hoewel vader zelf ook genoot van het scheerspelletje, werd dit hem toch te machtig, dikwijls verloor hij zijn geduld, zijn beheerst glimlachende mond begon dan te trillen en hij vroeg zich binnens- monds vloekend af waarom hij elke morgen zo'n scène moest meema- ken, hij was er zelfs na aan toe haar een klap te geven, van welke op- welling hij echter zichtbaar schrok, waarna hij zich nog meer tot kalm- te dwong, en wanneer ze dan eindelijk die vreselijke deur hadden be- reikt en mijn zusje begreep dat de scheiding onvermijdelijk was, sloeg haar uitzinnige wanhoop plotseling om in verdrietige gelatenheid en onverschilligheid en liet ze toe dat vader haar vlug bij de hand nam, waarna ze hand in hand de trap opliepen naar het hek, waar de auto al met draaiende motor op hem stond te wachten.

Het is moeilijk te verklaren waarom ik naar haar toe liep terwijl het aanvankelijk mijn bedoeling was geweest haar te ontwijken, in ieder geval niet te storen in haar voor mij zo gunstige verdriet; blijkbaar was ik me er niet van bewust dat ik zo mateloos jaloers was op haar onvoor- waardelijke genegenheid voor vader dat ik, in overeenstemming met het eigenaardige karakter van die jaloezie, bijna noodgedwongen haar gezelschap zocht, we hadden immers een gemeenschappelijk voor- werp van genegenheid, dat we noodgedwongen met elkaar deelden.

Mijn contact met Kálmán was op een soortgelijke manier ontstaan, namelijk doordat we ons beiden tot Maja aangetrokken voelden.

Ze hield zich aan de ijzeren spijlen van het hek vast, ik ging op de trap zitten en begon met kleine teugjes van de melk te drinken, ervoor zorgend dat ik het vel niet in mijn mond kreeg en met laaghartig leedvermaak genietend van het verdriet dat haar lichaam uitstraalde.

Het menselijk lichaam straalt inderdaad gevoelens uit, je moet er alleen heel dicht bij in de buurt zijn om ze te kunnen waarnemen.

Ik herkende in haar droefenis het verwrongen evenbeeld van het gevoel dat het verlies van vaders naakte lichaam in mij had gewekt, een gevoel dat voor eeuwig in mijn binnenste zou knagen.

Na een poosje draaide ze zich naar me om en volgde mijn bewegingen, wat me ertoe bracht de melk nog langzamer te drinken, opdat die niet voortijdig op zou zijn; ik deed dus alsof ik absoluut niet in de gaten had dat ze daar zat of me totaal niet om haar aanwezigheid bekommerde, waardoor ik instinctief de plaats trof waar ze het meest kwetsbaar was en haar gevoel dat ze in de steek was gelaten nog aanwakkerde.

Tot het moment waarop ze begon te hopen dat die kroes melk haar verdriet zou kunnen compenseren.

Het duurde niet lang of ze greep ernaar, maar ik bracht de kroes snel naar mijn lippen en begon met kleine teugjes te drinken.

Ze liet de ijzeren spijlen van het hek los en kwam op me af, beter gezegd: ze kwam op de kroes melk af, vol verlangen om te drinken.

Ze stond nu vlak bij me op de trap, maar we spraken nog altijd geen woord. Ik deed nog steeds alsof ik niet merkte dat ze mijn melk wilde hebben en schoof de kroes quasi toevallig tussen mijn opgetrokken knieën, om hem te beschermen.

Ze greep ernaar, maar op dat moment haalde ik de kroes tussen mijn knieën vandaan en hield hem met opzet zo ver van haar af dat ze er niet bij kon.

Ze stootte een klaaglijk geluid uit, het door mij verfoeide geluid dat ze liet horen als ze 's middags op mijn vader stond te wachten.

Ze wist namelijk niet alleen wanneer hij wakker werd, maar ze voelde ook op een onverklaarbare manier aan hoe laat hij thuiskwam.

's Middags, wanneer ik op Livia stond te wachten, zo tussen vier en vijf, werd ze opeens, ongeacht wat ze aan het doen was, huilerig, opgewonden of geprikkeld en dan liet ze dat eigenaardige, langgerekte geluid horen, alsof de vreugde van het weerzien zich door een smartelijk gevoel aankondigde, en ze herhaalde dit zo vaak dat het geluid tenslotte in een werkelijk gehuil overging, waaraan ze zich dan geheel overgaf, zozeer dat haar lichaam tijdens het huilen zachtjes heen en weer wiegde; eigenlijk huilde ze niet echt, er kwamen geen tranen aan te pas, het geluid dat ze maakte leek meer op het jammeren van een dier; ze hield dit, door het huis dwalend of zich aan het hek vastklampend, vol tot mijn vader thuiskwam.

Ik realiseer me nu opeens dat mijn zusje deze overdreven tekenen van verrukking, verdriet en pijn alleen dan niet vertoonde als de familie verenigd was, als iedereen na het zondagse middagmaal nog wat natafelde.

Omdat ik haar niet wilde horen huilen, stak ik mijn vinger in de kroes en lichtte het velletje van de melk eruit.

Door dit dwaze gebaar leefde ze helemaal op, ze plofte naast me neer op de traptrede en beduidde me door haar mond open te sperren dat ze het velletje wilde hebben.

Ik liet het, alsof het een lokaas was en zij een vis, boven haar mond bungelen, maar voor ze het met haar lippen en uitgestoken tong te pakken kon krijgen, trok ik mijn vinger terug, we herhaalden dit spelletje net zo lang tot ze haar mond opnieuw huilerig vertrok, op dat moment liet ik toe dat ze haar lippen om mijn vinger met het velletje sloot.

Ze zoog het eraf; om haar vreugde te verhogen stopte ik haar de bijna lege kroes toe, waarna ik achter haar rug het hek uit slipte en het op een lopen zette, zodat ze op het moment dat ze mijn verdwijning zou opmerken, alleen de lege straat zou zien.

Op het pad ontmoette ik Kálmán.

Het pad dat ik bedoel liep van zijn ouderlijk huis boven langs het maïsveld naar het bos; hij hield een stok in zijn handen waarvan de punt naar de grond was gericht, maar hij deed er niets mee.

De wind streek over de glanzende, donkergroene bladeren van de maïsplanten, wat een droog geruis veroorzaakte, en het bos ruiste ook.

Toen ik hijgend boven was gekomen, vroeg ik hem wat hij daar deed, ik moest bijna schreeuwen om het geraas van de wind te overstemmen, maar hij antwoordde niet, draaide langzaam zijn hoofd naar me toe en keek me lang aan, als iemand die niet precies weet wie hij voor zich heeft.

Midden op het pad, voor zijn voeten, lag een dode muis, die hij zo te zien nog niet had aangeraakt met de punt van de stok.

Ik had er geen idee van wat er met hem aan de hand was; toen ik kort voor deze ontmoeting zwijgend een rondje om de boerderij had gelopen om hem te zoeken – om die tijd mocht je nooit luid roepen omdat zijn ouders en zijn broers nog sliepen –, scheen alles volmaakt in orde te zijn, de kippen en ganzen liepen al buiten, de stal was leeg en in het varkenshok zogen de biggetjes smakkend aan de tepels van de zeug.

Toen ik daar was blijven staan om te zien wat er sinds de geboorte van de biggetjes was gebeurd, had de zeug haar kop opgelicht en langdurig geknord, alsof ze me wilde begroeten; ze herkende me kennelijk en was blij dat ze me zag; het dwaze feit dat de zeug me graag mocht, was zo'n heuglijke ontdekking geweest dat ik die vreugde meteen met hem had willen delen.

Kálmáns hond rende in de verte om een struik heen, het dier begroef zijn neus opgewonden in de dorre bladeren op de grond, krabde met zijn poten en liep nogmaals een rondje om de struik, waarna hij op een plaats waar hij kennelijk iets uiterst belangrijks en opwindends had gevonden, dat echter onbereikbaar voor hem was, opnieuw begon te wroeten en te graven.

In de hoop hem tot spreken te bewegen, hurkte ik snel naast hem neer, want ik had plotseling ontdekt dat hij naar een stelletje aaskevers keek dat om het muizelijk heen scharrelde; zijn zwijgzaamheid ergerde me; misschien kwam het door de harde wind, ik weet niet precies wat de oorzaak was, maar ik was veel te opgewonden en te levenslustig om me zo opeens aan hem te kunnen aanpassen, en vragen wat hem scheelde kon ik niet, zoiets deed je nu eenmaal niet.

Het onheil dat hem had getroffen was kennelijk zo groot dat hij mijn vriendelijkheid totaal niet beantwoordde, integendeel, hij deed alsof hij daar heel toevallig stond en zich zelfs een beetje schaamde omdat hij naar die stomme kevers had staan kijken; zijn roerloze houding drukte uit dat ik me ten zeerste vergiste als ik dacht dat hij hier iets bijzonders had uitgevoerd, hij had niet naar die kevers gekeken en hij was niets van plan, hij stond daar alleen maar en had geen behoefte aan gezelschap, hij had nergens behoefte aan en ik hoefde me niet zo uit te sloven, want hij had mij ook niet nodig, ik kon opdonderen, en ik hoefde heus niet te doen alsof die kevers me zo interesseerden, daar trapte hij niet in, hij had al ellende genoeg van die vervloekte wind en die rottige zon, en die hond was ook helemaal mesjogge geworden, en waarom sodemieterde ik niet op?

Ik verzette echter geen stap, wat nogal vernederend voor me was; vanwege zijn onverschillige en afwerende houding was het volkomen absurd daar te blijven, en toch deed ik dat.

Waarom was ik daar eigenlijk, waarom was ik daar naar toe gegaan? maar had ik dan ergens anders heen kunnen gaan? trouwens, als ik niet naar hem toe ging, zocht hij míj altijd op, als ik om de een of andere reden dwars lag, me ergerde of een vernedering te groot was geweest om me er met een schouderophaling overheen te zetten, was hij degene die, grijnzend alsof er niets was gebeurd, bij ons thuis verscheen; ik wist natuurlijk heel goed dat hij niet alleen voor mij kwam, maar ook om te voorkomen dat ik Maja opzocht, en het omgekeerde was eveneens het geval, zij het niet in dezelfde mate: ik ging regelmatig een kijkje bij hem thuis nemen om me ervan te vergewissen dat hij niet bij Maja was.

Het verschil tussen ons beiden was echter dat hij me niet alleen controleerde, maar me ook trachtte te hinderen en tegen te houden, terwijl ik hem alleen maar observeerde; als ik hem niet thuis trof en zijn moeder me niet kon zeggen waar hij was, dwaalde ik door het bos in de hoop dat mijn bezorgdheid ongegrond zou blijken te zijn en ik hem tenslotte ergens zou aantreffen; bleef hij echter onvindbaar, dan werd ik zo vreselijk jaloers dat alles om me heen scheen te vervagen; die jaloezie gold echter niet zozeer Maja als wel Krisztián.

De gedachte dat zij met zijn beidjes in een hoekje zaten te smoezen en geen moment aan me dachten, dat ik lucht voor hen was, terwijl ik mistroostig en wanhopig door het bos zwierf, was bijna onverdraaglijk voor me.

Maar dat kon hij niet weten.

Wat hij evenmin kon weten was dit: als hij erin slaagde onder mijn toezicht uit te komen en naar Maja te sluipen, was ik in veel mindere mate jaloers dan hij in het omgekeerde geval; het interesseerde me namelijk niet zo bijster wat hij met Maja uitspookte, of liever gezegd: ik wilde het wel weten, maar het gaf me in de eerste plaats voldoening – uiteraard een smartelijke voldoening – door hem als het ware vertegenwoordigd te worden, vertegenwoordigd te worden in een affaire die me, naar ik meende, niet al te veel deed, terwijl ik op mijn beurt hém vertegenwoordigde als ik bij haar was; die plaatsvervanging vond ik bijzonder opwindend.

Het was alsof Maja ons niet als twee verschillende wezens liefhad, maar als één en hetzelfde, dat in geen van ons beiden echter volledig gestalte kon krijgen, zodat ze, wanneer ze iets tegen mij zei, dat als het ware ook een beetje aan hem meedeelde; was ze daarentegen met hem samen, dan trachtte ze ook een beetje bij mij te zijn; hierdoor moesten we – natuurlijk met de nodige tegenzin – steeds verdragen dat de ander in ons binnenste aanwezig was, iemand die we aan haar moesten presenteren, een vreemde, die we door dit spel leerden kennen; en de aanwezigheid van deze vreemde belette ons de vurig verbeide climax, de bevrediging van ons liefdesverlangen, te bereiken, want ondanks al haar hoerigheid bleef Maja hierdoor een onbereikbaar ideaal voor ons; overigens kon ze zelf evenmin de echte Maja zijn, noch voor hem noch voor mij, ja niet eens voor zichzelf, omdat ze datgene wat ze in hem of in mij zocht slechts in ons beiden vond, terwijl ze wanhopig op zoek was naar iemand die al die wenselijke eigenschappen in zich verenigde; en omdat ze die niet vond, imiteerde ze met haar schaamteloze gedrag Szidónia's vrije, losbandige leven; en zo werd Maja voor ons een soort symbool van de vrouwelijkheid, dat wij met onze mannelijkheid moesten evenaren; we konden toen nog niet bevroeden dat ze ons juist door die speelse plaatsvervanging, waardoor we zoveel van en aan elkaar leerden, rechtstreeks naar de bevrediging leidde; geduld! scheen de natuur te fluisteren, alles op zijn tijd, al moet het geduld misschien veroverd worden op het ongeduld van de verliefdheid!

En ik was er heilig van overtuigd dat ik de uiteindelijke winnaar zou zijn van dit ingewikkelde spel en niet hij, want zelfs al was er tussen hen iets onherroepelijks gepasseerd, iets wat meer was geweest dan een kus – en naar dit meer verlangde ik natuurlijk ook –, dan deelde ik nog altijd een dermate ontzagwekkend geheim met Maja, het geheim van het onderzoek, dat Kálmán zich onmogelijk met zijn liefde of iets anders tussen ons kon dringen of onze relatie kon verstoren, bovendien was er behalve het onderzoek nog meer wat ons met elkaar verbond.

En zelfs als dat ondenkbare toch was gepasseerd, dan had ik daarvan iets van Maja moeten ontvangen, dan had ze een gedeelte daarvan aan mij moeten afstaan.

Kálmán en ik hielden elkaar listig en vol overgave in de houdgreep, we lieten elkaar niet los; en ten opzichte van deze geen minuut verslappende, knellende en in de uren van jaloezie dodelijk schijnende omarming was het eigenlijk een kleinigheid dat we elkaars pik hadden aangeraakt, en zo het meer dan een kleinigheid was, waren we daartoe toch uitsluitend door onze rivaliteit gedreven.

Maar na onze gemeenschappelijke ervaring van de afgelopen nacht had ik het gevoel dat hij me nooit meer zou kunnen kwetsen, wat hij ook deed, terwijl ik nooit meer in staat zou zijn 'neuk je moer, lul!' tegen hem te zeggen en daarna weg te hollen om me aan de onaangename situatie te onttrekken, zoals ik normaliter in zo'n geval deed; ik liep sneller dan hij, maar moest die verwensing pas uiten op het moment dat ik wegspurtte, want hij was vlugger dan ik en lichtte me soms bliksemsnel een beentje.

Bovendien voelde ik dat zijn somberheid en woede niet mij golden, nee, die waren niet tegen mij gericht maar hadden een meer algemeen karakter, kennelijk was hij erg verdrietig; en al kende ik de oorzaak van dit verdriet op dat ogenblik niet, ik wilde hem toch helpen, vooral omdat de gedachte door me heen was geflitst dat Maja misschien die oorzaak was; daarom probeerde ik iets te bedenken wat hem alles zou doen vergeten.

Ik tikte met mijn vinger een paar maal tegen de muis, waardoor de aaskevers meteen ophielden met krioelen, ze wachtten af wat er zou gebeuren, maar zonder hun buit in de steek te laten.

Met die aaskevers hadden wij ons al meer beziggehouden.

Overigens had ik door mijn liefde voor Livia dikwijls hetzelfde probleem: zonder dat er iets bijzonders aan de hand was werd ik door een gevoel van neerslachtigheid en walging overvallen, het was alsof ik me op de bodem van een diepe, glibberige kuil bevond, en wanneer er dan iemand van boven op me neerkeek, haatte ik die persoon met een dodelijke haat en had ik hem het liefst vermoord, ik duldde zijn aanwezigheid eenvoudig niet, hij moest opdonderen, in het niet verdwijnen, niet langer bestaan, wat zeg ik? nooit bestaan hebben!

Het kadaver van de dode muis voelde zacht aan en bewoog glibberig toen ik het met mijn vingertop aanraakte; de ogen van het diertje waren geopend en uit zijn bek stak een grote snijtand, waarvan het tandvlees iets was opgetrokken; onder het tandvlees was een opgedroogd bloedvlekje zichtbaar.

Ik kon erop rekenen dat hij boos zou worden en me toe zou snauwen dat ik daarmee op moest houden, dat ik die muis met rust moest laten, hij had niet graag dat de mensen de natuur verstoorden.

Daarom had hij Prém geslagen toen hij een hagedis trachtte te vangen.

Het was een mooie, groene hagedis geweest met een turkooizen kop, een niet al te groot, blijkens de schubben nog jong exemplaar, dat, deerniswekkend vermagerd door zijn winterslaap op een boomstam lag te zonnen, in het voorjaar, zodat het diertje nog heel traag was, zoals de meeste hagedissen in dat seizoen; toen de hagedis onze nabijheid bespeurde, waggelde hij wel een eindje over de boomstam om buiten ons bereik te komen, maar hij wilde zich niet in de koele schaduw terugtrekken, dat was duidelijk merkbaar; een tijdje sloeg hij ons met zijn schrandere oogjes gade tot hij, uit nood gedreven, tot de conclusie kwam dat wij geen kwaad in de zin hadden en zijn oogleden langzaam liet zakken, zich kennelijk geheel op onze goedaardigheid verlatend; op dat moment kon Prém de verleiding niet weerstaan, hij greep naar het dier; hoewel de hagedis nog over zoveel levensinstinct beschikte dat hij uit zijn vuist wist te glippen, verloor hij wel zijn staart, die krampachtig kronkelend op de boomstam achterbleef, op het breukvlak zagen we een waterige bloeddruppel verschijnen; op dat moment stortte Kálmán zich brullend van woede op Prém.

Het lukte mij echter niet hem zodanig te irriteren door mijn ingreep dat hij zijn zwijgen verbrak; zodra de schaduw van mijn hand niet meer over de muis viel, begonnen de aaskevers opnieuw te krioelen.

Alles wat ik van aaskevers en alle mogelijke andere planten en dieren afwist, had ik van Kálmán geleerd; hoewel ik wel enige belangstelling voor de natuur had, was het verschil tussen hem en mij dat ik een waarnemer bleef, iemand die de zaken van buitenaf gadesloeg, terwijl hij natuurlijke processen als een innerlijk gebeuren beleefde, als iets wat zich in zijn binnenste afspeelde; en terwijl de observatie van dieren bij mij heftige emoties wekte, verontwaardiging, afschuw en angst, waaruit bijna automatisch de wens tot ingrijpen voortvloeide, bleef hij altijd in de meest uitgebreide en diepe zin van het woord beheerst, hij leek op iemand die zich bij een overstelpend verdriet of een stralende blijdschap niet geneert voor zijn gevoelens en zich bij de beleving daarvan niet laat beïnvloeden door allerlei vooroordelen en angsten; hij was neutraal, even neutraal als de natuur zelf, die meevoelend noch onverschillig is, en zijn rust was van een andere orde dan de onze; volgens mij gedragen mensen met een rijk gevoelsleven zich zo; en misschien walgde hij dankzij dit rijke gevoelsleven wel nergens van, wilde hij dáárom niets aanraken wat hem met rust liet en voelde hij zich dáárdoor zo thuis in het bos, waarin hij voortdurend rondzwierf; hij was een stille, slome jongen met een diepzinnige, alles doorgrondende blik, maar ondanks die sloomheid duldde hij in het bos – zijn rijk! – geen tegenspraak, daar was hij de alleenheerser, zonder overigens te willen heersen; zijn door observatie verworven kennis maakte hem onweerstaanbaar; ik zal nooit die keer vergeten dat hij op een zondag vroeg in de middag bij ons binnenwipte; onverwachts stond hij in de deuropening van de eetkamer en bood de volwassenen die hem niet kenden een vermakelijk schouwspel; we zaten bij de restanten van het middagmaal nog wat gezellig na te tafelen en de zoon van tante Klára, mijn neef Albert, een corpulente, al ietwat kalende, maar nog jeugdige man, die ik om zijn zelfverzekerdheid en overstelpende arrogantie minstens evenzeer bewonderde als ik hem om zijn gluiperigheid en geborneerdheid verachtte, vertelde juist een anekdote over een zekere Emilio Gadda, een Italiaanse schrijver; Albert was de enige 'kunstenaar' van de familie, hij was namelijk zanger en reisde daardoor veel naar het buitenland, wat in die jaren maar weinig voorkwam en als een groot voorrecht werd beschouwd; dankzij zijn vele reizen beschikte hij over een hele voorraad grappige verhalen, die hij om ons te imponeren graag met geveinsde bescheidenheid ten beste gaf; hij sprak met een welluidende basstem die een serieuze carrière beloofde, maar tijdens het spreken liet hij de woorden van zijn anekdotes en gewaagde grappen voortdurend in melodietjes overgaan, zodat hij sprekend zong en zingend sprak; hij voerde dus kleine zangstukjes op, alsof hij met deze curieuze gewoonte wilde benadrukken dat hij zo artistiek was dat hij zelfs tijdens de aangename momenten van ontspanning zijn kostbare stem diende te oefenen; toen Kálmán opeens barrevoets en in zijn onderbroek in de deuropening verscheen, bleef hij in zijn verhaal steken en begon hij bulderend en overdreven beminnelijk te lachen: wat een verrukkelijke onbeleefde vuilpoets hadden we daar! de anderen lachten met hem mee, maar ik schaamde me over mijn vriend en ik schaamde me ook omdat ik me schaamde; Kálmán zei zonder notitie van de andere aanwezigen te nemen, ja zelfs zonder hen met een knikje te groeten dat ik dadelijk met hem mee moest gaan; de beweegredenen die hem naar ons huis hadden gevoerd moesten wel heel sterk zijn dat hij het gezelschap geen blik waardig keurde, het leek wel alsof hij op dat moment alleen mij zag en niemand anders, wat natuurlijk een nogal komische indruk maakte.

De kevers boorden zich in de grond en kropen snel onder het kadaver, waarbij ze soms gehinderd werden door aardkluitjes of steentjes; hun snel ronddraaiende, spitse koppen, die door gitzwarte dekschilden werden beschut, gebruikten ze als graafwerktuig; ze wierpen de uitgeboorde aarde met hun gelede poten achter zich; eerst maakten ze een keurig geultje om het kadaver heen en toen ze daarmee klaar waren, groeven ze de aarde eronder zo ver weg dat de muis wegzakte in de grond en daar niet meer boven uitstak, waarna ze de weggegraven aarde met wroetende bewegingen zorgvuldig over het muizelijk spreidden, zodat het onzichtbaar werd; Kálmán had mij indertijd verteld dat ze, omdat ze zo te werk gaan, wel 'doodgravers' worden genoemd; doordat ze dieren begraven die vele malen groter zijn dan zijzelf, niet te torsen reuzen, is hun werk zwaar en zijn ze vaak vele uren achtereen bezig, natuurlijk niet zonder daar voordeel van te hebben, want voordat ze met het werk beginnen, leggen ze in het kadaver hun eitjes, waaruit na enige tijd larven tevoorschijn komen die zich, in het rottende kadaver opgroeiend, een weg naar de buitenwereld knagen en het kreng aldus geheel consumeren, zodat ze een nuttige functie vervullen in de natuur.

Die zondag toen hij bij ons was komen binnenvallen, hadden de kevers een rat begraven; hoewel een rat groter is dan een muis, was dit een aanmerkelijk lichter karweitje geweest, want de rat had niet op een pad gelegen dat deels uit steenachtige deels uit door het vele lopen hard geworden aarde bestond, maar op rulle grond.

Er waren negen kevers aan het werk.

Over hun zwarte dekschilden liepen twee brede, rode, overdwarse strepen en de tere geledingen van hun hals en achterlijf werden door gelige donshaartjes beschermd.

Elke kever werkte op zijn eigen, duidelijk afgebakende terrein, maar ze vormden een team, want als een van de insekten op een hard kluitje of steentje stuitte, riep het zijn soortgenoten te hulp, die dan ophielden met graven, opgewonden om de hindernis renden en die met hun lange, hoornige voelsprieten betastten, alsof ze de situatie wilden verkennen, daarna 'beraadslaagden' ze, dat wil zeggen, ze betastten elkaar met hun voelsprieten; als ze na een tijdje een beslissing hadden genomen, togen ze groepsgewijs aan het werk; ze boorden de aardkluitjes van verschillende kanten aan en groeven er gangetjes onder, terwijl ze de steentjes gezamenlijk trachtten weg te slepen.

Terwijl ik de kevers observeerde, maar me ook nog steeds afvroeg wat Kálmán dwars zat, zei hij onverwachts dat Krisztián met opzet de melkkan uit zijn handen had geslagen.

Ik begreep niet waar hij het over had.

Hij zei opnieuw dat Krisztián het expres had gedaan, dat het geen ongelukje was geweest maar een weloverwogen handeling, en herhaalde dit nog enkele malen.

Ik begreep nog steeds niet wat er precies was gebeurd.

Dankzij mijn aanhoudende vragen slaagde hij er tenslotte in Krisztiáns boze opzet even van zich af te zetten en hij zei in één lange ademtocht dat hij gisteravond verzuimd had me te vertellen dat de jongens in de buurt van de boerderij kampeerden, ik wist toch wel dat Prém zo'n grote legertent had? hij had ze verse melk gebracht en toen had Krisztián hem een lelijke poets gebakken, hij had gezegd: kijk eens, er drijft een vlieg in de melk! en toen hij in de kan had gekeken, had Krisztián er een harde klap met zijn hand onder gegeven, zodat de kan uit zijn handen was geschoten en gebroken.

Hij sprak niet zachtjes, maar door het geloei van de stormachtige wind kon ik de woorden bijna alleen van zijn lippen lezen; tijdens het spreken keek hij me geen moment aan, hij hield zijn ogen op iets in de verte gericht, alsof hij zich schaamde het voorgevallene te vertellen en dit liever voor zich had gehouden dan erover te klagen; toen ik me de hele scène voorstelde, die ruwe grap waarvan het succes bij voorbaat was verzekerd, zag ik in gedachten hoe hij de melk in zijn gezicht had gekregen en ik begon onwillekeurig te grinniken.

Het was alsof Kálmán me met dit verhaal genoegdoening verschafte voor zijn avances bij Maja, hoewel ik nooit van plan was geweest daarvoor wraak te nemen.

Ik wist dat mijn lach een zoete wraakneming was en dat ik daardoor zijn vertrouwen schond, maar ik kon het niet helpen; nog steeds neerhurkend bij de vlijtig borende kevers keek ik naar hem op om te zien of ik de sporen van Krisztián kon ontdekken, de sporen die Krisztián op zijn onschuldige, karaktervolle gelaat en in zijn gekrenkte, maar toch openhartige blik moest hebben achtergelaten, en kijk, ze waren duidelijk zichtbaar! en het deed me zo goed dat ik die sporen zag, zo onuitsprekelijk goed, dat ik mijn lach kon noch wilde bedwingen; o, het is maar goed dat wij mensen niet weten wat we elkaar allemaal aandoen! opeens kon ik me niet langer bedwingen en liet me met de handen om mijn knieën geslagen languit op het pad vallen; ik rolde over de grond van het lachen omdat Krisztián die melk in zijn gezicht had geslagen en de melkkan had gebroken, omdat die kan vlak voor Kálmáns voeten in diggelen was gevallen – pof! – en de melk alle kanten op was gevlogen; en al zag ik dat hij getroffen, ja geschokt naar mijn eigenaardige bewegingen keek, bewegingen die hij absoluut niet begreep, ik kon het lachen eenvoudig niet laten; hoe had hij ook kunnen weten dat Krisztián hem alleen maar zo wreed behandelde en overheerste omdat hij, Kálmán, die taal niet kende, de taal van de wreedheid en het geweld, terwijl ik – dat durf ik gerust te beweren – die taal niet alleen sprak en verstond, maar uitsluitend daarin met Krisztián kon communiceren, dit was de enige gemeenschappelijke taal die wij spraken, de taal van de machtswellust en het geweld, een innerlijke taal die we ook dan gemeenschappelijk hadden als we vanuit de verte elkaars gedragingen bespiedden of elkaars gesprekken afluisterden, gedragingen en gesprekken die erop duidden dat we veel van elkaar verschilden; ik genoot er op dat moment intens van dat ik in deze geheimtaal met Krisztián communiceerde en Kálmán daar de dupe van was.

Hij vroeg me wat er te lachen viel, en keek me met zijn heldere, blauwe ogen strak aan; wat was er zo grappig aan dat hij van zijn moeder op zijn duvel zou krijgen – toen hij dit zei, werd zijn stem wat luider – omdat hij een mooie, geglazuurde melkkan had gebroken?

Een geglazuurde melkkan! in mijn intense, onverholen vreugde over de menselijke destructiviteit en verdorvenheid moest ik nog meer lachen, en omdat de mens niet weet wat hij doet, maar wel de vrijheid heeft onwetend en onbewust te handelen, werd ik tot nieuwe handelingen gedreven, de vreugde die ik voelde was zo intens dat ik absoluut niet voldoende had aan mijn gelach, ik had zelfs niet voldoende aan de wetenschap dat zijn gehele bestaan, inclusief het knipperen van zijn stijve, blonde wimpers, nergens anders voor diende dan om mijn adembenemende lachlust te voeden; om het vreugdevuur van mijn laaghartigheid nog meer aan te wakkeren, wilde ik hem ook in deze vreugde betrekken; eigenlijk was mijn lach niets anders dan een kus op Krisztiáns mond; nog steeds bij het muizelijk over de grond rollend en vooral om mijn eigen gelach lachend, greep ik in een opwelling zijn enkels, wat hem zo overviel dat hij zijn evenwicht verloor en boven op me terechtkwam.

De lach, de grap, de kus en de zaligheid van de onverhoopte wraak namen een abrupt einde toen hij al vallende mijn hals met zijn beide handen omklemde en Krisztiáns sporen spoorloos van zijn gezicht verdwenen; hoewel ik dadelijk mijn armen om zijn lijf sloeg om hem vanuit een brugstand van me af te stoten, had ik door mijn gelach zo'n stroom van koppige, onverzoenlijke haat in hem opgewekt dat ik niet meer in staat was die in te dammen of te overwinnen, daarvoor ontbraken mij de benodigde kracht en handigheid; ik wist onmiddellijk – en dat was zo ongeveer mijn laatste gedachteflits – dat ik mijn toevlucht zou moeten nemen tot echt gemene en geniepige middelen, maar het zou oneervol zijn geweest die meteen aan te wenden, eerst moest er volgens de strenge regels van het tussen ons jongens geldende oorlogsrecht gevochten worden, met veel vertoon van dapperheid, vindingrijkheid en mannelijkheid; maar zo vechtend slaagde ik er niet in hem van me af te werpen, hij wurgde mijn hals met zo'n kracht dat het sui- zen van de wind in mijn oren verstomde en er rode sterretjes voor mijn ogen dwarrelden, bovendien werd de last van zijn lichaam steeds on- draaglijker; weliswaar had zijn wurggreep alle energie vrijgemaakt die in mij school, maar wat was die vergeleken bij de kracht van zijn tome- loze haat, een haat die – dat was reeds op het moment van zijn val merkbaar geweest – alleen nog maar mij en mijn gelach gold en de woede over Krisztiáns belediging geheel op de achtergrond had ge- drongen; die haat deed al zijn goede eigenschappen, zijn onschuld, goedmoedigheid, geduld en attentheid, in hun tegendeel omslaan, hij wilde me wurgen, wilde me betaald zetten wat Krisztián hem had aan- gedaan en wraak nemen omdat ik met Maja scharrelde; er was niets grappigs meer aan de situatie, hij wilde voor altijd mijn lach smoren en Maja en Krisztián in mij verstikken; opeens drukte hij me met zijn vol- le gewicht tegen de grond, wat zowel een nadeel als een voordeel was: een nadeel omdat ik hem zo niet tegen zijn ballen kon trappen, ik kon namelijk mijn heupen en mijn benen niet meer verroeren, en een voordeel doordat de greep van zijn vingers om mijn hals wat verslapte en ik heel even adem kon halen; die kleine ontsnappingsmogelijkheid die hij me bood trachtte ik te benutten; mijn hoofd uit zijn greep los- rukkend gaf ik hem met mijn voorhoofd een opdoffer tegen zijn hoofd, zodat onze schedels met een klap tegen elkaar sloegen en de sterren voor mijn ogen dansten, maar doordat ik evenveel pijn had als hij en geheel versuft was van de klap, kon ik het voordeel van mijn ver- bitterde tegenaanval niet uitbuiten, het kleine voordeel dat ik had be- haald, werd zelfs tot een nadeel, want hij plantte de elleboog van zijn gebogen arm hardhandig in mijn gezicht om mijn hoofd buiten ge- vecht te stellen, zodat ik om de aanval af te weren gedwongen was mijn hoofd weg te trekken en zijwaarts te draaien; en toen hij het met zijn arm tegen de grond drukte, voelde ik het bloed uit mijn neus stromen en ik zag dat ik met mijn geopende mond bijna de dode muis raakte.

Ik weet niet of er in de criminele statistieken veel door kinderen be- gane kindermoorden voorkomen, maar ik ben er stellig van overtuigd dat Kálmán me op dat moment wilde vermoorden, hoewel 'willen' hier misschien niet het goede woord is, ik geloof niet dat hij door een bepaalde wil werd gedreven, waarschijnlijk werden zijn wil, zijn in- tenties en zijn verstand geheel bestuurd door een brute, uit de oertijd overgeërfde vechtlust, en als ik de dode muis niet tegen mijn mond had gevoeld – het in vergevorderde staat van ontbinding verkerende kadaver naderde steeds dichter mijn tong –, als deze vernedering, die aan ons gevecht plotseling een geheel nieuwe dimensie gaf, waardoor het zich volledig onderscheidde van onze gewone, dagelijkse vechtpartijen, niet de diep in mijn binnenste sluimerende sluwheid had gewekt die in geval van een klaarblijkelijke fysieke nederlaag, op elke wending voorbereid, naar een uitweg blijft zoeken, had hij me werkelijk vermoord; ik weet niet hoe, waarschijnlijk had hij mijn hals dichtgeknepen of met een binnen handbereik liggende steen mijn schedel ingeslagen; overigens was dat op dat moment niet van belang, absoluut niet van belang zelfs, in de hitte van het gevecht vervaagde en verdween alles wat we het gecontroleerd functioneren van het bewustzijn zouden kunnen noemen, onze humor, kinderlijke krachtpatserij, rivaliteit en plaagzucht maakten in een oogwenk plaats voor een strijd op leven en dood, voor een grenssituatie, waarin het bewustzijn alle verborgen krachten van het lichaam mobiliseerde, waarin het de morele toetsing van handelingen als overbodig achterwege liet, alle remmen losgooide, niet meer afwoog of wat mogelijk leek ook toegestaan was en de lichamelijke vrijheid van handelen niet langer uit het moralistische standpunt van de gewoonte bezag, als controlerende instantie dus, maar uitsluitend uit het standpunt van het lijfsbehoud; een dergelijk moment is ongetwijfeld heel bijzonder, het is een ogenblik waarop God even de andere kant uit kijkt en dat de memoirenschrijver grote kansen biedt, al kan hij door het op dat ogenblik per definitie gebrekkig functioneren van het bewustzijn naderhand slechts weinig van dit alles in het geheugen terugroepen, in elk geval niet de indertijd genomen beslissingen of de vragen en antwoorden van de innerlijke monoloog, die men 'gedachten' noemt, hoogstens de in elkaar overvloeiende beelden van de ziel, die chaotische mengeling van emoties en gevoelens; het bewustzijn heeft op dat moment geen ander doel dan het behoud van het lichaam en heeft daardoor ook geen wil meer, wat resteert is alleen nog de naakte vorm, die zonder zelfbewustzijn niet van ons, beter gezegd: niet meer van ons is, omdat hij niet meer door ons wordt bestuurd, integendeel: die vorm bestuurt en beheerst ons; het is bepaald geen toeval dat de dichters met voorliefde het verband tussen de liefde en de dood bezingen, want nooit in ons leven ervaren we het zelfbeschikkingsrecht van het lichaam zo duidelijk als in de strijd voor ons leven of op het moment van de liefdesdaad, wanneer wij de oervorm van het menselijk lichaam gewaarworden; op dat moment heeft het lichaam geen geschiedenis meer en geen God, verliest het zijn zwaarte en zijn contouren, beziet zich in geen spiegel en heeft daar ook geen behoefte aan, het is louter nog een heftig exploderende, gloeiende punt in de eindeloosheid van de innerlijke duisternis; ik wil dan ook niet de schijn wekken dat ik me op dat ogenblik ook maar een seconde heb bezonnen op wat ik deed, neen, ik reconstrueer deze overzichtelijke reeks van handelingen, die enkele duistere trekjes van mijn karakter verraadt, achteraf uit de scherven van het zuivere gevoel die in mijn geheugen bewaard zijn gebleven; als ik deze duistere trekjes vermeld, doe ik dat omdat zich in retrospectief ongewild het onvermijdelijke ethische oordeel aandient, dat niets anders is dan de morele verdraaiing van het gebeurde, vergelijkbaar met de oordelen die na grote oorlogen over de oorlog worden geveld, oordelen waarin het onedele met de ethische categorieën moed en lafheid, eer en eerloosheid, standvastigheid en wankelmoedigheid wordt veredeld, het is de enige mogelijkheid die we hebben om dergelijke immorele periodes en uitzonderingstoestanden onschadelijk te maken, om ze in te passen en te integreren in de ordelijke morele verveling van het normale leven in vredestijd; had ik op dat moment in mijn wanhoop mijn mond gesloten, dan had ik de muis tussen mijn kiezen gehad en was het bloed uit mijn neus over het kadaver gestroomd, maar de aanblik die ik bood moet zo eigenaardig, zo verschrikkelijk en misschien in bepaalde opzichten zo ontnuchterend zijn geweest dat hij iets van onzekerheid voelde en zijn greep gedurende een onderdeel van een seconde verslapte, wat me echter nog niet de kans gaf me los te worstelen, het maakte alleen mijn geest ontvankelijk voor het inzicht dat mijn lichaam volledig verslagen was; nee, in deze fractie van een seconde dacht ik niet aan Maja, ofschoon mijn nederlaag heel goed kon leiden tot een onherstelbare beschadiging van het prestige dat ik bij haar genoot; en tot wat kon de capitulerende geest beter zijn toevlucht nemen dan tot wat hij zojuist had gestaakt, het lachen? ik moest weer lachen, nog uitbundiger en luidruchtiger dan daarstraks, en uit dit opnieuw losbarstende, onbedaarlijke gelach, dat zijn moordlust, zijn overwinning en zijn kracht scheen te bespotten en mij zijn huid en de warmte van zijn naakte lichaam deed voelen, uit dit boosaardige, geniepige gelach kwam automatisch de handeling voort die kietelen wordt genoemd; ik kietelde hem en in mijn blijdschap over de uitwerking daarvan sloten mijn lippen zich onwillekeurig om het muizelichaam; op dat moment vatte hij mijn hoofd met zijn beide handen en sloeg het met kracht tegen de grond, wat me echter niet deerde omdat mijn gluiperige ziel me de sleutel van het raadsel had aangereikt hoe ik uit deze penibele situatie moest geraken; ik kietelde en ik lachte, ik kokhalsde en ik spuugde; hij had me alleen bij mijn polsen kunnen beetpakken als hij zich van me af had laten rollen, waarmee hij echter tevens afstand zou hebben gedaan van de overwinning; hij kon het kietelen niet verdragen en sloeg, om zich daartegen te verweren, wel vier keer achtereenvolgens mijn hoofd tegen de grond, zodat ik het gevoel had dat het bot achter mijn oor door een puntige steen werd verbrijzeld; daarop begon hij te schreeuwen, en niet zo'n klein beetje ook! ik kietelde intussen vlijtig door; zijn moord-lust inspireerde hem tot een stimulerend, aanmoedigend triomfge-schreeuw, dat op het hoogtepunt van zijn overwinning omsloeg in een hinnikend gelach; niet alleen zijn huid, zijn gekromde lichaam en zijn verkrampte vlees verzetten zich tegen dit lachen, ook zijn geschreeuw was een verdediging daartegen, enerzijds trachtte hij me daarmee schrik aan te jagen, anderzijds probeerde hij op die manier de aandrang tot lachen te weerstaan, maar toen zijn voor mijn kietelende vingers te-rugwijkende lichaam zich had gekromd, kon ik de eerder aangevangen maar tot dan vergeefse beweging voltooien: ik bracht mijn lichaam met een stotende beweging van mijn heupen en voeten omhoog en wierp hem van me af, waartegen hij zich, verslapt door mijn gekietel en nog steeds hinnikend en gierend van het lachen, niet verzette, daarna rol-den we enkele malen over elkaar heen en tenslotte rolden we brullend, gierend, elkaar vasthoudend, wegduwend en meetrekkend, van het pad af en kwamen in de struiken terecht; en terwijl we zo over het pad rolden, sprong zijn hond onophoudelijk keffend, met zijn poten maai-end en speels happend over ons heen, wat de afloop van het gevecht de-finitief bepaalde.

Ik zette het op een lopen en holde, genietend van mijn snelheid en van de langs mijn wangen strijkende wind, in de richting van het struikgewas; hij achtervolgde me, maar ik liet me niet inhalen, want al was dit hollen de erkenning van zijn overwinning, een vlucht, het was tevens een revanche, een herstel van het verstoorde evenwicht; de hond rende met ons mee, waardoor ons jagen een spel werd, een ver-zoening, de erkenning van de onbesliste afloop; en terwijl ik daar zo holde, als een jong dier dat om een wijfje vecht, verheugd over de ge-slaagde vlucht en genietend van alles wat het lopen zo aangenaam maakt: de snelheid van het lichaam, de bewegingen waarmee we de zwiepende takken handig ontwijken, de veerkracht die het gevoel van vrijheid ons geeft en de plotselinge richtingveranderingen, moest ik

plotseling aan Maja denken, aan de manier waarop ze in de steil afhellende tuin voor Szidónia was gevlucht; waarschijnlijk kwam dit beeld
me voor de geest door het lachen van daarstraks, door de gelijkenis tussen de beide situaties; het was alsof ik Maja was, mijn verdediging was
immers volstrekt niet jongensachtig geweest; en intussen draafde hij
hijgend en met veel geraas achter me aan, knapten de dode takken onder onze voeten en sloegen de takken van de struiken ritselend en
zwiepend tegen ons aan, maar hij kreeg me niet te pakken; toch verhoogde ik mijn snelheid nog wat om hem door de groter wordende afstand mijn superioriteit te laten voelen; zo hollend bereikten we tenslotte de bovenste zoom van de bosweide, waar de tent van de jongens
verscholen onder de bomen stond.

Kálmán beefde en hij lachte niet meer, zijn gezicht was bleek, waardoor zijn gebruinde huid er merkwaardig gevlekt uitzag, en hij trilde
over zijn hele lichaam; opeens hield ik op met hollen en draaide me
snel naar hem om.

We bliezen elkaar hijgend de in onze longen opgestuwde lucht in
het gezicht en toen ik met de rug van mijn hand mijn neus had afgeveegd, zag ik verrast dat er bloed aan mijn hand kleefde, ik voelde achter mijn oor en merkte dat het bloed daarvandaan in mijn nek sijpelde,
maar het interesseerde me niet omdat ik overmand was door dezelfde
emoties als hij, al lieten we dat niet merken en keken we elkaar onverschillig aan.

Hij was verbaasd over het bloed en scheen er zelfs van te schrikken,
maar ik veegde mijn hand aan mijn bovenbeen af om hem te laten
merken dat mijn verwonding op dit moment niet van belang was, dat
die mij niet deerde en dat hij er geen acht op moest slaan.

Door het rumoer van de wind hadden de kamperende jongens ons
gelukkig niet kunnen horen naderen; ik beduidde Kálmán met een
handgebaar dat we naar een dichtbegroeide plaats achter een struik
moesten sluipen, in de buurt van de tent, en dat hij de hond moest
meelokken.

Zwijgend bespiedden we de jongens vanachter het struikgewas.

De hond keek afwachtend naar ons, hij begreep die plotselinge omslag in ons gedrag niet, de kans was groot dat hij onze aanwezigheid
door een beweging of door een verwijtend geblaf zou verraden.

De grap die ik in gedachten had kon echter alleen slagen als we de
jongens overvielen.

Het lange, glanzende gras van de bosweide golfde onder de wind.

Als alles bleef zoals het was, had ons plan kans van slagen.

Krisztián stond beneden, bij de onderste zoom van de bosweide; hij had een lange, gebladerde tak in zijn hand, die hij met een mes met een hoornen heft zorgvuldig maar met de voor hem kenmerkende non-chalante elegantie bewerkte; het mes dat hij gebruikte was een echte dolk, waarop hij bijzonder trots was omdat die, althans dat beweerde hij, aan zijn vader had toebehoord; hij ontdeed de tak van de bladeren; waarschijnlijk wilde hij een braadspit maken; een eindje verderop was Prém in een boom geklommen; hij zei iets tegen Krisztián, wat we door de wind niet goed konden verstaan.

Vermoedelijk dat ze een plank nodig hadden.

Krisztián gaf geen antwoord, hij keek alleen af en toe verstrooid op en liet Prém maar praten; hij hield de tak een eindje van zich af en op de plaatsen waar de bladstelen met een verdikking aan de tak vastzaten, hoefde hij ze maar even met het lemmet aan te raken of ze vielen op de grond.

Pas nu ontdekte ik dat ik de jongens nooit werkelijk had gezien, al had ik uit hun terloops gesproken woorden, luchthartige toespelingen en zijdelings opmerkingen opgemaakt dat ze onafscheidelijk waren; tevergeefs had ik hun gedragingen geobserveerd en geanalyseerd, alles was even geheimzinnig aan ze gebleven en al hun terloops gesproken woorden schenen te duiden op de gemeenschappelijke wens ongezien te blijven; het was alsof zij de kern van de schepping waren en er daar-naast, in een randgebied, nog een andere, van hen afgescheiden en vol-komen oninteressante wereld bestond, vol met minderwaardige, domme wezens; als een van die wezens er een enkele keer in slaagde zich bij hen in te dringen, speelden ze, als volmaakt getrainde voetbal-lers en onfeilbaar de bedoelingen van de indringer radend, vriendelijk en bereidwillig hun spel met hem, al was het maar om de verveling te verdrijven; hun gemeenschappelijke leven bleef echter verborgen en misschien was dit wel de bron van hun zelfverzekerdheid en supe-rioriteit; eigenlijk schenen alleen zij het ware leven te leven, het gran-dioze leven waar wij allen zo hartstochtelijk naar verlangden, maar wat verborgen bleef en dat ook zou blijven doordat zij ons ervan afhielden.

Ik verlangde naar dit leven; mateloos gefrustreerd door hun afwe-rende houding wilde ik het mij toeëigenen of er tenminste aan deelne-men, erin opgaan, en ik hield niet op erover te fantaseren.

Boven, onder de bomen, zag ik hun tent, ernaast een omgekiepte blauwe emmer, de steel van een in de grond gestoken spade en een voor het nachtelijk kampvuur klaargelegde stapel hout; wat verderop, in het zachtjes wuivende gras van de bosweide, de rode vlek van een wollen deken, en beneden Krisztián, die, waarschijnlijk geplaagd door een vlieg, voortdurend naar zijn rug greep; in de boom boven zijn hoofd zat Prém; het tafereel straalde zo'n hemelse rust en harmonie uit dat het bijna als een geheim teken kon worden geïnterpreteerd, maar ik hoopte nog veel opwindender geheimen van hen te ontraadselen.

Kálmán bukte zich voorzichtig en raapte een steen op van de grond; hij wierp die met een snelle, goed gerichte beweging naar de hond, maar zodanig dat hij het dier net niet raakte.

De steen sloeg tegen een boomstam; de hond staarde onbeweeglijk naar Kálmán, alsof hij hem begreep, maar niet wist wat hij ermee aan moest; hij kwispelde lui met zijn staart, alsof hij het niet helemaal eens was met wat er gebeurde.

Kálmán begon woedend te sissen en wees met zijn vinger, om de hond duidelijk te maken dat hij ons met rust moest laten en naar huis moest gaan; om aan zijn woorden kracht bij te zetten raapte hij nogmaals een steen op; zijn gezicht was nog steeds bleek en hij beefde voortdurend.

De hond zette zich langzaam en onzeker in beweging, maar absoluut niet in de richting die Kálmán had aangewezen, in plaats daarvan kwam hij op ons af; tot mijn verbazing zag ik dat de waakzaamheid en de belangstelling voor ons inmiddels uit zijn blik waren verdwenen; opeens veranderde hij van richting, en hoewel Kálmán woedend naar hem siste en met de steen zwaaide, rende hij het bos uit en begon de weide over te steken; we keken hem ademloos na en zagen hoe hij in het hoge gras verdween; gedurende enige tijd was het doorbuigen van de zachtjes golvende grashalmen het enige wat op zijn aanwezigheid duidde, maar tenslotte dook zijn zwarte rug aan de andere kant van de wei weer op, bij Krisztiáns voeten; de jongen keek op en zei iets tegen hem, waarop de hond bleef staan en toeliet dat Krisztián met de punt van de dolk zijn kop krabde, daarna schoot hij het bos in.

Dat Krisztián volstrekt geen argwaan kreeg en niet eens onze kant uit keek of trachtte te ontdekken waar de hond vandaan kwam, vervulde ons met zo'n onstuimige vreugde dat Kálmán in de lucht bokste en we zwijgend naar elkaar grijnsden; de grijns op zijn bleke gezicht deed vreemd aan, bovendien beefde hij nog steeds, alsof hij was opgeladen met een energie die hij niet kon kwijtraken – een energie die door zijn boksbewegingen nog toenam –, of aan een onbekende ziekte leed, die hem koortsig maakte; ook zijn hals was bleek, maar zijn lichaamshuid was niet bleker dan gewoonlijk, die zag er alleen wat rimpelig en kouwelijk uit, alsof hij kippevel had; door al die lichamelijke veranderingen leek het wel of er een onbekende jongen naast mij stond, een vreemde; het was een eigenaardige gewaarwording, maar omdat ik op dat moment zelf ook heel opgewonden was, kende ik er geen bijzondere betekenis aan toe; is er trouwens iets op de wereld wat kinderen niet vanzelfsprekend vinden? is er iets wat ze niet begrijpen? door die bleekheid, beverigheid en matheid scheen Kálmán zijn normale rust en goedmoedigheid verloren te hebben, hoewel hij er aan de andere kant sterker en robuuster uitzag dan gewoonlijk, misschien ook knapper; vermoedelijk druk ik me het duidelijkst uit als ik zeg dat het zachte laagje onder zijn huid, het vet, waardoor hij zo'n goedmoedige indruk wekte, opgelost was, en dat het nerveuze trillen van zijn gespannen spieren hem tot een ander wezen maakte; hij zag er knapper, maar tegelijk onaantrekkelijker uit dan normaal; zijn paarse tepels, waaronder zijn borstspieren zich voortdurend krampachtig samentrokken, leken groter dan gewoonlijk, zijn mond was klein en zijn ogen uitdrukkingsloos, en in plaats van een natuurlijke onschuld sprak er een krampachtige starheid uit zijn houding, die de lichaamsvormen scheen te benadrukken en de toeschouwer als het ware aanzette om na te denken over de wetten van de schoonheid; als hij nog in leven was, zou ik hem geïnteresseerd in het wezen der schoonheid vragen wat de innerlijke oorzaken van die lichamelijke verandering waren, maar hij is in de nacht van drieëntwintig oktober negentienhonderdzesenvijftig voor mijn ogen, bijna zou ik zeggen onder mijn handen, gestorven, op een dinsdag, ik moet dus volstaan met het vermoeden dat de door onze vechtpartij veroorzaakte emoties, alsmede zijn nederlaag en zijn overwinning, zulke onbekende gevoelens in hem hadden gewekt dat zijn lichaam in de war was geraakt; plotseling zette hij het op een lopen, op de voet gevolgd door mij; hoewel ik nadrukkelijk wil stellen dat de gedachte om tot actie over te gaan het eerst bij mij opkwam, moet ik er onmiddellijk aan toevoegen dat zijn spieren er eerder gereed voor waren dan de mijne; wij letten bij het lopen op elke voetstap en speurden met gespannen aandacht naar veilige plaatsen voor onze zolen omdat we zo min mogelijk lawaai wilden maken; om te voorkomen dat Prém ons vanuit de boom zou zien aankomen, maakten we een kleine omweg.

Zo bereikten we, zonder de open plek over te steken, die befaamde plaats, de steil vooruitspringende rots waar we elkaar voor het eerst hadden betast en vanwaar Szidónia, beschut door de wijdvertakte meidoorn, de vechtpartij van Pisti en de conducteur had gadegeslagen en van opwinding ongesteld was geworden.

Met de ogen van een volwassene bezien was wat ik bedoel natuurlijk geen rots, maar een, niet eens groot te noemen, door regen, vorst en boomwortels verweerde, in lagen verdeelde, platte steenklomp; als ik die steen op latere leeftijd weleens terugzag, vroeg ik me altijd verbaasd af hoe kinderen in hun argeloosheid zo'n weinig beschutte, door enkele armetierige struikjes omgeven plek als een absoluut veilige schuilplaats konden beschouwen.

Krisztián had intussen de bewerking van de stok voltooid en zei iets wat we door de luidruchtige wind niet konden verstaan, waarop Prém, zich zo lang mogelijk makend en met zijn bungelende voeten naar takken zoekend, uit de boom begon te klimmen.

Het moment om tot handelen over te gaan was gekomen, we mochten nu niet langer dralen.

Ik sprong als eerste naar voren, met de bedoeling dat Kálmán me zou volgen, ik wist namelijk dat hij zijn opgestuwde energie niet langer in toom kon houden en wilde, door hem voor te zijn, voorkomen dat hij ruw zou optreden in plaats van de jongens op subtiele wijze te verrassen.

Met grote sprongen bereikten we ongezien de tent en we kropen bijna over elkaar rollend door de donkere opening naar binnen, waar het verrassend ruim was; het dikke tentdoek liet nauwelijks licht door en het was warm in de tent; we hadden kunnen gaan staan, maar we kropen op handen en voeten verder; in de muffe duisternis rook ik meteen Krisztiáns aangename lichaamsgeur; door een half opengeslagen ventilatieopening viel één enkele dunne lichtbundel naar binnen, waardoor het binnen nog donkerder leek dan het al was; verblind door de overgang van het licht naar het donker, botsten we voortdurend tegen elkaar; we betastten gretig elk voorwerp dat we tegenkwamen en kropen overal tussendoor; in mijn verbeelding hoor ik nog steeds Kálmáns dierlijke gesnuif, maar hoezeer ik me ook inspan, ik kan me overigens nog slechts enkele details herinneren: dat tasten en kruipen in de verstikkend warme, opwindende duisternis, Kálmáns bleke, in de schuin invallende lichtbundel bijna lichtgevende hals en zijn gehijg; ik weet bijvoorbeeld niet meer hoe lang het duurde voordat we iets tegen elkaar zeiden, ik geloof dat dat ook niet nodig was, ik wist wat hij wilde en wat hij zou gaan doen en hij wist wat ik van plan was en wat ik zou gaan doen, we wisten waarom we die kostbare voorwerpen, waarvan de aanblik ons in een roes van vreugde bracht, wilden bemachtigen: zo dadelijk zouden ze in een grote boog naar buiten vliegen, de tent uit! maar ondanks deze eendracht waren we, gespannen wachtend op de dingen die gingen komen, van elkaar gescheiden en gevangen in onze emoties; ik geloof dat hij ermee is begonnen, dat hij de linnen tentdeur over het tentdak heeft gegooid, in elk geval werd het opeens licht in de tent, dat herinner ik me nog heel goed, en daarna hoorde ik een in een grote boog door de lucht vliegende soeppan met een rinkelende slag op de grond neerkomen; ik had op dat moment juist een zaklantaarn in mijn hand; aanvankelijk gooiden we alle voorwerpen die om ons heen lagen een voor een naar buiten, het maakte niet uit wat, als het maar hard en breekbaar was! alles wat we gooiden plofte neer, barstte, werd ingedeukt, rinkelde, of spatte uiteen; daarna hadden we absoluut geen tijd meer om een keuze te maken, we zochten en wroetten als bezetenen in het beddegoed en graaiden kleren, lakens, zakken en dekens bijeen, waarbij we in onze ijver soms met elkaar in botsing kwamen; we moesten ons wel zo haasten, want de jongens kwamen al over de bosweide aanrennen, tegen de helling op, recht op ons af, Krisztián met de stok en het mes nog in de hand; hoewel er nog van alles lag dat ik had kunnen weggooien en ik als een dolle in de weer was, zorgde ik ervoor dat juist de breekbaarste of duurste zaken, zoals een verrekijker, een keukenwekker, een roestig aanvoelende stormlantaarn, enkele vorken, een aansteker en een kompas zo ver mogelijk in alle richtingen door de lucht zeilden.

Ik begon te brullen, uit alle macht Kálmáns naam te brullen, ik trachtte hem weg te trekken, mee te sleuren; het was de hoogste tijd ervandoor te gaan, want de eerste stenen vlogen al tegen het strak gespannen tentdoek aan! Prém kwam aanrennen, bukte zich, gooide en rende met een duivelse handigheid door, alsof het bukken en gooien zijn snelheid absoluut niet nadelig beïnvloedde; Kálmán was echter zo door het dolle heen dat hij niets meer hoorde of zag; ik begon zelfs te vrezen dat ik hem achter zou moeten laten, wat ik absoluut niet wilde; ik schudde hem door elkaar en probeerde hem mee te trekken, maar het was alsof hij niet merkte dat de jongens al vlak bij ons waren; Prém had Krisztián al hollende ingehaald; we hadden geen tijd meer, er moest onmiddellijk worden gehandeld; terwijl ik naar buiten vloog en, achter de tent gekomen, steeds naar Kálmán achteromkijkend en me aan wortels en takken vastgrijpend, tegen de helling op begon te klimmen, in de richting van die vervloekte rots, waar ik hoopte me tussen het weelderige struikgewas te kunnen verstoppen, bleef Kálmán kaarsrecht voor de tent staan en staarde de naderende jongens, die nog maar enkele passen van hem waren verwijderd, uitdagend aan; opeens bukte hij zich en begon, in looppas om de tent dravend, de haringen uit de grond te trekken en te schoppen; pas toen hij daarmee klaar was, maakte hij zich uit de voeten; hij holde zo snel als hij kon achter me aan.

Precies op het moment dat de jongens de tent hadden bereikt, zakte die in elkaar, het schouwspel schokte hen zichtbaar; hadden ze daarvoor wellicht geweten wat ze moesten doen, vanaf dat moment stonden ze er verstijfd, hijgend en machteloos bij.

Ondanks het machtige gieren van de wind hoorde ik de door Kálmán losgetrapte stenen de helling afrollen en tegen elkaar ketsen.

De jongens hadden zo'n verpletterende en onherroepelijke nederlaag geleden en zulke zware materiële verliezen moeten incasseren dat ze geen voet meer verzetten en schreeuwden noch scholden; ze konden de verwoesting op het eerste gezicht eenvoudig niet bevatten; bovendien zou elke beweging, ieder woord slechts de erkenning van die volledige nederlaag zijn geweest, ze hadden geen woorden of adequate reacties voor wat ze zagen, en dat was een nieuwe genoegdoening voor ons; hoewel wij degenen waren die vluchtten, bleven we door het overzicht dat we hadden vanaf de hoogte waarop we ons bevonden, strategisch in het voordeel; we keken als het ware vanuit een loge op hen neer, beschut tegen hun blikken, terwijl zij beneden in het open veld geen enkele beschutting hadden; Kálmán liet zich meteen plat op zijn buik naast me vallen om geen doelwit te vormen voor projectielen; we verroerden ons niet en wachtten af; we hadden weliswaar een overwinning behaald, maar de gevolgen van ons optreden waren niet te overzien; daarom kan ik ook niet zeggen dat we volop genoten van onze overwinning, integendeel, evenals de jongens op de weide begonnen nu ook wij de implicaties van onze daad te beseffen, ik kreeg het er warm van en begreep opeens hoezeer we over de schreef waren gegaan, niet door onze vrienden verraderlijk aan te vallen en daardoor als het ware de vriendschap op te zeggen, daarvoor waren redenen genoeg geweest, maar door al die waardevolle voorwerpen te vernietigen, dat hadden we nooit mogen doen, dat maakte het onmogelijk onze onderbroken spelletjes te hervatten alsof er niets was gebeurd,

daarop moest iets vreselijks, iets catastrofaals volgen, het kon onmogelijk als een grap worden beschouwd; door die spullen te vernietigen
hadden wij een volstrekt onvoorspelbare ouderlijke tussenkomst uitgelokt; hoe gerechtvaardigd onze wraak ook mocht zijn volgens de
tussen jongens geldende spelregels, het leed geen twijfel dat we onze
vrienden daarmee hadden laten vallen; onze overwinning was dus een
laaghartig verraad, we hadden ons daardoor buiten de wet geplaatst;
we hadden niet alleen eigen rechter gespeeld, maar onze vrienden bovendien aan de ongenade van een gemeenschappelijke vijand uitgeleverd, we wisten immers heel goed dat Prém elke avond een pak slaag
van zijn vader kreeg, en niet op de normale manier, maar met een riem
of een stok; als hij bij het incasseren van de slagen kwam te vallen, werd
hij nog op een paar trappen vergast ook; de stormlantaarn en de wekker die we kapot hadden gegooid, waren van zijn vader, ik wist dat hij
ze stiekem van huis had meegenomen; desalniettemin hadden we een
overwinning behaald, een overwinning waarvan we de onmiddellijke
voordelen niet om ethische redenen of vanwege onze verbijstering
over de omvang van de schade en de gevolgen daarvan mochten prijsgeven, met name niet omdat de nederlaag van de jongens hun morele
superioriteit op een onverdraaglijke manier verhoogde.

Ze keken elkaar niet aan, maar stonden nog steeds roerloos voor de
ineengezakte tent, Krisztián nog met de stok in zijn ene en het mes in
zijn andere hand, wat vanwege hun nederlaag meer een belachelijke
dan een dreigende indruk maakte; ook hun gezichten waren volkomen onbeweeglijk, alsof ze inzagen dat het spel voorbij was, en het was
niet te zien of ze zich door middel van tekens heimelijk op een tegenaanval voorbereidden; Prém hield zijn vuisten gebald, alsof hij nog
steeds de reeds weggeworpen steen omklemde; als het spel inderdaad
voorbij was, wat zou er dan daarna gebeuren? ik weet niet waaraan
Kálmán dacht, ik overwoog in ieder geval de mogelijkheid van een
onmiddellijke, onvoorwaardelijke, zwijgende terugtocht, we moesten op de een of andere manier proberen uit deze vernederende situatie te geraken, we moesten, op lafhartige wijze, achteruitdeinzend en
kruipend, het strijdtoneel verlaten en onze overwinning zo snel mogelijk vergeten; plotseling ging Kálmán op zijn knieën zitten, waarschijnlijk had hij gemerkt op welk een fantastisch munitiedepot hij lag;
hij raapte enkele stenen op, boog zich vanuit het struikgewas voorover
en begon in het wilde weg in de richting van de jongens te gooien.

De eerste steen die hij gooide trof Krisztiáns schouder, de overige stenen raakten niets.

Op hetzelfde moment doken de jongens in elkaar en begonnen elk een andere kant uit te hollen, alsof ze door twee touwtjes in tegengestelde richting werden getrokken, de een naar rechts, in de richting van het bos, de ander naar links; toen ze de zoom van het bos hadden bereikt, verdwenen ze tussen de bomen.

Daarmee hadden ze een aanval van twee kanten ingezet en brachten ze ons in verwarring, bovendien vernietigden ze onze illusie dat ze zo lam geslagen waren dat ze niets meer konden doen.

Al was er niets aan hun gezicht te zien geweest, toch hadden ze een plan gehad, hun stormloop was zeker geen vlucht, ze hadden vlak voor onze neus kennelijk van alles met elkaar besproken, zonder dat we ook maar iets hadden gemerkt van hun geheime gebarentaal; hieruit bleek weer eens dat ze door een onverbrekelijke band met elkaar waren verbonden.

Woedend siste ik Kálmán toe dat hij een kaffer was en dat het gooien van die steen een kutstreek was geweest; ik sprak het schuttingwoord, dat ik anders nooit gebruikte, met genoegen uit, het was een soort wraakneming voor alles wat er was gebeurd.

Hij bleef, met zijn handen nog steeds vol stenen, op zijn knieën zitten en haalde alleen lichtjes zijn schouders op, alsof hij wilde zeggen dat er geen reden was voor mijn opwinding; de eigenaardige bleke vlekken waren van zijn gezicht verdwenen en hij beefde ook niet meer, integendeel, hij maakte op dat moment een kalme, bijna vriendelijke indruk en keek me aan met de stompzinnige superioriteit van iemand die moeizaam zijn gelijk heeft bevochten; zijn mond was geopend en uit zijn ogen was de boosaardige flikkering verdwenen, maar ik bespeurde in de vriendelijke, welwillende manier waarop hij me bejegende iets van minachting; met een handgebaar beduidde hij dat de jongens ons waarschijnlijk trachtten te omsingelen, zodat ik er verstandiger aan deed mijn mond te houden en me om te draaien, omdat we ons ook van achteren moesten verdedigen.

Ik was zo woest op hem en haatte hem dermate dat ik op het punt stond hem aan te vliegen of die rottige stenen uit zijn handen te slaan, stenen waarmee hij de relatie tussen Krisztián en mij voorgoed had verstoord, en dat vanwege een geglazuurde melkkan! ik ging ook op mijn knieën zitten en schold hem uit; terwijl ik dat deed, vlogen er twee zwarte vlinders tussen ons door, die met hun snel bewegende vleugels bijna zijn borst raakten; ze vlogen om elkaar cirkelend omhoog en fladderden rakelings langs zijn gezicht; ik schold hem uit maar noemde hem geen stomme boerenlul, wat ik het liefst had gedaan; in plaats daarvan greep ik zijn hand, maar dat pakte anders uit dan ik beoogde, want – ik weet niet wat me op dat ogenblik bezielde – ik smeekte hem met mij weg te gaan van deze plaats, noemde hem 'kleintje', zoals zijn moeder altijd deed, zodat ik me schaamde over mijn weekhartigheid; ik zei hem dat ik het niet zo kwaad had bedoeld en dat mijn uitbarsting volkomen onbelangrijk was; wat was hij eigenlijk van plan? als hij niet met me mee wilde, ging ik maar alleen; daarop haalde hij opnieuw zijn schouders op en trok zijn hand onverschillig uit de mijne, wat betekende dat ik wat hem betreft kon gaan waarheen ik wilde, hem interesseerde dat volstrekt niet.

Ik zei dat ik schijt aan hem had; ik moest dat wel zeggen vanwege Krisztián.

Eigenlijk had ik hem willen zeggen dat we die spullen niet hadden moeten vernielen, maar we wisten allebei dat het mijn idee was geweest; onze vernielzucht was weinig zinvol geweest, want een ondergane belediging kan niet door een eerloze daad worden uitgewist; Kálmán was belangrijk voor me, maar niet zo belangrijk als Krisztián, ik voelde duidelijk dat laatstgenoemde meer voor me betekende; ik kon echter bezwaarlijk Kálmán op zijn fouten wijzen terwijl we een overwinning hadden bepaald, ik kon eigenlijk alleen mezélf verwijten maken over het gebeurde.

Ik verweet mezelf bovendien dat ik daar bij hem bleef treuzelen; aarzelend zat ik op de steen te draaien en tenslotte ging ik maar op mijn buik liggen, ik wilde het bos in de gaten houden, want het leek niet onwaarschijnlijk dat de jongens daaruit tevoorschijn zouden komen.

Toch was ik Kálmán ook op een eigenaardige manier dankbaar, dankbaar omdat ik door onze vechtpartij niet volledig mijn gezicht had verloren en omdat mijn lafheid onder ons was gebleven en hij die niet uitbuitte door iets ten nadele van me te zeggen, hoewel hij wist of misschien plotseling had begrepen – ik had heel even een boze flikkering in zijn ogen gezien – hoe belangrijk Krisztián voor me was en dat hijzelf in wezen weinig voor me betekende.

Onbarmhartig straalde de zon op ons neer; de hitte werd op deze beschutte plaats niet verzacht door de wind, zodat de steen steeds heter werd; bovendien gebeurde er niets, er kwamen alleen vliegen op ons af; we zouden erin moeten berusten dat de jongens niet meer kwamen; en toch konden ze elk ogenblik uit het bos te voorschijn komen, want één ding was zeker: ze zouden het er niet bij laten zitten; elk ogenblik kon mijn waarschuwingskreet weerklinken: daar heb je ze! even speelde ik met de gedachte Kálmán niet te waarschuwen als ik ze zou zien naderen, ze moesten maar met ons doen wat ze wilden; de in de wind kreunende en krakende, bij elke stormvlaag diep doorbuigende bomen, de heen en weer zwiepende, neergedrukte en weer opverende struiken, de afwisselend groter en kleiner wordende openingen in de struiken en het onregelmatige schijnsel van de voor elke schaduw vluchtende lichten prikkelden mijn fantasie dermate dat ik steeds van alles meende te zien en te horen: dreunende voetstappen van hollende mensen, een paar spiedende ogen tussen de bladeren en gedaantes die vanachter een boomstam tevoorschijn sprongen of daarachter wegkropen, maar het was allemaal schijn; tevergeefs hoopte ik Krisztián te verzoenen door op verraderlijke wijze zijn partij te kiezen, de jongens vertoonden zich niet; er restte me niets anders dan op die door de zon verhitte steen op de uitkijk te blijven zitten en Kálmán bij te staan in die onmogelijke situatie, enkel en alleen omdat de ongeschreven regels van een stompzinnige erecode dat voorschreven; hoewel de zaak me niet aanging en niet interesseerde, legde ik wat stenen op een rijtje voor me neer, alsof ik mezelf mijn strijdvaardigheid wilde bewijzen, ik wilde die stenen bij de hand hebben als ik mezelf gooiend zou moeten verdedigen, maar ik was spoedig klaar met dat karweitje en toen had ik niets meer te doen; als Kálmán zich bewoog en zijn schouder per ongeluk mijn voet raakte of mijn voet toevallig zijn schouder raakte, trok ik die haastig terug, ik vond de warmte van de vreemde huid onaangenaam.

We moesten er rekening mee houden dat ze niet alléén zouden komen maar versterking zouden meebrengen, in dat geval hield een van hen ons waarschijnlijk in de gaten, terwijl de ander was weggerend om hulp te halen; intussen moest ik voortdurend aan het mes van Krisztián denken, ik was bang dat hij me daarmee van achteren zou neersteken; door deze beangstigende gedachte voelde mijn rug de brandende zon en de nutteloze strelingen van de wind in nog sterkere mate dan normaliter het geval zou zijn geweest.

Het klokgelui van de naburige kerk had nog niet over het bos gegalmd ten teken dat het twaalf uur was, maar het moest al tegen de middag lopen, want de zon stond bijna recht boven ons hoofd; haar hitte schroeide onze schedels dermate, dat ik het gevoel had door haar als doelwit te zijn uitgekozen; als er niet veel wind had gestaan, hadden we het zinloze wachten, dat al een uur had geduurd, beslist niet verdragen; hoewel ikzelf niemand zag, vroeg ik Kálmán tweemaal of hij iemand zag naderen, maar hij antwoordde niet; zijn hardnekkige zwijgzaamheid duidde erop dat onze naast elkaar gelegen lichamen door eenzelfde primitieve kracht aan de steen werden gekluisterd; de angst hield onze woede in toom, het vuur van een oprechte haat werd door een lafhartige vrees verstikt; dit onderdrukte maar toch voortdurend opwellende gevoel had overigens geen betrekking op de jongens maar op onszelf, het was geen gewone angst die we voelden, niet de angst dat ze versterkingen zouden meebrengen om ons te omsingelen en af te ranselen, de angst dat we een nederlaag zouden lijden, want het was evident dat we, wat er ook zou gebeuren, geen grote kans hadden, en kansloosheid vermindert de angst; nee, het was meer het gevoel dat we door daar zo te blijven liggen onze moeizaam bevochten overwinning tenietdeden, dat onze eigenaardige, van mij op hem en van hem op mij overslaande gevoelens die uitwisten; het is het noodlot van overwinnaars dat ze datgene doen wat eigenlijk de overwonnenen zouden moeten doen, onze lichamen spraken boekdelen, ons zwijgen was veelzeggend, onze huid deelde mee wat onze tong wilde verzwijgen: een vernietigende boodschap; in dat uur van onzekerheid werd ons duidelijk dat onze overwinning niet alleen om ethische, maar ook om meer simpele en praktische redenen onaanvaardbaar was, al zouden we dat nooit aan elkaar toegeven, alleen al niet omdat die overwinning voor mij iets heel anders betekende dan voor hem; zo ontdekten we geleidelijk de grenzen van onze vriendschap en begrepen we dat ons onder de druk der omstandigheden gesloten verbond in afwezigheid van de andere twee jongens eenvoudig niet geldig was; het deed er niet toe dat we tegen ze in opstand waren gekomen en gedurende de korte tijd van onze samenzwering en actie dit verbond als even hecht als het hunne hadden beschouwd, in werkelijkheid was het niet tegen de overwinning bestand en kon het die niet vasthouden, er ontbrak de noodzakelijke geheimzinnigheid aan; we hadden eenvoudig te weinig aan elkaar, we konden op zijn best tijdelijk samenwerken, maar we stemden onvoldoende met elkaar overeen en vulden elkaar niet aan, zoals Krisztián en Prém, wier relatie door een grote harmonie werd gekenmerkt, een harmonie die ik hun benijdde en misgunde en waartegen Kálmán en ik eendrachtig hadden gevochten, zonder resultaat te hebben, want die harmonie was een onneembare veste gebleken; met de magische uitstraling van die harmonie – inderdaad, magische uitstraling, ik durf die woorden gerust te gebruiken – hadden ze ons eerst tot zich gelokt en vervolgens aan zich onderworpen, maar die onderwerping was alleen maar heilzaam geweest, en nu hadden we dit heilzame verspild en opgebruikt, ja bewust vernietigd, hadden we onze eigen glazen ingegooid; Kálmán hoorde bij Krisztián en Prém, zijn kalmte was het tegenwicht van hun ongedurigheid, zijn bedachtzame levenswijsheid het pendant van hun vindingrijkheid, zijn goedigheid de compensatie voor hun wrede humor; wat mijzelf betreft: ik kon slechts als buitenstaander, via Kálmán, in verbinding met de jongens staan, als een soort koele controleur van die drieëenheid, zonder hem had ik geen toegang tot ze; zij hadden echter iemand nodig die aan de zijlijn stond, die hun saamhorigheid behoedde en versterkte en daarmee de onderlinge hiërarchie bevestigde, waarin Krisztián dankzij de overweldigende charme van zijn schoonheid en zijn vindingrijkheid ongetwijfeld bovenaan stond; wij hadden die rangorde moeten aanvaarden en niet door een revolte mogen verstoren, ze was een deel van onszelf geworden en bepaalde ons leven; en misschien verlangde ik op dat moment wel daaronder te lijden, omdat er dan tenminste iets in vervulling ging en functioneerde; wat ík dadelijk had begrepen – dat onze overwinning op een definitieve nederlaag neerkwam, waardoor er niet alleen een eind kwam aan mijn kwellingen, maar ook aan al het goede dat ik had genoten –, werd hem pas veel later duidelijk; ik merkte aan zijn lichaam dat hij ook van mening was dat het zinloos was nog langer te blijven wachten en eventueel onze eer te verdedigen, volmaakt zinloos, want zelfs al konden we de jongens verslaan, wat niet erg waarschijnlijk leek, dan nog was de verstoorde wereldorde niet meer te herstellen, en een nieuwe orde was er niet, er was alleen een chaos.

Kijk daar eens! zei hij plotseling zachtjes, met een stem schor van verbazing; hoewel ik zat te wachten op een geluid of een signaal of iets dergelijks, schrok ik toch op door zijn stemgeluid; in de woestijn van het langdurige wachten is alles, zelfs de beweging van een nietig zandkorreltje, onverwachts en verrassend; snel hief ik mijn hoofd; zijn stem had niet meer zo eigenaardig en strijdlustig geklonken, maar normaal, zoals wanneer hij tijdens zijn rustige observaties werd verrast, verheugd zelfs, alsof hij eindelijk een uit het nest gevallen jong vogeltje, een harige rups of een in de dorre bladeren scharrelend egeltje had ontdekt, iets wat hij op onze strooptochten altijd verwachtte; ik ging rechtop zitten om te zien waar hij op doelde.

Beneden, waar het vanaf de straat steil oplopende, bochtige pad achter twee grote vlierstruiken op de bosweide uitkwam, werd tussen de in de wind fladderende bladeren iets stralend wits zichtbaar, en vervolgens iets roods, daarna een blote arm en een blonde golving; de door ons waargenomen fenomenen bewogen zich in onze richting en kwamen tenslotte vanachter het struikgewas tevoorschijn; het waren de meisjes.

Zonder een ogenblik te blijven staan liepen ze over het smalle pad tegen de helling op, dicht opeengedrongen en in ganzenmars, alsof ze elkaar met hun lichaam wilden beschutten; toen ze bij de open plek waren aangekomen, duwden ze elkaar in hun opwinding bijna opzij; ze waren beweeglijk als kwikzilver, bukten en draaiden zich, babbelden, maaiden met hun armen en giechelden onafgebroken; Hédi, die graag bloemen plukte, hield een klein boeketje in haar hand, dat ze, het hoofd iets achteroverbuigend, heen en weer zwaaide voor de ogen van Livia, die vlak achter haar liep; ze streelde haar vriendin plagerig met de bloemen over haar wangen en duwde ze in haar gezicht; ze droeg een witte jurk; Maja boog zich naar haar toe en fluisterde haar iets in het oor, maar kennelijk zo luid dat ook Livia het kon verstaan; Livia's rok was het rode verschijnsel geweest dat mij het eerste was opgevallen; Livia liep lachend vooruit en nam Maja, alsof ze haar wilde meetrekken, bij de hand, waarop Hédi Livia's andere hand pakte en de bloemen in Maja's gezicht duwde; zo liepen ze hand in hand door, met kleine pasjes, hun lichamen tegen elkaar aan gedrukt, Hédi, Maja en in het midden Livia, geheel in beslag genomen door elkaar, op een ondoorzichtige manier van gedachten wisselend, op het ritme van woord en wederwoord wiegelend, hals en gezicht afwisselend naar elkaar toe en van elkaar afwendend, waardoor ze in het door de wind gegeselde, warrige gras nu eens snel, dan weer langzaam en statig vooruitkwamen.

Het was geen ongewoon schouwspel, want ze liepen dikwijls hand in hand of gearmd, en het was ook niet ongewoon dat Hédi Maja's jurk droeg en Maja Hédi's donkerblauwe zijden jurk, waardoor ze er enigszins eigenaardig uitzagen, want ze hadden verschillende maten; Hédi was groter en had meer boezem; 'ze heeft een grotere borstomvang,' zeiden de meisjes eufemistisch en schijnbaar alleen op de kledingmaat doelend als ze met elkaar over hun lichamelijke verschillen spraken; ik luisterde altijd aandachtig naar hun gesprekken, omdat ik benieuwd was of er tussen hen een soortgelijke rivaliteit bestond als tussen jongens, maar ze waren niet zozeer in het formaat van hun boezem geïnteresseerd als wel in de vraag waar bij het naaien de figuurnaden moesten worden aangebracht, een kwestie waarover ze tijdens het plooien, afspelden en vastrijgen van de stof met zo'n aandacht en ernst beraadslaagden dat mijn argwaan, hoewel die beslist niet ongegrond was, tenslotte verminderde; doordat Maja minder weelderige vormen had dan Hédi, drukten haar kleren Hédi's borsten enigszins plat, zodat die 'onvoordelig uitkwamen', maar dit scheen de meisjes niet te deren, het leek wel alsof die voortdurend ter sprake gebrachte slordigheden en kleine verschillen in pasvorm het dragen van elkanders kleren juist nog aantrekkelijker maakten; alleen Livia deed daar niet aan mee, maar de vriendinnen duidden haar dit niet euvel en toonden een tactvol begrip voor haar trots, ze pasten haar kleren wel, maar trachtten die niet te lenen, haar garderobe was daar ook te armzalig voor, hoewel de twee anderen die altijd als 'snoezig' kwalificeerden, daarentegen leenden ze haar, alsof het een wedstrijd tussen hen beiden gold, zoveel mogelijk zakdoekjes, armbanden, oorclips, ceintuurs, haarlinten en halskettingen uit, allemaal zaken waar Livia volgens hen 'een moord voor deed' en die zij inderdaad met onbevangen blijdschap accepteerde; op het moment dat we haar zagen droeg ze bijvoorbeeld het bloedkoralen collier dat Maja geregeld van haar moeder 'leende'; het merkwaardigste vond ik nog wel dat het de meisjes volledig koud liet dat Maja eenzijdig profiteerde van de gewoonte om elkaars spullen te dragen, want Hédi's losse, wijde kleren stonden haar meestal voortreffelijk, ze gaven haar, althans in onze ogen, een meer volwassen uiterlijk; de te ruime stof omhulde haar ietwat slungelachtige ledematen gracieus, ze werd er een echte dame in, ja het leek wel of dit edelmoedig negeren van de door Maja genoten voordelen zekere tot een krenkende vergelijking nopende lichamelijke verschillen tussen hen vereffende, verschillen die Maja ten zeerste kwelden omdat Hédi de knapste van hen beiden was, beter gezegd: omdat zij degene was die altijd en overal voor knap doorging, op wie iedereen verliefd was en naar wie, als ze met hun drieën waren, iedereen keek; serieuze volwassen mannen fluisterden haar obsceniteiten toe en in donkere bioscoopzalen of overvolle voertuigen werd ze, zelfs in het bijzijn van Krisztián, dikwijls geknepen en betast, wat haar zo vernederde dat ze soms in tranen uitbarstte; tevergeefs kromde ze haar rug en trachtte ze met haar armen haar borsten te beschutten en te verbergen, het hielp allemaal niets; maar ook de vrouwen waren verrukt van haar en prezen vooral haar prachtige haar, dat ze als een kostbaar sieraad bevoelden en gretig door hun vingers lieten glijden; met haar licht golvende, tot op haar schouders hangende blonde lokken, haar hoge, gewelfde voorhoofd, haar volle wangen en haar grote, lichtelijk uitpuilende blauwe ogen, was zij 'de knapste van de twee' en Maja was daardoor zo jaloers dat ze niet kon nalaten dit steeds weer opnieuw te berde te brengen en te benadrukken, zodat ze Hédi's schoonheid luider dan wie ook roemde, alsof ze trots was op haar vriendin of hoopte dat men haar overdrijvingen zou weerleggen; Hédi's ogen hadden iets heel bijzonders en stralends door haar lange, koolzwarte wimpers en haar donkere wenkbrauwen, waarvan ze de welving en de dichtheid zelf reguleerde door de overtollige haartjes met een pincetje te epileren, wat een uiterst pijnlijke operatie was; één keer ben ik daarbij aanwezig geweest, ze trok de huid boven haar ogen met twee vingers strak en begon de haartjes met het pincet zo dicht mogelijk bij de huid vast te pakken en uit te trekken; intussen keek ze me via de spiegel aan en vertelde ze dat smalle wenkbrauwen op dat moment in de mode waren, dikwijls trokken de vrouwen hun wenkbrauwen zelfs geheel uit en vervingen ze door twee potloodstreepjes, 'zoals die kokkin van de mensa altijd doet, weet je wel, dat kreng', maar een werkelijk elegante vrouw mocht nooit blindelings de mode volgen, ze moest het juiste evenwicht zien te bereiken tussen haar natuurlijke eigenschappen en de vigerende voorschriften, dat zou Maja ook moeten leren, die soms de fout maakte iets aan te trekken wat wel heel modieus was, maar haar absoluut niet stond, en als zij, Hédi, het dan waagde er iets van te zeggen, was ze dodelijk beledigd, wat eigenlijk heel kinderachtig van haar was; ze begreep niet dat Maja haar wenkbrauwen niet epileerde, het deed natuurlijk wel pijn, maar zo erg was die pijn nu ook weer niet, trouwens, als je zulke lelijke, dichte wenkbrauwen had als zij, kon je ze desnoods met was behandelen, dat voelde je nauwelijks en dat deed ze toch ook met haar benen, die zwaar behaard waren; zijzelf plukte haar wenkbrauwen overigens niet te veel uit omdat bij al te dunne wenkbrauwen haar neus, die toch al tamelijk groot was, nog groter leek dan normaal, zodat ze er eerder achteruit dan vooruit op ging; haar neus was misschien werkelijk wat aan de grote kant, bovendien smal en duidelijk gebogen; op een keer zei ze dat ze haar vaders neus had en dat die het meest joodse van haar gezicht was, afgezien daarvan kon ze zich zonder bezwaar voor Duitse uitgeven; lachend vertelde ze dat ze haar vader nooit had gezien, dat wil zeggen, ze kon zich hem niet herinneren, evenmin als Krisztián zijn vader; 'hij is gedeporteerd,' zei ze, welke woorden op mij minstens evenveel indruk maakten als die andere, welke op Krisztiáns vader betrekking hadden, die 'gesneuveld' was; ik streek graag met mijn vingertop over haar neus omdat ik dan het gevoel had iets joods aan te raken; overigens compenseerde haar teint dit schoonheidsfoutje in ruime mate, als men althans onregelmatigheden, die een integrerend onderdeel van schoonheid zijn, als fouten wil bestempelen; die teint vervolmaakte als het ware haar schoonheid; ze was niet bleek, zoals de meeste blondines en blauwogigen, maar haar huid had de kleur van een vers kadetje, en dankzij die delicate kleur vormden de sterk met elkaar contrasterende onderdelen van haar gelaat een harmonieus geheel; en dan haar ronde schouders, haar lange, welgevormde benen, haar sierlijk gewelfde, onhoorbaar schrijdende voeten, haar slanke middel en haar vrouwelijke heupen, waarmee ze, volgens de klassedocent, die hierover in een brief aan haar pleegmoeder had geklaagd, uitdagend draaide! na de ontvangst van deze brief was haar pleegmoeder, mevrouw Hüvös, met opgestreken zeilen op school verschenen en had in de leraarskamer een scène gemaakt: de leerkrachten moesten hun obscene verbeeldingskracht beter beteugelen en niet zulke schunnigheden op papier zetten, zulke lui zouden niet voor de klas mogen staan! door haar bijzondere uiterlijk was Hédi niet alleen ver boven ons verheven, maar werd ze algemeen als een opvallende en uitdagende schoonheid beschouwd, een echte beauty, van welk voorrecht ze, indien ze daar de kans voor had, gaarne voor een poosje afstand deed door het dragen van Maja's kleren, die trouwens leuker en mooier waren dan de hare.

De meisjes kwamen van Maja's huis en waren op weg naar dat van Livia of Hédi, waarschijnlijk hadden ze deze weg gekozen omdat hij korter was of om Hédi de gelegenheid te geven bloemen te plukken; ondanks haar luidruchtigheid en grote mond wist Hédi heel goed hoezeer het plukken van bloemen haar flatteerde, evenals het cellospelen en allerlei andere verfijnde, elegante hobby's die ze beoefende; haar kamer stond vol schaaltjes, glazen en vaasjes en ze plukte elke dag verse bloemen; ze bewaarde verdroogde boeketten lange tijd, kauwde voortdurend op planten, grasprieten, blaadjes en bloemen, vouwde de bladzijden van de boeken die ze las niet om en gebruikte evenmin een boekelegger, maar legde bloemen of kleurige herfstbladeren tussen de bladzijden; als je een boek van haar had geleend en daarmee een onhandige beweging maakte, viel er een compleet herbarium uit.

Hédi had celloles en speelde heel aardig op dit grote instrument, zo aardig zelfs dat ze regelmatig op schoolfeestjes optrad; op een keer vroeg ze me of ik haar naar de stad wilde vergezellen, waar ze op een joods feest zou spelen; ze reisde niet graag alleen, met name niet als ze pas 's avonds laat terug zou keren, omdat ze bang was van haar kostbare instrument beroofd of door opdringerige mannen lastig gevallen te worden; ze woonde midden in de stad, in de Dobstraat, niet ver van de synagoge, in een oud, donker huis, waarvan de benedenverdieping werd bewoond door ongetrouwde arbeiders, die zich op de binnen-plaats plachten te wassen; haar moeder, die ik nog nooit had ontmoet, had haar bij mevrouw Hüvös in de kost gedaan, deels vanwege de goe-de berglucht – ze zou zwakke longen hebben –, deels omdat me-vrouw Hüvös een mooie moestuin bezat en wat kippen en kleinvee hield, waardoor het eten bij haar aanmerkelijk voedzamer was dan thuis; Hédi vertelde me dat dit alleen maar smoesjes waren, in werke-lijkheid was ze een 'kostkind' vanwege de vriend van haar moeder, een zekere Rezsö Novák Storcz, die ze absoluut niet mocht omdat het zo'n 'slijmerd' was; we troffen haar moeder niet thuis aan, maar von-den alleen een briefje op de deur met de boodschap dat ze Hédi in de feestzaal verwachtte; in het briefje stond ook welke jurk ze moest aan-trekken; ik herinner me dit zo goed omdat Hédi die middag de don-kerblauwe zijden jurk droeg waarin ik nu Maja zag lopen; haar moeder scheen iets tegen die jurk te hebben; terwijl we op de haveloze gang voor de deur stonden, realiseerde ik me dat haar vader over deze gang moest zijn 'afgevoerd', en ik zag de hele tumultueuze scène voor mijn ogen gebeuren: een denkend en voelend mens werd door een paar po-tige kerels beetgegrepen en meegesleurd, alsof hij een kast of een di-van was; overal zag ik blinkende koperen deurklinken, naambordjes, en sierlijke, ouderwetse belknoppen, kogelgaten en gedeeltelijk afge-broken of herstelde muren; op de vuile, hier en daar roetig geworden bepleistering hadden dicht naast elkaar ingeslagen machinegeweerko-gels hun sporen achtergelaten; hoewel het al herfst was, gaf de zon nog veel warmte, haar stralen vielen schuin over de daken in; beneden stonden slechts in onderbroek geklede arbeiders zich te wassen en el-kaar nat te gooien; hun geschreeuw vulde de met oleanders opgeluis-terde binnenplaats; iemand was bezig room te kloppen en uit een open raam kwam het geluid van een radio, koorzang; Hédi had de zware, zwarte cellokist tussen haar knieën geklemd en las het briefje met een gezicht alsof er een jobstijding in stond; ze las het verscheidene malen, verbleekte en scheen haar ogen niet te geloven, maar ze gaf geen antwoord op mijn vraag wat erin stond en toen ik zelf wilde kijken, griste ze het voor mijn neus weg, daarna lichtte ze zuchtend de deurmat op, waaronder de sleutel lag.

In de ruime, koele, donkere woning stonden de wit geverfde vleugeldeuren wagenwijd open, Hédi liep meteen door naar de wc; er heerste een doodse stilte in huis, want de ramen aan de straatzijde waren gesloten en achter de dichtgeschoven zware, kanten gordijnen hing nog een tweede, boogvormig gedrapeerd gordijn van wijnrood fluweel, waarvan de zomen met zware kwasten waren versierd; alles in die woning scheen trouwens uit zachte, verende lagen te bestaan; aan de met zilverachtige patronen versierde muren hingen donkere wandkleden en schilderijen in gouden lijsten: landschappen, stillevens en een naakte vrouw, die door het purperen schijnsel van een op de achtergrond laaiend vuur werd verlicht; op de vloerkleden lagen roodgestreepte linnen lopers en op de grofgebloemde overtrekken van de zware fauteuils en de hoge, rechte stoelen antimakassars, en in de middelste kamer, waarin ik op haar stond te wachten, hing in een vlak onder het plafond toegeknoopte witte stofhoes een monsterachtig grote kroonluchter, die op een zonderlinge, opgezwollen mummie leek; ondanks deze weelderigheid maakte de woning een schone indruk, maar alles was op een ongezellige, overdreven nauwkeurige wijze geordend; de kamers waren kraakhelder en blonken van reinheid; glazen, koper, spiegels, zilverwerk, porselein, alle voorwerpen – althans zo leek het in het halfdonker – waren volkomen stofvrij.

Hédi bleef lang weg, maar ik hoorde geen klaterende urinestraal, alleen wat gedruis en het doortrekken van de wc en toen ze terugkwam, zag ik dat ze niet was verdwenen om te plassen maar om stiekem te grienen, ze kwam tevoorschijn als iemand die iets volbracht heeft wat hij absoluut noodzakelijk achtte om te doen; dit hier, zei ze, is de salon, en ze veegde opnieuw, voor de laatste keer, haar ogen af, die alleen nog rood zagen maar niet meer traanden; en dat daar is mijn kamer, voegde ze eraan toe; kennelijk werd ze door iets gekweld waar ze zich zo snel mogelijk overheen trachtte te zetten; maar hoe ze ook haar best deed te glimlachen, ik voelde dat ze het onaangenaam vond dat ik alles zag en op dat moment aanwezig was.

Het was heel stil geworden in de woning, Hédi zei ook niets meer tegen me, ze opende de zwarte cellokist, tilde de cello eruit en ging daarmee voor het raam zitten, daarna prutste ze wat aan het instrument en spande de snaren bij; ze harste ook de strijkstok en stemde de cello, wat veel tijd nam; intussen dwaalde ik door de woning; elke kamer kwam op een andere uit; je kon je gemakkelijk voorstellen dat er iemand uit deze woning was gedeporteerd, maar niet dat die Rezsö Novák Storcz elke nacht iets met haar moeder uithaalde in de op de binnenplaats uitkijkende, geheel verduisterde slaapkamer waarvan zij 'de riebels kreeg'.

Ik was weer terug op het moment dat ze begon te spelen; het stuk zette met zachte, langgerekte, lage streken in; ik vond het leuk om naar haar gespannen, geconcentreerde gezicht te kijken en te zien hoe haar tastende vingers over de lange hals van het instrument gleden en bliksemsnel een snaar neerdrukten en lieten vibreren, waardoor een korte, klaaglijke, snel wegstervende klank ontstond, die steeds hoger werd; hierna moest ze met snelle wisselingen de beide posities naar elkaar toe laten glijden en lage en hoge, korte en lange tonen synchroon tot een melodie vervlechten om het eigenlijke thema te ontwikkelen, maar ze greep verscheidene malen mis en hield geërgerd op met spelen.

Die ergernis wendde ze voor omdat ik haar gadesloeg, hoewel ze overigens deed of ik niet in de kamer was.

Ze zette de cello tegen een stoel, stond op, liep in de richting van haar kamer, bedacht zich halverwege, kwam terug, vatte het instrument met een ervaren beweging bij de hals en legde het voorzichtig in de kist, waarin ze ook de hars en de strijkstok opborg; toen ze de kist had afgesloten, bleef ze zwijgend midden in de kamer staan.

Ikzelf zei evenmin wat, ik weet niet waarom niet, ik keek haar alleen aan.

Ze zei dat haar optreden een fiasco zou worden, wat geen wonder was, want ze kon zich niet concentreren; haar moeder sleepte die stompzinnige, onsmakelijke figuur overal mee naar toe – toen ze dit zei, sprak ze zo zacht en met zo'n haat dat haar hele lichaam trilde –, hoewel ze drommels goed wist dat ze over haar toeren raakte als ze hem zag, ze had zo tactvol moeten zijn hem niet naar haar uitvoeringen mee te nemen, daar werd ze doodnerveus van; op mij maakten haar woorden een zeer eigenaardige indruk, ik had nog nooit iemand met zo'n openlijke haat over zijn moeder horen spreken en deze gedragswijze vervulde me met zo'n onmetelijke schaamte dat ik het liefst had geprotesteerd; het was alsof ze me in iets trachtte te betrekken waar ik absoluut niets mee te maken wilde hebben; ze kon er niet tegen, vervolgde ze, als die vent naar haar zat te staren; en alsof dit alles nog niet genoeg was, voegde ze er nijdig lachend aan toe, bemoeide haar moeder zich ook nog met haar kleding, ze wilde dat ze die witte blouse aantrok, natuurlijk die witte blouse! 'doe dat witte bloesje en dat leuke donkerblauwe plooirokje maar aan, schatje', en wist ik waarom? omdat ze wilde dat haar dochter er zo afschuwelijk en belachelijk mogelijk uitzag! ze droeg die kleren al twee jaar niet meer omdat ze eruit was gegroeid, maar haar moeder deed alsof ze dat niet zag; ze hoopte namelijk dat die viezerik haar in die belachelijke kleren niet zo zou aangapen.

Woedend gespte ze haar ceintuur los, daarna begon ze haar jurk los te knopen; de donkerblauwe jurk was met kleine rode knoopjes gesloten en ook de ceintuur die ze droeg was rood; toen de jurk tot haar middel openhing en ik haar naakte huid kon zien, wilde ik me omdraaien omdat ik niet de indruk wilde wekken dat ik haar begluurde, maar ze glipte met één enkele beweging uit de jurk en stond in slechts een onderbroekje en op sandalen in het halfdonker voor me, met verwarde haren en haar jurk binnenstebuiten gekeerd in haar hand.

Ze zei zachtjes dat ik niet bang hoefde te zijn, ze had Krisztián ook alles laten zien, daarna vervielen we in een zwijgen; ik herinner me niet meer hoe lang het duurde voordat de afstand tussen ons kleiner werd; ik had haar graag aangeraakt, hoewel ze naakt helemaal niet zo mooi leek, eerder lomp op die witte sandalen en met die over de grond slepende jurk in haar hand; alleen haar borsten straalden rust uit, het was alsof ze me met twee ogen aanstaarden; wat er daarna gebeurde weet ik niet meer zo precies, met name niet of zij naar mij toe liep of ik naar haar of dat we gelijktijdig in beweging kwamen, ik weet alleen nog dat ze de jurk op de grond liet vallen, alsof haar bijna vermakelijke, meisjesachtige schuchterheid haarzelf ook was opgevallen en ze een resolutere en frivolere indruk op me wilde maken; toen ik vlak voor haar stond, sloeg ze vlug haar armen om me heen, zodat ze verborg wat ze al had getoond en de geur van haar huid, een lichte zweetlucht, mijn gezicht omzweefde; met een onwillekeurige beweging beantwoordde ik haar omhelzing, hoewel ik het liefst haar borsten had aangeraakt; de situatie was enigszins belachelijk doordat ze bijna een kop groter was dan ik, maar ik had daar op dat moment geen erg in; het deed me bijna pijn dat ik met mijn vingers niet kon aanraken wat mijn hoofd zozeer begeerde.

Niet haar armen of haar huid trokken me aan, maar haar borsten; ze kuste me zachtjes in mijn oorschelp, lachte en fluisterde dat ze me, als ze Krisztián niet had gehad, van Livia zou hebben afgepikt, maar die woorden interesseerden me op dat moment niet, ik was gebiologeerd door haar borsten, door haar vlees en door nog iets anders, ik weet niet wat, misschien door de manier waarop ze me aanraakte, teder en toch resoluut, hoewel ze vermeed zich tegen me aan te drukken, zodat ik alleen de warmte van haar lichaam voelde; ze wendde zich ook meteen weer lachend af, liet de jurk op de grond liggen en liep naar een andere kamer, haar voeten droegen haar borsten weg; ik hoorde nog het knarsen van de kastdeur en daarna was het alsof er niets bijzonders was gebeurd.

Toen Maja me had toegefluisterd dat ze wist, heel zeker wist, dat ik alleen van Hédi hield, had ik dat niet tegengesproken en haar niet mijn liefde betuigd of gezegd dat ik noch van haar noch van Hédi maar alleen van Livia hield; ik hoopte dat ze me uit jaloezie zou proberen te versieren.

De meisjes waren ongeveer tot het midden van de bosweide gevorderd toen ze opeens enigszins verdwaasd om zich heen kijkend bleven staan, ze hadden kennelijk gemerkt dat er iets ongewoons was gebeurd of stond te gebeuren, iets gevaarlijks, waar ze niet adequaat op konden reageren; toen ik rechtop ging zitten en de meisjes zag, schoot me opeens door het hoofd dat Krisztián ze misschien had gestuurd, het kon een val zijn, een list, maar uit hun argeloosheid viel af te leiden dat ze hier geheel toevallig waren verzeild geraakt; hoezeer dit toeval mij ook verblufte, ik ervoer het toch als iets moois, als iets heel fantastisch, ik vond het een verrukkelijk schouwspel te zien hoe de drie meisjes ieder op hun eigen manier in drie verschillende richtingen keken en luisterden, terwijl de vrolijke uitdrukking langzaam van hun snoetjes verdween en ze elkaars hand wat steviger omklemden.

De manier waarop ze elkaar teder aanraakten, bij de hand namen, achternazaten, ten dans vroegen en met volstrekte onbevangenheid kusten, waarop ze voortdurend lichamelijk contact onderhielden, arm-in-arm liepen, met een air alsof ze iets heel kostbaars wegschonken kleren ruilden, elkaar hielpen met handelingen als haar kammen, krullen zetten, friseren en nagels lakken, de manier ook tenslotte waarop ze, als ze verdrietig waren, hun hoofd tegen elkaars boezem legden om ongegeneerd uit te huilen of elkaar om de hals vlogen om hun vreugde te delen – dit alles vervulde me met een boven iedere afgunst verheven verlangen dat ik, hoezeer ik me ook schaamde, hooguit kon verbergen, maar niet onderdrukken; toch probeerde ik dat zo goed mogelijk, want ik had het gevoel dat mijn vader me voortdurend in de gaten hield en al mijn 'meisjesachtige' gebaren opmerkte en bekritiseerde; misschien had hij daar zijn redenen voor, ik weet het niet; als ik naar de meisjes keek – en ik kon het niet nalaten naar ze te kijken –, was één toevallige beweging van hen voldoende om mij in vuur en vlam te zetten, en misschien verklaart dit dat ik een meisje wilde zijn, ja me dikwijls voorstelde dat ik er een was; ik had graag het onvoorwaardelijke recht op zulke straffeloze aanrakingen verworven, al vermoedde ik ook dat achter die vrijheid heel wat hartstochten, angsten, dwangmatigheden, gewoonten en aanpassingen verscholen waren; als het smachten naar die vanzelfsprekende aanrakingen mijn verstand niet geheel benevelde, wist ik natuurlijk dat de lichamelijke contacten tussen meisjes slechts een andere, bijna parallelle vorm waren van de rivaliteit die tussen ons jongens heerste; wij jongens mochten elkaar niet aanraken, of beter gezegd: wij moesten, als we onze elementairste gevoelens met elkaar wilden uitwisselen, omslachtige, vermoeiende en in wezen vernederende omwegen bewandelen, een soort kunstmatige procedures uitvinden en trucs gebruiken, waarmee we elkaar als het ware te slim af waren; het ontging me bijvoorbeeld niet en wekte in extreme mate mijn jaloezie dat Krisztián zich hevig aangetrokken voelde tot Kálmán, wat hem er voortdurend toe bracht met hem te vechten, te vechten op die typisch jongensachtige manier die bij meisjes nooit voorkomt, want meisjes vechten alleen als het menens is en vliegen elkaar dan krijsend, plukharend, krabbend en bijtend aan; tussen ons jongens brak dit bij meisjes onvoorstelbare spel echter steeds zonder enige bijzondere aanleiding uit, eenvoudig omdat we elkaar wilden aanraken en vastpakken, omdat we het geliefde lichaam van de ander in bezit wilden nemen en dit verlangen alleen via een speelse vechtpartij konden bevredigen; hadden we het namelijk onverbloemd geuit, hadden we elkaar, zoals de meisjes deden, omarmd of gekust en ons verlangen niet door een speelse krachtmeting gecamoufleerd, dan waren we door de anderen stellig voor 'flikker' uitgemaakt; niet alleen ik trachtte de schijn van homoseksualiteit te vermijden, ook de anderen deden dat en zorgden ervoor die grens niet te overschrijden, hoewel niemand precies wist wat het woord flikker eigenlijk betekende, het was een van die woorden met een welhaast mythische betekenis, zoals bijna alle vloeken en krachttermen waarmee je iets kunt wensen wat verboden is; 'lik m'n reet!' zeggen we omdat dat verboden is, 'neuk je moer!' omdat dat eveneens niet mag; voor mij betekende het woord een verbod om te voelen wat ik als natuurlijk ervoer; de ratio van dit verbod lag min of meer besloten in een terloopse opmerking van Prém, de reprise van een eerdere uitlating van zijn broer, die, omdat hij zes jaar ouder was dan hij, een autoriteit was op dit gebied: 'wie éénmaal door zo'n flikker gepijpt is, maakt geen wijf meer klaar!' deze mededeling behoefde verder geen commentaar of uitleg, het was duidelijk dat alles wat flikkerachtig, nichterig of mieterig was, de mannelijkheid – juist datgene waar we zo naar streefden! – in gevaar bracht; overigens behoorde deze seksuele voorkeur tot een terrein dat buiten de grenzen van onze kinderlijke verbeeldingskracht lag, ik beschouwde haar dan ook als een der talrijke smakeloosheden en laagheden van de volwassenen, waarvan ik me uiteraard verre wenste te houden; en toch kon het geheimzinnige woord het achter de onschuld van speelse vechtpartijen verborgen verlangen niet doden, het kon dit alleen intomen, want de jongens hadden voortdurend behoefte daarover te spreken, ik merkte duidelijk dat ik, wat dat betreft, niet de enige was; dit verlangen kwam bijvoorbeeld tot uitdrukking wanneer Krisztián Kálmán onverhoeds van achteren besprong, zijn armen om zijn nek sloeg en hem op de grond gooide, of wanneer ze onder de bank elkaars handen pakten om 'handje' te 'drukken', een van hun lievelingsspelletjes; volgens de ongeschreven regels van dit spel mochten de handen van de spelers niet boven de bank uit komen en het was ook verboden met je ellebogen op je bovenbenen te leunen, je moest de arm van je tegenstander als het ware in de lucht omlaagdrukken; de jongens liepen rood aan en grijnsden wanneer ze dit spelletje deden en ze drukten om het lichaam meer stabiliteit te geven hun bijeengehouden knieën tegen elkaar; deze activiteit had een heel ander doel dan onze serieuze vechtpartijen, het ging er niet om de tegenstander te overwinnen, maar om op bijna amoureuze wijze te genieten van zijn kracht, handigheid, lenigheid en vindingrijkheid, van de superioriteit van het eigen geslacht; in deze tedere ontmoeting van twee krachten werden de diepste verlangens van de jongensziel vervuld; ook in de tedere aanrakingen van de meisjes was iets onaangenaams te bespeuren, een zekere storende valsheid en huichelarij, maar natuurlijk minder duidelijk en meer versluierd dan bij ons jongens; als ik ze ginnegappend, roddelend, fluisterend, giechelend en elkaar troostend, plagend of strelend hand-in-hand zag lopen of aan elkaars kleding frunniken, had ik altijd het gevoel dat de vrijheid om op zo'n intieme wijze lichamelijk contact met elkaar te hebben alleen maar tot doel had hun relatie, hun vriendschap en hun verstandhouding zo ondoorzichtig mogelijk te maken, die te verhullen, ja dat hun ongedwongenheid een even noodzakelijke vermomming was als onze speelse vechtpartijen, waarmee ze geen ware gevoelens uitdrukten, maar een geheimzinnige samenzwering of een bittere vijandschap maskeerden; deze veronderstelling werd des te aannemelijker nadat Hédi in de gymzaal toevallig had gezien hoe Livia en ik naar elkaar keken en dit feit dadelijk overal had rondgebazuind; volgens haar waren we verliefd op elkaar, met welke bewering ze niet alleen teweegbracht dat Livia het onderwerp werd van allerlei roddelpraatjes, maar haar ook aan mij toespeelde, vooral toen ze verkondigde dat ze uit liefde voor mij in zwijm was gevallen, waarmee ze haar openlijk aan mij prijsgaf, wat echter geenszins Maja's jaloezie opwekte, maar haar in een staat van vervoering bracht; vanaf dat moment was ze er voortdurend op uit een tête-à-tête voor ons te arrangeren; tegelijkkertijd echter namen zij en Hédi Livia met hun tedere attenties en moederlijke goedkeuring in de tang, hun goedkeuring was de val, hun vriendelijkheid de strik waarmee ze haar gevangen hielden, ja aan deze vriendelijkheid en goedkeuring hadden ze allerlei achterbakse concessies vastgeknoopt, waardoor ze hoopten een nog intiemere relatie met mij aan te gaan, alsof ze wisten dat een dergelijke relatie mij mateloos zou verwarren en die verwarring ook hun doel was: zij leverden me Livia en zorgden tegelijk dat ik onmogelijk tussen hen drieën kon kiezen! Livia mocht mij slechts in zoverre en op zodanige wijze toebehoren als zij aanvaardden en gedoogden. Livia verzette zich in het geheel niet tegen deze handelwijze omdat het ten voor- en ten nadele van mij gesmede geheime verbond, de hechte relatie met de beide andere meisjes, voor haar belangrijker was dan mijn persoon, of liever gezegd: het was ook voor haar van wezenlijk belang dat dit geheime verbond hun hevige rivaliteit in toom hield; openlijke vijandigheid tussen hen had mij ertoe kunnen brengen voor een van hen partij te kiezen en dat mocht niet, alles moest zo blijven als het was, dat wil zeggen onbeslist.

Kennelijk herwon Livia het eerst haar kalmte, ze trok haar handen uit de handen van de twee andere meisjes, boog zich voorover en raapte enigszins verbaasd de kapotte wekker uit het gras op; ze zei iets tegen haar vriendinnen en begon te giechelen, misschien omdat de wekker nog tikte, daarna liet ze hem aan hen zien; op dat moment was zij de vrolijkste van het drietal, maar de beide anderen sloegen geen acht op haar; ze wrikte de glasscherven met haar duim en wijsvinger uit de rand van de wijzerplaat en liet ze een voor een op de grond vallen, wat ze kennelijk een leuk spelletje vond, tenslotte zette ze de wekker als een kroon boven op haar hoofd en liep voorzichtig balancerend door, als iemand die precies weet wat ze wil, met overdreven waardige passen.

De twee andere meisjes, die snuggerder waren dan zij, stonden te dubben wat ze moesten doen, de een keek naar rechts, de ander naar links, en pas toen Livia met een gracieuze beweging de rode deken om haar schouders sloeg, kwamen ze in actie, alsof dit een soort teken was.

Ze renden achter haar aan; Maja trachtte al hollend een wit laken om te slaan dat ze van de grond had opgeraapt, maar daardoor ontstond er een kleine woordenwisseling tussen haar en Hédi; omdat Hédi ook aanspraak maakte op het laken, trokken de meisjes er allebei aan; misschien vond Hédi dat het beter bij haar van Maja geleende jurk paste; het meningsverschil werd echter verrassend snel opgelost, wat erop duidde dat de discussie niet alleen op het laken betrekking had, maar er ook een met de eisen van het moment overeenstemmende rangorde in acht werd genomen; tenslotte kreeg Hédi het laken; ze slaagde er iedere keer in de superioriteit uit te buiten die ze aan haar schoonheid ontleende, wat bij Maja natuurlijk tot opgekropte woedegevoelens aanleiding gaf; het laken werd bevorderd tot sleep van de witte jurk, Maja hielp het onder de rode ceintuur te stoppen, zodat Hédi een soort hofdame werd; Livia was de koningin en Maja de voortdurend uit de hoogte behandelde dienares, die de sleep natuurlijk geheel verkeerd vasthield, wat haar onmiddellijk op een schop kwam te staan, die haar nederige positie bestendigde.

Dit alles handelden ze snel en routineus maar geenszins ernstig af, het leek wel of ze niet werkelijk speelden, maar alleen een onzichtbare toeschouwer ervan wilden overtuigen dat ze dat deden; toch had hun zonderlinge gedrag niets grappigs, daarvoor was het te buitensporig en te onbeschaamd en gingen de meisjes te veel op in hun spel, bovendien bevonden ze zich op voor hen verboden terrein; wij sloegen het drietal met ingehouden adem gade en begrepen in onze verbouwereerdheid niet dat zij eigenlijk engelen waren, die ons uit onze uitzichtloze situatie kwamen verlossen.

Ik haatte hen op dat moment omdat ze zich met iets bemoeiden waar ze niets mee te maken hadden.

Ze liepen in ganzenmars door, voorop Livia met de rode deken tussen de kraag van haar bloesje gepropt en de wekker op haar hoofd; Maja, die Hédi's sleep droeg, raapte snel de soeppan op, waarover ze bijna waren gestruikeld, en zette die met een alleronderdanigst gezicht maar niet zonder leedvermaak omgekeerd op Hédi's hoofd; zo uitgedost arriveerden ze in het hoger gelegen gedeelte van de bosweide bij de ineengezakte tent.

Precies op het ogenblik dat ik begon te vermoeden wat ze speelden, begrepen ze zelf ook, zonder ook maar één woord gewisseld te hebben, wat een prachtig spel ze hier konden spelen.

Livia had namelijk een groot boek, getiteld 'Edele vrouwen van Hongarije', dat ze vaak met zich meesleepte als ze naar Maja ging; ze keken er graag plaatjes in; in dit boek was een heel droevige prent te zien, waarop was afgebeeld hoe de weduwe van koning Lodewijk II, koningin Maria, droomt dat ze op het slagveld van Mohács tussen verminkte menselijke lichamen en opgezwollen paardekadavers naar het lichaam van haar gemaal zoekt.

Livia begon zich plotseling ook te bewegen alsof ze droomde, wat de beide anderen meteen nadeden, ze staken hun armen in de lucht en lichtten hun voeten op alsof ze zweefden, op de manier waarop men in een droom zweeft, zonder de grond aan te raken; om uiting te geven aan hun verdriet hielden ze hun armen voor hun borst en huilden vol overgave, precies zoals op de plaat in het boek, waar over de bleke, blauwachtige wangen van de koningin dikke tranen biggelden.

Voor de tent gekomen liet Livia zich met gespreide armen op de grond vallen, zodat de wekker van haar hoofd viel en over de grond rolde; ze deed dit met opzet zo grappig mogelijk.

Ik vond haar echter helemaal niet grappig, integendeel, ik vond het walgelijk om te zien hoe ze zich aanstelde om haar vriendinnetjes aan het lachen te maken.

Kálmán gaapte de meisjes met open mond en een stompzinnige uitdrukking op zijn gezicht aan; ik kreeg lust om tussenbeide te komen, om hun spel te verstoren, om er een eind aan te maken.

Maja en Hédi keken vol medelijden naar de koningin, ze bogen zich over haar heen, knipoogden huilerig, streelden haar, vatten haar onder de oksels en trachtten haar op te richten, maar de koningin was moeilijk van het zojuist gevonden lichaam van haar gemaal te scheiden.

Toen dat toch lukte en ze, aan weerszijden ondersteund, werd weggevoerd, precies als op de plaat, kwam ze pas werkelijk in haar rol en de aanstellerij werd gedurende enkele ogenblikken tot een heuse toneelvoorstelling doordat ze geheel onverwachts door een echt, niet gespeeld gevoel werd overmand, ze gedroeg zich als een krankzinnige, draaide met haar ogen, strekte haar twee armen naar voren en begon, haar lichaamsgewicht aan haar begeleidsters toevertrouwend, te wankelen, waarna haar bovenlichaam stijf vooroverviel; haar begeleidsters moesten zich haasten omdat ze door een uitzinnig verdriet werd overmeesterd; door dit schouwspel sloeg mijn walging om in bewondering, wat me verraste en geheel onvoorbereid trof; ik voelde me alsof ik in de bioscoop zat en mezelf bij het zien van een verschrikkelijke scène, waardoor ik de neiging had te gillen of te huilen of de zaal uit te stormen, gedurig voorhield, dat ik alleen naar een film zat te kijken, naar iets onwerkelijks, zodat het gevoel dat mij overmande ook geen werkelijk gevoel kon zijn; bijna op datzelfde moment trok Maja haar arm onder Livia's oksel vandaan, liet de twee staan en zette het op een lopen, waardoor de twee andere meisjes hun evenwicht verloren en zich aan elkaar vastklampten; Hédi, die door de pan op haar hoofd niets kon zien en dus ook niet kon weten wat er was gebeurd, struikelde over Livia en sleurde haar mee in haar val, terwijl Livia zich aan Hédi's hulpeloze lichaam vasthield; intussen rende Maja zonder van dit alles notitie te nemen naar de hoog opgetaste houtstapel; waarschijnlijk had ze daar een doosje lucifers zien liggen; terwijl de twee andere meisjes nog steeds languit op de grond lagen te schateren, begon ze op haar hurken gezeten de stapel hout in brand te steken.

Op dat moment klonk er tussen de bomen een kreet, afkomstig van Krisztián, en vervolgens, aan de andere kant van de bosweide, een andere kreet, die op een echo leek maar dat niet was, het was de stem van Prém, en toen begon ook Kálmán te brullen en ik hoorde mezelf ook meedoen aan dit geschreeuw.

Onder een triomfantelijk, bijna harmonisch klinkend Indianengehuil, dat het ruisen van de wind overstemde, holden Kálmán en ik omlaag in de richting van de drie meisjes, terwijl Prém en Krisztián hen van twee kanten vanaf de bosrand bestormden; als een samengebalde natuurramp suisden we, takken brekend en een lawine van stenen veroorzakend, op de meisjes af, die door het woeste geschreeuw niet van vier, maar van alle kanten schenen te worden belaagd.

De droge twijgen waren intussen in brand gevlogen; dankzij de wind laaide het vuur meteen hoog op, het werd tot lange, dunne tongen van vuur uiteengeblazen; Maja gooide de lucifers weg en vluchtte naar haar vriendinnen terug, die al waren opgesprongen; tegen dat we beneden waren, stond de hoge stapel hout al in lichtelaaie.

De drie meisjes vluchtten drie verschillende kanten op, maar ze waren omsingeld en konden niet ontsnappen; zonder precies te weten waarom, zette ik Hédi na, Kálmán joeg achter Maja aan en Prém en

Krisztián achtervolgden Livia, die snel als een hinde wegrende; Hédi holde de helling af maar verloor daarbij een van haar sandalen, waar ze zich echter niet om bekommerde; met haar hoofd achterover en haar blonde haar en het laken als een vlag achter zich aan wapperend, rende ze door; ik trachtte op het laken te trappen om haar te laten struikelen, waardoor ik niet kon zien wat er achter mijn rug gebeurde, ik zag alleen dat Maja bijna de bosrand had bereikt en daar door Kálmán met gespreide armen werd opgevangen; op dat ogenblik begon Livia wanhopig te krijsen en te gillen en veranderde Hédi, absoluut niet met speelse bedoelingen, plotseling van richting; terwijl ik in mijn vaart domweg langs haar heen schoot, zag zij haar kans schoon en begon terug te hollen in de richting waar ze vandaan was gekomen, tegen de helling op, om Livia te helpen.

Prém, Krisztián en Livia rolden als een kluwen armen en benen vechtend over de grond, terwijl de wind de langgerekte vlammen over hen heen joeg; Hédi stortte zich als een waanzinnige op het vechtende drietal en brulde het uit, misschien om de op de grond spartelende Livia te laten weten dat zij haar te hulp was gesneld; ik wierp me op Hédi, hoewel ik op dat moment al duidelijk zag wat er aan de hand was: Livia's rode rokje was omlaaggesjord en lag onder Krisztiáns knieën; het was stellig niet moeilijk geweest haar van dat kledingstuk te ontdoen, want de rok werd alleen door een dik elastiek in de taille bijeengehouden; de jongens trachtten nu ook nog de blouse van haar lijf te trekken; terwijl Krisztián Livia's naakte onderlichaam met zijn knieën omlaagdrukte, zodat ze niet kon schoppen, weerde de boven haar hoofd neerknielende Prém haar wild in het rond zwaaiende handen af en trok haar blouse uit; het ongelooflijke feit dat Prém geen onderbroek aan had, nam ik pas op het ogenblik waar dat ik Livia van achteren besprong; Livia hield haar ogen krampachtig gesloten en schreeuwde uit alle macht, terwijl boven haar gezicht, werkelijk vlak erboven en slingerend door zijn heftige bewegingen, Préms vermaarde geslachtsorgaan bungelde, het raakte bijna haar voorhoofd.

Ondanks dit schouwspel wilde ik de jongens helpen door Hédi, die zich krabbend en bijtend tegen mij verweerde, van Krisztiáns rug af te trekken.

Mijn in vele opzichten dubieuze hulp bleek echter volkomen overbodig, want toen Krisztián Hédi's lichaam op zijn rug voelde, liet hij Livia los en maakte een snelle achterwaartse beweging met zijn bovenlijf, zodat Hédi, die zich aan hem vastklampte en haar nagels in zijn vlees boorde, door de schok moest loslaten en van zijn rug gleed; Prém liet Livia ook los, maar toen ze onder hem uit probeerde te glippen, pakte hij haar opnieuw bij haar bloesje, ik weet niet of de knopen er al eerder waren afgesprongen of dat dit pas op dat moment gebeurde, maar in elk geval kon je haar borsten zien toen ze overeind kwam; Krisztián grijnsde naar Hédi, schudde om een onnaspeurlijke reden zijn fraaie, donkere lokken, ontweek haar met een handige schijnbeweging en rende zigzaggend voor haar weg toen ze, nog steeds brullend, op hem af vloog, intussen achtervolgde Prém Livia, althans zo leek het, want even later bleek dat hij alleen maar was weggerend om zijn onderbroek van de grond op te rapen; Livia rende, haar blouse bijeenhoudend, met haar rode rokje in de hand naar het bos, waaruit Kálmán juist onverrichterzake terugkeerde; met enige verbazing zag hij haar in haar roze broekje tussen de bomen verdwijnen; je bent een schoft, een ploert! krijste Hédi met een door tranen verstikte stem tegen Krisztián, maar hij negeerde haar volkomen, alsof ze voorgoed bij hem had afgedaan; ik ving zijn blik op en merkte dat ik precies zo grijnsde als hij; over zijn voorhoofd en zijn kin liepen enkele fikse krabben; hij kwam dichterbij en toen hij tegenover me stond, grijnslachten we naar elkaar; Hédi stond tussen ons in; we keken elkaar aan; opeens hief hij, Hédi ontwijkend, zijn hand en gaf me met de rug daarvan een harde slag in mijn gezicht.

Alles werd zwart voor mijn ogen, maar vermoedelijk niet door de klap.

Op de een of andere manier zag ik nog dat Hédi, die volstrekt niet begreep waarom hij me sloeg, me wilde beschermen, waarop Krisztián zich losrukte, haar van zich afschudde en zich omdraaide; met lange passen liep hij naar het door de wind in wisselende richtingen geblazen, flakkerende vuur.

Als ik me goed herinner heb ik me daarna omgedraaid en me uit de voeten gemaakt.

Kálmán stond onder de bomen onverschillig naar ons te kijken, Prém hees zijn onderbroek op en Maja was nergens meer te bekennen.

Prém zou later beweren dat hij juist zat te poepen toen Maja het vuur ontstak, maar ik geloofde hem niet: als je moet poepen, laat je je broek alleen zakken, je trekt hem niet helemaal uit; na alles wat er was gebeurd had het echter weinig zin hem voor leugenaar uit te maken.

Later vernam ik dat Kálmán Maja inderdaad te pakken had gekregen, hij had haar omhelsd terwijl ze met haar rug tegen een boom stond, maar toen hij haar op haar mond wilde kussen, had ze hem in zijn gezicht gespuugd, waarop hij haar had losgelaten en ze was weggerend.

Het duurde vele weken voordat ik er enigszins in slaagde het gebeurde te vergeten.

We gingen niet meer bij elkaar op bezoek en ik waagde me nauwelijks meer uit onze tuin, uit vrees de meisjes of de jongens tegen het lijf te lopen.

Tegen het eind van de zomer scheen de oude orde zich toch enigszins te herstellen toen Krisztián, misschien om Hédi jaloers te maken en haar aldus terug te krijgen, Livia achterna ging lopen; het is ook mogelijk dat hij op de bosweide werkelijk in haar geïnteresseerd was geraakt of haar naderhand voor het gebeurde om vergiffenis wilde vragen; hij draaide voortdurend om haar heen, wachtte haar op en begeleidde haar, zodat Hédi dikwijls vanuit haar raam kon zien hoe ze, leunend tegen de omheining van de speelplaats en geheel in elkaars aanwezigheid opgaand, langdurige vertrouwelijke gesprekken met elkaar voerden, waarover Hédi zich vervolgens bij Maja beklaagde, die mij uitnodigde bij haar langs te komen, zogenaamd omdat ze 'iets uitermate verdachts', een geheel nieuw document, tussen de stukken van haar vader had gevonden, in werkelijkheid omdat ze me wilde pesten; ze nodigde me telefonisch uit, maar toen ik kwam, was er niets interessants te zien, althans het materiaal was niet bruikbaar, het was een kopie van een oorspronkelijk dubbelgevouwen document, een brief van haar vader aan de minister van Binnenlandse Zaken, waarin hij deze verzocht te bevestigen dat hij niet op eigen houtje, maar op persoonlijk, mondeling gegeven bevel van de minister afluisterapparatuur had laten aanbrengen in de telefoon van een zekere Emma Arendt; het opschrift van de brief luidde: 'pro memorie'.

Maja wilde wat roddelen en daarnaast zien welke indruk ze op mij had gemaakt met haar bericht over Livia, wat mij een goede gelegenheid bood voor een verzoening, maar ik deed alsof de relatie van Livia en Krisztián me absoluut niet interesseerde; we spraken af belangrijke zaken betreffende het onderzoek voortaan niet meer door de telefoon te bespreken, want als haar vader opdracht kreeg bepaalde gesprekken af te luisteren, als dit technisch mogelijk was, was het zeer voor de hand liggend dat ook onze telefoon werd afgetapt.

Toen ik vertrok, stond Kálmán voor de deur; hij kreeg een kleur en stamelde dat hij toevallig in deze buurt moest zijn; sedert onze vechtpartij doorzagen we weliswaar elkaars leugenverhalen, maar dat belette ons niet vrolijk door te gaan met liegen; we gingen gezamenlijk terug naar huis omdat hij geen aannemelijke reden wist te verzinnen om bij Maja te blijven, bovendien moest hij de consequenties van zijn leugen aanvaarden; onderweg vertelde hij me dat hij zich met Prém en Krisztián had verzoend, de gelegenheid had zich voorgedaan toen hij enkele door hem van Krisztián geleende stafkaarten had teruggegeven; de betrekkingen tussen ons werden dus tegen het eind van de zomer langzaam en aarzelend hersteld en gedeeltelijk vernieuwd of gewijzigd, maar zo hecht als vroeger konden ze niet meer worden, de aardigheid was er toch een beetje af.

Krisztián, die altijd even uitgekookt was, had zelfs het lef het gebeuren van die middag 'een toneelstukje' te noemen en aldus de scherpe kantjes van het gebeurde wat af te vlakken; bovendien stelde hij voor nog meer van dergelijke stukken op de bosweide op te voeren; we moesten dan de struiken onder de platte rots weghakken, zodat de steen als podium was te gebruiken, en de meisjes konden de kostuums naaien; aanvankelijk wilde hij mij erbuiten laten, maar de meisjes begrepen dit niet en verzetten zich er ook tegen, waarschijnlijk hoopten ze profijt te trekken uit onze vijandschap; tenslotte stelde hij noodgedwongen voor dat ik de teksten zou schrijven en ik ging twee keer naar hem toe om de zaak te bespreken, maar we kregen opnieuw ruzie; daarop besliste hij dat we helemaal geen tekst nodig hadden; hij wilde iets krijgshaftigs, ik een liefdeshistorie, die ongetwijfeld veel te veel op de werkelijke zou hebben geleken; door mijn halsstarrigheid maakte ik mij tenslotte onmogelijk, met name omdat de meisjes veel liever als krijgshaftige amazones dan als minnaressen wilden optreden.

Die middag stond Maja op het punt naar de repetitie van een der voorgenomen opvoeringen te gaan, ik werd hiervoor niet eens meer uitgenodigd; natuurlijk kwam er uiteindelijk niets terecht van het hele plan, het bleef bij die ene, echte, bij toeval ontstane voorstelling, waaraan we met schaamte terugdachten, alle andere uitvoeringen bleven door allerlei merkwaardige toevalligheden achterwege; zonder dat we zelf enige verandering hadden bemerkt, waren we te groot geworden voor de spelletjes van onze kinderjaren.

Uit nostalgische overwegingen wandelde ik nog weleens helemaal in mijn eentje door het bos om dezelfde angsten te voelen als vroeger.

Toen het weer lente werd, waren de sporen van het vuur door gras overwoekerd.

Ik stel voor na deze nogal breedvoerig uitgevallen uitweiding, waardoor we de draad van onze geschiedenis enigszins zijn kwijtgeraakt, terug te keren naar het wanordelijke bed van Maja, die me nog steeds met open mond geschrokken maar toch met boze, verliefde ogen ligt aan te staren, het ene moment wel het andere juist niet willend dat ik haar vertel wat ik van Kálmán weet, terwijl ik niet zeggen kan wat ik zou willen zeggen; bedoeling, wens en wil leiden hier schipbreuk op de strenge scheidslijn tussen de geslachten en er laat zich iets gelden wat mijn wil te boven gaat: fatsoen en mannelijke geilheid; en toch is een toespeling op het bos al voldoende om haar onzeker te maken en haar plannen te doorkruisen, daarmee kan ik haar zonder mijn jaloezie te verraden beïnvloeden en tegenhouden.

Die middag wilden we de dossiers van haar vader doorzoeken, waarmee we, door niets en niemand gestoord, dadelijk na mijn komst hadden kunnen beginnen, want Szidónia had een afspraak met haar vriend en Maja's moeder was naar de stad, maar toch hadden we een goede reden om de tijd te rekken: we waren bang; ik moet nu terugkomen op het met stokkende stem al half verklapte geheim en de lezer meedelen dat we afwisselend bij haar en bij mij thuis huiszoeking deden; onbevooroordeeld voeg ik eraan toe dat deze activiteit bij mij thuis aanmerkelijk gevaarlijker was dan bij haar thuis omdat mijn onderzoekingsdrift mijn vader volstrekt niet onbekend was en hij daarom de schuiflade van zijn bureau placht af te sluiten.

Het slot was een van die vernuftige constructies die, als je de sleutel omdraait, behalve de middelste la ook de zijladen vergrendelen, maar als je een schroevedraaier tussen de la en het bureaublad duwde en wat wrikte, sprong het gemakkelijk open; wij waren zo geïnteresseerd in de inhoud van de laden omdat we het idee-fixe hadden dat onze vaders spionnen waren en met elkaar samenwerkten.

Nog nooit heb ik dit vreselijkste geheim van mijn leven aan iemand verteld.

Het gedrag van de beide mannen vertoonde zoveel raadselachtige aspecten dat onze gewaagde veronderstelling niet geheel ongegrond leek, we waren dus voortdurend alert en trachtten de benodigde bewijzen tegen hen te verzamelen.

Ze kenden elkaar slechts vluchtig, maar dat geloofden wij niet, wij dachten dat zij de wereld trachtten voor te spiegelen dat er slechts een oppervlakkige relatie tussen hen bestond, terwijl die in werkelijkheid bijzonder hecht was; eigenlijk hadden wij het nog overtuigender en suspecter gevonden als ze elkaar helemaal niet hadden gekend; het wekte vooral onze argwaan dat hun reizen met onbekende bestemming qua tijdstip soms samenvielen, maar we vonden het even verdacht als ze niet samenvielen en de een pas vertrok wanneer de ander was teruggekeerd.

Op een keer moest ik een met rode lak verzegelde, zware, gele envelop naar Maja's vader brengen; een andere keer waren we getuige van een uiterst verdachte scène: precies op het moment dat mijn vader met een dienstauto uit de stad terugkeerde, ging de hare met zijn auto op weg daarheen; de twee auto's stopten midden op de Istenhegyi-weg, waarna de mannen uitstapten, een paar schijnbaar neutrale woorden wisselden en haar vader iets aan de mijne overhandigde, maar zo snel dat het nauwelijks opviel; toen ik hem 's avond vroeg wat hij van haar vader had gekregen, natuurlijk een tegenvraag verwachtend, antwoordde hij verdacht lachend dat ik niet overal mijn neus in moest steken, welk antwoord ik onmiddellijk aan Maja doorbelde.

Als we belastend materiaal zouden hebben gevonden: aantekeningen, buitenlands geld, microfilms – we wisten uit films en Russische romans dat je altijd bewijzen nodig hebt, daarom zochten we in de kelder en op zolder naarstig naar schuilplaatsen –, als we concrete, niet te weerleggen bewijzen zouden hebben gevonden, hadden we onze vaders ongetwijfeld aangegeven, dat hadden we ook gezworen; ze mochten dan onze vaders zijn, voor spionnen en verraders kenden we geen genade, die hadden wat ons betreft geen recht op leven; die eed hadden we nooit kunnen breken, alleen al daarom niet omdat we door ons gezamenlijk wroeten in het leven van onze ouders bang waren geworden, we waren doodsbenauwd, ook voor elkaar, daarom bleven we fanatiek doorgaan met snuffelen en hoopten we een bruikbaar spoor te vinden, zodat er een eind zou komen aan de bijna ondraaglijke spanning, we bespeurden de misdaad zo langzamerhand praktisch lijfelijk, de hele atmosfeer scheen ervan doordrenkt, en waar misdaad was, moesten ook bewijzen zijn te vinden; tegelijkertijd waren we minstens zo bang voor de mogelijkheid dat we werkelijk zulke bewijzen zouden aantreffen, maar die angst hielden we – ook voor onszelf – verborgen omdat bezorgdheid over je eigen vader door de ander als een schending van de afgelegde eed, ja zelfs als verraad zou zijn opgevat; daarom schoven we het onderzoek steeds op de lange baan, remden elkaar af en stelden het ogenblik waarop zekerheid kon worden verkregen keer op keer uit.

Dat moment zou ongetwijfeld groots en gruwelijk zijn, ik stelde me altijd voor dat alleen Maja's vader ontmaskerd zou worden en zij zich daarbij zo heldhaftig zou gedragen dat er niets aan haar te zien zou zijn, alleen een enkele traan van woede en verbittering, die haar ogen deed glanzen.

Maar die middag waren we van pure angst zo in elkaars lichaam en ziel verstrikt geraakt dat we alles waren vergeten: ons oorspronkelijke plan, het geheim, het onderzoek en de afgelegde eed; toch konden we ons er niet volledig van losmaken, want ons politieke verbond bood uitzicht op geheimzinnige erotische kwellingen en geneugten, gewaarwordingen die ons alleen van horen zeggen bekend waren maar door hun duistere karakter machtiger en opwindender schenen dan onze onverzadelijke geestelijke en lichamelijke verlangens.

Ik moet dus terugkeren naar het beginpunt en de draad van het verhaal weer opvatten, ook indien het verhalende ik, hier aangeland, even aarzelt, terwijl het zichzelf natuurlijk ook moed inspreekt en zegt: toe maar, jongen! voor de draad ermee! de verteller is bang, hij voelt zelfs na zoveel jaren nog angst en schroomt niet dat te bekennen; de lokstemmen van zijn rijke geest pogen hem tot nieuwe uitvluchten en uitwegen te verleiden, tot doorzichtige verklaringen, tot zelfbevestiging en geestelijk exhibitionisme, tot een nog getrouwere weergave van de feiten – alleen maar om te kunnen verzwijgen waar het werkelijk om gaat! en zijn analytische verstand acht die houding volkomen gerechtvaardigd omdat het welhaast onmogelijk is zonder verdere uitweidingen uit te leggen waarom twee kinderen hun eigen vader wilden aangeven, waarom die kinderen veronderstelden dat hun vader een agent van een vijandelijke mogendheid was, wat voor een vijandelijke mogendheid trouwens? om welke en wiens vijand ging het eigenlijk?

Het zou een overhaaste en al te banale verklaring zijn als ik zei dat dit geheime politieke verbond ons tot op zekere hoogte de hoop gaf dat wij – indien we erin zouden slagen deze twee mannen, onze vaders, die we meer dan wie ook ter wereld met een zinnelijke, hartstochtelijke liefde beminden, aan de beul uit te leveren – het juk van die onmogelijke liefde zouden kunnen afwerpen; het voornemen een dergelijke aangifte te doen viel in die jaren niet af te doen als het produkt van een speelse fantasie; ons voorstellingsvermogen was, als de naald die in de groef van een grammofoonplaat blijft hangen, op herhaling afgestemd.

We konden de tijd echter niet langer rekken, de minuten die we tot onze beschikking hadden waren zo goed als verstreken en wat er gebeuren moest, was gebeurd; Maja trok met haar handen haar voet onder mijn dij vandaan en vergrootte snel en meedogenloos de afstand tussen ons, alsof ze me van zich af wilde schudden; ze stond op en liep naar de deur.

In het midden van de kamer gekomen, keek ze nog een keer achterom; haar gezicht was even rood en vlekkerig als het mijne, en vermoedelijk ook even warm, ze keek me met een eigenaardige, flauwe glimlach aan; ik wist dat ze nu naar de werkkamer van haar vader zou gaan; ik wachtte tot mijn hartstocht bedaard zou zijn; ze was weer de sterkste van ons beiden geweest en ik voelde me alsof ze zich van me had losgescheurd, maar mijn opwinding verminderde niet, terwijl ze daar glimlachend midden in die kamer vol trillende groene schaduwen stond, hoorde ik in gedachten Kálmán, die zei dat ik haar moest naaien, het was alsof ik de gelegenheid liet schieten waar hij tevergeefs op wachtte.

Ik noemde haar glimlach eigenaardig omdat er geen zweem van superioriteit of spot in te bespeuren was, hoogstens een lichte melancholie, die waarschijnlijk meer haarzelf gold dan mij, het was een wijze, ouwelijke glimlach die de onoplosbaar schijnende situatie niet op een oppervlakkige en gewelddadige manier trachtte op te lossen, maar met het gezonde inzicht dat een mens, als hij zich in een bepaalde situatie niet wel voelt en daarin geen bevrediging vindt, het recht heeft die toestand te veranderen zonder met anderen rekening te houden.

Elke kleine verandering van onze situatie geeft hoop, ook een paar nerveuze stappen.

Dat was ook zo in dit geval, al was de nieuwe situatie die zij voor zichzelf en mij creëerde door naar de deur te lopen, minstens zo onoplosbaar als die waaraan zij zich had onttrokken, en ethisch gezien zelfs rampzalig; niettemin was het een verandering, en een verandering, hoe klein ook, is altijd een reden tot optimisme, ze geeft ons nieuwe hoop.

Ik zat op haar omgewoelde bed; opgewonden als ik was, bespeurde ik nog steeds de hitte van het voorbije uur, de hitte en de energie die geen uitweg hadden gevonden, maar in mij en in het bed waren achtergebleven, en in haar; hoewel de kamer ons koel en onverschillig gade scheen te slaan, kon ik die niet verlaten om gevolg te geven aan haar uitnodiging, niet alleen vanwege de nog steeds voortdurende ontoonbaarheid van mijn lichaam, maar ook omdat haar glimlachje hete golven van dankbaarheid en inzicht door me heen joeg.

Achteraf beschouwd lijkt dit alles nogal dwaas; ik voelde een intense dankbaarheid, die echter nergens op was gebaseerd, een dankbaarheid voor het feit dat ze een meisje was; en ofschoon ik niet de geringste lust voelde de studeerkamer van haar vader te doorzoeken, wist ik dat ik haar volgen zou, want ik had het gevoel dat zij beter dan ik wist wat er aan de hand was, dat zij wist hoezeer ons heimelijk zoeken verband hield met de begeerten van onze onbevredigde lichamen.

Zonder een woord te spreken verliet ze de kamer.

Nooit heb ik zo van haar gehouden als op dat ogenblik, ik hield van haar omdat ze een meisje was, wat misschien niet eens zo dwaas is als het op het eerste gezicht lijkt.

Toen mijn lichaam na vele minuten voldoende was afgekoeld om me te kunnen verplaatsen en haar te volgen, liep ik via de verlaten eetkamer naar de studeerkamer, waar zij met haar rug naar me toe gekeerd al voor haar vaders bureau stond te wachten, zonder mij kon ze immers niets beginnen.

Het was een kolossaal meubelstuk met laden en vakken van verschillende grootte, die op allerlei plaatsen waren aangebracht, een lelijk, donker geval op korte, dunne poten dat eruitzag als een pafferig oud dier en de kamer bijna geheel vulde.

Doe de deur maar niet dicht, zei ze op zachte, ongeduldige, bijna vijandige toon, het is al laat, waarmee ze op het feit doelde dat haar ouders elk ogenblik konden thuiskomen.

Het was een overbodige aansporing, want we lieten de deur altijd op een kier staan, zodat we wel onzichtbaar waren, maar konden horen of er iemand uit een belendend vertrek naderde, geen overbodige maatregel, want die kamer was een muizeval, een soort blindedarm midden in het huis, een valkuil waaruit je niet kon ontsnappen; je kon er alleen over de poten van de leunstoel struikelend achteruitlopen en zo trachten te ontkomen.

Zodra we daar naar binnen waren geslopen werd onze adem altijd luider, bijna piepend, hoezeer we ons ook trachtten te beheersen; om het beven van onze handen te verbergen pakten we bovendien alles veel te langzaam en te stevig beet, wat onze gemoedsgesteldheid natuurlijk juist verried en ons nog zenuwachtiger maakte, zodat we op ruzieachtige toon met elkaar spraken, ook als daar geen enkele aanleiding of reden voor was, we ervoeren elkaars manier van handelen nu eenmaal als stompzinnig en onhandig.

Het is moeilijk te zeggen wie van ons beiden het meeste risico liep in die kamer, waarschijnlijk Maja; als we er iets vonden, zou het een bewijs ten laste van haar vader zijn, wat mij dwong haar meer te ontzien dan zij mij ontzag; er stond echter tegenover dat ik stellig in de onaangenaamste positie zou verkeren als we tijdens het onderzoek werden gesnapt, ik had immers nog veel minder dan Maja het recht om de daar aanwezige voorwerpen en papieren aan te raken, daarom probeerde ik me altijd zo op te houden in de kamer dat ik, zodra ik voetstappen hoorde, onmiddellijk het hazepad kon kiezen, wat misschien nadelig was voor Maja, maar ik vond dat ik recht had op dit voordeeltje.

Toch schaamde ik me daar een beetje over, maar ik had niet de moed ervan af te zien; voor het geval dat het helemaal mis zou gaan, had ik mijn plan klaar: als ik de voetstappen pas op het laatste ogenblik hoorde, zou ik snel de deurklink beetpakken en me gedragen als iemand die slechts onverschillig de bezigheden van zijn metgezel gadeslaat maar zelf niets aanraakt, behalve de deurklink uiteraard; dit plan getuigde natuurlijk van een schandelijke lafheid.

De in extreme mate oplopende en bijna niet te verdragen spanning mocht natuurlijk geen nadelige invloed hebben op onze activiteiten, we mochten niets overhaasten maar moesten langzaam, met pijnlijke nauwkeurigheid en de grootste omzichtigheid te werk gaan, niet als dilettanten of gelegenheidsdieven die bij het zoeken naar geld of sieraden alles overhoop halen en dan halsoverkop verdwijnen; de aard van dit werk was zodanig dat we niet op snelle resultaten konden rekenen, bovendien kon elk gegeven dat we in handen kregen belangrijk zijn, zodat we, hoe opgewonden en ongeduldig we ook waren, onszelf tot ascese, tot zelfbeheersing en tot nederigheid dwongen en uitstekende rechercheurs werden.

Allereerst moest het tot vervelens toe bekende werkterrein in ogenschouw worden genomen, waarbij we een zekere volgorde, ik zou haast zeggen bepaalde voorschriften, in acht namen; zo leidde Maja natuurlijk de werkzaamheden als we bij haar thuis waren, terwijl ik degene was die bij ons thuis de laden openwrikte, want de fysieke handelingen die nodig waren om toegang tot de documenten te krijgen moesten we alleen verrichten, waarna we gezamenlijk vaststelden of er sedert het laatste onderzoek wezenlijke veranderingen waren ingetreden; doorgaans verliepen er twee weken, soms ook wel een maand, voordat een bureau weer aan de beurt was, in welke tijd de inhoud van een lade dikwijls grondige wijzigingen had ondergaan: papieren of voorwerpen waren tijdelijk of voorgoed verdwenen, lagen anders gerangschikt of waren vervangen door andere; wat dit betreft hadden we het bij ons thuis gemakkelijker, want al kon haar vader niet echt slordig worden genoemd, hij was lang niet zo akelig nauwkeurig en voorspelbaar als mijn vader, die ons werk nooit bemoeilijkte door nonchalant of boos te graaien in een la of er in het wilde weg iets uit te grissen.

Maja nam dus het voortouw door langzaam en voorzichtig de schuifladen open te trekken, terwijl ik over haar schouder gluurde; ze trok de laden een voor een helemaal uit, niet te langzaam maar ook niet te vlug; ze wist precies waartoe ons opnemingsvermogen in staat was; elke keer hadden we precies evenveel tijd nodig om de omvang en de aard van onze taak vast te stellen en de indeling en de inhoud van de la in ons geheugen te prenten, zodat we bij een volgend onderzoek de nieuwe toestand snel en zonder een woord te spreken met de oude konden vergelijken; tijdens deze werkzaamheden discussieerden we soms over de taak van de inlichtingenofficier, natuurlijk alleen over de belangrijkste aspecten van diens werk, we brachten dan de achtenswaardigheid en het grote politieke belang van ons vrijwillig ondernomen speurwerk ter sprake; dit was noodzakelijk omdat het nogal eens voorkwam dat een la wat al te haastig werd dichtgeschoven, meestal omdat we een tussentijds ingetreden verandering niet opmerkten, maar soms – en dat was veel ernstiger – omdat we die eenvoudig niet wilden zien; in zulke gevallen gebood de een de ander met een dwingende blik even te pauzeren en eiste herstel van het verzuim; de bevoegdheid om aldus op te treden hing af van de plaats die we op dat moment doorzochten: bij ons thuis controleerde zij mij en hier was ik de baas; natuurlijk zorgden we ervoor dat de controle onpersoonlijk bleef, scherp maar niet meedogenloos, we knepen als het ware een oogje dicht voor het betreurenswaardige maar onvermijdelijke feit dat de collega ongewild en worstelend met zijn instincten zijn eigen vader trachtte te beschermen, wat natuurlijk van nadelige invloed kon zijn op het werk; een totaal anders ingedeelde of in nerveuze haast doorzochte la, een nieuw dossier of een ongewoon uitziende envelop werkte natuurlijk op onze zenuwen, maar de dienstdoende controleur moest een dergelijke dilettanterige nervositeit met de grootste fijnzinnigheid en tact negeren en diende, met nuchtere gestrengheid op de beroepseer en de noodzakelijke objectiviteit wijzend, mogelijke opwellingen van kinderlijke bevooroordeeldheid bij de collega de kop in te drukken, neigingen die hij overigens uit eigen ervaring maar al te goed kende; nimmer mocht de controleur spottend, fel of grof reageren, integendeel, soms moest hij in het belang van de zaak een oogje dichtknijpen en doen alsof hem ontging wat de ander klaarblijkelijk negeerde, om dan later quasi toevallig en onverwachts terug te komen op de netelige kwestie en de collega, na een korte uiteenzetting te hebben gegeven van de eigen, superieure taakopvatting, attent te maken op diens 'verzuim'.

Pas hierna kon het echte, belangrijke werk beginnen, het grondig bestuderen van de papiertjes, aantekeningen, brieven, rekeningen, geschriften en documenten, waarbij we nooit gingen zitten, we lazen alles staande, over elkaars schouder meekijkend en genietend van elkaars lichaamswarmte en opwinding; zo namen we met gretige nieuwsgierigheid kennis van de veelal oninteressante, saaie, uit zijn verband gerukte en daardoor onbegrijpelijke informatie, en alleen als bleek dat de ander een toespeling niet of verkeerd begreep of te vrezen viel dat hij een onjuiste conclusie zou trekken, verbraken we met een zacht, verklarend woord de stilte.

We merkten absoluut niet wat we onszelf hiermee aandeden omdat we onze gevoelens in het belang van ons doel verdrongen, gevoelens die zich in ons hart, onze maag en onze darmen nestelden en zich daar niet meer uit lieten verdrijven; we negeerden die gevoelens van walging en afgrijzen hardnekkig.

Natuurlijk vonden we niet alleen officiële, ambtelijke stukken, maar ook veel zaken waar we volstrekt niet op uit waren, zoals de omvangrijke, veel informatie bevattende liefdescorrespondentie van onze ouders, waarvan de in mijn vaders bureaula gevonden brieven helaas het meest compromitterend waren; toen we daar de hand op hadden gelegd en ons er grondig, met de meedogenloze, gevoelloze nauwkeurigheid van deskundigen, in verdiepten, hadden we het gevoel dat wij – wij die nota bene omwille van de volmaakte zuiverheid naar de zonde speurden! – in het verboden gebied van de diepste en donkerste hartstochten waren binnengedrongen, in de allergeheimste krochten van het menselijk gevoel, waardoor we zelf ook op slag in misdadigers veranderden omdat misdaad ondeelbaar is, wie naar een moordenaar speurt, moet er zelf ook een worden, moet zich volkomen inleven in de omstandigheden en het motief van de moord; wij volgden onze ouders dus naar een gebied dat niet alleen voor ons verboden terrein was, maar waarin zij zich, blijkens de inhoud van die brieven, zelf ook heimelijk en met schuldgevoelens bewogen, zonder echter in staat te zijn tot berouw.

Er schuilt een diepe wijsheid in het oudtestamentische gebod dat niemand het kleed zijns vaders zal opslaan.

Had een van ons dit materiaal in zijn eentje ontdekt, dan had hij deze verboden kennis wellicht ijlings uit zijn geheugen kunnen bannen, het kan immers een weldaad zijn bewust te vergeten; de situatie werd nog onaangenamer ten gevolge van onze hartstochtelijke, jaloerse relatie, die zich in de overgangsfase tussen liefde en vriendschap bevond; toen we deze geheimen ontdekten – geheimen die hartstocht, trouw en onvervulde verlangens betroffen! – verlangden we zelf ook voortdurend naar elkaar zonder dat er uitzicht was op bevrediging van die verlangens; en wat twee mensen weten is geen geheim meer; ik las met Maja's medeweten en goedvinden de brieven die deels door een zekere Olga deels door haar moeder waren geschreven, brieven waarin de twee vrouwen, beiden in extatische geestelijke en lichamelijke opwinding verkerend, haar vader in dreigende, zanikende, chanterende, vleiende, beledigende en vooral smekende bewoordingen tot eeuwige trouw aanspoorden, al hun ontboezemingen in de beste traditie van de *lettre d'amour* met omlijnde transporen, afgeknipte haarlokken, tussen papier gedroogde bloemen en rode hartjes opluisterend, wat wij, die al vaag vermoedden wat de brute kracht der menselijke hartstochten allemaal teweeg kan brengen, in onze esthetische kieskeurigheid buitengewoon weerzinwekkend vonden, terwijl Maja met mijn toestemming en bereidwillige hulp kennis kon nemen van de veel puriteinser ogende brieven die János Hamar aan mijn moeder en Mária Stein aan mijn vader hadden geschreven, en ook van de briefwisseling van mijn ouders zelf, die elkaar eveneens hadden bericht tot welke gevoelens ze werden geïnspireerd door een onvoorstelbaar gecompliceerde vierhoeksrelatie; en toen we dit alles geestelijk hadden geabsorbeerd, was het ogenblik gekomen om daarover een oordeel te vellen of tenminste de zaken op een rijtje te zetten en te benoemen, maar deze opgave ging onze, door onszelf schromelijk overschatte ethische vermogens natuurlijk ver te boven.

Hoe hadden we kunnen weten dat we in onze relatie – weliswaar met speelse overdrijvingen, en, zoals ik nu weet, ook met duivelse vertekeningen – de idealen van onze ouders en tot op zekere hoogte ook de officieel gepropageerde en meedogenloos toegepaste denkbeelden van het 'historische tijdperk' kopieerden en reproduceerden; ook onze rol als speurder was niets anders dan een onhandige, kinderlijk vervormde en slecht uitgevallen reproduktie, we zouden ook imitatie kunnen zeggen; doordat Maja's vader generaal bij de militaire contra-spionagedienst en mijn vader officier van Justitie was, werden we door hun terloopse uitlatingen, die door ons gretig werden opgevangen en willekeurig geïnterpreteerd, als het ware toevallig en in elk geval in strijd met hun bedoelingen ingewijd in de professionele misdaadbe-strijding, of beter gezegd: we vormden deze professionele activiteit om tot een spel, waardoor hun levenswijze voor ons begrijpelijk en be-langrijk, interessant en opwindend, en vooral respectabel werd, en hetzelfde deden we met hun met avonturen, werkelijke gevaren, ach-tervolgingen en vervalsingen beladen verleden, met hun jeugd; en als ik nog wat verder ga, en waarom zou ik dat niet? durf ik te beweren dat ze zelf het mes hadden gezegend waarmee we hun naar het leven ston-den; aldus gezien leden we niet alleen onder die spelletjes, maar geno-ten we er ook van; met een ijdel welbehagen trokken we een ernstig gezicht en pronkten we met onze vrijwillig aanvaarde politieke rol, die niet alleen griezelig, weerzinwekkend en psychisch belastend was, maar ons ook met een verheffend gevoel begiftigde: het gevoel macht uit te oefenen door toezicht te houden op zulke machtige mannen als onze vaders, en nog wel uit naam en ten bate van de ethische principes die in hun ogen het hoogste heil vertegenwoordigden: de nobele, as-cetische, volmaakte, smetteloze beginselen van het communisme; en welk een meedogenloze ironie van het Lot school er in het feit dat ze absoluut niets van onze activiteiten afwisten, want hoe hadden ze, druk doende met het afslachten en uit de weg ruimen van ontelbare vermeende of werkelijke vijanden en concurrenten, kunnen vermoe-den dat ze de ergste slang aan hun borst koesterden, hun kinderen, die de door hen beleden idealen meer dan wie dan ook bezoedelden en onbewust ter discussie stelden?

Wij voelden ons eenzaam, want met wie hadden we de vreselijke wetenschap van onze schuld kunnen delen? met onze vaders? voor wie we dezelfde paranoïde angst koesterden als voor onszelf, een angst die ze ons zelf hadden ingeprent en waarmee ze de wereld regeerden; met onze leeftijdgenoten? ik had daarover noch met Krisztián noch met Kálmán kunnen spreken en Maja niet met Hédi of Livia, ze hadden ons verhaal onmogelijk kunnen begrijpen; hoezeer ons kinderwereld-je ook was doortrokken van de communistische ideologie, het zou veel te abstract, veel te eigenaardig en veel te beangstigend voor ze zijn geweest.

Ons geheim had ons toegang gegeven tot de wereld der machtigen, had ons, hoe onrijp ook, rijp en verstandig en alwetend gemaakt, maar ons tegelijkertijd afgezonderd van de wereld der niet-geprivilegieerden, waarin alles veel eenvoudiger en normaler toeging.

De liefdesbrieven van onze ouders duidden openlijk en ondubbelzinnig op het moment waarin wij door een zonderling toeval waren verwekt, inderdaad, bij toeval, want ze hadden onze verwekking niet beoogd, die was alleen het noodzakelijke gevolg van hun liefde geweest.

Zo had Mária Stein bijvoorbeeld in een van haar brieven aan mijn vader tot in de kleinste details beschreven wat ze gevoeld had toen ze door János Hamar was 'genomen' en hoe het aanvoelde als mijn vader dat deed; bij het lezen van die brief, dat herinner ik me nog heel goed, had ik de meeste problemen met de semantische waarde van het woord 'nemen', ik had de neiging er de betekenis 'omarmen' aan toe te schrijven, alsof hier sprake was geweest van een soort vriendschappelijke omhelzing, van een liefdevolle arm om elkaars middel; op de een of andere manier wist ik echter wel dat het heel iets anders betekende, wat me het gevoel gaf dat bronstige dieren plotseling met het vermogen van de spraak waren begiftigd, een interessante ervaring, dat zeker, maar ook een onbegrijpelijke; en de brieven die mijn moeder nog voor mijn geboorte van die János Hamar had ontvangen, waren niet veel ingetogener; zowel hij als Mária Stein waren overigens op een even geheimzinnige als verrassende wijze uit ons leven verdwenen, ze waren nooit meer op bezoek gekomen en dus was ik ze vergeten; Maja werd zichtbaar gekweld door het feit dat haar vader nog steeds een verhouding had met de vrouw die zich Olga noemde, hoewel hij haar moeder had wijsgemaakt dat dat al lang was afgelopen; ze moest dus met haar zwijgen haar leugenachtige vader dekken, hoewel ze meer van haar moeder hield dan van hem.

Waarschijnlijk hebben de engelen hun handen voor Gods ogen gehouden toen wij die brieven lazen.

We trachtten enig soelaas te vinden door de brieven als onbelangrijk of dwaas te kwalificeren en zo snel mogelijk terzijde te leggen; hoe kwamen respectabele, volwassen mensen ertoe zulke schunnigheden aan het papier toe te vertrouwen?

Na zo onze niet geringe aangeboren nieuwsgierigheid bevredigd te hebben, zochten we nog wanhopiger naar bewijzen van de misdaad, een misdaad die nooit had plaatsgevonden, althans niet op de manier of in de vorm die wij veronderstelden.

Maar plotseling kon ik er niet meer tegen, niet dat ik een bepaalde beslissing nam of erover nadacht, ik werd veeleer door een mateloze onverschilligheid overvallen; opeens interesseerden de bureauladen me niet meer; had ik ze een moment tevoren nog wel belangrijk gevonden, plotseling was dat veranderd, en zonder dat ik wist waarom; misschien had het te maken met het gevoel dat ik mijn ouderlijk huis moest ontvluchten.

Buiten verspreidde de ondergaande zon nog haar licht, maar binnen was het al aangenaam schemerachtig, waardoor het grote bureau nog nadrukkelijker en somberder de kleine kamer overheerste; op de fijne stoflaag die het gladde, donkere bureaublad bedekte, waren de verraderlijke sporen van Maja's handpalmen en vingers duidelijk te zien.

Opeens kreeg ik de eigenaardige, mij onbekende gewaarwording dat ik werkelijk leefde, dat ik werkelijk bestond, een ongelooflijk licht gevoel dat geen onverantwoordelijke gedachten bij me wekte, maar juist heel ernstige; ik wist dat ik moest ophouden met wat ik aan het doen was en dat dat niet laf was, maar juist moedig; het hinderde me plotseling dat Maja haar schouder zo scheef en verkrampt optrok, die beweging stoorde me, evenals de sporen die ze op het bureaublad had achtergelaten; misschien had het besef van mijn lichamelijkheid – een reactie op de erectie die ik had gekregen toen ik haar gadesloeg – mij van ons kinderlijke, tot politieke activiteit verworden spel vervreemd, ik weet het niet, in ieder geval zei mijn gevoel me dat ik ermee moest ophouden; en er was op dat moment niets ter wereld wat ik zo liefhad als de mooie, slanke, nerveuze schouders van Maja, die in de jurk van haar moeder zo belachelijk tenger schenen; ik vond ze mooier dan de volle, robuuste schouders van Hédi, die me nooit tot zulke gevoelens inspireerden, Maja's schouders prikkelden mijn fantasie veel meer; ik hoopte dat ze zich zou ontspannen en zich anders zou gaan gedragen dan ze tot dat moment had gedaan, maar wat ik precies van haar verlangde, wist ik niet, en ik kon haar dat ook moeilijk zeggen; als ik haar zei dat ze zich anders moest gedragen dan ze deed, zou ze dat beslist niet doen, dat stond bij voorbaat vast.

Opeens begreep ik dat ik haar zou verliezen, dat er een einde zou komen aan onze kameraadschap, maar die gedachte deed me geen pijn en kwelde me niet, ik had het gevoel dat ik het losser worden van de band tussen ons al bij voorbaat verwerkt had, er waren nu eenmaal dingen die vanzelf een eind namen en het had geen zin daarover te treuren.

Ik wilde haar niet grof behandelen, we waren op een punt aangeland waar elke grofheid uit den boze was.

Er komt iemand aan, zei ik zachtjes.

Haar hand, die juist een bureaula uittrok, aarzelde even, ze luisterde aandachtig en schoof de la onwillekeurig dicht, maar omdat er niets te horen was, was ze meer verbaasd over wat ik had gezegd dan over de situatie zelf, ze kon niet begrijpen waarom ik tegen haar had gelogen terwijl ik wist dat ik meteen door de mand zou vallen.

Verbaasd keek ze op, als iemand die een draai om zijn oren heeft gekregen, maar niet begrijpt waarom en dus meer verwonderd dan boos is; haar hand rustte nog steeds op de la.

Ik dacht toch echt dat ik iemand hoorde, zei ik luider, maar om mijn bewering geloofwaardig te maken had ik mijn schouders op moeten halen en ik hield ze juist stil, zodat ze kon zien dat ik haar voor de gek hield; intussen observeerde ik vanuit mijn ooghoeken de subtiele lichamelijke verschijnselen die haar woede aankondigden, een woede die echter nog totaal ongericht was; ze kreeg een kleur alsof ze zich schaamde, en opeens gebeurde datgene waar ik al die tijd zo verlangend naar had uitgezien: nog steeds op haar hurken voor het bureau zittend ontspande ze eerst de spieren van haar romp en vervolgens die van haar schouders.

Ze begreep me niet, maar vond dat kennelijk niet erg.

Ik ga naar huis, zei ik op een nogal droge toon.

Ben je helemaal? vroeg ze.

Ik knikte alleen, waardoor dat vreemde, ongewoon lichte gevoel nog sterker werd; er viel nu eenmaal niets uit te leggen en dit gevoel mocht niet bedorven worden door te spreken, daarvoor was het te subtiel; het kon elk moment weer verdwijnen en dan zou alles weer even moeilijk zijn als vroeger; ik moest er voorzichtig mee omgaan; bij die waakzame voorzichtigheid, dat spel om het innerlijke evenwicht te bewaren, hoorde ook dat ik me niet meteen omdraaide of achterwaarts de kamer verliet, ik wilde me zodanig gedragen dat ze hetzelfde zou doen als ik en in ieder geval met me mee zou gaan, maar terwijl ik dit dacht, wist ik dat ze toch in de kamer zou blijven.

Kom, laten we gaan! zei ik, want ik had haar plotseling van alles te zeggen.

Ze stond heel langzaam op, zodat het landschap van haar gezicht me zeer dicht naderde, het zag er ernstig uit; haar mond opende zich en werd rond van verbazing en op haar voorhoofd, vlak boven haar neus, verscheen de loodrechte rimpel die daar altijd zichtbaar was als ze zat te lezen en, geheel door haar lectuur in beslag genomen, trachtte te begrijpen wat ze voor zich zag.

Ik voelde meteen dat wat ik wilde onmogelijk was, ze zou in de kamer blijven, wat me genoeg speet.

Laffe klootzak! zei ze, maar het leek wel of ze dat alleen maar zei om te verbloemen dat ze de zaak volkomen doorhad.

Ze kende al mijn geheime bedoelingen en toen ze zag dat er een glimlach om mijn lippen speelde – ik wilde niet glimlachen, maar voelde dat ik dat onwillekeurig deed –, kreeg ze een kleur van schaamte; ze schaamde zich over mijn laaghartigheid.

Waarom ga je dan niet? waar wacht je nog op? donder toch op, schijtlaars, kankerlijer, sta niet zo lullig te kijken!

Mijn hoofd bewoog zich in de richting van haar tierende mond, ik wilde in haar lippen bijten; nauwelijks hadden mijn lippen en tanden de lichtvlek op de donkere huid van die speeksel sproeiende mond bereikt of ze sloot haar ogen; ik hield de mijne open omdat ik me niet aan haar maar aan mijn eigen gevoelens wilde overgeven; terwijl haar lippen onder mijn tanden huiverden, zag ik haar oogleden beven.

Ik wilde haar mond met mijn tanden sluiten, maar met een zachte, toegeeflijke en warme beweging van haar lippen eiste ze nieuwsgierig mijn mondholte op; en toen haar lippen op mijn tanden stuitten, trokken we ons gelijktijdig terug.

Later, toen ik het tuinhek achter me had dichtgedaan en over de steile weg omhoog begon te sjokken, speet het me bijna dat Kálmán niet voor haar huis stond te wachten, en ik stelde me voor hoe ik hem vrolijk zwaaiend zou aanmoedigen naar haar toe te gaan, maar Kálmán was er niet en ook Maja vertoonde zich niet, ze waren allebei ver weg, evenals alle andere bekenden; ik was eindelijk alleen met mijn gevoelens.

Het was alsof de natuur me een voorschot had gegeven op de vreugde die een man na de liefdesdaad voelt.

Nu weet ik dat dit eigenaardige, voor mij geheel nieuwe, machtige en triomfantelijke gevoel, dat waarschijnlijk in me is ontkiemd toen mijn lichaam me had ingefluisterd wat het woord 'meisje' betekent – een woord dat ik toen al dertien jaar lang kende – en dat tot wasdom kwam toen datzelfde lichaam weigerde het gezamenlijke speurwerk voort te zetten, een volslagen verandering in mij heeft teweeggebracht; terwijl ik naar huis liep, droeg ik het als een kostbare schat in me en was ik bereid het tegen iedere aantasting te behoeden en te beschutten, ja het nam me zo in beslag dat ik nauwelijks merkte waar ik naar toe ging, ik zette de ene voet automatisch voor de andere alsof mijn lichaam niet meer mijzelf toebehoorde maar dat gevoel; het lichaam verplaatste zich in de zomerse schemering over de welbekende weg tussen de twee boszomen en koesterde dat gevoel, bijna terloops waarnemend dat het op de voet werd gevolgd door de dienstdoende waakhond achter de omheining van de verboden zone, maar het was die keer niet bang voor de hond, het raakte niet in paniek, absoluut niet, want dankzij dat gevoel was ik in staat alle onaangenaamheden, vaagheden, zonden, geheimen of verboden af te weren; nu hoefde ik niet meer te weten of te begrijpen wat mijn verstand te boven ging, dat was niet meer nodig, en ik zou ook niet in een afgrond van ontsteltenis terechtkomen, ik wist immers voorgoed wat mijn plaats was op deze wereld, iets wat voor het lichaam veel belangrijker is dan de verwezenlijking van bepaalde idealen of de handhaving van een ideologische zuiverheid; ik was gelukkig, bijna had ik eraan toegevoegd: voor de eerste keer in mijn leven, maar ik ben van mening dat geluksgevoelens, zoals zoveel andere gevoelens, niet meer dan verborgen herinneringen zijn; ik was gelukkig omdat die plotseling opkomende, al mijn ledematen verkwikkende zoete rust mijn pijn voor altijd had verdoofd en onschadelijk gemaakt.

Een kus had mijn pijn verdreven en waarachtig: met die kus was ook de herinnering aan die andere, smartelijke kus ontwaakt, zodat ik tegelijk met de kus op Maja's mond afscheid had genomen van Krisztián en van mijn jeugd, nadrukkelijk en alwetend, als iemand die met door verdriet en angst gestaalde ledematen alle mogelijkheden heeft onderzocht en de betekenis van alle woorden kent; vanaf dat ogenblik kende ik de regels en hoefde ik niet langer te experimenteren en te onderzoeken; ik was gelukkig, al was dit schijnbaar alles oplossende en verklarende, van zichzelf vervulde, overweldigende gevoel natuurlijk uitsluitend een kortstondige genade, waarmee het lichaam zichzelf gedurende een korte overgangsperiode trachtte te beschermen.

Zo worden we door onze gevoelens beschermd, ze misleiden ons om ons te behoeden en geven ons iets goeds, maar terwijl we ons aan dat kortstondige genot overgeven, keert het boze onder de dekmantel van het geluk ijlings terug, wat ik geen bedrog zou willen noemen, onze boosaardige gevoelens zijn immers alleen maar tijdelijk op de achtergrond geraakt.

Ik spreek van een kortstondige genade, want nadat dit nietige gevoel, geholpen door mijn extreme angst en mijn gezonde afkeer, een einde had gemaakt aan onze perverse activiteiten en aan praktisch onze hele relatie, hebben Maja en ik nooit meer een 'onderzoek' verricht, we konden niets meer met elkaar beginnen, want wat was er spannender dan elkaar op te jutten tegen onze eigen ouders? omdat er niets opwindenders te bedenken was dan dat, deden we alsof we beledigd waren en groetten we elkaar nauwelijks meer; aldus voorgevend dat we ons gekrenkt voelden, trachtten we de ware oorzaak van onze boosheid te vergeten.

Ik was dit alles al bijna vergeten, want er was sindsdien wel een jaar verstreken, maar toen ik, op een doodgewone voorjaarsmiddag van school komend, die onbekende jas aan de kapstok in de vestibule zag hangen, keerden alle opzettelijk 'vergeten' vermoedens, verdenkingen en zondige geheimen plotseling weer op een geniepige manier in mijn geheugen terug, al datgene wat Maja en ik ons heimelijk en met een duister plezier in ons gewaagde spel hadden toegeëigend.

Het was immers alleen een gevoel geweest dat ons op het dwaze idee van dat onderzoek had gebracht! een gevoel had ons in het oor gefluisterd, ons toegesist, dat er, ondanks alle opdringerige schijn en vrome lichtgelovigheid die ons omringde, iets mis was met die omgeving; we hadden eerst naar oorzaken en verklaringen gezocht, maar toen we die niet konden vinden, waren we door een afschuwelijke twijfel overvallen en meegesleept door een bij de sfeer van de toenmalige werkelijkheid passend gevoel.

Hoe hadden we kunnen begrijpen, wij met ons nog kinderlijke verstand, dat onze gevoelens ons de volle waarheid openbaarden? we zochten naar iets tastbaarders dan we al in handen hadden en zo werden we door onze gevoelens tegen onze gevoelens beschermd.

We wisten op dat moment nog niet dat het Lot ons later de concrete inhoud en het verband tussen onze gevoelens zou openbaren, gevoelens die we als strikt onafhankelijk van elkaar beschouwden; zoals gewoonlijk greep het Lot via een omweg in, onopvallend en geruisloos, bijna heimelijk; het kan nu eenmaal niet door ons mensen worden beïnvloed of tot spoed aangemaand, dat is verboden en bovendien onmogelijk.

De ingreep vond tegen het eind van de winter plaats, op een middag die zich in niets onderscheidde van andere middagen, het enige wat erop duidde dat er iets bijzonders stond te gebeuren was, dat er aan de kapstok een mij onbekende overjas hing, waarvan een der knopen en de kleur me aan Krisztiáns jas deden denken; er hing een onaangenaam luchtje aan het kledingstuk, alsof het beschimmeld was of aan een armoedzaaier toebehoorde.

Die donkere jas aan de kapstok gaf ondubbelzinnig te kennen dat er een gast in huis was, ongetwijfeld een zonderling persoon, want het kledingstuk zag er opvallend somber en streng uit en leek volstrekt niet op de jassen die wel vaker aan onze kapstok hingen, die van de dokter en de familieleden; het muffe geval scheen uit de diepste krochten van mijn verbeelding of geheugen afkomstig te zijn en wekte een vage angst bij mij op, maar omdat er in huis geen vreemde geluiden of stemmen hoorbaar waren en alles normaal scheen, opende ik, zoals gewoonlijk wanneer ik thuiskwam, de deur van mijn moeders kamer en deed, zonder onmiddellijk op te merken wat er aan de hand was, enkele stappen in de richting van het bed.

Voor het bed lag een onbekende man op zijn knieën; hij hield moeders hand vast en huilde; zijn gezicht was over haar in de deken verzonken hand gebogen, waar hij met bevende rug en schouders kussen op drukte, terwijl zij met haar andere, vrije hand zijn hoofd streelde en haar vingers in zijn kortgeknipte, grijzende haar begroef, alsof ze zijn hoofd troostend en teder naar zich toe wilde trekken.

Dit alles zag ik toen ik binnenkwam, en het was alsof iemand een mes in mijn borst plantte, want de man die ik zag leek precies op János Hamar, misschien was hij het wel! door haat gedreven deed ik nog een paar stappen in de richting van het bed, waarop de man langzaam zijn hoofd oplichtte; mijn moeder liet ogenblikkelijk zijn haar los en toen ze zich vooroverboog in de kussens, ving ze mijn blik op; ze schrok toen ze zag dat ik achter haar weerzinwekkende geheim was gekomen en zei dat ik de kamer uit moest gaan.

Maar de man zei dat ik gerust mocht blijven.

Ze praatten door elkaar heen, moeder met overslaande stem, terwijl ze haar geopende peignoir bij de kraag dichthield om te verbergen dat haar nachtjapon ook openhing; ik wist meteen wat er was gebeurd: ze had het hem laten zien, ze had de onbekende haar boezem laten zien! ze had hem laten zien dat een van haar borsten was geamputeerd, ze had hem het litteken getoond; de onbekende man sprak op zachte, vriendelijke toon tegen me, alsof hij blij was dat ik zo onverwachts en op zo'n ongunstig moment was binnengekomen; na even geaarzeld te hebben, bleef ik bedremmeld staan, niet wetend wat ik moest doen omdat ze allebei precies het tegenovergestelde van me verlangden.

Een smalle bundel middagzon viel de kamer in en projecteerde de ingewikkelde patronen van de dichtgetrokken gordijnen op de kale, glanzende vloer, waar ze een kille, winterse indruk maakten; alles om me heen dreunde, zelfs het licht maakte een afschuwelijk lawaai, en in de druipende dakgoot bruiste en kolkte het sneeuwwater; de geluiden in de kamer schenen elektronisch versterkt te worden, ze dreunden in mijn oren; de lichtbundel viel niet op mijn moeder en de onbekende, die slechts vaag zichtbaar waren, maar op het voeteneinde van het bed, waarop een onhandig dichtgebonden pakje lag; nadat de man de tranen van zijn gezicht had geveegd, richtte hij zich op en glimlachte naar me; ik wist toen al wie hij was, maar ik wilde die wetenschap nog steeds niet tot mijn bewustzijn toelaten; zijn pak zag er al even merkwaardig uit als zijn jas, die ik aan de kapstok had zien hangen, het was een lichtgekleurd, enigszins verschoten zomerpak; de man was lang, langer dan de János Hamar die ik in mijn geheugen had bewaard maar niet wilde herkennen omdat mijn gevoelens dat niet toelieten; hij had een knap, bleek gezicht en zijn pak en witte overhemd zaten vol kreukels.

Hij vroeg me of ik hem herkende.

Ik staarde naar de rode vlek op zijn voorhoofd en zag dat zijn ene oog nog vochtig was, hoewel hij zijn tranen had weggewist; ik loog en zei dat ik hem niet herkende, mijn gevoelens dwongen mij daartoe; hij had trouwens iets heel eigenaardigs over zich, wat ik werkelijk niet kende; ik loog echter vooral omdat ik vast wilde houden aan de leugen waarmee mijn ouders hem jarenlang hadden verdonkeremaand, alsof ik hem aldus van mijn moeder kon scheiden.

Maar mijn geliefde moeder begreep mijn terughoudendheid niet of wilde die niet begrijpen en loog opnieuw; ze moest wel liegen, ook al stootte ze me aldus van zich af en deed ze me onnoemelijk veel pijn; ze deed alsof het haar hogelijk verbaasde dat ik die man niet herkende, ze wendde die verbazing voor om hem te misleiden en te doen geloven dat ik een vergeetachtig jongetje was, terwijl ik hem in werkelijkheid omwille van mijn vader uit mijn geheugen had gebannen; en doordat ze loog, klonk haar stem droog en verstikt van opwinding, wat afschuwelijk was om te horen; achteraf, nu ik mijn schaamte over die zware vernedering en dat kinderlijke, onbeholpen gedrag van me heb overwonnen, vind ik haar zelfbeheersing eigenlijk bewonderenswaardig; wat kon ze anders doen, toen ik op het waarschijnlijk meest dramatische ogenblik van hun ontmoeting de kamer binnenkwam, dan wat ze deed, dan te vluchten in een rol? de betamelijkheid eiste nu eenmaal dat ze zich snel in een moeder veranderde en mij de les las, dat ze deed wat moeders plegen te doen; haar gelaatsuitdrukking was door die geestelijke acrobatentoer natuurlijk totaal veranderd: ik zag een opvallend knappe, roodharige vrouw, een mij vreemde persoon, met rode wangen van opwinding in bed zitten en met nerveuze, bevende vingers aan de sluiting van haar peignoir frunniken, terwijl ze op huichelachtige toon in twijfel trok dat ik de man tegenover me, iemand die ik haatte, zo snel had kunnen vergeten; en toch verried de onrustige flikkering van haar fraaie groene ogen hoe weinig ze zich op haar gemak voelde in die pijnlijke en onthullende situatie.

Ik was daar natuurlijk verheugd over, het liefst had ik onmiddellijk gezegd dat ze loog, ik had de hele wereld wel willen toeschreeuwen dat ze ons beloog en bedroog, maar ik kon geen woord uitbrengen, het suizen in mijn hoofd benam me de adem en opwellende tranen verstikten mijn stem.

Maar János Hamar merkte niet wat er in ons omging, hij barstte met een vol en krachtig stemgeluid in lachen uit en zei, alsof hij me haastig te hulp schoot en poogde mijn moeders ergernis, die in haar stem doorklonk, te neutraliseren: 'het is ook al vijf jaar geleden!' waaruit ik opmaakte dat er sedert zijn laatste bezoek vijf jaren waren verstreken; en niet alleen zijn stemgeluid, ook zijn gelach trof me aangenaam, het klonk troostend, alsof hij even bij die vijf jaar stilstond en er zelf om moest lachen; met vaste, rustige tred liep hij naar me toe en daardoor werd hij plotseling een vertrouwd iemand; de manier waarop hij liep en lachte, de open blik van zijn blauwe ogen en vooral het vertrouwen dat ik onwillekeurig in hem stelde, verdreven de gevoelens van afkeer en haat uit mijn hart.

Hij drukte me tegen zich aan en ik kon me alleen maar aan hem overgeven; hij lachte nog steeds en zei dat het vijf jaar geleden was, waarlijk geen geringe tijd, maar zijn lach was meer voor mijn moeder bedoeld, die doorging met liegen en zei dat ze me verteld had dat hij in het buitenland verbleef, wat een grove leugen was; toen ik namelijk op een keer had gevraagd waar oom János was gebleven, had ze – niet mijn vader maar zij! – heel vlug, alsof ze mijn vader voor wilde zijn, geantwoord dat János Hamar een ernstig misdrijf had begaan en we nooit meer over hem zouden spreken.

Ik had toen niet gevraagd welk misdrijf, ik wist dat het landverraad moest zijn, daarop stond de zwaarste straf; omdat hij zijn land had verraden was hij van de aardbodem verdwenen, bestond hij niet meer en had hij nooit bestaan; hij mocht nog in leven zijn, voor ons was hij voorgoed gestorven.

Mijn gezicht rustte tegen zijn borst, zodat ik zijn harde, knokige, magere lichaam kon voelen; doordat ik onwillekeurig mijn ogen sloot om helemaal op te gaan in dat suizen, om me terug te trekken in de enige schuilplaats die ik had, mijn lichaam, kon ik alles van hem voelen: zijn tederheid, die als een warme stroom door me heen ging, zijn opgewonden vreugde, die geen uitweg vond, en zijn nonchalante zelfverzekerdheid, maar ik voelde ook de verkrampte, tot pezen, kraakbeen en botten gereduceerde kracht die in dat lichaam school; hoewel het begraven verleden weer tot leven kwam, kon ik me toch niet volledig aan hem overgeven, kon ik de leugen van mijn moeder niet overwinnen, maar zijn lichaam voelde heel bekend aan en was me vertrouwd, het herinnerde me aan het begeerlijke lichaam van mijn vader en aan alle kwellingen die mijn liefde voor Krisztián me had bezorgd; de hoekige omtrekken van dit mannenlichaam getuigden van een volmaakte zekerheid, maar ook van het herhaaldelijk verliezen daarvan; het voerde me terug naar de tijd, toen ik alles nog vol vertrouwen had kunnen aanraken, vijf jaar geleden.

En juist doordat de gevoelens zo overvloedig in me opwelden, kon ik me tijdens die omhelzing niet geheel laten gaan.

Ik had de plotselinge komst van János nog steeds niet helemaal verwerkt, maar het Lot houdt geen rekening met onze gemoedstoestand: opeens begonnen hij en mijn moeder over mijn hoofd heen tegen elkaar te praten.

Waarom zou ik erom liegen? zei hij, ik heb in de gevangenis gezeten.

Mijn moeder begon te stotteren en zei dat ze me dat indertijd onmogelijk hadden kunnen uitleggen, of iets dergelijks.

Daarop herhaalde hij, bijna onbekommerd en op luchthartige toon, dat het echt waar was, dat hij in de gevangenis had gezeten en daar zojuist uit was ontslagen; hoewel hij het woord tot mij richtte, was zijn ironische toon voor moeder bestemd, die, om zich uit de situatie te redden, eveneens een luchthartige toon aansloeg en me verzekerde dat hij natuurlijk geen dief of oplichter was.

Hij liet echter niet toe dat ze zich eruit redde en zei op scherpe toon dat hij me wilde vertellen wat er was gebeurd, had hij soms iets te verbergen?

Maar toen beet mijn moeder hem met een diepe, van woede hees klinkende stem toe dat hij dat dan maar moest doen als hij dat zo nodig vond! wat natuurlijk betekende dat ze hem verbood mij ook maar iets te vertellen; ze wilde mij beschermen en hem kwetsen.

Ze had me dus niet geheel verstoten! het deed me goed dat ik haar beschermende stem achter mijn rug hoorde, al stootte die zonderlinge bescherming me van de zojuist betreden drempel der kennis af, zodat ik weer in die donkere kelder van onwetendheid viel; János Hamar antwoordde niet, zodat het conflict tussen de twee volwassen als een dreigende onweersbui boven mijn hoofd bleef hangen; ik vond echter dat ik moest weten wat er was gebeurd, dat ik daar recht op had; zijn blik werd onzeker, alsof hij dacht: misschien kan ik inderdaad beter niets zeggen; opeens greep hij me stevig bij mijn schouders en duwde me een eindje van zich af, waarna hij me onderzoekend, bijna taxerend aankeek; toen ik zijn blik volgde, die over mijn gezicht en mijn lichaam dwaalde, zag ik hoe het tijdsverloop zich via mijn lichaam aan hem manifesteerde, want hij was verrukt van wat hij zag, van de verandering en groei die hij constateerde, dit alles vervulde hem met een innige tevredenheid; het was alsof hij zich met die gretige blik in één klap meester wilde maken van een vijfjarige verandering, van een in vijf jaar tijd ontstaan lengteverschil; hij schudde me door elkaar en sloeg me op mijn schouders, zodat ik mezelf opeens met zijn ogen zag; al mijn ledematen deden op dat moment vreselijk zeer, mijn hele lichaam voelde pijnlijk aan onder zijn blikken; het was alsof ik hem met dit lichaam bedroog en hij daar ten onrechte van genoot, alsof ik met onoprechte bedoelingen tegenover hem stond, en dit gevoel deed pijn, zo'n vreselijke pijn dat de tranen die daarstraks in mijn keel waren blijven steken nu met een zacht, klaaglijk geluid tevoorschijn kwamen, maar hij merkte er waarschijnlijk niets van, want hij kuste me nogal ruw en luid smakkend op elke wang en omhelsde me daarna nog eens om me een derde zoen te geven; kennelijk kon hij er niet genoeg van krijgen me tegen zich aan te drukken en te zoenen; op dat ogenblik zei mijn moeder achter mijn rug dat we ons moesten omdraaien omdat ze op wilde staan; ik had inmiddels mijn zelfbeheersing geheel verloren en snikte met gierende uithalen, en in die hevige uitbarsting van verdriet maakte ik bij de derde kus een onhandige beweging, zodat mijn lippen zijn gezicht raakten en ik de muffe geur rook die om hem hing, maar hij scheen zich er niet om te bekommeren, want hij trok me ruw naar zich toe en hield me enige tijd stevig in zijn armen, en daardoor wist ik dat hij zich er toch om bekommerde, hij wilde met zijn lichaam mijn tranen drogen.

Na die huilbui suisde mijn hoofd niet meer; ik wist niet waarom ik zo had gehuild, het was tegen mijn zin gebeurd, ik wilde niet dat hij en mijn moeder konden voelen en zien hoe ik mijn onreinheid uitsnikte; terwijl ik, al in zijn armen genesteld, nog tegen mijn tranen vocht, voelde ik dat zijn lichaam heel kalm was geworden.

Het was alsof diep in de rotsen verborgen wateradertjes en snelvlietende onderaardse beekjes de in de lege, donkere holte van het lichaam verborgen tederheid naar buiten spoelden en aan de oppervlakte brachten, waar ze tot een hulpeloze kracht, tot onmacht werd, de onmacht van de armen, de schoot en de bevende dijen; er was niets gebeurd, er was niets veranderd, nog steeds omhelsde hij me met de zachte kracht van zijn tederheid, maar de bronnen waren al opgedroogd, hij had niets meer te geven en verstilde geheel.

Ik weet niet hoe lang mijn vader al in de deuropening had gestaan voordat ik zijn aanwezigheid opmerkte.

Doordat ik met mijn rug naar de deur stond, merkte ik later dan mijn moeder en János, wiens tederheid ik opeens voelde wegvloeien, dat er iets aan de hand was, dat mijn vader daar stond.

Hij nam geen notitie van me, maar staarde naar de man die me in zijn armen hield.

Moeder stond voor het bed en wilde juist haar peignoir pakken.

Hij stond daar met zijn jas aan en zijn slappe, grijze hoed in de hand; zijn sluike, blonde haar, dat hij met zijn slanke, nerveuze vingers naar achteren placht te strijken, hing over zijn voorhoofd; hij zag bleek en keek ons met een doffe blik aan; het was alsof hij ons niet zag maar iets anders, iets volstrekt onbegrijpelijks, alsof hij niet tegenover onze omarmde lichamen stond maar tegenover een luchtspiegeling of een geestverschijning en maar niet begrijpen kon hoe die verschijning de kamer had kunnen binnendringen; zijn normaliter altijd heldere, strenge blik ging nu achter een sluier van onnozelheid en schrik schuil en zijn mond beefde onophoudelijk, alsof hij iets wilde zeggen maar daar niet toe in staat was, alsof hij de juiste woorden niet kon vinden.

Mijn overbodig geworden tranen kleefden nog op mijn gezicht; het zwijgen van de drie volwassenen was zo diep en nadrukkelijk dat ik me tot in het merg van mijn botten bewust was van het ongewenste van mijn aanwezigheid; ik voelde me als een in een goed geconstrueerde val geraakt dier dat door zijn verlammende angst zelfs geen poging meer kan doen om te vluchten.

421

Langzaam, met een vermoeide, bijna onverschillige beweging, liet János me los, alsof ik een voorwerp was; mijn moeder stond als aan de grond genageld.

Er was een eindeloos durende stilte voor nodig om die vijf verstreken jaren te verwerken.

Wat ik over mijn vader aan de weet was gekomen toen ik in zijn papieren snuffelde, scheen een bagatel vergeleken met wat zijn gezicht nu weerspiegelde, het verried zaken die ik stellig niet mocht weten; zijn lichaam scheen gekrompen en zijn slanke, rijzige gestalte bezweek bijna onder het gewicht van zijn jas; zijn hele zelfverzekerde houding en manier van doen waren slechts een façade geweest, die nu opeens doorzichtig werd, zodat je zijn kromme rug duidelijk kon zien; hij kon zijn hoofd, dat hulpeloos boven zijn jaskraag zweefde en wiebelde, slechts met de grootste moeite overeind houden en zodra hij iets trachtte te zeggen wat hij niet over zijn lippen kon krijgen, begon niet alleen zijn mond te trillen van inspanning – een beweging die zich naar zijn neusvleugels, wimpers en wenkbrauwen verplaatste en de huid van zijn voorhoofd rimpelig maakte –, maar verstijfden ook zijn hals en hoofd, hetgeen een uiterst merkwaardig gezicht was; en wat zijn mond wilde zeggen, bleef ergens diep in zijn keel steken; zijn anders onberispelijke pak zag er nu slordig uit, zijn stropdas was niet goed aangehaald en een van de punten van zijn kraag stak omhoog, bovendien waren zijn overjas en zijn colbert niet dichtgeknoopt en hing zijn overhemd gedeeltelijk uit zijn broek, allemaal tekenen van een onwaardige, heilloze, paniekerige haast en een grote innerlijke beroering en verwarring, emoties waarvan hij zich op dat moment natuurlijk niet bewust was; ik weet nog steeds niet hoe hij achter János' komst is gekomen, wie hem dat verteld heeft, alles duidt er immers op dat die komst volslagen onverwachts is geweest; ik vermoed dat hij op het ogenblik toen hem het bericht bereikte een run heeft genomen en in zijn auto is gesprongen, tegelijkertijd blij en verslagen, dat zijn ziel, zo hij er een had, zwijgend in tweeën was gespleten, want hoewel hij instinctief de schijn poogde te wekken dat hij een heel mens was, woedden er twee tegenstrijdige gevoelens in hem die even sterk waren; dáárdoor was hij zo van streek, dáárdoor trilde zijn gezicht en wiebelde zijn hoofd op zijn nek.

Tot nu toe heb ik het alleen gehad over de kracht, het ritme en de dynamiek der gevoelens en de golven waarin zich de aard en richting van die gevoelens openbaren, golven die weliswaar de ademhaling en hartslag van het innerlijke gebeuren vormen, maar niet de inhoud van dit gebeuren bepalen, het zijn daarvan slechts eigenschappen; wat zich in werkelijkheid in hem heeft afgespeeld, kan ik slechts met behulp van een vergelijking trachten te omschrijven: hij was op dat moment zowel een kind als een grijsaard; zijn gelaatstrekken pasten bij twee verschillende leeftijden: die van een dodelijk beledigd kind dat tot dat ogenblik door de wereld met illusies was verwend, een kind wiens heldere verstand door idiote theorieën was beneveld en dat, nu het plotseling het wrede aangezicht van die wereld te zien kreeg en merkte dat de dingen niet meer gingen zoals het graag wilde, zoals het gewend was, zich achter een muur van wrok, boosheid, haat en woede voor de werkelijkheid verschanste, een kind dat niet wilde zien wat zichtbaar was en niet wilde voelen wat voelbaar was, dat niet de realiteit wilde voelen die pijn deed en schrijnde, dat niet wilde lijden en daarom met alle geweld terug wilde keren naar de vroegere schijnwereld, dat als een baby gezoogd wilde worden en dom wilde blijven en, naar de borst van zijn moeder verlangend, zijn vinger in zijn mond stak, zodat alle imponerende eigenschappen die ik tot dan toe van zijn gezicht had afgelezen maar waarvan ik nooit de oorsprong had willen weten uit vrees teleurgesteld te worden – eenvoud, helderheid, zuiverheid en absolute beginselvastheid –, opeens verrieden waarmee ze zich voedden: met een onnozel vertrouwen in bepaalde mensen, mensen van wie hij afhankelijk was; zijn mond trilde, zijn neusvleugels en wimpers beefden en zijn wenkbrauwen gingen afwisselend omhoog en omlaag, als bij een klein kind, welke mimiek niet paste bij het gelaat van een volwassene, zodat dit een dwaze en decadente indruk maakte; ik zag het gelaat van een kind in de trekken van dit meelijwekkende mannengezicht, het kind dat hij altijd in zichzelf had onderdrukt; tegelijkertijd scheen hij echter zijn werkelijke leeftijd overschreden te hebben, hij zag bleek als een schim en was veranderd in een grijsaard die door de wrede, bloedige en misdadige verschijnselen welke zich achter de onschuldig ogende façade van onze wereld schuilhouden dermate ontreddered en ontgoocheld was dat hij zijn laatste restje onschuld had verloren; zijn levensvuur was nog slechts een flakkerend vlammetje, hij wist en doorzag alles en kon door niets meer onvoorbereid worden getroffen, alles wat hem onverwachts overkwam was slechts de herhaling van iets wat hij al eerder had meegemaakt; en de fijne sluier van zijn verstand en begrip bedekte eerder een vermoeide, beverige verveling dan werkelijke hartstochten of liefde; het was alsof zijn gezicht, heen en weer geslingerd tussen uitersten als kindsheid en ouderdom, verleden en toekomst, de nobele uitdrukking niet kon vinden die hij nodig had om zich op een elegante manier uit de situatie te redden; het scheen volledig verwoest.

János Hamar keek mijn vader vriendelijk, bijna ontroerd aan, hij sloeg hem met zijn tot een minimum geslonken kracht gade; het leek wel of hij met die blik een oude geliefde gadesloeg, of hij het verloren gegane verleden toelachte met de zachte gelaatsuitdrukking waarmee we onze zwakkere medemensen trachten bij te staan en op te monteren, waarmee we proberen ons met hen te vereenzelvigen en vol mededogen te kennen geven dat ze gerust hun hart bij ons kunnen uitstorten omdat we hun gevoelens zullen begrijpen, althans zullen proberen dat te doen.

Ik was er zeker van, of beter gezegd: mijn gevoelens waren er zeker van, dat mijn werkelijke vader János was en niet die belachelijke figuur in die veel te wijde winterjas; het schoot me te binnen dat János' haar vroeger donker en dicht ingeplant was en ik begreep dat ik onze innerlijke overeenkomst niet onmiddellijk had herkend doordat zijn uiterlijk zo was veranderd, zijn huid had de elasticiteit en de warme, bruine kleur van vroeger verloren en omspande bleek en rimpelig de sterke beenderen van zijn gezicht.

Het meest raadselachtig was echter het gezicht van mijn moeder, dit gelaat bevestigde mijn vermoeden, want het drong zich zonder dat ze een voet verzette of haar aangevangen beweging voltooide tussen de beide mannen.

Ondanks zijn bevende lippen was het tenslotte mijn in zijn winterjas gehulde vader die met een kort zinnetje de stilte verbrak; hij zei: zo, je bent dus toch gekomen, of iets dergelijks.

De glimlach op het gezicht van de andere man werd door verdriet overschaduwd, en toen hij antwoordde dat hij eigenlijk tegen zijn zin was gekomen, vloeiden zijn glimlach en droefenis opnieuw ineen; hij voegde er aan toe dat het mijn vader waarschijnlijk bekend was dat zijn moeder twee jaar geleden was gestorven, maar dat hij dit niet had geweten en daarom eerst naar haar huis was gegaan, waar hij was ingelicht door de mensen die daar tegenwoordig woonden.

Dat wisten wij ook niet, zei mijn in winterjas gehulde vader.

Maar toen klonk de stem van mijn moeder, scherp als een zaag die in knoestig hout blijft steken, ze riep dat het nu wel genoeg was geweest.

Weer zwegen ze, en terwijl mijn moeder met een verkrampte, verstikte stem, alsof ze zich op iemand wilde wreken, zei dat ze het wel hadden geweten maar niet naar de begrafenis waren gegaan, voelde ik dat mijn krachten het begaven en ik geen voet meer kon verzetten.

Na deze uitbarsting zwegen de vier volwassenen, alsof ze zich in zichzelf terugtrokken om nieuwe krachten te verzamelen.

Na een poosje zei János dat hij het hun niet kwalijk nam, waarbij de glimlach geheel van zijn gezicht week en alleen het verdriet achterbleef.

Opeens vermande mijn in winterjas gehulde vader zich, hij liep met zijn hoed in zijn hand naar János toe; hoewel hij zijn armen nauwelijks bewoog, leek het of hij János wilde omhelzen, maar János hief, alsof hij zich op zijn verdriet beriep, verontschuldigend zijn hand, alsof hij wilde beduiden dat mijn vader niet dichterbij moest komen en beter kon blijven waar hij was.

Mijn vader bleef, nog steeds met zijn winterjas aan, staan; zijn haar ving de smalle lichtbundel op, zodat het glansde; opeens liet hij, ik weet niet waarom, misschien omdat hij de aangevangen beweging niet kon voltooien, zijn hoed vallen.

We moeten eroverheen zien te komen, zei mijn moeder op een fluistertoon, alsof ze de onbehouwen afwijzing wilde verzachten; ze herhaalde deze woorden op nog zachtere toon.

De twee mannen keken haar aan, in hun ogen las ik de hoop dat zij, de vrouw, hen daarbij zou kunnen helpen.

Deze blikken brachten de drie mensen dichter bij elkaar, zodat ze weer een gezelschap vormden.

Maar niemand kon de anderen ook maar ergens mee helpen; na een poosje wendde János zich van de anderen af; misschien deed het hem pijn dat ze weer met zijn drieën waren; toen mijn ouders merkten dat hij niet meer naar hen keek, wisselden ze enkele hatelijke blikken en gebaren achter zijn rug; intussen deed János alsof hij uit het raam keek, maar terwijl hij naar de van de dakgoot vallende druppels en de kale, in de wind zwaaiende takken staarde, begon hij opeens te jammeren en zachtjes te snikken en de tranen sprongen in zijn ogen; hij slikte ze snel in; ja, zei hij, je hebt gelijk, maar op dat moment barstte hij werkelijk in tranen uit en mijn moeder krijste tegen me dat ik eindelijk eens moest snappen dat mijn aanwezigheid ongewenst was; ze gilde hysterisch dat ik de kamer uit moest gaan.

Ik had haar bevel graag opgevolgd, maar was er niet toe in staat, zoals zij het niet klaarspeelden de afstand tussen elkaar te overbruggen, ze stonden te ver van elkaar af, ieder op zijn eigen plaats.

Je verwacht kennelijk een soort rechtvaardiging van me, zei mijn vader, veel te luid omdat hij eindelijk kon zeggen wat hij in het begin niet had durven zeggen.

Nee, zei János, en hij veegde met zijn vuist de tranen uit zijn ogen, maar een van zijn ogen bleef even nat als tevoren; neem me niet kwalijk, maar ik ben hier niet gekomen om jou te ontmoeten, ik wou iemand anders spreken; hij voegde eraan toe dat vader niet bang hoefde te zijn, hij verlangde geen rekenschap van hem, hij was niet eens in staat een gesprek met hem te voeren en als hij een gezin had willen uitroeien, was hij niet zo vreedzaam onze woning binnengekomen; één ding wilde hij wel kwijt: vanaf dit ogenblik moest mijn vader – en dat was wellicht heel onaangenaam voor hem – ermee rekening houden dat hij weer aanwezig was, dat hij nog leefde, hij was niet gecrepeerd en vader moest er niet op rekenen dat hij zijn mond zou houden over het gebeurde.

Weet je dan niet dat ik er ook iets mee te maken heb? vroeg mijn in winterjas gehulde vader.

Met mijn vrijlating of met mijn arrestatie? vroeg János.

Met je vrijlating natuurlijk.

Nee, antwoordde János, daar is mij niets van bekend en ik ben zo vrij het niet te geloven, integendeel, bepaalde feiten nopen mij het tegendeel aan te nemen.

Je denkt dus inderdaad dat ik eraan heb meegewerkt.

Ik kan bepaalde feiten helaas niet vergeten, daarvoor zijn vijf ellendige gevangenisjaren niet voldoende, zei János, volgens mij zijn alleen doden vergeetachtig genoeg, misschien hadden jullie grondiger moeten werken, met een meer vooruitziende blik, en niemand in leven moeten laten; levende mensen hebben een geheugen.

Zou je zo vriendelijk willen zijn me te zeggen op welke feiten je doelt? vroeg mijn in winterjas gehulde vader.

Op dat moment liet mijn moeder haar ochtendjas los en drukte, alsof zich in haar lichaam iets verschrikkelijks afspeelde, haar beide handen tegen haar buik; het was alsof ze wilde voorkomen dat er iets zou gebeuren wat onvermijdelijk was.

Ik geloof niet dat dit het moment is om onbelangrijke details te bespreken, antwoordde János.

Nee, niet nu! fluisterde mijn moeder, alsjeblieft niet nu!

Voor mij zijn het geen onbelangrijke details, tenslotte is mijn eer ermee gemoeid, ik sta erop dat je me die feiten noemt, ik heb daar recht op!

János zweeg geruime tijd, maar het was een ander zwijgen dan daarstraks, meer gespannen.

Vader had door zijn woede enigszins zijn evenwicht hervonden, zijn gevoelens volgden weer routineus het door zijn politieke overtuiging uitgezette spoor en daaruit putte hij kracht, maar achter het breekbare masker van zijn herwonnen zelfvertrouwen wachtte hij angstig en onderdanig op het antwoord van János, die echter tengevolge van het tegen zijn bedoeling ontstane conflict op een eigenaardige manier onzeker was geworden, hij was er immers ondanks zijn omslachtige en elegante manier van uitdrukken niet in geslaagd de door hem verachte medemens op een afstand te houden; ook de geconcentreerde uitdrukking van tederheid en nobel verdriet was van zijn gezicht verdwenen, gevoelens die ongetwijfeld in hem waren opgewekt door alles wat hij had meegemaakt: de schok van de herwonnen fysieke vrijheid en de daarmee gepaard gaande ontreddering, het bericht van de dood van zijn moeder en de dramatische ontmoeting met ons, en niet in de laatste plaats natuurlijk de aanblik van mijn moeders verminkte lichaam, die op zich al voldoende zou zijn geweest om hem emotioneel te verpletteren; toch scheen hij, in tegenstelling tot mijn vader, enigszins opgelucht te zijn na deze woordenwisseling en nu, zonder enige beschutting of binding, naakt en ongewapend, de strijd aan te willen gaan met hem; hoewel hij eigenlijk al begonnen was met dit gevecht, trachtte hij te glimlachen; János streed niet tegen zijn gevoelens maar tegen de hem door het Lot vergunde vrijheid; ik zag hoe de huid om zijn ogen zich tot een netwerk van rimpels samentrok; met enige retorische overdrijving zou men kunnen zeggen dat Mentor in eigen persoon naast hem stond om hem moed in te spreken en aan te vuren; opeens versomberde zijn gelaat en verdwenen zijn rimpels, zodat hij er vermoeid maar niet krachteloos uitzag; hij voelde de vermoeidheid van iemand die een vaste mening heeft en overtuigd is van zijn gelijk, een gelijk dat geen benepen, persoonlijke waarheid is, maar een ondeelbare, voor iedereen geldende, zodat elke discussie of bewijsvoering bij voorbaat nutteloos en overbodig is en het geen zin heeft daarmee je tijd te verdoen; er was weinig eer te behalen aan het duel met mijn vader, want alleen hij kon als winnaar uit het strijdperk treden, hij was immers het slachtoffer, een rol die hij in zijn nieuw verworven vrijheid met de grootste tegenzin aanvaardde; de strijd was echter onvermijdelijk, hij was zelfs al begonnen, mijn vader en hij communiceerden al minutenlang in de geheimtaal die alleen zij begrepen, de taal van de voorzichtigheid en het wantrouwen, van de voortdurende waakzaamheid en de verdenkingen, waarvan wij, Maja en ik, de oorsprong, de bron hadden getracht te ontdekken; het was hun taal, het enige wapen dat ze tegen elkaar konden gebruiken, de taal van hun verleden, hun gemeenschappelijke taal, die János, wilde hij zijn beginselen niet verloochenen, overbodig noch triviaal mocht achten; omdat hij echter het contact met mijn vader verafschuwde, was hij op zoek naar een uitweg, naar een zinswending of intentie waarmee hij verdere discussies kon voorkomen.

Luister, zei hij, langzaam sprekend, alsof hij zoveel mogelijk tijd wilde winnen, jij weet uiteraard veel beter dan ik wat je wel en niet kan eisen voor de rechter, maar je moet niet zo tegen me schreeuwen en niet hardnekkig volhouden dat je gelijk hebt; ik wil je alleen vriendelijk en beleefd vragen – zonder mijn proces in de zaak te betrekken, dat heeft toch geen invloed meer op onze relatie – hoeveel doodvonnissen je hebt ondertekend? hij voegde eraan toe dat dit hem alleen uit statistisch oogpunt interesseerde.

Mijn vader zweeg een tijdje, hun blikken kruisten elkaar en lieten elkaar niet meer los, maar tenslotte antwoordde hij in even omslachtige bewoordingen dat hij de vraag onrechtvaardig vond, János kon toch weten dat hij geen enkel doodvonnis had ondertekend omdat dit niet zijn taak was; de vraag was dus, althans in deze vorm gesteld, als overbodig te beschouwen.

Maar natuurlijk, sorry, dat was ik helemaal vergeten, neem me niet kwalijk.

Wel is het zo, zei mijn vader, eveneens heel langzaam sprekend, dat ik in bepaalde gevallen de doodstraf eis, maar zoals iedereen weet wordt het vonnis door de beide volksassessors en de volksrechter uitgesproken, die in hun oordeel geheel vrij zijn.

Natuurlijk! riep János uit, zo gaat dat in de rechtspraak! neem me niet kwalijk hoor, het is ook zo ingewikkeld dat ik me steeds weer vergis en alles door elkaar haal.

Inderdaad, zo zit de vork in de steel; de zaken moeten goed uit elkaar worden gehouden.

Maar dan is alles toch volmaakt in orde?

Ik was het liefst de kamer uitgegaan, maar ik dorst de lucht om me heen niet te verplaatsen.

Omdat ik je zo goed ken, vervolgde mijn vader op zachte, bedachtzame, maar toch dreigende toon, veronderstel ik – je was vroeger minstens zo radicaal als ik – dat jij, als je in mijn plaats was geweest, niet anders gehandeld zou hebben dan ik en naar beste vermogen je functie zou hebben uitgeoefend; heb ik gelijk of niet? ik beschouw het dan ook als een volstrekte toevalligheid, als een speling van het lot, dat wij de afgelopen vijf jaar zo'n verschillende rol hebben gespeeld.

De twee mannen fluisterden nu bijna en ook mijn moeder fluisterde; met smekende stem verzocht ze hun opnieuw op te houden met ruzie maken en ze zei: nee, niet nu! later alsjeblieft!

Daar zeg je me wat! bijna had ik de toevalligheden over het hoofd gezien, toevalligheden die overigens feiten zijn geworden, feiten die je nogal schijnen te hinderen, waarom eigenlijk? waarvoor die belachelijke opwinding? ik heb dus een rol gespeeld, zoals je het zo fraai zegt, goed, dan is er dus niets aan de hand, jij hebt jouw rol gespeeld en ik de mijne, ik wil je geen enkel verwijt maken; begrijp je dat?

Ik zal je alles vertellen, werkelijk alles wat ik weet, tot in de kleinste details, maar ik vraag je één ding – ik zeg 'vraag', want ik kan het moeilijk van je eisen – zou je me willen zeggen op welke feiten je daarnet zo nadrukkelijk doelde?

Ik doelde daarmee op je fatsoen, antwoordde hij.

Zo, zei mijn in winterjas gehulde vader, op mijn fatsoen dus.

Hierna ontstond er weer een stilte, waarin ik naar de deur liep, en doordat het zo stil was, hoorde mijn moeder me, ze opende haar ogen om te zien wat er gebeurde; hoewel ik haar rakelings passeerde, viel het haar niet eens op dat ik me eindelijk weer dorst te bewegen.

Je neemt me dit verhoor bijzonder vakkundig af, zei mijn vader, geen wonder trouwens, je kent me op je duimpje en weet waarschijnlijk meer over me dan ikzelf.

Wat bedoel je daarmee?

Eigenlijk niets en op deze manier wil ik ook niet met je praten.

Dit laatste hoorde ik toen ik op het punt stond de kamer te verlaten, maar ik kon niet weggaan, want mijn vader begon te schreeuwen en riep: ik hoop dat er een enorme aardbeving komt, dat de hele kankerzooi die wij mensen op deze aardkorst hebben opgericht krakend in elkaar zakt en met een keiharde dreun tegen de vlakte gaat, dat er niet één steen op de andere blijft staan, maar alles tot één grote massa puin wordt verbrijzeld! hij huilde en brulde als een gewond dier, alsof hij slechts door zijn laatste restje zelfbeheersing van het plegen van een moord werd weerhouden; intussen drukte hij zijn handen tegen zijn slapen alsof hij zichzelf wilde beletten János aan te vliegen; het leek wel of zijn hoofd uit elkaar barstte en hij riep huilend: waarom is alles zo beroerd, hoe komt dat toch? ik kan er niet meer tegen! ik ben kapot! ik begrijp er niets meer van! hoe kan ik je duidelijk maken wat ik heb doorgemaakt toen ik nachten achter elkaar lag te wachten tot ik zelf aan de beurt zou zijn? toen ik me door iedereen verlaten voelde en me schaamde? ik begrijp er niets van en het kan me allemaal niets meer schelen! mijn beste vriend, die bijna mijn ondergang heeft veroorzaakt, wil niet meer met me spreken!

Je gedraagt je erbarmelijk, belachelijk en weerzinwekkend, zei János met een heldere, rustige stem.

Ik hield me aan de witgeverfde deurpost vast.

Wat is de ratio van dit alles, waarom gebeurt dit allemaal? zie je niet dat ik er bijna krankzinnig van word, dat ik het niet langer kan verdragen?

Toen ik je zag binnenkomen, zei János, vroeg ik me af of je nog genoeg fatsoen, of laten we liever zeggen gezond verstand, had om te begrijpen wat je hebt aangericht.

Hij liet zijn handen zakken en zijn adem stokte heel even; ten gevolge van de haast kinderlijke pijn die sinds zijn wanhopige huilbui in hem schrijnde, waren zijn lippen geopend, maar ik had het gevoel dat dit geen teken van zwakte was: zijn lichaam was sterk gebleven.

Zijn lichaam scheen uit te drukken dat de voornaamste drijfveer in zijn leven voortaan zijn nieuwsgierigheid zou zijn en dat het enige wat hem nog interesseerde de lichaamstaal van mijn vader was.

Goed, zei János nadrukkelijk, laten we deze zaak afhandelen – hij keek met zijn wijd opengesperde blauwe ogen naar de blauwe ogen van mijn vader, zodat alle haarfijne rimpeltjes in zijn gezichtshuid weer op hun oorspronkelijke plaats terechtkwamen en zijn gezicht helemaal glad werd –, maar ik hoop niet dat je dit verkeerd interpreteert; op de tweede dag van mijn gevangenschap – je weet uit eigen ervaring hoe je je op de tweede dag voelt – duwden ze me een papier onder mijn neus dat door jou was ondertekend, een verklaring waarin je beschreef hoe ik, toen ik in mei negentienvijfendertig was vrijgelaten, je huilend had verteld dat ik de afranselingen niet meer had kunnen verdragen en beloofd had informatie te verzamelen voor de geheime politie; zijn stem stokte en hij haalde diep adem; in die verklaring stond ook dat jij toen, omdat ik zo verschrikkelijk huilde, beloofd had dit niet door te geven aan de partijleiding en eraan toegevoegd had dat je me onder het een of andere voorwendsel een poosje op nonactief zou stellen, zodat ik niets zou kunnen verraden; wat ik zeg is geen afrekening, geen aanklacht, ik wil je nergens voor ter verantwoording roepen, maar in die verklaring stond ook dat je op een gegeven moment, toen ik de actie in Szob had laten mislukken en gezorgd had dat Mária werd opgepakt, door had gekregen dat ik toch voor de politie werkte.

Maar dat is toch je reinste kletskoek! iedereen weet dat we daarna nog twee volle maanden in die kelder hebben samengewerkt, zei mijn vader.

Na één dag, want op de dag zelf begreep je nog niet wat er aan de hand was, nee, ik vergis me, na twee dagen, het duurde even voordat ze je murw hadden, heb je alles gedaan wat ze van je verlangden, zei János.

Maar ik heb helemaal geen papier ondertekend!

Je hebt die verklaring niet alleen ondertekend, maar zelfs de typefouten erin verbeterd, zoals je altijd doet, waarde vriend.

Nee, nee, dat is een misverstand, ik heb nooit een verklaring over iemand afgelegd, niemand heeft me daar ooit om gevraagd!

Je liegt, zei hij.

Het leek alsof de witte deurpost me hielp de kamer uit te komen, ik stond eindelijk buiten.

János, geloof me, hij liegt inderdaad niet, hoorde ik mijn moeder met een dun stemgeluid zeggen.

Hij liegt, herhaalde hij.

Bijna was ik in de deuropening tegen mijn grootmoeder aan gebotst, ik had haar naderende voetstappen niet gehoord.

Nee, János, dat zou ik geweten en nooit toegelaten hebben, niemand heeft hem ooit verhoord, hoorde ik mijn moeder in de kamer zeggen.

Grootmoeder was met van het koken verhitte wangen uit de keuken komen aanlopen; haar gezicht had de bezorgde, bijna zedige, maar tegelijk triomfantelijke uitdrukking die het altijd vertoonde wanneer het koken geen alledaagse beslommering was, maar de talloze routineuze handelingen – het raspen, schillen, deksels oplichten, proeven, van het vuur lichten van de pannen, blancheren, spoelen, roeren en zeven – een fraaie en plechtige betekenis kregen en een verhoogde oplettendheid en concentratie vergden omdat er een welkome gast in huis was, een gast die in een naburige kamer wachtte totdat de maaltijd zou worden geserveerd; het eten was klaar en de gast moest aan tafel worden genood; zou het eten hem wel smaken? ik zag dat ze niet rechtstreeks uit de keuken kwam maar eerst nog in de badkamer was geweest, haar haar had geschikt, een poederdons over haar gezicht had gehaald en wat lippenrood op haar lippen had gesmeerd; waarschijnlijk had ze ook een andere huisjapon aangedaan om geen keukenluchtjes met zich mee te nemen; ze droeg een zilvergrijze huisjapon van ribfluweel, waarvan de kleur uitstekend paste bij haar zilvergrijze haar; om de dreigende botsing te voorkomen trok ze me heel even tegen zich aan, zodat ik de geur van haar parfum kon ruiken; zoals gewoonlijk had ze een paar druppeltjes achter haar oren gedaan.

Het was onwaarschijnlijk dat ze mijn moeders woorden niet had gehoord; hoewel ze de betekenis van het gezegde wellicht niet had begrepen, leek het me uitgesloten dat ze zozeer door haar bezigheden in beslag werd genomen dat ze uit de gebezigde toon en het schouwspel dat ze in de kamer aantrof – drie volwassenen die geheel verkrampt door hun emoties zo ver mogelijk van elkaar af stonden – niet dadelijk had opgemaakt wat er aan de hand was, maar ze liet zich hierdoor niet van haar stuk brengen, schoof mij met een kordate maar zeker niet ruwe beweging opzij, stapte op haar hooggehakte pantoffels de kamer in en zei met een plechtig gezicht, alsof ze blind, doof of alleen maar heel dom was: we kunnen aan tafel, kinderen!

Natuurlijk had ze de situatie door, maar mijn grootmoeder met haar fijngevoeligheid en haar distinctie, haar lange, rechte lichaam, haar puriteinse humorloosheid, haar fijne donzen snorretje en haar scherpgesneden, ietwat zure gezicht dat door haar keukenblosje en haar opwinding, die duidelijk verband hield met János' komst, een fraaie, volle, vrouwelijke indruk maakte, was het toonbeeld van burgerlijke deugdzaamheid, een solide matrone, die met de hardheid der geborneerden voorbijging aan alle gebeurtenissen en menselijke emoties die niet verenigbaar waren met de waardige omgangs- en fatsoensnormen die men tegenover een gast in acht behoort te nemen; ze stapte de kamer binnen en deed of ze niets zag en hoorde, alsof ze met deze hoogmoedige houding – die echter niets aristocratisch had, ze beheerste de situatie niet maar omzeilde haar alleen – wilde te kennen geven dat wij mensen bepaalde zaken, waar toch niets aan te veranderen is, beter kunnen negeren of zo onverstoorbaar beschouwen dat het lijkt of er niet bijzonder aan de hand is, zodat we, dankzij de aldus gewekte schijn, de onstuitbare loop der dingen bespoedigen en, door geduldig af te wachten, niet in te grijpen en zorgvuldig af te wegen, de zaken in goede banen leiden en die niet bederven door dadelijk tot actie over te gaan, elk handelen is immers een vorm van oordelen, waarmee we uiterst voorzichtig dienen te zijn! deze houding irriteerde mij in mijn kinderjaren natuurlijk in hoge mate, ik walgde van een dergelijke leugenachtigheid en het duurde lang alvorens ik, door mijn eigen bittere ervaringen wijs geworden, haar levenshouding tot de mijne maakte toen ik ging begrijpen, althans vermoeden, dat die schijnheilige onnozelheid en geveinsde doofheid misschien meer souplesse en begrip vergden dan openlijk betoond en gul uitgedrukt medeleven, en meer menselijk inlevingsvermogen en levenservaring dan op onmiddellijke waarheidsvinding gerichte inmenging en zogenaamde oprechtheid; door te handelen als zij kunnen we onze natuurlijke neiging om een overhaast oordeel te vellen en tussenbeide te komen een halt toeroepen, al toveren we andermans agressiviteit daarmee natuurlijk niet weg; mijn grootmoeder moet zich op het onderhavige moment in haar element hebben gevoeld, want ze kwam zonder een spier van haar gezicht te vertrekken binnen, alsof onze kamer een salon was, waar de aanwezigen onder het genot van een aperitief over koetjes en kalfjes converseerden; maar hoezeer ze de ernst van de situatie doorzag bleek onder meer uit het feit dat ze zich bijna zonder adempauze tot mijn vader wendde en zich verbaasd toonde hem daar aan te treffen, zijn aanwezigheid maakte dadelijk een uitbreiding van het op tafel gereedstaande eetgerei noodzakelijk; ze voegde daar op haar meest alledaagse, lichtelijk autoritaire toon aan toe dat hij snel zijn jas uit moest trekken en zijn handen wassen; opschieten, jongen, ik zou niet graag hebben dat het eten verpieterde! nog voordat ze was uitgesproken, stond ze al bij János, voor wie dit hele theater bedoeld was, een theater dat te kennen moest geven dat hij zich in een huis bevond waar, wat er ook gebeurde, alles geruisloos, liefdevol en ordelijk toeging; misschien is dit het moment om op te merken dat zich in haar gedragswijze de in vele opzichten verstandige moraal en rationaliteit van het burgerlijk fatsoen openbaarde, een moraal die inhoudt dat het leven onder alle omstandigheden, ook de meest dramatische, zijn normale verloop moet hebben; het wordt vandaag een enigszins geïmproviseerde lunch, zei ze glimlachend, en ze liet haar blik lang op János rusten om hem tactvol de tijd te geven zijn kalmte te herwinnen; toen nam ze hem zachtjes bij de arm en zei dat ze geen woorden had om uit te drukken hoe verheugd ze was over zijn bezoek.

Het doortastende gedrag en de schijnmanoeuvres van mijn grootmoeder waren natuurlijk op zich niet voldoende om de tot het kook-
punt verhitte en op een keerpunt aangelande gevoelens van de aanwezigen te kalmeren en in toegeeflijkheid en consideratie om te zetten,
integendeel, de drie kemphanen waren zo door het dolle heen dat het
niet waarschijnlijk leek dat ze in staat zouden zijn hun moorddadige,
op de opheldering van het raadsel gerichte emoties van het ene op het
andere ogenblik te onderdrukken, ze waren er zozeer op uit hun gram
te halen dat grootmoeders huichelarij hun laatste restje zelfbeheersing
dreigde teniet te doen en ze op het punt stonden alle woede, schaamte,
wanhoop, argwaan, pijn en verdriet die ze op dat moment voelden
over haar uit te storten om zich aldus te ontladen en de zaak tot klaarheid te brengen; mijn moeder kreeg een kleur van woede toen ze zag
hoe haar moeder zich gedroeg en ze stond op het punt haar de deur te
wijzen of naar de keel te vliegen om die gehate, huichelachtige stem te
smoren, maar de aan de fatsoensnormen van mijn grootmoeder volledig tegengestelde moraal van mijn ouders verbood haar dit; de moraal
van mijn ouders bestond vermoedelijk alleen in het uiterst subtiele onderscheid dat ze maakten tussen geoorloofde en ongeoorloofde methodes en tussen tactische en strategische middelen, hetgeen ze zo ondoorgrondelijk maakte dat hun morele superioriteit en feitelijke
macht onaantastbaar schenen; elk verkeerd woord of gebaar van mijn
moeder zou een verraderlijke daad zijn geweest, een schending van het
verbond dat ze met mijn vader had gesloten, ze mochten geen van beiden hun gevoelens tonen en waren gehouden de innerlijke tegenstrijdigheden van hun geheime leven te verzwijgen, tegenstrijdigheden die
een verboden gebied vormden dat ze op een samenzweerderige manier
tegen elke indringer verdedigden; ze dienden alles onder elkaar en met
volledige uitsluiting van de vijandige en verdachte buitenwereld af te
handelen; het meest verwonderlijke van deze scène was voor mij de
manier waarop deze door geheel verschillende aandriften bewogen na-
turen achter een gezamenlijk opgetrokken façade van huichelarij en
misleiding op harmonieuze wijze met elkaar samenwerkten.
    Later zouden ze natuurlijk gewoon doorgaan met ruzie maken,
maar nu zei vader haastig dat we, als hij zijn handen had gewassen, aan
tafel konden gaan, alsof ze inderdaad slechts over koetjes en kalfjes
hadden gepraat, hij gaf daarmee een hint aan mijn moeder, die, hoewel
ze nog vuurrood zag, bereidwillig haar peignoir tevoorschijn haalde,
niet in de laatste plaats omdat ze zich daarvoor moest afwenden en ze

aldus haar van woede verwrongen gezicht kon verbergen; ze zei dat ze zich ging omkleden omdat ze niet in een peignoir aan tafel wilde verschijnen, maar dat dit maar een ogenblikje zou kosten; de verlegen uitdrukking op János' gezicht maakte plaats voor een vluchtige glimlach, alsof hij daarmee haastig trachtte te versluieren wat verborgen moest blijven; deze wisseling van gelaatsuitdrukking was meer een reflex dan een bewuste handeling, het leidde tot een samenzweerderig lachje dat nauwkeurig correspondeerde met het huichelachtige, overdreven vreugdebetoon van mijn grootmoeder, die hem stralend aankeek; beide glimlachjes waren volmaakt in hun soort doordat ze, ofschoon slechts bedoeld om gevoelens te verbergen, werkelijke gevoelens opwekten.

Met zijn hand grootmoeders gebaar beantwoordend en geforceerd grijnzend, mompelde hij dat hij niet bepaald gelukkig was te noemen, maar blij was bij ons te kunnen zijn, eigenlijk begreep hij nog steeds niet wat er met hem was gebeurd; hierop verscheen er een medelijdende uitdrukking op grootmoeders gezicht, haar ogen vulden zich met tranen en ze zei: die arme, arme moeder van je! op een toon die verried dat ze werkelijk geëmotioneerd was, waardoor ze nog nader tot elkaar kwamen; natuurlijk kwamen ze allebei met hetzelfde cliché op de proppen: dat het zo jammer was dat zijn moeder dit niet meer meemaakte, maar het cliché had effect; en doordat János en mijn grootmoeder toenadering tot elkaar zochten, hadden de geslaakte zuchten, de droefgeestige intonatie en de betraande ogen ook betrekking op het onderwerp waarover sedert János' aankomst was gesproken, ze sloten dit onderwerp als het ware af en droegen het op een elegante en discrete manier ten grave; tenslotte vermande mijn grootmoeder zich en ze haakte bij hem in, teder en troostend, alsof ze behalve hem ook zijn overleden moeder een arm gaf.

Ik verroerde me niet en niemand schonk meer enige aandacht aan me, mijn vader had de kamer verlaten en mijn moeder was naar de slaapkamer gegaan om zich te verkleden.

Ernö is bijna ziek van opwinding, zei grootmoeder lachend, hij wil je zo graag zien!

Ze begaven zich naar de eetkamer.

János, die grootmoeders luchtige conversatietoon haastig had overgenomen, vroeg een beetje beschaamd over zijn vergeetachtigheid hoe Ernö het maakte, maar terwijl hij de vraag stelde kreeg ook zijn stem een gemaakte klank.

Wat ziet de geest nu alles duidelijk voor zich wat het oog indertijd als beweging, en het oor als klank en klemtoon heeft geregistreerd en het geheugen, God weet waarom, bewaard!

Bij het horen van zijn gemaakte toon bleef grootmoeder plotseling voor de eetkamerdeur staan en trok, alsof ze hem voordat ze de kamer binnengingen beslist iets moest zeggen, haar arm uit de zijne; ze ging voor hem staan en keek met haar door ouderdom enigszins verzwakte ogen naar hem op; de stralende uitdrukking waartoe zij zich zoëven had geforceerd, was van haar gezicht verdwenen en had plaatsgemaakt voor vermoeidheid en droefenis, en zelfs bezorgdheid, maar op het laatste moment bedacht ze zich kennelijk, want ze vatte János, verstrooidheid voorwendend, bij de revers van zijn colbert en trok daar met een meisjesachtige, verlegen beweging een paar maal aan, wat merkwaardigerwijze een ernstige indruk maakte, alsof ze een onzegbaar verdriet trachtte te verbergen.

Maar de zelfbeheersing die János met zijn feilloos aan de situatie aangepaste, gemaakte toon meende te hebben verworven, verdween plotseling van zijn gezicht, ze loste eenvoudig op en hij viel weer ten prooi aan de opwinding van daarstraks; de rimpeltjes om zijn mond en zijn ogen begonnen onregelmatig te trillen en verplaatsten zich, alsof hij, hoewel hij alles al wist wat er te weten viel, bang was voor wat grootmoeder hem wilde zeggen, maar dat wilde verbergen.

Weet je, zei grootmoeder bijna fluisterend, om te voorkomen dat in de kamer hoorbaar zou zijn wat ze zei, Ernö is zijn leven lang erg actief geweest, hij kon nooit rustig op zijn stoel zitten en nu... ik weet weinig van politiek af en ik wil er niets over zeggen, maar hij is er helemaal kapot aan gegaan, aan dat gevoel van machteloosheid! hij heeft ook veel verdriet gehad van jouw arrestatie, dat weet ik, hoewel hij er nooit over sprak, hij zweeg altijd en hij zwijgt nog steeds; hij heeft de ene aanval na de andere en is van iedereen vervreemd, hij ontvangt niemand; haar fluistertoon werd steeds hartstochtelijker en plotseling verscheen op haar gezicht een uitdrukking van diepe gekrenktheid, want ze had niet over Ernö's problemen maar over haar eigen verdriet willen spreken, Ernö was toch niet meer te helpen, hij aanvaardde van niemand hulp!

János streelde grootmoeders haar, maar niet alsof hij een dwaze oude vrouw wilde troosten, het was meer een geremde en verlegen beweging.

Grootmoeder lachte even, maar ze vroeg niet waarom János haar gestreeld had; zo is de situatie, zei ze, maar laten we naar binnen gaan, en ze opende de deur.

Ze opende hem echter alleen voor hem en ging zelf niet mee naar binnen, ze sloeg, evenals ik, de ontmoeting door de deuropening gade.

János had al zijn geestelijke kracht nodig om Ernö's veranderde uiterlijk, dat hem onvoorbereid trof, als vanzelfsprekend te aanvaarden.

We kunnen de beproevingen van het leven alleen verdragen als we bepaalde handelingen, die we geheel bewust zouden moeten verrichten, instinctmatig uitvoeren, waardoor het lijkt of het lichaam niet werkelijk aanwezig is, op die manier beschermen onze gevoelens ons tegen onze gevoelens.

Je kon aan János' rug, aan zijn hoekige, vooruitspringende schouderbladen en zijn magere, pezige hals zien dat zijn Ik niet mee naar binnen ging, maar verbijsterd op de gang achterbleef, zijn voeten werden alleen door liefde en plichtsbesef in beweging gebracht.

In de kamer straalde de kroonluchter plechtig boven de lange, feestelijk gedekte tafel; mijn grootvader stond zwak en duizelig achter zijn stoel; hij klampte zich aan de hoge rugleuning vast en keek niet op toen wij binnenkwamen; zijn blik rustte op de tafel, die met een botergeel porseleinen servies, zilveren couverts en geslepen glazen was gedekt; eigenlijk deed hij niets anders dan op zijn adem passen, die hij voortdurend in de gaten hield; de huid van zijn broze gelaat was donker gekleurd en zijn hoge, gewelfde voorhoofd gaf hem iets hoogmoedigs en strengs, maar die indruk werd enigszins weggenomen door zijn gladgestreken, golvende, witte haar; de aders boven zijn diepe slapen waren opgezwollen en pulseerden heftig; hij trachtte zo ontspannen mogelijk in- en uit te ademen, uit vrees dat hij een nieuwe oncontroleerbare aanval zou krijgen; het was dus absoluut geen krasse grijsaard die we daar zagen; aan de andere kant van de tafel, op een met enkele kussens verhoogde stoel, troonde mijn zusje; ze droeg een keurig blauw jurkje met een rond, wit kraagje en haar haar was zorgvuldig gekamd; ze schopte met een geconcentreerde maar koppige uitdrukking op haar gezichtje ritmisch tegen de tafel en sloeg met een lepel op haar lege emaille bordje, zonder zich ook maar iets aan te trekken van het openen van de deur of de binnenkomst van de onbekende; zoals gewoonlijk was haar mondje wijd opengesperd.

Mijn grootvader hief langzaam zijn hoofd en staarde János aan door zijn bril; zijn blik drukte een intense emotie uit, alsof hij daarmee iets wilde zeggen wat hij onmogelijk onder woorden kon brengen; hij was kennelijk niet in staat zijn hoofd volledig op te richten; terwijl hij János zo aankeek bedaarde het piepen van zijn borst geleidelijk, maar zijn wangen werden nog donkerder en zijn voorhoofd verbleekte; het was hem duidelijk aan te zien dat hij zich met moeite beheerste.

Hij merkte onmiddellijk hoe verbijsterd de man was die hij aankeek, en hoewel zijn gezicht ernstig bleef – hij glimlachte absoluut niet – verscheen er een vrolijke twinkeling in zijn ogen, alsof hij János op die manier wilde kalmeren.

Opeens wierp hij, het hoofd ietwat schuin houdend, een bijna olijke blik op mijn zusje, alsof hij wilde zeggen: ja, je ziet het goed, zo is ze nu eenmaal en ik ben hier om ervoor te zorgen dat ze op haar bordje kan slaan zolang ze maar wil; eigenlijk gaf zijn blik te kennen dat János ongegeneerd naar haar kon kijken en niet moest doen alsof hij niet zag wat hem noodzakelijkerwijze moest opvallen.

Hierna richtte hij zijn blik opnieuw op János, en terwijl mijn zusje in een gelijkmatig ritme op haar bordje bleef roffelen, liepen de twee mannen naar elkaar toe.

Twee oude handen grepen boven het hoofdje van het achterlijke meisje twee jonge handen en drukten die innig; toen ik János' gezicht opnieuw zag, merkte ik dat de verbijstering verdwenen was; zo bleven ze een poosje hand in hand staan, alsof ze elkaar wilden opbeuren en troosten.

Ik heb heel vaak aan je gedacht, Ernö, zei János na een lang stilzwijgen.

Iets mooiers had je me niet kunnen zeggen, zei grootvader.

Ik vond het prettig om aan je te denken; ik heb trouwens heel veel tijd gehad om na te denken.

Grootvader antwoordde dat hij had gedacht dat János' gevangenschap eeuwig zou duren; hij had geen hoop gehad, zelfs geen sprankje, dat er ooit een einde aan zou komen, in ieder geval had hij er niet op gerekend het nog mee te maken.

En toch had ik het kunnen weten, zei hij.

Wat? vroeg János.

Grootvader schudde zijn hoofd, hij wilde geen antwoord geven, maar op dat moment vielen de twee mannen elkaar in de armen, alsof alle opgekropte gevoelens, die ze hadden willen verbergen – overigens niet uit valse schaamte of verlegenheid – gelijktijdig een uitweg zochten; ze omhelsden elkaar langdurig.

Toen ze elkaar weer loslieten, hield mijn zusje op met trommelen en staarde met open mond naar de beide mannen; het was niet uit te maken of het kreetje dat ze op dat moment slaakte een uiting van angst of van vreugde was; mijn grootmoeder, die nog steeds achter mijn rug stond, slaakte een diepe zucht en snelde naar de keuken.

Ietwat onbeholpen en met hangende armen stonden de beide mannen tegenover elkaar.

János zei dat hij veel had geleerd, zoveel dat hij bijna liberaal was gaan denken; stel je voor, Ernö!

Kom, kom, zei mijn grootvader.

Stel je voor, zei hij nogmaals.

Dan moest je je bij de eerstvolgende verkiezingen maar kandidaat stellen.

Daarop grepen ze weer elkaars handen en schaterden het uit, midden in elkaars gezicht, ruw en overdreven luid; ze vielen elkaar met een soort dronkemansgehik om de hals, een gehik dat plotseling, als versmoord, overging in een zwijgen; waarschijnlijk had dit zwijgen achter hun gegrinnik al op de loer gelegen en zag het nu zijn kans schoon.

Ik stond in de deuropening, niet in staat me los te maken van dit schouwspel en evenmin in staat naar binnen te gaan om behalve visueel ook met mijn tastzin te volgen wat daar gebeurde, ik was volkomen in de ban van wat ik zag; toen ik me omdraaide zag ik hoe mijn zusje de twee mannen aanstaarde; haar hoofdje ietwat scheef houdend en de lepel in haar vuistje klemmend trachtte ze, nu eens hijgend en grijnzend dan weer pruilend, zachtjes drenzend of huilend, te doorgronden wat dit ongewone schouwspel te betekenen had, of het positief of negatief kon worden geduid, maar omdat ze geen inzicht had in de fijnere schakeringen van het menselijke gedrag, begon ze tenslotte, vermoedelijk geschrokken van haar eigen onvermogen om het waargenomene te interpreteren, afgrijselijk te blèren.

Iedereen die niet in de onmiddellijke omgeving van een zwakzinnige heeft geleefd is ten onrechte geneigd dergelijke aanvallen als een gril van het toeval te beschouwen.

Even later duwde mijn vader me naar de tafel, want het geblèr van mijn zusje had me zo verlamd dat ik niet in staat was een voet te verzetten en ik beweerde dat ik geen trek had, ik kan me dat nog heel goed herinneren.

Daarna kwam mijn grootmoeder binnen met de dampende soepterrine.

Zo nauwkeurig als mijn geheugen de voorgeschiedenis van dit middagmaal heeft bewaard, zo diep is begraven wat daarna volgde; natuurlijk weet ik dat het geheugen alles onbarmhartig bewaart, maar – ik moet mijn zwakheid bekennen – ik wil me dit niet herinneren.

Dat moeders gezicht langzaam geel werd en steeds meer vergeelde, tot het bijna bruin leek, ik zag het, maar ze deed alsof alles in orde was en daarom durfde ik er niets van te zeggen, noch tegen haar noch tegen de anderen.

Of nog daarvoor, zoals ze binnenkwam, gekleed in een donkerblauwe rok en een witte blouse en aan haar mooie lange benen schoenen van slangeleer met heel hoge hakken, die ze alleen bij de feestelijkste gelegenheden droeg; ze ijlde naar mijn zusje; in de wijd geopende kraag van haar blouse pronkte een kleurig sjaaltje; ik had haar maanden geleden voor het laatst aangekleed gezien; het zijden sjaaltje moest verbergen hoezeer ze was vermagerd; als mijn zusje zo'n hysterische bui had, mochten we haar niet aanraken; moeder hurkte bij haar neer en vouwde van een servetje een haasje om haar te kalmeren.

En de manier waarop János hiernaar keek.

En het gebrul van mijn vader, die riep dat ze die huilebalk uit de kamer moesten verwijderen.

En hoe vervolgens, toen dit was gebeurd en alleen het zwijgen van de drie mannen in de kamer was achtergebleven, het geblèr wegstierf.

En dat nog in de daaropvolgende uren te merken was dat iemand tot zwijgen had moeten worden gebracht, en dan die stilte en al die kauwende monden!

En dat het eten zo lang duurde dat het een eeuwigheid leek, er was telkens weer wat over en iedereen trachtte tevergeefs zijn bord leeg te eten, en in die eindeloosheid ging alles verloren wat zich als mogelijke oplossing of uitweg aandiende, het werd er eenvoudig door opgeslokt.

Later op de middag sloten ze zich op en ik kon alleen nog maar af en toe een woord of een onderdrukte kreet horen, maar ik wilde toen uit die opgevangen woorden geen enkele conclusie meer trekken omdat alles toch in dezelfde richting wees.

Het moet al laat in de avond zijn geweest toen ik de schroevedraaier pakte; ik deed het licht niet aan en sloot zelfs de deur niet achter me, omdat het volkomen zinloos was nog langer voorzichtig te zijn, eigenlijk kon het me niet meer schelen wat ik deed; ik schoof de punt van de schroevedraaier tussen het bureaublad en de la en lichtte het blad op, zodat het slot opensprong; precies op het moment dat ik het geld uit de la nam, kwam mijn grootvader de donkere kamer binnen.

Hij vroeg wat ik met het geld wou doen.

Niets, antwoordde ik.

Daarop bleef hij een poosje staan; hij zei zachtjes dat ik niet bang hoefde te zijn, ze handelden alleen enkele zaken met elkaar af; na dit gezegd te hebben verliet hij de kamer.

Zijn stem had nuchter, ernstig en rustig geklonken; dankzij die uit een andere wereld afkomstige stem van mijn grootvader, wiens geest geheel anders functioneerde dan in die tijd normaal was, begreep ik wat ik had willen doen; lange tijd stond ik in de donkere kamer, als een dief die op heterdaad is betrapt; mijn plan was verijdeld en ik voelde me beroerd, maar ook een beetje opgelucht; het geld, tweehonderd forint, stak ik tenslotte toch maar in mijn zak.

De la liet ik openstaan en de schroevedraaier bleef op het bureaublad liggen.

Ik herinner me zelfs dat ik die nacht aangekleed op mijn bed in slaap ben gevallen en dit pas 's morgens merkte; iemand had me met een deken toegedekt; doordat ik zo geslapen had, hoefde ik me 's morgens tenminste niet aan te kleden.

Ik vermeld dit feit niet omdat het zo grappig is, maar om te illustreren met wat voor kleine meevallers een mens zich op zulke moeilijke ogenblikken probeert te troosten.

Toen ik na schooltijd thuiskwam, hingen de twee jassen, de zware van vader en de andere van de bezoeker, nog altijd aan de kapstok en ik kon de mannen door de kamerdeur met elkaar horen praten.

Ik probeerde niet te verstaan wat ze zeiden.

Ik herinner me niet meer hoe ik die middag heb doorgebracht, ik vermoed dat ik al die tijd in de tuin heb rondgehangen in de jas die ik aanhad toen ik uit school kwam.

Tenslotte werd het donker; ik herinner me dit verschijnsel als een weldadige gebeurtenis; een donkerrode schemering, een kristalheldere hemel en hoog in de lucht de maan; toen ik door het bos liep, bevroor alles wat overdag ontdooid was opnieuw, de grond knerpte en kraakte onder mijn zolen.

Pas boven, in de Felhöstraat, waar ik naar Hédi's raam keek en zag dat de gordijnen werden dichtgeschoven en de lamp brandde, kwam ik voldoende tot rust om te kunnen voelen hoe koud de lucht was die ik inademde.

Ik ontmoette twee jonge meisjes in de al bijna donkere straat; ze trokken een sleetje achter zich aan; de slee kwam op de beijzelde, met sintels verharde straat, die vol kuilen en bulten zat, slechts moeizaam vooruit.

Ik zei tegen die meisjes dat ze een goed moment hadden uitgekozen om te sleeën, juist nu alle sneeuw was gesmolten.

Ze bleven staan en keken me schaapachtig aan; een van hen zei met een scheef hoofdje en een nijdig vooruitgestoken halsje dat je nog prima kon sleeën, er lag nog genoeg sneeuw op de Városkútiweg.

Ik beloofde de meisjes twee forint als ze Livia's huis zouden binnengaan om haar te zeggen dat ze naar buiten moest komen.

Ze gingen niet op dit aanbod in of begrepen het niet, waarop ik uit mijn zak een handvol kleingeld opdiepte en aan ze liet zien; daarop nam de brutaalste van de twee een paar muntstukken aan.

Ik had dit geld voordat ik van huis was vertrokken uit János' jaszak gestolen, een hele hand vol, al het geld dat hij in zijn zak had.

De meisjes liepen over de speelplaats van de school en sleepten de slee achter zich aan; toen ze voor het huis stonden, riep ik ze toe via welke deur je in het souterrain kwam; moeizaam sleepten ze de slee over de trap omlaag, wat een afschuwelijk krijsend geluid maakte; de sukkels durfden hem kennelijk niet boven te laten staan uit vrees dat ik ermee aan de haal zou gaan; enige tijd gebeurde er helemaal niets en ik had al een paar maal besloten weg te gaan omdat ik niet wilde dat Hédi me daar zou zien, toen Livia opeens naar buiten kwam, gekleed in een bloesje met opgerolde mouwen en een trainingsbroek, waarschijnlijk had ze net de afwas gedaan of de keuken geboend; ze sjouwde de slee weer de trap op.

Ze was absoluut niet verbaasd toen ze me bij de omheining zag staan, maar voordat ze naar me toe kwam, drukte ze de kinderen het touw van de slee in de hand; ze verwijderden zich smiespelend en giechelend, terwijl ze de slee knarsend over de sintels van de binnenplaats sleepten en af en toe achteromkeken.

Livia stak met energieke passen de binnenplaats over, terwijl ze enkele malen met gekruiste armen op haar schouders sloeg en haar rug kromde om zich tegen de kou te beschermen; toen ze het gegiechel van de meisjes hoorde, wierp ze zo'n strenge blik op hen dat ze onmiddellijk ophielden met lachen en zich snel uit de voeten maakten, alhoewel ze niet konden nalaten nog een paar maal achterom te kijken.

Ze naderde de omheining zo dicht dat ik de warme keukenlucht rook die in haar kleren en haar haar hing.

De dwaze kinderen riepen vanuit de verte nog iets onverstaanbaars naar ons.

Ik zei niets, maar ze hoefde maar een blik op me te werpen om te zien hoe het met me was gesteld; haar gelaatsuitdrukking, die ze zo uit de keuken had meegebracht, deed me goed, ze keek zoals mensen op een mooie warme avond plegen te kijken; we dachten allebei terug aan die nostalgische zomer: toen had ík achter de omheining gestaan en zij over straat gelopen; nu was ik degene die zich op straat bevond; die eigenaardige, enigszins verlate rolwisseling vonden we allebei nogal vermakelijk.

Ze stak alle vijf de vingers van haar hand door het gaas en ik probeerde mijn voorhoofd tegen haar vingertoppen te drukken, maar de lauwwarme vingertoppen raakten mijn voorhoofd nauwelijks; toen ik mijn gezicht naar haar toe keerde, drukte ze haar handpalm tegen het gaas aan, zodat mijn mond behalve het roestige ijzerdraad ook haar warme hand proefde.

Ze vroeg op zachte toon wat er met me aan de hand was.

Ik antwoordde dat ik van huis was weggelopen.

Waarom? vroeg ze.

Ik zei haar dat ik het thuis niet meer uithield en afscheid van haar kwam nemen.

Toen ik dat had gezegd, trok ze vlug haar hand terug en keek me aan om van mijn gezicht af te lezen wat er was gebeurd; ik kon het niet verzwijgen.

Mijn moeder vindt haar minnaar belangrijker dan mij, zei ik; kennelijk trof ik mezelf met dit antwoord tot in het merg van mijn beenderen, want ik voelde een kortstondige maar heftige zielepijn, die echter niet onaangenaam was.

Geschrokken zei ze dat ik op haar moest wachten, ze zou me vergezellen.

Terwijl ik op haar wachtte, voelde ik die vlijmende pijn niet meer, er was alleen een naar misselijkheid zwemend gevoel in me achtergebleven, dat zich, hoewel afgezwakt, door mijn gehele zenuwstelsel voortplantte; aan elke zenuwtak bungelde een ontkiemende gedachte of een gevoel; de pijn die ik mezelf had toegebracht door iets te zeggen wat niet helemaal waar was, verspreidde zich door mijn gehele lichaam; toch had ik haar onmogelijk nauwkeuriger of eerlijker kunnen inlichten; na een tijdje ebde de pijn weg; in mijn oren dreunde voortdurend haar laatste woord na, het weergalmde op het ritme van mijn hartslag: vergezellen! vergezellen! maar ik begreep niet wat ze daarmee had bedoeld.

Het was inmiddels zo goed als donker geworden; in de koele, blauwige schemering verspreidden de straatlantaarns een geelachtig schijnsel.

Kennelijk was ze bang dat ik door zou lopen, want ik hoefde niet lang te wachten, ze kwam in looppas aanhollen; ik zag dat ze zich niet eens de tijd had gegund om zich behoorlijk aan te kleden, want haar jas hing open en ze had haar rode muts en haar sjaal in haar hand, maar ondanks haar haast deed ze het hek zeer zorgvuldig achter zich dicht, wat enige tijd kostte; het had geen slot en moest met een stuk ijzerdraad worden vastgemaakt.

Vol verwachting stond ze voor me; op dat moment had ik haar moeten zeggen waar ik naar toe wilde gaan, maar ik voelde dat ik dat beter niet kon doen, het zou het einde van onze relatie betekenen, mijn plan zou in haar ogen onzinnig en onuitvoerbaar zijn, ik kon haar dan evengoed zeggen dat ik er voorgoed tussenuit wilde knijpen, wat ik trouwens ook werkelijk had overwogen, want toen ik met de schroevedraaier het slot van de bureaula had opengebroken, wist ik heel even niet of ik het geld moest pakken of het pistool, maar dat kon ik haar nog minder gemakkelijk vertellen.

Ik wilde voorgoed heengaan, maar we waren geen kinderen meer.

Met een kalme, elegante beweging wikkelde ze de sjaal om haar hals; waarschijnlijk verwachtte ze dat ik haar intussen iets van mijn plan zou onthullen, maar toen ik dat niet deed, zette ze haar muts op; toen ze daarmee klaar was, keek ze me aan.

Ik kon haar moeilijk verbieden me gezelschap te houden, bijna tegen mijn wil stamelde ik 'ga mee!' of iets dergelijks, want had ik dat niet gedaan, dan was mijn plan ook voor mezelf niet meer geloofwaardig geweest.

Ze keek me eerst heel ernstig aan en nam me toen van top tot teen op; daarop zei ze dat het nogal dom van me was geweest geen muts mee te nemen en ze vroeg me waar mijn handschoenen waren; ik antwoordde dat die handschoenen me niet interesseerden, waarop ze zelf ook geen handschoenen aantrok, maar me haar blote hand reikte.

Ik pakte haar warme hand en we gingen op pad.

Het was bewonderenswaardig dat ze geen andere vragen stelde en niets hoefde te weten; kennelijk had ze voldoende begrepen.

Toen we hand in hand door de Felhöstraat liepen, hadden we helemaal geen woorden meer nodig, toen converseerden we opgewonden met onze handen en het gesprek ging natuurlijk over heel andere zaken dan zoëven; toen de ene hand de warmte van de andere voelde, voelde dat die aanwezig was en door hem werd omsloten, merkte hij dat dat goed was, maar de handpalm, die dat aangename gevoel niet kende, schrok; gelukkig sprongen de vingers bij met een kneepje, waardoor de tegenstribbelende spieren verslapten en toelieten dat de hand zich in de zachte, donkere holte van de andere hand vlijde, en toen hij dat eenmaal als natuurlijk had ervaren, konden de vingers zich opgelucht met elkaar verstrengelen, wat echter tot nieuwe complicaties leidde, want door die krachtige aanraking voelden de twee handen niet meer wat ze wilden voelen.

Ook de vingers moesten geheel verslappen, we mochten ze niet dwingen maar moesten ze geheel willoos laten begaan en toestaan dat ze zich verstrengelden, zodat in de toppen die lichte, speelse, tintelende nieuwsgierigheid tot leven kon komen, een nieuwsgierigheid die wilde aanraken, strelen en voelen, die de kussentjes van de handpalm wilde betasten en in de door de druk ontstane kuiltjes wilde glijden en die de andere hand in een subtiel spel van aanraken en terugtrekken hoopte te leren kennen, een streven dat echter geleidelijk omsloeg in een knijpen en persen, totdat ik tenslotte, toen we over de steile Dianastraat omhoogliepen, haar hand zo stevig omklemde dat het te pijnlijk was en ze een kreet slaakte, die ik natuurlijk met een korreltje zout nam.

We keken elkaar niet meer aan, we zouden het niet gedurfd hebben.

We waren een en al hand, want de pijn scheen toch serieus te zijn en haar hand wilde zich beledigd uit de mijne bevrijden, wat mijn tederheid echter niet gedoogde, en naarmate de kracht afnam, gleden we van de berg van lichte pijn in het dal der verzoening, een verzoening zo volkomen dat elke tot dan toe gevoerde strijd een spel werd.

We sloegen de Karthauzistraat in; hoewel ik er nauwelijks op lette welke kant we uit gingen, leidde ik haar met instinctieve zekerheid in de richting die mij de juiste leek, naar dat vage, verre doel dat ik me in mijn kinderlijke onnozelheid had gesteld; ik ben nog steeds blij dat ik toen haar hand vasthield, want als dat niet het geval was geweest, had ik misschien veel te vroeg het defaitistische gevoel gekregen dat een mens niets aan zijn situatie kan veranderen; als zij me niet had vergezeld en me niet met haar hand had gedwongen dat instinctief gekozen, zinloze avontuur voort te zetten, had ik me op een gegeven moment vast en zeker, naar warmte verlangend, omgedraaid en was ik teruggekeerd naar de plaats waar ik me van mijn levensdagen niet meer kon vertonen, maar met haar hand in de mijne had ik geen keus; terugdenkend aan die twee jonge mensen, wier lotgevallen ik beschrijf, heb ik de behoefte wat ouwelijk te knikken en te zeggen: goed zo, jongelui, loop maar flink door en een hele goede reis toegewenst! en ik geef graag toe dat hun dwaasheid mij nog steeds ontroert.

Op de verlichte tandradbaan, waar nog sneeuw lag, ratelde een trein met twee bijna lege wagons voorbij; achter ons liepen enkele mensen op de weg, onbetekenende schimmen uit de door ons verlaten wereld.

Onze handen, die elkaar stevig omklemden, voerden de gemeenschappelijke warmte mee, maar nadat ze geruime tijd eensgezind waren geweest, dreigden ze elkaar door de kou en de gewenning aan elkaar te verliezen, daarom moest hun positie voorzichtig worden gewijzigd; ik zeg voorzichtig, want de lieve vrede mocht niet door de nieuwe manier van vasthouden – voorwaar geen onbetekenende verandering! – worden verstoord.

Soms was het echter juist omgekeerd en gleden de beide handen zo volmaakt en natuurlijk ineen dat niet meer viel uit te maken welke de mijne was en welke de hare, of ik de hare vasthield of zij de mijne, zodat ik haast vreesde dat mijn hand zich geheel in de hare zou verliezen en ik hem af en toe bewoog.

De onbekende schimmen die we hadden gezien, waren verdwenen, we waren weer alleen; onze haastige, misschien te haastige, voetstappen waren duidelijk hoorbaar op de weg, die slechts matig verlicht werd door straatlantaarns; ze snelden voor ons uit door een donkere tunnel van bladerloze bomen, die hier en daar door de maan werd verlicht; af en toe hoorden we hondegeblaf dat afwisselend veraf en dichtbij klonk; de lucht was zo koud dat mijn vochtige neushaartjes door mijn ademhaling aan elkaar vroren, wat overigens geen onaangenaam gevoel was; ik rook een bittere lucht, afkomstig uit schoorstenen; aan de linkerkant van de weg, in de diepte, waar villa's met tuinen zichtbaar waren, weerkaatste de nog overgebleven sneeuw het licht en uit de schoorstenen van de veelal donkere huizen kringelde rook.

Het was die avond vollemaan en toen we de hoge Zwitserse Trap beklommen, hadden we de maan recht voor ons; hij zweefde vlak boven de trap in de lucht, een roerloos gelaat dat ons opwachtte.

Die eindeloos lange trap maakte onze handen onzeker; op de vlakke weg hadden we onze loopsnelheid onwillekeurig aan elkaar aangepast, maar nu sleepten we elkaar om beurten voort, niet zozeer op de treden, daar konden we nog even snel lopen, maar op de bordessen, waar we vier stappen moesten doen om bij de volgende tree te komen; om de drie treden kwam je op zo'n bordes; op een gegeven moment, toen we volkomen ongecoördineerd naast elkaar liepen en ik onwillekeurig die vier stappen telde, vroeg ze waar ik eigenlijk naar toe ging.

Ze vroeg niet waarheen wíj gingen, maar ik; de vraag was bijna terloops gesteld, alsof de woordkeus van ondergeschikt belang was, ik kon hem dus al lopende beantwoorden.

Ik zei dat ik op weg was naar mijn tante, wat niet geheel waar was.

Tot mijn vreugde stelde ze geen andere vragen; we vervolgden de beklimming van de trap zonder elkaar aan te kijken, dat was onmogelijk geworden na de vraag die ze had gesteld.

Het kostte een halfuur om boven te komen en toen we daar stonden, keken we onwillekeurig achterom.

Terwijl we achteromkeken om de afgelegde afstand te schatten, raakten onze gezichten elkaar; ik zag dat ze een beter antwoord van me verlangde, maar ik wist niet wat ik moest zeggen, of liever gezegd: mijn explicatie zou veel te omslachtig zijn geweest; op dat moment lieten we gelijktijdig elkaars hand los.

Ik liep door, zij volgde me.

De Regeweg loopt met een flauwe helling bergopwaarts; ik verhaastte, vluchtend voor haar vragende blik, mijn tred, maar nadat we enkele meters zwijgend en in nerveuze haast hadden afgelegd, gaf ze me opeens weer een hand.

Zij deed dit omdat ze op dat moment al wist – ik merkte het aan haar hand – dat ze me in de steek zou laten, maar hoe verdrietig ik dit ook vond, ik trachtte haar niet met mijn hand over te halen bij me te blijven; als ze terug wilde gaan, moest ze dat maar doen!

We liepen over de kale heuvel en passeerden de lange draadafrastering van het hotel; op de plaats waar de afrastering eindigde, stond de laatste lantaarnpaal van de stad, de laatste gele lichtvlek in de blauwige duisternis; het leek wel alsof deze lantaarnpaal de uiterste grens van onze mogelijkheden verlichtte; de weg hield daar op en ging over in een voetpad, dat tussen eenzame eiken en schaars struikgewas door liep; toen we ook dit laatste licht achter ons hadden gelaten, had ik voortdurend de neiging haar hand los te laten.

Toch liepen we nog een halfuur, misschien iets korter, samen verder.

We kwamen door de steile kloof die het Wolfsdal wordt genoemd; de steile hellingen van het dal waren bedekt met nog maagdelijke, blauwachtig glanzende sneeuw, die knerpte en kraakte onder onze voeten; daar gebeurde het!

Ze bleef staan, waarop ik haar hand meteen losliet, maar ze pakte mijn geopende hand en keek achterom.

Maar hoe ze ook tuurde, wat ze hoopte te zien bleef onzichtbaar, de lichten die we achter ons hadden gelaten, waren nergens te bekennen, we bevonden ons in het diepste gedeelte van het dal.

Ze zei dat ze terugging en dat ik dat ook moest doen.

Ik gaf geen antwoord.

Daarop liet ze mijn hand los.

Ze zei dat ik haar muts moest opzetten, maar ik schudde mijn hoofd; het was dom van me, maar ik wilde geen rode muts dragen.

Doe dan tenminste mijn handschoenen aan, zei ze, en ze haalde ze uit haar zak tevoorschijn.

Ik accepteerde ze en trok ze aan, het waren warme handschoenen van gebreide wol, rode, maar dat stoorde me niet.

Ze schrok zichtbaar van mijn vastberadenheid en begon me te bidden en te smeken met haar mee terug te gaan, niet voor mezelf maar omwille van mijn ouders, wat volgens haar beslist niet laf zou zijn; ze sprak zacht en snel en voerde allerlei argumenten aan, maar hoezeer ze haar stem ook dempte, het dal scheen zelfs de kleinste geluiden te weerkaatsen.

Een koude rilling liep me over de rug toen ik de weergalm van haar woorden hoorde, ik wist dat ik genoodzaakt zou zijn om te keren als ikzelf ook maar één geluid zou maken dat zo'n weergalm veroorzaakte.

Ze zei dat ze niet alleen terug durfde en vroeg of ik haar een eindje wilde begeleiden.

Begeleiden! echode het dal.

Ik liep snel door om niets meer te hoeven horen, maar na enkele stappen bleef ik staan en draaide me om; misschien zou het zo, van een afstand, voor ons allebei gemakkelijker zijn om afscheid te nemen.

Lang bleven we zo staan; vanwaar we stonden konden we elkaars gezicht niet meer zien, en dat was maar goed ook.

Ik was blij dat ze terugging en wilde haar absoluut niet tegenhouden, misschien voelde ze dat wel, want ze wendde zich langzaam af en draaide zich na enige aarzeling helemaal om; ze zette het op een lopen, gleed uit en keek nog eenmaal over haar schouder; ik keek haar na zolang mijn ogen zagen wat ze wilden zien, maar de afstand was te groot om te zien wat ze deed, of ze zich nog een keer omdraaide of staan bleef, of ze langzaam liep of holde; ik zag haar nog enige tijd als een donker vlekje boven de blauwige sneeuw zweven, totdat ze tenslotte geheel was verdwenen, hoewel ik haar ook daarna nog lange tijd meende te zien.

Een poosje hoorde ik nog haar voetstappen, daarna verbeeldde ik me ook dat slechts, wat ik toen hoorde waren geen voetstappen meer, maar het ritselen van de bevroren takken in de koude wind en alle mogelijke knarsende, schurende en ploffende geluidjes, die door de hellingen werden weerkaatst; hoe angstaanjagend dit alles ook klonk, ik verzette geen voet en wachtte totdat ze een behoorlijke afstand moest hebben afgelegd, terwijl ik haar in gedachten vergezelde; tenslotte was ze werkelijk verdwenen.

Een koud, kriebelend gevoel in mijn keel duidde erop dat ik toch nog hoopte dat ze zich zou bedenken en terugkomen, zo dadelijk – nee, niet meteen, nog even wachten! – zou het vlekje weer opdoemen, maar wat ik hoopte, gebeurde niet.

Toch was ik blij dat ik haar van me had afgeschud, want ik had niet het gevoel dat ik haar had verloren, nee, integendeel, ik had haar voor eeuwig veroverd en dit gaf me de kracht alleen te blijven.

De verte lokte me en ik liep door; ik geloof dat het geen zin heeft lang stil te staan bij deze tocht.

Het was dwaas van me om te denken dat ik het middelpunt was van mijn levensverhaal en dat die onherbergzame, koude nacht slechts de achtergrond daarvan vormde; nee, mijn werkelijke levensgeschiedenis voltrok zich onafhankelijk van mijzelf, beter gezegd: ze liep parallel met de onbeduidende avonturen die ik beleefde.

Toen we op weg gingen was het acht uur 's avonds, ik herinner me nog het luiden van de kerkklok, ze moet dus kort voor tienen thuis zijn gekomen, op het moment dat ik, na de rotsen van de Duivelsberg te zijn gepasseerd, op het plateau was aangeland dat zich aan de voet van de berg uitstrekte en uitzicht bood op de vlakte, waar de lichten van Budaörs zwakjes schitterden; ze waren nog ver weg, maar voldoende duidelijk zichtbaar om als oriëntatiepunten te dienen, want daar wilde ik heen.

Later heb ik gehoord dat Livia na haar thuiskomst ongemerkt haar kamer was binnengeslopen, snel haar kleren had uitgetrokken en in

bed was gekropen; ze was al bijna in slaap toen ze toch nog werd ontdekt, haar ouders deden het licht aan en begonnen te schreeuwen,
maar ze weigerde te zeggen waar ze was geweest en beweerde dat ze
hoofdpijn had gehad en een eindje was gaan wandelen; tenslotte was
ze in tranen uitgebarsten en had haar moeder haar een oorvijg gegeven; omdat ze bang was dat me iets zou overkomen, had ze toen maar
verteld wat er was gebeurd.

Tegen die tijd had ik Budaörs al bereikt; het was een lange, donkere
tocht geweest over een steil omlaaglopend, bochtig pad, een onverharde, holle weg met bevroren wagensporen, die aan weerszijden omzoomd werd door hoogopgeschoten, bladerloze struiken, zodat ik me
iets meer beschut voelde en wat minder last had van de kou, althans dat
maakte ik mezelf wijs, de omgeving waar ik me toen bevond was echter dreigender dan het open veld, want je wist nooit wat je achter de
eerstvolgende bocht zou tegenkomen, bovendien vreesde ik voortdurend de verkeerde kant uit te lopen en te verdwalen; om mezelf te
troosten en op te monteren besloot ik dat ik, als ik eenmaal die verre
lichten bereikt zou hebben, voor geld ergens onderdak zou zoeken of
eenvoudig om een gratis slaapplaats zou vragen, maar de opluchting
die me deze gedachte gaf was van korte duur, want toen ik tenslotte de
eerste huizen van het dorp had bereikt, schoot er opeens een hond op
me af, een geheel verkleumd, afgrijselijk monster met een afgeknotte
staart, dat me keffend achtervolgde om me in mijn broekspijpen te bijten, zodat ik na elke stap een uitval naar het dier moest doen om te
voorkomen dat het me te na kwam; de hond reageerde hierop door
dreigend te grommen en zijn tanden te laten zien; zo passeerde ik een
café, waar juist de rolluiken werden neergelaten; twee vrouwen en een
man gaapten me verbaasd aan en vroegen zich af waarom die hond zo
achter me aan liep, ze vertrouwden het zaakje kennelijk maar half; ik
besloot het plan om een onderkomen te zoeken maar te laten varen.

Livia's vader had toen al zijn jas aangeschoten en was naar ons huis
op weg om mijn ouders te waarschuwen.

Het zal tegen middernacht zijn geweest toen ik het dorp verliet en
Livia's vader bij ons aanbelde.

De hond stond met gespreide poten midden op de weg te blaffen; de
weg die uit het dorp voerde, liep over een heuvel; om me heen rezen
zwijgende bergen op, hun omtrekken staken scherp af tegen de heldere hemel; het vervulde me met een onnoemelijke vreugde dat de
hond, die was blijven staan en in plaats van te blaffen een langgerekt

gehuil liet horen, me niet in mijn benen had gebeten en me niet meer achtervolgde, dat ik dus weer gewoon kon lopen, kortom: dat ik geen gevaar meer liep en weer helemaal alleen was, zodat ik onbelemmerd kon ademhalen; ik marcheerde zo opgeruimd het dorp uit dat ik de doordringende kou geruime tijd niet meer voelde, uiteraard werd ik ook warm van het lopen.

Thuis zaten ze op dat ogenblik op de ziekenwagen te wachten die mijn moeder naar het ziekenhuis moest brengen.

Livia's vader stond juist in de vestibule te vertellen wat er was gebeurd, toen de ambulance voor het huis stopte; János vergezelde mijn moeder, zodat vader de politie kon gaan opbellen.

Ik wist niet meer hoeveel tijd er was verstreken sinds ik van huis was weggelopen, ik sleepte me voort op de doodstille weg zonder te weten dat mijn nog onvolwassen geest al sinds enige tijd op het gedruis van de naderende auto wachtte; eerst wilde ik hem aanhouden om mee te rijden, het kon me niet schelen waarheen, maar omdat ik dat uiteindelijk niet durfde, maakte ik dat ik van de weg kwam en sprong in een evenwijdig aan de berm lopende greppel, waar ik tot mijn enkels in de sneeuw wegzakte; zo wachtte ik tot de auto zou zijn gepasseerd.

De auto suisde langs me heen; ik dacht juist dat de inzittenden me niet hadden opgemerkt, toen hij met piepende remmen en gierende banden begon te remmen, maar het voertuig had zo'n snelheid dat het op het gladde wegdek slipte en tegen de iets opgehoogde berm botste; even leek het te kantelen, maar het belandde weer met alle vier de wielen op de weg en kwam met een klap tegen een kilometerpaaltje tot stilstand; de motor sloeg af en de lichten doofden.

Op het lawaai dat de slippende banden, de piepende remmen, het indeukende metaal en het brekende glas hadden veroorzaakt, volgde een moment van stilte, daarna werden de twee voorste portieren opengegooid en stormden twee donkere gestalten in lange jassen op me af.

Ik zette het op een lopen, struikelde en gleed langs het talud omlaag, vervolgens holde ik over de bevroren aardkluiten van een besneeuwd weiland, waar ik mijn enkel verzwikte.

De mannen grepen me bij de kraag van mijn jas.

Vervloekte snotaap, door jouw toedoen zijn we bijna de sloot in gereden!

Ze wrongen mijn armen op mijn rug en duwden en sleurden me naar de auto; ik verzette me niet.

Ze plantten me hardhandig op de achterbank en dreigden me de schedel in te slaan als ik het zou wagen me te verroeren; de motor sloeg na veel geprut aan; onderweg raasden en tierden ze onafgebroken tegen me, maar ik genoot zo van de warmte dat ik huiverde van welbehagen; in de donzige warmte drongen het getier van de mannen en het ronken van de motor steeds minder tot mij door en tenslotte viel ik in slaap.

Het was al bijna ochtend toen we voor een groot, wit gebouw stopten.

Ze wezen op de ingedeukte bumper en snauwden dat ik niet moest denken dat zij dat zouden betalen, en het slapen zouden ze me wel afleren.

Vervolgens brachten ze me naar een kamer op de eerste verdieping, waar ze me opsloten.

Ik probeerde mijn kalmte te herwinnen en te bedenken wat ik ze op de mouw zou spelden, maar ik was zo moe dat ik mijn hoofd op de tafel moest neerleggen.

Aanvankelijk was het tafelblad te hard, ik probeerde dit te verhelpen door mijn arm onder mijn hoofd te leggen.

De sleutel werd omgedraaid in het slot, ik was dus toch ingeslapen; toen de deur openging zag ik een vrouw in uniform staan en achter haar, op de gang, mijn grootvader.

Terwijl de taxi met ons over de Istenhegyiweg reed, de Adoniszstraat insloeg en de hoge omheining van het door honden bewaakte terrein passeerde, vertelde grootvader wat er de afgelopen nacht was gebeurd.

Het leek wel of dit alles niet in één nacht was voorgevallen, maar in de loop van vier jaar.

Het was een zonnige morgen, alles smolt en druppelde in het felle licht.

Mijn moeders bed was toegedekt met de gestreepte deken, evenals jaren geleden, toen ze nog gezond was.

Ik had opeens het gevoel dat ze niet meer in leven was.

En mijn gevoel bedroog me niet, ik heb haar nooit weergezien.

Beschrijving van een toneelvoorstelling

Onze populier hield nog haar laatste bladeren vast, ze moesten eerst tot een ziekelijk bleekgeel verkleuren om af te vallen; de herfstwind speelde ermee, maar had niet genoeg kracht om de omhoogstrevende takken heen en weer te zwaaien, ze trilden alleen af en toe; de bladeren wervelden en fladderden en sloegen met hun korte steeltjes tegen elkaar.

Buiten scheen de zon en de wuivende, wapperende blaadjes maakten dat de verre hemel nog blauwer leek; de blik drong ver door in het heldere blauw en het was alsof het oog onderscheid kon maken tussen nabij en ver en niet in een niets staarde, een niets dat op de een of andere manier toch een grens had waar je niet overheen kon geraken.

Het was aangenaam warm in de kamer, in de witte tegelkachel roezemoesde het vuur zachtjes; de rook van onze sigaretten zonk traag in lagen omlaag en steeg bij de geringste beweging weer op.

Ik zat aan zijn bureau in zijn behaaglijke, uitnodigende stoel, een exquise plaats die hij anders nooit aan mij afstond, en maakte aantekeningen, wat inhield dat ik door de zachtjes deinende, blauwige sigaretterook uit het raam staarde en me probeerde te herinneren wat ik de vorige dag tijdens de toneelrepetitie had gezien en gehoord; beelden vloeiden in elkaar over.

Ik trachtte me woorden en gebaren voor de geest te halen die hun zin en betekenis plotseling openbaren en bovendien kleine onregelmatigheden vertonen op het moment dat we ze in ons opnemen, onregelmatigheden die ons toevallig en onbeduidend voorkomen, spleten en kieren in de volmaaktheid, die het spel van de musicus en de rolvertolking van de toneelspeler bederven, onvolkomenheden die acteurs, gehoorzamend aan de strenge regels van hun beroep, steeds trachten te camoufleren, alsof ze het betreurenswaardige feit willen verhullen dat ze niet in staat zijn een rol volmaakt te vertolken of zich geheel te vereenzelvigen met een personage, al is het streven van de ganse mensheid ook op het bereiken van volmaaktheid gericht.

Al op de ogenblikken waarop ik mijn notities maakte, een mechanisch karwei, kwam het me voor dat de wet die me werkelijk interesseerde – als er zo'n wet bestond – niet ontdekt kon worden in de opvallende keten van oorzaken en gevolgen of in de woorden en bewegingen van de acteurs – hoewel deze woorden en bewegingen natuurlijk van het grootste belang waren, ze bekleedden het geraamte van de feitelijke gebeurtenissen met vlees en bloed –, maar in de schijnbaar toevallige en onbetekenende spleten en ravijnen die tussen de woorden en de bewegingen gaapten, in de waargenomen onregelmatigheden en onvolkomenheden.

Hij zat op enige afstand van me en roffelde in een gelijkmatig tempo op het toetsenbord van zijn schrijfmachine, zijn hand met tussenpozen van de toetsen oplichtend om een nerveus trekje van zijn sigaret te nemen; ik wist niet waar hij mee bezig was; zo lang en geconcentreerd kon hij onmogelijk aan een gedicht werken, misschien was hij iets voor de radio aan het schrijven, hoewel dat niet waarschijnlijk was, want als hij van de studio terugkwam, had hij nooit iets bij zich, nog geen snippertje papier, en hij nam evenmin iets van huis mee wanneer hij naar zijn werk ging; hij bewoog zich met lege handen tussen de twee polen van zijn leven, alsof hij ze bewust van elkaar gescheiden wilde houden; onder het werken had hij zijn benen onder zijn bureau gestrekt, wat stellig geen gemakkelijke houding was, maar zo verwarmden de schuin van boven invallende zonnestralen zijn blote voeten.

Toen hij merkte dat ik niets uitvoerde en alleen maar naar hem zat te kijken, zei hij zonder naar me op te zien dat we de ramen maar eens moesten lappen.

Zijn tenen waren even lang en fraai gevormd als zijn vingers; ik vond het prettig mijn vuist in de holte van zijn voetzool te drukken of mijn tong over de uitstekende randjes van zijn teennagels te laten glijden en te voelen hoe scherp ze waren.

Ik maakte mijn aantekeningen nooit onmiddellijk na de repetities, maar 's avonds, 's nachts of, als het me lukte vroeg op te staan, de ochtend van de volgende dag; om de oorsprong en de oorzaak van een effect scherp te analyseren en met de nodige objectiviteit te beoordelen, moest ik er enige afstand van nemen.

Ik gaf geen antwoord, hoewel ik geen bezwaar had tegen een gezamenlijke schoonmaakactie.

Het maken van aantekeningen had ik aanvankelijk slechts als een niet al te zinvolle, elitaire hobby beschouwd, als de zielsgymnastiek van een eenzame ziel, wat mij de nodige gewetenswroeging gaf als ik 's middags in de overvolle stadstram tussen de opeengedrongen, moedeloze mensen stond, die, evenals ikzelf, op weg naar huis waren; geestelijke arbeid is een overdreven verfijnde, intellectuele luxe, dacht ik dan; ik moest uit de huid van de tot passiviteit veroordeelde toeschouwer trachten te kruipen, althans het droevige feit benutten – een feit dat ik sedert jaren aan den lijve ervoer – dat ik geen actieve rol speelde in de zogenaamde historische gebeurtenissen, maar daarvan hoogstens – in meerdere of in mindere mate, dat deed er niet toe – het beklagenswaardige slachtoffer was, zodat ik zelf ook deel uitmaakte van de anonieme massa; ik was er een afstotelijk onderdeel van dat mijzelf vreemd was, een reusachtig oog zonder lichaam; dat zich uit dit gepen een consequent beoefende zielsgymnastiek ontwikkelde, bracht toch nog enige verandering in mijn leven.

Op de haastig volgekrabbelde bladzijden ontstond een samenhangend en begrijpelijk, uit niet oninteressante feiten samengesteld verslag van een theatervoorstelling in wording, en al schrijvende raakte ik ongemerkt zó betrokken bij de ingewikkelde reeks van feiten en menselijke handelingen waaruit deze niet geheel van risico's ontblote onderneming bestond en verdiepte ik mij zó grondig in de levens van de daaraan meewerkende mensen, dat het tenslotte niet langer een excentrieke bezigheid scheen een repetitie tot in de kleinste details, met inbegrip van alle relevante bewegingen, woorden en verborgen of klaarblijkelijke verbanden, te beschrijven, en te volgen hoe daaruit geleidelijk een voorstelling ontstond, zodat ik de chroniqueur van dit gebeuren was en met mijn arbeid op die der spelers reageerde, aldus een absoluut noodzakelijke voorwaarde voor elke menselijke solidariteit vervullend; aldus veroverde ik een plaatsje in de kleine menselijke gemeenschap die ik in mijn notities zo goed mogelijk trachtte te beschrijven, een plaatsje dat weliswaar ver verwijderd was van het middelpunt der gebeurtenissen maar me toch in staat stelde een rol te spelen, en dat me voldoening gaf omdat het me door de acteurs zelf werd gegund.

Het was zondagochtend, we hadden dus vrij; hij was aan het kokkerellen; af en toe sprong hij op van zijn stoel, liep naar de keuken, kwam weer terug en rammelde weer verder op de machine.

Ik meen dat ik op een gegeven moment mevrouw Kühnert iets had verteld over mijn geschrijf; zij had het overgebriefd aan Thea, die het waarschijnlijk op de haar eigen, geëxalteerde manier aan de anderen had verklapt; na een poosje merkte ik dat de mensen in mijn omgeving me niet alleen tactvoller, bijna behoedzaam, bejegenden, maar tijdens gesprekken ook een andere toon aansloegen, alsof ze het beeld dat ik van hen zou geven bij voorbaat gunstig wilden beïnvloeden.

Ik vroeg hem wat hij aan het doen was.

Ik maak mijn testament op, antwoordde hij.

Ik had absoluut niet gemerkt hoe vanzelfsprekend ik onze schijnbaar onbeduidende en saaie relatie was gaan vinden, ze was niet alleen iets vertrouwds, maar zelfs een toevlucht voor me geworden; ik vroeg me niet eens af wat die toevlucht voor me betekende, ik dacht dat ik dat zo wel wist.

Hij vroeg waar ik aan zat te denken.

Het was stil in de kamer, ik merkte nu pas dat hij opgehouden was met typen, kennelijk bestudeerde hij al enige tijd mijn peinzende gezicht, zoals ik de bomen en de hemel.

Toen ik hem aankeek en zei dat ik nergens aan dacht, zag ik aan zijn ogen dat hij me inderdaad al geruime tijd had gadegeslagen, want zijn mondhoeken krulden zich tot een flauw glimlachje.

Je moet toch ergens aan gedacht hebben, op zijn minst aan het feit dat je nergens aan dacht, gekscheerde hij.

Nee, werkelijk helemaal nergens aan, zei ik, ik keek alleen maar naar de bladeren van de boom.

Ik had inderdaad niet aan iets gedacht wat onder woorden kon worden gebracht, mensen hebben vaak gedachten die geen bepaalde, concrete inhoud hebben; eigenlijk had ik alleen maar een gevoel gehad, waaraan ik me gedachteloos en ontspannen had overgegeven; er was geen enkele discrepantie geweest tussen de vredige, rustgevende aanblik van de boom en mijn comfortabele lichaamshouding, tussen waarneming en gevoel, en dit had hij waarschijnlijk van mijn gezicht afgelezen; het was een toestand van lichaam en ziel die je geluk zou kunnen noemen, en door zijn vraag werd die toestand in gevaar gebracht, zodat ik de neiging kreeg hem te beschermen.

Ik vraag het je, vervolgde hij, omdat ik me juist afvroeg of jij, net als ik, eraan zat de denken dat we maar bij elkaar moesten blijven.

Ik deed alsof ik hem niet begreep en vroeg wat hij bedoelde.

De glimlach verdween van zijn gezicht, hij wendde zijn vorsende blik van me af, neigde het hoofd en vroeg, de woorden moeizaam uitsprekend alsof we de rollen hadden omgedraaid en niet ik maar hij zich in een vreemde taal uitdrukte, of ik daar al eens over had nagedacht.

Het duurde even voordat ik in staat was het woord ja uit te spreken, dat in zijn taal nadrukkelijker klinkt dan in de mijne.

Hij wendde het hoofd af en lichtte met zijn vinger voorzichtig en gracieus het in de machine geschoven vel papier op; ik keek weer uit het raam; we zwegen beiden en verroerden ons niet; zo hartstochtelijk als de in behoedzame, karige bewoordingen vervatte bekentenis was geweest, zo angstaanjagend was op dat ogenblik de stilte; het was alsof we onze adem en hartslag inhielden om die stilte te kunnen horen en voelen.

Hij vroeg waarom ik dat niet eerder had gezegd.

Ik zei dat ik had verondersteld dat hij dat wel aanvoelde.

Het was goed zo ver van hem af te zitten en hem niet aan te kijken, mijn nabijheid of blikken hadden hem kunnen hinderen, toch werd de situatie met de seconde gevaarlijker omdat er iets definitiefs en onherroepelijks moest worden gezegd; het onbarmhartig de kamer invallende daglicht trok een muur tussen ons op die elke fatsoenlijke communicatie onmogelijk maakte, het leek wel of we monologen hielden in plaats van met elkaar te praten, of we in die warme, gemeenschappelijke kamer elk in een eigen hokje zaten.

Waarom zou ik er nu pas aan hebben gedacht en jij al eerder? vroeg hij later.

Ik weet het niet, maar ik geloof niet dat het er veel toe doet.

Na een poosje stond hij op, waarbij hij niet, zoals gewoonlijk, zijn stoel omvergooide, maar die voorzichtig wegschoof; ik keek hem niet aan en ik geloof dat hij evenzeer vermeed in mijn richting te kijken; de barrière van invallend licht hoefde hij niet te overschrijden; zwijgend liep hij naar de keuken; uit het ritme en de zwaarte van zijn voetstappen kon ik afleiden dat hij de kamer verliet om de spanning kwijt te raken die zich tijdens ons gesprek in hem had opgehoopt; hij volhardde dus in zijn voorzichtige, van verantwoordelijkheidsgevoel getuigende houding.

En misschien was die huiselijke, familiaire stilte wel veelzeggender dan de veelbetekenende woorden, die door ons zwijgen en verzwijgen geruisloos werden ontkracht; de woorden hadden op iets definitiefs gedoeld, op de mogelijkheid onze relatie te bestendigen, het zwijgen duidde op allerlei ons welbekende omstandigheden die lijnrecht in tegenspraak waren met de betekenis van die spaarzaam gebruikte maar met zorg gekozen woorden, het ontkende die mogelijkheid; dat we ons in een taal met elkaar konden onderhouden die uit toespelingen bestond, die dus gemeenschappelijke uitdrukkingsmiddelen had, wekte echter het gevoel op, althans bij mij, dat het onmogelijke wellicht toch mogelijk zou blijken te zijn; ik geloof dat hij wat dat betreft veel wantrouwender en sceptischer was gestemd.

Zodra hij me alleen had gelaten, werd ik door een vreemde, vernederende onrust bevangen, het automatisch verlopen van mijn bewegingen en de behoefte dit tegen te gaan deden mij in de openlijke en verholen taal der gebaren nogmaals de tijdens ons gesprek onbeslist gebleven zielestrijd doormaken, wat gepaard ging met subtiele, maar ook overduidelijke tekenen van lichamelijke onrust; ik kon mijn blik niet van de populier afwenden en zat maar op mijn stoel te wiebelen en mezelf te krabben, stil zitten was opeens onmogelijk geworden en ik had overal jeuk; toen ik over mijn neuswortel wreef, rook ik de bittere nicotinegeur van mijn vingers en kreeg ik een onweerstaanbare trek in een sigaret; geërgerd wierp ik mijn pen op de tafel, alsof het een overbodig voorwerp was, maar onmiddellijk daarna begon ik tussen mijn papieren te zoeken; toen ik hem had teruggevonden, nam ik hem dadelijk weer ter hand, klemde hem stevig vast, draaide hem tussen mijn vingers en drukte erop, alsof ik hem wilde aansporen me te helpen mijn zo abrupt onderbroken schrijfarbeid te hervatten, een arbeid waarvan het nut hoogst dubieus was omdat mijn aantekeningen waarschijnlijk nooit door iemand gelezen zouden worden; ik kreeg zin om op te staan en te kijken waar hij mee bezig was, wat voor testament hij eigenlijk aan het uittypen was, maar toch bleef ik zitten uit vrees dat ik door me te verplaatsen de veelbelovende stilte zou verstoren, en zo hield ik iets vast wat ik misschien beter had kunnen laten schieten, wat ik had moeten ontvluchten en vergeten.

Terwijl ik zo in tweestrijd verkeerde, kwam hij weer de kamer binnen, wat me dadelijk kalmeerde; ik was benieuwd wat er nog meer tussen ons kon gebeuren, wat er nog in ons school, wat er nog te zeggen viel, en daar kom je gewoonlijk pas achter als het wordt gezegd of nog later; mijn herwonnen kalmte was echter een karikatuur van de oorspronkelijke, ik kon geen woord meer uitbrengen, daar was ik te nerveus voor; toch probeerde ik me net zo te gedragen als voordat hij de kamer had verlaten.

Uit het zachte, ploffende geluid van zijn blote voeten op de vloer kon ik elke verandering afleiden die hij sedert het afbreken van ons gesprek had ondergaan; er viel niet de aarzeling of tact van daarstraks in die voetstappen te beluisteren, eerder aandacht en concentratie, en misschien ook iets van de zakelijkheid en objectiviteit die hij in de keuken had opgedaan toen hij met een pannelap het deksel van een pan had opgelicht; in wat zout water had hij een struik bloemkool aan de kook gebracht, die borrelend en dampend gaar lag te worden, zodat hij de stoom in zijn gezicht kreeg; na een tijdje nam hij, hoewel hij duidelijk kon zien dat de kool zacht genoeg was, een vork uit de la en prikte daarmee in de witte roosjes, voorzichtig om de in het kokende water drijvende groente niet te verpulveren, want bloemkool valt snel uiteen als hij gaar is; pas daarna draaide hij de gaskraan dicht; vanuit de kamer hoorde en zag ik al zijn bewegingen, althans dat verbeeldde ik me, en ik merkte aan zijn voetstappen dat zijn opwinding door die kalme, geoefende bewegingen enigszins bedaarde, terwijl de mijne tot mijn ongenoegen steeds sterker werd.

Hij ging achter mijn rug staan en legde zijn handen op mijn schouders zonder ze stevig beet te pakken, hij liet alleen het gewicht van zijn handen op me rusten; de spieren van zijn lichaam waren geheel ontspannen, zodat zijn handen niets van zijn lichaamsgewicht op mijn schouders overbrachten en zijn aanraking zowel vriendschappelijk als gereserveerd aanvoelde.

Ik leunde achterover en keek naar hem op; mijn hoofd rustte tegen zijn buik; zijn lichaam raakte precies het handgrote gedeelte van de menselijke schedel dat verzot is op de nabijheid en de strelingen van de hand van een medemens; misschien neemt dit gedeelte van het lichaam wel een te geringe plaats in in ons gevoelsleven; glimlachend keek hij op me neer.

Ik vroeg hoe het nu verder moest tussen ons.

Zijn vingers kneedden zachtjes mijn schouders, alsof hij iets van zijn lichaamskracht aan me wilde meedelen; laat maar, zei hij; de druk van zijn vingertoppen was juist voldoende om de scherpte van zijn woorden te verzachten.

Ik wilde hem aanraken met het eigenaardig reagerende deel van het schedeldak dat bij zuigelingen slechts uit een vlies bestaat, de fontanel; ik heb gemerkt dat dit gedeelte van de schedel, ofschoon op latere leeftijd hard en benig, even heftig reageert op bepaalde prikkels van de buitenwereld als in de babytijd, alsof het nog steeds een blauw dooraderd, kloppend vliesje is; tot op zekere hoogte is dit gedeelte van het menselijk lichaam zelfs gevoeliger dan onze zintuigen, want het bespeurt vriendelijke en vijandige gevoelens en neemt de daarmee gepaard gaande prikkels onfeilbaar waar; om zijn gevoelens te peilen drukte ik mijn schedeldak even krachtig tegen zijn buik als hij mijn schouders vasthield.

Nog nadrukkelijker sprekend dan zoëven zei hij dat ik hem eindelijk moest begrijpen en er geen misverstanden meer mochten bestaan tussen ons; het was geen toeval geweest – hij beschouwde het althans niet als een toevalligheid – dat ik tot nog toe niet had gezegd wat ik van onze relatie vond; hij wilde zich in geen geval met mijn leven bemoeien; hoewel hij niet terug kon nemen wat hij daarstraks had gezegd – het zou dwaas zijn dat te proberen –, wilde hij me niet beïnvloeden, in geen geval zelfs.

Ik lachte hem in zijn gezicht uit en zei dat zijn woorden me belachelijk in de oren klonken; als hij me werkelijk niet wilde beïnvloeden, had hij zich van meet af aan veel terughoudender moeten opstellen.

De lachrimpels om zijn ogen verplaatsten zich naar zijn mondhoeken; gedurende enige tijd keek hij me strak aan, daarna sloeg hij zijn armen om me heen en trok me over de rugleuning van de stoel naar zich toe.

Te laat! zei hij.

Waarvoor is het te laat? vroeg ik.

Te laat! antwoordde hij op sombere toon.

De positie van onze lichamen – hij keek van boven op me neer en ik van onderen naar hem op, zodat ik bij elk woord dat hij sprak zijn adem in mijn gezicht voelde –, maakte dat hij iets meer zelfvertrouwen had dan ik.

Ik vroeg of hij me wilde zeggen wat hij bedoelde.

Hij zei dat hij dat niet kon, hij kon er niet over spreken.

Zijn witte overhemd hing tot zijn middel open en de lauwe warmte van zijn huid zweefde vaag als een herinnering naar me toe; de lichaamsgeur van een mens verraadt zijn bedoelingen even nauwkeurig als zijn woordkeus, zijn spreektoon, zijn bewegingen en zelfs het schitteren van zijn ogen, en geuren beïnvloeden onze hersenen veel onmerkbaarder en subtieler dan auditieve of visuele prikkels.

Ik zei dat hij het kennelijk niet wílde zeggen.

Zo was het, gaf hij toe, hij wilde het niet.

Voorzichtig maar gedecideerd duwde ik zijn armen weg, maar toen boog hij zich nog verder voorover, en doordat hij met beide handen de armleuningen van de stoel vasthield, raakten de twee slippen van zijn openhangende overhemd mijn gezicht en omsloten dat als het ware; onze gezichten waren nu vlak bij elkaar, maar ik wilde dat hij, in plaats van de taal van het lichaam te gebruiken, met zijn mond communi-

460

ceerde; ik kon er niet tegen dat zijn lichaam een heel andere bood-schap verkondigde dan zijn mond, een boodschap die hij niet onder woorden kon brengen.

Om niet te hoeven voldoen aan deze onmogelijke eis, kuste hij me bijna woedend op mijn mond; ik liet hem begaan, maar kon het niet helpen: ook toen ik de zachte warmte en de harde groefjes van zijn lip-pen voelde, bleef mijn mond onbeweeglijk.

Hij zei dat ik beter weer aan het werk kon gaan, hij wilde zijn kar-wei ook afmaken; door deze woorden begreep ik dat hij met zijn kus een punt achter ons gesprek had willen zetten.

Zo gemakkelijk kom je niet van me af, zei ik toen hij zich wilde omdraaien om weg te lopen, en ik pakte zijn hand.

Het heeft geen zin dat je zo aandringt, hoe graag ik het je ook zou willen... begrijp het dan toch, ik zou het wel willen zeggen, maar ik kan het eenvoudig niet, ik zou ook niet willen weten wat er het vol-gende ogenblik gaat gebeuren, ik wil het niet en het interesseert me niet, zo ben ik nu eenmaal, ik zou er kotsmisselijk van worden als we daar een serieus gesprek over voerden, wat wil je eigenlijk van me? moeten we soms met elkaar overleggen hoe we de woning samen zul-len inrichten? of – het zou niet eens een slecht idee zijn – samen naar het stadhuis gaan om aangifte te doen van ons voornemen een gezin-netje te vormen? dat zou daar vast inslaan als een bom! wil je dat we onze gemeenschappelijke, stralende toekomst bespreken? hebben we zo dan niet genoeg? is het niet voldoende voor je dat ik me voortdu-rend verheug, me elke minuut opnieuw verheug over je aanwezig-heid, wil je dat soms horen? als je dat wilt horen, voilà! maar meer zit er niet in, meer valt er niet uit te slepen voor je, want dat zou onze relatie voorgoed bederven.

Dat kan allemaal wel waar zijn, maar daarstraks zei je heel wat an-ders, daarstraks wilde je meer, toen had je het over een vaste relatie en was je niet zo minimalistisch, waarom neem je dat nu opeens terug?

Ik neem helemaal niets terug, dat is een idee-fixe van je.

Je bent laf, zei ik.

Goed, dan ben ik maar laf.

Je hebt nog nooit van iemand gehouden en niemand heeft ooit van jou gehouden.

Nogal smakeloos van je dit te zeggen.

Ik kan niet zonder je leven.

Zonder je, met je, dat zijn maar loze woorden, hoewel ik daarstraks ook heb gezegd dat ik niet buiten je kan.

Wat wil jij dan precies?

Niets.

Hij trok zijn hand onder de mijne weg en deze beweging was weer in overeenstemming met zijn woorden; hij liep weg, vermoedelijk om terug te keren naar het enige wat in deze kamer nog zekerheid scheen te bieden, naar de schrijfmachine midden in de kamer, waar de taak wachtte die hij zichzelf had gesteld, maar opeens bleef hij, met zijn rug half naar me toe gekeerd, in het schuin invallende licht staan en keek, evenals ik, door het raam naar de hemel, alsof hij van de zon genoot en zich in haar warmte koesterde; zijn slanke lichaam, waarvan de geur nog steeds om me heen hing, schemerde vaag door zijn witte overhemd heen.

In die geur proefde ik de essentie van de afgelopen nacht, een nacht vol herinneringen aan eerdere nachten.

Een nacht waarin alles aanwezig was geweest: het schemerduister van de slaapkamer met de lichte, snel verschijnende en verdwijnende vlekken die voor mijn gesloten ogen dansten, vlekken waarin ik de geur van het dekbed, het laken en het kussen waarnam en daardoor alles wat aan het ontstaan van die geur had meegewerkt: de koelte van de 's morgens geluchte slaapkamer, wasmiddelen en zijn moeders hand, omwolkt door de hete stoom van een strijkijzer.

Onze lichamen onder het dekbed; in die lichamen de begeerte; in het omgewoelde bed de bevredigde, rustende lichamen; de huid en daarop de uitwaseming van de poriën; in de poriën uitgescheiden vetstoffen; tussen de lichaamsbeharing opgedroogd zweet; in de lichaamsholten en huidplooien laf ruikend transpiratievocht; in de haren en de vochtige, verwarde haarlokken stilstaande auto's, kantoren, restaurants, de geur van een hele stad met de zilte smaak van reukloos sperma; de bitterheid van tabak in zoetig speeksel; in de warme grot van de mondholte de in het speeksel uiteenvallende spijzen; door bederf aangetaste tanden en daartussen schilletjes en andere etensresten en tandpasta en diep in de maag de weer tot gist afgebroken alcohol; de bedarende hartstocht van het in een eenzame slaap verzinkende lichaam en de sappen van buitensporige dromen met hun onstilbare begeerten; het koele ontwaken; het ontnuchterende water; de zeep; de naar menthol geurende scheercrème en in het over de stoelleuning gedrapeerde overhemd de voorbije dag.

Goed, zei ik, dan hebben we tenminste eindelijk iets waarover we niet mogen spreken, ik ben daar blij om.

Klets toch geen onzin!

Beneden op de binnenplaats klonk het gekrijs van een meisje, ze riep haar moeder, die haar natuurlijk niet hoorde of niet wilde horen; eigenlijk benijdde ik dit meisje, misschien omdat ze hier was geboren en niet weg hoefde te gaan of vanwege haar onschuld en de verbitterde, hardnekkige manier waarop ze door bleef roepen hoewel niemand daarop reageerde; het schelle geschreeuw werd steeds zenuwslopender en hysterischer, tot het plotseling verstomde, alsof iemand een hand op haar mond legde, daarna hoorde ik alleen nog het harde kletsen van een stuitende bal.

Hij ging weer aan de tafel zitten; ik mocht hem nu niet meer aankijken, want ik wist dat hij dadelijk het gesprek zou voortzetten; als ik hem nu aankeek, zou ik alles bederven.

Ik nam weer de pen op, op bladzijde vijfhonderd tweeënveertig van mijn manuscript stond het laatste woord, daar had ik verder moeten schrijven.

Hij sloeg een paar toetsen aan; in de stilte miste ik het geschreeuw van het meisje; ik moest wachten tot hij tenminste een paar regels had getypt, toen onderbrak hij, zoals hij gewoon was en ik ook had verwacht, plotseling de stilte en zei met zachte stem dat we nog twee maanden, nauwkeuriger gezegd zevenenzestig dagen hadden, of was ik soms van plan voorgoed in Duitsland te blijven?

Ik staarde naar de laatste woorden die ik had geschreven, een beschrijving van het verlaten podium, en vroeg hem waarom hij zich zo krampachtig verdedigde, waar hij bang voor was; ik kon met mijn wedervraag natuurlijk niet verhelen dat ik op zijn vraag geen eenduidig antwoord kon of wilde geven.

Dat zal ik onthouden, vervolgde hij, alsof hij eindelijk op tastbare bewijzen van mijn verdorvenheid was gestuit, ik zal het onthouden en proberen ermee te leven.

Met een wreed genoegen fixeerden we elkaar door de muur van invallend licht die ons scheidde; hij glimlachte triomfantelijk omdat hij mij had ontmaskerd; ik nam iets van zijn glimlach over.

Goed, dan kom ik wel terug, zei ik nogal spottend, want ik wilde hem beletten het gesprek met een dooddoener te beëindigen.

Dan zul je een lege woning vinden, je weet best dat ik niet van plan ben hier te blijven.

Wat een kinderlijke fantasieën heb je toch, zei ik, hoe zou jij hier ooit kunnen weggaan?

Misschien ben ik toch niet zo laf als je denkt.

Dan heb je dus toch plannen voor de toekomst gemaakt, alleen niet voor een toekomst met mij.

Ik heb inderdaad een plannetje gemaakt: voor je vertrekt, knijp ik ertussenuit, zodat je geen afscheid hoeft te nemen.

Wat een reusachtig idee! door zijn glimlach en het fonkelen van zijn ogen dat zijn woorden begeleidde, en misschien ook wel doordat ik bang was en hij mij met zijn arrogantie tot een woede had opgezweept die aan haat grensde, kon ik mijn lachen niet inhouden en proestte het uit; ik complimenteerde hem met zijn vindingrijkheid.

Hij bedankte me voor het compliment.

Grijnzend keken we elkaar aan, de ogen toegeknepen van haat; we konden ons noch aan elkanders blik onttrekken noch boosaardiger kijken dan we al deden.

Het merkwaardige was dat ik niet zozeer hem weerzinwekkend vond, maar vooral mijzelf, het was alsof ik mezelf met zijn ogen zag.

Het was geen buitengewoon moment, geen bijzonder uur, geen andersoortige dag dan alle andere die we samen hadden doorgebracht, het enige ongewone was dat hetgeen waarnaar we voortdurend op zoek waren geweest sinds het Lot ons had bijeengebracht, beter gezegd: sedert we elkaar in de Opera hadden ontmoet, op dat moment voor het eerst in voorzichtige bewoordingen werd geformuleerd, maar ja, we brachten in die dagen zoveel zaken onder woorden die we als ongewoon ervoeren, en altijd voor de eerste keer; eigenlijk hoopten we een levenslange geborgenheid bij elkaar te vinden, elk woord en elk gebaar waren nieuwe etappes van deze speurtocht, we zochten naar een geborgenheid die niet te bereiken is, nooit, omdat de behoefte eraan verdwijnt zodra men die verworven heeft.

Het was alsof we een noodlottig gevoel wilden verdiepen, en bestendigen, ja zelfs legaliseren, een gevoel dat er was, dat zich niet liet onderdrukken, maar dat, hoezeer het ons ook beroerde, volkomen nutteloos was, en wel omdat wij, zoals hij het eens had uitgedrukt, beiden mannen waren en de wet van de sekse vermoedelijk sterker is dan de wet van de persoonlijkheid, iets wat ik toen had geweigerd te geloven en te aanvaarden omdat ik het als een aantasting van mijn individuele en persoonlijke vrijheid beschouwde.

Het eerste ogenblik had alle volgende geabsorbeerd, of misschien was er in de volgende iets van het eerste bewaard gebleven.

Toen ik hem in de matig verlichte voorhal van het operagebouw boven aan de trap zag staan met zijn Franse vriend, temidden van de feestelijk uitgedoste menigte die zich naar de zaal repte, had ik het gevoel dat ik hem al lang kende, heel lang zelfs, en niet alleen hemzelf, maar alles wat bij hem hoorde: zijn zorgvuldig gekozen pak, zijn losjes gestrikte das, zijn dasspeld, zijn nonchalant geklede vriend, en zelfs de relatie die de twee jonge mannen zo overduidelijk hadden, alhoewel ik toen nog slechts flauwe vermoedens en voorstellingen had van het fenomeen der homoseksuele liefde; dankzij dit gevoel van bekendheid had onze ontmoeting iets onverklaarbaar directs en ongedwongens, ze voltrok zich met zo'n vanzelfsprekendheid en natuurlijkheid dat ik me niet langer afvroeg wat er met me ging gebeuren, opeens bekommerde ik me daar niet meer om en merkte ik nauwelijks wat er zich in mijn omgeving afspeelde.

Nadat hij zich uit Thea's omarming had bevrijd, een omarming die door zijn vriend was gadegeslagen met een verbazing, evenredig aan de overdrevenheid van haar manier van doen, schudden we elkaar op conventionele wijze de hand; ik noemde mijn naam en hij noemde de zijne; intussen hoorde ik hoe zijn vriend zich aan mevrouw Kühnert en Thea voorstelde en daarbij alleen zijn beide voornamen noemde, alsof hij uit een provinciaals nest afkomstig was; hij zei twee keer achtereenvolgens Pierre-Max; zijn achternaam – Dulac – vernam ik pas enige tijd later.

Na deze handdruk hadden wij verder geen contact met elkaar, maar door de werking van een innerlijke wetmatigheid ontstond er een situatie waarin we, terwijl ik met zijn vriend praatte, hij zich onderhield met mevrouw Kühnert en met Thea en we intussen de met een purperrode loper belegde, verblindend witte trap opliepen, elkaar als het ware met onze schouders de weg wezen; we raakten elkaar wel niet aan, maar onze lichamen waren vanaf dit moment onafscheidelijk, ze wilden in elkaars nabijheid blijven en deden dit ook, ze deden het zo vanzelfsprekend dat het geen opzien baarde, hun nabijheid was noch verrassend noch beïnvloedbaar, ze was op een bepaald doel gericht, waarvan de betekenis en de mogelijkheden, naar later zou blijken, alleen voor mij twijfelachtig waren; door dit merkwaardige verschijnsel kon hij rustig doorbabbelen zonder me in de gaten te hoeven houden, terwijl ik hem evenmin in de gaten hoefde te houden en dankzij het gevoel van zekerheid en zorgeloosheid dat de nabijheid van zijn lichaam en zijn lichaamsgeur me schonken, volkomen zelfverzekerd en zelfs wat overmoedig een gesprek kon beginnen met de Fransman, die links van mij liep.

Ik zou dit alles echter geen gevoel van verbondenheid willen noemen, daarvoor was het te duister en te zwaar; om het met een voorbeeld te verduidelijken: het was alsof ik in een snelle vaart van mijn verre verleden naar het heden was teruggekeerd, waardoor dit heden even eigenaardig en sprookjesachtig leek als een vreemde stad waarin je na aankomst enigszins verdwaasd rondloopt; mijn gevoel had dus niets van de opgewonden vrolijkheid die elke erotisch getinte relatie kenmerkt, maar leek meer op de diepe vreugde die je voelt wanneer je na een moeizame reis eindelijk op de plaats van bestemming bent gekomen.

Voor mij was dit ogenblik echter vooral uitzonderlijk en memorabel omdat we nogal wat opzien baarden door de aanwezigheid van Thea, die als bekende en gevierde persoonlijkheid de nieuwsgierige blikken van het publiek dadelijk tot zich trok, waarna deze nieuwsgierigheid ook op ons afstraalde in de vorm van snelle, vluchtige zijblikken; iedereen wilde bijna automatisch zien, voelen en weten met wat voor man en in welk gezelschap de beroemde vrouw hier verscheen; dit gezelschap van vier zeer uiteenlopende verschijningen bood in deze overgedisciplineerde menigte een nogal zonderlinge, bijna schandaleuze aanblik.

Thea vertolkte ook hier een rol, ze speelde de beroemde en beruchte actrice; het strekt haar tot eer dat ze dit met uiterst spaarzame middelen deed, alsof ze de gretige, respectvolle, voor een deel echter ook minachtende en jaloerse blikken niet opmerkte; haar aandacht werd volledig in beslag genomen door Melchior; door de ongedwongen beweging waarmee ze zijn arm vatte, leek het alsof ze zei: kijk, dit is de man met wie ik uit ben! en hierdoor leidde ze de aandacht die ze van haar bewonderaars ontving naar hem toe; haar benige, Tartaars aandoende gezicht, dat niet was opgemaakt, had de diva-achtige uitdrukking die het publiek van haar gewend was en verwachtte, en ze keek Melchior met lachende, toegeknepen ogen schalks en vrolijk aan; waarschijnlijk trachtte ze zich aldus ook te beschermen tegen de onbescheiden blikken, want ze wilde in geen enkele andere richting kijken; het leek wel of ze zich willoos mee liet voeren door haar begeleider en er volstrekt niet op lette waar ze heen ging, maar in werkelijkheid was zij degene die de leiding had; door haar toegewijde, meegaande gedrag scheen ze in haar zwarte rok – de split van het lange, nauwsluitende geval liep door tot aan de knie! –, haar hoge naaldhakschoenen en haar bijna doorzichtige, grafietkleurige blouse nog kwetsbaarder en vooral hulpelozer dan in alle andere rollen die ik haar had zien spelen; ze maakte echter bovenal een gereserveerde en bescheiden indruk.

Ze babbelde onafgebroken en op dweepzieke toon, ervoor zorgend haar stem zodanig te dempen dat haar woorden onverstaanbaar bleven voor het nieuwsgierige publiek; doordat ze zich alleen met behulp van haar mond en haar glimlach uitdrukte, maakte haar manier van spreken een uiterst gedisciplineerde indruk; aldus dreef ze vrijmoedig de spot met de gebrekkige mimiek van mensen in gezelschap en reageerde ze de spanning af die ze tijdens de toneelrepetitie had opgedaan, terwijl ze haar overtollige energie economisch aanwendde om de elementaire vreugde en hartstocht te dempen die Melchiors gezelschap en lichamelijke nabijheid in haar opwekten; maar hoe spaarzaam ze de bovengenoemde mimische middelen ook gebruikte, haar aanwezigheid kon niemand ontgaan, misschien juist wel door die meesterlijke dosering en die spaarzame aanwending; de mensen bleven staan, keken om of staarden haar na; ze fluisterden achter onze rug, gaapten Thea openlijk of in het geniep aan, stootten elkaar aan en wezen naar haar; de vrouwen keurden haar kleding en verslonden haar soepele, zwevende gang met hun blikken; de mannen, die door een neutrale gelaatsuitdrukking onverschilligheid voorwendden, bevoelden in gedachten teder haar borsten, legden hun handpalmen om haar heupen of gaven haar in speelse fantasie een klap op haar welgevormde, ronde achterste, kortom iedereen deed met haar wat hij wilde, alsof ze zijn persoonlijke eigendom, zijn minnares of een geliefd zusje was, terwijl zij intussen, schijnbaar geheel opgaand in de aanwezigheid van de ander, de door haar uitverkoren man, voorbijzweefde; en dankzij haar werden ook wij boven de massa verheven, werden wij in de ogen van de nieuwsgierige toeschouwers professionele figuranten in Thea's kleine opkomstscène.

Meer door de situatie dan door werkelijke belangstelling gedreven en onwetendheid en verbazing simulerend, vroeg ik de slanke Fransman met zijn verwarde zwarte haardos hoe hij in deze contreien verzeild was geraakt; hij boog zich, terwijl we naar boven liepen, met een zoetsappige maar tegelijk gereserveerde en zelfs minachtende gelaatsuitdrukking naar me toe; zijn smalle, opvallend platte ogen verrasten mij, de oogappels schenen er niet genoeg plaats in te hebben om te rollen of te bewegen, waardoor zijn blik stekend en star was; ik lette overigens nauwelijks op hem, want ik was veel meer geïnteresseerd in wat Thea allemaal tegen haar begeleider liep te murmelen, die ik voortdurend met mijn schouder, mijn arm of mijn zij aanraakte.

De Fransman antwoordde in bijna onberispelijk geconstrueerde zinnen, maar met een duidelijk waarneembaar Frans accent, dat hij niet in Berlijn woonde, tenminste niet in dit gedeelte van de stad, maar dat hij hier graag vertoefde, liefst zo vaak mogelijk, daarom was onze uitnodiging hem zeer welkom geweest, hij was sowieso van plan geweest het stuk te gaan zien; hij begreep echter niet waarom ik zo verbaasd was; waarom zou hij hier niet komen? hij vond dit absoluut geen vreemde wereld, zoals ik scheen te veronderstellen, integendeel: als marxist en lid van de communistische partij voelde hij zich hier meer thuis dan in het westelijke gedeelte van de stad.

De handige manier waarop hij aan het gesprek een andere wending had gegeven, de onmiskenbare agressiviteit van zijn antwoord, de sensibiliteit waarmee hij mij intuïtief als tegenstander had getaxeerd, zijn zelfvoldane manier van spreken, zijn ietwat brutale maar volstrekt niet van ernst gespeende gelaatsuitdrukking en zijn starre, uitdagende blik, waaruit zowel sympathieke jeugdige strijdlust als kleinzielige vooringenomenheid spraken, verrasten mij bijzonder, en ofschoon ik de uitdaging dadelijk aannam, leek mij een verhitte politieke discussie in deze koele, kleurloze en representatieve omgeving zo weinig gepast dat ik onder invloed van allerlei tegenstrijdige emoties het liefst in lachen was uitgebarsten en had uitgeroepen: wat een onzin kraamt die kerel uit! zijn uitlatingen deden me aan als ongepaste maar aangename scherts en dit effect werd nog versterkt door de kinderlijke, koppige uitdrukking van zijn knappe gezicht, zijn tot een geheel andere cultuur behorende, beweeglijke elegantie en zijn kleding, die volgens de in dit gedeelte van het land geldende normen als verwaarloosd moest worden gedefinieerd – hij droeg een dikke, wollige, wat versleten en niet geheel schone trui en een lange vuurrode sjaal, die hij twee keer om zijn hals had gewikkeld en over zijn schouder geworpen; deze kledingstukken werden door het ter gelegenheid van de voorstelling overdreven net geklede en juist daardoor nogal armoedig en sjofel ogende publiek met zoveel bevreemding en misnoegen gemonsterd dat je het bijna kon horen sissen van verontwaardiging; omdat ik hem echter niet wilde kwetsen en bovendien alle aandacht ook op mij was gericht, beschouwde ik het als mijn plicht mezelf te beheersen, ik schonk hem dus een beleefd lachje, dat echter evenmin vrij was van neerbuigendheid, en zei zonder de scherpte van mijn antwoord af te zwakken dat hij mijn verwondering wellicht had misverstaan; ik wilde hem noch ter verantwoording roepen noch iets verwijten, integendeel: ik prees mezelf gelukkig dat ik hem had leren kennen omdat ik de afgelopen zes jaar niemand – ik herhaalde met nadruk: niemand! – in deze oostelijke contreien had ontmoet die zich in alle ernst communist noemde.

Hij vroeg wat ik daarmee wilde zeggen.

Ik antwoordde met de superioriteit van de inboorling dat ik niets bijzonders wilde zeggen, maar dat hij zelf zijn conclusies kon trekken uit mijn woorden.

Doel je op het voorjaar van negentienachtenzestig? vroeg hij wat onzeker, en toen ik, genietend van mijn superioriteit, nadrukkelijk knikte, pauzeerde hij, me strak aankijkend, een moment besluiteloos, maar voordat ik was uitgeknikt, vervolgde hij nog heftiger: ik geloof niet dat die gebeurtenissen de conclusie rechtvaardigen dat we de strijd moeten staken.

Deze bombastische leuze, die werd begeleid door enkele zeer schampere opmerkingen van Thea over haar regisseur, kwam zo naïef uit zijn jongensachtige, onvolwassen mond en ik vond degene die haar verkondigde zo ontroerend, zo jong, sterk en daardoor overtuigend, hoewel ik niet begreep op welke strijd hij doelde, strijd tegen wat en waarvoor? dat ik, door het komische van de situatie van mijn apropos gebracht, op dat moment de tegenwoordigheid van geest miste om ad rem te antwoorden; gedurende deze eigenaardige, niet onvermakelijke maar toch serieuze stilte was het gebabbel van Thea te horen, die de mening verkondigde dat Langerhans misschien een prima ambassadeur zou zijn, bijvoorbeeld in een stad als Tirana, maar dat hij waarschijnlijk beter deugde voor stationschef, je hoefde alleen maar te zien hoe hij zijn bril op zijn wipneus heen en weer schoof en met zijn stompe vingertjes door zijn vettige haar woelde, om aan een groot vel wit papier te denken waar hij de godganse dag mooie, ronde stempels op kon zetten, rode en blauwe; hij moest echter in geen geval proberen stukken te regisseren! wat ik zeg is echt niet overdreven of grappig bedoeld, Melchior, je kent de scène, de vierde scène in het derde bedrijf, de zitting van de kroonraad, de enige behoorlijke scène van het hele stuk, die afgrijselijke zitting waarin die zes onmogelijke figuren om de tafel zitten; voor die scène heeft hij een reusachtige, een werkelijk monsterlijk grote tafel laten maken en zijn allerberoerdste acteurs uitgekozen, je kunt je wel voorstellen hoezeer de stakkers dit waarderen en hoe dankbaar ze hun rol spelen, het is werkelijk ongelooflijk zoals ze daar aan de tafel zitten, hun aktes heen en weer schuiven, zich krabben, stotteren en op hun nagels bijten, precies zoals Langerhans zelf doet, die bijt ook voortdurend op zijn nagels, walgelijk! en nooit zeuren dat ze naar huis willen, het kan ze allemaal niets schelen omdat ze dertig jaar lang op een rolletje hebben zitten wachten; dertig jaar lang hebben die kerels geen moer van toneel begrepen en ze zullen er ook in de toekomst geen moer van snappen; het is bijna onvoorstelbaar hoe saai dat stuk is, maar je zult het dadelijk zelf zien, zo vreselijk saai dat je erbij in slaap valt! dat is het enige wat Langerhans heeft kunnen creëren, iets onmogelijk saais, want hoe vrouwen werkelijk in elkaar zitten en wat ze echt van mannen verlangen, daarvan heeft zo'n bloedeloze toneelbureaucraat geen flauw benul.

Na even geaarzeld te hebben zei ik dat we volgens mij aan twee volkomen verschillende dingen dachten en dus ook over twee volkomen verschillende dingen spraken, hij natuurlijk over Parijs en ik even vanzelfsprekend over Praag.

En voorzover hij er wel benul van heeft, vervolgde Thea, is dat een ordinair, grof en smakeloos benul, ik kan je daar iets illustratiefs over vertellen, een pikant verhaaltje.

Deze hinderlijke maar historisch gezien volkomen irrelevante scepsis ben ik hier wel vaker tegengekomen, antwoordde de Fransman, maar ik geloof niet dat de onhandige actie van de Russen het economisch-historische feit kan omverstoten dat dit land de wieg van het socialisme is; hierna zei hij nog iets onsamenhangends over de eigendom van de produktiemiddelen.

Ik heb ooit een affaire met hem gehad, ik word nog rood als ik eraan denk, maar goed, na een tijdje, toen we niets meer met elkaar konden beginnen, wilde ik hem coûte que coûte dwingen zijn ware aard te tonen, ik wilde weten hoe hij werkelijk in elkaar zat.

Wat je zegt klinkt me even belachelijk en demagogisch in de oren als mijn scepsis jou hinderlijk voorkomt; ik geloof niet dat je van een onhandige actie zou spreken als een buitenlands leger de Parijse studentenopstand had neergeslagen, zei ik.

Je praat als een warhoofdige plutocraat, die hebben het ook altijd over opstand in plaats van revolutie.

En jij als een dolgedraaide ideoloog die beweert dat het doel de middelen heiligt.

We waren allebei op de trap blijven staan, maar Thea en Melchior liepen door, beter gezegd: Melchior wilde doorlopen, maar ik hield hem als het ware met mijn schouder tegen en toen hij een tree hoger stond dan ik, draaide hij zich vlug om; ik zag aan de Fransman dat hij ondanks zijn woede genoot van ons twistgesprek, wat niet van mij kon worden gezegd, want ik vond onze discussie even beschamend en pijnlijk als belachelijk; het speet me dat ik op zijn provocatie was ingegaan en ik had het gevoel dat ik volstrekt niet mijn eigen mening verkondigde of hoogstens een fractie daarvan, een fractie van een niet bestaande mening waarvan het overige gedeelte ontbrak; zodra er allerlei opgekropte, zinloze en primitieve emoties in mij waren opgeweld, was het dunne vliesje zelfbeheersing dat mijn driften en hartstochten maskeerde gebarsten en waren mijn vooroordelen bloot gekomen, en die kenden enkel en alleen de taal van het gevoel; ik had ze verborgen moeten houden in plaats van ze te uiten, en omdat dat me niet was gelukt, was ik bozer op mijzelf dan op de Fransman, die zich met zijn onmogelijk slanke, rijzige lichaam en zijn onmogelijke denkbeelden zo volkomen thuis voelde in deze stad dat hij helemaal niet in de gaten had hoe verontwaardigd en jaloers hij werd aangegaapt door degenen tussen wie hij zich zogenaamd thuis voelde, mensen die hem met zijn ongekamde haar en zijn smoezelige rode sjaal als een idioot, als een bespotter van hun armzalige leven en inspanningen beschouwden, hoewel ik de grootste idioot was van ons tweeën.

Kennelijk spreken we twee geheel verschillende talen, zei hij met uitdagende gelatenheid.

Inderdaad, antwoordde ik, maar omdat ik mijn vooroordelen kon noch wilde verhelen, voegde ik eraan toe: als je het hier zo geweldig vindt, is het je zeker ook wel opgevallen dat jij je onbelemmerd van het westelijke stadsdeel naar het oostelijke kunt begeven, terwijl wij niet naar het Westen mogen.

Ik zei dit nogal luid, zodat ook de twee vrouwen bleven staan, waarschijnlijk mede omdat Melchiors arm uit Thea's hand was geglipt; toen ze zich omdraaiden, zag ik mevrouw Kühnerts ogen geschrokken fonkelen achter haar dikke brilleglazen, alsof ze waarschuwend wilde zeggen: pas op, iedereen kan je horen! hoewel ik me een ongeluk schaamde, kon ik niet nalaten eraan toe te voegen dat het niet zo verwonderlijk was dat mensen die een geheel verschillende persoonlijke vrijheid genoten ook verschillende talen spraken.

Op dat moment maakte Melchior met schoolmeesterachtige ernst een eind aan de discussie door vermanend met zijn hand te wuiven; pas maar op, zei hij, mijn vriend redeneert net zoals Robespierre of Marat, weet je wel dat je met een onverbiddelijke revolutionair te doen hebt?

Ontevreden over mezelf zei ik in een laatste opflakkering van mijn belachelijke, door jaloezie veroorzaakte woede dat ik juist daarom met hem discussieerde.

Dan ben jij kennelijk ook een revolutionair, zei hij met geschrokken, ongelovige ogen, zijn dichte wenkbrauwen verbaasd optrekkend; hij dreef duidelijk de spot met zijn vriend.

Dat ben ik inderdaad, zei ik, hem met een woedende grijns aankijkend.

Zijn mij vertrouwd in de oren klinkende toon, die op een heimelijke verstandhouding en zelfs een relatie tussen ons scheen te duiden, bracht een dermate onverwachte en onverhoopte wending in de situatie dat mijn schaamte als bij toverslag wegebde; hij had mijn opwinding begrepen en ook mijn schaamte en door dat begrip verdreef hij ze, door dat begrip haalde hij me naar zich toe en verwijderde hij de Fransman van zich; hij gaf me de mogelijkheid weer op adem te komen.

Opeens begon de Fransman bijna geluidloos te lachen, alsof hij ons duidelijk wilde maken dat hij voet bij stuk hield, tegelijk was dit geginnegap een signaal aan Melchior, met wie hij ongetwijfeld tot vervelens toe dergelijke discussies had gevoerd, te vaak om nog een compromis met hem te kunnen sluiten, of misschien was dit wel het wezen van hun compromis; hij maakte ook een minachtend gebaar met zijn hand, alsof hij ons vuige, op cynisme en arrogantie duidende verbond en de walging die dit bij hem had gewekt, wilde wegvagen; hij woof geringschattend met zijn hand, alsof wij een paar hinderlijke insekten waren die hij wilde afweren en uit zijn omgeving verjagen, wat betekende dat hij ons niet serieus nam of als ontoerekeningsvatbaar beschouwde; we waren onwaardig bevonden als discussiepartners.

De manier waarop hij zijn knappe hoofd achteroverwierp en gelijktijdig afwendde, had iets van een heldhaftige pose, terwijl onze manier van doen, ondanks onze gezamenlijke overwinning, serviel bleef.

Op dat moment opende een oude, in grijs livrei gestoken plaatsaanwijzer, die eruitzag alsof hij uit een ver verleden was opgedoemd, de deur van de ereloge op de eerste rij van het balkon; hij hield daarbij zijn ogen vol aandacht op Thea gericht.

Vanaf een hoogte van bijna vier meter keken we neer op de hoofden van het publiek, rozige vlekken die in beweeglijke maar soms verstarrende figuraties door de zaal golfden; het eentonige purper en wit van de boogvormig opgestelde stoelen verdeelde de zaal schijnbaar in een aantal kleinere ruimtes; achter een zuiver classicistisch portaal, dat verfraaid was met Korintische pilasters met vergulde kapitelen, was een kolossaal podium zichtbaar, waarop rondom een troosteloos uitziende, halfduistere binnenplaats van een gevangenis hoge, vuilgrijze torens en onregelmatig gekanteelde vestingmuren oprezen tegen de achtergrond van een in de staalgrijze kleuren van de ochtendschemering geverfd hemelgewelf; vandaar voerden donkere, gapende gangen naar een muf uitziende onderwereld; meer op de achtergrond tekenden zich vagelijk enkele menselijke gestalten af, die opgesloten waren in tegen de dikke vestingmuren aan gebouwde, spelonkachtig gewelfde kerkers met dikke tralies.

Niets bewoog, maar toch scheen alles te leven; ergens fonkelde iets, misschien de geweerloop van een bewaker, en ondanks het vredige geroezemoes van het publiek en de opgewekte loopjes van de musici, die hun instrumenten aan het stemmen waren, was het gerinkel van ketenen hoorbaar; even later schemerde het vriendelijke roze van een japon in de ondoordringbare schaduw van een vestingmuur en voerde een windvlaagje flarden aan van een melodieus klinkend bevel; het is niet overdreven dat ik van een windvlaagje spreek, want als het gordijn van een dergelijk groot podium reeds voor het begin van de voorstelling is opgehaald en de hete adem van de toeschouwers de zaal nog niet heeft verwarmd, stroomt er altijd wat koele lucht van het toneel de zaal in, een verkoelend windvlaagje, dat naar lijm geurt.

Zwijgend en elkaar beleefd voorlatend zochten we een plaatsje in de lege loge, dat wil zeggen dat we vanachter een masker van welgemanierdheid en voorkomendheid elkaars gecompliceerde bedoelingen trachtten te raden, bedoelingen die zich in blikken en voorzichtige gebaren openbaarden; aldus probeerden we een met meedogenloze middelen gevoerde strijd op bevredigende wijze te beslechten; ik gebruik het woord strijd omdat het niet om het even was wie waar ging zitten, ik was uit op een plaats naast Melchior en Melchior wilde ook dat ik naast hem ging zitten, maar ik mocht me niet van de Fransman afzonderen en hij zich niet van mij, want als we dat deden, betoonden we ons niet alleen geestelijk maar ook lichamelijk onverzoenlijk, dan lieten we blijken dat we elkaars aanwezigheid onaangenaam en hinderlijk vonden, wat ook Melchior gekrenkt zou hebben, en dat wilde ik niet; aan de andere kant hoorde Pierre-Max zo ontegenzeggelijk bij Melchior dat noch Thea noch ikzelf de moed hadden aan die band te tornen, ook al was Thea, die dit schouwburgbezoek alleen maar vanwege haar belangstelling voor Melchior had gearrangeerd, in de verste verte niet van plan van Melchiors nabijheid af te zien; het gedrag van mevrouw Kühnert compliceerde de situatie nog, want ofschoon ze zich op dat moment uitermate terughoudend gedroeg, liet ze door haar bescheidenheid en onverschilligheid duidelijk uitkomen dat ze ons stuk voor stuk als personae non gratae beschouwde, met wie zij liever niets te maken had; zij wilde alleen naast Thea zitten en daarover viel niet te onderhandelen; dit bracht mij weer in een onaangename positie omdat ik wegens Thea's onuitgesproken verwijt over mijn veel te luidruchtige, haar plannen doorkruisende gedrag graag tussen haar en Melchior in was gaan zitten om én van Melchiors nabijheid te kunnen profiteren én Thea wat te kalmeren, een wens die uiteraard onvervulbaar bleek omdat ik niet het recht had de twee vriendinnen van elkaar te scheiden.

We hadden de uit acht stoelen bestaande eerste rij van de loge tot onze beschikking en nu ging het erom de verwarde draden waarmee we, psychologisch gezien, aan elkaar vastzaten, door middel van een adequate distributie van de zitplaatsen te ontwarren.

Uiteraard komen in dergelijke situaties altijd de meest primaire aandriften tot gelding: het eigenbelang genereert op ruwe wijze de menselijke gevoelens, terwijl de sociale conventies een al te vrijmoedige uiting daarvan trachten tegen te gaan, uit welk krachtenspel uiteindelijk de gevoelens resulteren ten aanzien van de triomfators, de gelukkigen die erin zijn geslaagd hun zin door te drijven; tijdens onze behoedzame, inleidende schermutselingen klonken twee gedecideerde signalen, twee korte zinnetjes, die vergezeld gingen van de bijbehorende gebiedende gebaren: kom maar! zei Melchior in het Frans tot zijn vriend, die tot nog toe in een neutrale, afwachtende houding het ingewikkelde ritueel had gadegeslagen, en ga zitten, zei Thea met ingehouden woede op koele toon tegen mij.

Uit dit laatste bleek zonneklaar dat, hoezeer Melchior zich ook had verzet tegen deze ontmoeting, Thea toch het gelijk aan haar kant had gehad, of beter gezegd: haar intuïtie had uiterst adequaat gefunctioneerd toen ze hem tot deze ontmoeting had gedwongen, men kan immers alleen iets afdwingen wat de ander zelf ook wil.

Melchior had niet uit beleefdheid of voorkomendheid zo abrupt afgezien van de nabijheid van zijn vriend ten gunste van Thea, maar omdat hij zich werkelijk tot haar aangetrokken voelde; hij was gedwongen te kiezen en voor die keus was bepalend dat Thea en hij de hoofdpersonen van het gezelschap waren, ze waren voor elkaar voorbestemd en hoorden bij elkaar.

Thea maakte ook mij op een bezitterige en verliefde manier het hof, het leek wel of we voortdurend genoodzaakt waren naar elkaar te kijken, maar terwijl onze relatie in het aftastende en verkennende stadium bleef steken, scheen haar relatie met Melchior elk ogenblik in een hartstochtelijke liefde te kunnen omslaan, hun betrekking was dus lang niet zo eenzijdig als mevrouw Kühnert had beweerd, om nog maar te zwijgen van het feit dat het leeftijdsverschil tussen hen geen twintig maar hooguit tien jaar bedroeg, zodat ze wel een zonderling maar geen belachelijk stel vormden; maar wat men hier ook van mocht denken, het feit dat hun wil bij de verdeling der zitplaatsen bepalend was geweest, had onbarmhartig duidelijk gemaakt dat wij slechts het ereëscorte van een koninklijk paar vormden, en zelfs de aangename wetenschap dat ik binnen de strenge hiërarchie van het gevolg een belangrijker plaats innam dan de Fransman, kon mij niet met dit feit verzoenen.

Doordat ik weinig ervaring had met het opvangen van gevoelsstromen van mannen, vreesde ik dat mevrouw Kühnerts opgewonden mededelingen over Melchior mij misschien op een dwaalspoor hadden gebracht en de warme golven van sympathie die ik in mijn schouder voelde niet mij maar Thea golden, want we zaten kennelijk allebei achter haar aan.

Zo was de situatie toen we gingen zitten, de zwijgzame Fransman helemaal links, ikzelf tussen hem en Melchior in, rechts van Melchior Thea, en naast haar mevrouw Kühnert, die als enige de plaats had gekregen waar ze opuit was geweest.

Ik zorgde ervoor met mijn ellebogen niet per ongeluk Melchiors arm aan te raken, die op onze gemeenschappelijke stoelleuning rustte, maar hij moet, zoals het een vorst betaamt, dadelijk mijn ontevredenheid over de mij toegewezen plaats bemerkt hebben, een ongenoegen dat niet werd weggenomen door de handige manier waarop ik de Fransman van zijn rechtmatige bezit had beroofd, en in hoge mate werd verhoogd door de angel der jaloezie die mij vanwege Thea stak, alsof ik recht had op haar, hoewel ze niet alleen niet de mijne was, maar ik haar zelfs met opzet niet begeerde; en toch speet het me dat ze zo op Melchior was gericht, ik wilde haar bezitten en niet met een ander zien flirten, iemand probeerde haar voor mijn neus weg te kapen, maar ik zou om haar bezit wedijveren met die ander, die nota bene, alsof hij deze toch al pijnlijke zaak nog meer wilde compliceren, zijn hand vriendschappelijk op mijn knie legde, me een ogenblik lang glimlachend aankeek, terwijl onze schouders elkaar toevallig raakten, en zijn lach vervolgens tot een grimas vertrok, waarna hij zijn hand terugtrok en zich, alsof er niets was gebeurd, afwendde naar Thea, zijn glimlach onmiddellijk op haar afstemmend.

Het glimlachje dat om zijn lippen speelde bad me om vergiffenis voor het onaangename incident van zoëven en spoorde me tegelijk op een subtiele manier aan de diepere betekenis van zijn gelaatsuitdrukking te verstaan; het breidde zich vanuit het inwendige van zijn reusachtige blauwe ogen uit en liet weten dat hij met degene die hij hier als vriend, maar vooral als camouflagemiddel en dekmantel, had laten opdraven om zich niet geheel aan Thea te hoeven uitleveren, weliswaar, dat wilde hij wel toegeven, een soort relatie had, maar dat ik die relatie absoluut niet serieus moest nemen, het was slechts een oppervlakkige verhouding, waar ik me niets van hoefde aan te trekken en die we als afgehandeld konden beschouwen; hij verried zijn vriend dus eenvoudig, hij verloochende hem met die grimas en nestelde zich zo mogelijk nog dieper in me; kennelijk wilde hij me geruststellen; Thea maakte wel avances en was zeker verliefd, zoals hij ook verrukt van haar was en op haar avances inging – de manier waarop hij daarbij zijn welgevormde lippen optrok was evenzeer een uiting van door de situatie ingegeven ironie als van zelfspot, wat een arrogante maar geen onsympathieke indruk maakte –, maar ik had ook in dit opzicht niets te vrezen, het lag niet in zijn bedoeling haar te veroveren, daarom kon deze kwestie als afgedaan worden beschouwd, we hadden die op ridderlijke wijze uit de wereld geholpen.

Zijn gebaren en gelaatsuitdrukking konden niet onopgemerkt blijven voor degenen op wie zij betrekking hadden, maar ook op mij maakten zijn onbeschaamde openhartigheid en achterbaksheid – want hoezeer ik ook onder de indruk van hem was, ik voelde op dat moment duidelijker dan op enig later tijdstip, toen mijn jaloezie al was weggeëbd en ik hem onvoorwaardelijk vertrouwde, dat hij niet eerlijk was – een allerbelabberdste indruk, en hetzelfde gold voor zijn brutaliteit en zijn verraad, maar merkwaardigerwijze had ik toch niet de moed of de kracht zijn niet bepaald esthetische en uit moreel oogpunt zelfs bedenkelijke toenadering af te wijzen; verlamd en verstijfd van ontzetting zat ik in mijn stoel en deed alsof ik naar het podium keek, nu en dan schichtig als een dief naar links en naar rechts spiedend om te zien of de anderen iets hadden gemerkt; diep in mijn hart genoot ik echter van ons riskante spelletje.

Mijn slechte geweten, dat me influisterde dat ik hem van twee mensen tegelijk zou afpikken als ik inging op zijn toenaderingspoging: van iemand die ik nauwelijks kende en van iemand die ik daarmee op een afschuwelijke manier zou bedriegen, wakkerde mijn behoedzaamheid tot ongerustheid aan; overigens kon de Fransman onmogelijk iets van het gebeurde gemerkt hebben, want hij zat voorovergebogen op zijn stoel en staarde met zijn kin op de met fluweel beklede balustrade geleund naar de rumoerige zaal beneden ons, en hetzelfde gold voor Thea, zelfs als ze Melchiors hand op mijn knie had opgemerkt, zou ze daaraan geen bijzondere betekenis hebben gehecht; de enige die me in de gaten had was mevrouw Kühnert, uit haar strenge blik viel af te leiden dat ik, wat ik ook deed, geen ogenblik kon ontsnappen aan haar waakzame blikken, waarmee ze Thea's belangen zorgvuldig verdedigde.

Melchiors glimlach en grimas werkten nog steeds in me na toen ik me eveneens in mijn stoel vooroverboog en op de balustrade leunde om me van de overige aanwezigen te distantiëren en de emotionele verwarring te verwerken die zijn uitstralende lichaamswarmte in me had teweeggebracht, het was alsof hij met een werkelijke stem, met werkelijke woorden, tot me had gesproken, met een stem die weerklonk in een echoënde ruimte, in een lege, donkere zaal.

Het applaus barstte het eerst los op de derde rij van het balkon, daarop weerklonk het boven ons, op de tweede rij, en toen de dirigent bij de ingang van de orkestbak verscheen, stortte het zich als een waterval omlaag en golfde door de gehele schouwburg; het bruiste door de zaal tot het de voorste rijen had bereikt, terwijl het licht van de kristallen kroonluchter in de met rozetten beschilderde koepel langzaam doofde.

En ook die stem was me bekend, die warme, diepe, op kracht, zelfvertrouwen en vastberadenheid duidende stem, die het vermoeden wekte dat hij in staat was zichzelf niet geheel serieus te nemen en speels met zichzelf om te gaan, niet voor de schijn, maar om op een verstandige manier afstand te nemen van de dingen, een stem die kon dalen tot een welwillend gebrom; ik wist niet hoe en waarvan ik dat stemgeluid kende en ik wil ook niet beweren dat ik in mijn geheugen naar een verklaring voor die bekendheid zocht, maar het ging doelbewust door me heen, het doorstroomde rijzend en dalend mijn lichaam, alsof het zichzelf steeds opnieuw op verschillende toonhoogten wilde uitproberen en in de daarvoor geschikte hersenwindingen naar zijn plaats en zijn betekenis zocht, naar het punt, de zenuw, het gebied waar al eerder dergelijke spraakklanken waren opgeslagen, een gebied dat, zorgvuldig afgegrendeld van de overige hersenen, op dat moment onbereikbaar was.

Toen ik bijna twee maanden voor dit schouwburgbezoek in Berlijn aankwam, was er voor mij een kamer gehuurd in de buurt van de Oranienburger Tor, in het eerste hoekhuis van de Chausseestraße; het was een huurkamer op de vierde verdieping van een in sombere grijze tinten geschilderd, oud gebouw; natuurlijk was er in geen velden of wegen een stadspoort te bekennen, de naam herinnerde aan een topografie die door historische gebeurtenissen in de meest letterlijke zin des woords was weggevaagd en verwoest en verbrand; als ik van een somber, oud gebouw spreek, overdrijf ik niet, want in de wijken waar ondanks de verwoestingen van de oorlog nog iets oorspronkelijks, iets van vroeger, was blijven staan, zagen alle huizen er somber en grijs uit; toch zou ik ze geenszins als stijlloos willen betitelen, tenminste als men het begrip 'stijl' niet beperkt tot de betekenis 'traditionele, representatieve uitdrukkingsvormen', maar zonder vooringenomenheid erkent dat elk door mensenhand vervaardigd gebouw sporen vertoont van de materiële en geestelijke kenmerken van de tijd waarin het is gebouwd, en daaraan zijn uiterlijk ontleent; dat versta ik onder stijl en niets anders.

Het verwoesten – in de geschiedenis van de mensheid een even frequent verschijnsel als het bouwen – had in deze wijk niet zo volmaakt en volledig plaatsgevonden als in de overige, waar niets meer was blijven staan en de wind tussen de spiksplinternieuwe gebouwen nog altijd over een kale vlakte joeg; in deze wijk had men de hiaten kunnen aanvullen en de uitgebrande skeletten van de huizen met nieuw vlees, met nieuwe muren, bekleed, er waren namelijk zoveel stenen overeind blijven staan dat het zinvol was er nieuwe aan toe te voegen en aldus te voorzien in de primaire menselijke behoefte aan afzondering en beschutting tegen de grillen van het weer; er waren in die buurt ook vele vertrouwde, betrouwbare en daardoor bijzonder aantrekkelijke fundamenten uit vooroorlogse tijden gespaard gebleven, en ook al deden de daarop opgetrokken, opgelapte of verstevigde gevelmuren nogal troosteloos aan en leken ze nauwelijks op de vooroorlogse, de oorspronkelijke plattegrond van de stad was in dit gedeelte van de stad in elk geval enigszins intact gebleven, zodat er iets van de vroegere geest en structuur van Berlijn was bewaard gebleven voor het nageslacht, al restten van zijn levendige, protserige, met valse sieraden pronkende, tegelijk spaarzame en overdadige, mondaine en serieuze en bovenal energieke en levenslustige stijl nog slechts enkele vage sporen.

Door de stijl van de nieuwe gevels schemerde de oude stijl, het oude principe, het dode beeld van de vroegere orde.

De plaats waar de Hannoversche Straße, de schitterende Friedrichstraße, de in Wilhelm-Pieck-Straße omgedoopte Elsässerstraße en de Chausseestraße elkaar ontmoetten, oorspronkelijk een fraai pleintje, had in deze trieste wederopstanding veel van haar schoonheid verloren en verkeerde in een permanente staat van bewusteloosheid; ze vormde een stil, bijna levenloos decor van over elkaar geschoven tijdperken, waar af en toe een tram door ratelde; aan de rand van het pleintje stond een reeds jaren geleden in onbruik geraakte aanplakzuil met een gespleten, opengebarsten buik; de doffe, stoffige etalageruiten weerspiegelden een op die zuil bevestigde klok, waarvan het glas van de wijzerplaat kapot was geslagen; de door het glas weerkaatste wijzers toonden een reeds lang verstreken moment, een halfvijf van jaren her, alsof de tijd er was stil blijven staan.

Diep in de aarde, onder de dunne korst van het wegdek, denderden metrotreinen op regelmatige tijdstippen voelbaar en hoorbaar voorbij; het geratel zwol aan, bereikte een climax en stierf weg; de voor het oorlogsgeweld gespaard gebleven stations van deze lijn waren niet toegankelijk, ze waren dichtgemetseld; toen ik nog maar pas in Berlijn was, begreep ik niet waar de loze ingangen op de vluchtheuvels van de Friedrichstraße voor dienden, tot mevrouw Kühnert het me bereidwillig uitlegde; ze vertelde dat de lijn, die precies onder haar huis door liep, alleen twee westelijke stadsdelen met elkaar verbond en niet 'bij ons' hoorde; ze zei dit letterlijk zo: niet bij ons; op de nieuwe plattegronden zou ik hem dan ook tevergeefs zoeken, hij stond er niet op; ik zei dat ik niet begreep wat ze bedoelde; dan moest ik eens even goed naar haar luisteren, ze zou het me haarfijn uitleggen: als ik in West-Berlijn woonde en dus een Westberlijner was, kon ik bijvoorbeeld in de Kochstraße op de metro stappen en dan reed ik met de metro onder dit huis door; precies op de plaats waar we op dit moment zaten, maar dan lager, diep onder de grond, was een halte geweest; de trein minderde daar wel even vaart, maar hij mocht er niet stoppen; hij reed dus onder onze wijk door en kwam weer uit in de zogenaamde westelijke sector, waar je bijvoorbeeld bij de halte in de Reinickendorfstraße kon uitstappen; begrijpt u het nu?

Iedereen kent natuurlijk zijn eigen stad, maar de straatnamen van een vreemde stad en richtingen als west en oost blijven, zelfs al beschikt men over een fenomenaal oriëntatievermogen en een uiterst gedegen topografische kennis, volkomen abstract, men mist de beelden en de herinneringen die bij die namen horen; ik begreep natuurlijk wel – daarvoor hoefde ik niet in Berlijn geboren te zijn – dat er iets onder het wegdek was wat niet bestond, of beter gezegd: wat niet mocht bestaan, behalve als herinnering, hoewel het nog steeds tot de bloedsomloop van de gehele stad behoorde en dus wel degelijk existeerde, maar alleen voor de mensen aan de andere kant van de Muur, die op de streng bewaakte, dichtgemetselde stations niet uit mochten stappen, alleen al niet omdat een spooktrein geen stations heeft, zodat de Westberlijners evenmin voor ons bestonden als wij voor hen.

Ik zei dat ik bijna alles begreep, alleen niet waarom de treinen op die niet bestaande, respectievelijk toch bestaande stations vaart minderden en waarvoor de bewakers dienden; wie waren trouwens die bewakers, mensen van hier of van daarginds, en wat hadden ze eigenlijk te bewaken en hoe verlieten ze die stations na afloop van hun diensttijd? ik begrijp het wel een beetje, zei ik, maar het komt me allemaal zo onlogisch voor, of misschien begrijp ik die logica wel niet.

Als u zo spottend blijft praten, geef ik u geen antwoord meer, zei ze met de gekrenkte trots van de inboorling, waarop ik besloot maar te zwijgen.

Ook de kamer op de vierde verdieping van dat huis in de Chausseestraße vertoonde enigszins deze stijl: zodra je door de brede, kunstig gebeeldhouwde, donkere vleugeldeuren in de op een conferentiezaal lijkende vestibule kwam, kreeg je het aroma van deze stijl als het ware meteen in je neus; de vestibule was geheel ongemeubileerd; op het donker geworden parket, dat op enkele plaatsen met gewone planken was gerepareerd, kraakte elke voetstap, maar je kon je gemakkelijk voorstellen dat er vroeger heel andere, door zachte oosterse tapijten gedempte geluiden hadden geklonken: de voetstappen van een struis kamermeisje, dat zich in het heldere schijnsel van de kroonluchter naar buiten repte, en het gedruis van een binnenstromende menigte feestelijk uitgedoste dames en heren; bochtige gangen met planken vloeren verbonden de keuken, de meidenkamer en alle mogelijke bergruimtes, zijkamers en bijvertrekken met het woongedeelte: vijf zaalachtige, op elkaar uitkomende vertrekken, waarvan de elegante boogvensters uitzagen op de mistroostige nieuwe gevels; ik bewoonde in dit huis een voormalige dienstbodenkamer.

Als ik uit het raam van de meidenkamer keek, zag ik alleen de beroete brandmuur van het buurhuis, die zo dichtbij was dat de kamer nauwelijks licht kreeg, zelfs overdag niet; mijn onderkomen kan dus met recht uiterst bescheiden worden genoemd; het was gemeubileerd met een ijzeren ledikant en een reusachtige, in al zijn voegen krakende kast; verder stonden er de gebruikelijke tafel, die met een morsig tafelkleed was bedekt, en een stoel; aan de met een kleurig behangetje opgevrolijkte wand hingen een stuk of twintig zorgvuldig ingelijste diploma's, die mijn verhuurders om de een of andere duistere reden in deze kamer bewaarden.

Als ik rustig op mijn bed lag en in gedachten verzonken uit het raam staarde, meende ik na verloop van tijd reusachtige tongen van vuur te zien op het oneffen oppervlak van de roetige brandmuur tegenover me, die vanaf het krakend en knappend brandende dakgebint omlaaglekten; ik kon de door het vuur aangezogen, als een orkaan om het huis gierende lucht bijna voelen, en ook de hitte van de verschrikkelijke vuurzee, die sporen op de muur had achtergelaten voor het nageslacht en dus ook voor mij; puntig uitgewaaierde, roetige vlekken wezen de plaatsen aan waar de vlammen langs de overigens ongeschonden stenen hadden gelekt.

Ik trachtte dit kamertje als een volstrekt provisorische slaapplaats te zien en er zo weinig mogelijk te vertoeven; als het een enkele keer voorkwam dat ik niets te doen had, kleedde ik me uit, kroop in het trogvormige bed, hield mijn hand voor mijn ene oor en stopte het oortelefoontje van mijn zakradiootje in het andere, zodat ik het rumoer van mijn omgeving niet hoorde; in de woning woonden vier kleine kinderen, een grootvader en een invalide grootmoeder, een bijna elke nacht beschonken thuiskomende vader en een moeder, die er niettegenstaande haar vier kinderen verrassend jong uitzag; het was een vrouw met een bijna kleurloos gezicht, wier tengerheid, gejaagdheid, melancholieke bruine ogen en koortsachtige dadendrang mij altijd aan Thea deden denken, of beter gezegd: als ik naar haar keek, was het alsof ik Thea in een van haar vroegere rollen zag spelen wie ze werkelijk was; alsof ze dat ooit zou onthullen!

Ik heb daar op dat bed liggend ook programma's aangehoord die me nauwelijks interesseerden en waar ik dus mijn aandacht niet bij kon houden; ik staarde dan door het raam naar buiten en als iemand me op dat moment had gevraagd waaraan ik dacht, zou ik absoluut geen antwoord hebben kunnen geven; om aan mijn herinneringen te ontkomen liet ik mijn lichaam wegzinken in een vage, onwezenlijke droomtoestand.

Op een keer was het alsof er vanuit de verte geleidelijk een mannenstem in mijn tegen zijn herinneringen vechtende geest binnendrong, een stem die dichter en dichter bij kwam, diep en aangenaam om te horen, lachend of naar een glimlach zwemend; de onverstoorbare opgewektheid die het onbekende gezicht gedurende het spreken beheerste was bijna voelbaar en zichtbaar; na een poosje betrapte ik mezelf erop dat ik naar die stem luisterde, maar niet naar wat hij zei, maar naar zijn klank; wie was degene die daar sprak?

De spreker interviewde een stokoude zangeres; de beide mensen converseerden zo luchtig en vlot alsof ze koffie zaten te drinken en geen microfoon voor zich hadden staan; de oude dame was de microfoon in ieder geval totaal vergeten, want ze giechelde en ratelde onafgebroken, met een verbluffende snelheid; soms kirde ze bijna, waardoor de te ver gedreven intimiteit bijna tastbaar werd; het gesprek dat de twee mensen voerden was echter niet oppervlakkig; af en toe werd het gebabbel door oude grammofoonopnamen onderbroken; de interviewer vertelde allerlei wetenswaardigheden over de opnamen en over de voorbije wereld die hun gespreksonderwerp was: een meeslepende, van leven bruisende, maar ook lichtzinnige en wrede wereldstad, die door het meisjesachtige geschater en gekoer weer tot leven scheen te worden gewekt; de interviewer probeerde echter niet te doen alsof hij alles wist, integendeel, af en toe liet hij zich bereidwillig hummend en brommend corrigeren of erkende hij ruiterlijk een vergissing, hoewel aan de klank van zijn stem dan hoorbaar was dat de oude dame vermoedelijk door haar subjectieve herinneringen werd misleid; dit was echter niet kwetsend, want hij nam de oude vrouw door zijn jongensachtige enthousiasme en zijn kennis van zaken geheel voor zich in en charmeerde haar zelfs; toen het programma was afgelopen en de presentator meedeelde dat het de volgende week op hetzelfde tijdstip weer te beluisteren zou zijn, trok ik vlug het oortelefoontje uit mijn oor en schakelde de radio uit, alsof al mijn lichamelijke en geestelijke verlangens waren bevredigd.

De volgende week klonk de stem van de presentator inderdaad op het genoemde tijdstip door de luidspreker, maar tot mijn grote verbazing liet hij het deze keer bij de aankondiging van het programma en zei verder geen woord; de uitzending bestond alleen uit populaire liederen en zangstukken, die door beroemde operazangers ten gehore waren gebracht; het ging zonder uitzondering om opnamen van historische waarde met artiesten als Lotte Lehmann, Sjaljapin en Richard Tauber; de presentator beperkte zich tot het noemen van de namen der zangers, waaruit ik met vreugde en blijdschap afleidde dat hij een bescheiden mens was, die alleen veel sprak als hij iemand interviewde; ik hoopte dat hij consequent zou blijven en mijn positieve indruk niet teniet zou doen.

Hij bleef inderdaad consequent, maar ik hoorde zijn programma hierna niet meer en vergat hem.

Op een avond ging ik naar de keuken om een glas water te halen; de jonge vrouw was daar bezig prei schoon te maken; overdag werkte ze buitenshuis; ze had me ooit verteld dat ze in een eternietfabriek werkte, maar met het oog op de vier kinderen alleen overdag, zodat ze het middagmaal voor de volgende dag al de avond tevoren moest toebereiden; ik ging tegenover haar op een stoel zitten en we begonnen met gedempte stem een gesprek, dat wil zeggen: ik sprak, terwijl zij slechts lusteloos en aarzelend antwoord gaf; ze sneed de prei in dikke ringen; toen ik me liet ontvallen dat ik, als ze er geen bezwaar tegen had, de grote kast van de ene muur naar de andere zou verplaatsen omdat hij op de plaats waar hij stond het kleine beetje licht wegnam dat door het raam binnenkwam, antwoordde ze met geen woord, maar ging door met het snijden van de prei, waarop ik ook nog zei dat ik gedurende mijn verblijf in de kamer liever niet tegen de diploma's wilde aankijken en van plan was die van de muur te nemen.

Ze hield abrupt op met snijden en staarde me met haar warme bruine ogen aan; gedurende een fractie van een seconde, waarin je een speld had kunnen horen vallen, keek ze me zo zachtmoedig en kalm aan dat ik haar blik zonder een zweem van argwaan beantwoordde en alleen genoot van haar schoonheid; ik vond het alleen eigenaardig en zelfs onbegrijpelijk dat ze haar magere schouders optrok als een kat die op het punt staat te gaan spinnen; terwijl ze haar hand met het mes in de schaal water die voor haar stond dompelde, begon ze op een toon alsof ze op het punt stond in huilen uit te barsten en met een volledig verkrampt lichaam en gesloten ogen in eigenaardige, voor mij toentertijd praktisch onverstaanbare, ingewikkelde, bijna literair aandoende zinnen tegen me te razen en te tieren, terwijl ik haar niet-begrijpend aanstaarde; ze wierp me alle mogelijke zaken voor de voeten die anderen haar hadden aangedaan; wat denken die lui eigenlijk wel, schreeuwde ze, dat wij de hele dag voor ze moeten sloven en slaven? dat we ook nog hun gat moeten krabben? die smerige kankerbuitenlanders, die vuile spleetogen, die pokkenegers! zelfs op socialistische feestdagen kunnen we ons nog voor ze afbeulen! ze komen met een brutale smoel hierheen en laten ons hun vuile pleuriszooi achter hun gat opruimen! straks hebben we zelfs in ons eigen huis geen rust meer, moeten we daar ook nog op onze hoede zijn voor die lui, die alles opvreten wat ze in hun poten krijgen en daarbij de hele keuken overhoop halen! wat denken ze eigenlijk wel? wat zijn het voor idioten, denken ze dat we geschift zijn? ik ben het zat, al die vreemde snoeshanen die ze in hun eigen land niet meer moeten, die van Nergenshuizen hierheen komen, Joost mag weten waarvandaan, dat interesseert me trouwens niet, ik heb niks met ze te schaften, die lui zijn zo achterlijk dat ze, als ze op de plee de stront uit hun gore buitenlandse reet hebben geperst, niet eens weten dat er een borstel in de hoek staat om de pot schoon te maken!

Nadat deze evaluatie van het gele en het zwarte ras was verklonken, stond ik op; ik had graag mijn hand op haar bevende schouder gelegd om haar te kalmeren, maar toen ik daartoe aanstalten maakte, kromp ze afwerend in elkaar en zwol haar getier aan tot een gekrijs, terwijl ze naarstig tussen de in het water drijvende preiringen naar haar mes zocht, zodat het mij raadzamer leek mijn hand snel terug te trekken; ik had intussen mijn uitdrukkingsvaardigheid geheel verloren en in plaats van Duitse vloeiden er Hongaarse woorden over mijn lippen, die ik tevergeefs trachtte tegen te houden; stotterend zei ik dat ze zich niet zo moest opwinden en ik, indien mogelijk, meteen mijn biezen zou pakken, maar mijn woorden waren olie op het vuur, want ze krijste met schelle stem verder en toen ik me uit de keuken terugtrok, kwam ze me achterna met het mes in de hand; haar laatste woorden slingerde ze de reusachtige, lege vestibule in, waar het bijna geheel donker was.

De dirigent waadde door golven van applaus naar het midden van het podium en maakte zich gereed om te beginnen; hij keek naar rechts en naar links, kromde zijn rug en hief in het schijnsel van de verlichte muzieklessenaars zijn arm, alsof hij op het punt stond een duik te nemen, waarop het geroezemoes wegstierf en er een warme, verwachtingsvolle stilte ontstond; op het toneel gloorde een kille ochtend.

Ik boog me voorover en fluisterde de Fransman in zijn oor dat we ons kennelijk in de gevangenis bevonden; zijn gezicht bleef onbeweeglijk in het milde schemerlicht.

Het was alsof de eerste vier onmelodisch dreunende ouverturematen het wegstervende applaus na een korte, verraste pauze opnamen en terugwierpen in de zaal, over ons heen, elke gemaaktheid of theatraliteit verbrijzelend, van ons afspoelend of tot zwijgen brengend; vier korte, afgekapte, donderende maten, opgestegen uit de openbarstende, splijtende aarde, vaagden de onnozele, kleinzielige beslommeringen van ons dagelijkse leven weg en maakten die belachelijk, opdat de bij de vreselijke aanblik van het gapende ravijn stokkende adem na een serene stilte bij monde van een klarinet een ten hemel strevend verlangen kon uiten, beneden, in de diepte, teder en verliefd, om genade smekend, begeleid door lieflijke fagotten en smekende hobo's, naar vrijheid snakkend en omhoogzwevend, ook wanneer de rotsige ravijnwand die zucht als een toornig gedonder weerkaatste, dat steeds aanzwol, dat luider en luider werd en als een alles overspoelende stroom de spleten en kieren van het weerbarstige Lot vulde, het ganse ravijn; maar al dit zieden en kolken was tevergeefs, tevergeefs voerde de stroom rotspunten, kiezel en graniet met zich mee, want hij was niet in staat te vergeten en zijn kracht was een beekje vergeleken met de macht die hem had aangewakkerd, een macht die hij niet kon overwinnen, waartegen hij weerloos was, totdat er vanuit de hoogte, van verre, van buiten, de bekende, vol ongeduld verbeide, onverhoopte en niet te verhopen klaroenstoot weerklonk, het triomfantelijk verlossende, alles verhelderende, belachelijk symbolische, maar toch geheel bevrijdende trompetsignaal, de stem van de Vrijheid; een vrijheid waarin het lichaam, als de tot last geworden kleding bij het liefdesspel, kon worden afgelegd en de naakte ziel bloot kwam.

Toen de ouverture afgelopen was en ik me eindelijk durfde te bewegen – voordien zou dit ongepast en zelfs kwetsend zijn geweest –, leunden de Fransman en ik bijna gelijktijdig achterover; hij grijnsde me vrolijk toe en ik grijnsde terug, zodat we als het ware een streep door ons meningsverschil haalden en vrede sloten; door de kieren van de vestingmuur drong een dun lichtstraaltje, de ochtend brak aan, op de binnenplaats van de gevangenis verscheen een dun streepje toneel-zon.

Die zondagochtend wisselden we geen woord meer, ook Melchior schaamde zich over zijn cynisme, zijn wreedheid en zijn gevoelloos-heid; later, tijdens het tafel dekken, zeiden we weer iets tegen elkaar, maar de maaltijd zelf verliep zwijgend en we durfden elkaar tijdens de maaltijd niet aan te kijken.

Nog voordat we klaar waren met eten – op Melchiors bord lag nog een restje bloemkool, wat aardappelpuree en een stukje vlees –, rin-kelde de telefoon; nijdig mopperend legde hij zijn vork en mes op zijn bord, maar uit de overijlde manier waarmee hij ergernis voorwendde sprak zo veel blijde verwachting dat ik begreep dat zijn gemopper en ergernis vooral voor mij waren bestemd, kennelijk wilde hij zich bij voorbaat voor het gesprek verontschuldigen.

Hij vond het uiteraard niet prettig dat we tijdens de maaltijd werden gestoord, want onder het eten namen we niet alleen het noodzakelijke voedsel tot ons maar voltrokken we een ceremonie die de gezamenlijk doorgebrachte tijd betekenisvol maakte en onze relatie iets waardigs gaf.

Ik heb hem nooit gevraagd hoe hij at als ik niet aanwezig was en ik heb er ook nooit over nagedacht, maar ik denk dat het niet veel ver-schil maakte; waarschijnlijk dekte hij de tafel dan even zorgvuldig, maar zonder zich zoveel moeite te geven en zonder te overdrijven; ik leid dat af uit wat ik meemaakte tijdens de weekeinden die wij in zijn geboortestad doorbrachten, in het huis van zijn moeder, waar we in de antiek gemeubileerde eetkamer de maaltijden gebruikten; in de zorg-vuldige manier waarop de tafel werd gedekt en het eten opgediend, ja in bijna elke beweging, openbaarde zich de eeuwenoude, sobere, aan voedsel een groot gewicht toekennende protestantse eetcultuur, die bij zijn familie tot een tweede natuur was geworden; hij had die cul-tuur niet alleen overgenomen maar legde er door zijn pretentieuze kieskeurigheid nog een schepje bovenop, zodat ik soms het gevoel had dat hij me daarmee wilde ergeren; die zondag, toen we zwijgend de maaltijd gebruikten en ik voor de eerste keer zijn bewegingen, vooral de ritmische manier waarop hij kauwde en slikte, gadesloeg, alsof ik hem door een sleutelgat bespiedde, gedroegen we ons nogal afstande-lijk en teruggetrokken en trachtten we elkaar zo min mogelijk te hin-deren, alsof we ons reeds voorbereidden op een volledige breuk; ik be-greep opeens dat de omslachtige, systematische, bijna plechtstatige manier waarop hij de maaltijd gebruikte en vele andere dingen deed, niet zozeer een blijk was van een voor mij tot dat moment onbegrijpelijke en tot op zekere hoogte ook verkeerd begrepen gekunsteldheid, maar verband hield met mijn aanwezigheid, met ons samenzijn: het was zijn methode om de door ons gezamenlijk doorgebrachte tijd in te delen en te kwalificeren, om offers te brengen; elk van zijn bewegingen mat de tijd in achterwaartse richting en hield bij voorbaat rekening met het licht voorzienbare, tot op de dag en het uur nauwkeurig te voorspellen einde van onze relatie; hij trachtte de momenten van ons samenzijn zo esthetisch mogelijk te laten verlopen, nadrukkelijk en plechtig, zodat ze indrukwekkend en memorabel waren en hij ze als tastbare, bruikbare herinneringen in zijn geheugen kon opbergen om er nog lang na onze scheiding van te genieten.

Op de tafel stond een mooie, antieke, zilveren kandelaar, waarin kaarsen brandden, niet alleen vanwege de feestelijkheid of omdat het mooi stond, maar ook om te voorkomen dat er tijdens het roken na de maaltijd lucifers of aanstekers op het witte damast zouden worden gelegd, geen alledaags, aards element mocht de kunstmatige smetteloosheid verstoren waarmee hij de vreemde, verafschuwde wereld trachtte uit te bannen; er stonden ook bloemen op tafel; de damasten servetten staken in met monogrammen versierde, zilveren ringen; natuurlijk mocht er geen gewone wijnfles op tafel worden gezet, de wijn werd van tevoren in een sierlijk bewerkte fles van geslepen kristal overgegoten, wat de smaak uiteraard niet ten goede kwam; ondanks deze overdreven gecultiveerdheid verliepen onze maaltijden zonder spanning of gedwongenheid, hoewel dit alles licht een grond tot misnoegen had kunnen worden, met name omdat hij, gulzig genietend en elke hap zorgvuldig kauwend, ongelooflijke hoeveelheden voedsel verslond en als ik iets op mijn bord had laten liggen ook dat nog volledig opat, terwijl hij de in slanke glazen geserveerde wijn zonder dronken of zelfs maar aangeschoten te worden in de meest letterlijke zin des woords naar binnen goot.

Degene die opbelde was Pierre; nadat ik het laatste restje voedsel naar binnen had gewerkt, begon ik, om een reden te hebben de kamer te verlaten en hem discreet alleen te laten, de tafel af te ruimen; ze spraken Frans met elkaar, wat een eigenaardige uitwerking had op Melchior, want zonder dat hij beïnvloed werd door de persoonlijkheid van Pierre, leek hij opeens wel geëlektriseerd; het kan zijn dat mijn jaloerse vooringenomenheid mijn oordeel vertroebelde, maar ik vond dat hij op zulke ogenblikken volledig veranderde en zich irritant uit-sloverig begon te gedragen; het was alsof hij zijn eigen, aantrekkelijke natuurlijkheid trachtte in te ruilen voor een exotische natuurlijkheid, opeens was hij het knapste jongetje van de klas, een streber, die in de hoop op een beloning zijn stem een octaaf hoger dan gewoonlijk ge-bruikte en, om de klinkers op de juiste wijze te vormen, zijn hals op een eigenaardige manier uitrekte, tot groot vermaak van zijn klasge-noten natuurlijk; bovendien stak hij zijn lippen vooruit, zodat ze een tuitje vormden, terwijl hij de woorden niet uitsprak, maar eerst met zijn tong masseerde en vervolgens uit zijn mondholte stootte; het leek wel of hij niet alleen een juiste uitspraak wilde bewerkstelligen, maar op zoek was naar een ander ik, naar een andere, in zijn binnenste aan-wezig veronderstelde persoon, die hij in de correct uitgesproken klin-kers en de volmaakte intonatie hoopte te vinden; terwijl hij sprak en ik me niet alleen voor zijn manier van doen geneerde maar ook mijn ei-gen uitsloverigheid in hem herkende, leunde hij behaaglijk achter-over, waaruit ik opmaakte dat hij zich op een langdurig gesprek voor-bereidde; hij beduidde me met een teken dat ik zijn bord en zijn glas moest laten staan.

In de keuken gekomen deponeerde ik de vuile vaat op de tafel naast het aanrecht, maar ik begon niet aan de afwas, zoveel grootmoedig-heid en toegeeflijkheid bracht ik niet op voor Pierre; natuurlijk had ik best naar de slaapkamer kunnen gaan, maar in plaats daarvan ging ik te-rug naar de eetkamer, waar Melchior nog steeds aan het telefoneren was, of beter gezegd: nu was Pierre langdurig aan het woord en luister-de hij, terwijl hij verstrooid wat voedselresten van zijn bord oppikte, zijn vingers aflikte en naar de hoorn glimlachte.

Ik opende het raam en leunde naar buiten om zelfs de paar woorden die ik kende niet te hoeven verstaan en toch aanwezig te zijn.

Dit spel van persoonlijkheidssplitsing en taal, dat het verkrijgen van een nieuwe identiteit mogelijk maakte, had op een subtiele wijze ook iets met mij te maken; na ons gesprek van die ochtend interpreteerde mijn oor dit aspect geheel anders dan daarvoor het geval zou zijn ge-weest.

Hoe meer hij erin slaagde de melodie van de vreemde taal na te bootsen en het accent van zijn moedertaal te onderdrukken – een ac-cent waarvan zijn gezicht, zijn mond, zijn keel en zijn lichaamshou-ding geheel doortrokken schenen – des te dieper werd de kloof die hem ervan scheidde de vreemde taal als moedertaal te spreken, wat niet verwonderlijk is, want wie zijn moedertaal spreekt, vormt geen volledige zinnen en gebruikt bij lange na niet de juiste klemtoon, maar brabbelt er maar wat op los, steeds gehoorzamend aan een innerlijk doel en een natuurlijk evenwichtsgevoel, beide openbaringen van de in zichzelf besloten perfectie der taalgemeenschap, van de niet geheel eerlijke, grenzeloze, maar ook onschendbare en onverbiddelijke volmaaktheid van het verbond taal; als iemand zijn moedertaal spreekt, paart zich in één enkele, onhandige zin de meest strikte gebondenheid aan de strengste ongebondenheid, alsof twee extreme polen met elkander worden kortgesloten, taal is vrijheid in gemeenschappelijk aanvaarde slavernij, en in die zin bestaat er geen verkeerde of dubieuze klemtoon, ja zijn taalfouten eenvoudig onmogelijk, want elke vergissing, elke fout, elke onjuiste klemtoon is tevens een verwijzing naar een vergissing of onjuistheid, naar een onderdeel van de werkelijkheid; het tegendeel was echter het geval bij Melchior: hoe onvolmaakter en onnatuurlijker hij in die eigenaardige, kleur- en reukloze mimische volmaaktheid werd, des te duidelijker gaf hij me te verstaan dat ik, die hem slechts als moedertaalspreker kende, als iemand met de houding en de gebaren horende bij zijn moedertaal, hem eigenlijk helemaal niet kende, hij was immers geenszins identiek met zichzelf, hij kon elk moment volledig veranderen; het was dus onverstandig me aan deze persoon toe te vertrouwen, aan iemand die ik alleen meende te kennen, maar die in werkelijkheid uit twee personen bestond en twee talen sprak waaruit hij naar believen kon kiezen, en het was zinloos te trachten hem voor me in te nemen of aan me te binden of met Thea te chanteren; vooral dit laatste had geen zin, want een van zijn helften zou altijd vrij blijven, zodat hij niet chanteerbaar was; het was een gebied waar ik geen toegang had, een voor mij afgegrendelde, geheime wereld, waar ik zelfs niet naar binnen kon kijken; al mijn jaloezie was tevergeefs, want al hield hij misschien niet van die Fransman, dan in ieder geval wel van degene die zijn werkelijke vader was, zijn ziel wenste zich in diens taal te uiten; en dan te bedenken dat ik zijn levensverhaal als het uitvloeisel van allerlei mogelijke historische verwikkelingen had beschouwd! hij had me dat verhaal geheel tevergeefs verteld, ik was een domkop en had er niets van begrepen, ik had niet doorgehad dat zijn ware levensverhaal die uitzonderlijke lichamelijke en geestelijke gespletenheid was, hij had voor zijn door de Duitsers geëxecuteerde Franse vader moeten kiezen en zijn ziel had zich tegen zijn lichaam en zijn lichaam tegen zijn moedertaal moeten uitspreken, niet alleen omdat die Fransman zijn werkelijke vader was, want wie was er nu geïnteresseerd in het sperma van een onbekende, maar omdat hij omwille van de historische rechtvaardigheid niet anders had kunnen besluiten, hij moest zijn Duitse vader uit zijn leven bannen, iemand die hij evenmin had gekend, maar van wie hij hield, wiens gezicht hij urenlang op de foto's had bestudeerd en wiens naam hij droeg, de vader die ergens in een besneeuwd weiland of een loopgraaf was doodgevroren.

Hadden we tot dan toe de spanning tussen ons als aangenaam ervaren, door dit al te langdurige en mij in verscheidene opzichten buitensluitende telefoongesprek werd ze bepaald onaangenaam; ik liet me nog enkele minuten door de krachteloze, winterse zonnestralen verwarmen; de zon had zich sedert de ochtend langzaam verplaatst, zodat ze nog slechts een smalle strook licht wierp op Melchiors ogen en haar en op de muur boven zijn hoofd; tenslotte trok ik me in de vestibule terug, haalde het dekbed vanonder het kussen tevoorschijn, ging op de canapé liggen, draaide me om naar de muur en wikkelde me, als iemand die eindelijk iets heeft gevonden om zich mee te troosten, in de zachte, warme deken.

Misschien had hij wel gelijk, ik nam zijn levensverhaal niet serieus en hield zijn felle anti-Duitse gevoelens voor louter zelfhaat die niets met zijn afkomst van doen had, zoals hij zich weinig ontvankelijk toonde voor mijn hartverscheurende levensverhaal; weliswaar had hij, toen hij het aanhoorde, enkele malen tranen in zijn ogen gekregen, maar hij had ook koeltjes opgemerkt dat hij in deze geschiedenis niets anders kon zien dan de persoonlijke, en als zodanig natuurlijk schokkende gevolgen van het definitieve uiteenvallen van de in de invloedssfeer van de beide supermachten geraakte anarchistische, communistische en socialistische Europese massabewegingen; wij zijn allebei de ongelukkige voortbrengselen van deze ondergang, zei hij, twee eigenaardige mutaties, en hij had daarbij gelachen.

Ietwat gekwetst had ik hem gewezen op de bijzondere kenmerken van de Hongaarse geschiedenis, want niemand vindt het prettig als zijn levensverhaal als een symptoom of variant van een ziekte of wellicht zelfs als een ontaarding van Europese omvang wordt beschouwd, maar welke argumenten ik ook aanvoerde, hij volhardde in zijn overtuiging en begon in een breedvoerig, politicologisch getint betoog uiteen te zetten waarom de Hongaarse opstand van negentienzesenvijftig – hij gebruikte het woord opstand en niet revolutie – het eerste, meest wezenlijke symptoom was geweest van een nieuwe tijd, je zou dit verzet zelfs als een keerpunt in de nieuwe Europese geschiedenis kunnen beschouwen omdat het tot de vernietiging van allerlei traditionele idealen had geleid, die als zeepbellen waren uiteengespat, zodat er praktisch niets van over was gebleven; de Hongaren hadden in die dagen een zeer heldhaftig maar minstens even dwaas beroep gedaan op de traditionele Europese waarden, die, zoals was gebleken, op dat moment eigenlijk niet meer bestonden; de opstand had voornamelijk een positieve nagalm opgeleverd, en wat Hongaarse lijken.

Enkele duizenden gesneuvelden en geëxecuteerden, merkte ik verwijtend op, onder wie mijn vriend.

Deze waarden, vervolgde hij, met een gezicht alsof hij mijn opmerking niet had gehoord, hadden sedert het einde van de Tweede Wereldoorlog hun geldigheid verloren, maar Europa had in zijn schaamte over zijn weerloosheid en zijn vreugde over de overwinning niet gemerkt dat de soldaten van de intussen tot heuse supermachten uitgegroeide beide grootmachten elkaar aan de Elbe boven Hitlers verbrande lijk in de armen waren gevallen.

De doelstellingen van de supermachten mochten dan verschillend zijn – nationale zelfbeschikking versus sociale gelijkheid –, in de praktijk maakte het allemaal weinig uit, want ze wilden alleen maar beletten dat er in de volgens hun ideeën ingerichte invloedssferen een zelfstandige ontwikkeling op gang kwam.

Enerzijds betekende dit dat de ontwikkeling naar een predemocratisch stadium werd teruggebracht, waardoor elk streven naar democratie of nationale onafhankelijkheid gedoemd was te mislukken, wat – daar moest ik eens op letten – door de andere supermacht, die zogenaamd voor de vrijheid en het zelfbeschikkingsrecht opkwam, met de grootst mogelijke bereidwilligheid werd goedgekeurd; anderzijds betekende het de bestrijding van uit de burgerlijke emancipatiebeweging voortgekomen en zich binnen de samenleving snel verbreidende praktische ideeën, waarvan de natuurlijke ontwikkeling en realisatie onmogelijk werden gemaakt; rationele en naar hun aard radicale pogingen tot vernieuwing, die het logisch uitvloeisel waren van principes als rechtsgelijkheid en sociale rechtvaardigheid, werden met een beroep op conservatieve dogma's tegengewerkt, wat door de andere supermacht, die het sociale gelijkheidsideaal benadrukte, welwillend werd gadegeslagen, enerzijds omdat zij zelf ook conservatief was, anderzijds omdat zij elke sociale verandering gebaseerd op een gelijkheidsideaal, hoe rechtvaardig ook, als een bedreiging beschouwde voor haar eigen hiërarchische structuur.

Zo zit dat in elkaar, zei hij, met een gezicht alsof hij het enthousiasme waarmee hij zijn politieke wijsheden had verkondigd zelf vermakelijk vond; ik benutte de korte pauze die het gevolg was van zijn door zelfspot gevoede neiging tot piekeren en aarzelen, om uiting te geven aan mijn twijfel aangaande de juistheid van zijn bewering dat de beide grootmachten qua bedoelingen of feitelijke gedragingen over een kam waren te scheren.

Ik moest niet denken, vervolgde hij zonder in te gaan op mijn tegenwerping, dat hij, toen we de trap opliepen, ons twistgesprek niet had gehoord; hij was wel met Thea in gesprek geweest, maar had toch naar ons geluisterd; hij had het gevoel dat in deze korte woordenwisseling het totale bankroet van de traditionele Europese waarden duidelijker had doorgeklonken dan in de voorzichtige uitlatingen van vooraanstaande politici en diplomaten of in de onbehouwen uitspraken van redenaars, die dikwijls trachten elke waarachtige tegenstelling te verdoezelen of juist tot in het ongerijmde aan te scherpen; we waren bepaald belachelijk geweest, voor ons was de Muur geheel overbodig, we grauwden als dolle honden naar elkaar, zonder ook maar in de geringste mate te vermoeden, te vragen of uit te zoeken wat er achter die muur was en geheel vergetende dat die muur alleen maar was opgetrokken om ons tegen elkaar op te zetten.

Ze hadden al minstens driemaal afscheid van elkaar genomen, maar hernieuwden het gesprek elke keer weer, ze waren zo in elkaar verstrikt geraakt dat ze niet meer konden ophouden; ze hadden veertig minuten aan één stuk door gepraat en ik voelde niet alleen maar begreep ook dat Melchior in de beschutting van de vreemde taal over mij sprak en roddelde of me in de stille oorlog die tussen hen aan de gang was voor zijn eigen belangen gebruikte; ze kletsten, zwamden, discussieerden, leuterden en ruzieden aan één stuk door als twee oude wijven, terwijl ik me in stille woede in mijn deken wikkelde en, op de golven van zijn afschuwelijk zangerige stemgeluid dobberend, soelaas probeerde te vinden in een hazeslaapje; alles kon me gestolen worden en nu hij me alleen had gelaten, wilde ik ook werkelijk alleen zijn.

Hoe overtuigend zijn redeneringen en spectaculaire theorieën ook waren, vooral doordat hij in tegenstelling tot mijzelf nooit met stemverheffing sprak of emotioneel of driftig werd, al was het onderwerp van gesprek ook nog zo gewaagd, waardoor het leek of hij helemaal geen gevoelens had, maar in plaats daarvan een des te groter, koel analytisch vermogen waarmee hij een vraagstuk grondig uiteenrafelde, terwijl hij deze grondigheid door zijn ironische ondertoon nog scheen te benadrukken – ik had er geen enkel vertrouwen in en raakte er steeds meer van overtuigd dat hier een mens aan het woord was die al het wezenlijke wat er op zijn weg kwam ontweek en bovenal zichzelf trachtte te ontlopen; hij analyseerde deze uitwijkmanoeuvres alleen maar met zo'n overdreven logisch rationalisme om de bloedige, irrationele conflicten te verbergen die hem innerlijk verscheurden.

Zoals gewoonlijk lette ik niet zozeer op wat hij inhoudelijk zei, maar meer op de alles onthullende stilistische elementen die in zijn gedragingen waarneembaar waren; ik trachtte zijn zonderlinge krampachtigheid en zijn gespeelde koelheid en ironie, die hem van zichzelf vervreemdden, geheel in me op te nemen, te doorleven en te doorgronden, terwijl ik intussen onafgebroken speurde naar zaken die hij trachtte te ontwijken om, als ik er een ontdekte, dadelijk voet te zetten op deze drassige bodem en de structuur van zijn karakter en zijn gebaren te onderzoeken op het moment dat ze tastbaar werd, maar het was alsof ik me tussen schimmen bewoog, want al zijn gebaren bleven slechts aanwijzingen en hetzelfde gold voor zijn uiterlijk, zijn glimlach, zijn stem en zijn omgeving; ja zelfs Thea, die hij nu eens wel, dan weer niet begeerde, was een van die nadrukkelijke aanwijzingen, evenals Pierre-Max, die hij niet liefhad, maar van wie hij zich vruchteloos trachtte los te maken, om maar niet te spreken van het feit dat ikzelf ook zo'n aanwijzing was.

In een vreemde stad aangekomen registreert de vreemdeling met zijn ogen, zijn neus, zijn tong en zijn oren allerlei verbanden die voor de inwoners niet alleen irrelevant en zinloos zijn, maar ook huiveringwekkend, verbanden tussen zaken als planmatigheid of gebrek aan planmatigheid der straten, de aanblik der gevels, het interieur van de huizen, de gedragingen van de bewoners, hun lichaamsbouw, de wijze waarop ze zich kleden en de snelheid of traagheid van hun reacties; in zo'n vreemde stad, waar we niet geholpen worden door de macht der gewoonte, zijn de zogenaamde uiterlijke en innerlijke natuur niet zo gemakkelijk uiteen te houden als in onze eigen stad, waar we een scherp onderscheid plegen te maken tussen de zogenaamde uiterlijke invloeden en de innerlijke beweegredenen; in een vreemde stad vloeien het essentiële en het niet-essentiële in elkaar over, ze lijken door een dichte nevel omhuld; gevels en gezichten, geluiden en gelaatsuitdrukkingen, trappenhuizen en bewegingen, kleuren en geuren, lichtschijnsels en kussen, maaltijden en omhelzingen, alle schijnen elkaar te overlappen en we kunnen hun oorsprong en geschiedenis niet nauwkeurig achterhalen, waardoor hun effect des te groter is; door onze gebrekkige kennis en ons lacuneuze inzicht worden we teruggeworpen in de paradijselijke toestand van de onbewogen kinderlijke beschouwingswijze met de bijbehorende ontdekkingslust, die in de eerste plaats een gelukzalig gebrek aan verantwoordelijkheidsgevoel is; misschien verkeert de mens van onze eeuw dáárom wel zo graag in de toestand van onderweg zijn, doolt hij om weer in deze vertrouwde en geliefde toestand te geraken zo enthousiast alleen, met een metgezel of in kuddeverband voortgedreven door hem onbekende wereldsteden, dit is immers nagenoeg de enige algemeen geaccepteerde manier om te midden van allerlei gewichtige verantwoordelijkheden en kwellende beslommeringen bijna risicoloos de massieve muur tussen de zogenaamd onbewuste kinderjaren en de bewust genoemde volwassenheid te overschrijden en eindelijk weer – welk een eindeloos genot! – op de elementaire, onfeilbare zintuigen te vertrouwen, op de neus en de smaak, op de ogen en de oren.

Ik hechtte dus geen betekenis aan al zijn redeneringen, hoe overtuigend ook, noch aan zijn masochistische, van koele haat doortrokken en daardoor de schijn van zelfhaat wegnemende theorieën, theorieën waarmee hij enerzijds wilde bewijzen dat hij geen Duitser was maar een leugenaar, iemand die genoot van zijn eigen leugens, anderzijds dat dit de enige waarheid was waartoe hij zich kon dwingen, zodat hij niet langer in dit land kon blijven wonen; ik achtte het evenmin van belang dat ik in zijn woning hetzelfde fluïdum waarnam als in het na de oorlogsverwoestingen enigszins verbouwde operagebouw en dat de sfeer die dit gebouw uitwendig en inwendig ademde niet alleen veel wég had van de sfeer in het huis waar ik had gewoond, de arbeiderswoning in de Chausseestraße, maar die als het ware vertegenwoordigde, zodat mijn alledaagse ervaringen tot het abstracte niveau van de bouwkunst werden opgeheven, hetgeen het wezenlijke doel is van elke stad en elk belangrijk openbaar gebouw.

Weliswaar wist ik iets van de geschiedenis van deze stad, uiteraard niet meer dan men uit een wat ijdel vermaak belovende reisgids kan vernemen; zo was ik dankzij mijn belangstelling voor toneelkunst bijvoorbeeld op de hoogte van de geschiedenis van het operagebouw en van de verbouwingen die het had ondergaan en wist ik dat prins Frederik, die later door de in historische categorieën denkende wereld Frederik de Grote zou worden genoemd, zich reeds als troonopvolger zo grondig en geestdriftig had verdiept in de plannen betreffende de bebouwing en uitbreiding van zijn toekomstige residentie, hierbij geassisteerd door ene Knobelsdorff, zijn favoriete bouwmeester, dat, toen hij na de dood van zijn vader, de als soldatenvorst bekende Frederik-Willem, de troon besteeg, niets hem meer kon beletten zijn grootscheepse plannen ten uitvoer te brengen, wat met de nodige afbraak, sloperij en verwoesting gepaard ging; alle bescheiden, zonder enige kunstzinnige pretentie opgetrokken burgermanshuizen van verschillende breedte en hoogte, die tijdens de regering van zijn al te nuchtere en dodelijk gehate vader aan Unter den Linden waren gebouwd, liet hij, niet terugdeinzend voor de meest meedogenloze willekeur, eenvoudig van het aardoppervlak wegvagen om op deze plaats naar het voorbeeld van de Venetiaanse *palazzi* elegante maar uniforme paleizen van vijf verdiepingen op te kunnen trekken, die nogal minachtend neerzagen op hun nederige omgeving – maar uiteindelijk was het enige gevolg van deze feitenkennis dat er zich alle mogelijke voor Melchior nauwelijks begrijpelijke verbanden in mijn hoofd vormden, en wel op de meest vrije en ongeremde wijze.

Zo wist ik bijvoorbeeld dat men bij de bouw van de voor representatieve doeleinden van het hof bestemde gebouwen aan Unter den Linden het eerst met de Opera was begonnen; zoals alle bouwwerken van Knobelsdorff, die een bewonderaar was van de vormleer van Palladio en Scamozzi, moest ook dit paleis een sierlijk bewerkt en in classicistische stijl opgetrokken gebouw worden met een royale, strikt geometrische en volkomen symmetrisch ingedeelde voorgevel, waarachter zowel de bouwmeester als de opdrachtgever hun esthetische behoeften op de meest overdadige wijze konden bevredigen, behoeften aan witte, gouden en purperrode interieurs in een zwoele, met asymmetrische versieringen overladen rococostijl; als locatie van het toekomstige gebouw hadden ze een reusachtig, geheel van opstallen ontdaan plein uitgekozen, dat zich uitstrekte tussen de vestingwerken en de toenmalige vestinggracht, waar thans een straatje loopt dat nog steeds de Festungsgraben wordt genoemd.

Wie een dergelijk gebouw binnengaat, voelt zich alsof hij per ongeluk een grimmig uitziende, hoekige, vaalgrijs geverfde soldatenkist opent en daarin een goudglanzige, met edelstenen en dansende figuurtjes versierde speeldoos op een voetstuk van jaspis aantreft, die vrolijke wijsjes ten beste geeft.

Het zachte, wollige, donkerrode tapijt op de witte vloer van zijn kamer, de witgelakte meubels, het rijkelijk geplooide donkerrode gordijn voor het raam, dat van het plafond tot de vloer reikte en met een patroon van ingeweven lelies was verfraaid, de gladde, met wit behang bedekte muren, de barokke spiegel, de slanke kandelaars en de bij ieder tochtvlaagje flakkerende en rokende vuilgele kaarsvlammetjes vormden zo'n bonte mengeling van innerlijke en uiterlijke eigenaardigheden dat mijn ogen er niet genoeg van konden krijgen; eenzelfde ernstig, haast gedwongen, althans elke luchtigheid ontberend verlangen om zich op aristocratische wijze van de buitenwereld, van het heden, van de werkelijkheid af te schermen kwam via de taal der stenen en voorwerpen tot uitdrukking in de op de binnenplaats uitkijkende dienstboden- en arbeiderswoningen aan de achterzijde van het voor de bourgeoisie bestemde huizenblok, met hun nog van de eeuwwisseling daterende, gestaag afbrokkelende pleisterlaag, waarin voltreffers tijdens de oorlog diepe gaten hadden geslagen die, hoewel hersteld, nog steeds duidelijk zichtbaar waren, evenals de nog niet weggewiste sporen van machinegeweervuur; ook in de pijpenla op de vijfde verdieping en het oude, vermaarde zangpaleis dat de cultuur van de stad representeerde, weerspiegelde zich dit verlangen.

Om de een of andere reden hadden ze zich zeer gehaast, vermoedelijk hadden ze de breuk met het gehate verleden zo snel mogelijk tot stand willen brengen, want het gebouw, dat in de tijd van zijn ontstaan veel opzien had gebaard, was reeds twee jaar na de aanvang der werkzaamheden gereedgekomen; het diende niet alleen voor de uitvoering van opera's maar ook voor allerlei bijeenkomsten en feestelijkheden, om welke reden Knobelsdorff op de benedenverdieping, waar thans de kassa's en de foyer zijn, keukens, voorraadkamers, dienstbodenvertrekken en zijzalen had geconstrueerd; daarboven had hij drie machtige schouwburgzalen gebouwd, en wel achter elkaar, zodat ze met behulp van doeltreffende technische hulpmiddelen als hijstoestellen en inrichtingen om podiums te verlagen tot één reusachtige balzaal konden worden samengevoegd; geen wonder dat zijn tijdgenoten van alle kanten waren toegestroomd om dit mirakel te aanschouwen! deze driedeling is ondanks talrijke verbouwingen en opknapbeurten tot op de dag van vandaag bewaard gebleven.

Toen ik zijn koele bekentenis betreffende zijn leugenachtigheid onderbrak en uit vrees hem te krenken uiterst voorzichtig poogde hem mijn indrukken mee te delen, zei ik dat ik in de wijze waarop hij zijn woning had ingericht niet alleen niets leugenachtigs kon ontdekken, maar dat ik, integendeel, deze steriele mengeling van nuchtere burgerzin, zich tot de bevrediging van de elementairste behoeften beperkend proletarisme en aristocratische excentriciteit, dit merkwaardige, ondoelmatig geworden stelsel van elkaar kruisende levende en levenloze sporen, waarin alle elementen en symbolen van het verleden aanwezig waren, alleen niet op hun oorspronkelijke plaats, overal in de stad was tegengekomen; hij hoorde me met wantrouwend dichtgeknepen ogen aan, en hoewel ik voelde dat ik me op een terrein had gewaagd waar hij me kon noch wilde volgen, zei ik dat de stad weliswaar geen gezellige of aantrekkelijke indruk op me had gemaakt, maar wel een oprechte en bovenal Duitse, en ik voegde eraan toe dat ik, hoewel ik de westelijke helft van de stad niet kende, waagde te beweren dat de door mij beschreven eigenaardigheden karakteristiek voor dit volk waren, zodat niet zozeer mijn hersenen als wel mijn neus en mijn ogen tegen zijn anti-Duitse theorieën en op zelfhaat duidende uitlatingen protesteerden.

Neem nu bijvoorbeeld dit gebouw, vervolgde ik, bij de laatste verbouwing, die praktisch op een herbouw neerkwam, zijn de goden en engeltjes verwijderd, de tussenwanden van de loges afgebroken en heeft men de uiterste spaarzaamheid betracht bij de aanwending van goud en ornamenten, alsof men eropuit was het verleden van het interieur te steriliseren, weliswaar zijn enkele stijlelementen en wat rococo-emblemen op de balustrades van de loges en boven in de koepel intact gebleven, maar toch krijg je de indruk dat men de zwoele weelderigheid van het inwendige van het theater heeft willen aanpassen aan de koele eenvoud van de voorgevel, en wel door middel van een volstrekt consequent uitgevoerde bouwkunstige ingreep, die het verleden zowel bewaart als verwoest; door de verwoesting wordt namelijk een kille, lelijke uniformiteit bewaard, die volmaakt in overeenstemming is met de slechts zeer elementaire behoeften bevredigende sfeer van de wijde omgeving; bovendien stinkt het hier overal naar een desinfecterend middel, is er soms een besmettelijke ziekte in aantocht?

De angst voor het verleden, het geknoei met stijl bij afbraak en conservering, is me ook in de woningen opgevallen, daarom geloof ik niet dat je je daarvoor kunt afsluiten, je imiteert het zelfs ongewild, want de manier waarop je, om je van je omgeving te onderscheiden, in deze proletarische achterwoning de deftige meubels van je voorouders, voorzover nog aanwezig, hebt uitgestald, verschilt niet veel van de onwennige leefwijze van veel kinderrijke proletarische gezinnen in de ruime, representatieve woningen in de Chausseestraße, die vroeger door de bourgeoisie werden bewoond.

Hij scheen niet geheel te begrijpen wat ik bedoelde en terwijl we zo in de fraaie lichtkring van de kaarsen tegenover elkaar zaten, zag ik op zijn gelaat tekenen van een edele strijd die hij tegen zichzelf voerde om zijn irritatie te onderdrukken.

Als je zo goed op de hoogte bent van de Duitse bouwkunst en de geschiedenis van de Duitse volksziel, zei hij, dan weet je vast ook wel wat Voltaire in zijn dagboek schreef na zijn ontmoeting met Frederik de Grote.

Hij wist natuurlijk bij voorbaat dat ik dat niet wist.

Hij boog zich wat voorover, legde zijn hand met vaderlijke superioriteit op mijn knie en begon te vertellen; intussen fixeerde hij me met een glimlachje waaruit zowel ironie als zelfspot spraken.

Hij was vijf voet en twee duim lang, zei hij veelbetekenend en als een onderwijzer zijn woorden benadrukkend, en hij was goed, maar absoluut niet volmaakt gebouwd, hoewel hij door zijn onnatuurlijke, stijve houding een enigszins onbeholpen indruk maakte, maar zijn gelaatstrekken waren sierlijk en fijn, vriendelijk en zachtmoedig, en de klank van zijn stem was, zelfs als hij vloekte, wat hij met dezelfde frequentie deed als eenvoudige koetsiers, buitengewoon aangenaam om te horen; hij droeg zijn mooie lichtbruine haar in een vlecht en kamde het altijd zelf, daar was hij heel handig in, maar als hij zich poederde, placht hij niet in slaapmuts, nachtjapon en pantoffels voor de spiegel plaats te nemen maar in een oude zijden jas, die er nogal smoezelig uitzag; hij had namelijk om de een of andere reden een afkeer van normale kleren; jaar in jaar uit liep hij rond in het sobere uniform van zijn infanterieregiment en schoenen droeg hij nooit, hij gaf de voorkeur aan laarzen; ook had hij er een hekel aan zijn hoed op de gebruikelijke manier onder zijn arm te dragen; ondanks al zijn charme hadden zijn manier van optreden en zijn uiterlijk iets krampachtigs, zo sprak hij bijvoorbeeld beter Frans dan Duits en hij onderhield zich alleen met diegenen in zijn moedertaal van wie hij met zekerheid wist dat ze geen Frans kenden, want zijn eigen taal beschouwde hij als barbaars.

Al sprekend had hij mijn knie vastgepakt, zich in zijn stoel voorovergebogen en twee verzoenende kussen op mijn wang gedrukt, die meer als inleiding tot een nieuwe uiteenzetting dan als afsluiting van het gezegde waren bedoeld; ik bleef gereserveerd, want nu was het mijn beurt om wantrouwend en lichtelijk beledigd te zijn, ofschoon het me eigenlijk wel amuseerde dat ik hem met geen van mijn theoretische haarkloverijen uit het zadel van zijn waandenkbeelden kon werpen.

Ik raakte er steeds meer van overtuigd dat hij niet door een theorie maar alleen door de eenvoudige taal van het gevoel op de knieën was te krijgen, alleen daarmee zou ik enig resultaat kunnen boeken; later zal ik uiteenzetten hoe onnozel het doel was waarnaar ik streefde en hoe onhandig, verkeerd en dom ik dit trachtte te verwezenlijken.

Hij knikte terwijl zijn voorhoofd bijna het mijne raakte, maar zijn blik liet me geen moment los.

Dus je ziet het, zei hij enigszins pesterig, ook de goede oude Fredericus vond Duitsland een barbaars land en hij had stellig goede redenen om de bouwsels van zijn vader te laten slopen, zoals hij ongetwijfeld even goede gronden had voor zijn krampachtige, onbeholpen lichaamshouding; ken je de geschiedenis van luitenant Katte?

Nee, zei ik, die ken ik niet.

Dan zal ik je die vertellen om je kennis van de Duitse cultuur op een hoger peil te brengen.

Soms had ik het gevoel dat wij experimenten met elkaar uithaalden waarvan wij het doel niet precies kenden.

Onze stoelen stonden tegenover elkaar; hij leunde behaaglijk achterover en had, zoals gewoonlijk, zijn voeten in mijn schoot gelegd; terwijl hij sprak, wreef en masseerde ik deze lichaamsdelen, wat ons lichamelijk contact, overigens geheel onnodig, functioneel deed schijnen en op hem een weldadige, haast hypnotische uitwerking had; plotseling wendde hij zich af, staarde naar het wijnglas en nam een slok; daarop veranderde de uitdrukking van zijn gezicht en keek hij me met een ernstige, nadenkende, maar ook enigszins sentimentele blik aan; de verandering gold echter niet mij, maar het ingewikkelde verhaal dat hij op dat moment waarschijnlijk snel uit zijn geheugen opdiepte en, alvorens het aan mij te vertellen, als een legpuzzel in elkaar paste en op samenhang controleerde.

Op achttienjarige leeftijd, dus zo'n tien jaar voordat hij de troon zou bestijgen en met de verwerkelijking van zijn ambitieuze bouwplannen zou beginnen, verliet de zonderlinge prins na een uitputtende ruzie met zijn vader halsoverkop het paleis, begon Melchior zijn verhaal.

Men zocht hem overal, maar vond hem niet; uit verklaringen van het personeel kreeg men tenslotte een beeld van wat er was gebeurd: naar alle waarschijnlijkheid was hij gevlucht en hield zijn vlucht verband met een vriend, een zekere Hans Hermann von Katte, die luitenant was bij de koninklijke garde.

De koning zette persoonlijk de achtervolging in met zijn gevolg; je kunt je wel voorstellen wat de arme koningin allemaal geestelijk doormaakte terwijl haar gemaal onderweg was.

Op de ochtend van de zevenentwintigste augustus keerde het gevolg des konings terug uit Küstrin, waar niemand inlichtingen had kunnen of willen geven over de verblijfplaats van de prins; 's middags arriveerde ook de koning.

De koningin ging hem, door twijfels gekweld, haastig tegemoet, maar reeds terwijl ze op elkaar toesnelden en hun blikken elkaar troffen, brulde de in woede ontstoken koning haar toe: uw zoon is dood!

De door het wachten uitgeputte maar toch nog hoop koesterende koningin reageerde als door de bliksem getroffen en begon onsamenhangend te jammeren; hoe is dat gebeurd? hoe is dat mogelijk? hebt gij dan uw eigen zoon gedood? gilde ze.

Maar de koning liet de als een zoutpilaar verstijfde koningin gewoon staan waar ze stond en beet haar alleen in het voorbijgaan toe dat die ellendige schurk niet haar zoon was, maar een doodgewone deserteur, die de doodstraf verdiende; bovendien eiste hij tierend van woede dat zij hem het doosje zou overhandigen waarin de prins zijn brieven bewaarde.

Toen hij dit in handen had, gaf hij zich niet de moeite het op de normale wijze te openen, maar hij versplinterde het met twee vuistslagen, waarna hij de erin bewaarde papieren bij zich stak en wegrende.

Iedereen in het paleis trachtte de koning te ontlopen, beducht als men was voor zijn toorn; de koningin zocht een toevlucht bij haar kinderen, maar na een poosje verscheen de koning daar ook; hij duwde de kinderen die hem een handkus wilden geven, zonder pardon opzij of liep ze met zijn grote laarzen ondersteboven en vloog op prinses Friederike af, die op enige afstand van hem stond.

Zonder een woord te spreken diende hij haar driemaal achtereenvolgens een vuistslag in het gezicht toe, zodat ze bezwijmd ter aarde stortte, en had juffrouw Sonnefeld haar op dat moment niet met veel tegenwoordigheid van geest behendig opgevangen, dan was haar hoofd vast zo hard tegen de hoek van de kleerkast geslagen dat haar schedel zou zijn gebarsten.

Maar 's konings woede kende geen grenzen, hij stond zelfs op het punt het op de vloer liggende lichaam van de prinses met zijn voeten te mishandelen, welk voornemen hij echter niet kon uitvoeren doordat de koningin en de kinderen zich luid wenend en jammerend op de prinses wierpen en haar aldus beschermden, zodat de schoppen en trappen van 's konings gelaarsde voeten en zijn vreselijke stokslagen niet haar maar hun lichaam troffen.

Prinses Friederike zou later, toen ze haar herinneringen te boek stelde, schrijven dat de hopeloze situatie waarin ze toen verkeerde, nauwelijks onder woorden was te brengen; het opgezwollen en bijna op een beroerte duidende gezicht van de koning zag paarsblauw; hij stikte bijna van woede en zijn blik had de uitdrukking van een getergd roofdier, terwijl het schuim uit zijn mond droop; de koningin zwaaide, als een grote vogel, machteloos met haar armen, en stootte de allersmartelijkste geluiden uit; de kinderen omvatten smekend 's konings knieën en allen huilden dat ze schudden, zelfs het jongste kind, dat toen nog niet ouder was dan drie jaar; de twee hofdames van de prinses, mevrouw Von Kamecke en juffrouw Sonnefeld, keken met doodsbleke gezichten onbeweeglijk toe en durfden geen kik te geven; en de ongelukkige prinses zelf, die geen andere blaam trof dan dat ze de prins onuitsprekelijk liefhad en van deze liefde ook in haar brieven had blijk gegeven, liep het koude zweet over het gezicht en toen ze weer bij was gekomen, werd haar lichaam door vreselijke rillingen geteisterd.

De koning liet zich niet alleen tot handtastelijkheden verleiden, maar hij voegde de prinses de vreselijkste dreigementen toe, zo verweet hij haar dat zij de voor ieder zichtbare ineenstorting van de dynastie had veroorzaakt en dat haar leugenachtige, partijdige, immorele intriges het koninklijk huis in een afgrond van narigheid en ellende hadden gestort; daarvoor zul je met het verlies van je hoofd boeten! brulde hij, en hij ontzag zich niet ook de koningin te bedreigen; en omdat hij in zijn woede vergeten was dat hij de prins al dood had verklaard, slingerde hij haar de meest vreselijke en godslasterlijke dreigementen naar het hoofd, die erop neerkwamen dat hij hun zoon naar het schavot zou sturen; naar het schavot, naar het schavot en nergens anders heen! hijgde hij.

Het scheen dat niets in staat was zijn verwensingen, zijn ongebreidelde toorn en zijn wraakzuchtige dreigementen te stuiten, maar toen een angstige stem meldde dat luitenant Katte zou worden voorgeleid, verstomde hij toch.

Door dit bericht kwam de koning enigszins tot zijn positieven, of liever gezegd: degenen die om hem heen stonden konden zien dat hij zich van hen afwendde omdat alleen al het noemen van deze naam het vuur van zijn wraakzucht nog hoger deed oplaaien; het roofdier dat tot dan toe slechts in zijn kooi had gewoed, brak nu los; spoedig zult ge ontdekken waarom de beul het druk krijgt, beet hij de koningin nog toe, waarna hij het verblijf van de kinderen uitrende.

Hij kon zich niet meteen op zijn nieuwe prooi storten omdat in zijn kabinet de heren Von Grunkow en Mylius wachtten, wie hij met schorre stem en bijna kokhalzend toefluisterde dat ze Katte moesten verhoren; zijn verklaring moest, ongeacht haar inhoud, een proces tegen zijn zoon mogelijk maken; vervolgens vatte hij de feiten kort samen en verklaarde dat de prins niet alleen een landverrader en een doortrapte schurk was, die zijn militaire eed had geschonden, maar bovendien een verachtelijk stuk ongedierte, een walgelijk creatuur, dat op generlei genade kon aanspraak maken.

Onmiddellijk hierna werd luitenant Katte binnengeleid, een slanke, zesentwintigjarige jongeman met grote ogen en een regelmatig gevormd gezicht, dat natuurlijk doodsbleek was; zodra hij binnen was, viel hij voor de koning op zijn knieën, maar die stortte zich als een havik op hem en rukte in tomeloze woede het kruis van de Johannesridders van zijn hals, daarna mishandelde hij hem net zo lang met zijn laarzen en zijn stok tot hijzelf de uitputting nabij was en de jongeling voor lijk aan zijn voeten lag.

Als koning van Pruisen had hij het volste recht iemand als Katte het kruis van de hals te rukken omdat hij in die hoedanigheid automatisch de grootmeester van de Johannesridders was.

Om echter met het verhaal door te gaan: luitenant Katte werd met een emmer water en een paar zachte oorvijgen weer bijgebracht, zodat het verhoor kon beginnen.

Katte beantwoordde de vragen zo oprecht en moedig en maakte door zijn ernstige en gewillige houding zozeer de indruk een trouwe onderdaan te zijn dat zijn beide ondervragers paf stonden, en ook de koning was verbaasd.

Hij erkende dat hij van het prinselijke voornemen om te vluchten op de hoogte was geweest en voegde hieraan toe dat hij, omdat hij een onvoorwaardelijke genegenheid voor de prins koesterde, vast van plan was geweest zijn eed van trouw aan de koning te breken en de prins te volgen; hij had echter niet geweten naar welk hof de prins wilde vluchten en geloofde niet dat de koningin of prinses Friederike van het plan om te vluchten op de hoogte waren geweest, daar de prins en hij dit angstvallig geheim hadden gehouden.

Na het verhoor beval men hem zijn uniform volledig uit te trekken en ontving hij als enig kledingstuk een linnen schortje, vervolgens werd hij bijna geheel ontkleed door de stad gevoerd en naar het hoofdgebouw van de koninklijke garde overgebracht.

Het vonnis had door de krijgsraad moeten worden geveld, maar de vaste leden van de krijgsraad schroomden in zo'n netelige zaak uitspraak te doen en daarom lieten ze door het lot twaalf officieren aanwijzen die de pijnlijke aangelegenheid moesten afhandelen.

Graaf Dönhoff en graaf Linger bepleitten tijdens het beraad van de krijgsraad een milde straf, maar de andere leden, die de uitzonderlijke ernst van het gebeurde beseften, waren van mening dat kolonel Fritz – op bevel van de koning mocht de troonopvolger alleen zo worden aangeduid – en luitenant Katte ter dood moesten worden gebracht.

Toen men Katte het doodvonnis had voorgelezen, zei hij met kalme stem dat hij zich geheel overgaf aan de Voorzienigheid en de wil des konings; hij had niets verkeerds gedaan, maar als hij moest sterven, was daar stellig een voor hem weliswaar onbegrijpelijke maar edele reden voor.

Een wachtmeester, zekere Schenk, kreeg het bevel de veroordeelde terug te brengen naar de vesting van Küstrin, waar ook de troonopvolger gevangen werd gehouden.

Ze kwamen daar 's morgens om negen uur aan en de rest van de dag bracht Katte door in gezelschap van een geestelijke, met wie hij over de door hem bedreven zonden sprak; Katte betoonde hierover een intens berouw; de nacht bracht hij ijverig biddend door.

Intussen werd op de binnenplaats van de vesting een schavot opgericht, en wel zodanig dat het dezelfde hoogte bereikte als de cel van de troonopvolger; daarna werd het venster van de cel op uitdrukkelijk bevel van de koning tot op de vloer opengebroken; de opening, waardoor men met één pas op het schavot kon stappen, werd met zwarte stof bespannen.

De luidruchtige werkzaamheden werden ten aanhore van de troonopvolger uitgevoerd, en wel door negen metselaars en zeventien timmerlieden, die onder leiding van een opzichter werkten; de prins dacht natuurlijk dat men zijn terechtstelling aan het voorbereiden was.

's Morgens om zes minuten voor zeven betrad kapitein Löpel, de commandant van de vesting, de cel van de prins en deelde hem mee dat hij op bevel des konings Katte's onthoofding moest bijwonen; kapitein Löpel had bovendien een van een bruine stof vervaardigd gewaad over zijn arm, dat de prins moest aantrekken in plaats van de kleren die hij droeg.

Toen de prins zich had omgekleed, werd de zwarte stof voor de doorgebroken celmuur verwijderd, zodat hij het met vaardige hand opgetrokken schavot kon aanschouwen.

Er verstreken drie eindeloos schijnende minuten voordat zijn vriend in exact dezelfde kledij als hijzelf droeg naar het schavot werd geleid; op dat moment kreeg hij het bevel in de opening van de muur te gaan staan.

Zijn door zijn kleding gesymboliseerde lotsgemeenschap met Katte maakte, niet in de laatste plaats omdat zijn vader dit alles had uitgedacht, zo'n schokkende indruk op de prins dat hij zich in de gapende diepte beneden hem wilde storten, maar hij werd teruggesleurd en vanaf dat moment bij zijn armen vastgehouden; later zou hij niet meer van het bruine gewaad willen scheiden en het drie jaar lang dragen, dag en nacht, totdat het tot op de draad was versleten.

Toen men hem had achteruitgetrokken, begon hij te jammeren en te huilen en hij bezwoer iedereen die om hem heen stond de executie uit te stellen, omdat hij, als hij in leven moest blijven, een brief aan de koning wilde schrijven; hij smeekte en beloofde dat hij overal van af zou zien, van de kroon, van zijn leven, als hij daardoor Katte's leven kon redden; geef me de gelegenheid een smeekbede tot de koning te richten! riep hij uit.

Terwijl hij zo stond te snikken en te roepen, werd het vonnis op onbewogen toon voorgelezen.

Nadat de laatste woorden waren verklonken, trad Katte, die eveneens bij zijn armen werd vastgehouden, dichterbij; een ogenblik keken de twee vrienden elkaar zwijgend aan.

Mijn God! riep de prins, in welk een ongeluk stort je me, geliefde, dierbare, enige vriend! ik ben de oorzaak van je dood, ik, die gaarne in jouw plaats op het schavot zou staan.

Men moest hem stevig vasthouden, terwijl Katte, die hem mijn dierbare prins noemde, met zwakke stem antwoordde dat hij, als hij duizend levens had, ze alle gaarne voor hem zou opofferen, maar dat hij nu afscheid moest nemen van dit schimmenrijk; na dit gezegd te hebben knielde hij voor de valbijl neer.

Men had toegestaan dat zijn eigen dienaren hem op zijn laatste tocht vergezelden, maar toen een van hen hem wilde blinddoeken, duwde hij de doek met bevende handen zachtjes weg en sprak, de ogen ten hemel heffend: ik leg mijn ziel in Uw handen, Heer.

De twee beulen duwden zijn hoofd onder de valbijl en de beide dienaren stapten achteruit; op dat moment zeeg de toekijkende prins onmachtig ineen in de armen van zijn begeleiders.

Hij werd op zijn brits neergelegd en herkreeg pas tegen de middag het bewustzijn.

Op bevel van de koning bleef Katte's verminkte lichaam tot de avond voor de ogen van de prins op het schavot liggen.

Toen de prins bijkwam, kon hij vanaf zijn bed het naakte bovenlichaam met de afgeknotte hals zien, en ook het bebloede hoofd, dat in de mand was gerold.

Hij rilde van de koorts en barstte in een hartverscheurend geween los; zijn gejammer was zo doordringend dat de op de bolwerken heen en weer lopende wachters verschrikt hun pas inhielden; na enige tijd verloor hij weer het bewustzijn.

Toen hij opnieuw was bijgekomen, jammerde hij, in een hoekje van zijn cel hurkend, twee weken lang aan een stuk door, ook 's nachts, want hij sliep in die tijd nauwelijks; soms liet hij toe dat men hem te drinken gaf, maar hij weigerde voedsel tot zich te nemen; toen zijn tranenvloed tenslotte was opgedroogd, bleef hij nog maanden lang stom en zijn eerste woord toen hij weer begon te spreken was nee!, hij weigerde namelijk het bruine gewaad af te leggen; en toen dit tenslotte aan zijn lijf versleten was, begroef het verdriet zich in zijn huid.

Het lijk van luitenant Katte werd op de avond van de terechtstelling gekist en in de vestingmuur van Küstrin ingemetseld.

In mijn woede moet ik zijn ingedommeld voordat ze uitgetelefoneerd waren, want ik werd wakker van de doodse stilte in de roerloze kamer.

Vermoedelijk was hij, nadat hij de hoorn had neergelegd, nog minuten lang peinzend in zijn stoel blijven zitten, want ik hoorde alleen de stilte, de tussentijdse stilte waarin een mens ordent wat hij gehoord en gezegd heeft en dit in zijn geheugen opbergt; het was alsof ik niet hem of zijn stille aanwezigheid hoorde, maar juist het ontbreken daarvan.

Na dit plotselinge ontwaken moet ik van een lichte sluimering in een diepe slaap zijn geraakt, waaruit ik pas ontwaakte toen hij mijn lichaam iets opzij duwde en onder de deken kroop.

Hij maakte voorzichtig plaats voor zichzelf en vlijde zich toen neer, langzaam en behoedzaam om me niet te wekken, maar ik verzette me tegen zijn pogingen om ruimte in beslag te nemen, tegen de aanwezigheid van dit wakkere, beweeglijke lichaam in mijn bed, en ik stond hem slechts zoveel plaats af als hij al woelend wist te veroveren, terwijl ik mijn ogen gesloten hield, zodat het leek alsof ik sliep.

Een poosje lag hij onbeweeglijk tegen de muur, met zijn buik tegen mijn opgetrokken knieën; natuurlijk had ik best wat kunnen opschuiven, zoals ik in mijn slaap zou hebben gedaan, maar hoewel ik steeds wakkerder werd, bleef ik koppig doen alsof ik sliep.

Je kunt me wel wat meer ruimte geven, zei hij hardop, waaruit bleek dat hij me doorhad en wist dat ik wakker was.

Ik poogde me zo slap mogelijk te houden, om mezelf niet nog meer te verraden.

Hij schoof zijn ene arm onder mijn hals en legde de andere om mijn schouder om me tegen zich aan te trekken, maar mijn opgetrokken knieën verijdelden de uitvoering van dit voornemen; zoals hij lag, had hij een te kleine en te ongemakkelijke plaats om het lang uit te houden.

Gedurende enige tijd scheen hij zich bij de onaangename toestand neer te leggen en de onmogelijke houding waarin hij lag voor lief te nemen, want hij verroerde zich niet meer en ademde, met zijn voorhoofd tegen mijn schouder geleund, regelmatig in en uit, in de hoop in slaap te vallen, maar na een poosje richtte hij zich woedend op, trok zijn arm onder mijn hals vandaan en zei: wacht maar, jongetje, ik weet wel een oplossing voor dit probleem! daarop liet hij zich, langs de muur schuivend en zich met zijn voeten afzettend, van het bed glijden, waarbij hij de deken achter zich aan trok, zodat ik opeens bloot kwam te liggen.

Hij begon zich zachtjes uit te kleden, ik hoorde het geritsel van zijn overhemd en het zachte, metalige geluid van de ritssluiting van zijn broek, daarna enkele nauwelijks hoorbare plofjes van haastig op de grond gegooide kleren, kennelijk kleedde hij zich uit; hij boog zich over me heen, friemelde wat aan mijn heupen, maakte mijn broekknoop los, pakte mijn broek bij de onderkant van de pijpen vast en trok me die, terwijl ik me niet bewoog, maar alleen meegaf, met ferme rukken uit; daarna ontdeed hij me van mijn sokken, schoof zijn hand onder mijn billen en trok me, mijn achterwerk iets omhoogduwend, ook mijn onderbroek uit.

Hierna kroop hij langs de muur schuivend weer terug, of beter gezegd: hij ging op zijn knieën zitten en bewoog zich zo in de richting van de sofa om bij de knoopjes van mijn overhemd te komen; doordat de regels van het spel voorschreven dat ik deed alsof ik dood was en me niet bewoog, had hij nu ook meer plaats, ik had alleen in strijd met de spelregels mijn benen opnieuw kunnen optrekken om hem dwars te zitten, die hadden zich, toen hij mijn broek uittrok, namelijk gestrekt en moesten dat blijven.

Hij moest mijn onder het kussen begraven hand te voorschijn trekken en mijn gebogen armen rechtbuigen en opheffen om mijn overhemd, waarop mijn bovenlichaam rustte, onder mijn schouders vandaan te trekken; intussen mompelde, hijgde en steunde hij, wat eveneens bij het spel hoorde; overigens hield ik me zo stijf dat hij inderdaad moeite had deze operatie uit te voeren.

Toen hij op de zachtjes wiebelende vering van de sofa eindelijk een stevig houvast had gevonden en zich met gespreide knieën over me heen boog, trof de geur van zijn lichaam me bijna onaangenaam; de kleren van een mens vormen een soort huls die zijn lijflucht, de adem van het lichaam, omsluit en van de buitenwereld isoleert, maar zodra ze worden afgelegd, ontstroomt deze ingehouden adem het lichaam wild en overvloedig, als een opgestuwde rivier die zich door een sluisdeur perst.

Hij gooide mijn uitgesjorde overhemd van zich af en plofte zuchtend naast me neer, en doordat mijn armen evenwijdig boven mijn hoofd uitstaken en mijn omgedraaide pols de muur raakte, bood ik hem ongewild ook ruimte op het kussen; daarna deed hij een greep achter zich, trok de tussen onze benen geklemde deken los, legde die zorgzaam over mijn schouder en stopte hem achter zijn eigen schouder in, wat niet overbodig was want het raam van de kamer stond nog open en daardoor stroomde af en toe wat koele lucht naar binnen; met speelse, vergenoegde geluidjes wikkelde hij de deken om onze warme lichamen en nadat hij zijn ene arm onder mijn nek had geschoven en de andere om mijn schouder had geslagen, legde hij zijn hoofd pal voor mijn gezicht op het kussen.

Ik opende mijn ogen niet en er was zelfs nog een lang, verwachtingsvol moment voordat onze lichamen elkaar raakten; ze wachtten evenwijdig en naar elkaar toegekeerd op het moment dat we onze in besluiten en gedachten tot uitdrukking komende normen zouden opgeven, want hij had me in wezen niet van mijn kleren ontdaan, maar van mijn gekrenktheid en mijn trots, van mijn verbittering en mijn woede, van de gedachte dat ik, als ik niet altijd bij hem kon zijn, geheel zonder hem wilde leven, en al was dankzij mijn passiviteit tijdens het uitkleedspelletje onze verstoorde verstandhouding hersteld en vernieuwd, het feit dat ik mijn ledematen onbeweeglijk hield verried toch dat ik dit alles tegen mijn overtuiging toeliet en geenszins bereid was mijn strijdlustige houding te laten varen en me over te geven aan zijn nabijheid, aan zijn lichaamsgeur en zijn warmte, en daardoor hield alles wat er op dat moment gebeurde verband met het gesprek van die ochtend, dat onderbroken was op het moment dat we allebei tot het uiterste geprikkeld waren.

Maar ook zijn gedragingen waren buitengewoon dubbelzinnig, want hoe krachtiger en zelfverzekerder een handeling wordt verricht, des te duidelijker verraadt ze haar doel; hij had het hoofd voor me gebogen, weliswaar had hij me niet om vergeving gevraagd, maar hij had wel zijn trots overwonnen en zijn verontschuldigingen aangeboden; voor hem betekende deze toenaderings- en uitkleedoperatie dat zijn gevoelens, die hij het gemakkelijkst met zijn lichaam kon uitdrukken, hem tot de allerchristelijkste gebaren van nederigheid hadden gedreven, wat echter beslist niet als een vernedering moest worden opgevat, evenmin als de rituele voetwassing van de joden dat is, maar indien ik na dit alles niet op de lichte agressie van zijn onderwerping reageerde, zou hij geen stap verder gaan, we bevonden ons op de grens, daarachter begon het terrein van de abstracte moraal, en die is onverbiddelijk.

Op dat moment bewoog ik mijn boven mijn hoofd geheven armen toch, ik schoof één arm onder zijn nek en sloeg de andere om zijn lichaam, terwijl hij met zijn knieën mijn benen uiteenduwde en zijn bovenbeen tussen mijn dijen schoof; tenslotte legde hij zijn hoofd op mijn schouder en duwde zijn onderbuik tegen de mijne, zodat onze naar elkaar toe gewende lichamen elkaar over hun hele oppervlak raakten.

Ze troffen zo'n rijkdom van instincten, gevoelens en bedoelingen bij elkaar aan dat de onmeetbaar kleine fractie van een seconde waarin huid en huid, warmte en warmte, geur en geur elkaar ontmoetten – zo intens ontmoetten dat het fysiek onmogelijk zou zijn geweest een nog groter gedeelte van elkaars lichaam aan te raken – een zacht, smartelijk kreunen van gelukzaligheid en uitverkorenheid scheen, alsof twee bijeenhorende maar ver van elkaar verwijderde punten elkaar naderden; zo moeten evenwijdig lopende lijnen zich voelen als ze elkaar in het oneindige raken.

Het zich in die simpele aanraking openbarende, tegenstellingen overbruggende en zelfs ethische normen versoepelende lichamelijke verbond tussen ons was, als ik het zo mag uitdrukken, even krachtig en hartstochtelijk als een orgasme, maar wekte geen valse verwachtingen, het trachtte ons niet wijs te maken dat het contact van onze twee lichamen de spanning in ons zou kunnen wegnemen, een spanning die we om verstandelijke redenen niet tot ontlading mochten brengen; onze lichamen hielden dus koel hun belangen voor ogen, ze gingen tactisch te werk en dreven elkaar in het nauw; het was of ze tegen elkaar zeiden: alleen als je je spontaan laat gaan, zal ik me aan de dwaasheid van het moment overgeven; het in elkaar overgaan van hitte en koelte, drift en verstand, verte en nabijheid voorkwam echter ook dat de twee lichamen, voortgedreven door hun verlangens en pogende die geheel te bevredigen, zich genoodzaakt voelden een nieuw en veelomvattender verbond aan te gaan.

Onzekerheid werd tot zekerheid, en dat was goed, het begerige lichaam observeerde de begeerteloosheid van het lichaam, en hoe meer goeds het aldus waarnam, des te meer ontspande het zich, de lichamen ontspanden zich door en met elkaar; enkele minuten na Melchior moet ik ook in slaap gevallen zijn; ik hoorde nog hoe de wind de vergeelde populierebladeren zacht liet ritselen en hoe Melchiors adem steeds regelmatiger werd.

We sliepen met de armen om elkaar heen geslagen, borst aan borst, buik aan buik, zijn hoofd op mijn schouder, zijn haar in mijn mond, onze benen in elkaar verstrengeld, onder de deken; we lagen niet alleen zo tegen elkaar aan omdat de canapé zeer smal was, maar ook omdat de harde, met paardehaar gevulde zitting van het meubel aan de zijkanten enigszins schuin afliep, we hielden elkaar dus slapende vast om er niet af te rollen.

We ontwaakten gelijktijdig; zijn lichaam, dat half op het mijne lag, kromp ineen, alsof hij uit een zeer diepe slaap opschrok, waardoor ik ook wakker werd, en omdat mijn schouder en mijn arm onder het gewicht van zijn hoofd en zijn schouder onaangenaam verdoofd aanvoelden, wurmde ik me onder hem uit, onwillekeurig de comfortabele houding zoekend waar het lichaam altijd naar streeft.

Onze lichamen waren nu van elkaar gescheiden, maar we voelden nog steeds de vreedzame nabijheid en harmonie waarin ze hadden gerust; we lagen ook niet helemaal gescheiden, maar zo ver van elkaar af dat de ruimte tussen onze lichamen zich met wat koelere lucht kon vullen die van buiten het bed afkomstig was; juist genoeg lucht om elkaars lichaamswarmte te blijven voelen.

Ik geloof dat we onze ogen tegelijk opendeden, en doordat zijn hoofd van mijn arm op ons gemeenschappelijke kussen was gegleden, keken we elkaar van vlakbij aan.

Doordat al onze bewegingen en gevoelens, zelfs de geringste, met elkaar overeenstemden, werden we ons van een beweging of emotie pas bewust zodra die zich in een beweging of een emotie van de ander weerspiegelde; mijn ogen vingen dezelfde, neutraal ogende blik op als waarmee ik hem aankeek.

Mijn slaap was even diep en kort geweest als de zijne; hij had de tijd uitgewist zodat het bewustzijn met een zekere verbazing terugkeerde naar wat het had verlaten, iets wat niet op onnozelheid maar juist op een hoge mate van scherpzinnigheid duidt; waarschijnlijk aanschouwen zuigelingen de wereld zo.

Aan zijn ogen kon ik zien dat hij hetzelfde in mijn ogen las als ik in de zijne, maar er waren nog geen gedachten; het volgende ogenblik glimlachten wij gelijktijdig; ook dit lachen was opvallend eender en zo direct aan elkaar ontleend dat het was alsof ik zijn glimlach lachte en hij de mijne, wat onze lach versterkte; uit verlegenheid trachtten we ons te onttrekken aan deze ongewilde en onverwachte nabijheid en we bogen, of beter gezegd, schoven onze op het kussen rustende hoofden naar elkaar toe, zodat onze voorhoofden elkaar raakten.

Ik sloot mijn ogen niet en voor zover ik me herinner heeft hij dat ook niet gedaan; mocht hij ze toch hebben gesloten, dan heeft hij ze stellig meteen weer geopend.

De blik, nog bevangen door de slaap maar al bereid op een opgewekte manier de preoccupaties van het waakbewustzijn te dienen, had nu inkijk in de duisternis onder de deken, in de wereld der zinnen; hij scheen vanuit de hoogte op een wig te zijn gericht.

De zijkanten van die wig werden gevormd door twee iets van elkaar wijkende lichamen, twee borstkassen; een ervan, de zijne, was iets behaarder dan de andere, die van mij; wat lager waren twee, door onze ongemakkelijke houding ingetrokken buiken zichtbaar, de ene vlak en stevig, de andere ietwat rond; helemaal beneden, waar zich de punt van de wig bevond, vulden de donkere zaadballen als een zacht nestje de hoek gevormd door de over elkaar liggende dijen; onze geslachtsorganen – het zijne tamelijk lang en stevig, het mijne door zijn kalme verschrompeling nogal komisch om te zien – lagen even vredig tegen elkaar als daarboven onze armen, die elkaar omstrengeld hielden.

Maar ook wegens onze ongelijke lichaamsbouw kon de geometrie niet volledig zijn, bovendien lag ik iets hoger, zodat onze waarnemingen eerder soortgelijk waren dan exact eender, zijn positie was ook iets geriefelijker dan de mijne doordat zijn onderlichaam op mijn bovenbeen rustte; om het beeld niet al te idyllisch te maken – waarom zou ik trouwens? – moet ik bekennen dat mijn bovenbeen snakte naar het moment waarop het van het erop drukkende gewicht zou worden bevrijd; terwijl we daar ondanks alle moeilijkheden in een bijna volmaakte harmonie naar elkaar lagen te kijken, was het of we met onze blikken en dit bijna geometrische besef van gelijkheid onze gekruiste geslachtsorganen in beweging brachten, want ze richtten zich heel langzaam en geleidelijk op; ze vulden en strekten zich, zwollen op en schoven over elkaar heen, zodat de eikels elkaar raakten, wegduwden en tenslotte over elkaar heen wipten; het daarmee gepaard gaande gevoel van wederkerigheid bevorderde het eenzame verstijvingsproces nog.

Het gevoel dat zich in dit verschijnsel een zekere symmetrie openbaarde en onze geslachtsorganen aan elkaar gelijk waren, was niet alleen volstrekt ondubbelzinnig en bepaald, maar tegelijk ook hoogst vermakelijk omdat we daarin, hoewel het een echt gevoel was, het clichématig functioneren van het gevoelsleven, het kille mechanisme der menselijke instincten herkenden; en doordat we, als betrapt, gelijktijdig de blik afwendden, stootten onze hoofden tegen elkaar, waarom we, eveneens gelijktijdig, begonnen te lachen.

Dit gelach klonk niet als een gewone lach, het was meer een triomfgeschreeuw, een ruwe uitbarsting van vreugde, vreugde over de door het zich strekkende lid in vele opzichten bevestigde mannelijke kracht en de wetenschap tot het sterke geslacht te behoren, over de uitdijing van het veerkrachtige orgaan en de vruchtbaarheid van het mannelijk geslacht; we lachten omdat we blij waren het primitieve mechanisme der archaïsche instincten, dat cultuur wordt genoemd, aldus ontmaskerd te zien, een cultuur die leidt tot een verdubbeling van de meest ruwe zinnelijke genietingen doordat we niet alleen voelen wat we voelen, maar ook weten wat we voelen, zodat we meer gaan voelen dan we ooit kunnen weten.

Ons gelach was de omzetting in klanken van onze vreugde, onze aangeboren ruwheid en onze gewelddadigheid, het was een mededeling, en omdat de daarover gevoelde, door humor vermeerderde vreugde een groter genot bleek op te leveren dan een manipulerende aanraking ooit had kunnen bieden en wij mensen altijd automatisch zoveel mogelijk genieten, althans daarnaar streven, trok ik hem tegen me aan, maar hij duwde me ruw weg, waarna we als twee dol geworden, redeloze dieren op de divan begonnen te worstelen.

Volmaakte symmetrie en volledige gelijkheid bestaan natuurlijk niet werkelijk, het beste wat we kunnen bereiken is het tijdelijke evenwicht der verschillen; hoewel ons gevecht niet serieus bedoeld was, ging het om psychologische redenen niet over in een omarming, hij had me namelijk van zich af geduwd omdat ik door hem in mijn armen te nemen en zelf genoegen te nemen met de minst comfortabele houding, hem stilzwijgend te verstaan had gegeven dat hij de zwakste van ons beiden was, wat natuurlijk ook betekende dat hij lang niet zo mannelijk was als hij zich voordeed; hij wist natuurlijk niet dat ik de uit deze lichaamshouding voortvloeiende ongelijkheid in de eerste plaats had aanvaard om zelf meer te kunnen genieten en in de tweede plaats om de schijn van volledige symmetrie te bewaren, maar omdat volmaakte symmetrie niet bestaat, alleen het streven daarnaar, is er geen beweging die geen adequate aanvulling behoeft.

We raakten in een heus gevecht verwikkeld, en hoewel we er allebei zorgvuldig op letten dat het een spel bleef, belaagden we elkaar toch steeds ruwer en draaide onze worsteling tenslotte uit op verwoede pogingen om elkaar neer te drukken, om te draaien of van de canapé te gooien en aldus een definitieve, volledige overwinning te behalen; al worstelend raakten we verward in de deken, die later van de canapé gleed, en tenslotte rolden we, gehinderd door de smalle breedte van de divan, naakt en bezweet over elkaar heen, aanvankelijk nog lachend, later zwijgend en alleen af en toe een strijd- of triomfkreet slakend om elkaar bang te maken en te doen geloven dat onze overwinning nog slechts een kwestie van seconden was; we rolden bijtend over elkaar heen, zetten ons met onze voeten tegen de muur af om beter te kunnen duwen en verwrongen elkaars armen en benen, zodat de canapé onheilspellend kraakte en de vering piepte, knarste en kreunde; waarschijnlijk was Melchior even verheugd als ik over deze plotselinge uitbarsting van geweld en de daarmee gepaard gaande heuse pijn, die een geheel nieuwe, tot dusverre onbekende dimensie scheen toe te voegen aan onze relatie.

Het lichaam, dat daarstraks nog zo'n harmonisch en tastbaar bewijs geleverd had van onze begeerte, ontdekte opeens een andersoortige, maar niet minder elementaire bezigheid, die onze gevoelens volledig transformeerde en zelfs bijna in het tegendeel deed omslaan, maar het realiseerde zich deze verandering en de daarin schuilende gevaren absoluut niet; mijn spieren en beenderen communiceerden nog steeds met zijn spieren en beenderen, maar nu zonder enige tederheid, in de taal van het geweld.

Dat ging zo door tot ik met een kreet van pijn van de divan op de grond rolde.

Ik probeerde hem mee te sleuren in mijn val, maar hij duwde zijn vlakke hand in mijn gezicht en gebruikte dit als steun om zich op te drukken, zodat ik niets meer kon uitrichten, en dat was goed zo, want ik was de gevoeligste van ons tweeën.

Hij zat op zijn knieën op de divan en grijnsde zwijgend naar me; we hijgden allebei als een stoomtrein en raakten plotseling in verwarring omdat we geen van beiden wisten wat we met die nederlaag, respectievelijk overwinning moesten beginnen; hij liet zich ruggelings op de canapé vallen en ik draaide me op het zachte tapijt eveneens op mijn rug; het werd stil in de kamer, alleen onze gejaagde ademhaling verried nog wat er zojuist was gebeurd.

En terwijl we daar zo met uitgespreide armen lagen na te hijgen, hij op de canapé, ik op de vloer, liet hij zijn ene arm slap omlaaghangen, zodat ik mijn hand maar hoefde uit te steken om – een verrukkelijk idee! – zijn hand te pakken, maar ik verroerde me niet, ik liet zijn hand gewoon tegen mijn gezicht hangen omdat ik het opwindend vond iets te verzuimen, iets te verzuimen wat ik elk moment alsnog kon doen; het kwam me opeens voor dat ik het plafond met het door de vensterboog gebroken late middaglicht, dat in drie uiteenwijkende stroken de vage schaduwen van de wiegende boomtakken najoeg, al eens eerder had gezien, evenals die neerhangende, bij de pols onnatuurlijk verdraaide hand, ja alles wat ik had meegemaakt scheen al eens eerder te zijn voorgevallen, al die ongelooflijke gebeurtenissen.

Ik had daar toen geen verklaring voor en ik dacht er ook niet over na, hoewel dit gevoel niet zo bizar was dat ik het niet had kunnen analyseren; overigens schijnt het informatie opslaande brein soms bepaalde gegevens achter te houden en alleen maar wat vage aanwijzingen te geven, zodat we ons alleen herinneren waar de benodigde informatie te vinden is, maar niet wat deze inhoudt; eigenlijk is het sympathiek dat onze hersenen geheime, met elkaar verband houdende gegevens liever achterhouden en een heerlijke situatie niet door het doen van overhaaste mededelingen bederven; ja het brein is genadig.

Misschien had ik toch beter zijn hand kunnen pakken, want hij slaakte tweemaal achtereenvolgens een doordringende kreet, alsof hij uiting moest geven aan een dodelijke beklemming, aan het gevoel te stikken, aan een verscheurende pijn of juist een waanzinnig geluksgevoel; hij schreeuwde zo hard dat zijn hele lichaam door het beverige geluid verstijfde en al zijn kracht zich in zijn borst en keel ophoopte; hij schreeuwde zijn verdriet uit in de doodstille kamer, wat me zo onverwachts trof dat ik, als door een slag van het noodlot getroffen, minutenlang niet in staat was me te bewegen, laat staan hem hulp te bieden, en de worsteling van het uitgestrekte, zware mannenlichaam werkeloos aanzag; eigenlijk dacht ik dat hij me voor de gek hield en toneelspeelde; zijn hand hing nog steeds omlaag en zijn ogen waren geopend, maar hij staarde met een glazige blik in het niets; zijn voeten lagen naar buiten gedraaid op het bed.

Hij ademde diep in en uit, zijn met lucht gevulde borstkas sidderde en beefde, de rillingen en bevingen gingen door zijn hele lichaam; ik zag dat hij nogmaals, voor de derde keer, wilde schreeuwen, misschien hoopte hij door die laatste kreet iets kwijt te raken wat tweemaal in zijn keel was blijven steken en nu zijn gemoed dreigde te verscheuren.

Dat ik tot geen enkele normale beweging in staat was, kwam waarschijnlijk doordat hij een fascinerende aanblik bood zoals hij daar lag.

Hij kon de ingeademde lucht niet meer uitschreeuwen, het was alsof alle zuurstof in zijn tot barstens toe gevulde longblaasjes was verbruikt, maar hij desondanks niet in staat was de gebruikte lucht uit te ademen en nieuwe lucht in zijn longen op te nemen; hoewel hij bijna stikte, trachtte hij zich op te richten, waarschijnlijk om op te springen en weg te lopen, misschien ook wel om alleen maar rechtop te gaan zitten in bed, ik weet het niet, maar kennelijk had hij daar onvoldoende kracht voor tengevolge van het zuurstoftekort, zodat zijn doelloze reflexen een schijngevecht met elkaar leverden; tenslotte perste hij met krampachtige spierbewegingen een hoog maar diep uit zijn borst afkomstig geluid uit zijn keel, een hijgend, wanhopig, paniekerig gejammer, dat gelijkmatiger en luider werd naarmate hij weer op adem kwam.

Hij huilde, ongeremd, luidkeels, schuddend en bevend, terwijl ik hem in mijn armen hield.

Laten we de wijsheid en vindingrijkheid van onze moedertaal prijzen, die de uitdrukking een uitbarsting van verdriet rijk is; de taal kent ons mensen door en door, hoe juist is het niet gezien dat opmerkingen zwartgallig kunnen zijn, dat haren soms te berge rijzen en dat iemands hart bijna breekt; in deze vaste verbindingen zijn menselijke ervaringen van duizenden jaren neergelegd, zodat de taal meer weet dan wij, althans meer dan wij willen weten; ik voelde met mijn vingers en de rug van mijn hand dat er in zijn binnenste, in de holle ruimte van zijn lichaam, iets dreigde te knappen, het was alsof de vliezen van een slijmerig orgaan daar elk ogenblik konden gaan scheuren.

Mijn vingers en mijn hand schouwden in de levende duisternis van zijn lichaam.

Bij elke aanval barstte hij opnieuw in snikken uit, er was nog steeds iets wat hem kwelde.

Een voor een kwamen de jaren te voorschijn vanonder de vliezen van de tijd.

Half liggend half zittend boog hij zich naar me toe; ik nam hem, op de rand van de canapé zittend, in mijn armen en hij legde zijn voorhoofd tegen mijn schouder; in die houding vergoot hij een hete tranenvloed over mijn borst; zijn neus boorde zich in mijn sleutelbeen en zijn met slijm en snot besmeurde lippen gleden kleverig over mijn huid; natuurlijk fluisterde ik hem allerlei onzin in zijn oor om hem te troosten en te kalmeren, totdat ik merkte dat mijn lichaam het zijne niet alleen geen kracht kon geven, maar dat al die overvloedige liefde de krachten die naar een uitweg zochten de verkeerde kant op dreigde te leiden of tegen te houden, hij móést juist huilen; ja, zei ik tegen mezelf, laat hem huilen, en ik probeerde hem met mijn stem en mijn steeds vermoeider wordende lichaam daarbij te helpen.

Wat was al dat theoretische gezwets van ons toch belachelijk!

Voor de eerste keer voelde ik iets wat ik eigenlijk al wist: ondanks al zijn nuchtere terughoudendheid klampte hij zich wanhopig aan mij vast, gedurende de korte tussenpozen waarin hij niet huilde, kleefden zijn lippen aan mijn huid en in zijn wanhoop werd wat als een kus was bedoeld bijna een beet; voor de eerste keer voelde ik dat ik hem bijna niets te bieden had en daarom duwde ik zijn hand bijna heftig weg, wat hij echter heel natuurlijk vond, zodat ik me opnieuw genoodzaakt voelde het onmogelijke te proberen.

Toen hij enigszins kalmeerde en er steeds langere periodes van kinderlijk gesnotter optraden tussen de steeds weer opnieuw beginnende huilbuien, zag ik een ouwelijk kindergezichtje met een volwassen mannenlichaam eronder.

Ik stopte hem in bed, dekte hem toe en veegde de tranen en het snot van zijn gezicht, ik wilde hem zo niet zien, daarna ging ik op de rand van de canapé zitten, greep zijn hand en deed wat de sterkere behoort te doen; ik genoot zelfs lichtelijk van deze bedrieglijke schijn van kracht; later, toen hij geheel gekalmeerd was, raapte ik onze verspreid liggende kledingstukken van de vloer op, kleedde me aan en sloot het raam.

Hij sluimerde langzaam in, als een doodziek kind dat zijn bedrijvig redderende moeder in zijn nabijheid weet; na korte tijd was hij vast in slaap.

Ik zat in zijn fauteuil naast het bureau en staarde naar mijn pen, die in de schemering vaag zichtbaar was; hij lag onaangeroerd op het vel papier waarop ik aantekeningen had gemaakt over de toneelvoorstelling; hierna keek ik wat uit het raam; toen hij zich begon te bewegen en ontwaakte was het al volslagen donker geworden.

De tegelkachel had de kamer intussen weer verwarmd; we waren allebei zwijgzaam en in een bedrukte stemming.

Ik deed de lamp niet aan, maar zocht in het donker zijn gezicht en zei dat we, als hij zin had, een wandeling konden maken.

Hij antwoordde dat hij daar absoluut geen zin in had en voegde eraan toe dat hij niet wist wat hem daarstraks had bezield; het liefst zou hij weer naar bed gaan, maar we konden natuurlijk een eindje gaan lopen.

Berlijn, stad in het hartje van het goed onderhouden park Europa, is, om Melchiors verbijsterende gedachtengang verder weer te geven en met mijn eigen indrukken aan te vullen, eerder het merkwaardige gedenkteken van een onherstelbare verwoesting dan een normale, levende stad, het is een met angstaanjagende kunstzinnigheid geconserveerde ruïne in een romantisch aangelegd park; een werkelijk levende stad is meer dan het fossiel van een onverwerkt verleden, ze is een voortdurend buiten de stenige oevers van de traditie tredende, onophoudelijk, jaar na jaar, eeuw na eeuw, stollende, van het verleden naar de toekomst stromende vloed, een versteend voortgaan en pulseren, een levenloze continuïteit die niet weet waar ze naar toe gaat, hoewel ze toch een 'innerlijke natuur' of 'ziel' heeft, althans zo pleegt men de lichtzinnige, van de verlangens van het moment profiterende, experimenterende, wervelende, destructieve en tegelijk opbouwende, onbedwingbare levenslust der bewoners soms waarderend soms lakend te noemen; Berlijn daarentegen, althans de mij bekende helft ervan, heeft deze typisch grootsteedse eigenschappen niet bewaard, laat staan gecultiveerd, hoogstens met tegenzin opgelapt en gesteriliseerd, dikwijls echter ook beschaamd uitgewist, zodat zijn verleden is weggevaagd; het is een woonoord geworden, een onderkomen, een reusachtige slaapzaal; toen ik er woonde, kon je er na acht uur 's avonds een kanon afschieten; de ramen van de huizen waren donker en achter de dichtgetrokken gordijnen flikkerde alleen het blauwige licht van de televisie, het schijnsel van dat kleine, inwendige venster waardoor de inwoners een blik konden werpen in die veel bedrijviger wereld aan de andere kant van de muur; ik had gemerkt dat ze veel vaker naar de Westduitse uitzendingen keken dan naar de Oostduitse, waardoor ze zich evenzeer isoleerden van de plaats waar hun leven zich afspeelde als Melchior; ze zagen liever die onwerkelijke maar oneindig interessante wereld dan hun eigen omgeving, wat ik me goed kan voorstellen.

Als we om deze tijd of nog later, soms zelfs in het holst van de nacht, onze uitkijkpost op de vijfde etage verlieten en naar de uitgestorven straten afdaalden, veroorzaakte de echo van onze voetstappen dat we onze absolute eenzaamheid en volledige afhankelijkheid van elkaar nog meer voelden dan daarboven, waar we achter de op slot gedraaide deur altijd de eigenaardige, bedrieglijke illusie koesterden dat we in een stad en niet op de top van een tot oorlogsmonument uitgeroepen steenhoop woonden.

Sommige hoger ontwikkelde zoogdieren – katachtigen, vossen, honden en wolven – markeren met hun urine en uitwerpselen het territorium waar ze aanspraak op maken, ze beschouwen dit als hun persoonlijke eigendom en verdedigen het tegen elke indringer; andere, lager ontwikkelde en minder krijgshaftige soorten, zoals mollen, mieren, ratten, gepantserde kevers en hagedissen, verplaatsen zich via bepaalde paadjes of gangen; wij gedroegen ons onder invloed van onze culturele kennis, een afgedwongen respect voor de traditie en een burgerlijke opvoeding als de laatstgenoemde diersoorten en kozen bijna onder een biologische dwang, geleid door een kieskeurige smaak, voortdurend geneigd tot esthetiseren en parasiterend op het schoonheidsideaal van *Les Fleurs du Mal* en de stilistiek van de fin-desiècle, met een schroomvallige intellectuele genotzucht de straten en wegen uit die in deze stad nog enigszins geschikt leken voor een wandeling in de traditionele zin des woords.

Als iemand in zijn bewegingsvrijheid beperkt wordt, zal hij zichzelf binnen de opgelegde grenzen nog extra beperkingen opleggen om de schijn van persoonlijke vrijheid althans enigszins te bewaren.

Tijdens onze avondlijke of nachtelijke wandelingen meden we zorgvuldig de nieuwe woonwijken, waar je alleen met de rauwe werkelijkheid van een troosteloze woestenij werd geconfronteerd, met de volstrekt onpersoonlijke ideologie die de mens als werkezel beschouwt en hem voor uitermate beperkte doeleinden als noodzakelijke rust, voortplanting en opvoeding van het nageslacht via de taal van de architectuur naar steriele betonnen dozen verwijst; nee, niet deze kant op! met die uitroep kozen we steeds routes waar nog het laatste restje te zien, te voelen en te ruiken was van een praktisch verwoeste en aan het verval prijsgegeven, opgelapte en vervuilde, afbladderende individualiteit.

In wezen bewogen we ons tussen de coulissen van een identiteitscrisis van Europese omvang, waar we konden kiezen tussen lelijkheid en nog grotere lelijkheid, dat was de enige vrijheid die we hadden.

We konden bijvoorbeeld de Prenzlauer Allee aflopen, waar we af en toe gepasseerd werden door een lege tram of een Trabant met een giftige gaswolkjes uitblazende tweetaktmotor; deze weg was overigens alleen in naam een allee, bomen waren er nauwelijks; na een tocht van een goed halfuur, waarbij we onder andere om een door bomkraters geteisterd en met onkruid en struiken overwoekerd stuk grond heen moesten lopen – het perceel was niet groter dan een blok huizen –, konden we de Ostseestraße inslaan of een eindje verderop de Pistoriusstraße, die langs de oude, christelijke St Georgbegraafplaats loopt, waarna we na een wandeling van zo'n twintig minuten bij de Weißensee aankwamen.

Dit kleine meertje met zijn vervuilde, donkere water, waarin overdag trage zwanen met bevuilde veren rondzwommen en ook vlugge wilde eenden met zwarte veren die probeerden in het water geworpen broodkorsten te bemachtigen, is omgeven door een groep bomen die met veel goede wil een park zouden kunnen heten; vroeger rees hier een zomerslot op, tegenwoordig staat op die plaats een pretentieloos gebouw, waar bier wordt geschonken.

Op die zondagavond kozen we voor de kortste wandeling en sloegen we in de Kollwitzstraße de oorspronkelijk Weißenburgerstraße geheten Dimitroffstraße in, waar, althans zo heb ik het in mijn steeds ingewikkelder wordende verhaal voorgesteld, de jongeman heeft gewoond die in het laatste decennium van de vorige eeuw naar Berlijn was gekomen en – dit maakte ik tenminste uit Melchiors verhalen op – enigszins op mij moet hebben geleken.

Melchior had er natuurlijk geen idee van dat ik, terwijl ik met hem samenleefde, mijn leven verdubbelde, ja zelfs verviervoudigde; schijnbaar deelde ik zijn voorkeur voor de gekozen route omdat die tot een vredig slenteren noodde en je na een wandeling van nog geen tien minuten door de brede, bochtige Dimitroffstraße op de smalle, kronkelige weggetjes van een klein bosje, Friedrichshain, uitkwam, maar in werkelijkheid was het voor mij geen onverdeeld genoegen door dit bos te lopen omdat ik in de donkere, nachtelijke schaduwen van de bomen allerlei duistere scènes aan mijn geestesoog zag voorbijtrekken, waarover ik tegen Melchior met geen woord repte.

In die dagen vertoefde ik 's middags, na afloop van de repetities, steeds vaker in het gezelschap van Thea.

Het was herfst en de duisternis viel al betrekkelijk vroeg in; de eindeloze uren in de kunstmatig verlichte repetitiezaal, de dooltochten met Thea door de naburige weilanden en de avonden en nachten met Melchior vloeiden op zo'n eigenaardige wijze in elkaar over dat ik me er soms op betrapte aan Thea te denken als ik Melchior aanraakte en omgekeerd, als ik met Thea vredig in het koele gras aan de oever van een meertje zat, miste ik Melchior zo hevig dat mijn fantasie hem plotseling tevoorschijn toverde; de twee personen vermengden zich dan op een lome, eigenaardige wijze om zich vervolgens weer even traag van elkaar te scheiden; tegelijkertijd werd ik door deze zelfs in de verbeelding niet te bereizen, onbekende wereld ongemerkt van mijn verleden en mijn toekomst afgeschermd, wat ik onmogelijk anders kon ervaren dan als een weldadige genade.

Wie na als toeschouwer of deelnemer een toneelrepetitie te hebben bijgewoond 's middags om drie uur eindelijk de deur uitgaat en ineens in een doodgewone, zonovergoten, winderige of verregende straat staat, waar niets bijzonders over valt te zeggen, tussen rationeel gebouwde en door werkelijke mensen bewoonde huizen, terwijl zich op het trottoir alle mogelijke mensen, mooie en lelijke, vrolijke en droevige, oude en jonge, elegante en verwaarloosde, voortreppen met een schijnbaar uit een diepe overtuiging voortkomende vastbera-

denheid, alsof ze voortdurend een wedloop houden met de onzichtbaar verstrijkende tijd, mensen die tassen, boodschappenmanden,
mappen en pakjes met zich meezeulen, die druk bezig zijn hun zaakjes
af te handelen, die gebouwen in- en uitlopen, auto's besturen of daaruit op het trottoir stappen, die kopen en verkopen, met geveinsde of
werkelijke blijdschap elkaar begroeten en vervolgens onverschillig,
geïrriteerd of met een verdrietige zucht uit elkaar gaan, die bij de
worstkraampjes op de straathoeken worstjes in mosterd dopen en af-
happen, zodat het sap vanonder het scheurende velletje in hun gezicht
spuit, terwijl brutale mussen en opgeblazen duiven de broodkruimels
van de stoep oppikken en afgeladen trams en vrachtauto's vol raadselachtige voorwerpen luidruchtig voorbijrazen – vindt alles zo griezelig
en onwerkelijk dat hij bijna meent niet de echte wereld te zien maar
een denkbeeldige; de op straat waargenomen verschijnselen – bewegingen, schoonheid, lelijkheid, geluk of onverschilligheid – zijn namelijk geen aanduidingen of gestileerde uitbeeldingen van een zo volledig mogelijke, door navoelbare emoties gevoede beweging, maar
werkelijke fenomenen, werkelijk doordat ze zich, zelfs indien we de
hoogste graad van bewustzijn veronderstellen, niet bewust zijn, niet
bewust kúnnen zijn, van hun werkelijkheid; de haastige passant op
straat – of hij nu hoogleraar in de psychologie is of een ongeschoolde
arbeider, mogelijk zelfs een prostituée op mannenjacht – past, evenals
de beroepsacteur, zijn gelaatsuitdrukking en zijn bewegingen automatisch nauwkeurig aan zijn omgeving aan, wat wil zeggen dat hij
zichzelf neutraliseert door zijn gedrag op de straat af te stemmen; hij
neemt dus op de meest stipte wijze de uiterst verfijnde ethische spelregels van het maatschappelijk verkeer in acht maar verricht tegelijkertijd
een hele reeks andere handelingen: hij houdt rekening met de lichtval
en de temperatuur van de lucht, volgt het ritme van zijn lichaam en
tracht dit in overeenstemming te brengen met de cadans van het verkeer, bovendien let hij op de tijd, zijn eigen tijd natuurlijk; de gemeenschappelijke omstandigheden en stilzwijgend overeengekomen voorschriften bepalen zijn bewegingen echter slechts voor een zeer korte
periode die nauwelijks langer is dan een vluchtig moment, namelijk
zolang hij aan het gemeenschappelijke leven deelneemt; wat hij doet
of nalaat, is niet betrokken op het verloop van het gehele leven, zoals
op het toneel het geval is, waar volgens de regels van de tragedie of de
komedie de geringste beweging het gehele leven, vanaf de geboorte
tot de dood, bevat, ja móét bevatten! omdat tijd echter naar alle waar-

schijnlijkheid tevens afstand is, heeft de mens op straat slechts in zeer geringe mate zicht op zichzelf, een zicht dat bovendien voornamelijk praktische zaken betreft, daarom is de werkelijkheid zo onwerkelijk voor iemand die de straat betreedt met een blik, nog afgestemd op het wijdere, althans universelere perspectief van het toneel.

Thea placht na afloop van de repetities in haar korte, fluwelige rode jasje zonder knopen – een dergelijk kledingstuk werd toentertijd een koeliejak genoemd – snel naar de overkant van de straat te lopen, waar haar auto stond geparkeerd, en met de sleutel in de hand vragend en tegelijk gebiedend te zwaaien, wat haar manier was om te informeren of ik mee wilde rijden; de vraag gold mij, het gebod moest de anderen duidelijk maken dat we samen iets gingen doen wat haast had; aldus trachtte ze mijn afscheid te bespoedigen, wat meestal lukte omdat ik bijna altijd aan haar uitnodiging gevolg gaf.

Thea gaf mevrouw Kühnert soms een lift en zette haar dan voor haar huis in de Steffelbauerstraße af, maar het kwam ook voor dat ze haar zonder boe of ba te zeggen voor de schouwburg liet staan.

Als iemand alleen of vergezeld door anderen 's middags om drie uur via de achteruitgang van een schouwburg de straat betreedt en zich plotseling in de zojuist genoemde onwerkelijke toestand bevindt, terwijl het licht natuurlijk veel te fel is voor zijn ogen, kan hij twee dingen doen: hij kan die bekrompen en perspectiefloze, maar concrete en tastbare wereld onmiddellijk binnentreden en, zonder over het verband tussen werkelijkheid en onwerkelijkheid na te denken, wat hij eigenlijk wél zou moeten doen, iets gaan eten en drinken, ook al heeft hij honger noch dorst; desnoods kan hij iets kopen, alhoewel hij eigenlijk niets nodig heeft; op die wijze, door zich geheel aan zijn primaire levensfuncties en bezitsdrift over te geven, kan hij, zij het met enige moeite, zijn plaats weer innemen in de geringe vooruitzichten, nog geringere inzichten en nietige perspectieven biedende realiteit van het leven; de andere mogelijkheid die hij heeft, is, dat hij, om zijn onwerkelijke gevoel niet te laten beïnvloeden door de zogenaamd werkelijke wereld en het daartegen angstvallig te beschermen en te verdedigen, eenvoudig de kille, benauwende decors van de tijd ontvlucht, al is er eigenlijk nergens een schuilplaats te vinden.

Ik begreep niet, of wilde niet begrijpen, dat ik in de werkelijkheid van het onwerkelijke leefde, ofschoon het verband in elk van Thea's gebaren zichtbaar was, vlak voor mijn neus, in mijn binnenste, maar onbenoemd, alleen als een ervaring, en ik dorst een ervaring niet als werkelijkheid te beschouwen.

Ik was een volgzaam kind van mijn tijd, besmet met de denkbeelden die toen opgeld deden, en verlangde hartstochtelijk beslag te leggen op de veelbesproken authentieke en onvervalste werkelijkheid, die, alhoewel ze al het unieke en persoonlijke omvatte, zelf noch uniek noch persoonlijk was; in allerlei filosofische beschouwingen, kranteartikelen en officiële redevoeringen was sprake van een werkelijkheid die men absoluut moest najagen, die verworven diende te worden; ik had daardoor een heel slecht geweten, want waar ik ook zocht, ik vond alleen mijn eigen werkelijkheid; en omdat de ideale werkelijkheid, die volmaakt en volledig werd genoemd, nergens te vinden was, had ik het gevoel dat mijn werkelijkheid, al was ze nog zo opdringerig, grof, boosaardig en soms ook vreugdevol, en dus voor mij volledig en volmaakt, niet dé werkelijkheid was, maar alleen de werkelijkheid van het onwerkelijke.

Vreemd genoeg voelde en wist ik precies wat ik weten en voelen moest, maar toch bleef ik me maar afvragen wat de werkelijkheid was; als mijn werkelijkheid niet dé werkelijkheid is, wie ben ik dan, degene die die onwerkelijkheid voelt? vroeg mijn nuchter gebleven verstand zich af, maar omdat ik diep in mijn hart meende dat het onwerkelijke geen werkelijkheid kon zijn, was het zinloos die vraag te stellen; ik meende dat ik een komische overgang was tussen werkelijkheid en onwerkelijkheid, terwijl het ideaal ergens hoog boven mijn hoofd zweefde en, hoewel ik me daartegen trachtte te verzetten, onaantastbaar en heerszuchtig over mij heerste, want ik paste niet in die werkelijkheid, ze had niets met mij te maken en ik kon haar met geen mogelijkheid bereiken, ze was zo machtig dat ik onwaardig was mij met haar naam te tooien; ik had mezelf dus als een nietswaardig, onwerkelijk gedrocht moeten beschouwen, maar wie is tot een dergelijke zelfvernedering in staat? doordat ik de hierboven beschreven gedachten echter niet van me af kon zetten, hoezeer ik dat ook trachtte, had de gewelddadige ideologie van het tijdperk waarin ik leefde, zonder dat ik daar erg in had haar belangrijkste en meest verstrekkende doel bij mij gerealiseerd, want ik zag vrijwillig af van het recht om vrijelijk over mijn leven te beschikken.

Thea hield er geen levensbeschouwing op na, of liever gezegd: haar levensbeschouwing vloeide uit haar instincten voort, want ik geloof niet dat zij zich ooit om zoiets bekommerde; daarom verzette ze zich ook zo heftig tegen een acteerstijl die verlangde dat de speler volledig in de huid kroop van de voorgestelde personages en alle ten tonele gevoerde gebeurtenissen geheel doorleefde; ze was niet bereid haar zintuiglijke realiteit, hoe onwerkelijk ook, datgene wat haar tot mens, tot een warmbloedig, levend wezen maakte en waaruit haar levensbeschouwing voortsproot, tot een werktuig te degraderen en te gebruiken in een door anderen tot werkelijkheid benoemde of op grond van bepaalde conventies als werkelijkheid aanvaarde, zorgvuldig begrensde, enge, ongemakkelijke esthetische vorm; ze zou dat schaamteloos en onecht, belachelijk en zelfs leugenachtig hebben gevonden; zij vroeg zich niet af wie ze was, ze moest zich door haar gebaren verwerkelijken, wat een heel wat riskantere opgave was dan zelfexpressie door middel van zinnen; ze was een vrij mens en toonde op een eenvoudige manier en vrij van elke in dat tijdperk gangbare twijfel wat we gemeenschappelijk hadden, wetende dat ze geen neiging, eigenschap, lichamelijk kenmerk of gelaatsuitdrukking had – kón hebben – die buiten die gemeenschappelijkheid viel.

Als ik op zulke middagen met haar samen was, hielp ze, ja sleurde ze me met haar gebaren – niet met één daarvan maar met alles wat zich van haar instinctief gekozen innerlijke vrijheid manifesteerde – uit het doolhof van mijn waandenkbeelden.

Eigenlijk hadden Thea en ik heel veel gemeen.

In tegenstelling tot mevrouw Kühnert of zelfs Melchior, die met hun lijfelijkheid, ja met hun leven, de naar verborgen en verrassende dieptes leidende weg versperden, meenden wij slechts daarbeneden, bij de wortels van het gevoelsleven, bij de oorsprong, de zin van ons bestaan te kunnen vinden.

Ik was ervan overtuigd dat ik – al was ik misschien dom, onhandig, lelijk, wreed, zoetsappig of arglistig, alles wat uit esthetisch, intellectueel of moreel oogpunt als minderwaardig is te beschouwen – mijn esthetische, intellectuele of morele minderwaardigheid en naar geestelijke verdorvenheid tenderende neigingen met mijn gevoelens compenseerde, die onfeilbaar en onomkoopbaar waren; eerst voelde ik en daarna dacht ik, ik was dus niet zo laf als degenen die eerst nadenken en zich pas daarna veroorloven om zo te voelen als de geldende regels voorschrijven; dankzij deze eigenschap wist ik, als het erop aan kwam, met absolute zekerheid wat goed en wat slecht was, wat je wel en niet kon doen, want bij mij was het morele oordeel geen van het gevoel onafhankelijke, abstracte, alleen om praktische redenen noodzakelijke wetenschap; ik vocht dus even verbeten als Thea voor de suprematie van het gevoel en wilde haar even graag als werktuig gebruiken als zij mij; ik vond evenals zij dat we, in weerwil van lafhartige conventies en banale ethische voorschriften, de mogelijkheid moesten hebben om de innerlijke dynamiek van onze driehoeksverhouding te onderzoeken en ik kon evenmin als zij de uitzichtloosheid van onze situatie aanvaarden, want dan had ik het falen van mijn onfeilbaar geachte gevoelens moeten erkennen en daarmee mijn morele bankroet.

Is het niet komisch dat een mens liever zijn hoofd laat afhakken dan dat hij een bekentenis aflegt die van zo'n pijnlijke nederlaag getuigt?

Met het starten van de auto had Thea altijd veel problemen, ze begon dan te kankeren en noemde het voertuig een stuk oud roest; ik zal waarschijnlijk mijn hele leven met zo'n oud kreng moeten tobben! riep ze dikwijls nijdig uit.

Wat is het eigenlijk merkwaardig dat ik meende bij Melchior vrij te zijn, ofschoon ik mijn sterke lichamelijke afhankelijkheid van hem als gevangenschap ervoer.

Vanaf het moment dat ze haar afschuwelijke zonnebril, waarvan een der poten ontbrak, uit het volgepropte handschoenenkastje of niet zelden tussen de zitting en de rugleuning van de autostoel vandaan had gevist en op haar neus had geplant, waarbij ze het hoofd achteroverhield en het gammele geval onhandig balancerend in evenwicht trachtte te houden, intussen de auto startend om, als dat was gelukt, weg te rijden, werden haar bewegingen bepaald door een zonderlinge, maar voor mij hoogst aantrekkelijke mengeling van fanatiek dilettantisme en nonchalante onoplettendheid, bijna had ik gezegd wanordelijkheid; enerzijds lette ze volstrekt niet op hetgeen ze deed, verzonk ze voortdurend in gedachten en verloor ze het contact met de weg en de zich in de motor afspelende, op het dashboard controleerbare processen, anderzijds schrok ze vreselijk als ze zichzelf op een fout betrapte, zodat we niet zelden in levensgevaar raakten; vol ijver trachtte ze dan, als een vlijtig schoolmeisje, de boel weer recht te breien, waarbij ze gehinderd werd door haar bril, die door de corrigerende bewegingen die ze maakte naar voren klapte of juist helemaal omlaaggleed.

Toch voelde ik me altijd veilig als ze reed; wanneer ik bijvoorbeeld zag dat ze een naderende bocht over het hoofd zag of onvoldoende lette op de doorlopende streep, terwijl de tegenliggers te dicht op elkaar reden om lang op de inhaalstrook te blijven, hoefde ik slechts zachtjes op te merken hoe glad, nat, recht of bochtig de weg was of ze corrigeerde de fout al; ik geef toe dat mijn vertrouwen in haar rijvaardigheid niet geheel vrij was van naïviteit, maar ik putte mijn zekerheid nu eenmaal uit diepere bronnen dan het wegenverkeersreglement: zodra ik in de auto zat, deed ik afstand van mijn leven en zei tegen mezelf: lieve God, als ik moet sterven, laat het dan maar gebeuren; hierdoor stelde ik me als het ware open voor de humoristische aspecten van haar rijstijl; de diepere oorzaak van haar gedrag was dat ze veel te veel vertrouwen in het leven stelde om zich te bekommeren om allerlei pietluttige veiligheidsvoorschriften; zij hield zich met andere zaken bezig, ze zou niet door een stompzinnig toeval om het leven komen; zonder dat ze de goden of de voorzienigheid in onze aangelegenheden betrok, drukten haar bewegingen uit dat een mens nooit door onoplettendheid om het leven komt; zelfs als het oppervlakkig gezien lijkt alsof een ongeval het onmiddellijk gevolg is van onvoorzichtig handelen, is er in werkelijkheid een andere oorzaak, het staat alleen maar zo in de krant; oplettendheid en voorzichtigheid kunnen ons niet redden en omzichtige voorzorgsmaatregelen niet voor ongevallen behoeden; het is toeval als we ons in de vinger japen of in een glasscherf, een spijker of een schelp trappen, maar ons sterven heeft absoluut niets met toevalligheden te maken; met deze, het gehele leven omvattende slotconclusies was ik het volledig eens, al placht ik, door me met mijn voeten af te zetten, mijn rug stevig tegen de rugleuning te drukken, zodat ik het op een nogal lachwekkende manier klaarspeelde om me tegelijk wel en niet over te geven aan het Lot, wat zo humoristisch was dat ik er zelf van genoot.

Hobbelend en rammelend reden we met het wolken uitlaatgas verspreidende vehikel de stad uit.

Als ik op de avond voor mijn definitieve vertrek uit Berlijn, mijn aantekeningen over de repetities niet had vernietigd, had ik de door mij waargenomen en bijna dagelijks genoteerde veranderingen van Thea's gemoedstoestand nog eens de revue kunnen laten passeren en gedetailleerd beschrijven; ik herinner me in elk geval nog wel dat ze in de hier beschreven periode weinig sprak en zich stil en grootmoedig gedroeg; we wisselden in die tijd meestal maar weinig woorden onderweg.

Dat ik mijn aantekeningen vernietigde door ze in Melchiors witte tegelkachel te verbranden, was in niet geringe mate de schuld van mevrouw Kühnert, die, toen het tot haar doordrong dat mijn relatie met Thea steeds inniger werd, me begon te attaqueren met een woede voortkomend uit pure en slechts nauw verholen jaloezie, waarbij ze echter de deemoed voorwendde van iemand die zich vol overgave in het onafwendbare schikt; ze probeerde me wijs te maken dat wat ik als een merkwaardige en opwindende gedragsverandering van Thea beschouwde, absoluut niets, maar dan ook helemaal niets had te betekenen; Thea had schoon genoeg van onze relatie, die hing haar mijlenver de keel uit, maar doordat ik zo onnozel was, merkte ik niet dat ik slechts een werktuig in haar handen was, een middel dat ze gebruikte om haar doel te bereiken, maar na gebruik zou weggooien; zijzelf voer overigens wel bij onze relatie, voegde ze eraan toe, want ik nam haar daarmee bepaalde lasten van de schouders, ik verving haar als het ware; ze overdreef niet als ze zei dat ze Thea al twintig jaar kende en eigenlijk al twintig jaar lang een soort levensgezellin van haar was, zodat ze me met de nauwkeurigheid van een dienstregeling kon zeggen wat ze allemaal uitspookte en wanneer, van dag tot dag, van uur tot uur, ja van minuut tot minuut; overigens zou ze nooit zo oprecht tegen me zijn geweest als ze niet gemerkt had dat Thea de laatste tijd steeds meer beslag op me legde.

Op de eerste repetitie gedraagt ze zich altijd rustig, plechtig en ongenaakbaar, zei ze, pronkend met haar Thea-logische kennis en me zo dicht naderend dat ik vreesde dat ze in mijn mond zou kruipen; Thea is eigenlijk geen mooie vrouw, maar ze kan zich ongelooflijk mooi maken; onder ons gezegd: ze tovert haar schoonheid uit het niets tevoorschijn; zo is ze bijvoorbeeld voortdurend bezig met haar kapsel: ze verft haar haar, knipt het af of laat het juist groeien; met mij wisselt ze geen woord, elke vrije minuut brengt ze door met Arno, op wie ze weer even verliefd is als in haar jeugd; na het werk vliegt ze naar huis om tochtjes met hem te maken, waaraan Arno, die van beroep bergbeklimmer is, overigens een vreselijke hekel heeft; ze maakt groenten in, schildert de kamers, maakt het huis schoon en naait kleren, maar vanaf het eind van de tweede of het begin van de derde repetitieweek zwaait ze bij het weggaan alleen maar even naar me – op het ogenblik flikt ze me dat weer elke middag – en rijdt ze ergens heen, waar ze zich ladderzat drinkt; ze misdraagt zich dan even erg als de gemeenste kerels, valt iedereen lastig, zingt, boert, kaffert de obers uit, laat winden en kotst de hele tafel onder, je kunt het zo gek niet verzinnen of ze heeft het al eens uitgehaald; het eind van het liedje is dat ze van de onmogelijkste plaatsen naar huis moet worden gebracht; de volgende ochtend laat ze de regisseur weten dat ze doodziek is en hij niet op haar hoeft te rekenen; het spijt haar vreselijk, maar als ze de dokter mag geloven, kan het wel maanden duren voordat ze weer hersteld is, ze heeft een zenuwinzinking, een maagzweer, een ernstige ziekte, iets waarover je niet spreekt, een hoogst intieme zaak, een vrouwenkwaal, waarschijnlijk een gezwel in de baarmoeder, want het bloedt vreselijk, een nierkoliek of een ontsteking van de stembanden; het gebeurt ook wel dat ze zich naar de schouwburg sleept en zich daar goed houdt, zo goed dat ze, als de repetitie in volle gang is, een hysterische huilbui krijgt en haar rol wil teruggeven; natuurlijk moet er dan met haar gepraat worden, men wijst haar op haar onmisbaarheid, troost en smeekt, en ze laat zich ook overtuigen, maar verzinkt daarna in een afschuwelijke depressie, waar niet mee te spotten valt: ze blijft in bed liggen, is niet in staat zich aan te kleden, laat haar haar vet worden en verzuimt de nagels van haar tenen en vingers te knippen, wat ik dan maar doe; intussen wordt ze door een afschuwelijke gewetenswroeging gekweld vanwege haar collega's, die ze voor de zoveelste maal lelijk in de steek heeft gelaten, hoewel het juist zulke schatten van mensen en begaafde acteurs zijn; en hoe dankbaar moet ze niet zijn dat ze onder leiding van zo'n voortreffelijke regisseur als Langerhans mag werken, die alles uit haar haalt wat eruit te halen valt.

Ze wordt attent, je kunt niets aan haar vragen wat ze niet met liefde voor je doet, ze koopt cadeautjes, verlangt naar een baby, maar krijgt steeds meer genoeg van Arno, die de hele dag in die naargeestige flat omhangt, hoewel zijn wereld boven is, op de toppen van de bergen; ze wil op zijn minst een huis met een tuin voor hem kopen, heeft medelijden met hem en voelt zich ongelukkig omdat ze met zo'n stakker haar leven verdoet, zodat ik elke avond de grootste moeite heb haar zover te krijgen dat ze in de auto stapt en naar huis rijdt; maar als ze 's avonds gespeeld heeft, lukt dat van geen kanten, dan verboemelt ze de hele nacht met de een of ander, gaat met hem naar bed, wordt verliefd en wil zich laten scheiden, want ze kan zo niet meer verder leven; ze flapt er van alles uit, gaat op de versiertoer, probeert Jan en Alleman het hoofd op hol te brengen, vrouwen evengoed als mannen, en wie niet op haar avances ingaat omdat hij zelf moeite heeft zijn rol onder de knie te krijgen, heeft het bij haar voorgoed verkorven, die treitert, bedreigt of hindert ze als ze met hem repeteert, waarna ze zich bij de regisseur over zijn gebrekkige rolkennis beklaagt; overigens wordt ze zelf ook gehaat en gepest en bij de regisseur zwartgemaakt, want je moet niet denken dat dit soort gedragingen typisch zijn voor Thea, nee, zo doen ze allemaal, de schouwburg is één groot gekkenhuis;

overigens verkeren we momenteel weer in de fase waarin ze zich gedeisd houdt, want de dag van de première komt dreigend naderbij;
daarom durf ik ook te beweren dat er geen sprake is van een gedragsverandering; ze zet zichzelf op een laag pitje en realiseert zich opeens
dat ze weer helemaal alleen is, dat niemand haar helpt of kan helpen en
ze haar door mensen van vlees en bloed opgewekte hartstochten alleen
op het toneel kan botvieren, want als ze zulke intense gevoelens in haar
leven toeliet, zou ze zichzelf te gronde richten; o nee, ze is heus niet zo
argeloos en spontaan als u denkt, ze springt heel voorzichtig en zuinig
met zichzelf om, per slot van rekening is ze alleen maar geïnteresseerd
in wat er op het toneel gebeurt en hoe ze uit zichzelf kan halen wat ze
daar nodig heeft; als ik u een raad mag geven: ziet u die gedragsveran-
deringen van haar alleen als pogingen om de krankjoreme emoties op
te wekken die ze nodig heeft voor de een of andere toneelrol; ze gros-
siert erin; in wezen is Thea namelijk een absoluut niets en hoe u uw
ogen ook inspant, u zult haar nooit te zien krijgen; op het ogenblik ziet
u bijvoorbeeld niet haarzelf, maar alleen de kenmerken, de karaktereigenschappen, of hoe je dat noemt, waardoor ze zich onderscheidt van
een kil, afgrijselijk vrouwmens dat de dood van haar schoonvader wil
benutten om koningin te worden; iemand met een normaal verstand
zou nooit aan zoiets beginnen, maar zij is niet degene die ze schijnt, ze
is elke keer opnieuw in staat zich in te leven in een rol die absoluut niet
bij haar past; Thea is alleen maar een reusachtig tekort, een niets; als u
haar werkelijk wilt helpen, moet u dat niet vergeten.

Ik wilde Thea echter helemaal niet helpen, waarschijnlijk had mevrouw Kühnert zich laten misleiden door mijn attentheid, bijna overdreven beleefdheid en bereidvaardigheid of door mijn dienstvaardige
nederigheid, die door mijn brandende nieuwsgierigheid werd gevoed;
het streelde eenvoudig mijn ijdelheid dat Thea even geïnteresseerd
was in mij als ik in haar; als ik werkelijk iemand had willen helpen was
dat Melchior geweest; ik had dus veel meer het gevoel dat ik Thea als
werktuig gebruikte dan zij mij; mevrouw Kühnert kon mij krenken
noch definitief van mijn illusies beroven omdat ik tot het tijdstip waarop mijn fanatieke, koelbloedige intriges een gunstige gelegenheid
hadden geschapen, even koel rekening hield met haar karaktereigenschappen en de daaruit voortvloeiende omstandigheden als een be-
roepscrimineel bij het beramen van een grote misdaad.

Niettemin duurde het geruime tijd voordat ik enig inzicht had in
het ingewikkelde vraagstuk wanneer ze mevrouw Kühnert een lift gaf

en wanneer ze haar zonder boe of ba te zeggen voor de schouwburg liet staan; Thea zei nooit waar we naar toe gingen, alsof ze dat niet wist of dit zo vanzelfsprekend was dat ze zich die moeite kon besparen; de hoofdzaak was uit de buurt van de schouwburg te raken, naar elders te gaan – waarheen deed er niet toe – en alleen te zijn, of beter gezegd: in mijn gezelschap te verkeren, wat voor haar een bijzondere manier van alleen zijn was; als we bijvoorbeeld naar de Müggelheimer Graben, het kasteel van Köpenick, het natuurreservaat ten zuiden van Grünau of naar Rahnsdorf gingen, brachten we mevrouw Kühnert altijd eerst naar de Steffelbauerstraße, waar we toch langskwamen, en zetten haar daar af, maar het is ook heel goed mogelijk dat Thea deze reisdoelen alleen maar koos om haar vriendin thuis te kunnen brengen, in welk geval ze zich liet leiden door haar gevoelens of de wens beleefd te zijn tegen mevrouw Kühnert; verlieten we de stad echter in westelijke richting en reden we langs de fraaie, brede Havel in de richting van Potsdam of in oostelijke richting naar Strausberg en Seefeld, dan lieten we haar gewoon voor de schouwburg staan, Thea zwaaide hoogstens even bij wijze van afscheid, maar liet soms ook dat achterwege, wat mevrouw Kühnert, die in haar woede en jaloezie onverschilligheid voorwendde, zogenaamd niet opmerkte, terwijl Thea deed alsof deze manier van afscheid nemen de gewoonste zaak van de wereld was.

Dit alles bleef natuurlijk niet zonder gevolgen, maar ze lieten er kennelijk niet hun vriendschap door verstoren.

Eigenlijk had ik geen reden om te twijfelen aan wat mevrouw Kühnert me over Thea had verteld, natuurlijk kende zij Thea al veel langer dan ik en was ze haar boezemvriendin, terwijl ik haar nog maar kort geleden voor het eerst had ontmoet, al betekende dit niet noodzakelijkerwijs dat ze haar beter kende, want zij kende haar zoals de ene vrouw de andere pleegt te kennen, maar al haar subtiele, heimelijke aansporingen, bewegingen, stembuigingen en lichaamssignalen die slechts voor mannen waren bestemd, nam ze slechts met de ogen van een buitenstaander waar, ik daarentegen als ingewijde; als Thea's werktuig en slachtoffer voelde ik de uitwerking hiervan zelfs in en aan mijn lichaam; in elk geval bezagen wij haar uit een verschillend perspectief; overigens kende ik mevrouw Kühnert al voldoende om haar gecompliceerde bedoelingen te doorzien en de zin en samenhang van haar overdrijvingen te begrijpen.

Ik begreep dus waarom geen enkel door haar genoemd aantal jaren met de werkelijkheid overeenstemde: evenmin als het leeftijdsverschil tussen Thea en Melchior twintig jaar bedroeg, klopte het dat ze Thea al twintig jaar kende, ze had haar tien jaar geleden voor het eerst ontmoet; hoewel ik haar op dit soort kleine overdrijvingen betrapte, had ik geen reden om aan de geloofwaardigheid van haar indiscrete mededelingen te twijfelen, ik had veeleer het gevoel dat overdrijving en oprechtheid, indiscretie en leugenachtigheid niets anders dan tactische strijdmiddelen voor haar waren, die ze in een grootscheepse en qua hevigheid alleszins indrukwekkende zenuwoorlog benutte.

Mevrouw Kühnert had verschillende redenen om bijgelovig vast te houden aan dit magische aantal: in de eerste plaats was er een zekere vrouwelijke rivaliteit in het spel: door van twintig in plaats van tien jaar te spreken en aldus Thea ouder te laten schijnen dan zij was, wees zij haar rivale, die in werkelijkheid slechts een paar jaar eerder was geboren, maar in alle opzichten meer bereikt had dan zij, de plaats die haar op grond van haar hogere leeftijd toekwam; in de tweede plaats – en dit was de belangrijkste reden – beoogde ze met deze hardnekkige leugen hetzelfde als met haar gevaarlijk oprechte, ja indiscrete en een vriendin volstrekt niet passende mededelingen over Thea's beroepshysterie: zij wilde mij als het ware met een beroep op de biologie, de esthetica en de ethiek tegen Thea opzetten.

Ik moet toegeven dat haar mededelingen, hoewel ik er geen bijzondere betekenis aan hechtte noch veel over nadacht, mijn belangstelling voor Thea tot op zekere hoogte verminderden en mij dwongen weer de castraatrol van onpartijdig waarnemer te gaan vervullen in plaats van die van emotioneel participant; mevrouw Kühnert was precies op het precaire moment tussenbeide gekomen waarop onze wederzijdse belangstelling ons nader tot elkaar had kunnen brengen; met haar schijnbaar onschuldige, door jaloezie ingegeven monoloog had zij het gewaagd een gebied te betreden waar zij volgens de ongeschreven regels der door mannen en vrouwen te baat genomen liefdesstrategieën niets had te maken.

Thea liet zich door dit alles niet van de wijs brengen, maar weerstond dergelijke ongeoorloofde invallen vastberaden en met een bijna mystieke rust.

Ze scheen al mevrouw Kühnerts uitgekiende psychologische oorlogsoperaties en gevoelsdiplomatieke manoeuvres te doorzien, want ze was voortdurend op haar hoede, ook op die winderige middag van een der laatste oktoberdagen, toen mevrouw Kühnert me voor de kleedkamers in een hoek had gedreven en, zwaar hijgend en in mijn oor fluisterend, een boeiende en van veel vakkennis getuigende monoloog begon af te steken over de wijze waarop een acteur afstand behoort te nemen van de rol waarop hij zich voorbereidt; terwijl haar relaas nog in volle gang was, kwam Thea uit haar kleedkamer op ons toesnellen; ze hoefde slechts een blik op het verhitte gelaat van haar vriendin te werpen om niet alleen te weten wat er aan de hand was, maar ook wat haar te doen stond; gebruik makend van haar sensibele alwetendheid en haar almacht over haar medemensen, greep ze onmiddellijk mijn hand en riep uit: je hebt hem nu wel genoeg voorgejokt, Sieglinde! waarna ze mevrouw Kühnerts gezicht even met haar wang aanraakte, alsof ze zo'n verschrikkelijke haast had dat ze haar alleen een vluchtige afscheidskus kon geven en er meteen van door moest, uiteraard samen met mij; na me aldus uit mijn penibele situatie bevrijd te hebben, sleurde ze me in de meest letterlijke zin des woords de deur uit, wat mevrouw Kühnert niet alleen als een wraakneming maar ook als een ontmaskering opvatte, zodat ze na die half wel half niet ontvangen kus in een toestand van verontwaardiging, verbijstering en lichamelijke machteloosheid achterbleef, alsof men haar een dolk in het hart had gestoten; bijna meende ik bloed uit dit orgaan te zien gulpen.

Meegevoerd door het elan van haar superioriteit had Thea al de overzijde van de straat bereikt, maar toen we in de auto stapten, zag ik aan haar gezicht hoezeer ze zich ergerde aan de scène met mevrouw Kühnert, haar humeur was grondig bedorven; onderweg zweeg ze geruime tijd en ze zei pas weer iets toen we al uit de auto waren gestapt.

Ik herinner me niet meer in welke richting we die keer de stad hebben verlaten, want ik vertrouwde, net als wanneer ik met Melchior ergens heen ging, volkomen op haar kennis van de omgeving, zodat ik alle tijd had om behalve het mij onbekende en met de kracht van een ontdekking op me inwerkende landschap ook al haar gebaren en gelaatsuitdrukkingen in me op te nemen.

Aanvankelijk reden we met grote snelheid over een bijna verlaten verkeersweg, maar opeens sloeg ze een landweg in die in het bijna volkomen vlakke, soms door weelderige bosjes en ragfijn getekende kanalen, rivieren en meren onderbroken landschap rechtstreeks naar het middelpunt van de schotelronde aarde scheen te voeren, welke illusie nog werd versterkt door de gelijkmatig gewelfde hemel daarboven; op die landweg begon de auto te hobbelen en te slingeren en toen we een flauwe helling opreden gaf de motor er stotterend de brui aan; Thea probeerde niet verder te rijden, ze liet de motor gewoon afslaan en trok de handrem aan.

Als we de stad eenmaal verlaten hadden, deed het er volstrekt niet toe waar we ons bevonden.

De heuvel waarop we waren gestopt was een van die verraderlijke verhevenheden die door hun vriendelijk ogende, langwerpige vorm de indruk wekken dat ze gemakkelijk te beklimmen zijn, terwijl je, als je eenmaal boven staat, volkomen buiten adem bent; vanaf de landweg leidde een onverhard pad, een onweerstaanbare uitnodiging voor oog en voeten, naar de zijkant van de heuvel, waar het op de vlakke heuvelkam verloren ging, alsof het zich in het firmament oploste; we besloten dat pad te volgen; met haar handen nonchalant in de schuingesneden zakken van haar jas gestoken slenterde Thea langzaam, in gedachten verzonken voor me uit, terwijl ik peinzend in de verte staarde en me afvroeg door wiens voetstappen zulke paadjes ontstaan en wat hun functie is.

Ik had mezelf evengoed de nutteloze vraag kunnen stellen waarom de mens de wereld in het net van zijn geheimzinnige doeleinden tracht te vangen en hoe hij daarbij verstrikt raakt in het net dat anderen over hem uitwerpen.

De ondergaande zon doorbrak met haar schijnsel heel even het loodgrijze wolkendek, dat eruitzag als een verzameling reusachtige opgerolde gordijnen; in de spleten tussen de wolken lichtte het uitspansel geel-, blauw- en purperachtig op; er stond een krachtige wind, maar op de kale vlakte was er behalve ons niets waar hij vat op kon krijgen, zodat het landschap ondanks de storm een verstilde indruk maakte.

Soms klonk de roep van een vogel en trokken er lange, vage schaduwen en koude, flitsende lichtverschijnselen voorbij.

De atmosfeer was zo helder dat de verre, sierlijk gebogen lijnen van het landschap met een tekenpen leken te zijn getrokken en alles zich schijnbaar binnen handbereik bevond; mijn lichaam had absoluut geen last van de kou, integendeel, mijn bewegingen werden er kwiek en krachtig door.

Dergelijke gewaarwordingen heeft een mens alleen in noordelijke streken, waar de doorzichtige, heldere koude van het landschap de lichaamswarmte afstoot en de inwendige energieën van die warmte voelbaar maakt, zodat het lichaam zich met een natuurlijke gratie en zekerheid beweegt.

Opeens bleef Thea staan; ik liep naar haar toe, maar bleef op enige afstand van haar eveneens staan, in de onmetelijke ruimte waarin we ons bevonden, zou een te grote nabijheid storend zijn geweest; ze wachtte niet tot ik bij haar was gekomen, maar vervolgde haar weg na een vluchtige blik op me te hebben geworpen, alsof ze zich ergens van wilde vergewissen; ik hoorde haar mompelen dat er geen reden was om boos te zijn op Sieglinde, die een beste meid was en altijd volkomen gelijk had, wat ze ook zei of deed.

Toen we de top van de ronde, licht golvende heuvel hadden bereikt, toonde de streek ons een nieuw gelaat; de rustige, waardige schoonheid van het landschap was zo indrukwekkend dat spreken onmogelijk werd.

Aan de andere kant van de heuvel, waar de milde aardwelving door het gewicht van haar reusachtige massa was afgebrokkeld, liep het pad tamelijk steil en kronkelend omlaag; in een door uitlopers van de heuvel omsloten diepe kom zagen we een tegen de wind beschut meertje liggen, dat met een vlies bedekt scheen te zijn; wat verderop waren de lichte strepen van een stoppelveld zichtbaar en ook de wazige hanekammen van een tot de horizon doorlopend, ijl bos; de ronde vormen van enkele eenzame struiken verhoogden de kalme, verheven schoonheid van het landschap.

Een poosje stonden we op de schijnbaar hoge, maar in werkelijkheid lage heuveltop in de houding waarin men een panorama pleegt te bewonderen, geheel verzonken in de aanblik van het grootse landschap voor ons; het was een van die plaatsen waarvan men vaak op gevoelvolle toon zegt: o, het was daar zo mooi, zo onwaarschijnlijk mooi dat ik moeite had om weer weg te gaan, ik had er wel tot het einde van mijn leven willen blijven! wat eigenlijk neerkomt op de nostalgische en bijna smartelijke bekentenis dat we met de natuur, hoe mooi ook, niets kunnen beginnen, we kunnen ons er niet mee vereenzelvigen, hoe graag we dat ook willen, het is eenvoudig onmogelijk; de natuur is te groots en te wijds en staat te ver van ons af, we voelen ons er niet meer in thuis, misschien zijn we er wel te vitaal voor en moeten we eerst sterven; we kunnen ook niet te lang op zo'n plek vertoeven en gaan na korte tijd op zoek naar een andere uitkijkplaats, in de hoop daar te kunnen blijven, hoewel we eigenlijk die eerste plaats niet zouden moeten verlaten, die volmaakt is en blijft, ook als we ergens anders heen gaan.

Toen we via het pad naar het niveau van het meertje waren afgedaald, waar we ons weer op de gewone, vertrouwde hoogte bevonden en het uitzicht tot normale, menselijke proporties was ineengeschrompeld, bleef Thea staan en draaide zich naar me om.

Soms zou ik Sieglinde de ogen kunnen uitkrabben, zei ze op kalme, nadenkende, bijna gevoelige toon.

Het was alsof ik in haar woorden de rust van de wind, de wolken en het landschap hoorde; ze had zich niet alleen lichamelijk maar ook geestelijk omgewend, want ze sprak over gebeurtenissen die reeds achter ons lagen, al waren ze nog maar kort geleden voorgevallen.

Maar als ik haar niet had gehad, had ik er misschien al een eind aan gemaakt, voegde ze eraan toe.

Ik hoorde een lichte nostalgie in haar stem, een naar zelfmedelijden zwemende weemoed die sinds de aanblik van het landschap als een milde, verlangende pijn in ons was achtergebleven, maar die ze van zich af wilde schudden omdat ze eigenlijk nooit medelijden met zichzelf had; ze stemde haar gedrag voortdurend af op de rollen die ze in de schouwburg moest spelen, en als ze toch een tikkeltje zelfmedelijden had, was dat slechts een ondefinieerbare, nauwelijks te verklaren emotie; ze glimlachte spottend, geamuseerd door haar eigen onbedwingbare nieuwsgierigheid, en vroeg toen wat mevrouw Kühnert nu weer over haar had verteld.

Ik deinsde achteruit voor haar glimlach, want al was Thea zich zelf kennelijk ook bewust van het kleingeestige van haar vraag, ik ergerde me er toch aan, met name in dit grootse landschap, zodat ik niet bereid was antwoord te geven, bovendien zou ik mijn eigen plannen hebben gedwarsboomd als ik mevrouw Kühnerts woorden had overgebriefd; o, niets bijzonders, al moet ik zeggen dat ik weinig mensen ken met zulke primitieve opvattingen over de manier waarop acteurs in hun rol groeien, antwoordde ik, in de hoop me met een theoretische uitweiding uit de penibele situatie te redden.

Ze reageerde met een zuur glimlachje op mijn ontwijkende manoeuvre en vroeg of mevrouw Kühnert op acteurs in het algemeen of speciaal op haar had gedoeld.

O, wat ze zei, gold volgens mij voor veel mensen, voor iedereen, antwoordde ik.

Toch is ze absoluut niet primitief, zei ze nadenkend – waarschijnlijk vroeg ze zich af waarom ik haar vraag niet werkelijk beantwoordde –, ze heeft wel weinig opleiding en culturele vorming genoten, maar ze is intelligent en weet van alles; op haar gezicht verscheen opnieuw die hardnekkige, spottende glimlach.

Heeft ze je soms verteld dat ik me af en toe volledig laat gaan en me dan vreselijk ordinair gedraag? we kennen elkaar zo goed dat ze tot in de kleinste details op de hoogte is van mijn misdragingen, voegde ze er verklarend aan toe.

Bevreemd keek ik haar aan; ze knikte – waarschijnlijk had ze niet meer van me verwacht – en legde haar hand met een bijna teder gebaar op mijn arm.

Er zijn twee mensen op de wereld die werkelijk om me geven en van wie ik houd, de rest kan me gestolen worden, zei ze; wat ik ook doe, bij hen ben ik altijd welkom en ze zien me liever komen dan gaan.

Ik weet het, zei ik.

We keken elkaar geruime tijd aan, bijna op dezelfde wijze als we daarvoor naar het landschap hadden gekeken, ik wist inderdaad wie ze bedoelde en zij was er waarschijnlijk van overtuigd dat ik dat wist; het was het moment waarop ze niet alleen mevrouw Kühnert haar psychologische diplomatie vergaf, maar ook mij het geestelijke verraad waarmee ik probeerde Melchiors belangen te dienen.

Twee menselijke wezens stonden tegenover elkaar in een landschap met een machtiger ademhaling dan de hunne en ze begrepen elkaar, maar dit begrip had niets te maken met verstand of gevoel, het belangrijkste was op dat moment een natuurlijk gegeven waaraan we tot dan niet veel betekenis hadden gehecht, noch verstandelijk noch gevoelsmatig: dat zij een vrouw was en ik een man.

Het moment oversteeg onze mogelijkheden en bedoelingen, het verwees naar onze verschillende natuurlijke eigenschappen en naar de enige mogelijkheid om dit verschil te overbruggen, en doordat we er geen vat op hadden, bracht het ons in grote verwarring.

Ze liet onze verwarring niet nog meer toenemen, maar trok haar hand, die nog steeds nauwelijks voelbaar op mijn arm rustte, met een snelle beweging terug en haalde met een bijna komiek gebaar haar schouders op; vol overgave maar toch niet zonder een zweem van koele behaagzucht wendde ze zich af en liep door over het pad, ontstijgend aan de achter ons liggende stad en het landschap de rug toekerend; haar schreden voerden haar in de richting van het verre bos.

Table d'hôte

O, hoezeer is mijn hartstochtelijk gemoed ondanks mijn heldhaftig verzet blootgesteld aan de ruwe driften die gemeenlijk laag, duister of – nog gemeenzamer – smerig, worden genoemd en door de fijner besnaarden liederlijk, duivels, verachtelijk en zondig! overigens volkomen terecht, haast ik mij hieraan toe te voegen, alles wat ik in het nu volgende noodgedwongen zal beschrijven houdt immers ten nauwste verband met de onreine eindprodukten van het menselijk organisme, dat wil zeggen met functies als wateren, zich ontlasten en zijn gerief vinden, ofschoon men met minstens evenveel recht de vraag zou kunnen stellen of deze driften niet evenzeer bij ons horen als onze tot een angstvallige lichaamshygiëne leidende zeden en normen, die tot taak hebben hen te bestrijden; hoe het ook zij, of ik het onreine nu als een intrinsieke eigenschap van mezelf beschouw dan wel als vreemd aan mijn wezen, of ik de mij toegeworpen handschoen opneem dan wel met een vermoeide schouderophaling berust in het kwaad, het bestaat en laat zich met zijn onmiskenbare macht onophoudelijk als een soort pornografie van goddelijke oorsprong voelen; als ik het in wakende toestand voorzichtig afweer, grijpt het me aan in mijn slaap en toont met heimelijk genoegen zijn absolute macht over mijn lichaam en geest, er valt niet aan te ontkomen, ik moet er eenvoudig aan geloven! zoals weer eens het geval was in de nacht na mijn aankomst in Heiligendamm, laat ik dit bij wijze van verhelderend voorbeeld beschrijven; toen ik namelijk voor alles wat mij kwelde – mijn talrijke zorgen, mijn dwaze artistieke twijfels, mijn droevige maar toch ook opwindende herinneringen aan mijn ouders en kinderjaren, de naweeën van de in vele opzichten zenuwslopende reis, alsmede de zoete maar drukkende last van het nogal schokkende afscheid van Helene – in een verkwikking belovende, diepe, lange, zuiverende slaap wilde vluchten, wekte 'het' me op een brutale wijze, hoewel het me toen veel zachter en barmhartiger behandelde dan gewoonlijk en me niet het beeld toonde van een naakte, zijn gestrekte fallus aanbiedende man; in plaats daarvan manifesteerde het zich als een volkomen onschuldig droombeeld, zodat ik het gemanifesteerde zonder overdrijving een genadige weerspiegeling van mijn hulpeloosheid kan noemen.

Ik bevond mij in een regenachtige straat waarin overmatig luide voetstappen weerklonken; de door het vage schijnsel der gaslantaarns raadselachtig gevlekte nacht nam mij zo zacht, glad, en gespierd in zich op als alleen een liefhebbende vrouwenschoot of natuurlijk de slaap zelf vermag te doen, dus verzonk ik er met genoegen in, ja ik gaf me volkomen over aan de schoonheid van het door gelige lichtkringen opgehelderde duister, en omdat dit nachtelijke straatbeeld een verrassende gelijkenis vertoonde met haar, met niemand minder dan Helene, ofschoon er geen duidelijke aanwijzingen waren dat zij er inderdaad door werd belichaamd, liet ik al mijn gevoelens en verlangens zonder vrees of terughoudendheid de vrije loop, alsof ik daar recht op had, alsof zij het werkelijk was en ik haar achteraf nog de gevoelens kon schenken die ik haar – en natuurlijk ook mezelf – in wakende toestand, door de omstandigheden belemmerd, zelfs op de hartstochtelijkste momenten van onze vereniging had moeten onthouden.

Het was alsof het Goede, het allerhoogste Goede dat alles overstraalt, zich opmaakte zijn macht over mij uit te breiden en ik mij daaraan met lichaam en ziel moest toevertrouwen, een lichaam en ziel die het overigens al in zijn bezit had genomen, want het had mij geheel ingelijfd, het was mij geworden en ik het, maar toch scheen het me nog steeds iets te willen geven en ook mijn vrijgevigheid kende geen grenzen; mijn eigenaardig luide voetstappen weerklonken op de weg van het Goede, want daarop bevond ik mij, op de weg van het Goede, en deze nacht was de nacht van het Goede, en ook de duisternis en de lichten waren onmetelijk goed; ik voelde dat ik naarmate ik meer wegschonk ook meer kon geven, en dat was goed, het was verrukkelijk, al scheen het geluid van mijn voetstappen in een uiterst kille, lege ruimte te weerklinken.

Hiervandaan kon ik het al zien, want de aard van het Goede was zichtbaar geworden; ik negeerde vanaf dat moment het storende geluid van mijn voetstappen en begon te beseffen dat er nog iets beters was – moest zijn – dan het Goede en dat dit mij te beurt zou vallen, immers: als ik zo ongedwongen en vrijelijk al dat goede kon ervaren, moest de Verlossing waarnaar ik zo hartstochtelijk verlangend uitkeek, ja waarop ik rekende, zich al in stilte hebben voltrokken en zou er een einde komen aan mijn afschuwelijke verdriet, waarmee het onaangename geluid dat mij kwelde rechtstreeks verband hield.

Ach, de liefde die mij gegeven is, is groot! zij stelt mij in staat van alles te houden: van de straatstenen, die door het erlangs strijkende licht geabsorbeerd schijnen te worden; van de waterdruppels, die op het punt staan van de kale takken te vallen; van het naargeestige geluid van mijn voetstappen; van de gasvlammen, die zachtjes wiegen boven het zich in de lampeglazen verzamelende water; van de duisternis, die mij in staat stelt licht te zien; van de onverhoeds voorbijschietende schaduw van een kat en het bijna onzichtbare spoor dat haar poten in de nacht achterlaten; van het rijkelijk versierde en fijn gelede, glanzende oppervlak van de opdoemende lantaarnpalen en van het roestige knarsen, dat het oor in zo'n liefdesroes nauwelijks kan horen.

Ook het oog zoekt tevergeefs en schijnt elk ogenblik als een zeepbel uit elkaar te kunnen spatten.

Het knarsen werd luider; het gedruis van mijn voetstappen op de stenen achter mij latend liep ik erheen; ijzeren deuren knarsen zo roestig in de wind, maar er was op dat moment helemaal geen wind! in de hoop dat dit het laatste geklikklak van mijn schoenen zou zijn en daarna niets meer de dichte duisternis zou verstoren, liep ik door, maar mijn schreden veroorzaakten nog steeds dat geluid, bij elke stap klonk het opnieuw.

Op dat moment zag ik me op mezelf toelopen!

Maar hoe kon ik het duister voor dat afschuwelijke geluid behoeden?

Ik stond in de opengewaaide deur in de stank en luisterde aandachtig naar mijn voetstappen.

De wind sloeg de ijzeren deur knarsend dicht, hij viel met een klap toe en maakte mij onzichtbaar, maar het volgende ogenblik vloog hij weer wagenwijd open en zag ik mezelf daar staan wachten.

Waar was ik eigenlijk?

De plaats was me geenszins onbekend, ook al wist ik niet precies waar ik me bevond, of liever gezegd: dit was juist de vraag, waar was ik, als ik me gelijktijdig hier en daarginds bevond? mijn situatie was hierdoor zo beklemmend dat ik het liefst was gaan schreeuwen, wat ik ook stellig gedaan zou hebben als ik niet geschroomd had het donker met nog meer lawaai te verstoren; nog steeds liep ik op straat, op de weg van het Goede, ik wist namelijk zeker dat het de weg van het Goede was, niemand moest proberen me iets anders wijs te maken; en toch liep de straat rechtstreeks naar die deur, de kale bomen en de natte lantaarnpalen aan weerszijden van de straat schenen me als onverbiddelijke wachters de richting te wijzen, een andere kant opgaan was onmogelijk! ik moest die ijzeren deur bereiken, waaraan te veel schande, verlangen, angst, nieuwsgierigheid en vernederingen kleefden om me onbekend te zijn en die allerlei gevoelens in me opwekte die ik mezelf het liefst had bespaard; en toch wachtte ik nu op deze welbekende plaats op mezelf, in de doordringende stank van teer en urine; ik moest er al lang gestaan hebben, want de stank had zich in mijn kleren – waar was trouwens mijn hoed? – en zelfs in mijn poriën genesteld, hij hing als een deken om me heen, zelfs mijn haar rook ernaar; er was dus geen ontkomen aan, ik was onherroepelijk gevangen.

Er was echter iemand die mijn droom beheerste, want hoe werkelijk alles ook leek, ik wist de hele tijd dat het slechts een droom was, waaruit ik elk moment kon ontwaken, er was dus niets om me over op te winden; die iemand hield de touwtjes echter stevig in handen en liet me niet wakker worden; ik kon me niet meer herinneren wie die persoon was, hoewel zijn stem me heel bekend voorkwam, en toen hij fluisterde dat hij geen genade zou kennen, absoluut niet, deed hij dat heel zachtjes, met een verstikte stem, bijna onhoorbaar; hij wachtte achter de gesloten deur en fluisterde dicht bij mijn oor; het gevoel van rust dat het Goede me daarstraks had gegeven, was bedrieglijk geweest en alleen bedoeld om me te verleiden, er wachtte me slechts duisternis, wat ik ook deed.

Zonder me te verbazen over het feit dat ik over mijn hele lichaam rilde, liep ik door; ik was bang, maar het scheen dat er geen graad van angst en beklemdheid was waaraan ik niet kon wennen, hoewel ik inwendig protesteerde en me zelfs verdedigde; die onbekende kracht wilde mijn koppig verzet biedende lichaam dwingen al zijn heimelijke verlangens – die vreselijke last die het leven me tot dusverre had opgelegd – te aanvaarden en zelfs te waarderen; gedurende die innerlijke worsteling werd de weg steeds langer en vertraagde ik mijn tred, weliswaar hoorde ik nog steeds mijn luidruchtige voetstappen, maar ik had geen vaste grond meer onder mijn voeten en verloor de controle over mijn ledematen, alsof ik een epileptische aanval doormaakte; ik voelde hoe het speeksel uit mijn geopende mond droop en schopte en sloeg hijgend om me heen, maar er veranderde niets, de open- en dichtgaande, klappende, knarsende en piepende kaken van het donkere gebouwtje tussen de bladerloze struiken wachtten kennelijk op me en hijgden daarbij duidelijk hoorbaar, als een mens in nood.

Onbeweeglijk en zwaar tekende het kanten patroon van het struikgewas zich tegen de donkere hemel af, terwijl ik met een van angst dichtgesnoerde keel verder liep.

Toen ik 's morgens ontwaakte, was het, gelijk men pleegt te zeggen, geen wonder dat ik me even verslagen en vermoeid voelde als wanneer ik de hele nacht wakend zou hebben doorgebracht, toch moest ik diep geslapen hebben, anders had ik me niet zo suf gevoeld; onvoldaan probeerde ik opnieuw in slaap te geraken, in de hoop dat in een nieuwe droom datgene zou gebeuren wat in de eerste achterwege was gebleven, maar het licht in de kamer was zo schel dat het leek of het buiten, achter de gesloten witte zijden gordijnen, had gesneeuwd; het was koel, bijna koud geworden; op de gang waren zo nu en dan voetstappen hoorbaar en vanuit een ander vertrek, misschien de ontbijtzaal op de begane grond, kwamen nog meer geluiden: het zachte, gelijkmatige gerinkel van serviesgoed, het kletteren van tegen elkaar stotende borden, flarden van gesprekken, het geknars van opengaande deuren en − alsof de deur die me met zijn luidruchtige geklap wakker had gehouden weer in het slot was gevallen − het lachje van een vrouw, maar alles zacht en weldadig; toch had ik geen zin om mijn bed te verlaten, want die vertrouwde en geliefde geluiden uit mijn kinderjaren herinnerden me dat ik me weer moest zien te voegen in een leven dat me met zijn schijnbaar zorgeloze natuurlijkheid op dat ogenblik mateloos tegenstond; nee, ik had hier toch niet naar toe moeten gaan, dacht ik geprikkeld, en nadat ik op mijn andere zij was gaan liggen en mijn ogen gesloten had, trachtte ik opnieuw te verzinken in de aangename duisternis en warmte die ik tijdens mijn nogal abrupt geëindigde droom had ervaren, zonder te weten waar ik zou terechtkomen.

Flarden van de droom zweefden me nog voor ogen, het kon dus niet moeilijk zijn weer in te slapen; de man stond nog steeds voor de glanzende, geteerde wand van het urinoir en reikte me een roos aan, maar ik wilde de bloem niet aannemen omdat ik walgde van de grijns op zijn papperige, bleke gezicht; het was merkwaardig, maar de roos leek wel blauw, paarsblauw te zijn, het was een nog maar half geopende, vlezige, stevige knop; die grote droomknop werd me zo nadrukkelijk voorgehouden dat ik even dacht dat het nog geen ochtend was maar nacht en ik nog steeds tegenover die man stond.

In de deuropening tussen de slaapkamer en de salon had een huisknecht met vuurrood haar postgevat; hij stond daar rustig, oplettend en bedachtzaam, bijna roerloos, en volgde met zijn vriendelijke bruine ogen nauwkeurig de bewegingen waarmee mijn ontwaken gepaard ging, alsof hij daar al wie weet hoe lang had gestaan en wist wat ik zoeven had gedroomd, hoewel ik waarschijnlijk uit mijn sluimering was gewekt door zijn bijna onhoorbare voetstappen of zijn enkele tegen-woordigheid; de kalme verschijning, die me op mijn verplichtingen scheen te wijzen, was een nog jonge knaap met een lichaamsbouw, zo krachtig, dat hij gemakkelijk voor een kruier of koetsier had kunnen doorgaan, zijn gespierde bovenbenen barstten bijna uit de ouderwets strakke pijpen van zijn zwarte broek en zijn schouders uit zijn groene pandjesjas; het leek wel of hij ook uit een droom of uit iets nog diepers afkomstig was; ik moest aan ons vroegere dienstmeisje denken, en daardoor natuurlijk ook aan die met herinneringen beladen nacht; zijn lichaam straalde dezelfde lompe rust en zelfverzekerde waardigheid uit als ik indertijd bij Hilde had bespeurd, daarom onderdrukte ik, terwijl mijn blik niet zonder welgevallen op zijn sproetige gelaat rustte, een hevige aandrang om te geeuwen; geërgerd herhaalde ik in gedachten de volstrekt overbodige zin nee, ik had hier niet naar toe moeten gaan en ik voegde er, eveneens in gedachten, aan toe: maar waarheen dan wel?

Door zijn krachtige lichaam, dat in veel te kleine kleren was geperst, werkte de bediende, mede door zijn platte neus, zijn zomersproeten, zijn kinderlijke, nieuwsgierige ogen en de ernstige dienstvaardigheid waarmee hij voor me stond, zo op mijn lachspieren, bovendien sche-nen mijn vragen en ergernis in wakende toestand dermate dwaas te zijn, dat ik onwillekeurig moest lachen.

'Wenst u op te staan, meneer Thoenissen?' vroeg de bediende op neutrale toon, alsof hij mijn al te gemeenzame lachje niet had opge-merkt.

'Ja, ik denk het wel, het is er in elk geval de tijd voor.'

'Belieft u thee of koffie?'

'Ik geloof dat ik maar voor thee kies.'

'Zal ik de lampetkan voor of na de thee brengen?'

'Vind je dat een mens zich elke ochtend dient te wassen?'

De bediende zweeg enige tijd zonder dat de uitdrukking van zijn gezicht veranderde, er scheen hem een licht op te gaan.

'Gebruikt u het ontbijt beneden of zal ik het hierboven serveren, meneer?'

'Nee, ik ga natuurlijk naar beneden; maar zeg eens, kerel, is het hier niet koud?'

'Ik zal de kamer onmiddellijk verwarmen, meneer.'

'En kun je me misschien ook scheren?'

'Vanzelfsprekend, meneer Thoenissen.'

Hij verdween voor een paar minuten; ik had de tijd moeten benutten om op te staan en snel mijn behoefte te doen, en misschien vergis ik me niet als ik veronderstel dat hij opzettelijk talmde met terugkeren om me daarvoor de gelegenheid te geven; mannen onder elkaar ontzien elkaar in dit opzicht altijd enigszins, wat je geen attentheid of beleefdheid kunt noemen, het is meer een kameraadschappelijk knipoogje om het ietwat beschamende feit te vergoelijken dat bij ons mannen de in de blaas verzamelde urine 's morgens voor het opstaan zo op de wand van dit orgaan drukt dat de verstijving van een zeker lichaamsdeel het gevolg is, zodat we, als we op zo'n moment onmiddellijk uit bed zouden springen, de hierbij aanwezige toeschouwer op de aanblik van een biologisch schelmstuk zouden vergasten en hem iets deelachtig zouden doen worden wat onszelf niet geheel duidelijk en vandaar enigszins beschamend is; ik was dus te laat met opstaan; toen de bediende, na de deur wijd geopend te hebben, een tafeltje op wieltjes naar binnen reed en de deur dadelijk weer achter zich sloot, lag ik nog precies zo als toen hij de kamer had verlaten, of liever gezegd: ik had het kussen onder mijn rug geschoven en zat min of meer rechtop in bed, op alles voorbereid en in de gerieflijkste houding die ik had kunnen aannemen, alsof het vaststond dat ik door op te staan een belangrijke toekomstige gebeurtenis zou tegenhouden of zelfs voorgoed onmogelijk maken, wat ik absoluut niet wilde, zodat ik mijn lichamelijke ongemakken op de koop toe moest nemen; de spanning van de blaas kan niet op kunstmatige wijze worden verminderd, maar de genoemde verstijving is wel door afleiding van de aandacht geleidelijk op te heffen, wat misschien tevens een goed middel is om de zinnelijke opwinding van dromen te verdrijven.

Dergelijke gedachten gingen door mijn hoofd terwijl de bediende geruisloos om me heen redderde, het tafeltje naar het bed reed en als een kat of een roofdier zachtjes over het tapijt liep, ervoor zorg dragend dat de glazen plaat van het tafeltje niet onaangenaam rinkelde; zijn discrete, verfijnde manier van optreden, waardoor hij erin slaagde zijn aanwezigheid geheel onopvallend te maken, boeide me op dat moment ten zeerste en deed me bovendien veel genoegen; met een zacht klokkend geluid schonk hij de hete, dampende thee in, zonder een druppel op het witte, damasten tafelkleed te morsen; toen hij vroeg of ik melk in de thee gebruikte, antwoordde ik dat ik niet wist of ik deze vraag met ja of nee moest beantwoorden; de opzettelijke onbeschaamdheid van mijn antwoord bracht hem echter geenszins in verwarring, hij nam er nota van, maar liet tegelijk blijken dat het hem niet vrijstond mij in deze kwestie raad te geven, het recht om te beslissen kwam alleen mij toe, met andere woorden: hij zou elke beslissing van mij onvoorwaardelijk goedkeuren; zijn reactie was onderdanig noch onverschillig, maar getuigde veeleer van een volmaakte en daardoor beschamende dienstvaardigheid, een geheel neutrale dienstvaardigheid overigens, die aan al mijn wensen tegemoetkwam en tevens rekening hield met mijn voor de bediende onbegrijpelijke grillen; met zijn nogal plompe vingers maakte hij de doek los die om het mandje met knapperige broodjes was geknoopt; reeds een seconde nadat hij zich naar me toe had gewend om me het suikertangetje aan te bieden en het theekopje aan te reiken was hij verdwenen, ik weet niet hoe, want ik hoorde hem niet eens weglopen, hij was eenvoudig vertrokken, waarschijnlijk in de veronderstelling dat ik hem niet meer nodig had.

Hoewel ik niemand meer nodig had dan juist hem.

Toen ik, na de eerste hete slok thee te hebben genomen, over de rand van het kopje keek, was hij weer in de kamer; hij had een grote tenen mand met brandhout binnengebracht en was nu voor de witte tegelkachel geknield bezig het inwendige van de kachel te reinigen, waarbij hij ervoor zorgde me niet geheel de rug toe te keren, zodat ik hem van terzijde kon zien en hij mij ondanks zijn bezigheden met één helft van zijn lichaam ten dienste kon staan en, zo ik dat wenste en hem daartoe een teken gaf, meteen in actie kon komen.

De verse broodjes roken overheerlijk, aan de gelige, op een bedje van aardbeiblaadjes opgediende boterkrullen kleefden glanzende waterdruppeltjes en als ik met mijn elleboog tegen de tafel stootte, drilde de doorzichtige, talrijke minuscule zaadjes bevattende frambozengelei zachtjes.

Als mijn kindertijd niet zo onaangenaam en met duistere herinneringen beladen was geweest – zelfs aan mijn moeder bewaarde ik alleen koele, afstandelijke herinneringen –, had ik me kunnen verbeelden dat dit tafereel een reeds lang geleden verstikt gevoel van geborgenheid in mij deed herleven; in de nuchtere werkelijkheid van de broodjes, het geurige dampen van de thee, het geel van de boter en het zachte drillen van de frambozengelei weerspiegelde zich de rationele orde van onze samenleving, die ons geloven doet – uit welke vreselijke droom we ook ontwaken! – dat de wereld, waarvan het door ons lichaam opgewarmde bed vanzelfsprekend het exacte middelpunt vormt, niet alleen op volmaakte wijze wordt beheerst door strikt ge-controleerde, onveranderlijke wetten, maar ook op de meest krachtige en ijverige wijze streeft naar de bevrediging van onze behoeften en wensen en geen hoger doel heeft dan met de bomen van haar bossen onze kamer te verwarmen, zodat elke opwinding, angst of beklemming overbodig is; maar hoewel ik met ogen, tong en oren mateloos genoot van de stille, paradijselijke orde van die ochtend, observeerden mijn hersenen dit kinderlijk genot met de grootst mogelijke scepsis, vermoedelijk omdat ik als kind al de vluchtigheid en valse schijn van de geldende orde had leren kennen en later door mijn gedreven zoeken in het gezelschap was terechtgekomen van lieden die niet alleen bereid waren die valse schijn te ontmaskeren, maar ook zonder terughouding erkenden uit te zijn op de volledige vernietiging daarvan en op de ves-tiging van een waarachtige, stabiele orde, ook al moest de wankele en leugenachtige bestaande orde misschien wel met bloedig geweld om-vergeworpen worden om hen in staat te stellen op de puinhopen van de oude een nieuwe, rechtvaardige, naar hun innerlijke overtuiging gemodelleerde wereld op te bouwen.

Door deze innerlijke reserve voelde ik mij plotseling oud en afge-leefd.

Hoe oneindig ver verwijderd was deze van ochtendlicht doorstraal-de slaapkamer van de kamers van vroeger, van de schemerige kamers van mijn jeugd, toen ik heimelijk in het gezelschap van Claus Diesten-weg verkeerde, broedend op de verwoesting van de gehate oude en de opbouw van de nieuwe orde, en hoe nabij scheen ze de kamers van mijn in zo'n pure vorm overigens nooit beleefde kindertijd!

Vaak is een vluchtige wisseling van stemming voldoende om de tijd in ons binnenste buiten te keren, zou ik de dichter kunnen nazeggen.

Het was alsof degene die nu een weinig teleurgesteld en door zijn dromen verward maar met de luchthartige rust der onverschilligen in zijn bed lag en zijn hete thee dronk, niet slechts de opeenvolgende pe-riodes van één enkel mensenleven had doorgemaakt, maar de bewo-gen levens van drie geheel verschillende individuen.

Een rookwolk steeg op uit het geopende deurtje van de kachel, het vuur laaide hoog op en kleurde het gezicht van de jonge bediende; de gloed scheen zich in zijn rode haar voort te planten.

Hij knipoogde door de rook, wiste zijn tranende ogen af en staarde een ogenblik lang in de heldere vuurschijn.

'Hoe heet je?' vroeg ik zachtjes.

'Hans,' antwoordde hij, en alsof hij zijn verplichte gedienstigheid was vergeten, draaide hij zich niet naar me om.

'En je achternaam?'

Ik was verheugd over de aanwezigheid van een dergelijke bediende, maar toen ik aan mijn andere leven moest denken, schaamde ik me over die vreugde.

'Ik heet Baader, meneer,' zei hij met zijn oorspronkelijke stem; tussen de beide stemmen scheen geen enkel verband te bestaan.

'Hoe oud ben je?'

'Achttien, meneer.'

'Dan wil ik je verzoeken me te feliciteren, Hans; ik ben hedenmorgen dertig jaar geworden.'

Hij stond onwillekeurig op en grijnsde; zijn fraaie, amandelvormige ogen verdwenen in de zachte, kinderlijke vetkussentjes van zijn wangen en boven zijn krachtige, bijna dierlijke tanden flitste het roze tandvlees op, dat bij roodharigen zo treffend in harmonie is met de kleur van de huid en het hoofdhaar, het leek wel rauw vlees; met een joviaal gebaar, alsof hij tegenover een bevriende leeftijdgenoot stond die hij een kameraadschappelijke stomp in de borst wilde geven, stak hij me zijn hand toe, maar de beweging was zo rechtstreeks en toch misplaatst dat hij meteen in verwarring raakte en een kleur kreeg; toen hij dit laatste merkte, werd zijn gezicht bloedrood en kon hij geen woord meer uitbrengen.

'Ik ben vandaag jarig.'

'Als we dat geweten hadden, hadden we u natuurlijk gelukgewenst, meneer Thoenissen, maar staat u me toe dat alsnog te doen,' zei hij na enige aarzeling glimlachend; zijn lach was echter niet voor mij bestemd, hij was een uiting van tevredenheid over het feit dat hij zich zo handig uit een penibele situatie had weten te redden.

Hierna trad opnieuw een stilte in.

Toen ik hem in deze wat gênante stilte dankte voor zijn felicitatie, gebeurde er iets tussen ons, de gebeurtenis die ik van tevoren had vermoed, ja verwacht en zelfs in hoge mate bevorderd, voltrok zich, want mijn dank gold natuurlijk niet die belachelijke, afgedwongen felicitatie, maar alleen het feit dat de bediende zo volmaakt was en mij door zijn perfectie zo bovenmatig ontroerde.

Hij stond een poosje zwijgend voor me, terwijl ik roerloos in bed lag; tenslotte neigde hij, verlegen door mijn onafgebroken kijken, hulpeloos het hoofd.

Toen hij me wat later vroeg of hij het water mocht gaan halen, gaf ik hem met een wenk te kennen dat hij zijn gang kon gaan.

We hadden de grens bereikt, daarachter begon het verboden rijk, dat ik niet mocht wensen te betreden, bovendien scheen wat tussen ons aan het ontstaan was reeds een einde te nemen, want de vertrouwelijke gemeenzaamheid die ik hem, gebruik makend van het moment, had afgedwongen, kon natuurlijk niet lang standhouden: voor een werkelijke toenadering tussen ons was geen plaats omdat ik, ondanks een zekere beklagenswaardigheid, belachelijkheid en eenzaamheid, van ons tweeën de heer bleef en derhalve ook de situatie beheerste, terwijl hij als knecht tot voorzichtigheid, sluwheid en afstandelijkheid was genoopt en waarschijnlijk alleen afschuw en woede voelde, welk verschil in situatie groot genoeg was om het fraaie spel der gemeenzaamheid te bederven; mijn toenaderingspoging was dus een experiment, ik poogde iets in hem op gang te brengen wat absoluut geen verband hield met de rolverdeling tussen ons, maar liep daarbij geen enkel risico, het was een experiment door mijn hogere maatschappelijke positie, iets belachelijk eenzijdigs, ook voor mijzelf, maar toch kon ik de verleiding niet weerstaan het uit te voeren, ik genoot van mijn superioriteit en van zijn hulpeloosheid en bovenal van het feit dat hij door zijn dienende rol die hulpeloosheid moest aanvaarden; en genietend van zijn vernedering genoot ik ook van de mijne en vooral van het feit dat het toeval mij deze kans had toegeworpen, want wat zich tussen ons afspeelde voltrok zich bijna geheel automatisch en was, eenmaal begonnen, nauwelijks meer te stoppen.

Terwijl hij, wijdbeens tussen mijn gespreide dijen staand, mijn gezicht met een veelgatige, nog naar zee ruikende spons bevochtigde en er met een elegante, draaiende beweging van zijn middel- en wijsvinger een klodder scheerzeep op smeerde en die stevig over mijn stoppels uitkwastte, zodat ze met een dikke laag zeepschuim werden bedekt, naderden onze lichamen elkaar verleidelijk dicht; met de ene hand moest hij de kwast hanteren, met de andere voortdurend mijn hoofd vastpakken om het in de gewenste houding te plaatsen; soms steunde hij mijn nek en mijn voorhoofd met de rug van zijn hand; ik trachtte uit zijn bewegingen af te leiden wat hij van me wilde en gaf hieraan zo goed mogelijk gevolg; zo nu en dan raakten zijn knieën mijn dijen, want hij moest zijn aandacht volledig op mijn gezicht concentreren, terwijl ik al zijn bewegingen met de ogen kon volgen; we hielden allebei zoveel mogelijk onze adem in om elkaar niet in het gezicht te blazen, wat echter een nadelige invloed op het scheren had, dat zijn hoogtepunt bereikte toen hij tenslotte, na de voorbereidingen beëindigd te hebben, een scheermes met benen heft uit een foedraal nam, daarvan de kling enkele malen over een leren riem haalde en wederom tussen mijn dijen post vatte; na met zijn wijsvinger de huid van mijn slaap wat omhoog te hebben geschoven, opdat de streek van het mes niet door rimpels belemmerd zou worden, keek hij me enkele seconden strak aan.

Hij trok het mes met één enkele vastberaden beweging over de linkerhelft van mijn gezicht, zodat de van de huid scheidende baardstoppels een zacht knisterend geluid lieten horen; ik vermaakte me tot op zeker hoogte over mijn nervositeit, immers hoe bereidwillig we ons ook overgeven aan een dergelijke operatie, zogenaamd volledig ontspannen, in werkelijkheid trekken onze gelaatsspieren van angst samen en zouden we ons het liefst vergewissen of het mes niet op een oneffenheid is gestuit of ons zelfs heeft gesneden; en hoewel onze ogen bijna uit hun kassen puilen, moeten we natuurlijk doodstil achterover blijven zitten, anders hinderen we de scheerder bij zijn werkzaamheden, verhogen het risico en veroorzaken wellicht zelf een ongelukje, wat voor ons niet minder onaangenaam zou zijn dan voor degene die het mes hanteert; zodra het mes de huid indringt, vervaagt namelijk het masker van lichamelijke intimiteit en gespannen aandacht dat beide partijen voor de gelegenheid hebben voorgedaan en zien we ons tegenover een onverzoenlijke haat gesteld: hij haat ons omdat onze huidoppervlakte zo belachelijk onberekenbaar is en de spot drijft met al zijn ervaring – de stoppels zijn in elkaar gedraaid of het mes blijft steken in een minuscule huidverdikking of de spitse kop van een puistje – en wij hem vanwege zijn onhandigheid en bovenal omdat we zo onverstandig zijn geweest ons aan zijn zorgen toe te vertrouwen; natuurlijk neemt deze wederzijdse haat nog toe als we, in de spiegel kijkend, het bloed rijkelijk over ons gezicht zien stromen en intussen moeten doen alsof er niets aan de hand is, terwijl hij in zijn verlegenheid begint te fluiten en met een quasi luchtige, maar in werkelijkheid woeste beweging naar de aluin grijpt om ons met een bijtende pijn te straffen; voorlopig gebeurde er echter niets onaangenaams, aan de beweging waarmee hij het zeepschuim met zijn gestrekte wijsvinger van het mes veegde en in het scheerbekken kwakte was te merken dat hij meer met dit bijltje had gehakt; hij draaide mijn hoofd zijwaarts en toen hij me hierbij nog meer naderde, raakte mijn neus bijna zijn pantserharde plastron en drukte zijn lichtelijk gebogen knie tegen mijn onderlichaam; met dezelfde energieke bewegingen schoor hij de rechterhelft van mijn gezicht, doch ondanks al zijn handigheid, ervaring en bijna chirurgische precisie bleef mijn huid krampachtig gespannen, ik voelde mijn huid trillen en wist dat het zwaarste traject nog moest komen: het ingewikkelde terrein van kin en hals, en terwijl hij druk met het mes in de weer was, schoot me opeens door het hoofd dat de behandeling me wellicht neus of oren ging kosten, zulke vreselijke gevallen schijnen immers in het geheel niet zeldzaam te zijn.

Maar er was nog iets: van onderen en met verdraaide ogen bezien scheen zijn gezicht mij, ondanks de betoverende aanvalligheid van zijn jeugd en kracht, te week, het vertoonde een overmatige weekheid, die slechts uit dit perspectief waar was te nemen; op zijn huid, waaronder zich een dikke vetlaag liet vermoeden, was nog geen spoor van rossig dons zichtbaar, hij zou zich nooit behoeven te scheren, stelde ik tevreden vast, hij zou onbehaard blijven als een castraat, dat was te voorzien; opvallend waren ook zijn grote neusgaten en zijn eigenzinnig gewelfde, sierlijke mond; terwijl hij met kleine haaltjes mijn kin bewerkte, beet hij op zijn onderlip; over enkele jaren zal hij waarschijnlijk een onderkin hebben, dacht ik, zijn krachtige lichaam zal vervetten en tengevolge van overgewicht door ademnood worden gekweld, en terwijl mijn keel aangenaam begon te tintelen bij de griezelige maar opwindende gedachte dat hij zo dadelijk de huid van mijn adamsappel opzij zou trekken om het mes met een vloeiende doch riskante beweging omlaag te halen, hief ik ongemerkt mijn hand, wachtte tot het mes die plaats had bereikt en legde toen, alsof ik doodsbang was, mijn hand op zijn stevige dijbeen, zonder mijn hoofd of lichaam te bewegen.

De gladde spierbundel was hard en onwaarschijnlijk krachtig, mijn hand verdween er bijna tussen en scheen slap en krachteloos, zodat ik zijn dij tevergeefs aanraakte, niet alleen omdat de aanraking niets van haar eigen innerlijke natuur verried, maar ook omdat ik nauwelijks de eigenlijke huid scheen te bereiken, het was alsof het oppervlak dat ik aanraakte slechts een omhulsel was van het werkelijke dijbeen, een pantser of masker, hard en bijna gevoelloos; als ik daarover had nagedacht, ja als ik überhaupt iets had gedacht, had ik kunnen weten wat er aan de hand was, want hij vertoonde geen enkele reactie, noch zijn ogen, noch zijn mond, noch de trekken van zijn over me heen gebogen gezicht, noch zijn huid gaven enig teken van verwarring, goedkeuring of afwijzing, zijn gezicht, huid en spieren bleven even onverschillig als zijn bewegingen tot dusverre waren geweest; en opeens realiseerde ik me dat ik die vreselijke onverschilligheid wilde doorbreken en dus op hem reageerde, niet omgekeerd, hij voelde niets en scheen evenmin iets te begrijpen, of beter gezegd: er was niets te voelen of te begrijpen.

Het is altijd gevaarlijk om grote woorden te gebruiken, maar toch durf ik te zeggen dat ik nooit van mijn leven, noch op een eerder, noch op een later tijdstip, zo'n zinloze beweging heb gemaakt als die keer.

En daardoor had ik de indruk dat ik het toppunt of de bodem van mijn gevoelens had bereikt.

Ik kon mijn hand niet terugtrekken en de beweging kon niet ongedaan worden gemaakt, maar ik voelde niets, absoluut niets, ook niet toen mijn hand op zijn been bleef rusten; intussen was hij met mijn hals bezig, en wel zo onaangedaan alsof de aanraking uitsluitend het produkt van mijn fantasie was, waar hij totaal geen weet van kon hebben.

Ik had er op dat moment niets op tegen gehad als hij per ongeluk mijn keel had doorgesneden.

Het mes zou met een bijna onhoorbaar gekraak het zachte kraakbeen van mijn keel hebben gekliefd.

Ik kon mijn ogen niet sluiten, want ik wachtte nog altijd op een teken dat hij mijn aanraking toch had opgemerkt.

Op dat moment moest hij zich zijwaarts buigen om het aan zijn vingertoppen klevende schuim in het schoteltje af te slaan, daarom trok hij zijn dij onder mijn hand vandaan.

De eenzame hand, die komische stomp die bij mijn lichaam hoorde, zweefde doelloos in de lucht.

Intussen doopte hij de spons in het water, boog mijn hoofd achterover en veegde mijn gezicht af.

Eindelijk kon ik mijn ogen dichtdoen.

'U bent hier op een vervloekte plaats, meneer!' zei hij.

Toen ik mijn ogen weer opendeed, boog hij zich opnieuw zijwaarts om de spons in het scheerbekken te deponeren, een teken van enigerlei emotie bleef echter uit.

'Lotion?' vroeg hij zachtjes.

Toch scheen zijn gedrag volstrekt niet krenkend of verwijtend bedoeld en zijn onbewogenheid stemde me zelfs vrolijk, want het was alsof we mijn experiment daardoor gezamenlijk in de grote rommelkamer der zinloze ondernemingen van deze wereld opborgen.

'Vooruit maar.'

Terwijl ik dit zei, schoot me door het hoofd dat zijn opmerking misschien een heimelijke toespeling was op het nachtelijke rumoer en gegil dat me uit mijn eerste slaap had gewekt, misschien had de bediende daar wel iets mee te maken.

In dat geval had ik hem absoluut niet beledigd met mijn aanraking en was ze ook niet geheel zinloos geweest.

Met zijn ene hand pakte hij mijn achterhoofd vast, zodat zijn pink op mijn nek rustte en zijn andere vingers in mijn haar waren begraven, en met de andere wreef hij de op zijn handpalm gesprenkelde lotion over mijn wangen uit.

Daarna woei hij mijn gezicht met een handdoek wat lucht toe om de alcohol sneller te laten verdampen, wat een fris en tintelend gevoel veroorzaakte; eindelijk konden we elkaar weer aankijken.

Hij mocht dan beweren dat deze plaats, waaraan ik zoveel herinneringen bewaarde, vervloekt was, dankzij het kleine experiment dat ik met mezelf en hem had uitgehaald, voelde ik me er volkomen thuis, het duidde erop dat ik me niet had vergist, zijn blik was immers geheel onbevangen gebleven; ja, hier wilde ik blijven; in de tegelkachel brandde een vrolijk knappend vuurtje; ik kon nauwelijks wachten tot hij zijn scheergerei had ingepakt en was vertrokken, maar wilde, als door een lichte koorts overvallen, naar mijn zwarte aktentas graaien, het slotje openklikken, mijn papieren op de lege tafel uitspreiden en dadelijk aan het werk gaan; toch waarschuwden mijn bittere ervaringen me uitdrukkelijk voor een al te grote haast, de dingen zijn nu eenmaal niet zo eenvoudig als wij wel zouden willen, daarom is het dikwijls beter onze werkzaamheden wat uit te stellen en het schuim der spanning van de borrelende soep der gevoelens af te scheppen, ja die soep door inkoken wat te verrijken, want als we in zo'n toestand verkeren is het niet raadzaam scheppende arbeid aan te vangen; toen de bediende eindelijk de kamer verlaten en de deur achter zich dichtgetrokken had, liep ik naar het venster en schoof de witte gordijnen open; het magnifieke uitzicht dat zich openbaarde bracht me geheel tot rust.

Ik had nog een vol uur voordat de bel beneden zou klingelen om de gasten te waarschuwen dat het gemeenschappelijk te nuttigen ontbijt klaarstond.

De herfsthemel, waartegen de buigzame stammen van de lariksen in het park roerloos afstaken, was van een bijna doorzichtige helderheid; de nachtwind was intussen gaan liggen; al kon ik vanaf de plaats waar ik stond noch de zee, noch de boulevard, noch het kurhaus, noch de brede weg naar het station, noch de evenwijdig met het moeras lopende dam zien en was zelfs het bos aan mijn ogen onttrokken, ik wist dat alles wat ik zo uitermate belangrijk en droevig vond slechts een armlengte van me was verwijderd.

Op de met figuren versierde tegels van het terras waren een paar afgevallen bladeren terechtgekomen.

Hij was aanwezig, en daarom kon ik me veroorloven niet te zijn op de plaats waar ik me bevond, maar in mijn verzonnen verhaal.

En alles te vergeten.

Werd dit gevoel van opluchting wellicht gevoed door het feit dat ik, nadat het me eindelijk was gelukt aan mijn verloofde te ontsnappen, me met de zoete maar bedrieglijke hoop kon vleien dat deze hulpvaardige bediende, die ik op elk gewenst moment kon roepen, steeds in mijn nabijheid zou zijn? en betekende dit niet dat ik opnieuw tussen twee mensen in stond?

Waar bleef dan de zo vurig begeerde eenzaamheid?

Deze gedachte, die mijn verloofde en de bediende op een onaangename manier met elkaar in verband bracht, maakte me zo onpasselijk dat ik bijna moest overgeven.

Zelfs als ik alleen was, lieten ze me niet met rust!

En toch verloor ik niet mijn goede humeur, integendeel, ik voelde me als iemand die zijn lichaam onverwachts met de ogen van een vreemde beziet en zeer tevreden is over wat hij waarneemt, niet omdat hij zijn fouten en onvolkomenheden over het hoofd ziet, maar omdat hij eindelijk inziet en begrijpt dat de levende vorm altijd het resultaat is van de synthese der uit onveranderlijke processen voortgekomen delen, ook het onvolmaakte gehoorzaamt immers aan zekere wetten, daarin bestaat zijn volmaaktheid, zijn functioneren zelf is volmaakt, zijn bestaan is volmaakt, de unieke, onveranderlijke orde van zijn wanverhoudingen is volmaakt.

Vanaf mijn eerste kinderjaren, of beter gezegd: vanaf het moment dat ik begon na te denken en geïnteresseerd raakte in het functioneren van mijn lichaam, heb ik geleden onder het feit dat ik tussen twee zaken, twee verschijnselen, twee personen was ingeklemd, als een graankorrel tussen twee knarsende molenstenen, en dat is zo gebleven tot op heden, tot mijn dertigste verjaardag, dat merkwaardige keerpunt in mijn leven; ik herinner me nog heel goed hoe ik op een keer, toen we tijdens de gebruikelijke avondwandeling over de boulevard naar de zee stonden te kijken, het gevoel had dat mijn lichaam, dat zich op dat moment tussen de lichamen van mijn vader en moeder bevond, uit verschillende delen bestond die toch een geheel vormden; en hoe vijandig, ja moordlustig mijn ouders ook tegenover elkaar stonden doordat ze elkaars lichaam niet aanvaardden, ik voelde me niet alleen identiek met hen allebei, maar wilde dat ook zijn; ik was niet in staat en niet van plan me tussen hen te verdelen, al wilden ze me ook in tweeën scheuren en voelde ik me ook verscheurd omdat noch uit mijn gelaats- trekken noch uit mijn lichaamsbouw of karaktereigenschappen viel af te leiden op wie van hen ik het meest leek; ik leek op hen allebei maar ook op veel andere, ja op talloze mensen, we gebruiken de termen 'ge- spletenheid' en 'dubbele vereenzelviging' immers alleen eenvoudig- heidshalve; ik leek op al mijn overleden voorouders, die in mijn eigen- schappen, uiterlijke kenmerken en bewegingen nog altijd aanwezig zijn en in mij voortleven; op dat moment was ik mateloos verheugd dat deze twee ver van elkaar afstaande personen elkaar zo gevaarlijk dicht waren genaderd in mij, want hoe kon ik beïnvloeden of beslissen wat ik wel en niet mocht doen als ik nergens de oorsprong van kende, hoe kon ik delen wat in mij ondeelbaar was? mij was dus alles geoor- loofd! ja, ik zou een fanatieke anarchist worden! ik wilde dat niet alleen omdat ik in mijn jeugd met anarchisten in aanraking was gekomen – toevalligerwijze overigens, niet omdat ik met hun schoon klinkende doeleinden sympathiseerde – en deze jaren natuurlijk niet eenvoudig konden worden uitgewist, maar ook omdat ik altijd een anarchist van het lichaam ben geweest: buiten het lichaam is er geen god en alleen een lichamelijke handeling kan mijn lichaam verlossen, alleen daar- door kan ik ervaren hoe volstrekt vrij ik ben.

Jullie moraal interesseert me geen biet.

Als ik van de schoot van mijn verloofde droom, is de geteerde wand van het urinoir en de stevige dij van de hotelbediende geen frivool avontuur, o nee!

Later, toen ik de ontbijtzaal binnenging en het ochtendzonnetje, duizendvoudig weerkaatst door de glazen, de spiegels, het zilver, het porselein en natuurlijk de ogen der aanwezigen, me plotseling ver- blindde, voelde ik een nieuw soort opgewektheid, een van niets en niemand afhankelijke rust en een verheffende opstandigheid, en ik was blij de aanwezigen dit gevoel dadelijk met mijn blikken te kunnen meedelen; de door het raam zichtbare zee, die nog donker en schuimend was van de nachtelijke storm maar al begon te bedaren, verhoogde mijn geluksgevoel.

Als er iets is wat me interesseert, dan is het wel de immoraliteit van die infame god.

Ik was op dat moment zelfs blij dat ik bepaalde, door mij verafschuwde maatschappelijke regels in acht moest nemen, die ik in het bewustzijn van mijn superioriteit – ik had mijn lichaam herkregen – alleen nog maar verachtte.

Bovendien genoot ik oneindig van het vrome bedrog dat ik, die eergisteren nog mijn verloofde op het vloerkleed had omarmd en er niet voor terugschrok de dij van een hotelbediende te betasten, nu ongestraft en met een beleefde, fijnzinnige glimlach tussen de geopende deurvleugels stond, een weinig verblind door het licht.

Nadat de hotelier – een gemoedelijke, gezette, kaalhoofdige man die niemand anders was dan de zoon van de vroegere eigenaar, ja hij, die in zijn kinderjaren niet alleen veelvuldig de op het strand aangelegde zandkastelen van mijzelf en de kleine graaf Stollberg in elkaar had geschopt, maar ons soms ook – hij was wat ouder dan wij – stevig had afgerammeld als we daar met opgeheven vuisten tegen protesteerden! – me op luide toon en met plechtige maar tegelijk vaderlijke gebaren aan de aanwezigen had voorgesteld, neigde ik verscheidene malen het hoofd in alle richtingen om iedereen mijn blik deelachtig te doen worden, waarop ook de anderen knikten, ervoor zorg dragend dat hun blikken even beminnelijk uitvielen als de mijne en niets van hun nieuwsgierigheid verrieden.

Voor het ontbijt en het avondmaal werden lange tafels gedekt en iedereen kon zich aan de overvloedig opgediende spijzen naar hartelust te goed doen; het ongedwongen, bijna familiaire karakter van deze beide maaltijden stond in schril contrast met dat van het om vijf uur opgediende middagmaal, als we met een zekere plechtigheid in kleine groepjes verdeeld aan afzonderlijke tafels aten; nu hoefden we niet te wachten tot het hele gezelschap zich had verzameld, iedereen kon gaan zitten, zich door de rondom de tafels redderende obers laten bedienen en meteen beginnen; in dit opzicht was er in twintig jaar niets veranderd en ik zou me dan ook niet verwonderd hebben als ik onder de disgenoten mensen als mijn moeder, minister van Staat Peter von Fick, mijn vader en juffrouw Wohlgast had aangetroffen; op het met lichtblauwe bloemenguirlandes versierde porselein rinkelde hetzelfde kunstig bewerkte bestek als vroeger, ofschoon er sedertdien waarschijnlijk heel wat serviezen waren gebroken, en in de vertrouwde, met artistieke nonchalance op de tafel geplaatste zware zilveren schalen waren de spijzen door de koks tot een smakelijk ogend en eetlust opwekkend heuvellandschap gerangschikt; de maaltijd bestond uit bleekgroene, in vinaigrette gedoopte artisjokrozen; in roodachtige harnassen gehulde zeekreeften; doorzichtige plakken roze zalm en vettig glanzende ham; blank gestoofd kalfsvlees; met zwarte kaviaar gevulde eieren; knapperige andijvie; goudglanzige reepjes gerookte paling op bedauwde slablaadjes; kegel- en kogelvormige pasteitjes van wildbraad, bospaddestoelen, zeevis en vogellever; sierlijke zoute augurkjes; stevige plakken gele Hollandse gatenkaas, blauwe snoekbaars in ijsachtige aspic, milde, zure, zoete en scherpe sauzen, opgediend in schaaltjes en kannetjes; stapeltjes geurige, warme toost; vruchten in hoge, fraai gewelfde kristallen schalen; rivierkreeften in alle soorten en maten; malse gebraden kwartels met een knapperig korstje; gekruide worsten die nog nasputterden in hun eigen vet en met walnoten gevulde kweeperengelei, waar ik als kind verzot op was; en dan de lauwe geuren die de zaal vulden! allerlei door lichaamsbewegingen verspreide luchtjes van ochtendparfums, lotions, pommades en poeder; daarbij een symfonie van geluiden: gerinkel, gekraak, gepiep, gerammel, geruis en geklater, aanzwellend en wegstervend stemgedruis, gelach, gezucht, gemompel, geschater, gefluister, al deze voortdurend van sterkte wisselende klanken, die nu eens hoog waren en dan weer laag; wie op het punt staat zo'n zaal te betreden en in de geordende chaos een vast punt tracht te vinden, heeft het gevoel in een kruiende rivier vol ijsschotsen te moeten springen, zijn blik is glazig en leeg, om zijn mondhoeken zweeft een bereidwillig glimlachje, dat soms tot een onaangename grijns verstart en in zijn spieren voelt hij de nonchalante, wat blufferige zelfverzekerdheid die een voorwaarde is om uit de behaaglijke geborgenheid van het alleen zijn te treden en de mensen zodanig te ontmoeten dat het contact zonder noodlottige gevolgen blijft, hij weet immers maar al te goed dat er op zo'n moment van alles kan gebeuren, al sluit de openbaarheid bij voorbaat uit dat er ook maar iets van betekenis plaatsvindt; nergens zijn de aangename en tegelijk onaangename theatraliteit van het leven, de bergen en dalen der menselijke onoprechtheid en de edele drang tot liegen duidelijker te ervaren dan in een gezelschap, waar iedereen even vaag, vriendelijk en ongrijpbaar is als wijzelf, kleurloos en onbereikbaar door de dubbele inspanning van de aanval en de verdediging, waardoor we ons, aan onszelf overgelaten, volkomen uitgeloogd, vermoeid en overbodig voelen en tegelijk weldadig onverantwoordelijk, immers op heimelijk bevel van onze wensen en verlangens schijnt alles anders te verlopen dan in werkelijkheid het geval is.

En hoe onberispelijk onze entree ook is, ze gaat altijd met de een of andere onaangenaamheid gepaard, die als onoverkomelijke hindernis voor ons opdoemt of zich als diepe verwarring manifesteert; soms is het het lichaam zelf, zijn vorm en oppervlak, al hebben we het ook met de grootste zorgvuldigheid in een kostuum gehuld; als we trachten een plaats tussen de aanwezigen te vinden en vrezen dat die misschien onvindbaar is, ervaren we ons lichaam plotseling als log, lelijk en zelfs afstotelijk, en onze ledematen schijnen te lang of te kort, misschien juist door onze wens gracieus, mooi, aantrekkelijk – wat zeg ik? – volmaakt te zijn; maar toch schijnt de ware oorzaak van deze verwarring niet het lichaam te zijn, maar het slecht gekozen, uit de mode geraakte of juist al te modieuze kostuum, een verstikkend nauwe kraag, een te kleurige das, te nauwe mouwgaten, een in de bilnaad gekropen pantalon, om maar te zwijgen van de zich bij zulke gelegenheden onstuimig aandienende innerlijke gewaarwordingen en allerlei lichamelijke zwarigheden: zweetdruppeltjes op het voorhoofd, de bovenlip, de rug en in de okselholtes, een hese stem, klamme handpalmen of een tegen de omgangsvormen revolterende maag die mogelijk luid begint te knorren, darmen die zich op zulke momenten steevast wensen te ontdoen van hun onwelriekende gassen, produkten van een zenuwachtige spijsvertering; en natuurlijk is er altijd wel iemand in het gezelschap wiens enkele aanwezigheid ons schijnt uit te dagen, aan wie wij, alle redelijke overwegingen terzijde schuivend, dadelijk onze vijandelijke of verliefde, in elk geval elementaire gevoelens zouden willen laten blijken, gevoelens die we echter moeten achterhouden als de stinkende gassen in ons onderlijf, want het spel bestaat er nu eenmaal in dat alles wat echt is wordt verhuld, terwijl het onechte op een charmante wijze als echt wordt voorgesteld.

Misschien is het een geschenk van deze regie dat we absoluut geen tijd hebben om bij al deze onaangenaamheden stil te staan, we moeten dadelijk met een glimlach een gesprek aangaan.

Ik moet bekennen dat ik me, als ik in een gezelschap verkeer, voel alsof men mij een fors uitgevallen peer in de anus schuift, die ik met de sluitspieren in balans moeten houden en vastklemmen, zonder de vrucht te absorberen of uit te stoten, en ik ben ervan overtuigd dat het ook anderen zo vergaat; door de krampachtige spanning van het onderlijf merken ik en mijn lotgenoten elkaars onbehaaglijkheid dadelijk op, wat natuurlijk hoogst pijnlijk is, zelfs voor de onbeschaamdsten onder ons.

Toen de ober, die eenzelfde groen rokkostuum droeg als de hotelbediende, me naar mijn plaats bracht, bleef ik als aan de grond genageld staan, want tot mijn verbijstering zag ik twee dames aan tafel zitten met wie ik samen had gereisd.

Maar ik had geen tijd om daarbij stil te staan, want mijn disgenoten hadden me al aangesproken, bovendien moest ik, terwijl ik tussen hen plaats nam, ook de andere aanwezigen in ogenschouw nemen en, alvorens met de gemeenschappelijk maaltijd te beginnen, hun mijn gezicht en gelaatsuitdrukking presenteren, opdat ze die grondig konden bestuderen, wat altijd een hoogst riskante aangelegenheid is!

De man aan mijn rechterzijde, wiens uiterlijk – hij had bijna volledig grijs haar, een strakke, jeugdige, gebruinde huid, borstelige zwarte wenkbrauwen, een volle, zijn vlezige lippen bedekkende snor en een duistere, blikkerende oogopslag, die werd gecompleteerd door een boosaardige glimlach – me dadelijk boeide, hoewel ik voelde dat het beter was niet naast maar tegenover hem te gaan zitten, vroeg me met een buitenlands accent of ik gisteren tijdens die vreselijke storm was aangekomen; aanvankelijk dacht ik dat hij in een mij onbekend dialect sprak, maar toen hij vervolgens vertelde dat alle gasten vanwege de al drie dagen woedende storm over slapeloosheid klaagden, wat heel begrijpelijk was omdat zo'n storm het menselijke zenuwstelsel – vooral aan de kust, in de bergen was dat heel anders, dat wist hij uit ervaring! – stoorde en zelfs irriteerde en voor woedeaanvallen vatbaar maakte, werd me duidelijk dat hij niet in zijn moedertaal sprak, want hij gebruikte bij het spreken steeds de verkeerde tijden van het werkwoord.

'Des te aangenamer is het als dan 's ochtends bij het opstaan de lucht zo prachtig blauw is! Is het geen schitterend weer?' gaf mijn linkerbuurman op luide toon en met volle mond te kennen, terwijl hij de aan zijn vork geprikte garnaal vlak voor mijn neus hield; vervolgens begon hij me uit te leggen dat hij – en hierin moest ik hem niet misverstaan – niets tegen de keuken van het huis had, integendeel die was voortreffelijk en zelfs exquis, maar hij was nu eenmaal een liefhebber van eenvoudige culinaire genoegens, alsjeblieft geen sauzen of kruiden! als ik iets werkelijk voortreffelijks wilde proeven, kon ik het beste zijn voor-

beeld volgen, want de garnalen waren vers en mals, knapperig en smakelijk, als je ze stukbeet – een werkelijk exquis genoegen! – proefde
je de smaak van de zee op je tong.

Voortreffelijk! exquis! mompelde hij nog enkele malen, waarbij ik
de indruk had dat hij meer tegen de hap voedsel in zijn mond sprak
dan tegen mij, want hoe ijverig, geestdriftig en snel hij de garnalen
ook genotzuchtig smakkend naar binnen werkte en tussen zijn kiezen
tot een aromatische brei vermaalde, toch scheen hij de verlangens van
zijn tong niet geheel te kunnen bevredigen, het was alsof hij zichzelf
moest overtuigen van hetgeen hij proefde, beter gezegd: van wat hij
niet zo volmaakt kon proeven als hij wel gewild had, zodat hij de ontbrekende zekerheid van het volmaakte genot uit zijn eigen luide com-
mentaren moest putten; op en rondom zijn bord hoopten zich grote
hoeveelheden klokhuizen, schillen, botjes en graten op en later kon ik
constateren dat er ondanks de bijna lachwekkende ijver van de kelners
voortdurend een chaos in zijn omgeving heerste, er was steeds iets ge-
morst, omvergestoten, over de rand geklotst of neergedropen en zijn
servet gleed door zijn heftige bewegingen voortdurend van zijn
schoot en kwam op zijn knieën terecht of moest van de grond worden
opgeraapt; en niet alleen het tafellaken, maar ook zijn zwarte, ongetwijfeld geverfde geitebaard, de brede revers van zijn hooggesloten
geklede jas en zijn niet geheel smetteloze stropdas waren met kruimels
bezaaid, waarom hij zich echter niet in het minst scheen te bekommeren, alleen werkelijke ongelukjes, bijvoorbeeld een onder het mes
vandaan schietend stukje mals vlees, begeleidde hij, onvermoeibaar
doorratelend, met een nauwelijks zichtbaar verontschuldigend gebaar; af en toe onderbrak hij zijn gekauw en gesmak om genotzuchtig
een paar zinnen uit te spreken en als hij slikte, zag je zijn uitgeschoren
adamsappel op en neer gaan, terwijl zijn gezicht intussen volkomen
onbeweeglijk en bijna humorloos gespannen bleef; zijn tot minuscule
schubben gerimpelde huid had een ongezonde, vale kleur en zijn
diepliggende ogen zweefden nerveus, bijna verschrikt, in hun schaduwrijke kassen.

Er zaten zo'n twintig personen om de lange tafel en recht tegenover
me was voor nog iemand gedekt, die echter afwezig was.

De jongste van mijn twee reisgezellinnen droeg gedurende de
maaltijd handschoenen, wat natuurlijk nogal opvallend was; terwijl ik
naar die onnatuurlijk strakke, witte handschoenen staarde, overviel
me een soortgelijke, op een flauwte gelijkende zwakte als de dag tevo-

ren in de treincoupé, toen ze me het geheim van haar hand op de meest brute wijze had onthuld.

Op mijn gemak spreidde ik mijn servet over mijn schoot, hoewel ik bij voorbaat wist niet al te veel te zullen eten; intussen voelde ik dat mijn tafelgenoten heimelijk mijn gezicht, ogen, kostuum en stropdas monsterden.

Ik zei tegen de aan mijn rechterzijde gezeten grijsharige heer, die overigens niet ouder was dan ikzelf – hij had brede schouders, een dikke nek en een gedrongen lichaam en droeg een van een soepele, koffiekleurige stof vervaardigd, goed bij zijn donkere huidskleur passend kostuum, een iets lichter vest en een overhemd met bleke strepen, zoals toen juist in de mode was gekomen als tenue de ville – dat ik eveneens iets had gemerkt van de door hem ter sprake gebrachte nachtelijke spanning, ik was namelijk op een eigenaardige manier gewekt door geschreeuw, gegil of wellicht andere geluiden; de mogelijkheid viel zelfs niet uit te sluiten, vervolgde ik met een ook voor mezelf verrassende en ongetwijfeld door 's mans vertrouwenwekkende uiterlijk bevorderde openhartigheid, dat het geen werkelijk maar slechts een tot mijn onaangename droom behorend geluid was geweest, zodat ik me aansloot bij degenen die over slapeloosheid klaagden, hoewel de eerste nacht, naar wij allen weten, niet maatgevend is; terwijl ik nog aan het woord was, had mijn buurman reeds zijn blik afgewend en hij scheen mij niet meer te horen; in deze goed gespeelde onoplettendheid school ongetwijfeld iets onaangenaam belerends, zoals dikwijls het geval is bij lieden die overtuigd zijn van hun superioriteit, hun levenservaring en hun onfeilbaarheid en daarom hun gebaren en woorden, ja zelfs hun zwijgen plegen te doseren om ons tot overdreven openhartigheid, vleierige confidenties en een bijna onderdanige oprechtheid te bewegen, zodat wij zwak zijn in hun ogen en zij ten koste van ons hun prestige kunnen opvijzelen; intussen hield mijn linkerbuurman een van grote deskundigheid getuigende verhandeling over de kunst van het roken en marineren van hammen, waarop ik echter bij gebrek aan kennis van zaken niet kon reageren; om echter niet dezelfde fout te begaan als mijn andere buurman en hem een plezier te doen, vroeg ik de ober eveneens om garnalen.

De oudste van de twee dames, die ik in de trein pas na vele uren reizen had herkend, en wel toen ze in slaap was gevallen – haar hoofd was daarbij opzij gegleden en haar mond opengevallen –, at helemaal niets maar slurpte, de bewegingen van haar dochter imiterend, haar hete chocolademelk, vermoedelijk alleen uit beleefdheid en om zich niet te vervelen.

Eindelijk kon ik ook met de maaltijd beginnen.

'Ik hoop dat u ons meteen na het ontbijt kunt vergezellen, waarde raadsheer.'

De dame had een lage, hese, bijna mannelijke stem en haar lichaam was stevig gebouwd en benig, zodat ze er in haar elegante, met kant afgezette, zwarte japon uitzag alsof ze een man was die zich als vrouw trachtte te vermommen.

'Ik wil u niet verhelen dat ik wat ongeduldig ben.'

De beide dames zaten zo dicht bij elkaar dat ze aan elkaar vastgegroeid schenen, dichter bijeen dan misschien betamelijk was; ik had de indruk dat voornamelijk de moeder van het tweetal behoefte had aan deze intimiteit, zoals ook het geval was geweest in de trein, waar ze bijna tegen de schouder van haar dochter had geleund, zonder haar overigens werkelijk aan te raken.

Ik herinnerde me met hoeveel verachting, ja afschuw de dochter naar haar slapende en voortdurend zachtjes snurkende moeder had gekeken.

Of zou die verachting mij hebben gegolden?

'Maar natuurlijk, dat spreekt vanzelf,' antwoordde de voortijdig kalende heer rechts van me, 'ik sta geheel tot uw beschikking; overigens heb ik u al gezegd dat we in de gegeven omstandigheden met alles, maar dan ook alles, rekening moeten houden.'

Opnieuw had ik het gevoel dat het meisje mij heimelijk gadesloeg en probeerde mijn aandacht te trekken; weliswaar vermeed ze mij aan te zien, maar ik meed haar blikken eveneens.

'Neemt u me niet kwalijk, maar zoudt u de droom waaraan u zulke onaangename herinneringen bewaart kunnen navertellen?' vroeg de grijsharige heer op slaperige toon, terwijl hij zich met een ruk naar mij toekeerde.

'Maar natuurlijk.'

'Zoudt u dat bij gelegenheid willen doen?'

'Mijn droom aan u vertellen?'

'Ja'.

We zwegen even en keken elkaar aan.

'Ik ben namelijk een soort dromenverzamelaar, weet u, ik jaag met een vlindernet op dromen,' zei hij met een brede glimlach, waarbij zijn mooie, blinkende tanden bloot kwamen, maar slechts voor een ogenblik, want hij nam die lach onmiddellijk weer terug en veinsde dat zijn zwarte ogen iets heel verdachts in mij hadden ontdekt; in het zwart blonk een flits van herkenning.

'Denkt u nu niet dat we u willen opjagen, waarde raadsheer,' klonk de stem van de oude dame opnieuw; op dat moment wendde de man zich even schielijk van mij af als hij zich naar mij toe had gekeerd, blijkbaar schepte hij behagen in zulke verrassende en onberekenbare bewegingen.

'Overigens valt natuurlijk niet uit te sluiten dat de crisis uitsluitend het gevolg is van het stormachtige weer,' zei hij op dezelfde slaperige toon als zoëven, 'misschien komt het opgewonden organisme wel tot rust zodra de elementen wat gekalmeerd zijn; ik zeg dit niet zonder grond, mevrouw, er is mijns inziens reden genoeg voor hoop.'

Voorzichtig at ik zo nu en dan een hapje, ik wilde mijn verstopte darmen niet nog meer belasten.

Ik had mijn ochtendritueel overgeslagen, wat ik alleen deed als het echt onuitvoerbaar was, en dat was nu al drie ochtenden achtereenvolgens het geval; het onverwachte bezoek van mijn verloofde, de daaropvolgende reis en het aantrekkelijke uiterlijk van de hotelbediende tenslotte hadden mijn stoelgang aardig in de war gemaakt, ik had al drie dagen last van hardlijvigheid.

'Nu, wat zegt u ervan?' schalde de stem van mijn linkerbuurman.

'Ze zijn inderdaad verrukkelijk!'

Ik zou niet kunnen zeggen wat voor mij belangrijker was, mijn literaire werkzaamheden of de dagelijkse gang naar het gemak, ik had namelijk in de loop der jaren gemerkt dat het meest abstracte geestelijke in mij onlosmakelijk was verbonden met het meest grove lichamelijke, en wel zodanig dat het een slechts in combinatie met het andere tot zijn recht kwam.

Op dat moment richtte de heer met de geitebaard zijn volle aandacht op mij en begon de wijze waarop ik kauwde en slikte te bestuderen; hij hield zijn mond hierbij een weinig geopend en tuitte zijn lippen, gelijk een moeder die bij het voeren van haar spruit met haar mond de bekoorlijke kauwbewegingen van het jonge ding imiteert om het verloop van zijn maaltijd te bespoedigen; opeens keek hij triomfantelijk om zich heen, alsof hij wilde zeggen: zie je wel, ik heb toch gelijk!

Ik heb de gewoonte om, als ik 's ochtend het bed heb verlaten en, nog ongewassen en ongeschoren, een kamerjas heb aangeschoten, dadelijk aan mijn schrijftafel te gaan zitten; als mijn geheugen mij niet bedriegt, heb ik deze gewoonte nog in het ouderlijk huis aangenomen, na de vreselijke daad en de gruwelijke zelfmoord van mijn vader, toen het altijd uren duurde voordat ik de dag kon beginnen, want zonder dat ik me daarvan bewust was heb ik nog jaren nadien in een soort verdoving geleefd.

Vaak belandde ik bij de oever van een onafzienbaar brede, majestueus voortstromende rivier; als ik in het water was gestapt, dreigde de krachtige stroom me mee te sleuren en moest ik mezelf aan de breekbare takken van de half verdorde wilgen vastklampen en uit de modder omhoogtrekken; de grijze, kolkende watermassa voerde ontwortelde bomen en dode lichamen met zich mee, die door het borrelende water om en om werden gedraaid en gewiegd.

Aan mijn tafel gezeten staarde ik uit het raam van mijn kamer op de eerste verdieping naar de daken van de huizen aan de overkant van de straat, dronk mijn kamillethee en pende af en toe een zin neer op het verstrooid naar me toe getrokken papier; ik schreef toen bijna automatisch, zonder veel na te denken.

Hilde en ik hadden geen geheimen meer voor elkaar; alleen achtergebleven in het huis, vertoonden we ons slechts zelden op straat; 's zomers werd onze tuin door onkruid overwoekerd; als we daar in het gras lagen, vielen we soms met de armen om elkaars middel in slaap, zonder dat deze nabijheid ook maar de geringste erotische hartstocht in ons opwekte; zij was toen al een jaar of veertig, ik nog slechts negentien; ik wist dat mijn vader jaren lang de onschuld van haar warme, soepele lichaam had geschonden en als een ding misbruikt; zij wist dat degene die ze in haar armen hield de volwassen zoon was van de geliefde man die enkele maanden eerder haar uitzonderlijk knappe nichtje had verkracht, vermoord en verminkt; ze had het wicht, een tenger jong ding, zelf bij ons in huis gehaald om haar een handje te helpen.

Mijn zinnen regen zich aaneen tot verhalen, tot eigenaardige, volstrekt niet diepzinnig bedoelde sprookjes; intussen wachtte ik tot de langzaam afkoelende, bittere drank weldadig begon in te werken op mijn verkrampte darmen en ik door de afleiding van het schrijven wat bijkwam van de nacht.

Op zo'n ochtend, toen ik dankzij Hilde's thee op een voorspoedige wijze mijn behoefte had kunnen doen en gehuld in de geurwolk van deze dagelijkse kleine victorie het gangtoilet verliet – uit vrees dat het grootste gedeelte in mijn darmen zou blijven steken, moest ik altijd langzaam en voorzichtig persen, zodat de operatie nogal veel tijd nam en de scherpe feceslucht zich in mijn zijden kamerjas en poriën nestelde –, trof ik Hilde in een verwilderde toestand en met ongekamd haar en opengescheurde blouse; met een waanzinnige blik in haar ogen en kapotgebeten lippen stormde ze naar me toe, omarmde me en beet me in mijn hals; nog nooit heb ik een menselijk wezen zo hard horen schreeuwen: haar geschreeuw, dat diep uit de aarde scheen te komen en mijn trommelvlies bijna deed scheuren, ging dwars door me heen, waarna haar grote lichaam hulpeloos in elkaar zakte en me in zijn val meesleurde, zodat we samen op de stenen vloer belandden.

De juffrouw was niet meer in staat de hap eten in haar mond door te slikken, ze liet haar gehandschoende hand zakken en deponeerde haar vork en haar mes op haar bord.

Met dezelfde uitdrukking van walging en verachting als waarmee ze in de treincoupé het in elkaar gezakte lichaam van haar snurkende moeder had gadegeslagen staarde ze naar de aan mijn linkerhand gezeten baardige man, maar het ontging mij niet dat haar minachting en afkeer niet geheel verstoken waren van koketterie en eerder uitdagend dan afwijzend waren bedoeld; toen ik nieuwsgierig een blik wierp op mijn buurman, constateerde ik dat zijn mond niet langer bewoog, maar dat zijn zorgvuldig bijgeknipte puntbaardje nog natrilde van de inspanning, terwijl de juffrouw zijn diepliggende, rusteloos dwalende ogen met een hooghartige blik fixeerde, maar hoewel de twee mensen geheel vervuld waren van elkaars aanwezigheid, speelden ze toch een spelletje met elkaar.

Op dat moment wendde de eerbiedwaardige oudere dame zich tot mij en vroeg of ik haar wilde vergeven dat ze genoodzaakt was met de raadsheer zo'n delicate kwestie te bespreken, iets wat eigenlijk geen pas gaf aan de gemeenschappelijke ontbijttafel, daar was zij zich terdege van bewust; als ze me op dit moment een uitputtende verklaring schuldig bleef – de overige gasten wisten helaas al wat er aan de hand was! –, deed ze dat, daar moest ik niet aan twijfelen, louter in mijn eigen belang, ze wilde mijn ongetwijfeld zonnige ochtendhumeur niet met haar gejeremieer bederven en me zoveel mogelijk haar problemen besparen! wat ze zei was dus alleen als explicatie bedoeld en ze hoopte oprecht op mijn begrip.

De weinige ogenblikken die mij ter beschikking stonden om haar van mijn volledige en onvoorwaardelijke begrip te verzekeren en met het allervriendelijkste glimlachje waarover ik beschikte dank te zeggen voor haar uitzonderlijke voorkomendheid, werden me ontroofd door haar onstuitbare woordenvloed en het viel me moeilijk de blik weer op mijn buurman en de juffrouw te richten, die, in de wetenschap dat ze tijdens het gesprek niet voor mijn nieuwsgierige blikken hoefden te vrezen, elkaar nog openlijker toelonkten; terwijl ik beleefd naar de moeder luisterde, gluurde ik uit mijn ooghoeken naar het meisje, dat met een kokette en tegelijk afkeurende uitdrukking op haar blozende, ronde gezicht de al wat oudere en ongetwijfeld ijdele man monsterde, die door haar charmes geheel betoverd scheen; opeens begon ze weer te kauwen, maar nu imiteerde ze met een verbluffend mimisch talent de man tegenover haar, waarbij ze deed alsof ze gekweld werd door een even woeste, gretige en onstilbare honger als hij en haar kin liet beven om zijn baard na te doen; dit was echter nog maar het begin van de voorstelling, want de man scheen zich nu pas te realiseren wat een knap gezicht ze had; zonder dat hij ook maar in de geringste mate aanstoot nam aan haar spottende gedrag, verplaatste de gretigheid waarmee hij kauwde zich eenvoudig van zijn mond naar zijn ogen en uit zijn blik, die uitzicht scheen te hebben op ongekende genietingen, sprak een schaamteloze wellust; voor deze uitdrukking waren zijn diepliggende, ietwat loensende ogen uitstekend geschikt, wat het meisje scheen te fascineren; nadat ze elkaar een ogenblik met roerloze kaken over de met etensresten bemorste tafel hadden aangestaard, begon de man opnieuw te kauwen, maar nu voorzichtig, met bijna meisjesachtige terughoudendheid, waarop de juffrouw tegelijk met hem een paar gulzige kauwbewegingen maakte, en hoe ongelooflijk dit ook klinkt: vanaf dat moment kauwden en slikten ze gezamenlijk, hoewel de daartoe benodigde spijzen ontbraken.

Maar ook voor dit schouwspel had ik slechts weinig tijd, want vanaf dat moment volgden de boeiende gebeurtenissen elkaar met een duizelingwekkende snelheid op in de ontbijtzaal.

De glazen deur werd geopend door een jongeman, alleen al door zijn kleding een opvallende verschijning; ik zette juist mijn kopje thee aan de lippen toen de raadsheer, die tot dan toe een slaperige rust had gesimuleerd, met zijn elleboog zo'n nerveuze, onbeheerste beweging maakte dat hij mijn rechterarm aanstootte en de thee uit het kopje vloog, bijna in het gezicht van de oudere dame, die zich juist naar mij vooroverboog.

De jongeling tikte met een nonchalante beweging tegen zijn licht-gekleurde, slappe hoed, ving het hoofddeksel op en overhandigde het aan een kelner die toevallig in zijn buurt stond; onder de hoed scheen op dat moment een explosie plaats te vinden, want er sprong een grote bos blonde, door de zon gebleekte pijpekrullen onder vandaan die zijn hoofd als een beweeglijke kroon omgaf; hij droeg geen colbert maar een gebreide sweater van dikke witte wol en een lange sjaal van dezelf-de soort wol, die hij een paar maal om zijn hals had geslagen en over zijn schouder geworpen, wat niet bepaald van een goede opvoeding ge-tuigde; vermoedelijk had hij juist zijn ochtendwandeling achter de rug, want hij zag er opgewekt en blozend uit, maar tegelijkertijd wat al te vrijmoedig, hetgeen niet alleen veroorzaakt werd door zijn ongewone kledij maar door zijn hele houding, zijn lichte tred en zijn onbevangen glimlach; terwijl hij zich naar zijn stoel haastte, wisselden we veront-schuldigende blikken vanwege deze ongewone entree; de jongeman knikte ons bij wijze van groet toe en scheen met iedereen de beste maatjes te willen zijn, want hij glimlachte vrolijk; na de merkwaardige sjaal van zijn hals te hebben gewikkeld, gooide hij die over de leuning van zijn stoel; de bejaarde dame tegenover mij, die zijn binnenkomst uit mijn geamuseerde blikken had afgeleid, keek stralend op naar zijn slanke gestalte en nam zijn hand in de hare, die met ringen was bezaaid.

'Oh, ce cher Gyllenborg!' riep ze uit, 'quelle immense joie de vous voir aujourd'hui!'

De jongeling trok haar naar zich toe en drukte een elegante handkus op haar geringde hand, een beweging die zowel meer als minder scheen dan een galant gebaar.

Op dat moment stond er al een ober achter onze rug, die de aan mijn rechterhand gezeten raadsheer iets in het oor fluisterde, onmiddellijk daarop werd de glazen deur geopend door de hotelier, die met een be-drukte en enigszins domme uitdrukking op zijn gezicht in onze rich-ting keek, alsof hij op de uitwerking van het gezegde wachtte.

De jongeman was nog niet gaan zitten maar haastte zich naar het broze oude dametje aan het hoofd van de tafel, dat verzaligd achter-over leunde en hem haar blanke, door hoog opgestoken zilvergrijs haar omlijste voorhoofd bood, zodat hij dit kon kussen.

'Avez-vous bien dormi, maman?' hoorde ik hem zeggen.

Op dat ogenblik sprong de raadsheer zo onbesuisd op van zijn stoel dat die omgevallen zou zijn als de ober hem niet had opgevangen; hij rende zonder zich om de fatsoensnormen te bekommeren de zaal uit.

Toen zijn gedrongen gestalte al bijna verdwenen was in het half-duister van de grote salon achter de glazen deur, kwam hij plotseling tot bezinning, draaide zich om en hield, toen hij de verbaasd kijkende hotelier tegenover zich zag staan, zijn pas in, waarna hij zich weer naar de ontbijtzaal repte, waar hij de oude dame iets in het oor fluisterde; ik kan thans wel onthullen dat de oude dame niemand anders was dan gravin Stollberg, de moeder van mijn vroegere speelgenootje en het meisje met de handschoenen.

Ik wist dus precies wat er aan de hand was, maar in de trein had ik geen lust gehad de beide dames mijn identiteit te onthullen omdat dan ongetwijfeld mijn vader ter sprake zou zijn gekomen, wat me, gezien het gebeurde, hoogst onaangenaam leek.

Er was waarschijnlijk niemand in de zaal die op dit ogenblik niet voelde dat hij getuige was van een ongewone, ja hoogst ernstige gebeurtenis.

Er viel een stilte.

De jongeman stond nog steeds naast de stoel van zijn moeder.

De twee dames rezen langzaam overeind en verlieten samen met de raadsheer de zaal.

Wij bleven achter in de ontbijtzaal, waar een doodse stilte heerste die alleen af en toe werd onderbroken door wat gerinkel; alle aanwezigen zaten onbeweeglijk op hun stoel.

Pas toen deelde de hotelier de aanwezigen op bewogen toon mee dat graaf Stollberg was overleden.

Ik staarde naar mijn bord, waar nog enkele garnalen op lagen, en vermoedelijk deed iedereen dat, behalve de jongeman, die met onhoorbare voetstappen naar de lege plaats tegenover me liep en zijn sjaal van de stoelleuning nam, wat ik zonder van mijn bord op te kijken kon zien.

'Bien! Je ne prendrai pas le petit-déjeuner aujourd'hui,' zei hij zachtjes, 'que diriez-vous d'un cigare?' dit laatste kwam mij nogal ongepast voor.

Ietwat bedremmeld keek ik naar hem op, want ik wist niet of hij tegen mij had gesproken, maar toen hij naar me glimlachte, stond ik dadelijk op.

Het jaar der begrafenissen

Tot huilen was ik niet meer in staat, ik had dat zo'n anderhalf jaar geleden voor het laatst gedaan op de begrafenis van mijn moeder, toen de
bevroren aardkluiten met een dof ploffend, bonkend en ritselend geluid op haar als een klankkast resonerende kist waren terechtgekomen;
de kluiten schenen in mijn binnenste te dreunen, in mijn geopende
schedel, mijn maag en mijn hart, het vreselijke geluid verstoorde de tot
dan toe niet herkende innerlijke vrede van mijn lichaam en maakte me
geheel onverwachts en zonder enige overgang bewust van de jammer-
lijkheid van mijn fysieke bestaan.

En hoewel mijn duistere, onbewuste vreugde tot dan toe door niets
verstoord kon worden, door geen verdriet, opwinding, angst, vreugde
of ontzetting, scheen vanaf dat moment alles anders te gaan dan gewoonlijk; alles wat we mooi of lelijk plegen te noemen – kleur, vorm,
maat, uiterlijk en valse schijn – verloor zijn betekenis, maar de maag
ging in de krampachtige spanning van het voortdurend alert zijn gewoon door met verteren omdat er voedsel in werd gestopt, het hart
ging met zichzelf ontziende behoedzaamheid door met kloppen omdat er bloed moest worden gepompt, de darmen gingen onwillig door
met hun gerommel en gepruttel en stootten hun gassen uit, en de urine
brandde als gewoonlijk; de naakte pijn van het levende lichaam trachtte aan elke ademtocht te ontsnappen en bleef in de longen achter als
druk, want er was geen lichamelijke gewaarwording, hoe pijnlijk ook,
die de onpeilbaar diepe dofheid van mijn zielepijn had kunnen verdrijven, zodat mijn adem klonk als het gereutel van een stervende en ik
gruwde van het bestaan; en terwijl elke zenuw in mij trachtte aan de
weet te komen wat er in mijn binnenste gebeurde of nog te gebeuren
stond, werd ik schijnbaar rustig en gevoelloos, ja onverschillig voor
wat er om me heen gebeurde en kon ik natuurlijk ook niet huilen.

Niettemin speelde er van tijd tot tijd iets in mij op, alsof er wat in de
keel klevend snot de mondholte in werd gedreven, en dan hoopte ik
nogal naïef dat de weldadige warmte van mijn tranen me naar de gelukkige onbewustheid van mijn kinderjaren terug zou kunnen voeren,
toen de tedere kracht van een omhelzing nog voldoende was om me te
troosten; het probleem was natuurlijk dat ik die koesterende warmte

juist ontbeerde, zodat ik in plaats van huilbuien alleen koude rillingen had, wat echter nauwelijks waarneembaar was, zelfs niet van heel dichtbij, want het rillen duurde meestal maar kort en ging niet met opvallende verschijnselen gepaard.

Eigenlijk beviel die nieuwe rol me wel, ja ik genoot er soms van, en ik was blij dat ik niemand lastig viel met mijn lichamelijke of geestelijke klachten.

Op die middag waarover ik, nu ik het einde van mijn verhaal nader, graag zou willen schrijven, lag ik op bed; als de toestand waarin men op de dood wacht met een alledaags woord kan worden gekarakteriseerd, zou ik van stilte willen spreken, een stilte waarin het volledig ontbreken van genade voelbaar is, zo'n stilte heerste er in huis; het liep al tegen de avond en de schemering daalde aan het einde van die bewolkte decemberdag zacht en zwaar op mij neer, wat ik tengevolge van de toestand waarin ik verkeerde niet onaangenaam vond; dit was voor mij de gunstigste periode van de dag, want ik verafschuwde het daglicht toen evenzeer als mijn lichamelijke gewaarwordingen of de nachtelijke duisternis, alleen de schemering kon mijn nood enigszins verlichten; de deuren stonden open en er brandde nog geen licht in dit mij vreemd geworden huis, waar we de radiatoren van de centrale verwarming slechts lauwwarm lieten worden omdat we te weinig kolen hadden; in de verte, in de eetkamer, klonk van tijd tot tijd de krachtige stem van tante Klára, die in deze stilte een hardnekkige dialoog voerde met het definitieve zwijgen van mijn grootmoeder; sinds vader haar mijn zusje had afgenomen, dat hij in een instelling bij Debrecen had ondergebracht, sprak grootmoeder geen woord meer; hoewel ik op die afstand de woorden niet kon verstaan en dit ook niet probeerde, namen mijn oren wel mijn tante's eigenaardige, monotone spreekritme waar, dat leek op het spreekritme van mijn moeder, zodat dit geluid me vagelijk bekend en vertrouwd voorkwam.

Het was de achtentwintigste december van het jaar 1956; ik herinner me die datum zo precies omdat we de dag daarop, de negenentwintigste december, mijn vader hebben begraven.

Toen er voor de tweede maal werd gebeld, hoorde ik voetstappen, het openen van de deur en stemgeluiden; ik bleef nog even liggen maar stond toen op van het bed om niet te laten merken hoe weinig het me kon schelen wie de bezoeker was; in de deuropening van mijn kamer stond Hédi Szán.

Als ik nauwkeurig wil zijn, moet ik zeggen dat er een onbeholpen wezen op de drempel stond, een menselijke gestalte met veel te lange, slungelachtige armen, vaag zichtbaar dankzij de witte muren, die het schemerachtige licht in de kamer zwak reflecteerden; ze had iets weg van een als vrouw verkleed meisje of een angstig klein kind en vertoonde nog maar weinig overeenkomst met de vroegere Hédi, die een bloeiende jonge vrouw, een knappe, charmante verschijning was geweest.

Ze droeg een met bont afgezette jas van haar moeder, een versleten, tussen de motteballen opgediept vod, en zag eruit alsof ze alles wat ze aan had lukraak had aangetrokken; ze maakte een uitgeputte indruk, maar het kon ook zijn dat ze te weinig had geslapen; haar haar, de eens zo dichte, verleidelijk glanzende, goudgele lokken, de zo aantrekkelijke, bij elke pas of beweging zachtjes golvende, geurige waterval die ik zo dikwijls had gestreeld scheen nu kleurloos en omlijstte haar gezicht alsof hij niet bij haar hoorde; haar huid was samengetrokken door de kou en ze huiverde bangelijk, alsof ze tegen haar zin in deze situatie was geraakt; vermoedelijk zagen we er in die tijd allemaal zo uit.

Toch was het niet het ontbreken van haar, door mij misschien slechts verbeelde, schoonheid dat me ontstelde, en ook niet dat vod van een jas, maar haar blik: ik schrok omdat ze me zo ontzet aankeek en absoluut niet glimlachte; om mijn schrik te verbergen lachte ik zelf wel, maar intussen voelde ik me gekwetst door haar onhandige medelijden en haar van volwassenen afgekeken methode om slechts zodanig aan andermans verdriet deel te nemen dat ze niet werkelijk werd geraakt.

Alles in me deinsde geschokt en afwerend voor haar terug, ik wist immers waarom ze was gekomen.

Toch was haar verschijning ook geruststellend en aan de situatie aangepast, ze droeg namelijk hoge schoenen en dikke wollen sokken met omgeslagen boorden.

Ze groette me en ik zal haar groet wel beantwoord hebben, precies weet ik het niet meer, ik herinner me alleen nog hoe geforceerd mijn glimlach was toen ik trachtte haar even vrolijk en luchthartig toe te lachen als vroeger, alsof er, zolang zij zich die oude glimlach herinnerde, niets was gebeurd en ook niets kon gebeuren; we deden enkele passen in elkaars richting, maar toen bleven we wat onzeker staan omdat het voor ons allebei eigenaardig en zelfs griezelig was elkaar in zo'n herinnerende en met herinneringen beladen rol te ontmoeten, er waren nu eenmaal te veel doden te betreuren; om het allermoeilijkste zo snel mogelijk achter de rug te hebben, begon ik te lachen en zei: fijn dat je eindelijk gekomen bent, we hebben elkaar op de begrafenis van mijn moeder voor het laatst gezien.

Ze schrok van mijn uitbarsting en vatte mijn woorden waarschijnlijk als een bitter verwijt op, want haar grote ogen schoten vol tranen; wie weet hoe lang die waterlanders al op de loer hadden gelegen! om in haar hulpeloosheid niet meteen in huilen uit te barsten en te voorkomen dat ik haar nog meer krenkends zou toevoegen, wierp ze haar hoofd geprikkeld achterover, zodat haar lange haar bijna even mooi neergolfde als vroeger; nee, zei ze, daar ben ik niet voor gekomen, zo idioot ben ik nu ook weer niet, ik wil je niet kwetsen en ik heb je niets te zeggen, ik kom alleen afscheid nemen van ons; dat zei ze werkelijk zo: van ons; ze vertelde dat er een gunstige gelegenheid was: iemand was bereid haar morgen vóór zonsopgang voor betrekkelijk weinig geld naar Sopron te laten meerijden en daar zouden ze wel verder zien; bij die laatste woorden haalde ze haar schouders op; ze was ook nog bij Livia en mevrouw Hüvös geweest, maar daar had ze niemand thuis getroffen; ze vroeg me of ik een boodschap aan Livia wilde overbrengen, maar toen ik vroeg wat ik dan moest zeggen, antwoordde ze dat ik niets hoefde te zeggen, alleen dat ze bij me was geweest en naar het buitenland zou gaan; na Livia's huis had ze de weg door het bos genomen met de bedoeling ook nog bij Kálmán aan te wippen, maar toen ze dat had gezegd, zweeg ze plotseling en wachtte ze bijna smekend op het moment dat ik wat ze maar niet kon geloven tot zekerheid zou maken, en snel, want wegens het uitgaansverbod kon ze niet lang blijven.

Vanaf het ogenblik dat ze, tegen haar opkomende tranen vechtend, was begonnen te spreken, snel en met bijna toonloze stem bijkomstige omstandigheden uiteenzettend om de situatie te verduidelijken, maar zonder ook maar een woord vuil te maken aan het allerbelangrijkste, aan de dingen die haar en mij het meest aan het hart gingen, waarschijnlijk omdat ze dat te precair vond, was ze ondanks haar veranderde uiterlijk weer de oude, geen mooie, maar een sterke vrouw, en ik bedacht opeens dat wat we vroeger voor schoonheid hadden aangezien, misschien alleen kracht was geweest.

Ik knikte.

Dit knikken vond zij niet voldoende, ik moest een bijna toonloos, droog ja uitspreken, midden in haar gezicht, zodat ze het niet kon ontwijken; terwijl ik dat deed merkte ik hoe wreed, ja sadistisch het is om het laatste vonkje dwaze hoop uit te doven in iemand die zich niet bij voldongen feiten kan neerleggen; zoiets is ook dan wreed en sadistisch als die iemand heel goed weet dat het ja toch nooit meer een nee kan worden en voor altijd een met onze gevoelens de spot drijvend ja zal blijven.

Over dit ja hoefden we niet langer te praten; ze had me het belangrijkste laten weten, en dat was dat ze weg zou gaan uit Hongarije, iets wat overigens weinig indruk op me maakte; uit de manier waarop ze me het had meegedeeld, leidde ik af dat ze om een mij onbekende, tragische reden niet met zijn drieën zouden vertrekken, maar met zijn beiden, want ze gebruikte de tweede persoon meervoud van het werkwoord niet met de gebruikelijke haat, een kinderlijke, dreinerige haat tegen de vriend van haar moeder, wiens gestook tot een verwijdering tussen haar en haar moeder had geleid; het was vreemd haar zonder die haat te horen spreken; we hadden geen tijd voor explicaties, maar het was niet moeilijk te raden wat er met die vriend aan de hand was: hij moest gewond of gesneuveld zijn, misschien was hij ook wel in zijn eentje naar het buitenland gevlucht of behoorde hij tot degenen die de afgelopen dagen waren gearresteerd; als hij om een persoonlijke reden uit hun leven was verdwenen, zou de haat die ze tegen hem koesterde nog in haar woorden hebben doorgeklonken, het feit dat zij en haar moeder de afgeschreven vriend aan de zorgen van de onpersoonlijke Geschiedenis toevertrouwden en samen het land verlieten, behoorde voor mij evenzeer tot het gevoelloze rijk der ja's als voor haar al datgene wat ze de afgelopen uren over mijn leven of over Kálmáns dood had vernomen.

Mijn ja betekende dus: ik weet dat je van mijn sores op de hoogte bent en heb daar niets aan toe te voegen, en bovendien: je behoeft niet in details te treden, want je weet dat ik voldoende weet.

Met wijd geopende, nee opengesperde ogen staarden we elkaar aan, of liever gezegd: we keken elkaar niet aan, maar lazen in elkaars ogen het door ons allebei begrepen, beschamende, onpersoonlijke en vluchtige ja, dat betrekking had op de dood en op het aantal doden, en misschien lazen we in elkaars ogen ook wel de schande van het overleven en al die andere, geen verklaring behoevende maar onbegrijpelijke, voldongen feiten; het was alsof we ondanks onze nerveuze haast de tijd trachtten te rekken en elkaar niet wilden verlaten voordat de schaamte uit onze blik zou zijn verdwenen, maar waardoor? door woorden? door explicaties? door verhalen? door beschrijvingen? wat viel er trouwens te expliceren of te beschrijven? en omdat we op het moment van het afscheid geen gemeenschappelijke toekomst meer hadden en niets konden redden van ons gemeenschappelijke verleden, bovendien geen van beiden in staat waren om te huilen, konden we elkaar ook niet op een normale manier aanraken.

We waren dus niet zozeer sprakeloos omdat we niets te bespreken hadden, maar omdat een gevoel van uitzichtloosheid en schaamte alles wat er te bespreken viel onbespreekbaar maakte; we moesten de gemeenschappelijke banden van wederzijds begrip verbreken om aan de schande van het gemeenschappelijke lot te ontsnappen en alles te kunnen vergeten.

Onze gemeenschappelijke toekomst zou de sprakeloosheid zijn, voor haar in het land waar ze naar toe vluchtte, voor mij hier in Hongarije; wat dat betreft was er geen wezenlijk verschil tussen ons, beiden hadden we hetzelfde afwerende, gesloten gezicht, waarmee we, om elkaar te sparen, ons verdriet maskeerden, en dezelfde quasi onverschillige, onderzoekende, kalmerende blik, die ondanks wederzijds begrip nooit meer de blik van de ander zou ontmoeten; onze nieuwe afspraak werd dat we, hoewel nog levend, overal een eind aan zouden maken; dat was wat ons restte, dat was wat we nog gemeenschappelijk hadden, bewust gemeenschappelijk, ondanks alles.

En niet alleen haar wilde ik niets vertellen, ook de anderen niet, ik kon het niet en ik wilde het niet.

De behoefte om te spreken verging in mij als de lichamen van mijn doden, en zij verdween voorgoed uit mijn leven.

In de schemerige kamer waren de stoelen om de tafel vaag zichtbaar, vier eenzame stoelen; opeens bedacht ik dat ik haar een plaats moest aanbieden, dat hoorde nu eenmaal zo, maar behalve die stoelen, waar ze overigens nooit op had gezeten, stonden er talrijke middagen tussen ons, waarop ze lachend en snaterend was komen binnenstormen en praktisch vanaf de deur een snoekduik had genomen om ruggelings of op haar buik op mijn bed neer te ploffen.

Ik vroeg haar, alsof dat het allerbelangrijkste van de wereld was, hoe het nu verder moest met Krisztián, ofschoon we beiden wisten dat ik de werkelijk belangrijke vraag op die manier trachtte te omzeilen.

Haar mond plooide zich tot een bitter glimlachje, zodat haar gezicht een wat ouwelijke, spottende uitdrukking kreeg, waarschijnlijk vond ze mijn afleidingsmanoeuvre te grof of te sentimenteel, wellicht zelfs overbodig; die hoogmoedige boog van haar afstandelijke glimlach liet me weten dat ze de affaire met Krisztián op een bevredigende manier had afgehandeld; we hebben elkaar al een hele tijd niet meer ontmoet, zei ze schouderophalend, waarmee ze te kennen gaf dat ze van hem, Krisztián, geen afscheid wilde nemen; er was dus toch iets wat intens levend en pijnlijk zou blijven; ik zal hem vanuit de vrije wereld schrijven, zei ze, bewust het jargon van de westelijke radiozenders gebruikend, uiteraard met een spottende bedoeling; het was maar kinderwerk tussen ons, vervolgde ze, maar ik vind hem nog steeds een leuke jongen; opeens werd het schild van haar onverschillige, bijna cynische gelaatsuitdrukking door een luide, bijna ordinaire lach vergruizeld en ik zag haar tanden blinken; weet je wat, je mag hem van me hebben! de laatste tijd heb ik toch een voorkeur voor lelijke jongens, daarom kom jij ook niet meer in aanmerking, helaas!

Als ze niet had gezegd dat ik hem van haar mocht hebben, als ze dit niet had uitgeschreeuwd en daardoor openbaar gemaakt, als ze mijn zorgvuldig bewaarde geheim, dat ik al die tijd had trachten te vergeten en als iets hoogst persoonlijks beschouwde, niet met haar lach had ontheiligd, als ze daarmee niet de relatie had bespot die we al die jaren met elkaar hadden gehad – was het afscheid haar stellig zwaarder gevallen, zoveel meen ik thans van haar gedrag te begrijpen.

Maar op dat moment, toen onze gezichten opnieuw tot twee angstaanjagende maskers verstarden waardoor we elkaars weerloze ogen observeerden, sloeg – als gevolg van deze nieuwe smaad – het wederzijdse, gemeenschappelijke, begrijpende ja om in een definitief, onherroepelijk en krachtig nee.

Een erkende relatie zou voor eeuwig zijn blijven schrijnen, een verloochende niet, die konden we vergeten.

Later kwam het dikwijls voor dat ik dat verwrongen gezicht van Hédi in de gelaatstrekken van wildvreemde mensen terugzag, soms zag ik een dergelijk gezicht, dat ondanks zijn roerloosheid scheen te vibreren, in volstrekt alledaagse situaties en wekte het niettegenstaande zijn vijandigheid vriendelijke gevoelens bij me op; ik merkte echter dat ik, hoezeer ik ook trachtte mezelf tot vertrouwen, aandacht en openheid te dwingen, daarvan steeds werd weerhouden door een zekere weerzin, door een ondanks mijn verzet blijvende verlamming van het gevoelsleven, door een al lang normaal geworden, pijnlijke verstarring; en ook mijn gezicht verstarde in de loop van de tijd, het was alsof zich op mijn oorspronkelijke gezicht een nieuw gelaat vastzette, een wantrouwend, afwerend, angstig en door de nimmer aflatende strijd om het bestaan boosaardig geworden gelaat dat zachtheid met hardheid toedekte, dat tegelijk ja en nee zei, maar daardoor slechts onbehagen wekte, omdat het noch door een bevestiging noch door een ontkenning enigerlei relatie wenste aan te gaan; in elk angstig, onzeker, dodelijk gekwetst, achterbaks loerend, voor de aanval gereed, krampachtig afwijzend, dwaas-joviaal of kruiperig-sluw gezicht herkende ik mijn eigen, veranderde gelaat, in elk gezicht dat bij nadering van een vreemde werd afgewend, uit schaamte over het onvermogen om contact te maken; later, toen ik over dit alles begon na te denken, begreep ik dat wij op ons gelaat onuitwisbare sporen van dat van nature gemeenschappelijke verleden dragen, ieder op onze eigen manier en afhankelijk van onze politieke gezindheid en levensovertuiging, sporen die nauwkeurig onthullen wat wij, achter ons tweeslachtig masker verschanst, trachten te vergeten en te doen vergeten.

Ik kon het dus geenszins als een toevalligheid beschouwen dat er na dit van pijn beroofde en spoedig vergeten afscheid vele lange jaren – bijna mijn gehele jeugd – moesten verstrijken voordat ik plotseling een onweerstaanbare behoefte kreeg het zwijgen te verbreken en over het gebeurde te spreken; voor de eerste keer – als ik deze schriftelijke bekentenis niet meereken misschien ook voor de laatste maal – vertelde ik, overigens op even geforceerde wijze als ik tot dan toe had gezwegen, wat er was gebeurd, en dat in het buitenland! aan een buitenlander! aan iemand die zich van dit alles vanzelfsprekend slechts een vage, abstracte voorstelling kon maken, bovendien in een vreemde taal, op het balkon van een Berlijnse stadstram, zonder enige schroom, alles eruit gooiend zoals ik het in mijn hart had bewaard, als een bloederige uilebal.

Het gebeurde op een zondagavond, eveneens in de herfst; in de lauwwarme straten zweefde al een najaarswaas, zodat er een scherpe, metalige geur hing; de verlichte tram sukkelde gemoedelijk met ons door de donkere stad, die ondanks het betrekkelijk vroege uur uitgestorven scheen.

Zoals gewoonlijk waren we niet gaan zitten, maar op het lege balkon blijven staan omdat we dan, zogenaamd omdat de tram zo wiebelde, elkaars hand konden vasthouden zonder dat de mensen er aanstoot aan namen; we waren op weg naar de schouwburg; ik kan me niet meer herinneren wie van ons beiden erover was begonnen, maar Melchior vertelde over de Berlijnse opstand van negentiendrieënvijftig; hij had het over twee plichtsgetrouwe propagandisten die op zestien juni negentiendrieënvijftig nietsvermoedend op weg waren gegaan naar het toen in aanbouw zijnde blok nummer veertig op de Stalinallee – de latere Karl-Marxallee – om de hongerige, ontevreden arbeiders die daar aan het werk waren – bouwvakkers, mortelmengers, metselaars en timmerlieden – te overtuigen van de noodzaak van een zojuist afgekondigde verhoging der arbeidsnormen; op die nogal grauwe, sombere ochtend gebeurde er iets uitzonderlijks, want de werklieden hadden niet alleen geen enkel begrip voor deze vanzelfsprekende normverhoging, maar ze eisten ook de onmiddellijke intrekking daarvan; de twee verbouwereerde agitators, die hun komst naar het bouwterrein bijna met een pak slaag moesten bekopen, werden smadelijk weggejaagd; vervolgens marcheerden ze met zijn tachtigen in gesloten gelederen naar de Alexanderplatz, terwijl ze al lopende leuzen en slagzinnen verzonnen en die scandeerden; weet je hoe die klonken? vroeg hij, ongeveer zo: 'Wij zijn geen knechten! Berlijners, eist uw rechten!'

De in primitieve rijmen uitgebrulde verontwaardiging, waarvan hij het metrum had bewonderd; het snel groeiende groepje demonstranten; het beeld van een onophoudelijk toestromende menigte, het open balkon van de herfstachtige tram met zijn geelachtige verlichting; zijn hand, die iets van haar verliefde gevoeligheid scheen te verliezen alvorens in mijn hand te glijden; het ratelen van de wielen; de smaak van de lauwwarme herfstnevel op mijn tong; het om zijn mond zwevende glimlachje, waarmee hij van zichzelf en zijn omgeving afstand nam; de overmoedige, met ironie vermengde vrolijkheid in zijn ogen, de zo bekende, maar in de vreemde taal nog reëler en stelliger klinkende woorden als propagandist, arbeidsnorm en volkshuishouding – dit alles maakte iets in me los; wat, wist ik zelf niet.

Het was alsof ik de opgewonden spanning van die toenmalige onzekerheid in mijn armen en benen kon voelen, en ik voelde ook hoe mijn gezicht, dat al die jaren afschuwelijk verkrampt was geweest, langzaam begon te ontspannen.

Hij had me vooruitgestoten en op gang gebracht, een tot dan toe onbekend verlangen in me opgewekt met mezelf in het reine te komen, en terwijl de door hem geciteerde leuzen het beeld van een aanzwellende menigte in mijn geest opriepen, stopte mijn verlichte tram nog voordat we bij de Alexanderplatz waren aangekomen hulpeloos in de donkere, golvende menigte op het Marxplein in Boedapest, precies daar waar de trams normaliter met een krijsend geluid een flauwe bocht nemen en de Szent Istvánboulevard inslaan.

Arbeiders die zo van de steigers omlaag waren geklauterd, huisvrouwen met boodschappentassen, studenten, opgeschoten knullen, ambtenaren en leerjongens, nieuwsgierige passanten, opgedofte nietsnutten, willekeurige voorbijgangers en zelfs loslopende honden, iedereen sloot zich aan bij de stoet, vertelde Melchior met onderdrukte opwinding, en doordat de menigte zo aanzwol dat ze op het plein bleef steken en de kreet 'op naar de Leipziger Straße, op naar de Leipziger Straße!' steeds vaker en dringender weerklonk, werd deze leuze de collectieve wil van de massa, de wind blies de mensen eenvoudig die kant uit; de stoet was al op weg naar het regeringspaleis toen hij plotseling op twee partijfunctionarissen stuitte die zich midden op de lege rijbaan hadden geposteerd om de verontwaardigde, maar door haar veelkoppigheid kalmpjes voortdeinende mensenmassa – al zo'n twaalfduizend mensen – tegen te houden; ze riepen: 'voorkom bloedvergieten!' en: 'ga niet naar de westelijke sector!' even aarzelde de massa, alsof ze wilde ademhalen, maar toen schuifelde ze onzeker voort; 'jullie gaan toch niet op ons schieten?' klonk het in de voorste rijen; 'als jullie doorlopen wel!' luidde het antwoord; men beweert dat deze twee woorden: bloedvergieten en schieten vanaf de voorste rijen van mond tot mond werden doorgegeven door de verblufte mensen, waarna de menigte zich in machteloze woede weer in beweging zette en onstuitbaar doorliep, het ging immers om de arbeidsnormen en het dagelijks brood; die twee kerels werden bijna onder de voet gelopen.

Het was op een dinsdag! zei ik opgewonden, ik ben erbij geweest en heb alles gezien; we stonden op het balkon van de tram, waar je een goed uitzicht had, en staarden met verrukte gezichten vanaf de langzaam doorrijdende tram naar de demonstranten; vanaf de plaats waar wij stonden zag die voorbijtrekkende menigte er vreemd en verwarrend uit; de temperatuur op het slecht verlichte, schemerige plein scheen steeds hoger te worden, niet alleen door de voor dat jaargetijde ongewoon zachte weersomstandigheden, maar ook door de ontelbare over weggegooide kranten en vlugschriften voortschuifelende mensen, die zich nu eens snel, dan weer langzaam verplaatsten; de demonstranten kwamen van alle kanten toestromen, paarsgewijs of in onafzienbaar lange rijen, alleen of in groepjes, met leuzen en vlaggen, en ze bewogen zich ook in alle mogelijke richtingen, zodat het leek of er een gemeenschappelijke wil ontbrak en de bedoelingen elkaar doorkruisten; en toch hinderden deze geheel verschillend samengestelde en zich in tegengestelde richtingen voortbewegende, verspreid optrekkende, zich oplossende of juist samendrommende mensenmassa's elkaar absoluut niet, integendeel, ze gingen zelfbewust en zonder veel haast op hun doel af, alsof ze voor geen botsing of hindernis hoefden te vrezen; de portieken, fabrieken, restaurants, scholen en kantoren waren leeggestroomd, want iedereen wilde van de partij zijn; op de stoepen hadden zich enkele onverschillig of hulpeloos toekijkende politieagenten geposteerd; ze bevonden zich op aanzienlijke afstand van elkaar en konden of wilden niets uitrichten tegen de uit alle hoeken en gaten van de stad toestromende mensenmassa's; ik had de eigenaardige indruk dat de tegengestelde doeleinden en richtingen elkaar daarom zo goed verdroegen omdat daarin of daarboven een machtig ordeningsstelsel functioneerde, een onzichtbare, sturende kracht, die ook maakte dat alle geluiden – waanzinnig gebrul, gezang, vrolijk geroep, met overslaande stem geschreeuwde of gekrijste leuzen, geslof, geklikklak, getrappel en geschuifel van duizenden ritmisch of niet-ritmisch voortstappende voeten – zich tot een verward, maar vrolijk gedruis vermengden, dat even licht scheen als de subtiele scherpte van de avondnevel in de zoele straten; temidden van dit harmonisch klinkende geraas, dit golfsgewijs aanzwellend en verstommend gedruis van de mensenmenigte, vielen ook enkele lieden op die helemaal nergens aan wilden deelnemen maar zich uitsluitend op de trottoirband ophielden om vandaar, zoals hun was opgedragen, de voorbijgangers te observeren; er waren ook mensen die werkloos toekeken omdat ze nog niet beslist hadden of ze aan de demonstratie zouden deelnemen; sommigen van hen distantieerden zich van de gebeurtenissen, ze trokken zich zwijgend en geschrokken terug en gebruikten daarbij de een of andere privébezigheid als excuus; tot deze laatste categorie behoorden veel mensen met boodschappentassen of pakketten en druk gesticulerende, door kleine kinderen gehinderde volwassenen, die hun kroost naar veiliger oorden wilden brengen.

Zodra de tram hortend en stotend tot stilstand was gekomen, doofde de bestuurder de lichten om de passagiers duidelijk te maken dat de rit onherroepelijk was afgelopen; we sprongen uit de tram; ik was in het gezelschap van twee klasgenoten, die ik nauwelijks kende en met wie ik ook later zelden heb opgetrokken; de een heette István Szentes; hij was een lange, stevige jongen met een opvallend knap gezicht, maar nogal harde handen, die om de een of andere reden voortdurend nijdig liep te mopperen; de ander, een zekere Stark had opvallend doffe zwarte ogen, waar hij onophoudelijk mee knipperde, zodat hij een droevig maar ook nieuwsgierig voorkomen had; hoewel Stark voortdurend beducht was voor mogelijke represailles, wilde hij overal bij aanwezig zijn en aan alles meedoen.

Jongens, ik geloof dat ik maar naar huis ga, zei hij voortdurend, maar intussen liep hij geestdriftig met ons mee.

Het was een buitengewone, ja wonderbaarlijke en overweldigende toestand! vanaf het ogenblik dat we uit de tram sprongen, werden we meegezogen door de voortstromende mensenmenigte, waardoor we uiteindelijk in een groepje jongemannen terechtkwamen die eruitzagen als werklieden en leuzen scandeerden als: 'arbeiders van Csepel, laat je niet kisten! Vácistraat, geef ze van katoen!' ze brulden het woord Vácistraat met een daverend enthousiasme, alsof ze iedereen wilden laten weten waar ze vandaan kwamen, niet alleen de mensen in Boedapest, maar overal ter wereld; ze kwamen waarschijnlijk net onder de douche vandaan, want hun haar was nog nat; nu we eenmaal op straat stonden, tussen de menigte, en de gebeurtenissen niet meer vanuit de hoogte en de verte beschouwden, maar als deelnemers, kon het ons niet meer schelen in welke richting we gingen en ook niet wat het doel van deze tocht was; natuurlijk hadden we ons met enige moeite best uit de menigte kunnen verwijderen en naar huis kunnen gaan, er was geen macht die ons dat belette, maar doordat de overweldigende vrijheidsdrang van de mensen op dat ogenblik alle mogelijkheden onverlet liet en alles goedkeurde, konden we maar één richting kiezen: de richting die ons het meest aantrok; als alle mogelijkheden voorhanden zijn, heb je de vrijheid de keuze aan het toeval over te laten; om te kiezen hoefden we slechts aan één basisvoorwaarde te voldoen: te lopen; het was alsof we ons door deze natuurlijke, elementaire, collectieve behoefte aan lichaamsbeweging met iedereen solidair verklaarden.

Door dit alles waren degenen met wie ik, aan het toeval gehoorzamend, in deze machtige, gemeenschappelijke stroom was terechtgekomen, mijn klasgenoten, me plotseling zo nabij en bepaalden en beheersten ze mijn gevoelens zozeer, dat al mijn traditionele reserves tegen hen eensklaps nutteloze, belachelijke relicten uit een ver verleden schenen en ze mijn kameraden en vrienden werden; het was alsof zij, en alleen zij, mij konden bekend maken met de onbekende en toch niet vreemde gezichten van de mensen op straat.

Ook Stark werd bezield door dit eigenaardige en uitzonderlijke gevoel en hij kon niet nalaten er uiting aan te geven; enerzijds deed het hem goed, anderzijds maakte het hem bang, hij wilde zich eraan onttrekken door naar huis te gaan, maar Szentes sloeg hem grijnzend op zijn rug om hem te laten merken dat hij hem doorzag en ieder verzet in hem zou breken; Stark had nu eenmaal af en toe een flinke dreun nodig, een noodzaak die we alle drie grinnikend beaamden.

Op dit vroeg avonduur had de menigte me nog niet opgeslokt, nog niet laten verdwijnen, nog niet, zoals later vaak zou gebeuren, onder zich bedolven, me nog niet van mijn persoonlijkheid beroofd, maar ze had door haar uitzonderlijke toegeeflijkheid mogelijk gemaakt dat ik, voortgedreven door de elementairste behoefte van mijn lichaam – beweging –, voelde wat wij allen gemeen hadden, voelde dat we deel van een groter geheel waren, dat we aan iedereen gelijk waren, waardoor de menigte geenszins haar gezicht verloor maar, in tegendeel, mij er een schonk; ze gaf me een gezicht en ik droeg in ruil daarvoor bij aan het hare.

Ik was niet dom of slecht geïnformeerd en wist maar al te goed waarin ik was terechtgekomen en wat er precies aan de hand was, zo goed dat ik, toen er zich plotseling iets eigenaardigs voordeed, door de bewegingen en de emoties van de mensen het gevoel had dat ik mij in de vertrouwde warmte van de familiekring bevond; we liepen nog steeds te ginnegappen om de stomp die Stark had gekregen toen we uit de richting van de Bajcsy Zsilinszkyweg opeens een tank met geopende geschutkoepel zagen naderen, die zich met daverend motorgeloei en afgrijselijk knerpende en ratelende rupsbanden over de rijbaan bewoog; aanvankelijk scheen de lege stalen loop over de hoofden van de mensen in onze richting te zweven, maar toen de mensen uiteengingen, zodat er een brede opening ontstond, konden we ook de romp van het gevaarte zien; sommigen hielden hun pas in, anderen liepen juist sneller door, maar tenslotte bleef iedereen staan en ontstond er een onbestemde, wantrouwende en afwachtende stilte, die echter van korte duur was, want een ogenblik later ging er een triomfantelijk geschreeuw op dat als een reusachtige golf over onze hoofden sloeg; rondom de geschutkoepel van de in een donkerblauwe walm van slecht verbrande benzine gehulde tank zaten en stonden ongewapende soldaten, die door te wuiven lieten merken niets kwaads in de zin te hebben; door het bruisen van de geluidswolk die ons op dat moment juist overspoelde, kon ik praktisch alleen losse woorden verstaan en slechts enkele door elkaar geschreeuwde zinnen, zoals 'kameraden!

broeders! het leger staat achter ons!' en 'landgenoten!' Szentes had ook een paar woorden opgevangen en herhaalde die luidkeels brullend, alsof hij voor de eerste maal in zijn leven al zijn opgekropte woede kon uitschreeuwen; eindelijk voelde hij zich bevrijd, ja was hij vrij! opeens werd er 'niet schieten!' geroepen; op slechts enkele passen afstand zagen we de grijnzende gezichten van de wuivende soldaten; ik brulde niet mee, waar ik een goede reden voor had, maar ik grijnsde wel terug en rondom ons antwoordden de natharige jongelui met dezelfde grijns en ze brulden in koor naar de soldaten op de tank: 'elke goede Hongaar is met ons, elke goede Hongaar doet met ons mee!' waarop een groepje mensen dat wat verderop stond en voor ons onzichtbaar was bij wijze van antwoord fraaie leuzen begon te roepen, zoals: 'volk van Petőfi en Kossuth! steun onze strijd!' en: 'hand in hand!'

In die tijd was het Marxplein nog met donkere, glanzende kinderhoofdjes geplaveid; toen de tank met een ondanks zijn logheid elegante kwartslag van richting veranderde om tussen twee trams door te rijden die midden op het plein waren blijven steken, waarbij de tanden van de afgrijselijk knarsende rupsbanden vonken uit de keien sloegen, werd het opnieuw stil, maar nu heerste er een vrolijke, afwachtende stilte, zoals vóór een grandioos feest of tijdens een voetbalwedstrijd, wanneer de populaire midvoor de bal vanuit een niet geheel duidelijke positie in het doel schiet, wat door de toeschouwers op de tribune met ingehouden adem wordt gevolgd; het was namelijk twijfelachtig of de ruimte tussen de twee tramstellen voldoende was om de tank door te laten; het oog begon onwillekeurig te schatten en de ziel vreesde dat de twee stalen kolossen met elkaar in botsing zouden komen, maar hoopte dit ook, alsof ze vermoedde wat er die avond nog allemaal te gebeuren stond; tenslotte werd de stilte door een woeste, bijna vrolijke uitbarsting van vreugde verbroken, die op een gunstige uitslag van de wedstrijd duidde, een triomfgeschreeuw, een waterval van gelach, de ontketening van een gemeenschappelijke naïeve en elementaire vreugde, en toen de tank ratelend in de richting van de Vácistraat verdween, had zelfs ik geen reden meer om niet mee te brullen.

We liepen door, maar na enkele passen stuitte de stoet op een onverwachte opstopping, waardoor de mensen zich slechts langzaam schuifelend, voetje voor voetje, voorwaarts konden bewegen; voor de etalage van een fotozaak die Het Album van de Glimlach heette, trachtte een reusachtige, tot een onbeweeglijke massa samengeperste menigte het trottoir te bereiken, dat daar in een grote bocht liep, en aan de overkant versperden enkele midden op de rijbaan tot stilstand gebrachte trams de weg, wat iedereen echter gelaten aanvaardde.

Voor een verlichte etalage stond een tengere vrouw met een regenjas op iets wat eruitzag als een kist; eigenlijk zag ik alleen haar silhouet; ze stond behoorlijk hoog, want de in haar richting gekeerde, opgeheven hoofden van de luisterende mensen onttrokken alleen haar voeten aan het zicht; haar roerloze gestalte scheen aan de grond genageld, maar ze bewoog haar hoofd met heftige rukken, schudde het en draaide het naar rechts en naar links, zodat haar blik bijna een cirkel beschreef; zo nu en dan maakte ze ook een stotende beweging, alsof ze een bal wegkopte; al deze bewegingen schenen van haar borst en haar buik uit te gaan; haar lange haar wapperde om haar hoofd, vloog omhoog en viel weer omlaag; het was alsof ze door een koppige kracht aan die kist was geketend en daar nooit meer vandaan kon gaan; Szentes prikte me met de hoek van zijn tekenplank in mijn dij, ik moest van hem die kant uit kijken! hij was langer dan ik en had de vrouw het eerst opgemerkt; Stark las ons intussen een van de grond opgeraapt vlugschrift voor: 'ten vijfde: weg met de orthodoxen! ten zesde: weg met de stalinistische economische politiek! ten zevende: leve onze Poolse broeders en zusters! ten achtste: arbeidersbestuur in de bedrijven! ten negende: sanering van de landbouw! vrijwillige toetreding tot coöperaties! ten tiende: een programma voor nationaal herstel!' de stem van de vrouw was op de plaats waar wij stonden nauwelijks te horen, maar Stark onderbrak, alsof dit de gewoonste zaak van de wereld was, de voorlezing van het pamflet en citeerde tegelijk met haar: 'reeds zinken zij ter helle, de mast stort krakend neer, het zeil scheurt aan flarden!' het verraste me niet, maar er ging toch een golf van ontroering door me heen toen ik zag dat dit gedicht, dat wij allen kenden, door mijn eigen nicht werd voorgedragen, de gestalte op de kist was namelijk niemand anders dan de vroegere vrouw van mijn neef Albert in Györ, naar wie ik, dwaas die ik was, anderhalf jaar geleden met een volkomen ongegrond vertrouwen had willen vluchten om van mijn ouders verlost te zijn.

En hoe eigenaardig het wellicht ook klinkt, ik wil toch zeggen dat ik vanaf dat moment, dat een kalmerende uitwerking op me had, opluchting voelde omdat ik niet de enige aanwezige was met een bijzondere achtergrond – ik doel op de politieke gezindheid van mijn ouders; alle deelnemers aan de optocht hadden een bijzondere achtergrond, maar zonder dat die bijzonderheden elkaar logenstraften, want dan hadden we volstrekt ondubbelzinnige en door iedereen gedeelde gevoelens in twijfel moeten trekken.

Het kwam niet in me op naar mijn nicht toe te gaan of de anderen te vertellen wie zij was, haar identiteit bleef een aangenaam geheim, een door mij als beslissend bewijs opgevatte indicatie dat ik mij op de juiste plaats bevond; daarginds stond Verocska te declameren, die mijn moeder altijd goedmoedig spottend onze actrice had genoemd, en ik liep hier in de stoet mee; ze had evenveel recht om te demonstreren als ik, al waagde ik het niet mee te brullen met degenen die daartoe het recht hadden, zoals Szentes, die me enkele weken daarvoor, heel goed wetend wie mijn vader was, met een bijna in handtastelijkheid ontaardende woede het volgende verwijt naar het hoofd had geslingerd: 'we hebben in een kippenhok gewoond, hoor je, in een kippenhok, als beesten!' of zoals Stark, die hier vlakbij in de Visegrádistraat woonde maar toch niet naar huis ging; een paar weken geleden had hij beloofd me aan een trekpen te helpen, iets waaraan je toen met geen mogelijkheid kon komen; omdat de voordeur van het huis waar hij woonde op slot was, moesten we naar een naburige synagoge lopen, waar zijn moeder als schoonmaakster werkte; ze ging met ons mee terug en opende met de sleutel de deur van het huis, een benedenwoning; de keukentafel was gedekt voor twee personen en op de kachel stond een onwaarschijnlijk klein pannetje; ondanks mijn verlegen tegenwerpingen moest ik het eten van zijn moeder opeten, die me door haar subtiele onderdanigheid liet merken dat ze wist wie mijn vader was; en toch konden we goed met elkaar overweg, iedereen had zo zijn eigen problemen, daarom had ik het recht hetzelfde te voelen als zij, met name omdat ze mij dit volstrekt niet betwistten; ik had dit recht, hoewel mijn bijzondere achtergrond er in tegenspraak mee scheen te zijn, want ik meende met een fijn gevoel voor politieke begrippen te weten – en vanaf het moment dat ik de declamerende Verocska, onze actrice, had ontdekt, wist ik het zelfs zeker, ik was immers niet slecht geïnformeerd, dom of gevoelloos – dat wat zich om mij heen afspeelde een revolutie was en dat mijn vader, als hij erbij was geweest en de gebeurtenissen met eigen ogen had kunnen aanschouwen – uiteraard wist ik dat dat onmogelijk was, ik had er geen idee van waar hij was, maar vermoedde dat hij zich ergens schuilhield, wat ik als uiterst smadelijk ervoer – van een contrarevolutie zou hebben gesproken.

Doordat deze twee bij elkaar horende woorden met hun tegengestelde betekenis voortdurend door mijn hoofd spookten, raakte ik wegwijs in een tot dan toe als afgrijselijk, verstikkend en zinloos ervaren wirwar van gevoelsmatige onderscheidingen en gelijkstellingen; hoewel ik de betekenis en het politieke gewicht van deze termen natuurlijk al op jeugdige leeftijd had leren kennen door de gesprekken en discussies van mijn ouders, durf ik te beweren dat ze pas inhoud voor me hebben gekregen door de gebeurtenissen waarvan ik op dat moment ooggetuige was, en niet doordat ze deel uitmaakten van het vocabulaire van mijn ouders; deze woorden schenen op een heel bijzondere wijze op mijzelf betrekking te hebben, het was alsof het ene woord het lichaam van mijn vader symboliseerde en het andere het mijne, alsof we ons via deze woorden aan twee verschillende zijden van een gemeenschappelijk lichamelijk gevoel opstelden; ja, dit is een revolutie, zei ik voortdurend tegen mezelf, alsof ik met duistere wraakzucht en vol leedvermaak tegen mijn vader sprak, alsof ik daarmee alles aanviel wat hij als positief beschouwde, maar alleen kon verdedigen door met een negatief begrip op de proppen te komen; en toch had ik niet het gevoel dat deze revolutie ons uit elkaar had gedreven, integendeel: zijn lichaam – dat sinds de dood van mijn moeder gebroken, versleten, gekromde, meelijwekkende lichaam, waarvan de aanblik mij bang maakte doordat er zo'n wanhoop en onmacht van uitging, maar dat, sedert hij in juni van dat jaar was geschorst vanwege de duistere rol die hij in bepaalde politieke processen had gespeeld, toch nog tot wanhopige krachtsinspanningen in staat was geweest, krachtsinspanningen waardoor hij contacten had kunnen leggen met allerlei mij onbekende, door hem vrienden genoemde, ongure types – dat lichaam was mij in al zijn weerspannigheid nog even dierbaar als in mijn kinderjaren, toen ik zijn slaap had benut om geheel ontkleed op zijn prachtige naakte lichaam te gaan liggen en, gedreven door de wens, nee, de primaire behoefte om mijn nieuwsgierigheid te bevredigen en de lichamelijke overeenkomst tussen ons te onderzoeken, mijn hand tussen zijn benen had laten glijden.

Maar op dat moment bleef ik nuchter, want ik wist dat er ondanks onze verwantschap en lichamelijke overeenkomsten belangrijke psychologische verschillen tussen ons waren, verschillen die niet konden worden weggecijferd; ik liep met de demonstranten mee, met mensen die ik nauwelijks kende maar bijna als mijn broers en zusters beschouwde, mensen die mij even dierbaar waren als vroeger mijn speelkameraden: Krisztián, wiens vader was gesneuveld; Hédi, wier vader was gedeporteerd; Livia, die van overblijfselen van de schoolkeuken leefde; Prém, wiens vader een drankzuchtige pijlkruiser was; Kálmán, wiens vader als klassevijand gold, en Maja, met wie ik, naïef en lichtgelovig als ik was, haar en mijn ouders' papieren had doorsnuffeld om aan te tonen dat ze landverraders waren, handelingen waardoor we in een voor die tijd kenmerkende poel van verderf waren terechtgekomen, in iets wat we niet meer konden vergeten en waaraan we trachtten te ontsnappen; daarom liep ik met de demonstranten mee en voelde ik de angst waar zij geen last van hadden, een angst die ik ook bezorgdheid voor mijn medemensen zou kunnen noemen en die niet ongegrond was, want ik had van de gezichten van de bij ons thuis verzamelde vrienden van mijn vader kunnen aflezen, waarop de contrarevolutionairen konden rekenen; ik moest echter evengoed de vloedgolf vrezen die het gebroken, verkrampte, in koortsachtige opwinding verkerende lichaam van mijn vader dreigde weg te spoelen, de stroom die mij al te pakken had, maar waartegen ik me niet wilde verzetten, omdat ik niet langer mijn eigen gevoelens wilde negeren.

We kwamen maar langzaam vooruit en werden lijf aan lijf naar voren geperst, totdat we uiteindelijk op de boulevard stonden.

Ik vond het niet vreemd mijzelf met behulp van begrippen te analyseren – of deze begrippen nu de emoties en hartstochten regulerende, morele principes van mijn grootouders waren, die bij de puriteinse burgerlijke leefwijze hoorden, of de meer abstracte, ideologische en politieke denkbeelden van mijn ouders –, mijn opvoeding had me daar al heel jong aan gewend, maar het was even vanzelfsprekend dat ik onder invloed van die analyses, die voor mij een middel waren om afstand te nemen van mijn vader en me voorgoed van hem los te maken, onmiddellijk weer het opgroeiende kind werd, mijn bezorgdheid voor hem bleek te hevig, mijn kinderlijke solidariteit, begrip en medeleven kregen de overhand, ik moest per slot van rekening mijn dubieuze, althans een verklaring behoevende aanwezigheid in deze menigte met zíjn begrippen expliceren, en misschien speelde ook het gemeenschappelijke rouwproces dat we na de dood van mijn moeder hadden doorgemaakt wel een rol bij dit alles; toen we tenslotte, aan de samengeperste mensenmassa ontkomen, begonnen te rennen om ons aan te sluiten bij degenen die voor ons liepen – aansluiten is een primaire behoefte als je je in een menigte bevindt –, beroofden het schuren van mijn volgepropte schooltas, het hinderlijke bengelen van mijn tekenplank en het voortdurend wegglippen van mijn liniaal de revolutie wel enigszins van haar glans, het was alsof deze schoolspullen me aan mijn ondergeschikte, hulpeloze en dubieuze positie wilden herinneren, alsof ze zeiden: ga toch naar huis, jongen, je hebt hier niets te zoeken! dit meende ik althans bij elke plof, klets of greep naar de liniaal te horen; ik moet zo zoetjesaan maar eens naar huis toe gaan, dacht ik, al was het alleen maar om me van die hinderlijke voorwerpen te ontdoen, maar in plaats van de daad bij de gedachte te voegen zei ik geruststellend tegen mezelf dat er niets aan de hand was, per slot van rekening liep ik in de goede richting; ik was de enige van onze groep die door dergelijke zorgen werd gekweld, de anderen hadden daar kennelijk geen last van; ik wilde de Margitbrug overgaan en aan de andere kant van de rivier op de tram stappen om zo snel mogelijk thuis te zijn, hoewel ik er zeker van was daar niet mijn vader aan te zullen treffen.

Bij al deze overwegingen was het een kalmerende gedachte dat we in een buitenwijk woonden, ver van het centrum, in de heuvels, een heel eind weg van dit steeds gevaarlijker en onrustiger wordende deel van de stad.

Ik had het bij het rechte eind gehad, want mijn vader zou pas na een week weer opduiken; in die tussentijd ontvingen we geen enkel levensteken van hem, zelfs geen telefoontje, helemaal niets, zei ik tegen Melchior.

Hij kwam op een middag terug, toen het al schemerde, vertelde ik; ik stond met Krisztián bij ons tuinhek, het zal de achtentwintigste of de negenentwintigste zijn geweest, want we hadden het juist over de samenstelling van de nieuwe regering; nee, het moet de achtentwintigste zijn geweest, ik had namelijk een brood onder mijn arm en op die dag, een zondag, werd er voor het eerst weer brood gebakken in de bakkerij van Kálmáns ouders. Krisztián vertelde door nerveuze, korte lachbuien onderbroken hoe hij erin was geslaagd vanuit Kalocsa naar huis terug te keren; met die lachbuien overbrugde hij de gesprekspauzes, waarin we niet over Kálmán wilden praten; Krisztián was het jaar daarvoor na veel moeilijkheden aangenomen voor de militaire opleiding; hij wilde officier worden, net als zijn vader; toen het bericht van de revolutie Kalocsa bereikte, waren ze juist bezig met een herfstoefening, die onmiddellijk gestaakt werd, waarna ze, nog in veldtenue, de poesta in waren gestuurd met de mededeling dat ze konden gaan en staan waar ze wilden; hij moest daar nog steeds om lachen; uiteraard hadden ze zich zo snel mogelijk van hun uniform ontdaan omdat ze daarin voor agenten van de veiligheidsdienst werden aangezien; toen hij op dat punt was gekomen met zijn verhaal, zei hij plotseling verrast: hé, daar heb je je vader! waarop ik zag hoe iemand die inderdaad mijn vader bleek te zijn, achter in de tuin, waar veel struiken stonden, over de omheining sprong die onze tuin van het verboden gebied scheidde.

Verward en beschaamd over zijn verlegenheid nam Krisztián dadelijk afscheid met een kort: nou, tabee hoor! en een laatste lachje, waaruit ik afleidde dat hij geen getuige wilde zijn van deze heimelijke thuiskomst; hij verdween onmiddellijk in de schemering, waarna ik hem nooit meer heb teruggezien; mijn vader liep zonder aarzeling in de richting van ons huis, maar hij meed het grasveld en liep langs de in een boog geplante struiken die de tuin omzoomden, zodat hij onder de bomen bleef; aan een bijna onmerkbare beweging van zijn hoofd zag ik dat hij me had opgemerkt; hij zag er heel anders uit dan ik me in mijn bezorgdheid en angst tijdens die paar dagen van gespannen afwachten had voorgesteld; iemand heeft ooit eens tegen me gezegd dat alles altijd anders is dan wij verwachten; hij droeg kleren die niet van hem waren, een licht gekleurde regenjas en daaronder een zomerpak; beide kledingstukken waren gekreukt, niet gescheurd maar totaal verfomfaaid en merkwaardigerwijze met modder besmeurd, hoewel het die week niet had geregend; zijn gezicht was met een dichte stoppelbaard bedekt; ik zou kunnen zeggen dat hij tamelijk kalm was als niet een mij onbekende opwinding, die echter gejaagdheid noch vrees was, zijn lichaam buigzaam, soepel en licht had gemaakt; ik zag dat hij in die paar dagen nog magerder was geworden dan hij al was, misschien waren het de spankracht en de lenigheid van een wild dier die hem zo'n eigenaardig voorkomen gaven.

Dit lichte zomerpak was het eerste wat ik aanraakte toen ik hem omhelsde, nog voordat hij me had kunnen kussen, het was een onwillekeurige beweging; ik begrijp nog steeds niet waardoor het oog in staat is zo'n doodgewoon zomerpak van alle andere denkbare zomerpakken te onderscheiden, maar ik wist met absolute zekerheid dat hij de kleren van János Hamar aan had, de jas en het pak die János Hamar had gedragen toen hij in de lente van het jaar daarvoor, na zijn ontslag uit de gevangenis, bij ons op bezoek was gekomen; ditzelfde pak had hij aan gehad toen hij voor de deur van het Bureau voor Herstelbetalingen door twee onbekenden was aangesproken, die hem hadden bevolen in een geblindeerde zwarte auto te stappen, en vijf jaar nadien was hij in dit pak voor het bed van mijn moeder neergeknield;

mijn vader moest dus weer contact met hem hebben gehad, misschien had János hem geholpen door hem dit pak uit te lenen of hem in zijn woning te laten onderduiken; het was ook mogelijk dat ze samen mee hadden gevochten met de gevechtsgroep die mijn vader enige maanden voor het uitbreken van de opstand met enkele vrienden had georganiseerd; toen ik me haastig wilde bevrijden van de door dit pak in me opgewekte gevoelens, zei ik per ongeluk iets waarvoor hij me snel achter elkaar twee oorvijgen gaf, losjes maar trefzeker en zonder emotie toeslaand; de klap kwam zo hard aan dat ik bijna in elkaar zakte, maar dat zal ik je later weleens vertellen, dat zou je nu nog niet begrijpen, zei ik tegen Melchior.

Ik sprak tegen zijn ogen.

Met zijn ene hand omklemde hij mijn hand, waarmee ik me in evenwicht hield, met de andere hield hij de leren lus vast; zijn opgeheven arm en de stof van zijn openhangende regenjas onttrokken onze gezichten en handen, en dus ook de verraderlijke gebaren van onze verboden liefde, aan de blikken van onze medepassagiers; onze gezichten waren vlak bij elkaar, ik kon zijn adem voelen, maar toch sprak ik niet tegen zijn gezicht en zeker niet tegen zijn geest, maar tegen zijn ogen.

Als ik hieraan terugdenk, lijkt het echter wel of ik niet tegen zijn twee normale ogen heb gesproken, maar tegen één enkel, kolossaal, bereidwillig geopend, wondermooi oog, dat af en toe haastig moest knipperen om het doorbrekende begrip achter zijn wimpers te verbergen, om uit te rusten, af te wachten en de verkregen informatie op te slaan; dat fraai gewelfde, trillende ooglid verried zijn onzekerheid en twijfel, en door het onophoudelijk opwaarts en neerwaarts te bewegen scheen hij me te verzoeken op te houden met het verstrekken van al die overdreven gedetailleerde informatie, zodat hij de zaken van een grotere afstand kon bezien, want zoals ik de zaken nu presenteerde, had hij eenvoudig aan te veel eisen tegelijk te voldoen, hij moest zich niet alleen onbekende personen voorstellen, de weg op onbekende plaatsen vinden, onnauwkeurige tijdsaanduidingen met elkaar in overeenstemming brengen en een uiterst subjectief en uit een nogal eigenaardige invalshoek gedaan, steeds weer afdwalend en in details uiteenvallend verslag volgen van een reeks gebeurtenissen die hij tot nog toe slechts uit generaliserende historische beschrijvingen of van horen zeggen kende – maar bovendien, als onaangename nevenactiviteit, wijs zien te worden uit mijn met alle regels spottende taalfouten en linguïstische bok-

kesprongen, een betekenis trachten te distilleren uit mijn haastig uitgesproken, volstrekt foutief geïntoneerde of verkeerd gekozen woorden.

Wat ik nu ga vertellen, gebeurde in de zomer voor de opstand, zei
ik, zo'n drie weken nadat mijn vader op non-actief was gesteld; op een
zondagochtend kregen we minstens dertig mensen op bezoek, de
straat voor ons huis stond vol geparkeerde auto's, het waren allemaal
mannen op één jonge vrouw na, die haar vader vergezelde, een oude
man met een somber en ziekelijk gelaat, die, op zijn stoel schomme-
lend, onafgebroken zweeg en slechts éénmaal, toen zijn dochter iets
wilde zeggen, vermanend zijn hand ophief.

Ik benutte een kleine huiselijke onenigheid om mijn vaders studeerkamer in te glippen, waar de verzamelde mannen, kennelijk oude
bekenden van elkaar die geregeld met elkaar contact onderhielden,
zaten te roken en levendig, soms ook heftig discussieerden of met elkaar keuvelden; mijn vader had namelijk na enige tijd de kamer verlaten om mijn grootmoeder te vragen of ze koffie wilde zetten; onge-
lukkigerwijze was ook mijn grootvader in de keuken en voordat mijn
grootmoeder zelfs maar een aarzelend, gekrenkt ja had kunnen laten
horen, had mijn grootvader, voor de eerste keer een reeds jaren durend, wederzijds stilzwijgen verbrekend, rood van ademnood, waar
hij altijd last van had als hij zich kwaad maakte, droogjes geantwoord
dat grootmoeder daar helaas geen tijd voor had omdat ze op dit tijdstip, zoals gewoonlijk, naar de kerk gingen; als mijn vader zijn onverwachte gasten met alle geweld koffie wilde aanbieden, moest hij die
maar eigenhandig zetten en serveren.

Vader, die mijn grootmoeder had toegesproken als een chef zijn se-
cretaresse, was op dit antwoord niet voorbereid geweest, te meer daar
grootvader dit onschuldige verzoek kennelijk alleen maar namens
grootmoeder had afgewimpeld omdat hij beslist wilde vermijden dat
zij of hij op enigerlei wijze met dit gezelschap in contact kwamen; hartelijk dank voor jullie vriendelijke hulpvaardigheid! stotterde mijn vader, en toen hij bleek van woede terugsnelde naar zijn gasten, had hij
niet in de gaten dat ik achter hem aan naar binnen glipte, althans hij
was er na dit incident niet meer op tegen dat ik bij de gesprekken aanwezig was.

Voor alle zekerheid posteerde ik me bij de deur die toegang gaf tot
mijn kamer, naast de jonge vrouw in haar fraaie, met een donker patroon versierde zijden japon, die wat onwennig en nerveus met haar

rug tegen de deurpost leunde.

Aan vaders vastberaden en toch geremde manier van lopen, aan de duidelijke s-bocht van zijn ruggegraat, aan zijn haar, dat over zijn voorhoofd viel, en misschien ook aan de gedecideerde wijze waarop hij zich een doortocht baande door het in een walm van sigaretterook gehulde gezelschap, was te zien dat hij iets buitengewoons in de zin had, iets wat hij al enige tijd eerder moest hebben besloten; hij schoof zijn armstoel opzij, viste de sleutel van zijn bureaula uit zijn zak en opende het slot van de la, maar tenslotte trok hij, alsof hij plotseling twijfelde of zich bedacht, de la niet open, maar liet zich langzaam weer in zijn stoel zakken, waarna hij zich naar het gezelschap wendde.

Deze beweging alsmede zijn blik, die eigenaardige vibraties door het vertrek scheen te zenden, noopten sommige aanwezigen ertoe te zwijgen of onmiddellijk hun stem te dempen, anderen daarentegen wierpen hem alleen een blik over hun schouder toe en beëindigden de reeds aangevangen zin hardop, om pas daarna zachter door te praten; intussen zat hij roerloos in zijn stoel en staarde naar het plafond.

Opeens trok hij met een langzaam beginnende, maar steeds sneller wordende beweging de bureaula open, nam er een voorwerp uit, schoof met zijn vuist, waaruit ik nu de loop van een pistool zag steken, de la weer dicht en deponeerde het pistool met een klap op het lege bureaublad.

Het droge, harde geluid waarmee het vuurwapen op het houten blad terechtkwam, maakte dat er een stilte viel, een beledigde, medelijdende, onnozele, verontwaardigde stilte.

Buiten, voor het geopende raam, leken de bomen nog roerlozer dan gewoonlijk en met regelmatige tussenpozen klonk het zoemende geluid van een tuinsproeier, die water over het gazon strooide.

Plotseling begon iemand nerveus te lachen, waarop enkele anderen aarzelend zijn voorbeeld volgden; een van hen was een zeer jonge officier, waarschijnlijk een kolonel, een blonde, goedlachse man met een rond gezicht en stekelhaar; terwijl de anderen nog steeds zwegen, stond hij langzaam op, trok met een lome beweging zijn met gouden tressen versierde uniformjasje uit, glimlachte vriendelijk en hing het jasje zorgvuldig over de stoelleuning, waarop alle aanwezigen gelijktijdig begonnen te schreeuwen, maar hij ging ondanks het geschreeuw weer rustig op zijn stoel zitten en begon met zorgvuldige, langzame bewegingen de mouwen van zijn witte overhemd op te rollen.

De mensen riepen dat mijn vader zich niet belachelijk moest maken en geen toneel moest spelen, ze spraken hem met Köles aan, een naam die hij in de illegaliteit had gebruikt, kennelijk hadden ze meteen begrepen wat er aan de hand was, maar beoordeelden ze dit op een vriendschappelijke wijze; ze beschouwden het gedrag van mijn vader als een theatrale pose en als hysterie, waar ze tegen in opstand kwamen, mijn vader mocht volgens hen niet zijn nuchtere verstand verliezen.

Integendeel, ik heb dankzij de gebeurtenissen van de afgelopen maanden mijn nuchtere verstand juist teruggekregen, zei mijn vader zonder zijn stem te verheffen of iemand aan te kijken, waarop er weer een stilte viel, een lege, snijdende, zwijgende stilte; ik heb jullie uitgenodigd in de hoop dat er nog enkele mensen in dit land zijn die, evenals ikzelf, niet bereid zijn zich zonder enig verzet in de hoek te laten dringen.

In het volle bewustzijn van zijn door de plotseling stilte herstelde prestige en zijn professionele welbespraaktheid zat hij ontspannen maar onbeweeglijk in zijn stoel en liet zijn armen op de leuningen rusten; ik wil geen goedkope voorstelling geven of een redevoering houden, vervolgde hij op zeer zachte toon, ik voel alleen de simpele, menselijke en – dat wil ik best toegeven – wat dwaze, sentimentele behoefte jullie op een verplichting te wijzen die jullie – niet hier of nu, maar lang geleden – voor een heel leven op jullie hebt genomen; toen hij dit had gezegd, glimlachte hij even; gezien de binnenlandse politieke ontwikkelingen meen ik overigens dat jullie je onmogelijk meer aan deze verplichting zult kunnen onttrekken, maar – en nu keek hij niemand aan maar hij staarde glimlachend tussen de gezichten door met de ijzige blik waarvoor ik zo bang was en die ik soms als waanzinnig, soms als opzettelijk wreed en soms als maniakaal angstig beschouwde – ik wil jullie iets heel eenvoudigs voorstellen; hierna pauzeerde hij niet meer, maar hij sprak als een automaat verder; op grond van bepaalde overwegingen ben ik tot de overtuiging gekomen dat we, om een mogelijke machtsovername door de contrarevolutionairen te voorkomen, een gewapend lichaam moeten oprichten dat rechtstreeks ondergeschikt is aan de hoogste politieke leiding, in elk geval onafhankelijk van het leger, de politie en de geheime dienst.

Het was bijna lichamelijk voelbaar hoe deze laatste woorden, tussen spontane bijval en een met hel en verdoemenis dreigende afwijzing zwevend, in de lucht verstarden; daarna brak er een onvoorstelbaar tumult los: het bonzen van al dan niet opzettelijk omgegooide stoelen, kletsende slagen op tafels en knieën, gebrul, hoongelach, niet geheel vijandig klinkend gefluit, gerochel, oorverdovende lachsalvo's met zo wijd mogelijk opengesperde mond, en getier en gekrijs, waaraan slechts enkele aanwezigen niet meededen; de jonge vrouw bij de deurpost stapte met een beledigde uitdrukking en rode vlekken op haar gezicht naar voren om het woord te nemen, de kolonel wendde zijn glimlachende vollemaansgezicht naar alle kanten en de heer met het bedrukte gezicht hield even op met schommelen om zijn dochter met een handgebaar het zwijgen op te leggen, daarna schommelde hij weer verder.

Ik moet toegeven, zei ik zeventien jaar later op het perron van de Berlijnse tram tegen Melchior, dat deze scène me toentertijd volstrekt niet pijnlijk trof, integendeel, ik genoot ervan, ik was blij met wat er gebeurde, en niet alleen omdat ik, in strijd met elk nuchter inzicht, iets wat mij op die leeftijd natuurlijk ontbrak, trots was op mijn vader, op zijn prestige, zijn kracht en zijn absurde vastberadenheid, die, of ze nu goed of kwaad moesten worden genoemd, in de ogen van een opgroeiende jongen iets fascinerends hadden; zelfs Prém die door zijn fascistische vader met stokken en riemen werd mishandeld, zelfs Prém was trots op de lichaamskracht van dat drankzuchtige varken; voor mij gold echter nog iets anders: ik wist iets over mijn vader waarvan de leden van dit gezelschap niet op de hoogte waren, zij beoordeelden het gebeurde uitsluitend uit politiek en ideologisch gezichtspunt, ik had daarentegen een psychologische kijk op het gebeuren, ik wist immers dat die hele krankzinnige scène, in weerwil van mijn vaders bewering geen goedkope voorstelling te willen geven, voor hem het enige middel was om zijn waanzin binnen de perken te houden, om een diep in hem gewortelde waanzin naar buiten te richten en zo te neutraliseren, want krankzinnig was hij; ik verheugde me dus over zijn plotselinge luciditeit; sinds de dood van mijn moeder, of beter gezegd: sinds János Hamar uit de gevangenis was ontslagen, balanceerde hij op het randje van krankzinnigheid en normaliteit; het was nog maar een paar dagen geleden dat hij, toen we 's avonds in de keuken zaten te eten, me plotseling met een eigenaardige blik had aangestaard; ik kon uit zijn gelaatsuitdrukking afleiden dat hij niet mij maar iemand anders voor zich zag, misschien wel meer personen tegelijk, of iets anders, wat hem onophoudelijk kwelde; die kwelling was kennelijk zo hevig dat hij zijn volle mond langzaam opende en, alsof hij ondanks zijn hevige angst tegen die mensen of dat andere wilde vechten, met overslaande stem begon te schreeuwen, zodat het nog maar half gekauwde voedsel uit zijn mond viel, alle kanten uit vloog en op de tafel en in mijn gezicht terechtkwam; uit zijn verstarde, roerloze ogen rolden grote tranen en hij schreeuwde voor de helwitte wand van de tegelkachel midden in mijn gezicht: 'maar waarom dan? waarom? waarom? waarom? waarom?' waarna hij niet meer tot bedaren kon komen; terwijl ik met hem worstelde, hield hij plotseling op met brullen, maar niet omdat ik hem in mijn armen hield en hij mijn lichaam en mijn handen voelde, niet doordat ik het enige gebruikte wat een mens in zo'n situatie tot zijn beschikking heeft, maar door iets anders, wat weet ik niet, misschien doordat die personen of dat iets waartegen hij vocht, in hem triomfeerden; mijn handen en mijn lichaam voelden zijn lichaam stijf en gevoelloos worden en hij scheen het bewustzijn te verliezen; zijn hoofd zonk op zijn bord en kwam in de groente terecht, alsof dit ook nog tot zijn vernedering behoorde – dat er alleen maar groente op zijn bord lag.

Melchior liet de lus los en beduidde met een hoofdknik dat we moesten uitstappen.

We stonden op het plein waar het eindpunt was; de slecht verlichte tram reed knarsend en piepend een rondje en begon aan de terugweg, ik zag de bleke lampen van het voertuig steeds kleiner worden; we moesten in de richting van de Festungsgraben lopen, naar de in zuiver classicistische stijl opgetrokken, feestelijk verlichte, door kwijnende bomen omringde schouwburg; het was een der weinige gebouwen die bij toeval gespaard waren gebleven voor het oorlogsgeweld, al was het oude, sfeervolle kastanjebosje naast de schouwburg wel verwoest.

Anderen liepen ook die kant uit, ik ving een glimp op van glimmend gepoetste zwarte herenschoenen en de over het asfalt slepende zoom van een goedkope avondjapon, waar met geregelde tussenpozen de hoge hak van een vergulde damesschoen in bleef haken; in plaats van met hen mee te lopen, bleven we nog enige tijd daar staan, alsof we wilden wachten tot iedereen verdwenen zou zijn en we het donkere plein enkele minuten voor onszelf zouden hebben; de tram begon vaart te maken en verdween ratelend in de verte.

Het verlangen om op dat moment alleen te zijn was natuurlijk gemeenschappelijk.

Het was ook eigenaardig, vervolgde ik toen we door de donkere straat in de richting van de schouwburg slenterden, dat mijn vader zich steeds vergiste en in plaats van Marxplein de oude naam van het plein gebruikte, Berlijnplein; ik verwacht je dan en dan op het Berlijnplein, maar als hij dit gezegd had, verbeterde hij zichzelf onmiddellijk: op het Marxplein, onder de klok; ik moet daar ineens aan denken omdat ze het die zondag niet eens konden worden, legde ik Melchior uit, urenlang brulden ze door elkaar, en dat ging zo door tot de jonge vrouw met de zijden jurk ondanks het strenge verbod van haar vader het woord nam; het leek wel alsof ze niet wisten wat ze van het voorstel moesten denken, enerzijds beschuldigden ze mijn vader van fractievorming en sektarisme – sommigen betichtten hem zelfs van hoogverraad, noemden hem een ordinaire provocateur of eisten dat hij zijn opdrachtgever bekend zou maken, waarmee ze te kennen gaven dat ze hem meteen wilden aangeven –, anderzijds waren ze zelf ook van mening dat de situatie onhoudbaar was geworden: de binnenlandse veiligheidsdienst had niets meer te vertellen, de politie was nog onbetrouwbaarder dan gewoonlijk, het officierscorps was door het voortdurende gepolitiseer zienderogen gecorrumpeerd en zo zoetjesaan werden ook de gewone misdadigers uit de gevangenissen ontslagen, er moest dus iets gedaan worden voor het te laat was; hoewel tot voor kort nog iedereen vijandig tegenover zijn medemensen had gestaan, was nu de grote verbroedering begonnen, de betrouwbaarste communisten werden aan de schandpaal genageld, men was op zoek naar zondebokken en vond die, decreten hadden geen werking meer doordat ze ofwel niet werden uitgevoerd ofwel niet degenen bereikten voor wie ze bestemd waren, iedereen was met het verleden bezig en viste in troebel water, zelfs de Spaanse burgeroorlog kwam weer ter sprake, de pers gedroeg zich schaamteloos, het hele staatsapparaat was ontregeld door niksnutten en baantjesjagers, gewetenloze journalisten eisten persvrijheid, niemand voerde meer een spat uit, het bestuur was in feite onmogelijk geworden, iedereen was heimelijk met zijn eigen zaakjes bezig en at van twee walletjes, en daarbij kwamen dan nog de ondermijnende activiteiten van de vijand; kortom: het land begon onbestuurbaar te raken, maar juist daarom was iedere energieke stap een provocatie, de eenheid mocht immers niet met nieuwe fractioneringen in gevaar worden gebracht, hoe kon men trouwens van eenheid spreken als zijzelf niet eens in staat waren een gemeenschappelijk besluit te nemen? het was onverstandig om de diverse staatsorganen tegen elkaar op te zetten, niet het particularisme moest worden bevorderd, maar het vertrouwen, alles hing van de propaganda af, radicale maatregelen zouden olie op het vuur zijn, het was doelmatiger om de pers te zuiveren die met zulke

voorstellen kwam en daarmee automatisch de vijand in de kaart speelde, de wind woei nu eenmaal uit een andere richting, een brandend
huis moet je niet proberen met olie te blussen; intussen zat mijn vader
zwijgend en roerloos op zijn stoel, maar nu staarde hij niet meer in de
verte, hij keek niet tussen de gezichten door maar liet zijn blik met een
matte, bijna tevreden en opvallend vriendelijke glimlach over de gezichten van de debatterenden dwalen, als iemand die eindelijk zijn
doel heeft bereikt en weer thuis is, wat de situatie na een tijdje nog
meer compliceerde, want degenen die noch voor noch tegen het
voorstel waren gekant begonnen zich nu af te vragen of degene die
daar zo rustig zat toch geen provocateur was en met dat krankjoreme
pistolengedoe hen wilde dwingen kleur te bekennen; anderen, die
mijn vader het luidst hadden beschuldigd, vroegen zich waarschijnlijk
af hoe hij zo onbewogen en ongenaakbaar kon blijven, zou hij dan
toch in opdracht van anderen, misschien wel hele hoge pieten, handelen? hoe hadden ze zo stom kunnen zijn om hier hun zorgvuldig bewaarde troefkaarten op tafel te gooien!

Mijn vader hernam het woord pas toen de luidkeels schreeuwende
bezoekers, afgemat door hun talrijke argwanende gedachten, minder
rumoerig werden en enigszins tot bedaren kwamen, terwijl hun opgewonden gebaren wat onzekerder werden; hij sprak op zachte toon;
ik heb jullie niet hierheen laten komen om over de noodzakelijkheid
of onnodigheid van mijn plan te discussiëren, maar over de manier
waarop het verwezenlijkt kan worden, zei hij met kalme, gedecideerde stem.

De mateloze arrogantie en agressiviteit van deze verklaring, die elke
verdenking scheen te ontzenuwen – een dergelijke agressiviteit kan
immers uitsluitend aan de dag worden gelegd door iemand die zijn eigen mening verkondigt –, maakte dat er opnieuw een stilte viel.

De aanwezigen dachten alleen in ideologische en politieke termen;
geheel door de verdediging van hun eigen, voor consequent gehouden standpunt en door dogmatische kwesties in beslag genomen, begrepen ze niet dat hij hun bezwaren niet had weggenomen door zich
met de kloeke machetehouwen van zijn argumentatie een weg te banen door het oerwoud van argumenten, maar door een manier van
praten die ronduit krankzinnig was; ja, hier was een krankzinnige aan
het woord.

Hij stond op het punt nog iets te zeggen, toen de jonge vrouw naast
mij zowel afwerend als verzoekend haar arm omhoogstak; neemt u

me niet kwalijk, zei ze, en haar slanke, opgeheven vingers beefden; de diepe, hese maar toch sonore klank van haar stem, die slecht paste bij haar tengere, van opwinding trillende lichaam, verraste me; toen ik naar de discussie luisterde, zei ze, kreeg ik de indruk dat ik uit een ander land of zelfs van een andere planeet afkomstig ben; ik weet niet, en het interesseert me ook niet, waar de leden van dit illustere gezelschap wonen, maar ik ben van mening dat het in het land waar ík woon veel voor de hand liggender en nuttiger is om het democratische, vrije, geheime kiesstelsel opnieuw in te voeren dan om de een of andere provocerende gevechtsgroep op te richten, en ik weet zeker dat ik niet de enige ben die er zo over denkt.

Terwijl ze bevend van opwinding sprak, ging haar vader, die al die tijd apathisch op zijn stoel had zitten schommelen, plotseling overeind zitten; hij plantte zijn zolen stevig op de vloer, onderbrak zijn schommelende beweging en staarde met emotieloze instemming voor zich uit; uit zijn blik sprak de droefheid van iemand die precies weet hoe een betoog zal eindigen.

Het was ongehoord, werkelijk ongehoord! de aanwezigen voelden zich alsof er iets heel onbetamelijks was gepasseerd, iets waarop ze konden noch mochten antwoorden, ja, wat ze niet eens hadden mogen zien of horen, wat genegeerd diende te worden, wat absoluut niet voor discussie vatbaar was, waar ze snel overheen praten moesten, maar een adequate reactie bleef achterwege, iedereen staarde star voor zich uit.

De vader van de jonge vrouw liet de poten van zijn stoel met een bons op de vloer neerkomen, wat niet alleen een opzettelijke beweging was, maar een nadrukkelijke, non-verbale reactie, het was alsof hij daarmee zeggen wilde: zo is het wel genoeg geweest! vervolgens verhief hij zich rustig en waardig uit zijn stoel, wat waarschijnlijk een wenk was aan de aanwezigen om een einde te maken aan de pijnlijke situatie, want toen hij naar mijn vader liep, zijn hand met een opvallend zacht en kalmerend gebaar op zijn arm legde en noch te luid noch te zacht begon te spreken, gaf hij te kennen dat hij het idee van mijn vader absoluut de moeite van het overwegen waard achtte, in elk geval was het belangrijk genoeg om op een later tijdstip op de een of andere manier, misschien in een groter gezelschap dan het huidige, of juist in nog engere kring, bediscussieerd te worden, met name omdat er zoveel interessante argumenten en tegenargumenten naar voren waren gebracht; hij voor zich was van mening dat het, mede gezien de omstandigheden, nog te vroeg en zelfs onmogelijk was om in deze een standpunt in te nemen; toen hij daar was aangeland met zijn betoog, praatten alle aanwezigen alweer door elkaar heen, onwillekeurig dezelfde afwegende, vertragende en voor afwachten geporteerde toon overnemend en niet al te zacht of te luid sprekend, alsof er niets aan de hand was; de meesten gingen snel op een ander onderwerp over, en wie dit niet deed, sloeg in elk geval een andere toon aan en gaf geen blijk meer van enige opwinding.

Sommigen stonden op, schraapten hun keel, maakten zich op om te vertrekken, staken een sigaret op of gingen naar het terras; ze wisselden heimelijke blikken met elkaar of lachten om het gehoorde, precies zoals men in een gezelschap van mensen met uiteenlopende meningen of op een saaie receptie pleegt te doen.

Je vindt vast dat ik onsamenhangend vertel, zei ik onder het lopen tegen Melchior, maar dat die zondagse bijeenkomst toch niet op een volslagen mislukking uitdraaide – de woorden van de jonge vrouw hadden de deelnemers wellicht geholpen om hun standpunt te bepalen –, weet ik zeker, want toen ik enkele dagen later met mijn vader op het Marxplein had afgesproken – we zouden schoenen of iets dergelijks kopen, precies herinner ik me het niet meer –, heb ik anderhalf uur tevergeefs op hem staan wachten en toen hij 's nachts eindelijk thuiskwam – zijn kleren en zijn haar stonken verschrikkelijk naar rook – vertelde hij me op zorgelijke maar toch zelfbewuste toon dat hij onverwachts was uitgenodigd voor een zeer belangrijke, ja beslissende bespreking, die hij natuurlijk niet voortijdig had kunnen verlaten; hij voegde eraan toe dat het hem speet mij voor niets te hebben laten wachten; door deze ongewone, uitvoerige verontschuldiging begreep ik dat hij, al had hij dan niet gewonnen, nog enig respijt had gekregen alvorens echt gek te worden, want hij had tenminste geen nieuwe nederlaag hoeven slikken.

Ik zweeg, maar zo dat het leek of ik nog meer had willen zeggen, hoewel ik niet wist wat dat meer dan wel was, ik wist niet eens hoe ik ertoe was gekomen dit mij plotseling onwaar, bizar en oudbakken toeschijnende verhaal te vertellen; onze voetstappen weerklonken regelmatig op de trottoirtegels; Melchior zweeg, hij kon ook moeilijk weten wat ik had willen zeggen, hij vroeg niets en we keken elkaar ook niet aan; het deed me goed niet te hoeven praten.

In de door het ritme van onze voetstappen doorbroken stilte, die geen stilte was maar meer een gebrek aan toepasselijke woorden, overviel me het gevoel dat alles wat ik tot dan toe had gezegd vergeefse woorden waren, een stortvloed, een onverteerbare brij van lege, overbodige geluiden, van vreemde, voor mijn tong ongeschikte klanken, en dat het eigenlijk zinloos was te spreken als je geen woorden had; zelfs als ik dit verhaal in mijn eigen taal vertelde, had ik geen woorden die ergens heen konden leiden omdat het zelf nergens heen leidde, niet kon leiden, er is immers geen verhaal als het geheugen ons voortdurend dwingt bij onbelangrijke of als onbelangrijk beschouwde details stil te staan; op dat moment drentelde ik bijvoorbeeld over het toenmalige Marxplein en wachtte op mijn vader; ik kon die herinnering niet uit mijn geest bannen, maar waarom moest ik er Melchior mee lastig vallen?

Een mens kan slechts brokstukken vertellen en ik wilde in mijn grote liefde alles tegelijk, het geheel, aan hem overbrengen, het in zijn lichaam implanteren, aan hem overdragen, in hem uitbraken, maar waar begon en waar eindigde dat magische geheel en hoe had er een geheel tot stand kunnen komen in die vreemde, mij niet toebehorende taal, die mijn tong verlamde?

Tot dan toe had ik over dit alles gezwegen, er met niemand over gesproken omdat ik niet wilde dat het verleden tot een avontuurlijk verhaal zou verworden; wat geen verhaal was moest dat ook niet worden, moest niet met woorden tot een fabel worden afgezwakt, het was beter het ongeschonden in de crypte van het geheugen bij te zetten, alleen daar had het een waardige, rustige plaats.

Ik voelde me schuldig in die donkere straat, alsof ik de doden had belasterd.

Is de stilte niet het allervolmaakste geheel?

We liepen naast elkaar, schouder aan schouder, de hoofden dicht bij elkaar; in mijn verlegenheid had ik niet gemerkt dat het spreken zo moeilijk was geworden doordat zijn ogen verdwenen waren, tot dan toe had ik namelijk tegen zijn ogen gesproken.

Tegelijkertijd hoorde ik aan de zielloze, ritmische weergalm van onze op elkaar afgestemde passen, die ons steeds dichter bij de schouwburg brachten, dat elke stap deze verteldwang beteugelde, er was dus niets aan de hand, het verhaal kon toch niet doorverteld worden en zou onvoltooid blijven, en dat was goed; we zouden de schouwburg ingaan, ons iets laten voorspelen en ik zou netjes inslikken wat er nog van het verhaal over was, dan bleef de schande van het gesproken hebben tenminste ook onvoltooid.

Felle lichtstralen uit schijnwerpers sneden het gebouw in de herfstige avondnevel uit; in het kille, oogverblindende licht leek het nog het meest op een wat plompe, kartonnen doos.

Toen we in dat onbarmhartige schijnsel het gebouw binnengingen, waar de mensen zich verblind door het licht naar een portie avondlijke afleiding en ontspanning repten, wilde ik hem toch nog iets zeggen, iets interessants en geestigs, het deed er niet toe wat, als het maar geschikt was om deze mislukte tocht op een waardige manier te besluiten.

Weet je, zei ik zonder lang nagedacht te hebben, want ik verkeerde met mijn gedachten nog steeds in Boedapest, dat Marxplein, dat mijn vader altijd per ongeluk Berlijnplein noemde, is mij ook door iets anders bijgebleven: toen ik daar stond te wachten – ik probeerde mijn stem zo luchthartig mogelijk te laten klinken –, kwam er uit café Ilkovits – en ik legde meteen uit dat dat toentertijd de beruchtste kroeg van de stad was – een aangeschoten gezelschap naar buiten gewaggeld, vrouwen en mannen, door elkaar heen; een van de leden van dit gezelschap, een verlept uitziende lichtekooi, kreeg mij in de gaten en kwam wenkend op me af; omdat ik dacht dat ze me iets wilde vragen, wendde ik me bereidwillig in haar richting, maar ze gaf me een arm, beet me bijna in mijn oor en hijgde dat ik met haar mee moest gaan, dan zou ze me gratis pijpen; ze was er zeker van dat ik een schattig piemeltje had.

Waarin ze zich trouwens niet vergiste, voegde ik er lachend aan toe om het verhaal nog grappiger te maken.

Hij bleef staan en keek me aan; ik zag dat er geen glimlachje af kon, zijn blik was volstrekt uitdrukkingsloos.

In mijn verlegenheid ging ik door met mijn verhaal: dat ze gezegd had maar een dronken snol te zijn, geen dame, maar beter dan wie dan ook te weten wat jongeheertjes als ik lekker vonden.

De expressieloosheid van zijn gezicht duidde op afkeuring; langzaam pakte hij me bij de ellebogen en toen zijn gezicht het mijne naderde, verscheen er toch een klein lachje op, maar niet om zijn lippen, in zijn ogen, dat echter niet mijn als uitweg bedoelde grap gold, maar het vaste voornemen uitdrukte mij daar midden op dat fel verlichte plein, ten aanschouwen van het de schouwburg binnenstromende publiek, teder op de mond te kussen. Die warme, weke kus wekte bij hem het verlangen naar meer kussen en ik ontving ze op mijn neus, mijn onwillekeurig gesloten oogleden, mijn voorhoofd en mijn hals, alsof hij me met dit snelle drukken en glijden wilde aftasten; ik geloof niet dat iemand ons op dat moment heeft opgemerkt, in ieder geval baarden we geen enkel opzien, hoewel ik durf te beweren dat die onoplettende voorbijgangers heel wat hebben gemist; na enige tijd lieten we onze handen, waarmee we elkaar meer afwerend dan bezitterig hadden vastgehouden, zakken en keken elkaar aan.

Weer zag ik dat ene grote oog.

Opeens begon hij toch te lachen, zijn krachtige, wilde, witte tanden blonken achter zijn weke lippen; hij wees op de ingang en zei dat we natuurlijk niet verplicht waren naar binnen te gaan.

Nee, dat zijn we zeker niet, antwoordde ik.

De voorstelling kan ook in onze afwezigheid plaatsvinden.

Absoluut.

Maar op dat moment, daar midden tussen de zich naar binnen reppende bezoekers, drukte dat oog heel iets anders uit dan in de tram.

Dat was het hele verhaal, zei ik.

Hij schonk me een geheimzinnige, kalme, vriendelijke glimlach, maar ik begreep die glimlach niet omdat het niet zijn hardnekkige, door mij gehate én geliefde lachje was, ik moest echter gehoorzamen aan dat lachje, ik was eraan overgeleverd; het was waarschijnlijk de eerste keer sinds wij een relatie hadden dat hij me werkelijk zag.

Hij moest iets van mijn persoonlijkheid doorgrond hebben, iets wat hem aantrok of afstootte, dat deed er niet toe, in elk geval iets waarop hij niet had gerekend of wat hij niet kon verklaren.

Ik meende dat ik het beste een muur van woorden kon optrekken om me te verbergen.

Intussen verzette hij geen voet, zodat het wel leek of we ruzie hadden.

Hij stond daar in het onaangenaam felle licht in zijn onberispelijk gesneden donkere pak voor me, zijn bovenlichaam lichtelijk voorovergebogen en de vingers van de linker- en de rechterhand door elkaar geschoven, zodat hij de panden van zijn openhangende regenjas met zijn armen naar achteren hield; zijn ogen waren tot smalle spleten vernauwd, alsof hij sterk aan iets twijfelde, ik kon ze bijna niet zien.

Nu keken er meer mensen naar ons, maar iedereen vergiste zich.

Laten we naar huis gaan, zei ik.

Hij haalde met een bijna onmerkbare beweging zijn schouders op en wilde doorlopen, maar ik kon na dit gebaar van hem geen voet meer verzetten.

Ik heb dit alles alleen maar verteld, zei ik ietwat onderdanig en onzeker, om je duidelijk te maken waarom ik me genoodzaakt voelde met de demonstranten mee te lopen in plaats van naar huis te gaan; het is niet zo belangrijk, maar misschien begrijp je het nu.

Meer wilde ik niet zeggen.

Ik begrijp het, natuurlijk begrijp ik het, antwoordde hij ongeduldig, ik ben er alleen niet zeker van of ik wel datgene heb begrepen wat je me aan mijn verstand wilde brengen.

Het zou eenvoudig zijn geweest iets te antwoorden, iets wat mijn kwellende zwijgen doorbroken zou hebben, het zwijgen deed pijn, want ik wilde niets liever dan spreken, maar ik kon het niet, al was ik absoluut niet van plan ook maar iets te loochenen van wat hij van mijn persoonlijkheid had doorgrond en nu met gretig ongeduld analyseerde, een gretigheid die me deed begrijpen dat ik voorzichtig moest zijn met mijn uitlatingen; mijn tong was overigens niet verlamd omdat ik een wereldschokkende of ongekend belangrijke waarheid wilde poneren, ik werd door een mij tot dan toe onbekend schaamtegevoel ervan weerhouden om zelfs maar de onbeduidendste zaken te vertellen, een diepe, intense schaamte, nog remmender dan schaamte voor lichamelijke naaktheid, noopte me tot zwijgen omdat alle persoonlijke ervaringen waarover ik had kunnen spreken, na zoveel jaren volstrekt triviaal, stompzinnig, kleinzielig, belachelijk en ongerijmd schenen in verhouding met de revolutionaire gebeurtenissen, die het zwijgende historische geheugen tot een tragische grootsheid had gestileerd.

Ik had het verhaal onmogelijk in omgekeerde volgorde kunnen vertellen, beginnende bij het einde, maar het scheen welhaast even onmogelijk een relaas te houden over zaken als de tegen mijn been schurende tekenplank, de voortdurend wegglippende liniaal en mijn volgepropte schooltas en toch hadden deze onnozele zaken aan mijn persoonlijke revolutie bijgedragen, want ze hadden me door hun onhandelbaarheid en gewicht gedwongen een vraag te beantwoorden, een vraag die oppervlakkig beschouwd onbelangrijk en zelfs triviaal scheen: of het een blonde gymnasiast zou lukken weg te komen uit een massa van anderhalf miljoen mensen of dat hij erdoor opgeslokt zou worden; grof gezegd betekende die vraag het volgende voor me: ben je in staat je vader te verloochenen en acht je dat gerechtvaardigd? dit was geen spitsvondig geredeneer, maar een vraag die iedereen zich op die dinsdag in oktober op de een of andere manier moest stellen.

Of laat ik het zo zeggen: als iedereen zich die vraag zo indringend en overdreven scherp geformuleerd had gesteld, waren we beslist niet ondergedompeld in dat bloedwarme gevoel en vervolgens door een onbekende kracht in een zekere richting getrokken, dan was iedereen zich stellig dood geschrokken en zonder zich iets van die samenbindende kracht aan te trekken halsoverkop naar zijn armzalige of luxueuze woning gevlucht, dan was er geen grote menigte in actie gekomen, maar hooguit een woedende horde, een onbesuisd handelend zootje ongeregeld, een vernielzieke troep vandalen, omdat de mens, evenals de in het wild levende dieren, in wezen alleen maar naar vrede verlangt, naar zonnewarmte, naar een zacht nest, naar rust en gunstige voortplantingsmogelijkheden, en hij pas strijdlustig wordt als hij er niet in slaagt vrouw, haard en kroost te beschermen, aan voedsel te komen en zich voort te planten, en zelfs dan denkt hij niet meteen aan moord.

Zo was het toen ook op die ongewoon warme avond: het enige blijk van onze strijdlustigheid was dat we daar liepen, dat we met heel veel mensen tegelijk liepen, wat natuurlijk tegen iemand of iets was gericht, maar voorlopig was nog onduidelijk tegen wie of wat, iedereen kon nog het zijne denken en met zich meezeulen en elke demonstrant kon behalve zijn tot een last geworden bezittingen ook zijn eigen vragen meebrengen, hij hoefde nog niet onmiddellijk een beslissing te nemen, en als hij dat toch deed, kon hij niet precies weten wat de anderen van die beslissing vonden; daarom declameerde hij, riep hij leuzen of hield hij zijn mond.

Ik geloof niet dat er die avond ook maar iets is voorgevallen wat niet van betekenis was; aan elke kreet, leuze of versregel – maar ook aan elk veelzeggend zwijgen! – kon ik mijn gehele persoonlijkheid toetsen, het waren middelen om te onderzoeken wat ik voelde en dacht, om te ontdekken waarmee ik me kon verenigen of zelfs geheel vereenzelvigen.

Elk voorwerp, of het nu een liniaal, een gedicht of een vlag was, verschafte het denken een grondslag, op deze grondslag konden we een gedachte vormen die anders niet had kunnen ontstaan, en in die zin waren de voorwerpen duidelijk waarneembare tekenen, tekenen van woordeloze dierlijke driften en van vormloze, duistere gevoelens, ze fungeerden als voedingsbodem en kweekplaats van die emoties, maar het waren slechts aanleidingen, niet de zaak waar het om ging.

Het schelle licht op het plein begon me steeds meer te hinderen.

Als ik op dat moment in staat was geweest te spreken – zo niet tegen hem dan tenminste tegen mezelf –, had ik moeten zeggen dat het ver-

langen om naar huis te gaan geheel was verdwenen en zelfs in zijn tegendeel omgeslagen toen we op het Marxplein zij aan zij uit de
mensenmassa waren geperst en hollend trachtten de mensen voor ons
in te halen, althans bij mij was dat zo, ik was eenvoudig vergeten dat ik
zoëven nog naar huis had willen gaan; de stad, dat samenstel van stenen, huizen en straten, dat geheel van richtingen en mogelijkheden,
had me geheel in haar ban gekregen.

Vanaf dat ogenblik functioneerde alles in overeenstemming met de
natuurwetten, de uit de aarde opborrelende bron verdeelde zich in
kleine wateraders, die aanzwollen tot beken, de beken mondden uit in
rivieren, en de rivieren stroomden in de richting van de zee – heel
eenvoudig en heel poëtisch! de uit de rumoerige, vrolijk roezemoe-
zende zijstraten toestromende lichamen voegden zich, door de aantrekkingskracht van de massa in beweging gebracht, tussen de lichamen die zich op de boulevard voortbewogen; Verocska had haar geïmproviseerde toespraak waarschijnlijk besloten met de dichtregel 'indien gijlieden nog niet weet hoe het volk zich vermaakt, zult ge het
thans ervaren!' want de mensen doorbraken de levende prop die het
plein afsloot en stormden met dreunende voetstappen achter ons aan;
ze verdrongen elkaar achter onze rug, zodat we in de enig mogelijke
richting werden voortgestuwd, recht op de Margitbrug af; nog steeds
konden de in ongelijke mate verhitte gemoederen, die, als ze met elkaar in aanraking kwamen, vonken sproeiden en tot ontbranding
kwamen, zich niet tot een vuurzee van volledige wilsovereenstem-
ming verenigen, bij gebrek aan brandstof doofde het vuur keer op keer
uit; en toch was er een verandering ingetreden, dat kon iedereen bespeuren, er klonk geen geschreeuw meer en er werden ook geen voor-
drachten en toespraken meer gehouden of vlaggen rondgezwaaid, het
was alsof iedereen die in deze collectieve, enig mogelijke richting werd
gedreven zich op de kleinste gemeenschappelijke deler, op het geluid
van zijn eigen voetstappen concentreerde.

Het doordringende, massieve geluid van onze voetstappen, waarvan het ritme regelmatig over de door hoge huizen omsloten Szent
Istvánweg golfde, zodat de weergalm van alle kanten scheen te komen, bleek voldoende om het gemeenschapsgevoel te onderhouden
en zelfs te versterken, daarbij kwam nog dat de mensen op de hoogste
verdiepingen als trossen druiven uit de geopende ramen hingen en
zwaaiden om te beduiden dat ze, hoewel thuisgebleven, volledig
achter ons stonden, terwijl wij die daar beneden liepen ons een voel-

den met de mensen in de huizen; door dit alles werden de mensen door een bij elke voetstap aan betekenis en kracht winnende ernst bevangen, waardoor ze geleidelijk langzamer gingen lopen.

De brede maar diepe Szent Istvánweg loopt vanaf de kruising met de Pannoniastraat – de huidige László Rajkstraat – geleidelijk omhoog en komt bij de Pozsonyistraat met een flauwe boog op de Margitbrug uit; de helling en de elegante boog waarmee de straat op de brug aansluit, zijn op rustige dagen nauwelijks zichtbaar, als ik die avond niet met de stoet was meegelopen, waren ze me nooit opgevallen; meestal gebruiken we de stad alleen voor onze doeleinden en bekommeren we ons niet om de eigenaardigheden van haar straten en pleinen.

Vlak voor de brug ontmoetten twee uit verschillende richtingen naderende en in een geheel verschillende gemoedstoestand verkerende menigtes elkaar, wat dadelijk verklaarde waarom we langzaam en dicht bij elkaar gingen lopen; de menigte waartoe ik behoorde, werd stil en ernstig; wij wilden de brug op en de menigte tegenover ons kwam juist van de brug omlaag; de van boven toestromende mensenmassa was alleen al door de plaats waar ze zich bevond sterker dan wij, bovendien scheen ze beter georganiseerd, vrolijker, eensgezinder, jonger en energieker; de mensen liepen gearmd, zongen en riepen pakkende leuzen op het ritme van hun voetstappen, alsof ze dankzij hun eendracht en kracht al een overwinning hadden behaald; toen de rijen gearmd lopende mensen, die de gehele breedte van de brug in beslag namen, het plein voor de brug hadden bereikt, dat eigenlijk niet meer was dan een groot kruispunt, staken ze dit in een grote boog over en sloegen ze rij na rij de Balassa Bálintstraat in; onze meer opeengedrongen, maar minder ordelijke, tegen een helling op lopende, door individuele emoties en persoonlijke motieven bijeengehouden groep moest zich tussen de eindeloze, steeds opnieuw uitwaaierende rijen dringen, zich in verwarde golfbewegingen daarin boren en de straalvormige spleten in de mensenmassa, die zich onafgebroken openden en sloten, op een chaotische manier bestormen, binnendringen en opvullen.

Er zijn uren waarin een mens zo door gevoelens van solidariteit is vervuld dat hij alle ongemakken en noden van het lichaam vergeet, niet moe wordt, niet liefheeft, honger noch dorst ervaart, warmte noch kou voelt en niet hoeft te urineren; het uur dat ik hier beschrijf was er zo een.

We begonnen te rennen; intussen meende Szentes te weten dat de demonstranten studenten waren die van het Bemplein kwamen; hun rijen omsloten ons, we werden erin opgenomen, en hoewel we hun ordelijkheid en eenheid teniet deden, gingen hun vrolijkheid en zelfbewustheid gedeeltelijk op ons over; dadelijk begon iedereen luid te spreken, want de uit verschillende richtingen komende en in verschillende stemmingen verkerende mensen begonnen onmiddellijk opgewekt hun ervaringen uit te wisselen, met onbekenden vriendschap te sluiten en elkaar aan te horen of te overschreeuwen; we vernamen van hen door wie ze waren toegesproken, wat de inhoud van die toespraak was geweest en welke eisen erin waren gesteld, terwijl wij hun vertelden dat we tanks en soldaten hadden gezien, dat er arbeiders door de Vácistraat marcheerden die kennelijk naar het centrum op weg waren, en dat de militairen aan onze kant stonden; door dit haastig uitwisselen van gegevens werden de niet meer in rijen lopende mensen wat nerveuzer, maar ze putten tevens vrolijkheid en kracht uit elkaar.

In deze stemming trokken we naar het parlementsgebouw.

Szentes, die waarschijnlijk meende dat ik de onverwachte omstandigheden anders beoordeelde dan de overige demonstranten maar daar niet voor uit durfde te komen, boog zich heel dicht over me heen, zodat zelfs Stark niet kon horen wat hij zei; in onze opwinding raakten onze gezichten elkaar bijna; ik ben ervan overtuigd, zei hij, dat het gedaan is met dit regime, dat kan iedereen met zijn eigen ogen zien, zelfs jij.

Natuurlijk zie ik dat, antwoordde ik, terwijl ik mijn hoofd afwendde, ik ben alleen benieuwd hoe dit afloopt.

Voor ons rees de donkere koepel van het parlementsgebouw op, die enkele maanden geleden was opgeluisterd met een lichtgevende rode ster van kolossale afmetingen.

Ik moet er nogal komiek hebben uitgezien met mijn tekenplank, mijn uitpuilende schooltas en mijn ernstige, bijna droefgeestige gezicht, waarvan hij moet hebben afgelezen dat ik de uitzonderlijke gebeurtenissen van die avond met mijn eigenaardige familieomstandigheden trachtte te rijmen; mijn opmerking over de toekomst verraste hem zozeer dat hij in lachen uitbarstte, maar nog voor ik had kunnen begrijpen waarom hij eigenlijk lachte, voelde ik dat iemand achter me zijn armen om me heen sloeg en zijn handen stevig maar absoluut niet ruw op mijn ogen legde, zodat ik niets meer kon zien.

Is meneer weer aan het oreren? riep Kálmán; hij danste om ons heen en zwaaide met zijn armen van blijdschap, zodat we verlegen even bleven staan, drie gymnasiasten omringd door een groepje grijnzende bakkersleerlingen; we konden echter niet lang daar blijven staan, we moesten weer verder lopen.

Mijn tekenplank heb ik overigens op het plein voor het parlementsgebouw verloren, aan de voet van het standbeeld van Kossuth; ik was in navolging van Kálmán boven op het monument geklommen om de menigte in ogenschouw te nemen, die het gehele plein vulde en met donderend stemgeluid eiste dat de verlichting in de ster zou worden uitgeschakeld; opeens floepten alle lampen op het plein uit en bleef alleen de ster op de koepel branden, waarop een ontevreden gemor uit de menigte opsteeg, dat in een fluitconcert en gejoel overging, maar plotseling werd het stil en begonnen de mensen papieren fakkels te ontsteken, die ze boven hun hoofd hielden; het was alsof er een baldadige, steeds van richting veranderende stormwind over een eindeloze weide joeg en opeens vlamde er een vuur op, dat het reusachtige plein met een hel licht overgoot, snel over de mensen golfde, vlakker werd en tenslotte langzaam boven hun hoofden uitdoofde, maar onmiddellijk daarop laaide het opnieuw op, greep om zich heen en breidde zich vlekkerig uit over het hele plein; de helle vuurgloed waaierde snel uit en ging over in een gelige vlammenzee, maar tenslotte zonk hij roodachtig gloeiend tussen de voeten van de demonstranten; mijn schooltas zou enkele uren later op het lege asfalt van de kruising van de Poesjkinen de Sándor Bródystraat achterblijven, waar Kálmán, die juist een boterham met pruimenjam liep te eten, dodelijk getroffen door een salvo uit een ergens op een dak geplaatste mitrailleur, tegen de grond sloeg; ik dacht eerst nog dat hij zich opzettelijk liet vallen en bewonderde zijn handigheid, al zat zijn gezicht helemaal onder de pruimenjam.

Later zou ik niet in staat zijn over het gebeurde te spreken; toen Hédi afscheid van me kwam nemen en vragend, bijna smekend van mij, de ooggetuige, verlangde dat ik het ongelooflijke zou bevestigen, zei ik nauwelijks iets, trouwens zij voelde zelf ook dat elk woord hierover vals en pathetisch zou klinken; als ik iets gezegd had, zou ik het bij voorkeur over zijn warme, krachtige en toch zachte handen hebben gehad, over de handen van een vriend, en niet over het in wezen triviale feit dat hij was gestorven, dat zijn leven voorbij was en we hem nooit meer zouden zien; we hadden hem na de schietpartij naar een portiek gesleept en vervolgens een woning in gedragen, hoewel dat geen zin meer had omdat hij, toen we hem optilden, of misschien nog

eerder, op het moment dat hij werd getroffen, al was gestorven, maar
we deden alsof dit zinloze gezeul met zijn lichaam hem nog even in leven kon houden of zelfs tot nieuw leven wekken, hoewel zijn lichaam
met kogels was doorzeefd, we moesten toch iets voor hem doen; al
zeulend met zijn dode lichaam lieten we een heel bloedspoor op de
straat achter, het bloed vloeide uit zijn lichaam en kwam op onze handen terecht, zodat ze glibberig werden; zijn bloed leefde langer dan
zijn lichaam, dat reeds gestorven was; zijn ogen waren geopend en
ook zijn mond stond open, een donker gat in een verminkt en met
bloed en pruimenjam besmeurd gezicht; hij was werkelijk dood en
het enige wat mij nog te doen stond was diezelfde nacht nog zijn moeder in het Jánosziekenhuis op de hoogte stellen van de dood van haar
zoon en een paar dagen later mijn stilletjes naar huis teruggekeerde vader, die twee maanden later zelfmoord zou plegen, een moordenaar
noemen – ik hield daarbij de stof van het lichtgekleurde linnen zomerpak van János Hamar tussen mijn vingers; beide taken heb ik met
de grootste zorgvuldigheid verricht.

Ik had noch over Kálmán noch over de andere doden willen spreken, en ook niet over de begrafenissen, de door flakkerende kaarsen
verlichte begraafplaatsen of de kaarsen die die hele herfst en winter elders hebben gebrand, nee, ik had willen vertellen over de laatste keer
dat hij mijn lichaam aanraakte – ik ben de laatste mens die hij heeft
aangeraakt – en over de manier waarop hij die vervloekte boterham
met pruimenjam in zijn hand hield – hij had die van een vrouw gekregen die op de hoek van de Poesjkinstraat in een geopend parterreraam
brood zat te snijden voor de voorbijgangers, ze deed er pruimenjam op
uit een aarden pot; en ik had ook willen spreken over de warmte, de
veerkracht en de geur van zijn handen, over de unieke combinatie van
spieren, huid, beenderen en lichaamswarmte waaraan we onze medemensen herkennen, over die zachte, donkere handpalmen die mij het
hele historische gebeuren deden vergeten en door één enkele zachte
aanraking van het onbekende naar het gewone terugvoerden, van de
revolutie naar de normale wereld, de wereld van aanrakingen, geuren
en gevoelens, waarin je zulke unieke handen meteen herkent.

Ja, om Melchior eindelijk iets van mijn zieleroerselen te laten begrijpen had ik hem van dat korte, gelukkige moment voor de schouwburg op het fel verlichte Berlijnplein moeten vertellen, toen alles donker werd maar ik toch wist wie er achter me stond – dat ben jij, Kálmán! of ben jij het Krisztián? nee, jij bent het, Kálmán! Kálmán! –, van

die seconde van kinderlijke vreugde en hoe ik van pure blijdschap mijn hoofd uit zijn omklemming had losgetrokken omdat ik mijn handen vol had, – in de ene hield ik de tekenplank, in de andere de tas die ik later zou verliezen; het was ook zo onverwachts en ongelooflijk geweest hem daar op straat te ontmoeten, alsof je naar een speld in een hooiberg zoekt en die plotseling vindt.

Melchior keek zonder iets te zeggen naar mijn zwijgende mond, waar heel wat aan te zien was!

Op die decembermiddag had niet ik me het eerst bewogen, maar Hédi: ze had haar hoofd voorovergebogen.

Ze kon die gezamenlijke ontkenning, dat 'nee' van ons niet meer verdragen en vroeg of ik haar uit wilde laten.

Zelfs in de deuropening keken we elkaar niet meer aan, ik staarde de schemerige straat in en zij voelde in haar jaszak.

Ik dacht dat ze me nog een hand wilde geven, wat bepaald komiek zou zijn geweest, maar ze haalde een klein bruin teddybeertje uit haar zak tevoorschijn dat er nogal versleten uitzag; ik kende het wel, het was de mascotte van de meisjes; ze vroeg me het aan Livia te geven.

Toen ik het aanpakte en haar hand per ongeluk mijn vingers aanraakte, had ik het gevoel dat ze alles wat ze achterliet aan Livia en mij toevertrouwde.

Ze liep weg en ik ging weer naar binnen.

Grootmoeder kwam toevallig de kamer uit, waarschijnlijk ontvluchtte ze tante Klára's als troost bedoelde gebabbel door naar mij toe te gaan; ik was de enige persoon in huis met wie ze nog wilde spreken.

Ze vroeg wie er net weg was gegaan.

Hédi, antwoordde ik.

Dat blonde joodse meisje, vroeg ze?

Ze stond van top tot teen in het zwart gekleed met een uitdrukkingsloos gezicht in de schemerige vestibule, vlak voor de gesloten witte deur.

Is er een familielid van haar gestorven? vroeg ze.

Ze gaan weg uit Hongarije, zei ik.

Ze vroeg naar welk land.

Ik antwoordde dat ik dat niet wist.

Ik wachtte tot ze naar de keuken was gegaan en deed alsof ik geloofde wat ze me wilde laten geloven: dat ze daar een of ander klusje te doen had, daarna ging ik naar de kamer van mijn grootvader.

Er was al een maand lang niemand in die kamer geweest, die zonder zijn aanwezigheid een steriele indruk maakte; sinds zijn overlijden was er geen enkel voorwerp in de kamer verplaatst.

Ik sloot de deur achter me en bleef even staan, daarna legde ik het teddybeertje op de tafel, die bezaaid was met boeken, schrijfgerei en beschreven vellen papier; stille getuigen van zijn laatste, koortsachtig drukke dagen.

Op drie november was hij begonnen een plan uit te werken voor een hervorming van het kiesstelsel, maar hij had dit niet meer af gekregen voor de tweeëntwintigste november.

Ik moest opeens aan de fabel van de drie in de melkkuip gevallen kikvorsen denken; je kunt in die kleverige massa niet verdrinken, zei de optimist van het drietal, en met dat hij dit zei, kleefden zijn lippen op elkaar en zonk hij in de melk weg; als de optimist al is verdronken, waarom zou mij dan dit lot bespaard blijven? zei daarop de pessimist en hij zakte eveneens omlaag in de melk, maar de derde, de realist van de drie, deed het enige wat een kikker kan doen, hij zwom rond in de melk totdat hij iets hards onder zijn poten voelde, iets diks en stevigs, waartegen hij zich af kon zetten om een sprong te nemen; hij wist niet dat hij de melk tot boter had gekarnd, hoe zou een kikker zoiets kunnen weten? maar hij slaagde er wel in uit de kuip te springen.

Ik nam het beertje toch maar weer van de tafel, want ik voelde dat het niet verstandig was het daar te laten liggen.

Over Livia had ik vernomen dat ze een opleiding voor glasslijpster volgde; op een keer, zo'n twee jaar later, ging ik naar de Práterstraat en gluurde door een openstaand tuimelraam van een souterrain naar binnen; ik zag vrouwen achter razendsnel rondtollende en gierende slijpschijven zitten en opeens ontdekte ik Livia; haar witte stofjas stond halfopen en ze werkte aan een glas met een grote voet; ik zag dat ze zwanger was.

Nog diezelfde zomer kreeg ik een brief van János Hamar, een vriendelijke brief, die in Montevideo was gepost; hij schreef dat ik, als ik zijn hulp nodig had, hem dat onmiddellijk moest laten weten; bovendien nodigde hij me uit om bij hem te komen logeren; als ik wilde, kon ik zelfs voorgoed bij hem blijven; hij werkte als diplomaat en leidde een rustig, aangenaam leven; over twee jaar zou hij de dienst verlaten en dan wilde hij een grote reis met me maken; hij vroeg me dringend hem meteen terug te schrijven, want hij leefde helemaal alleen, wat hem overigens goed beviel; die brief bereikte mij helaas pas geruime tijd na de verzending.

Sinds die tijd geloofde ik dat al mijn naar het buitenland vertrokken kennissen even behoedzaam, geleidelijk en stilletjes in mijn leven zouden terugkeren als hij, maar in werkelijkheid heb ik niemand van hen ooit teruggezien.

En toen ik het teddybeertje jaren later toevallig weer in handen kreeg en ernaar keek, voelde ik me zo verdrietig worden dat ik het maar heb weggegooid.

Hoe hij Melchiors bekentenis
aan Thea doorvertelde

Welke van onze normale routes we ook kozen, tijdens onze avondlijke of nachtelijke wandelingen weergalmde het geluid van onze op elkaar afgestemde voetstappen in een vreemd, onheilspellend ritme door de donkere, uitgestorven straten en hoe aandachtig we ook converseerden of zwegen, aan dit door onze zolen voortgebrachte geluid konden we geen moment ontsnappen.

Het was alsof de huizen van de stad, die voor het oog weinig aanlokkelijke oorlogsfaçaden, al onze vreedzame schreden streng controleerden en daarvan slechts datgene terugzonden wat streng, zakelijk en zielloos was; gaven we ons daarboven op de vijfde verdieping, in die piepkleine woning onder het dak, voornamelijk over aan een lichtzinnig en voortdurend van thema wisselend gekeuvel, beneden op straat, waar we de kloof moesten overbruggen tussen een elke vriendelijkheid ontberende kilheid en onze warme, vriendschappelijke gevoelens, kregen de gesprekken de van diepzinnigheid en verantwoordelijkheidsgevoel getuigende intensiteit die men koele oprechtheid pleegt te noemen.

Boven hadden we het slechts zelden, op straat des te vaker over Thea.

Door de heimelijke wensen van mijn zondige gevoelens geleid, trachtte ik deze gesprekken zo in te kleden dat ik niet als eerste haar naam hoefde uit te spreken; voorzichtig benaderde ik het onderwerp, ik omzeilde het als het ware, maar zodra haar naam was gevallen begon Melchior over haar te praten en als hij, geschrokken van de ook voor hemzelf verrassende associaties, zweeg of terugschrok voor uitlatingen die zelfs voor zijn doen te heftig waren, probeerde ik hem met achterbakse, berekenende vragen, geniepige interrupties en terloopse opmerkingen te dwingen op het spoor te blijven dat naar de donkere plekken van zijn verleden voerde, zodat we samen het mistige landschap konden doorkruisen dat hij met veel handigheid, theoretische spitsvondigheid en op gevaar af psychisch verminkt te raken, trachtte te mijden.

Op de wandelingen die ik overdag en 's avonds met Thea maakte, moest ik precies de tegenovergestelde tactiek volgen, want als we door het vlakke, open, winderige landschap in de buurt van de stad zwierven of aan de oever van een meertje of een eindeloos lang schijnend kanaal waren gezeten en met zorgeloze blik het spel van het wateroppervlak volgden of in de verte staarden, stond de weidsheid van de omgeving bij voorbaat borg voor een vanzelfsprekende innigheid van toon, voor een scheiding van waarneming en gevoel en voor het opelkaar-aangewezen-zijn van deze beide krachten, omdat de natuur nu eenmaal geen decor is; voor een oog dat tegen zinsbegoocheling kampt, is ze zelfs werkelijker dan werkelijk en ze sluit daardoor bij voorbaat alle kleine menselijke onoprechtheden uit die alleen tussen de coulissen van de grote stad denkbaar zijn; omdat ik de heimelijke wens koesterde Thea's gevoelens voor Melchior in een levendige spanning te houden, moest ik haar door themawisselingen en onderbrekingen beletten zogenaamd oprecht te worden, en voorkomen dat ze over hem sprak.

Ik vond dit een fraaie, evenwichtige oplossing om mijn geheime doel te bereiken.

Maar ook als we niet over hem spraken, hadden we het over hem, zodat ik de onderdrukte opwinding voelde van een misdadiger die tijdens de voorbereiding van zijn euvele daad – in de overtuiging dat hij zelf niets hoeft te doen – gesprekken probeert af te luisteren, op de loer staat en rond de plaats van het misdrijf zwerft; nee, hij hoeft niet in de volmaakte orde van de natuur in te grijpen, hij hoeft alleen het werkingsprincipe van de omstandigheden te ontdekken, dan zal de situatie hem vanzelf de buit in handen spelen; op een vergelijkbare wijze hoefde ik niets anders te doen dan die stille, eendrachtige doelgerichtheid bij hen aan te wakkeren.

Beetje bij beetje gaf ik Thea de bijna dwaas schijnende hoop dat Melchior, hoewel alles op het tegendeel duidde, geenszins onbereikbaar voor haar was, terwijl ik met grote behoedzaamheid trachtte de remmingen weg te nemen waarmee Melchior zich zo radicaal verdedigde tegen zijn natuurlijke gevoelens, die zich met tussenpozen nadrukkelijk en hardnekkig aandienden; als gevolg hiervan was Thea op een eigenaardige maar niet geheel onbegrijpelijke manier nauwelijks werkelijk jaloers op mij, omdat ik – en alleen ik! – in haar ogen, ja in de kern van haar gevoelsleven, de voortdurende belichaming was van een flauwe, maar op grond van zekere overwegingen onweerstaanbare hoop, terwijl Melchior bijna in extase verkeerde omdat hij via mij iets kon leren kennen wat hem tot dan toe onbekend was, bovendien wist hij dat ik hem nooit geheel zou toebehoren zolang hij dit onbekende niet bezat.

Verliefden dragen het lichaam van hun geliefde bij zich en stralen hun gemeenschappelijke lichamelijkheid naar hun omgeving uit; toch is deze gemeenschappelijkheid geenszins gelijk aan de rekenkundige som van hun lichamen, ze is meer, beter gezegd, ze is iets anders, iets wat moeilijk definieerbaar is en zowel met kwaliteit als kwantiteit te maken heeft, want de beide lichamen verenigen zich wel, maar zijn onverenigbaar; bovendien is deze constante eenheid, die zich enerzijds als een kwantitatief surplus anderzijds als een kwalitatief verschil manifesteert, niet gelijk aan bijvoorbeeld de vermengde geur van de twee verstrengelde lichamen, die gemeenschappelijke geur is alleen de meest opvallende of meest uiterlijke manifestatie van de zich tot alle levensgebieden uitstrekkende gemeenschap van twee zelfstandige lichamen; uiteraard trekt die geur in hun kleren, hun haren en hun huid, zodat degeen die met de gelieven in aanraking komt, onverwachts in de omhulling van deze nieuwe fysieke kwaliteit wordt opgenomen; als zijn neus voldoende gevoelig en onbevangen is, zal hij niet alleen in de ban, of – milder uitgedrukt – onder de invloed van twee personen geraken en iets van hun liefde ontvangen, maar, door zijn reukzin geleid, aan de bewegingen, gelaatsuitdrukkingen en spreekwijze der gelieven ook allerlei belangrijke navolgingen, aanpassingen, accentverschuivingen en doelveranderingen waarnemen, ik doel op de lichamelijke gevolgen en specifieke kenmerken van hun psychische eenwording; zoiets is, als men onder deze invloed verkeert, heel goed mogelijk.

De plaats tussen hen in, die ik op onze eerste gezamenlijk doorgebrachte avond in de ereloge van de Opera niet had weten te bemachtigen, wist ik later wel te bezetten, waartoe ik Thea slechts een klein stukje tot die omhulling hoefde toe te laten, net voldoende opdat ze via mijn lichaam konden communiceren, want zonder dat ik me daarvan bewust was, had ik op die middagwandelingen Melchior bij me, en als Thea iets van me aannam – en dat moest ze wel als ze haar gevoelens de baas wilde blijven – ontving ze ook iets van hem; omgekeerd was het precies eender: als Thea mij iets van zichzelf gaf, kon Melchior merken dat zij iets was kwijtgeraakt en ik er iets bij had gekregen; en hij mérkte het ook, want hij besnuffelde me als een hond en maakte jaloerse scènes, die met afleidende manoeuvres en schalkse opmerkingen nauwelijks binnen de perken waren te houden; als ik van zo'n wandeling was teruggekomen, moesten we het verstoorde evenwicht en onze oorspronkelijke verhouding meteen herstellen, wat echter een nieuwe toenadering tot Thea impliceerde.

Ik wist niet precies wat er tussen hen was voorgevallen, op mijn desbetreffende vragen ontving ik van beiden ontwijkende antwoorden, waaruit viel af te leiden dat het zowel voor haar als voor hem een beschamende en frustrerende ervaring was geweest, maar ik bedacht dat elke terugtocht het voorspel is van een definitieve breuk en dat ik, wilde ik hen in hartstocht voor elkaar doen ontvlammen – en dat wilde ik, uit vrees dat we anders onmogelijk op een fatsoenlijke manier verder konden leven –, zo nauwkeurig mogelijk van de situatie op de hoogte moest zijn.

Mijn verlangen naar een eervolle terugtocht is waarschijnlijk onverklaarbaar, de enige verklaring die ik kan bedenken is dat ik volledig verstrikt geraakt was in die relatie en in hoge mate het zowel wellustige als angstaanjagende gevoel had dat ik – een onsplitsbare persoonlijkheid, een met een ondeelbare gevoels- en ervaringswereld begiftigd ik – niet met iemand van de andere kunne omging maar met een seksegenoot; en als dat waar was, als ons dat ondanks alle verboden vrijstond, moest dat ook een zin hebben, dat kon niet anders! ik doorleefde de idee van de ondeelbaarheid der liefde met zo'n mateloze geestelijke opwinding dat het wel leek of ik aan de blauwdruk voor een nieuwe wereld werkte of een ontzagwekkend geheim had ontsluierd; als dat werkelijk waar is, dacht ik triomfantelijk, ben ik werkelijk ik, ben ik een mens met een niet verder deelbare kern, maar zou mijn geslacht slechts een onderdeel van die kern zijn of zou die zich, ongeacht mijn geslacht, alleen in de liefde geheel kunnen openbaren? en zou de ultieme zin van het liefdegevoel zijn dat ik mij als ondeelbare kern met een andere ondeelbare kern verbond? moest ik mij altijd naar mijn ik richten als ik met iemand een relatie aanging, zowel wanneer het om iemand van mijn eigen geslacht ging als wanneer het iemand van het tegengestelde geslacht betrof? ik ontving echter geen antwoord op deze vragen omdat ik, hoewel ik mijn ik had gevolgd toen ik mij met Melchior verbond, het afschuwelijke feit moest verdragen dat Melchior niet ik was en dat ook nooit kon worden, hij had alleen zijn geslacht met mij gemeen; er was dus een onoverbrugbare tegenstelling tussen enerzijds de blijdschap, de vreugde en de woede over het onmiddellijke contact met het identieke, anderzijds de smartelijke ervaring dat ik, ofschoon identiek met een ander, niet in staat was me zijn anders zijn toe te eigenen; bovendien versterkte deze bittere ervaring dermate het gevoel dat mijn hele leven, mijn verleden en al mijn strevingen volstrekt tevergeefs en uitzichtloos waren, dat het mij het beste toescheen te gehoorzamen aan mijn aangeboren neiging om naar evenwicht te streven en tegenstellingen te verzoenen; ik besloot derhalve het hazepad te kiezen en naar Hongarije terug te keren; Hongarije betekende in dit geval zoiets als verleden, verveling, bekende zaken en zekerheid, al datgene wat het vaderland in den vreemde pleegt te betekenen.

Ja, ik wilde naar huis en hij wist dat; ik motiveerde het niet en expliceerde het niet en hij vroeg niets; hij liet me gaan met de mateloze superioriteit van iemand die hevige smart voelt, zonder een woord van protest; maar om mijn vertrek als het ware voor te zijn wilde hijzelf ook vluchten, wilde hij terugkeren tot het nauwelijks overwonnene, tot zijn eigen wanhoop, hij wou naar het buitenland vluchten; ik verlangde alleen naar het veilige vaderland, hij naar de onzekere vreemdheid van zijn verlangens; het was mij duidelijk dat we met deze gelijktijdige verandering van plaats, waarvan de gelijktijdigheid bewees dat we onafscheidelijk waren, elkaar wilden straffen; we wilden wraak nemen voor onze levensloop en elkaar opzadelen met de kolossale hoeveelheid historische vuiligheid die zich in elk van ons beiden had opgehoopt; alleen kon dit geen spel of minnestrijd meer worden genoemd, want uit dit land kon je niet vertrekken zonder dat dat direct levensgevaar of gevangenis betekende en in die jaren werden vluchtpogingen maar zelden met succes bekroond; over dit alles spraken we echter met geen woord, Melchior hulde zich in een geheimzinnig zwijgen en was prikkelbaar en gespannen, waarschijnlijk wachtte hij op een teken of bericht uit de andere helft van de stad; ik leidde uit bepaalde omstandigheden af dat degene die zijn vlucht organiseerde niemand minder was dan zijn Franse vriend die zich communist noemde.

Ik bedacht dat als ik – vertrouwend op de aantrekkingskracht die ze op elkaar uitoefenen en vooral op de soms uiterst verfijnde hardnekkigheid van Thea – een wisselreactie tussen hen op gang wilde brengen, een reactie die ertoe zou leiden dat hij zijn zinloze, voor mij uiterst onaangename en moreel gezien verwerpelijke vluchtplan zou laten varen – ik even neutraal moest blijven als een chemische katalysator, die weliswaar aan een chemisch proces deelneemt, maar, doordat hij over geen vrije chemische valentie beschikt, niet een bestanddeel van de nieuwe verbinding kan worden en daarvan afgescheiden blijft.

Ik hoef wel niet te zeggen dat mijn voornemen uiteindelijk een doodgewone vorm van psychische gewelddadigheid bleek te zijn en dus een zonde tegen het gevoel; omdat mijn plan echter geenszins onuitvoerbaar scheen – de contouren van een mogelijke verwezenlijking hadden zich reeds tijdens onze eerste ontmoeting vaag afgetekend –, suste ik tijdens mijn machinaties mijn geweten met de gedachte dat ík niet degene was die het zo wilde maar zij, dat ik hun alleen behulpzaam was en dat het slagen van mijn plan zou bewijzen hoe goed ik het met hen beiden meende – waarmee ik eigenlijk tegen mezelf zei dat ik me niet alleen fatsoenlijk gedroeg, maar ook nog zegevierend uit de strijd tevoorschijn wilde komen.

Natuurlijk kon ik niet zeker zijn van die overwinning en daarom moest ik me vaak – ik mag wel zeggen verdacht vaak – die eerste ontmoeting voor de geest halen en trachten me alle gebeurtenissen en details te herinneren, en hoe vaker ik daarover mijn gedachten liet gaan, des te duidelijker zag ik in dat die wilde gevoelsverwarring zich het eerst in die donkere, verre kijkkast – het podium – had gemanifesteerd, in de lichamen van de zangers, onder invloed van de uit de orkestbak opstijgende muziek, een muziek die tenslotte ook ons daarboven in haar ban had gekregen.

Want zonder dat er toen een bepaalde gedachte bij mij opkwam oefende het met mijn schouder gevoelde, met mijn ogen geziene en met mijn oren gehoorde, aldus verdriedubbeld en tot elkaars parabel geworden, een werking op mij uit die veel weg had van een gevoelsexplosie, en de herinnering daaraan had ik ook dán niet kunnen verdringen als ik die niet ergens voor had willen gebruiken; thans zou ik zeggen dat de aangestampte bodem van mijn dertigjarige leven begon te verzakken, het magma van mijn instincten was in beweging gekomen, de uit stenen van inzicht, kennis, moraal en zelfverdediging opgetrokken, hecht gewaande gebouwen liepen tijdens deze door merg en been gaande ouverture scheuren op, de voor almachtig gehouden ervaringen werden uit hun baan geworpen, en om te bewijzen dat ook gevoelens in materie konden worden omgezet, begon ik, gekweld door angstaanjagende, tegenstrijdige, uit een bekende ongewisheid opstijgende gevoelens, uit al mijn poriën te zweten, alsof ik hout aan het zagen was, hoewel ik roerloos op mijn stoel zat; zoals gewoonlijk deed ik alsof ik meegesleept werd door de muziek, wat mijn aan zelfbeheersing en zelfdiscipline gewende lichaam echter geenszins kalmeerde, maar, zoals elke doorzichtige leugen, nog meer tot zweten aanzette.

De mens schijnt tot zijn dertigste levensjaar een zekere schijnzeker-
/ heid te verwerven en die zelfgenoegzame schijnzekerheid begon bij mij nu barsten te vertonen; en toch hadden op het ogenblik van de in-eenstorting al mijn gebouwen nog hun oorspronkelijke vorm be-waard, al stonden ze niet meer op hun gewone plaats – niets bevond zich trouwens meer op zijn gewone plaats –, maar het was of die vor-men enkel nog hun eigen leegheid symboliseerden en geen idee had-den van de tektonische krachten waaraan ze waren onderworpen; al mijn gevoelens en gedachteflitsen waren opeens een achter oude grenzen teruggedrongen gevoel geworden, de gebarsten vorm van een vruchteloos ronddwalende gedachteflits, het lege symbool van deze vorm; in al deze verwarring die voorafging aan de totale vernieti-ging en ineenstorting scheen mij echter nog een bijzondere genade deelachtig te worden, een genade die me gedurende een korte wijle nog een overzicht gunde, zodat ik de fundamentele wetten van het le-ven, althans van mijn leven, kon doorzien.

Nee, ik heb niet mijn nuchtere verstand verloren, toen niet en nu niet, nu ik met een reeks vergelijkingen mijn toenmalige gevoelens tracht te benaderen, en ik heb intussen heel goed begrepen dat wat ik als een echte kerker – de kerker van mijn gevoelens en idealen – be-schouwde, voor de Fransman links van me slechts een naar stijfsel rui-kend decor was; het enige wat er gebeurde was immers dat de ruwe Ja-quino in de kerker op het podium de bekoorlijke Marcellina met zijn liefde achtervolgde, die echter niets van dit ruige mannenverlangen moest hebben, maar zich aangetrokken voelde tot de tedere knaap Fi-delio, in werkelijkheid de in mannenkleren gehulde Leonore, die in deze vermomming trachtte Florestan te bevrijden, haar in een onder-aardse kerker wegwijnende, onschuldig gevangen gehouden gelief-de; doordat Leonore in het belang van dit ook in politiek opzicht ede-le doel Marcellina's gevoelsverwarring zonder aarzeling, hoogstens met een zekere meelevende treurigheid, aanvaardde, pleegde ze het allerlaaghartigste of, zo men wil, allerkomiekste bedrog dat de ene mens de andere aan kan doen: zich als jongen voordoen terwijl men een meisje is, waaruit uiteindelijk niets anders valt te leren dan dat het doel de middelen heiligt, iedereen houdt immers van een ander of staat op het punt dat te gaan doen, maar tenslotte krijgt iedereen de ge-liefde die bij hem of haar past, zodat we onze morele bedenkingen vanzelf opschorten; terwijl mijn schouder zich kon noch wilde losmaken van de man rechts van me en dit ongeoorloofde gevoel me in dezelfde mate verraste, vernederde, afstootte en beangstigde als de manier waarop hij zich onverwachts van me afkeerde mijn ijdelheid krenkte, ook al wist ik dat deze beweging slechts een voorbijgaande en doorzichtige kunstgreep van de liefde was en hij Thea even laaghartig als werktuig gebruikte als de als knaap verklede Leonore de niet eens lelieblanke gevoelens van de bekoorlijke Marcellina, die na enige tijd toch gemerkt moet hebben dat er geen knaap in die vrouwenkleren stak! Melchior exploiteerde met behulp van deze tweeslachtigheid – een ander middel had hij immers niet – het in al zijn twijfelachtigheid toch echte, Thea's werkelijke gevoelens, die hij benutte om zijn doel te bereiken en te onderzoeken in hoeverre ik ontvankelijk was voor zijn avances, wat hem natuurlijk alleen kon lukken door zich werkelijk van mij af te wenden en zich met zijn echte of zijn potentiële, in hem sluimerende gevoelens naar Thea toe te keren en haar te offreren wat hij mij onthield, precies als op het podium, waar Leonore in een echte man en een volmaakte cipier – Fidelio – moest veranderen om, terwijl ze Marcellina verleidde, haar ware geliefde uit de gevangenis te kunnen bevrijden.

Ik voelde dus dat Melchior Thea iets toonde wat hij mogelijk zelf niet kende, iets verrassends, wat hij werkelijk meende, en doordat ik zijn gevoelsverwarring en zijn kinderlijke onbeholpenheid voelde, voelde ik in feite niets anders dan wat Thea voelen moest, die onmiddellijk alle middelen gebruikte waarover een vrouw in zo'n penibele situatie de beschikking heeft, zoals gesidder, gezucht en lonkende blikken, zodat ik duidelijk aanvoelde dat er zich tussen hen iets volmaakt wederkerigs afspeelde.

Mijn volstrekt irrationele jaloezie had overigens geen betrekking op hem, voor hem was ik alleen bang, ik vond mijn gevoelens ongeoorloofd, dat wil zeggen: ik begeerde hem wel, maar voelde tegelijkertijd hoe het ondeelbare verlangen naar zijn lichaam me in de eerste plaats naar Thea dreef; je zou ook kunnen zeggen dat ik Melchiors toenadering slechts voorwaardelijk mocht toestaan, alleen voorzover ze me nader tot Thea bracht.

Dit was zo ongeveer wat zich tussen ons afspeelde gedurende het bedrieglijke spel dat we twee bedrijven lang hebben gespeeld; hoe dichter Melchior Thea naderde, hoe kleiner de afstand werd tussen haar en mij en hoe meer ik zijn lichamelijke aanwezigheid op mijn lichaam voelde inwerken; zo kreeg ik bijvoorbeeld meer en meer zin om mijn hand op zijn knie te leggen, wat me hogelijk verbaasde omdat ik, sedert ik volwassen was, nog nooit op het idee was gekomen mijn hand op de knie van een man te leggen, behalve misschien in een vriendschappelijke opwelling, en nu voelde ik in mijn hand dit bijna onbedwingbare verlangen, dat bovendien geen gewoon liefdesverlangen scheen te zijn maar een berekenende begeerte, een aanraking die in twee richtingen werkte, een kunstgreep van de liefde, waarmee ik enerzijds zijn als voorschot geschonken gebaar kon beantwoorden, anderzijds – en dat leek me op dat moment het belangrijkste – Thea kon terugveroveren, zodat ze niet meer van hem zou zijn.

Als ik in die schouwburg ergens aan had moeten denken, dan was dat wel aan mijn puberteit, maar ik heb aan van alles gedacht behalve daaraan; en zo ik niet aan mijn eigen puberteit had moeten denken, dan had ik me toch meer in het algemeen moeten bezinnen, bezinnen op de vele ervaringen die de mens gedurende die tijd opdoet maar die hij, zodra hij dat vreselijke rijpingsproces achter de rug heeft, onder invloed van zijn fel bevochten, ja aan kwellingen ontrukte genietingen, snel vergeet.

Ik had moeten bedenken dat we ons uit de bijna krankzinnig makende ellende van ons rijpingsproces, uit de verlammende hulpeloosheid van onze zinnelijke begeerten, zinnelijke beproevingen en zinnelijke onwetendheid, alleen kunnen redden door uitsluitend sociaal aanvaarde, regelmatige, binnen morele grenzen blijvende liefdeshandelingen te verrichten, handelingen die weliswaar niet geheel met onze eigen zinnelijke verlangens stroken en, als genormeerde gedragingen, onze persoonlijke vrijheid begrenzen – een vrijheid die overigens bij voorbaat onverdraaglijk, ongeoorloofd, overbodig en zelfs kwellend is omdat de gemeenschap haar moreel verwerpelijk acht –, maar die ons toch de mogelijkheid geven binnen de genoemde begrenzing een optimaal gebied voor de ontplooiing van onze amoureuze activiteiten te vinden, een gebied waarop we, de beproefde conventies betreffende de seksuele rolverdeling in acht nemend, ons aan een met soortgelijke moeilijkheden kampend medemens kunnen openbaren en, in ruil voor onze bereidheid af te zien van de volledige bevrediging van onze seksuele verlangens, met deze medemens van de onpersoonlijke, bijna fysieke intensiteit van een zinvol seksueel leven kunnen genieten; en zelfs de onthutsende leegte die we na de lichamelijke bevrediging ervaren – die vreselijke leegte of afgrond van het onpersoonlijke – hoeft dan niet onoverbrugbaar te zijn, want uit zo'n vereniging kan iets zeer persoonlijks en organisch ontstaan: een kind, het meest persoonlijke, meest organische en meest volmaakte dat er op de wereld bestaat; aan ons overgeleverd, ons beiden toebehorend, op ons gelijkend en toch van ons verschillend, is het de schadeloosstelling voor alle geleden kwellingen, een voorwerp van onbaatzuchtige zorg en een bron van bezorgdheid, vreugde en verdriet, zodat de lege bekommernissen plaats maken voor concrete zorgen en het leven opeens zinrijk en vol betekenis schijnt.

De mens is als een schipbreukeling, die, worstelend om niet te verdrinken en met zijn twee voeten boven een bodemloze diepte naar een steunpunt zoekend, zich in zijn nood aan het eerste het beste voorwerp of lichaam vastklampt, aan wat of wie dan ook, al is het slechts een strohalm; zodra dit hem in de woelige baren van zijn gevoelsleven boven water houdt, vertrouwt hij zich er zonder aarzeling aan toe, klampt zich eraan vast en drijft erop weg; en omdat hij niets anders heeft – alleen dit? ja, alleen dit! zegt zijn voorwerp meedogenloos – en de meedogenloze strijd om te overleven altijd door mythische voorstellingen wordt begeleid, gaat hij na zekere tijd menen dat het toevallig naar hem toe gedreven voorwerp inderdaad van hem is, dat zijn voorwerp hem heeft uitverkoren en hij zijn voorwerp, en tegen dat de ritmische kracht der golven hem op het droge oeverzand der rijpe volwassenheid werpt, is hij van dit toevallige al onafscheidelijk geworden; maar mag men toevallig heten wat een mens het leven heeft gered?

De bodem van mijn gevoelens beefde en alle tot dan toe stevig gewaande bouwwerken van een tienjarige periode van liefdesavonturen stortten ineen; het leek wel alsof elk liefdesavontuur tot dat ogenblik slechts een concessie aan mijn drang tot overleven was geweest; dwangmatig en onverzadigbaar de aan mijn lichaam ontlokbare geneugten smakend, had ik intussen verzuimd mij werkelijk te bewegen, ofschoon dit bewegen wellicht niet tot een verplaatsing zou hebben geleid; doordat ik de zin van dit alles maar niet kon begrijpen, moest ik me voortdurend ergens aan vastklampen; ik zweefde boven het grote water, maar vond de aan mijn voeten ontvallen bodem niet meer terug; zelfs mijn geneugten konden me niet meer troosten, vandaar dat eeuwige zoeken en speuren naar andere speurende lichamen; wat me echter zo schokte was niet dat ik Thea wilde bezitten via het lichaam van de man naast me en hij zijn verlangen naar mij via Thea openbaarde, of dat ik hem via Thea benaderde, dat we dus beiden hardnekkig om haar heen draaiden en beiden, zoals gebruikelijk is, een tweezijdige relatie met haar wilden aangaan, terwijl we, hoe we de zaak ook wendden of keerden, met zijn drieën waren en, indien dat zo was, even goed met zijn vieren of vijven konden zijn, nee, deze kwestie kon me niet sterker verrassen dan de aanblik van een tot een herinnering vervaagd beeld waarvan we niet meer exact de tijd en de plaats weten; het was alsof ik temidden van al deze verwarring in mijn lichaam kon kijken en daar de naakte gestalte van mijn elementaire begeerte zag, en in plaats van de gebeurtenissen op het podium te volgen, richtte ik mijn aandacht enkel en alleen op die gestalte! ze was klein, had een blauwachtige, vochtige huid en pulseerde; ze existeerde geheel zelfstandig, onafhankelijk van anderen, ook van mijzelf; het was alsof ik, daarnaar kijkend, het lichamelijke omhulsel of de lichamelijke gestalte van de naakte levenskracht aanschouwde, die ondanks alle modern bijgeloof vrouwelijk noch mannelijk maar geslachtloos is en uitsluitend tot taak heeft het vrije verkeer tussen ons mensen te bevorderen.

Die avond kreeg ik iets terug van mijn vroegere vrijheid, van de vrijheid van het hart en de vrijheid der zinnen, maar ik haast me er enigszins bitter aan toe te voegen dat ik er weinig mee ben opgeschoten, ja dat al mijn nauwkeurige waarnemingen en observaties niets hebben opgeleverd, want ik heb ze als een dwaas kind van mijn tijd geïnterpreteerd en misverstaan; ik had een betrekkelijk juist vermoeden van de loop der dingen, maar hield mijn nogal flauwe en bovenal abstracte vermoeden voor inzicht; ik wilde dit als inzicht beschouwde vermoeden dadelijk toepassen, wilde me met dit gevoelsinstrumentarium een geestelijke positie verschaffen, ja onmiddellijk praktische doeleinden bereiken, successen boeken, invloed uitoefenen, besturen, toezien, leiding geven, alsof ik hoofdambtenaar was op een soort liefdesministerium en daar de gegevens combineerde die ik tot mijn beschikking had; het eindresultaat van dit alles was dat mijn roestige ideeën uit die tienjarige periode van liefdesavonturen zich lieten gelden, zodat ik nog uitsluitend aan tastbare zaken en de tastbaarheid zelf geloofde en alles negeerde wat niet onmiddellijk tot de materie viel te herleiden en dus geen vleselijk genot kon schenken; het was zelfs zo erg met me gesteld dat ik alles wat niet tot de verstandelijk te begrijpen realiteit behoorde in naam van de rede uit het begrippengebied van de werkelijkheid bande, aldus alles afwerend wat, hoewel alleen voor de zinnen toegankelijk of tot het domein der gevoelens behorend, toch mijn geestelijke werkelijkheid vormde; omgekeerd loochende ik de onpersoonlijke waarheid ten gunste van mijn persoonlijke waarheid; onder zulke geestelijke omstandigheden konden mijn schuldbewust-zijn en het besef van mijn onwaarachtigheid, hoe intens ook, me natuurlijk onmogelijk duidelijk maken welk een noodlottige vergissing ik beging, ik negeerde ze eenvoudig.

Ik heb dit alles meegedeeld omdat ik, alvorens de draad van mijn verhaal weer op te vatten en tot onze middagwandeling terug te keren, ook de geestelijke atmosfeer wilde beschrijven waarin twee mensen verkeerden die, om hun doel te bereiken, elkaar voortdurend als werktuig trachtten te gebruiken, hoewel het wandelen hen op de een of andere manier toch ook met elkaar verbond; om het figuurlijk uit te drukken: ze bewandelden een pad dat door anderen reeds was vastgetreden.

Wat baat ons immers een volstrekt zuivere bedoeling, wat de droom van een neutrale gedragswijze, als we voortdurend, of liever gezegd stap voor stap, in het levende gevoelsmateriaal van onze partner dringen, dat tenslotte niet meer is te onderscheiden van de materie van het levende lichaam zelf? tevergeefs beperkten we ons tot slechts in overdrachtelijke zin te begrijpen en uit te leggen woorden en veroorloofden we ons geen enkele aanraking, hoogstens een veelzeggend zwijgen, onze woorden kregen onmiddellijk een directe, slechts ons beiden betreffende betekenis, voerden ons in de verboden richting en maakten datgene onmogelijk wat we ons als redelijk en geenszins onrealiseerbaar doel hadden gesteld.

Zo ongeveer was de stand van zaken, onder dergelijke omstandigheden verplaatsten wij ons in die natuurlijke ruimte, waarin zij met gelijkmatige tred voor me uit liep over het onverharde pad naar het verre bos en ik geheel verrast en voldaan haar zachte, bittere en de kern rakende bekentenis overdacht, alsof ze me zoëven, op dat veel te vertrouwelijke, bijna riskante ogenblik, niet op een afstand had willen houden door me aan de voor ons doel noodzakelijke aard van onze relatie te herinneren, maar ze me juist naar zich toe had willen halen om me in het diepste en geheimste deel van haar leven te betrekken.

Ik kon me nauwelijks beheersen; week geworden van dankbaarheid en hevig verlangend haar bekentenis te beantwoorden, had ik het liefst alle remmingen terzijde geschoven en haar sierlijke, tengere, breekbare gestalte naar me toe getrokken voor een omarming; ik merkte immers aan de manier waarop ze zich van me verwijderde dat ze zich evenzeer tot mij aangetrokken voelde als ik mij tot haar; bovendien had ze woordelijk gezegd dat ze haar leven als een mislukking beschouwde, maar, wat ze ook voor dwaasheden uithaalde, twee mensen had, haar vriendin en haar man, bij wie ze altijd kon aankloppen, hetgeen in onze gemeenschappelijke taal zoveel wilde zeggen als: we kunnen met elkaar doen wat we willen, je hoeft niet bang te zijn, ik voel me veilig, zelfs als die twee me allebei zouden laten barsten, was er niets aan de hand.

Zogenaamd oprechte bekentenissen over belangrijke gevoelskwesties hebben altijd iets tweeslachtigs.

Als iemand bijvoorbeeld uitlegt waarom hij niet van zijn vaderland houdt, uit hij ongewild zijn liefde en dadendrang met deze bekentenis, terwijl de ernstigste en vurigste verklaring van patriottisme in de eerste plaats verraadt hoeveel verdriet, zorgen, wanhoop en verlammende onmacht dit vaderland bij de spreker teweegbrengt, zodat zijn verlamde dadendrang hem dwingt er in de meest bloemrijke en dweperige bewoordingen over te spreken.

Haar ingehouden, bondige, maar toch uitgesproken, want ontlokte, bekentenis die, omdat ze niet geheel geloofwaardig was, nadruk behoefde, waardoor ze gemakkelijker over haar lippen kwam, maakte mij duidelijk dat ik mij niet had vergist en mevrouw Kühnert ongelijk had gehad: Thea was de laatste weken inderdaad veranderd, ze stond op het punt een grens te overschrijden; ik vermoedde dat ze zich alleen maar zo had uitgelaten omdat ze de banden die haar in een eerdere periode van haar leven zekerheid hadden gegeven, thans als knellend ervoer en zich ervan wilde losmaken; ze had me dit alles toevertrouwd in de hoop dat ik haar over die grens zou helpen, haar zou helpen de banden te verbreken die haar nu nog bonden.

Toch mocht ik haar niet – wat het meest voor de hand liggend zou zijn geweest om te doen – met mijn handen of lichaam aanraken, dat zou te direct zijn geweest en zelfs onbetamelijk.

Ik had op die gedenkwaardige zondagmiddag, toen Melchior op zo'n dierlijke wijze had gehuild, trouwens gemerkt dat het lichaam alleen onvoldoende troost kan geven; hij had de toekomst van mijn leven willen hebben, had iets begeerd wat ik alleen had kunnen weggeven door het hem zwijgend en zonder aarzeling aan te bieden, maar ik was daartoe, misschien uit lafheid, niet bereid geweest en had het niet aangeboden.

Omdat ik voelde dat mijn lichaam een te gering en bovendien onbetamelijk middel was om haar te helpen, vertrouwde ik op de meest geheime en meest duistere zinnelijke kennis die ik uit dat lichaam kon putten, opeens voelde ik dat hun lichamen bij elkaar hoorden en het mijne alleen maar een middel zou kunnen zijn om iets tussen hen op gang te brengen; ik besloot hen voortaan te dienen.

Om een ver verwijderd doel te bereiken bood ik mezelf als neutraal intermedium aan, welk aanbod ze, aan de wetten van hun egoïsme gehoorzamend, ook aannamen en benutten, alleen hielden we er onvoldoende rekening mee dat er, als het om de liefde gaat, geen morele overwegingen of voornemens zijn die het geslacht van een mensenlichaam kunnen neutraliseren; ik verliet mij dus alleen op mijn zelfbeheersing, wat echter de wellustige spanning van een zich op de uitvoering van zijn daad voorbereidende inbreker in mij opwekte, zodat het verlangen naar de daad niet meer door de liefde werd geleid, maar door mijn voornemen de twee geliefde wezens uit mijn lichaam te verdrijven.

Niet ikzelf liep daar over het pad, maar twee vreemde voeten droegen de lege huls van mijn slaafse wens achter Thea aan, een huls die, toen het eerste enthousiasme geluwd was, tot een loden last werd, uitsluitend voortgesleept in het belang van een verre levens- of fatsoenreddende toekomst.

Het donkere groen van de dennenaalden spoelde als een eindeloze vloedgolf over de hoge, slanke, roodachtig glanzende stammen, deinend en wiegend en zich hier en daar omkrullend tot een heuse golf.

Het pad eindigde in het bos, waar het in een zacht tapijt van droge naalden overging; tussen de bomen was het al bijna geheel donker.

Thea moet gemerkt hebben dat ik er weinig voor voelde om het bos in te gaan, want toen ze aan de rand was gekomen, bleef ze staan, draaide zich zonder de hand uit de diepe zak van haar rode jas te halen om en leunde met haar rug tegen een boom, alsof ze de afgelegde afstand wilde schatten; vervolgens liet ze zich tegen de stam geleund langzaam op haar hurken zakken, maar zonder met haar derrière de grond te raken.

We keken elkaar niet aan.

Ze staarde naar de zachte golflijn van het in de schemering verzonken landschap, dat een vredige aanblik bood onder de reeds nachtelijke hemel; voortjagende wolken werden uiteengereten, stapelden zich op en losten weer op, zodat licht en donker elkaar afwisselden; ik keek naar de matte, donkere vormen van het bos en snoof de koele, wrange geur van verrotting op; schuin invallende lichtflitsen verscheurden de schemering tussen de roodachtige stammen en hielden die voortdurend in beweging.

Wat later voelde ze in haar jaszak en haalde daaruit een lange sigaret en een doosje lucifers tevoorschijn; na een langdurige worsteling met de wind slaagde ze erin de sigaret aan te steken.

Nu doe ik iets wat absoluut niet mag, zei ze.

Ja, zei ik met een ernstig gezicht, daar heb ik ook vaak zin in.

Knipogend door de rook keek ze naar me op, alsof ze een diepere zin in mijn platvloerse toespeling trachtte te ontdekken, maar ik beantwoordde haar blik niet en bleef tussen de bomen staan, zonder ertegen te leunen.

Je trekt een gezicht alsof je voortdurend iets vies ruikt, zei ze nogal luid, en daarop vroeg ze zachtjes en veel behoedzamer of ze me soms gekwetst had.

Ik keek over haar schouder heen, maar kon toch zien dat haar gezicht spottend en uitdagend vertrokken was; als ik haar nu eens op de grond gooide in haar rode jas en helemaal lens trapte, dacht ik, zou ze dan nog zoveel praatjes hebben? ik voelde al aan mijn kaken en tanden hoe mijn voeten trapten.

Ik schrok van deze gewelddadige opwelling; terwijl we ons in een afwachtende stilte hulden, stelde ik me voor hoe ik, na haar vermoord te hebben, terug zou keren naar de woning in de Steffelbauerstraße, mijn bezittingen in een koffer zou proppen, in het vliegtuig zou stappen en vanuit de lucht deze tot een vlekje ineengeschrompelde plaats zou herkennen met een verraderlijke rode stip – haar jas – op het groene tapijt van boomkruinen.

Typisch een vrouw die met de monsterlijke kwellingen van het ouder worden kampt, dacht ik; waarom zou het voor vrouwen zo belangrijk zijn jong te zijn? mijn boosheid en afschuw hadden niets met haar leeftijd te maken, maar – integendeel – met de eigenaardige aantrekkingskracht die lichamelijk verval op me uitoefende, een eigenaardigheid waardoor ik de op haar leeftijd normale vervaging van haar gezichtslijnen als fraai ervoer en haar strijd tegen het ouder worden bewonderde, ze leverde zich hierdoor volledig aan mij uit en gaf me meer dan wanneer ze jong en glad zou zijn geweest.

Eigenlijk spijt het me dat ik niet verliefd op je ben, zei ze.

Reken maar dat je dat wel bent, dacht ik bij me zelf en bijna had ik haar dit ook geantwoord.

Ik heb me weleens geprobeerd voor te stellen hoe je er zonder kleren uitziet, vervolgde ze na een korte pauze, misleid door mijn van opwinding star geworden blik of aangemoedigd door de emotie die haar valse en onthullende oprechtheid bij haarzelf had opgewekt; als ik zo naar je gezicht en je handen kijk, denk ik dat je een beetje dik en mollig bent, als je niet oppast zie je er over een tijdje net zo uit als Langerhans; alles is zo beminnelijk aan je, zo voorkomend, zo humaan en ordentelijk, zo discreet en neerbuigend-attent dat het lijkt alsof je nauwelijks spieren en beenderen hebt en voornamelijk uit huid bestaat, een mooie, gladde huid zonder haren; waarschijnlijk heb je ook geen lichaamsgeur.

Ik liep naar haar toe, hurkte voor haar neer en nam haar de sigaret af die ze in haar hand hield; misschien kun je me ook zeggen in wat voor situatie je me naakt hebt voorgesteld, zei ik, daar ben ik echt reuzebenieuwd naar.

Ze volgde met haar ogen de boog die haar sigaret door de lucht beschreef, alsof ze bang was dat ik er te hard aan zou trekken, hoewel ze het kennelijk een pikant idee vond dat onze lippen via die sigaret contact met elkaar zouden hebben; snel pakte ze de sigaret weer terug; hoewel we het allebei trachtten te vermijden, raakten onze handen elkaar hierbij aan; door dit contact van onze vingertoppen werd onze krampachtige terughoudendheid omgezet in het gevoel dat we elk ogenblik een dijkbreuk konden meemaken.

Ja, zei ze met een diepe, hese stem, schijn bedriegt soms, misschien ben je wel vel over been, je bent er in ieder geval bits genoeg voor.

Ik vroeg haar waarom ze geen antwoord gaf op mijn vraag.

Ik wil je niet kwetsen, zei ze alvorens weer een trekje van haar sigaret te nemen.

Jij kunt me niet kwetsen.

Het leven is vol tegenstellingen, zei ze, want als je praat zie je er weer meer uit of je van deeg bent, overigens best een leuk gezicht.

Laten we elkaar niet vernachelen, zei ik, je hebt niet een oogje op mij maar op iemand anders, ik ben meer een noodzakelijke aanvulling voor je, een extra training, om te voorkomen dat je botten verkalken.

Ze lachte me brutaal uit, midden in mijn gezicht, dat, terwijl we zo tegenover elkaar op onze hurken zaten, nog geen veertig centimeter van het hare was verwijderd; plotseling zette ze zich met haar rug af tegen de boom, zodat ze met gebogen knieën een eindje voorover veerde en weer terugviel; dit spelletje herhaalde ze enkele malen, zodat ze leek te schommelen en haar gezicht elke keer als ze naar voren ging bijna het mijne raakte; ze speelde met de afstand.

Nou, dan vergis je je, zei ze, me haar sigaret aanreikend, op jou heb ik ook een oogje.

Ook, zei ik.

Ik ben nu eenmaal onverzadigbaar, zei ze.

We genoten intens van deze plotselinge onthullingen, van onze meedogenloze openhartigheid en ongeremdheid en onze pogingen elkaar in eerlijkheid te overtroeven; ik zag dat de rimpeltjes om haar ogen waren verdwenen; toch had de situatie iets onaangenaams, want ik had het gevoel dat we ons van onze banaalste en oppervlakkigste kant aan elkaar lieten zien.

Ik heb me zelfs voorgesteld, althans geprobeerd voor te stellen, wat we met elkaar zouden kunnen doen, zei ze.

Haar gezicht straalde.

Van de door ons gedeelde sigaret was nog maar een klein peukje over, voorzichtig overhandigde ik het haar; ze nam het aan en rookte voorzichtig, alsof ze tijdens dit laatste trekje, voor ze haar vingers zou branden, een belangrijke beslissing moest nemen; terwijl ze de rook in haar longen zoog, vertrok ze haar hele gezicht om haar schaamte te verbergen.

Waarom kun je niet met hém doen wat wij met elkaar zouden doen? vroeg ik boosaardig; het was de boze helft van mijn ik die mij deze vraag deed stellen.

De vraag was bij me opgekomen als een mogelijk antwoord op de meer algemene en verstrekkende vraag, waarom de mens de lichamelijke aanraking, het fysieke genot dat we aan elkaars lichaam beleven, als volmaakter en wezenlijker beschouwt dan elk geestelijk genot, waarom hij het lichamelijke contact als het enige geldige bewijs voor een menselijke relatie ziet; een nog meer omvattende vraag, die ons tot aan de rand van het denken voert, is, of volkeren daarom zo graag oorlog met elkaar voeren omdat ze alleen zo echt contact met elkaar kunnen maken; het is bekend dat de behoefte elkaar aan te raken, elkaar lichamelijk te bevredigen, voornamelijk biologisch bepaald is; de geslachtsdaad verschaft een snelle, altijd beschikbare, maar valse fysieke bevrediging, die niets met onze werkelijke behoeften te maken heeft.

In principe heb ik er niets op tegen, zei ze, niet meer tegen de boomstam leunend.

De vrolijke uitdrukking verdween van haar gezicht, nadenkend en zorgvuldig boorde ze met haar vinger een gaatje in de dikke laag droge dennenaalden totdat ze de aarde had bereikt; in het zo ontstane holletje drukte ze haar brandende sigarettepeukje uit.

Het enige bezwaar dat ik ertegen zou kunnen hebben is dat mij als vrouw iets onthouden wordt, vervolgde ze na een korte adempauze, maar omdat dit zo'n voor de hand liggende reactie is, keur ik jullie relatie onwillekeurig, ja bijna instinctief, goed; nee, het is misschien merkwaardig, maar ik ben echt niet jaloers; misschien was ik dat wel in het begin, toen ik doorkreeg wat er aan de hand was, het overviel me toen een beetje; realiseer je je wel dat ik jullie bij elkaar heb gebracht? toen je een dag na jullie kennismaking al met hem op bezoek kwam en ik zag hoeveel moeite het jullie kostte om te verbergen wat er inmiddels was gebeurd – jullie gedroegen je door de inspanning veel serieuzer dan gewoonlijk –, was ik niet meer jaloers, eerder blij; nee, ik bedoel iets anders, blijdschap is niet het goede woord voor wat ik voelde; vind je het trouwens niet merkwaardig dat vrouwen veel meer begrip hebben voor homo's dan mannen zelf? het is wel vreselijk onnatuurlijk en walgelijk, dat mietengedoe, maar ik krijg er toch moederlijke gevoelens door.

Ze wendde haar blik en zweeg; opeens betastte ze de plaats waar ze haar sigarettepeukje had weggestopt, schoof daar wat aarde overheen en drukte die zorgvuldig aan; geheel in gedachten verzonken volgde ze de brandweeractiviteiten van haar vinger.

Ik voelde dat ze het toch nog zou zeggen, het zou haar moeite kosten, maar ze zou het doen, waarschijnlijk wilde ik haar daarom niet in de rede vallen, ze wilde iets zeggen wat mij en haarzelf betrof.

Ik doe wel rottig tegen je en zeg smakeloze dingen, maar eigenlijk ben ik je dankbaar omdat je me in deze hoogst ongelukkige situatie alleen al door je aanwezigheid van iets weerhoudt wat misschien echt tragisch of belachelijk zou zijn.

Weer zweeg ze, ze kon het nog steeds niet over haar lippen krijgen.

Opeens keek ze me aan.

Ik ben een oude vrouw, zei ze.

Deze woorden waren, evenals haar blik en het zachte trillen van haar stem, geheel vrij van zelfvoldaanheid of zelfmedelijden, gevoelens die in de gegeven situatie volstrekt natuurlijk zouden zijn geweest; ze overwon haar onzekerheid en keek me met haar prachtige bruine ogen zo openhartig en kalm aan dat de uitdrukking van haar gezicht de betekenis van haar woorden logenstrafte.

De innerlijke kracht waarmee ze zich concentreerde op hetgeen ze gezegd had, deelde zich mee aan mijn ogen; ze scheen op dat moment noch vrouwelijk noch oud noch knap, maar ondefinieerbaar, ze was nog slechts een eenzaam menselijk schepsel dat in een door zijn eindeloosheid overweldigend heelal onder onverdraaglijke kwellingen trachtte zijn identiteit te bepalen, en dit maakte haar mooi.

Ongetwijfeld had ze in een kamer nooit zo openhartig durven zijn, daar zou het gesprek op een langdradige psychologische analyse of een vrijpartij zijn uitgedraaid; tussen vier muren zou ik haar uitlating eerder komisch hebben gevonden, te oprecht of niet eerlijk, het doet er niet toe; ik zou dan heftig geprotesteerd hebben of in lachen zijn uitgebarsten; hier echter werden de betekenisvolle woorden schijnbaar moeiteloos uitgesproken, ze verlieten onbelemmerd haar mond en weerkaatsten tegen mijn gezicht; de essentie ervan nam ik in me op, de rest vervluchtigde of verspreidde zich over de omgeving en werd daar geabsorbeerd.

Op dat ogenblik begreep ik dat dit naakte verdriet de bron van haar schoonheid was; tegenover me zat iemand die het leed noch trachtte te ontlopen noch te misbruiken, iemand die het vermogen om te lijden zorgvuldig had bewaard – voor mij bewaard; misschien was dit wel de eigenschap waardoor ik haar zo aantrekkelijk vond, zij vroeg niet om medelijden; en vermoedelijk protesteerde ze daarom ook zo fel tegen de op inleving en doorleving gebaseerde manier van acteren; ze hoefde niets te verbergen en wat ze van zichzelf liet zien, maakte ze ook bij mij zichtbaar, al deed ik nog zo mijn best het te verbergen.

Ik wisselde mijn eigen, met de hare vergelijkbare, maar door wolken van zelfmedelijden en zelfbedrog verhulde problemen voor de hare in.

Ik ben niet oud van jaren, voegde ze er onmiddellijk aan toe, alsof ze elke neiging tot medelijden respectievelijk zelfmedelijden bij mij en zichzelf de kop in wilde drukken; nee, qua leeftijd kan ik mezelf nog als jong beschouwen, maar ik ben oud van ziel, hoewel dat ook onzin is, want ik heb helemaal geen ziel; ik weet niet wat er oud aan mij is, het is iets wat in mij is en bij mij is.

Is het niet eigenaardig dat ik, als ik van die hitsige, fatale vrouwen en verleidsters moet spelen en daarbij wildvreemde mannen om de hals vlieg en kus – waar ik overigens aardig bedreven in ben –, geestelijk volkomen afwezig ben, zodat er eigenlijk iemand anders dan ik voor minnares speelt?

Voor mij is liefde of verlangen iets geworden – en als ik nu iets geks zeg, moet je het me maar vergeven – dat niet op één enkel levend medemens betrekking heeft, maar – hoe vreemd het ook klinkt – op iedereen en alles, op alles wat de mens niet kan en eigenlijk ook niet wil bereiken; sinds ik van dit gevoel bezeten ben, vind ik mezelf maar een beklagenswaardig schepsel.

Maar als je het niet wilde bereiken, zou je niet kunnen acteren, zei ik zachtjes; als je wilt spelen, móet je het wel bereiken, of je nu wilt of niet.

Haar wimpers trilden nerveus, ze kon of wilde mijn opmerking niet begrijpen en negeerde die.

Ik zou liegen, zei ze, als ik zou beweren dat dit het eerste fiasco in mijn leven is, nee, ik ben nooit voldoende aantrekkelijk of innemend geweest om zonder het voortdurende gevoel van een fiasco te leven, ik ben eraan gewend geraakt.

Maar nee! onderbrak ze zichzelf opeens, ik wil hier helemaal niet over spreken, het is belachelijk en smakeloos van me er tegen jou over te beginnen, hoewel ik er waarschijnlijk met niemand anders over zou kunnen praten.

Ik wilde haar noch met vragen noch met opmerkingen of meelevende, vriendschappelijke troostwoorden interrumperen, elk woord van me zou haar op dit moment kopschuw hebben gemaakt; ik wist dat ze de rest ook zou zeggen, alhoewel dat niet nodig was, want ik zou haar ook begrepen hebben als ze geen woord meer had gezegd.

De welriekende geur van haar adem die ik, als ze sprak, langs mijn gezicht voelde strijken, verried dat haar woorden niet tot mij, maar tot mijn hele lichaam waren gericht, dat ze als een klankbord gebruikte; aldus voerde ze een dialoog met zichzelf.

Ze moest gaan staan, maar ze deed dit alsof haar lichaam van één enkele boze gedachte was vervuld die haar belette haar benen te strekken; ze wilde lomp en lelijk schijnen.

De huid om haar onderkaak verstrakte.

Nee, zei ze, ook dat is niet waar.

Ze beet de woorden – en ook datgene wat ze al sprekende verzweeg – bijna in tweeën.

En misschien deed dit mij nog meer pijn dan haar, want ik wist dat ze haar hart had uitgestort.

Ze was in geen enkele waarheid geïnteresseerd, in niemands waarheid.

Soms lukt het me te doen alsof het geen vernedering is, zei ze.

Een tijd geleden, toen ik hem nog maar pas kende, had ik alles voor hem in de steek kunnen laten; nu ben ik gelukkig nuchterder.

Sinds ik hem ken, kan ik Arno wel vermoorden, vooral als hij de hele nacht ligt te snurken.

Ze gaf toe dat zij degene was die 's nachts weleens opbelde.

Daarom heb ik dat idiote ouderdomscomplex verzonnen, mijn lichaam gaat kapot aan die al maanden durende vernedering; ik heb me al vaak genoeg voorgenomen niet meer aan hem te denken, maar dat is eenvoudig onmogelijk; ik ben net een zwakzinnige bakvis die de hele dag over haar lelijkheid klaagt.

Door die zinloze waanzin die ik voortdurend verdragen moet, gaat alles mis, en intussen moet ik jullie van geluk stralende smoelen ook nog verdragen.

Ik had haar graag gezegd dat we inderdaad gelukkig waren, maar dat ik nog nooit zo onder iets geleden had als onder dat geluk, maar ik kon hiervan met geen woord reppen.

Of ze jaloers op me was? nee, ze was niet jaloers, ze voelde eerder afschuw dan jaloezie, haar gevoelens werden het beste verwoord door wat je dikwijls op de muur van de heren-wc kon lezen: alle vuile flikkers moeten gecastreerd worden, zei ze zachtjes en met een vergevingsgezind lachje; natuurlijk weet ik dat je de dingen uit elkaar moet houden, en juist omdat ik ondanks alle vieze praatjes en negatieve reacties zo idioot tolerant tegenover jullie relatie sta, kan ik niet zo jaloers op je zijn als wanneer je een vrouw zou zijn; ik heb bijna het gevoel dat je me vertegenwoordigt, wat heel vernederend is, want ik wil me niet tussen jullie dringen; en toch kan ik het niet nalaten op te bellen, ik kan er niets aan doen; misschien zal ik, nu ik alles opgebiecht heb, niet meer naar de telefoon grijpen.

Als ik zo nu en dan een helder moment heb ondanks mijn gekte, weet ik dat ik hem alleen maar heb uitgekozen omdat ik hem niet kan krijgen; ik wil altijd iets wat onmogelijk is; alleen begrijp ik niet dat het me zo diep geraakt heeft, zoiets mag op mijn leeftijd niet meer voorkomen, voor zo'n onmogelijke liefde ben ik werkelijk te oud.

En nu wil ik helemaal niets meer.

Niet eens dood.

Hoe is het mogelijk dat mijn leven plotseling volkomen verwoest is en ik niets belangrijks meer meemaak, ik bedoel dat ik alles wat ik meemaak onbelangrijk vind?

Terwijl ik dit zeg, weet ik dat ook dat niet waar is; woorden hebben geen enkele betekenis meer voor me; ik heb het gevoel dat ik steeds maar dezelfde, betekenisloze woorden herhaal, niet omdat ik daar behoefte aan heb, maar omdat de macht der gewoonte mij daartoe dwingt.

Maar laten we hierover ophouden en doorlopen.

Ik moest van haar opstaan.

Ze had niet luid gesproken en ook niet op de hartstochtelijke of opgewonden toon van iemand die zijn emoties onderdrukt, maar toch veegde ze enkele onzichtbare zweetdruppeltjes van haar bovenlip.

Die beweging had iets ouderwets, het was in elk geval iets wat jonge mensen onesthetisch zouden vinden en dus nooit zouden doen.

Ik stond op; onze gezichten waren weer vlak bij elkaar; ze glimlachte.

Je hebt me nog nooit in een openluchtvoorstelling gezien, zei ze, en ze boog haar hoofd zijwaarts.

Deze nieuwe poging van haar om uit te wijken en afstand te nemen ontnuchterde ook mij, misschien omdat het zo'n onhandige en schuchtere poging was; het leek wel alsof ze op haar tong wilde bijten, alsof ze zichzelf pijn wilde doen om een grotere pijn te onderdrukken; opnieuw was ik me bewust van de koelte van de lucht, de wrange, herfstachtige geur van de sparren en de nietigheid van mijn bolle, opgeblazen lichaam in de weidsheid van dat vlakke landschap.

Steeds dringender voelde ik de behoefte me snel van die plaats te verwijderen, snel terug te keren naar de auto en me daarin op te sluiten, alsof ik in een besloten ruimte veiliger zou zijn; tegelijkertijd lieten haar woorden en gebaren me van deze afstand meedogenloos voelen op welk een gevaarlijk terrein ik me had gewaagd toen ik de schijn had gewekt haar te willen tegenhouden, hoewel ik haar in werkelijkheid alleen al door mijn aanwezigheid in een bepaalde richting had gedwongen; nee het beeld wat ik daarstraks met mijn innerlijke oog had waargenomen, de aanval en de moord op haar, was absoluut niet zo'n onschuldig spel van de fantasie geweest als ik had verondersteld, het bewust onderdrukken van onze hartstocht leidt automatisch tot moordlust; zelfs als het me lukte die twee bij elkaar te brengen, zou ik niets kunnen beginnen met die agressie, ik kon die hoogstens tegen mezelf richten en een einde aan mijn leven maken.

Of zou het juist omgekeerd zijn, overwoog ik, oorzaak en gevolg met een nonchalante schouderophaling verwisselend, zou ik die twee

alleen maar dáárom bij elkaar willen brengen, dáárom willen vluchten, dáárom naar een vrouw verlangen – wat voor vrouw deed er niet
toe, als het maar een persoon van het vrouwelijke geslacht was – en
dáárom het lichaam van een man als onbevredigend, als een tekort of
een teveel beschouwen, omdat ik mijn liefde voor Melchior trachtte
te doden? was de oorzaak van mijn ambivalente gedrag dat ik diep in
mijn hart bang was voor de dreigementen die anderen in hun grote
seksuele onzekerheid waarschuwend op de muren van herentoiletten
hadden geklad?

En toch kon ik niet weglopen of vluchten, ze had nog iets op haar
lever, iets wat ze pas durfde te zeggen nadat ze met haar directe, verlei-
delijke en omzichtige inleiding de tussen ons ontstane afstand had ver-
kleind en was teruggekeerd naar de kleinzielige, door koele berekeningen geregeerde wereld.

Ik wachtte erop en aan mijn ogen kon ze zien hoe zwaar mij dat
wachten viel; ze had daardoor vrij spel en kon alles vragen of zeggen
wat ze wilde, want ze was wel kwetsbaar als ze sprak, maar ik, degene
die haar moest aanhoren, werd veel meer geraakt door haar woorden.

Die wederzijdse kwetsbaarheid begon steeds meer invloed op ons
te krijgen en door mijn onderdrukte hartstocht, mijn kwetsbaarheid
en mijn heimelijke bedoeling haar via de man die ze liefhad te benaderen, was ik volkomen hulpeloos, zodat ik me belachelijk voelde en het
huilen me nader stond dan het lachen; waarschijnlijk werden mijn
ogen zelfs vochtig door de vergeefse inspanning; Thea benutte dit
voordeel en streelde liefdevol maar met onderdrukte opwinding mijn
gezicht, alsof ze zichzelf wijs wilde maken dat haar verhaal mij zo had
ontroerd en ze niet zag, niet wílde zien, dat de tot onmacht veroordeelde begeerte daarbij een minstens even belangrijke rol speelde;
niettemin beefden haar vingers op mijn gezicht, ik merkte het en zij
merkte het ook, en met dit wederzijdse gevoel belandden we in de zoeven nog zo gevreesde gevarenzone, wat nieuwe verschrikkingen, of
liever gezegd schrik, teweegbracht, want nu greep ze, even nuchter en
op haar superioriteit vertrouwend, mijn arm.

Als de liefdesmoraal niet sterker was geweest dan het liefdesverlangen, had ik haar voor dit gebaar niet de tijd gelaten en het beven van
haar vingers met een kus beantwoord; als dat was gebeurd, had ze me
vast niet afgewezen, maar haar hulpeloosheid met een wederkus gesmoord; omdat dit niet gebeurde, begonnen ook haar lippen verlangend te beven, een verlangen, waar ze zich zichtbaar voor schaamde.

Weer moesten we een stap achteruit doen, misschien omdat de liefdesmoraal niet duldt dat er zich in het liefdesverlangen ook maar het geringste element van berekening mengt, alles moet uitsluitend op de ander betrekking hebben en kan slechts via die ander met een derde verband houden; door dit achteruitstappen werd ik echter opnieuw een werktuig, ze hield me precies in die mate gevangen als haar streven om die derde persoon te bereiken noodzakelijk maakte, daarom moest ook ik volharden in mijn streven om haar via die ander te bereiken, ofschoon ik in een uitermate duister gebied belandde, waarin ik gemakkelijk kon verdwalen.

Ik stamelde dat ze kennelijk niet van me hield, wat je in haar taal ook met andere, neutralere, het gevoel minder belastende woorden kunt zeggen; in het Hongaars vertaald zei ik ongeveer dat ze niet genoeg van me hield.

Ik houd wel degelijk van je.

Ze ademde de laatste lettergreep uit in mijn nek, tegen mijn huid, terwijl ze me kuste met een mond die slechts even openging en zich dadelijk weer kuis sloot.

Daarmee was elk gevoel dat we tot nog toe hadden gehad achterhaald.

Nog steeds vervuld van onze op elkaar afgestemde, steeds intenser wordende gevoelens en geïmponeerd door het geheim van elkaars lichaam, stonden we met de armen om elkaar heen geslagen, een houding die het menselijk brein, beducht voor het gevaar de zaken uit hun verband te lichten, niet wil of niet kan analyseren en ook niet gedetailleerd pleegt te benoemen; het leek wel of we twee jassen waren, die elkaar enigszins theatraal maar toch koel omarmden; het ijs was dus nog steeds niet gebroken, want hoe stevig ze me ook omhelsde – hoe langer hoe steviger zelfs! – onze lichamen beschikten niet over zoveel hartstocht – of de hartstocht beschikte niet over zoveel aanknopingspunten – als we bij elkaar hadden gehoopt aan te treffen; het scheen dat niets in staat was het hinderlijke 'jassengevoel' uit te wissen, weg te nemen of te neutraliseren.

In dergelijke gevallen kan onze amoureuze ervaring ons snel te hulp schieten; met voorzichtige, niet te snel opeenvolgende kusjes in haar nek, waarbij mijn adem kietelend haar huid zou hebben gestreeld, had ik haar mond, die nog wel mijn hals aanraakte, maar zich reeds kuis had gesloten, opnieuw kunnen laten opengaan, drie of vier van dergelijke kusjes waren daartoe voldoende geweest; tegelijkertijd had ik, door haar lichaam zachtjes van me af te duwen, de afstand tussen ons moeten vergroten, waarna ze me opnieuw zou hebben gekust, zodat onze halskusjes de wens naar een grotere nabijheid hadden kunnen doen ontstaan en deze wens naar meer nabijheid alleen door de nabijheid der lippen had kunnen worden vervuld, enzovoort enzovoort, totdat we de toestand zouden hebben bereikt waarin geen nabijheid meer nabij genoeg is.

Bijna hadden we aan het biologische oerinstinct van onze lichamen toegegeven; bedrog, misleiding, zelfzuchtige aandrang of voze wellust waren daar niet voor nodig geweest, niets van dergelijke laagheden, we hielden immers van elkaar, we hadden elkaar lief, lief met jas en al, in jas en ondanks jas, in onze onbeholpenheid en ondanks onze onbeholpenheid.

Als we dat gedaan hadden, zouden we de moraal van onze liefde hebben geschonden, daarvan ben ik overtuigd.

Ze moest zich iets uitrekken, waardoor ze er bijzonder liftallig uitzag; haar lippen zweefden nog een ogenblik bij mijn hals, ze wachtte af of ik doen zou wat de ervaring me dicteerde, en mijn lippen wachtten bij haar hals op een contact waar geen derde meer aan te pas zou komen; intussen voelde ik de wind zachtjes tegen mijn lichaam duwen.

Waarschijnlijk wilde ze toch niet dat mijn lippen zich tot een routineuze beweging lieten verleiden, want zij was toch degene die het eerst gezwicht was voor Melchiors aandrang, wat vanzelfsprekend was omdat ze verder van hem af stond: alleen iemand die zeker is van zijn bezit kan zich een 'misstap' veroorloven; ze duwde me zachtjes van zich af, maar we lieten elkaar niet los; ze staarde me met een volkomen open gezicht aan, van zo dichtbij dat het bijna pijnlijk was voor het op de zekerheid van de brandpuntsafstand ingestelde oog.

De doffe, tot in de hersenen voelbare pijn waarmee deze manier van kijken gepaard gaat, is overigens niet onaangenaam, want het waargenomen gelaat schijnt in het onze te vervloeien en de vage, nabije vormen worden door de krachteloze onzekerheid van het oog geheel geabsorbeerd.

Mijn gevoelens hebben me nog nooit bedrogen, zei ze met een schorre, geëmotioneerde stem, en ik rook ondanks een tabaksluchtje de zoete, vrouwelijke geur van haar speeksel, een verrassing voor mijn vrouwelijke geuren ontwende neus; ik wist dat haar uitlating zowel betrekking had op ons beiden als op degene die tussen ons in stond.

Toch was de bekoring van deze geur niet voldoende om de felle afkeer te neutraliseren die ik plotseling van haar voelde; weg van deze stem en dit gezicht! dacht ik bij mezelf, want ze was niet eenvoudig geschokt, zoals ikzelf, en haar geschoktheid was niet een reactie op de mijne, maar ze had op dat moment iets stars en maniakaals; opeens schoot me door het hoofd dat ze geestelijk gestoord was, iets wat ik wel vaker van haar had verondersteld.

Alles wat ze zei, deed of dacht, al haar kracht, haar wensen en haar nieuwsgierigheid ontsproten aan een klein, pijnlijk, opengereten plekje in haar binnenste, dat op de een of andere manier verdoofd moest worden, zodat alles wat er vanuit de buitenwereld tot haar doordrong – kracht, nieuwsgierigheid, verlangen – daarop werd gericht; als ik ons op wonderbaarlijke wijze in één klap van onze kleren had kunnen ontdoen om me met alle vezels van mijn lichaam om genade smekend tegen haar aan te drukken, haar kussend en strelend heet te maken en haar vochtige schaamlippen in te glijden – zou ze nog steeds onbereikbaar voor me zijn.

Ik zag haar plotseling als een vrouw die wel toegeeflijk was, maar van wie niets uitging.

Eigenlijk was het belachelijk in een situatie als deze zoiets te denken, maar ik was geschrokken, ik was ontsteld; ik had het gevoel dat ze krankzinnig was geworden, en ikzelf eveneens.

In weerwil van mijn stellige overtuiging moest ik die jaloerse mevrouw Kühnert gelijk geven: Thea scheen inderdaad elk mens en elk gevoel als werktuig te gebruiken; maar doordat ik nu zelf haar werktuig was, in de meest letterlijke zin des woords blootgesteld aan de tedere druk van haar handen en de door haar huid geëmaneerde, zoëven nog op mijn lippen geproefde, smaken en geuren, kwam dit mij eerder tragisch dan komisch voor.

Hoe was ik in godsnaam in die situatie verzeild geraakt?

Als ik op iemand een oogje heb, dan heeft hij dat ook op mij, fluisterde ze hees in mijn gezicht; ik ben misschien gek, lelijk of oud en vergis me vaak, maar dat weet ik zeker.

Nee, je bent geschift of over je toeren, dacht ik bij mezelf, want deze gedachte bood me tenminste nog enige bescherming.

Ik ben misschien liederlijk of dom, maar daarin vergis ik me nooit! en je moet me iets zeggen, hijgde ze in mijn gezicht, wat ik alleen met een zeer ruwe ontwijkende beweging had kunnen voorkomen: soms heb ik het gevoel – en dat heb ik nog nooit eerder gehad – dat ik mezelf bedrieg; weet je of Melchior weleens van een vrouw heeft gehouden?

Alleen waanzin kan iemand ertoe brengen een dergelijke platvloerse kwestie met zo'n tomeloze lichamelijke en geestelijke energie te benaderen.

Voorzichtig duwde ik haar van me af, maar niet voorzichtig genoeg om niet wreed te schijnen; ik was echter niet van plan haar deze wreedheid te besparen.

Onze armen zonken krachteloos omlaag en onze lichamen hervonden hun evenwicht; ze keek me even doordringend aan als ik haar, het was alsof we door elkaars huid het vlees, de beenderen, het stromende bloed en de zich delende cellen zagen, alles van het menselijk lichaam wat slechts een inwendige betekenis heeft en niet voor de buitenwereld van belang is; op dat ogenblik had ik moeten zeggen: en nou is het afgelopen! laten we hiermee ophouden, we hebben een onmogelijk spelletje gespeeld, jij met mij, ik met jou en wij samen met Melchior, en daarbij net gedaan alsof het allemaal in zijn belang was.

Ik stond op het punt dit te zeggen, maar ik deed het niet. En omdat ik zweeg, was het alsof de bruuskheid van mijn beweging alleen maar diende om de berekenende, vooruitziende tact te maskeren waarmee ik het binnen zijn grenzen onoplosbare moment van het ene ogenblik naar het andere kon verplaatsen, zodat ik haar door vertraging en uitstel nog een vage hoop liet.

Haar wanhoop deed mij meer pijn dan haarzelf, zij had zich immers door haar hart uit te storten van de druk van die wanhoop kunnen bevrijden; haar gezicht was ook niet meer zo uitdrukkingsloos als daarstraks, maar weerspiegelde de matte vreugde van een afgedwongen genoegdoening; ze glimlachte met een bijna uitdagende, droevige glimlach, die niet alleen de zoëven gestelde vraag gold, maar ook een tweede, nog schaamtelozer blijk van nieuwsgierigheid: in hoeverre de door ons tweeën toegepaste liefdestechnieken verschilden van de kunstgrepen die zij zou kunnen toepassen als ze met hem of met mij vrijde; of was er helemaal geen verschil? door deze uiterst prozaïsche, om niet te zeggen platvloerse vraag voelde ik nog sterker de wanhoop waarvoor ik Melchior wilde behoeden.

Ik heb me vergist, dacht ik bijna hardop; wij gaan altijd op de versiertoer als we onze medemensen benaderen en daardoor stoten we ze juist van ons af; de mens is nu eenmaal meer dan een geslachtsrijp wezen en heeft dikwijls gewoon geen trek in ons; ik moet me vergist hebben of krankzinnig zijn geworden.

Overigens had ik het haar best kunnen uitleggen, ik had haar vraag zonder meer kunnen beantwoorden in de simpele bewoordingen waar ze op rekende, maar dan had ik mijn relatie op een wijze moeten definiëren die uitsluitend, maar dan ook uitsluitend op mijn geslacht betrekking had en dat zou bedrieglijk, leugenachtig en verraderlijk zijn geweest en bovendien niet eerlijk tegenover mezelf.

Laten we gaan, zei ik luid.

Ze antwoordde dat het nog vroeg was en ze nog wat wilde wandelen.

Ik kon nergens anders meer aan denken dan aan het feit dat ik me had vergist; eigenlijk was het allemaal heel eenvoudig, zij had gelijk, ongetwijfeld, ze kon de dingen met haar lichaam aanvoelen, waartoe ik kennelijk niet in staat was; het was voor haar net zoiets als soep koken: je neemt kruiden, soepgroenten, water en een pan, steekt daaronder het gas aan en klaar is Kees! ja, zo eenvoudig was dit voor anderen; ik moest me vergist hebben of werkelijk krankzinnig zijn geworden.

Omdat ik hierover niets tegen haar kon zeggen, wendde ik me zwijgend af om de terugtocht te aanvaarden.

Ik voelde me als wanneer je ontwaakt en niet weet waar je je bevindt; ik wilde op pad gaan, maar er was geen pad voor mijn voeten en ook niet voor mijn geest, ik was uitgeredeneerd, mijn denkbeelden bleken geen waarde te hebben of waandenkbeelden te zijn; ik herinnerde me ook absoluut niet meer hoe we in het bos waren terechtgekomen, wat we daar deden en wie de vrouw was in wier gezelschap ik verkeerde; ik vroeg me zelfs af of we niet op een andere plaats waren terechtgekomen, want de omgeving scheen veranderd te zijn, de wereld was een slag gedraaid en ik vond mezelf terug op een onbekende plaats op een onbekende planeet, of beter gezegd: ik vond mezelf helemaal niet terug, ik was er niet meer, ik bestond niet meer en was dus ook niet ontwaakt, maar in een nog diepere laag van de onwerkelijkheid beland.

Uit het van zijn kleur beroofde, vlakke land steeg een zachte, grijze nevel op; alleen boven, aan de rand van de zich opstapelende wolken, glansde het door de wind verweerde rood van de avondschemering, beneden waren heuvels, dalen noch begrenzingen; de tijd, waarvan ik een oneindig klein, vormloos gedeelte in me droeg, was verstreken en eenzelfde vormloosheid zag ik om me heen.

Ik bevond me in een chaos, er was geen heen en geen terug en bovenal geen pad; pad is trouwens een begrip dat we verzonnen hebben om ons te ontdoen van wat ons onaangenaam is; ik moest dit aanvaarden, er was geen pad, alleen door onbekende voeten vastgetreden aarde, geen nevel, alleen water, alleen een overgangstoestand, alleen onbeweeglijke materie.

Misschien de rode straling om de regenwolk, als dat geen stof was of zand of rook of een andere aardse materie; of het licht zelf, dat ik nooit goed zou zien.

Ik zweeg, want er was geen landschap meer, alleen nog materie, zware materie; het liefst had ik geschreeuwd dat men mij van de schoonheid had beroofd, want er was geen schoonheid meer en geen vorm, begrippen waarmee ik mij uit die vormloosheid – mijn vormloosheid – trachtte te bevrijden.

En was niet elke inspanning van het denken belachelijk als er alleen nog maar vormloze materie was, waarvan ik het gewicht en de chaos kon voelen?

En wie was degene die me van dat alles had beroofd?

Toen ze het portier van de auto voor me opende en ik naast haar ging zitten, zag ik aan haar gezicht dat ze geheel tot rust was gekomen; in haar binnenste was het stil en ze gebruikte die stilte om me heel behoedzaam te observeren; ze hield me voortdurend in de gaten, alsof ik een ernstig zieke patiënt of een geesteszieke was, die ze ergens naar toe moest brengen; alvorens de startknop en de chokeknop aan te raken keek ze me aan met een blik waaruit af te leiden viel dat ze het tussen ons voorgevallene toch niet volledig had misverstaan.

Ze vroeg waar ze me naar toe moest brengen.

Dat vraag je anders toch ook nooit, zei ik, en ik wilde weten waarom ze dat nu wel deed.

Ze maakte de handrem los en liet de auto in de vrijloop de helling afrijden.

Goed, zei ze, dan breng ik je naar je kamer.

Nee, zei ik, ik ga naar Melchior.

De motor sloeg hoestend aan, zodat de carrosserie schudde en rammelde; we reden terug naar de autoweg; de koplampen sneden stukken van de schemering af, die door de wielen dadelijk in bezit werden genomen.

Zo nemen we ook de toekomst in bezit en laten het verleden onbekommerd achter ons; we noemen dat vooruitgang, hoewel die indeling willekeurig is omdat we de opeenvolging der zich in de tijd herhalende elementen slechts met één begrip kunnen definiëren, dat snelheid heet.

En dat was het dan, verder was er niets, dit was mijn levensverhaal: ik had me vergist en zou mijn vergissingen steeds herhalen.

En toch gaf Thea me door haar rust, haar terughoudendheid, haar evenwichtigheid en haar opmerkzaamheid nog altijd een vage hoop, ook dat voelde ik.

Wat later vroeg ik of ze wist dat Melchior violist had willen worden.

Ja, antwoordde ze, dat weet ik, maar laten we niet meer over hem spreken.

Waar zullen we het dan over hebben? vroeg ik.

Nergens over, antwoordde ze.

En weet je dan ook waarom hij ermee is opgehouden? vroeg ik.

Nee, dat weet ik niet, maar ik wil het ook niet weten.

Stel je een zeventienjarige jongen voor, vervolgde ik, en de omstandigheid dat ik het lawaai van het krakkemikkige tweetaktvoertuig moest overstemmen en daardoor tamelijk luid, bijna schreeuwend, sprak over iets wat alleen in de maagdelijke stilte van de ziel betekenis zou hebben gehad, stelde me in staat een nieuwe aanval te ondernemen; ik had het gevoel dat ik het nog één keer moest proberen, het zou mijn laatste stormloop zijn; die noodzaak om mijn stem te verheffen stelde me in staat haar te straffen, het was alsof ik zei: nu, wil je het zo graag weten? luister dan maar, ik zal het je vertellen! doordat ik zo luid sprak, kon ik gemakkelijker een geheim verraden en in het belachelijke trekken, en zo de schande van mijn verraad maskeren.

Stel je een zeventienjarige jongen voor die in een fraaie, oude, in de oorlog nauwelijks gebombardeerde stad woont en daar als wonderkind door iedereen op handen wordt gedragen, zei ik overluid, om het motorlawaai te overschreeuwen, en ik vroeg haar of ze wel eens in dat stadje was geweest, want opeens scheen het me van essentieel belang dat ze alles kende: de huizen, de straten, de lucht, de kast met de geurige appels erop, de dichtgeslibde, met struiken begroeide sloot om de steenfabriek en de vlek op het plafond boven het bed. En terwijl ik hieraan dacht, voelde ik dat ik dit verhaal heel anders had moeten beginnen, net als alle andere verhalen die ik haar had verteld, en dat het aan iemand die de plaatselijke omstandigheden niet kende, eigenlijk helemaal niet te vertellen was.

Nee, ik ben daar helaas nog niet geweest, maar ik zou graag willen dat je van onderwerp veranderde en nog liever dat je helemaal niets zei.

Ik had haar ook over die avond moeten vertellen, over de langzaam voorbijzwevende flarden mist, die zich in de windstille lucht overal aan schenen te hechten, en hoe wij de voordeur van het huis op de Wör-ther Platz achter ons dichttrokken en overlegden in welke richting we zouden lopen, wat absoluut niet om het even was, want we stippelden de route voor onze avondwandeling altijd zo uit dat hij paste bij onze stemming en verenigbaar was met eventuele andere plannen.

Kun je je de toestand voorstellen van een opgroeiende knaap die nog niet het onderscheid kent tussen de schoonheid van zijn lichaam en de kwaliteit van zijn talenten? brulde ik.

Met achterovergebogen hoofd trachtte ze de bril op haar neus in evenwicht te houden; intussen zweeg ze gemelijk en trachtte te doen alsof ze uitsluitend op de weg lette en mijn stem niet meer voor haar betekende dan het geratel en geloei van de motor.

De avond, of beter gezegd de nacht dat Melchior me dat verhaal heeft verteld, wilden we waarschijnlijk een grotere of uitgebreidere wandeling maken dan gewoonlijk, want hoewel we aanvankelijk een korte route hadden uitgekozen, waren we na enige tijd daarvan afge-dwaald en op een weg uitgekomen die tot een veel langere route be-hoorde en naar een meertje leidde dat de Weissensee werd genoemd.

Op het terras van het café aan het meer klapten we enkele van de opeengestapelde ijzeren terrasstoelen uit, wat een roestig geknars ver-oorzaakte in de duisternis; we wilden daar op ons gemak een sigaret roken en dan weer verder gaan; het was een koude nacht.

Het moet omstreeks middernacht zijn geweest; op het meertje klonk af en toe het schorre gekwaak van een wilde eend, verder was alles stil en donker en roerloos.

Ik vertelde hem over mijn kleine zusje, hoe mijn vader haar naar een inrichting had gebracht en zij daar was gestorven; ik had haar maar één keer bezocht omdat ik geen tweede keer naar de inrichting durfde te gaan; ik vertelde hem hoe ze tijdens mijn bezoek tussen mijn knieën was gaan staan, in de hoop dat ik haar tussen mijn bovenbenen zou klemmen, een spelletje dat we toen ze nog thuis woonde vaak hadden gespeeld.

Ik deed wat ze wilde en ze begon te lachen, wat ze bijna anderhalf uur lang volhield; het was haar manier om de mensen voor zich in te nemen; ze gaf zo te kennen dat ze altijd vrolijk was en me van die vro-lijkheid zou laten genieten als ik haar mee naar huis nam; het is natuur-lijk best mogelijk, dat ik haar gedrag alleen maar zo interpreteerde om-dat ik wroeging had over mijn gebrek aan medelijden, voegde ik eraan toe.

Terwijl ik dit vertelde, leunde hij met zijn ellebogen op de tafel en liet zijn kin in zijn handpalmen rusten; hij keek op me neer, want ik had twee stoelen aaneengeschoven en was daar languit op gaan liggen, met mijn hoofd in zijn schoot.

Twee jaar later, vertelde ik – in die tussentijd had ik haar nooit meer opgezocht –, vond ik een vodje papier op mijn bureau: je zusje is gestorven, de begrafenis zal dan en dan plaatsvinden.

Er drong geen licht tot het terras door en we konden elkaars gezicht alleen zien als onze sigaretten opgloeiden.

Hij hoorde dit verhaal tot het einde toe aandachtig maar met stijgende nervositeit aan.

Melchior had een afkeer van alles wat met mijn verleden te maken had, zodra ik daarover begon, spande hij ondanks zijn beleefde, of beter gezegd quasi-beleefde aandacht al zijn spieren, alsof hij dit verleden op die manier wilde afweren, hij had meer dan genoeg aan het heden, aan het moment van nu, aan mijn aanwezigheid.

Je zou ook kunnen zeggen dat hij met de terughoudendheid van een rijpe, op het heden gerichte, energieke, midden in het leven staande man op mij neerkeek, enigszins verbaasd, maar met een zeker begrip voor mijn zwakheden, hij hield tenslotte van me; toch keurde hij het niet goed dat ik voortdurend over onbelangrijke gebeurtenissen in mijn jeugd nadacht; een normale, gezonde kerel had die tijd voorgoed achter zich gelaten en hield zich daar niet meer mee bezig.

Terwijl hij zweeg, voltrok zich ook nog een volkomen ander proces in hem, want hij verbeterde onophoudelijk mijn verkeerd geconstrueerde zinnen, wat hemzelf nauwelijks opviel, het was een vanzelfsprekendheid voor ons geworden; hij corrigeerde mijn zinnen als het ware ten behoeve van zichzelf, voltooide ze als ik daar zelf niet toe in staat was, en voegde ze toe aan het ordelievende bouwwerk van zijn moedertaal, wat voor mij een onontbeerlijke steun was, want alleen dankzij die door hem noodgedwongen geadopteerde zinnen kon ik me een weg banen door de linguïstische puinhopen die ik creëerde; ik deelde als het ware in zijn zinnen mee wat ik zeggen wilde en merkte absoluut niet dat zo'n gemeenschappelijke zin van ons dikwijls twee à drie keer herhaald moest worden, intussen voortdurend van plaats en betekenis wisselend, alvorens hij zijn doel had bereikt en begrijpelijk was geworden.

Het was alsof ik hem met dit verhaal over mijn jeugd zijn eigen jeugdverhaal trachtte te ontlokken.

Toentertijd heb ik daar nooit over nagedacht, maar als ik nu terug-kijk, geloof ik dat we die avondlijke en nachtelijke wandelingen niet alleen nodig hadden om lichamelijk fit te blijven, maar om een relatie aan te kunnen gaan met deze door ons allebei, zij het om verschillende redenen, als onvriendelijk en vreemd ervaren wereld, en wel zodanig dat onze eigen relatie voor die wereld verborgen bleef.

Ik hield van de manier waarop hij zijn sigaretten rookte.

Het was bijna feestelijk zoals hij met zijn lange vingers tegen het pakje tikte, de sigaret tevoorschijn trok, zorgvuldig opstak en even zorgvuldig oprookte; hij zoog de rook met lange, genietende halen diep in zijn longen, genoot even van het prikkelende gevoel, en blies hem vervolgens langzaam en met getuite lippen weer uit, genietend van het schouwspel van de wegdrijvende rookslierten; soms blies hij met eigenaardige bewegingen van zijn tong kringetjes, waar hij lang-zaam en voorzichtig zijn vinger doorheen stak; tussen twee trekjes hield hij zijn sigaret zo vast dat het leek of hij wilde zeggen: kijk men-sen, ik heb een sigaret, mij valt de uitzonderlijke genade ten deel rustig en vredig een sigaret te roken! het roken was voor hem niet een alle-daagse handeling, maar een met betekenis geladen ceremonie.

Dit gedrag had niets van doen met een zich elk genoegen ontzeg-gende gierigheid of een gretig hunkeren naar genietingen, het hield waarschijnlijk verband met een door zijn puriteinse opvoeding ont-stane neiging om zijn mening zorgvuldig te vormen en zijn doelstel-lingen en middelen behoedzaam te kiezen, zodat hij nooit kon toe-staan dat er iets buiten hem om gebeurde, maar hij van elk gebeuren deel uit wilde maken en op de hoogte zijn, om met de door hem ge-koesterde denkbeelden betekenis aan het bestaan te kunnen geven en eraan te ontstijgen en het volledig te beheersen.

Als ik met Thea optrok, deed het er niet toe wat er gebeurde, dat wil zeggen, er gebeurde meestal helemaal niets, zelfs al gebeurde er wel degelijk iets; verkeerde ik daarentegen in het gezelschap van Melchi-or, dan had ik het gevoel dat de dingen niet anders konden gebeuren dan ze gebeurden en dat elke gebeurtenis positief beoordeeld moest worden; wat er kón gebeuren, was bovendien al van tevoren bepaald.

Ik heb er geen idee van welke zin of wending in mijn verhaal hem trof, maar opeens kromp zijn met gereserveerde belangstelling toeho-rende, verkrampte, weerbarstige lichaam ineen, alsof mijn hoofd te zwaar voor zijn schoot was geworden; weliswaar veranderde er uiter-lijk niets, hij ontspande zich niet, raakte mij niet aan en volhardde in zijn zelfbewuste, superieure rust, maar vanaf dat ogenblik was er achter die gedisciplineerde houding een zekere opwinding en onrust te bespeuren.

Per slot van rekening hebben we meestal niet veel bijzonders over ons leven te vertellen en zijn er in het leven van de toehoorder talloze soortgelijke gebeurtenissen voorgevallen, die in de rust van het zwijgen niet minder uitzonderlijk schijnen; we vertellen onze verhalen omdat we weten dat in de persoon tegenover ons dezelfde verhalen sluimeren.

Hoe rijp en evenwichtig een mens ook is, hoe vastberaden en grondig hij zich ook heeft afgeschermd voor zijn eigen verleden, bij het aanhoren van zulke eigenaardige geschiedenissen zal hij niet kunnen voorkomen dat zijn eigen eigenaardige geschiedenissen tot leven worden gewekt en dadelijk verteld wensen te worden; het is alsof iemand met een kinderlijk gebaar uitroept: zoiets kan ik ook vertellen! en in de vreugde van de zojuist ontdekte overeenkomst vallen twee mensen elkaar voortdurend in de rede.

Als we de in onze verhalen verborgen mythen wat objectiever bezien en als noodzakelijke middelen beschouwen om de ziel gezond te houden, zullen we bovendien ontdekken dat we zowel bij het vergelijken als bij het vertellen van onze ervaringen het belang en de geldigheid van die ervaringen trachten te onderzoeken; de punten van overeenkomst tussen de vergeleken ervaringen duiden op een wetmatigheid, wellicht zelfs op een wet, en zo is het vertellen, het overdragen en uitwisselen van onze ervaringen, maar ook elke andere fabuleringswijze: roddelpraat, het openbaar gemaakte misdrijf, anekdotes over drinkgelagen of het geklets van buurvrouwen, niets anders dan de meest alledaagse methode om het menselijk gedrag te normeren en te reguleren; om mijn overeenkomst met anderen te kunnen voelen, moet ik mijn verschillend zijn van die anderen formuleren, en omgekeerd: in de gelijkheid en de overeenkomsten moet ik de verschillen ontdekken waardoor ik mij van ieder ander mens onderscheid.

Er was eens een meisje, zei hij eindelijk, me met zo veel nadruk interrumperend dat de ijver waarmee hij bij het onderwerp aanknoopte het onbeleefde van zijn interruptie compenseerde; herinner je je nog waar mijn vioolleraar heeft gewoond? ik heb je het huis een keer aangewezen; welnu, dat meisje woonde daar recht tegenover; ik herinner me niet precies meer hoe het allemaal begonnen is, maar op een gegeven moment merkte ik dat dat meisje precies wist wanneer ik vioolles had: zodra ik daar naar binnen ging, verscheen ze voor het raam en zolang de les duurde bleef ze daar staan; ze staarde naar het huis van de vioolleraar en nam daarbij een merkwaardige houding aan, althans ik vond die merkwaardig: ze leunde met haar handpalmen en haar onderlichaam tegen het raamkozijn, trok haar schouders op en wiegde haar lichaam zachtjes heen en weer; ik probeerde altijd een zodanige plaats in de kamer te kiezen dat mijn leraar niets van dit spelletje kon merken.

Ik voelde een loodzwaar gewicht in zijn lichaam verschuiven en toen hij even later aan zijn sigaret trok, zag ik bij het schijnsel van de opgloeiende punt dat zijn gelaatsuitdrukking niet de gebruikelijke superioriteit en terughoudendheid vertoonde, maar de bijna sentimentele ontroering waarmee hij zich aan zijn herinneringen placht over te geven.

Terwijl hij sprak, moest ik opeens aan zijn vreemdsoortige gedichten denken; niet dat in die gedichten geen stoutmoedig elan en dromerige introversie aanwezig waren, integendeel, maar het was alsof hij, geschrokken van de kracht van dat elan en van de scherpte van zijn waarnemingen, een taal probeerde te gebruiken die wemelde van de abstracte begrippen, zodat daarin noch zijn verleden noch zijn heden eenvoudig en zakelijk tot uiting konden worden gebracht en de taalelementen die naar zijn eigen unieke zintuiglijke waarnemingen verwezen, geheel werden verstikt.

Het was een heel knap meisje, zei hij, uit zijn gepeins ontwakend, althans toentertijd vond ik haar mooi; inmiddels is ze dik geworden en heeft ze twee krengen van kinderen, maar in die tijd was ze ongeveer even lang als ik, wat voor een meisje behoorlijk lang is; later heb ik haar dikwijls van nabij gezien; ze had lichtblond, donzig haar, dat ze strak naar achteren kamde en op haar kruin tot een paardestaart bijeenbond; als ik nog wel eens aan haar denk, zie ik altijd die bleke donsharen voor me; ze had een krachtig, energiek voorhoofd en heette Marion.

Hij had zijn sigaret bijna helemaal opgerookt en lichtte mijn hoofd op om het op de grond gegooide peukje met zijn schoenzool uit te trappen, maar hij deed dit op een manier alsof mijn hoofd een vreemd, hinderlijk voorwerp was; ik ging overeind zitten.

Neem me niet kwalijk dat ik je onderbroken heb, zei hij, ik wil eigenlijk niets meer zeggen; het is koud, laten we naar huis gaan, dan kun je intussen je verhaal afmaken; wat ik wilde vertellen, heeft absoluut niets om het lijf, ik begrijp niet waarom ik er opeens aan moest denken, het is de moeite van het praten niet waard.

Op de terugweg wisselden we geen woord; we luisterden alleen naar het eigenaardige geluid van onze voetstappen.

Boven in de woning brandden de lampen nog net zo als toen we op pad waren gegaan.

Het was al laat en we trachtten de achter ons liggende, zinloze dag met allerlei alledaagse handelingen toch nog op een bevredigende manier af te sluiten.

Terwijl ik de overblijfselen van onze avondmaaltijd van de tafel ruimde, kleedde hij zich in de slaapkamer uit; toen ik de boel naar de keuken bracht, stond hij al naakt voor de kraan zijn tanden te poetsen.

Zijn lichaam scheen in het gelige lamplicht vaal en bleek en tussen zijn dijen ontwaarde ik een zonderling, krullerig gewas; zijn schouderbladen staken ver uit, zijn ingevallen buik werd door de scherpe lijn van het heupbeen begrensd en zijn lange bovenbenen waren te dun, dat wil zeggen esthetisch gezien te mager in verhouding met de rest van zijn lichaam; vergeleken met mij, die nog aangekleed was, maakte hij een gebrekkige en onvolmaakte indruk; overigens had ik hem even gebrekkig en onvolmaakt gevonden als ik zelf ook naakt was geweest; hij was zo ver van me verwijderd dat hij niet werkelijk aanwezig scheen te zijn in zijn lichaam; en hoe verzot ik ook was op dat lijf, op dat moment bezag ik het met de afstandelijkheid van iemand die de menselijke onvolmaaktheden en gebrekkigheden met broederlijke gevoelens door de vingers ziet.

Zoals gewoonlijk stond het raam open; vanuit de trappenhuizen, die door hun verlichting 's nachts duidelijk zichtbaar waren tussen de donkere wirwar van brandmuren en daken, kon je zo in zijn woning kijken, maar daar gaf hij niet om.

Hij haalde de tandenborstel uit zijn mond, keek om zich heen en zei met een mond vol tandpastaschuim dat hij die nacht wel op de canapé zou slapen.

Later, in de doffe stilte van de slaapkamer, kon ik zijn ongemotiveerde bokkigheid niet langer verdragen, ik wendde me van mijn ene zij op mijn andere zonder in slaap te kunnen vallen en tenslotte ging ik naar hem toe met de bedoeling bij hem onder de dekens te kruipen als hij al mocht slapen.

Ik deed het licht niet aan en vroeg of hij al sliep.

Nee, nog niet, antwoordde hij.

De dichtgetrokken gordijnen lieten geen licht door.

De duisternis was uitnodigend noch afwijzend; ik voelde met mijn hand totdat ik de rand van de canapé had gevonden en ging daarop zitten; hij verroerde zich niet.

Het leek wel of hij geen adem haalde.

Zachtjes betastte ik zijn lichaam; hij lag op zijn rug en had zijn armen gerieflijk over de borst gekruist.

Ik legde mijn hand – niet meer dan het gewicht ervan – boven op dit kruis.

Misschien heb je wel gelijk, klonk zijn stem in het donker.

Zijn stem was vol en diep en opvallend rustig, maar zijn armen waren vreemde, verloren voorwerpen, barrières; zijn stemgeluid moest die barrières overschrijden om me te bereiken.

Ik durfde de stilte niet te verbreken of mijn hand te bewegen.

Ja, zei hij, misschien heb je toch gelijk.

Ik begreep niet wat hij daarmee bedoelde, of liever gezegd: ik durfde het niet te begrijpen, dus vroeg ik hem, mijn stem nauwelijks tot de hoorbaarheidsgrens verheffend, waarin ik gelijk had.

Plotseling bewoog hij zich; hij trok zijn arm onder mijn hand vandaan, ging rechtop zitten en knipte het licht aan.

Er brandde nu een wandlamp met een zijden kapje boven zijn hoofd; aan de muur achter de canapé hing een felgekleurd, zijdeachtig smyrnakleed, waarvan de kleuren een onregelmatig patroon vertoonden.

Met zijn rug tegen het kleed geleund – de deken was half afgegleden –, zijn armen weer over de borst gekruist en zijn kin op zijn borst, keek hij me aan; hoewel hij recht tegenover me zat, leek het wel of hij me van onderen aankeek.

Zijn wilde, blonde lokken leken in de lichtkring van de lamp bijna wit, maar over zijn krachtige borstspieren vielen schaduwen, zodat zijn armen en de witte beddetijk met donkere vlekken waren bedekt.

Hij was knap, zoals hij daar zat, zo knap dat hij wel geschilderd leek; ik zag het portret van een om geheimzinnige redenen half uitgeklede jongeling, die in zijn ernst meer in zichzelf verdiept was dan dat hij de wereld in keek, een portret waarop alles geheel harmonisch en uitgebalanceerd was: het licht werd in evenwicht gehouden door de talrijke schaduwen, de blonde lokken door de zwarte beharing van de borst, de lichte huid door de donkere achtergrond, de vurige achtergrondkleuren door het blanke wit van zijn ogen met hun koele blauw, en de zachte, neerwaartse ronding van de schouders door de scherpe horizontale lijnen van de gekruiste armen; het was een schoonheid die alleen te bezichtigen was en niet aangeraakt mocht worden.

We keken elkaar aan zoals ervaren artsen hun patiënten aankijken: onderzoekend, kalm, elkaars gelaat op de symptomen van mogelijke ziektes controlerend en naar eventuele verbanden tussen deze ziektes speurend, maar zonder ook maar iets van de eigen gevoelens te verraden, ja zelfs zonder die op te merken, hoe onstuimig ze ook mochten zijn.

Ik wist intuïtief dat we, al speurende naar elkaars wezen, tot de diepste en duisterste lagen daarvan waren afgedaald; sinds weken omcirkelde ik de meest ontoegankelijke gebieden van zijn leven, ik had mijn doel bereikt en hem uitgedaagd; tegen al zijn oorspronkelijke bedoelingen in had hij de hem toegeworpen handschoen opgeraapt en zo standvastig postgevat in dit schemerachtige gebied dat ik voor een vreselijke vergelding moest duchten, en toch stoorde het me niet dat ik ontkleed op de rand van de canapé zat, integendeel, de kwetsbare positie waarin mijn naakte lichaam zich bevond en de daaruit voortvloeiende hulpeloosheid schenen een zekere bescherming te bieden tegen een dergelijke wraakactie.

Ja, die leraar, zei hij na een korte stilte, en zijn stem, die tot dusver warm en diep had geklonken, werd opeens droog en koel en zo zakelijk, alsof hij niet over zichzelf sprak maar over een vreemde, terwijl zijn gezicht niet meer de peinzende verzonkenheid van een uur geleden weerspiegelde; bovendien was degene die sprak niet hijzelf en waren zijn woorden ook niet tot mij gericht, het was een afbeelding die op dit moment het woord voerde, iemand die in staat was zichzelf te behandelen als de geleerde het in alcohol gedrenkte insekt dat hij, doorboord met een speld, de juiste plaats wil geven in zijn omvangrijke collectie, conform de ontogenetische en morfologische kenmerken van het dier, een procedure waarbij de speld een belangrijker rol speelt dan het insekt zelf of de plaats die het in de verzameling behoort te krijgen.

De leraar was de eerste violist van het schouwburgorkest, evenals zijn echte, Franse vader, van wie Melchior toen nog niets afwist; als kunstenaar was hij middelmatig, als leraar allerberoerdst, maar gezien de plaatselijke omstandigheden altijd nog de beste en een zegen na de brave, voorname juffrouw Gudrun die hem voordien les had gegeven, zodat het hem te moede was alsof de tot dan toe wreedaardig gesloten deuren plotseling wijd openzwaaiden en hij vanuit het benauwde hol van een muzikale oude vrijster de gewijde tempel van de Kunst betrad; de leraar was een ontwikkeld mens, goed opgeleid, welingelicht, ongedwongen en bereisd, bijna een man van de wereld; hij zwom, speelde tennis, had uitstekende relaties en verstond de kunst die relaties zonder de minste schijn van opdringerigheid te exploiteren, zodat het leek of hij degene was die de geëxploiteerde begunstigde en niet omgekeerd; hij was vrijgezel en voerde in de klassieke zin des woords een grote staat, iedereen die in de stad ook maar enigszins meetelde of daar kwam optreden, beschouwde het als een aangename plicht hem op te zoeken en zich aan zijn onzelfzuchtige goedheid en door verdriet gelouterde spiritualiteit te laven, vooral omdat het zo'n goedhartige man was, een soort omgekeerde Richard de Derde, die in het fluitspelende vredestijdperk besloten had geen booswicht te worden maar, integendeel, een engel, omdat goedheid en snoodheid uiteindelijk op hetzelfde neerkwamen en hij ook als goed mens de vreselijkste marsmuziek zoet kon laten klinken.

Alles wat hij nu vertelde moest ik niet als commentaar achteraf opvatten, het was een poging om weer te geven wat hij toentertijd had ervaren.

Dat stuk had hij toen voor het eerst gezien, ongetwijfeld in een nogal zwakke uitvoering, maar voor hem was het een fantastisch, angstaanjagend sprookje over de menselijke boosaardigheid geweest; Richard was door de grimeur met een paar reusachtige bochels uitgerust, zodat het leek alsof hij twee niet even hoge bergtoppen onder zijn gewaad droeg; bovendien hinkte hij niet, maar hij zwaaide zijn benen tijdens het lopen hoog op en jammerde bij elke stap van pijn, ja soms jankte hij zelfs als een hond, een vondst van de regisseur die wat overdreven aandeed, omdat pijn natuurlijk niet tot boosaardigheid hoeft te leiden, maar het had wel indruk op het publiek gemaakt; zijn leraar deed hem altijd aan die toneelspeler denken; als hij naar hem keek, werd hij altijd lichtelijk duizelig, want ondanks zijn leeftijd – hij moet toen een jaar of vijfenveertig zijn geweest – was het een heel aantrekkelijke en fascinerende man; hij was slank, had een middelmatig postuur en er hing altijd een aangenaam luchtje om hem heen; zijn huid was tamelijk donker en zijn zwarte ogen straalden; hij droeg zijn wilde haarlokken, die een artistieke lengte hadden, zorgvuldig achterovergekamd; omdat ze volkomen grijs waren, had hij in zijn kinderogen het uiterlijk dat een oude man behoort te hebben.

Als de leraar tijdens zijn theoretische verhandelingen in vuur geraakte, verdeelde het haar zich over zijn schedel en viel over zijn gezicht, hij streek het dan met de handbeweging van een kunstenaar weer naar achteren, want hij raakte nooit zozeer in vervoering dat hij afbreuk deed aan de bewust door hem gemaakte indruk dat alles volmaakt in orde was; en waarom zou alles ook niet volmaakt in orde zijn, want zijn soms verscheidene uren durende theoretische explicaties waren boeiend, verstrekkend en enthousiast, het waren de kritische produkten van een analytische geest, altijd even meeslepend en inspirerend; was echter de praktijk aan de beurt en moest hij iets van zijn techniek doorgeven, moest hij uitleggen dat een bepaalde handeling zus of zo verricht diende te worden, dan werd zijn goedmoedige schranderheid overschaduwd door een onmiskenbare naijver, door een onverklaarbaar, bijna dierlijk egoïsme, een krampachtige bezitsdrift en bovendien nog door zoiets als spot, leedvermaak en een wrekkige grijns, alsof hij een in wezen onverwerfbare kostbaarheid bezat, die hij niet wou overdragen; hij genoot van de aanblik van Melchiors vergeefse kwellingen, ja hij zwolg daarin; om een verklaring voor zijn gedrag te geven, beweerde hij dat techniek eenvoudig niet bestond, ook hij beschikte daar niet over, niemand deed dat, en wie zogenaamd wel een goede techniek had, was geen kunstenaar maar een technicus; daarom hoefde ook niemand zich over deze kwestie druk te maken, iedereen kon uitsluitend een hoogst persoonlijke techniek verwerven, die door de moeite waarmee dit proces gepaard ging niet eens zozeer een techniek was, maar meer een op de materie veroverd en aan de materie teruggeschonken levensgevoel; eigenlijk was het het meest wezenlijke wat er is, de levensdrift zelf.

Volgens de leraar stuitte de kunstenaar in het gevecht met de materie op geheime lagen van zijn innerlijk waarvan hij het bestaan nooit had vermoed, zodat hij zich beschaamd voelde en die voor nieuwsgierige blikken wilde verbergen; als kunst echter geen inwijdingsritueel was om tot de allerdiepste geheimen door te dringen, was ze geen sikkepitje waard; dikwijls schreeuwde hij met overslaande stem dat zij zich tijdens die vioollessen nog slechts in het voorportaal van de kunst bevonden, alsof hij wilde zeggen dat het tijd werd om het hoofdportaal binnen te gaan.

Melchior beweerde niet dat hij deze leraar sympathiek had gevonden, hij voelde zich hoofdzakelijk tot hem aangetrokken, maar ondanks deze aantrekkingskracht was hij wantrouwend gebleven, waarover hij zichzelf de heftigste verwijten maakte; hij kon er echter niets aan doen, want hij zag en begreep iets wat niemand anders doorhad: dat de leraar een volkomen verbitterd mens was, leugenachtig, zonder idealen, en tot in het merg verdorven; desondanks had hij het gevoel dat de leraar hem goed wilde doen, en die goedheid durfde hij niet af te wijzen, integendeel, ondanks alle onzin die hij moest aanhoren over de tempel van de kunst en haar voorhal, trachtte hij zich die goedheid uit alle macht waardig te betonen; hij nam de verhalen van de leraar alleen daarom al niet serieus omdat het hem zelf nooit was gelukt die tempel binnen te dringen, hoewel hij er kennelijk naar snakte; toch school in het belachelijke verlangen van de man zo veel verontrustende bitterheid, serieuze wanhoop en verdriet dat het niet geheel onzinnig scheen wat hij zei, al bespeurde Melchior wel dat dit verlangen niet de muziek tot voorwerp had en ook niet een muzikale carrière, daar streefde de leraar al lang niet meer naar; hij wist niet waar dit verlangen dan wel naar uitging, misschien was het wel zo dat de leraar alles tegelijk wilde zijn, aan de ene kant demonisch, geheimzinnig, duivels en opzwepend, aan de andere wijs, barmhartig, rechtschapen en begrijpend, zodat hij verscheurd werd door een kwellende en meelijwekkende innerlijke strijd.

Na elk lesuur was hij zo terneergeslagen het huis uit geslopen dat hij gedurende de vier jaar dat hij bij die leraar les had gehad, door een furieuze liefde voor de kunst scheen te zijn bezield, hij viel in die periode ook behoorlijk af, wat echter niet opviel omdat iedereen in die jaren hongerig, mager en afgetobd was.

Hij gedroeg zich onderdanig en werkte met een koppige bezetenheid, zodat hij een heleboel wetenswaardigs op eigen kracht ontdekte, waarvoor hij echter zijn leraar dankbaar was omdat hij al het goede meende aan hem te danken te hebben; zijn muzikale vorderingen waren daardoor verheugend, wat de leraar nu eens terughoudend dan weer met gevoelsuitbarstingen honoreerde, welke laatste reactie hij meer vreesde dan elke vernietigende kritiek; de leraar stond hem slechts hoogst zelden toe op te treden en een enkele keer organiseerde hij zo'n optreden zelf, hij stelde hem dan aan beroemdheden voor en liet hem op huisconcerten voor een uitgelezen publiek spelen, waarmee hij altijd een daverend succes oogstte; hij werd toegejuicht, gekust, omhelsd en betast en in de ogen van sommige aanwezigen glansden zelfs tranen, hoewel de mensen in die naoorlogse jaren zelden tot tranen toe geroerd werden.

Zijn leraar gaf hem op zulke momenten echter bijna onmiddellijk, nog temidden van al die hartelijkheid en lichamelijke warmte, te verstaan dat het allemaal leuk en aardig was, maar dat ze die lof niet serieus moesten nemen en het beste zo snel mogelijk konden vergeten, het was verkeerd daarin weg te zinken of er zelfgenoegzaam aan terug te denken, en zodra ze alleen waren analyseerde hij zijn prestaties zo streng dat Melchior elke keer tot het inzicht kwam dat hij beneden de maat was gebleven; weliswaar was het onduidelijk wat hij dan wel moest presteren, maar het was in ieder geval zeker dat het zo onvoldoende was; zijn leraar had in zijn ogen bijna altijd gelijk en waarschijnlijk was hij alléén maar zo wantrouwend, ondankbaar en onmachtig zich die eindeloze goedheid waardig te betonen, omdat hij volkomen onbegaafd was.

Als hij met dit gevoel alleen was, had hij verschrikkelijke angstaanvallen te verduren; dagenlang zat hij weggekropen in een hoekje, ging niet naar school en wachtte op het moment dat zijn absolute talentloosheid aan het licht zou komen, hij voelde dat die niet langer te verbergen was, iedereen kon hem die aanzien en het moment was nabij dat zijn leraar hem genadeloos de deur uit zou jagen.

Soms betrapte hij zichzelf erop dat hij verlangend naar die dag uitkeek, hoewel hij wist dat zijn moeder dodelijk teleurgesteld zou zijn in hem.

Dat hij zich toch staande wist te houden en daarbij vagelijk hoopte dat zijn leraar zich vergiste, kwam waarschijnlijk doordat een mens nu eenmaal niet in staat is zichzelf geestelijk en lichamelijk te vernietigen; al heeft hij eigenhandig de cyaankali in zijn mond gestopt, voor zijn gevoel is het het gif dat hem ombrengt en niet hijzelf, en hetzelfde geldt voor de strop, het water of de kogel; toch was hij graag in de rivier gesprongen en snakte hij naar het tussen de brugpijlers kolkende water; als een mens zichzelf in koelen bloede fysiek wil vernietigen, hoeft hij alleen maar een banaal besluit te nemen, hij moet een werktuig kiezen dat het karwei in zijn plaats verricht; wie daarentegen wanhopig is, heeft altijd uitwijkmogelijkheden: buiten schijnt de zon en het leven gaat door; deze continuïteit schenkt de mens nieuwe moed.

Hij had zoëven van cyaankali gesproken omdat de stakker een paar jaar later, toen Melchior al aan de universiteit studeerde, op de een of andere manier een grote hoeveelheid van dit goedje had weten te bemachtigen, voldoende om een paard te mollen; het was dat jaar een hete zomer; doordat het toneelseizoen al was afgelopen, had niemand hem 's avonds gemist; pas toen er een vreselijke lijkenlucht uit zijn woning kwam, hadden de buren gemerkt wat er aan de hand was.

Onder dergelijke omstandigheden had hij het meisje voor het eerst in het huis aan de overkant voor het raam zien staan; de leraar bereidde hem juist voor op een uiterst belangrijk muziekconcours; het was lente en de ramen van de leskamer waren geopend; er stond veel op het spel, want de drie beste deelnemers zouden zonder toelatingsexamen tot de muziekacademie worden toegelaten; zijn leraar meende te weten dat de concurrentie geducht was, hij noemde de namen van zijn collega's en hun briljante leerlingen, maar voegde eraan toe dat de begaafde zich onderscheidt van de onbegaafde doordat hij door zijn mededingers wordt geïnspireerd, en aangezien Melchior met geduchte tegenstanders te maken zou krijgen, maakte hij een goede kans.

Hij had de muziekstandaard zo bij het raam geplaatst dat hij het meisje bij elke quasi toevallige blik kon zien.

Zijn leraar zat achter in de kamer in een diepe fauteuil en gaf hem vanaf deze donkere plaats de nodige aanwijzingen.

Merkwaardigerwijze hinderde de door de ongewone situatie teweeggebrachte spanning hem absoluut niet bij het spelen, alhoewel ze ongetwijfeld een belasting was, maar het eigenaardige gevoel dat hij zich met zijn viool midden in het blikveld van twee geheel verschillende, elkaar mogelijk zelfs vijandig gezinde mensen bevond en aldus tussen het plegen van verraad en het hebben van een geheim zweefde, een zoet geheim en een duister verraad, verhoogde zijn concentratievermogen op een manier die hij nog nooit eerder had meegemaakt.

Hij spande zich niet alleen in voor het meisje en ook niet voor zichzelf of voor zijn leraar, maar hij deed dat voor alle drie tegelijk, en bovendien voor ieder ander mens die hem eventueel kon horen, met andere woorden: hij speelde zoals een kunstenaar speelt.

Als het regende of kil was en het raam dicht moest, voerde het meisje een waanzinnige vertoning op: ze hing dan met gespreide armen uit het raam, zodat hij bang was dat ze eruit zou vallen; soms sloot ze eveneens haar raam, trok een pruillip en drukte haar neus, lippen en tong tegen het glas, zodat haar gezicht misvormd werd; ze trok dan allerlei grimassen, aapte na hoe hij op de viool speelde, ademde tegen de ruit, zodat die besloeg, en schreef op het beslagen gedeelte letters waaruit bleek dat ze van hem hield; ook stak ze haar tong uit, bewoog haar naar haar slapen gebrachte handen als ezelsoren, plukte aan haar blouse om te beduiden dat ze waanzinnig werd als ze de muziek niet kon horen of blies hem kusjes van haar handpalm toe; ontmoetten ze elkaar echter toevallig in de schoolgang, dan deden ze allebei of ze van de prins geen kwaad wisten en er niets bijzonders aan de hand was.

Zijn leraar aanvaardde zijn stormachtige muzikale vooruitgang met welwillende zelfgenoegzaamheid; weliswaar prees hij hem niet, maar hij staarde hem uit de donkere kamer verliefd aan en dirigeerde met toornige, opgewonden of geestdriftige interrupties zijn spel; hemzelf gaf het een elementaire voldoening dat hij er na een vergeefse kwelling van vier lange jaren eindelijk in slaagde deze zich zo wijs en alwetend voordoende man om de tuin te leiden.

Dit spelletje was minstens twee weken zo doorgegaan, totdat de leraar tenslotte had gemerkt wat er aan de hand was; in plaats van een scène te maken, deed hij met wreedaardige sluwheid of hij niets in de gaten had, zodat de affaire tussen Melchior en het meisje zich onbelemmerd verder kon ontwikkelen; ongetwijfeld hoopte hij zo des te beter toe te kunnen slaan en hen allebei genadeloos door het slijk te halen; Melchior had dit meedogenloze afwachten bespeurd en wist dat er een catastrofe op handen was, maar zodra hij het meisje zag, schudde hij die gedachte van zich af; het meisje, dat volstrekt niet vermoedde welke gevaren haar boven het hoofd hingen, deed even dwaas als altijd, terwijl hij moest toekijken en soms zelfs in lachen uitbarstte, hoewel hij op zijn hoede was en probeerde zich in acht te nemen; tegelijk echter wilde hij ook zijn leraar ergeren, waarmee hij diens wraakzucht alleen maar aanwakkerde, dat had hij achteraf begrepen.

Intussen moest hij lange, kleurrijk vertelde en op zalvende toon voorgedragen, met opwindende voorbeelden en interessante tegenvoorbeelden gekruide zedenpreken aanhoren over de ascetische leefwijze, de geestelijke aandrijfmotor van de esthetiek, de gevaren van het hedonisme, en de menselijke ziel, met al haar reminstallaties, assen en zuigers en zuinige, rationeel werkende veiligheidskleppen, waarmee men de overdruk, de overtollige energie, uit het aandrijfmechanisme kan verwijderen, wat soms noodzakelijk is, kortom een heel scala van met veel pathos voorgedragen barokke vergelijkingen, aanwijzingen en omschrijvingen, maar toen bleek dat deze toespelingen geen enkel effect op hem hadden, moest hij zijn muziekstandaard achter in de kamer opstellen, terwijl de leraar bij het raam plaats nam.

Hier had de geschiedenis een einde kunnen nemen, want hij had zich niet verzet, integendeel, diep in zijn hart waardeerde en begreep hij de leraar, dat wil zeggen: hij meende hem te begrijpen en beschouwde deze naïeve fysieke maatregelen als een natuurlijke reactie op de zondige neigingen van de mens, ja als het middel daartegen; hij was de onschuld in eigen persoon, geen idioot kon zo onschuldig zijn als hij, hij wist toentertijd nog niet eens hoe de kindertjes ter wereld komen of wat het verschil is tussen een jongen en een meisje, of beter gezegd: de dingen die hem interesseerden behoorden tot zo'n andere wereld dat hij niet eens begreep wat hij in feite al wist.

Maar het meisje liet het er niet bij zitten, ze wachtte hem beneden bij de voordeur op en vanaf dat ogenblik was het gedaan met de grappen en grimassen, er ontstond een vreselijk gevecht tussen hen drieën, waaraan hij uitsluitend met zijn gevoelens, of niet eens met zijn gevoelens, meer met zijn dierlijke instincten had deelgenomen, waardoor hij niet had doorgehad dat het bij dat gevecht om zijn leven ging.

Bovendien had hij er toen geen idee van wat voor kwellingen die man moest doorstaan, welk een vreselijke strijd hij met zichzelf streed, hoewel hij het eigenlijk wel had moeten weten, hij daagde hem immers uit.

En hij wist het ook, want hij had de leraar dikwijls vage en verlegen toespelingen horen maken op zijn gevangenschap in een concentratie-kamp, in kamp Sachsenhausen misschien, dat wist hij niet meer pre-cies, en hij had bovendien vernomen dat de leraar daar geen geel of rood, maar een roze driehoekje had moeten dragen, wat wilde zeggen dat hij een homo was; behalve dit verhaal was er echter, zoals gewoon-lijk, ook een ander in omloop, dat inhield dat men hem dit stempel al-leen vanwege zijn openlijk verkondigde liberale denkbeelden had op-gedrukt; omdat het in die tijd levensgevaarlijk was iemand voor homoseksueel uit te maken, zou degene die dit gedaan had na de oor-log de gevangenis in zijn gedraaid; met dit alles was weer een derde ge-rucht in strijd, dat erop neerkwam dat de leraar een ijverig lid van de nazipartij was geweest en een actieve rol had gespeeld bij de desemiti-sering van de Duitse muziek; wat er van dit alles ook waar mocht zijn, voor hem waren het betekenisloze woorden geweest die zich welis-waar in zijn hersenen hadden vastgezet, maar zonder dat hij ze ook maar ergens mee in verband bracht, hoogstens had hij er de conclusie uit getrokken dat de volwassenen kennelijk nog niet genoeg van de oorlog hadden, anders zouden ze niet voortdurend met elkaar twisten; een andere conclusie was geweest dat kunstenaars door hun omgeving als de dragers van een ondefinieerbaar, besmettelijk virus worden ge-zien, waarvoor fatsoenlijke mensen zich in acht behoren te nemen.

En hoe vreemd het ook klinkt, zijn moeder had absoluut niets gemerkt van de hele toestand.

Dit was het enige moment geweest dat de koele, gelijkmatige woordenstroom door een overstelpende gevoelsopwelling werd gestuit, overigens had hij zachtjes en zonder onderbrekingen tot de ochtend doorgepraat.

Zijn borstkas ging omhoog en zijn blik trok zich als een schildpad in zichzelf terug – maar zonder mijn blik los te laten; hij zei dat hij dat niet wilde vertellen; nee, daartoe was hij niet in staat; opeens werden zijn ogen vochtig en haperde zijn stem, alsof hij op het punt stond in tranen of gejammer uit te barsten.

Half snotterend, half lachend riep hij uit dat ik zijn verhaal absoluut niet serieus moest nemen, het had helemaal niets om het lijf.

Daarop merkte hij zachter, bijna tot de afstandelijke koelheid van de oorspronkelijke toonhoogte terugkerend, op dat alle snollen en poten over hun moeder zeuren en ontroerende levensgeschiedenissen hebben.

Goedkope sentimentaliteit, zei hij.

Enkele dagen later, toen we over de donkere autoweg naar de stad terugreden, vertelde ik dit verhaal door aan Thea.

Natuurlijk bracht ik er bepaalde, absoluut noodzakelijke veranderingen in aan, de passage over de psychologische situatie van het wonderkind diste ik het eerst op, bij wijze van inleiding of raamvertelling, en ik sprak op een neutrale toon, alsof ik het over iemand had die wij geen van beiden kenden.

Door deze onpersoonlijke toon en de historiografische methode der ordelijke rangschikking van feiten kreeg mijn relaas een hoge mate van abstractie, zodat ik de gelegenheid had de draden van de persoonlijke causale verbanden in een bredere en algemenere chronologie in te vlechten, die we op grond van haar onveranderlijkheid en onpersoonlijkheid historisch proces, dwang van het Lot of zelfs goddelijke voorbeschikking plegen te noemen; volhardend in deze onpersoonlijke en abstraherende beschouwingswijze, wat niet zozeer een intellectuele als wel een intuïtieve activiteit was, een middel om filosofisch afstand te nemen en aldus mijn schaamte over mijn verraderlijke houding jegens Melchior te verbergen, vertelde ik het verhaal alsof ik het over een op zich onbelangrijke episode had uit de voortdurend uitdovende en weer tot leven komende historie.

Het was alsof ik vanuit de lucht een stad zag, met daarin een mooi jong meisje met een viool, een stad waarin de geschiedenis allerlei gaten en kieren had uitgehakt, die ze met haar eigen materiaal weer zou moeten dichten; en ik zag ook een fraaie, kleine schouwburg, en in die schouwburg een orkestbak, waarin musici waren gezeten, en ergens ver weg, in de buurt van Stalingrad, nog een tweede orkestbak, een loopgraaf; in de eerste orkestbak zag ik de lege plaats van de eerste violist en in de tweede een aantal in lompen gehulde soldaten, die op het punt stonden de bevriezingsdood te sterven.

En terwijl ik zo uit het perspectief van de onbewogen geschiedschrijving omlaagblikte, scheen het een volstrekt triviale gebeurtenis dat enkele musici van hun plaatsen waren verdwenen en enkele anderen uit de echtelijke sponde, dat een gedeelte van hen naar een concentratiekamp was gesleept en een ander gedeelte tot soldaat gemaakt, het was allemaal van geen belang omdat het Lot, de geschiedenis, slechts één haastig gebod heeft: er mogen geen hiaten blijven! in de ene orkestbak moet gemusiceerd, in de andere geschoten en in nog weer een andere begraven worden, iemand moet dus de lege plaats van de eerste violist innemen, moet dezelfde muziek spelen en dezelfde in een zwaluwstaart uitlopende historische vermomming dragen, opdat het veranderlijke onveranderlijk schijnt en het een te verwaarlozen, ja volstrekt irrelevant detail lijkt dat de plaatsen van de verdwenen musici door Franse krijgsgevangenen uit een naburig concentratiekamp zijn ingenomen, die als beloning voor het feit dat ze de onverbiddelijke continuïteit waarborgen, met hun bewakers mee mogen naar hotel De Gouden Hoorn; ook dit laat het Lot, de voorzienigheid, de geschiedenis, niet toevallig of uit barmhartige, bijna menselijke overwegingen toe, maar opdat de eerste violist, die voor enkele uren in de bovenwoning van de in de ijzige steppe bij Stalingrad creperende hotelier verdwijnt, kan geloven dat de geschiedenis omwille van hem haar adem inhoudt, hoewel de geschiedenis (het Lot, de goddelijke voorzienigheid) in werkelijkheid geen adempauzes kent, ze vult het hiaat op dat de hotelier in de echtelijke sponde heeft achtergelaten, en aldus beschouwd is het een irrelevant gegeven dat een knappe jonge vrouw en een knappe jonge man iets voelen wat ze met recht een dodelijke verliefdheid noemen en ze, naar ze verzekeren, liever zouden sterven dan alleen door het leven gaan, ze omschrijven hun gevoelens immers uitsluitend met zulke dramatische woorden omdat ze die als door het Lot gewild beschouwen.

En het is eveneens een volkomen oninteressante vraag of de slempende bewakers deze ontoelaatbare overtreding opmerken, want het is voor de geschiedenis niet zo moeilijk een paar stompzinnige bewakers even te bedwelmen, om te kopen of met het schouwspel van een oplaaiende liefde op betere gedachten te brengen en hen vervolgens, als er een ontnuchterend licht is gevallen op de vreselijke daad, de aan rasschennis schuldige Fransman te laten doodslaan, zodat er in het historisch noodzakelijke orkest weer een plaats vrijkomt en de geschiedenis iemand die ze wegens rasschennis heeft weggesleept terughaalt om deze te doen bezetten.

Daarom geloof ik ook niet, zei ik tegen Thea, dat de blindheid van zijn moeder uit dit hogere standpunt bezien laakbaar kan worden genoemd, tenslotte heeft ze wat ze door het verlies van haar man scheen kwijt te raken, mooier en volmaakter van haar minnaar teruggekregen, en wat ze dreigde te verliezen toen ze haar minnaar kwijtraakte, werd haar, goddank, in de holte van haar baarmoeder terugbezorgd, al zal ze wat ze op die manier ontvangen heeft later weer even geruisloos moeten afstaan.

Ik denk dat ik je even goed begrijp als je op een minder omslachtige manier God lastert, zei Thea rustig.

Ze deed nog steeds of ze nauwelijks naar me luisterde.

Nog op de dag dat zijn leraar hem van het raam had verwijderd, vervolgde Melchior zijn verhaal, wachtte het meisje hem bij de voordeur op; ze keken elkaar een poosje aan, maar hij wist niet wat hij doen moest; aan de ene kant vond hij het vermakelijk dat ze de leraar zo toch nog bij de neus namen, aan de andere kant schaamde hij zich verschrikkelijk tegenover het meisje, hij wist zelf niet waarvoor, misschien voor zijn korte broek; omdat hij niet wist wat hij tegen haar moest zeggen, was hij met zijn viool in de hand weggelopen, waarop het meisje hem had nageroepen dat hij niet goed wijs was; toen had hij zich omgedraaid.

Weer stonden ze tegenover elkaar; het meisje zei dat hij mee moest gaan naar haar huis, ze wilde dat hij een keertje alleen voor haar zou spelen.

Haar domheid irriteerde hem, je moest de dingen niet zo door elkaar halen, hij noemde haar zelfs een idioot, maar ze haalde alleen maar haar schouders op en zei: nou, dan niet, je kan me tenslotte ook hier kussen.

Vanaf dat moment wachtte ze hem elke dag op, al besloten ze elke dag opnieuw dat ze dat niet meer zou doen, hij had haar namelijk in de bewoordingen van zijn leraar uitgelegd dat het concours van beslissende betekenis was voor zijn toekomst en dat hij nergens anders tijd voor had.

Maar nee, het was precies andersom gegaan.

Hij herinnerde zich dat ze die eerste keer zo opgewonden waren geweest dat ze niet wisten wat ze met elkaar aan moesten en daarom alleen onafgebroken hadden geconverseerd; ze stonden in de droge, met struiken begroeide slotgracht, waar het verschrikkelijk stonk en overal afval en puin lag; het meisje zei dat ze zo verliefd op hem was dat ze tot haar dood op hem zou wachten en dat het concours nu belangrijker was dan al het andere, daarom konden ze elkaar voorlopig niet meer zien, maar ze zou op hem wachten; dit laatste vonden ze allebei superromantisch, maar ondanks deze afspraak stond ze elke dag opnieuw voor de deur.

En hij moest me nog iets vertellen, ook al wist hij op dat moment niet hoe je over zoiets op een redelijke manier kon spreken.

We zaten roerloos bijeen, zijn blik gleed zonder te zien over me heen en drong mijn lichaam binnen, maar ik ontweek zijn woorden hulpeloos met mijn ogen knipperend, zodat het leek of we allebei enthousiast maar geblinddoekt om een onbereikbaar voorwerp holden; we keken elkaar aan en renden tegelijkertijd als blindemannen om dit voorwerp heen, dat ons telkens als we meenden het te kunnen pakken, ontglipte.

Hij had het over het draagvermogen van onze schaamte: omdat de wetten van de psychische schaamte veel strenger waren dan die van de lichamelijke, wat heel natuurlijk was omdat het lichaam uit vergankelijke materie bestond – zodra we het niet als materie beschouwden, bleek het griezelig eeuwig te zijn –, vluchtte ik in panische angst voor het onafzienbare en weigerde onder ogen te zien wat ik had uitgelokt.

Wat hij zei klonk van het begin tot het eind uitdagend vastberaden, maar toch was het niet meer dan een chaotische mengeling van nadrukkelijke, deels onvoltooide toespelingen, uitspraken, uitroepen, relativeringen en twijfelende vragen, waarvan niemand anders dan ik de strekking zou hebben kunnen begrijpen; uiteraard zijn dergelijke kuise, van opgestuwde energie vibrerende toespelingen altijd slechts tot op zekere hoogte begrijpelijk voor een ander.

Zijn ondanks hun verwardheid toch een zekere samenhang vertonende woorden – eigenlijk waren het meer gesmoorde, ingeslikte of afgebeten klanken – deden mij begrijpen dat er een zeker verband moest bestaan tussen deze bijna vergeten, hem schijnbaar toevallig te binnen schietende ervaring en een andere, opzettelijk niet ter sprake gebrachte ervaring: de kennismaking met Thea, wier naam hij op dat ogenblik niet kon noemen omdat er tussen de beide affaires een afgrond van tien volle jaren gaapte.

Ik verkeerde in de gelukkige omstandigheid dat het verhaal van hun kennismaking mij in twee verschillende versies bekend was.

Hij zei dat hij nooit meer zoiets wilde meemaken, zelfs niet met mij, al had het natuurlijk weinig zin om appels en peren met elkaar te vergelijken.

Hoewel... nam hij het gezegde weer terug.

Met haar misschien toch wel... en nu had het kuise zwijgen op Thea betrekking, die nota bene de oorzaak was van alle verwarring.

Hij had niet smakeloos of belachelijk willen worden, ofschoon dat bijna onvermijdelijk was geweest, en hij had haar evenmin willen krenken, hoewel hij dat natuurlijk wel gedaan had.

Overigens had het hem verbaasd dat hij nog tot zulke gevoelens in staat was.

Die toestand heeft wel een week lang geduurd, zei hij nadenkend, en ik zag aan zijn gezicht dat deze constatering op twee affaires tegelijk sloeg, op die van tien jaar geleden en op die van een paar maanden terug, of liever gezegd: door de laatstgenoemde affaire dacht hij met veel meer emotie terug aan de eerstgenoemde.

Zonder de herhaling van gevoelens is er geen herinnering, en omgekeerd is elke ervaring een verwijzing naar een vroegere ervaring, we noemen dat 'herinnering'.

De beide ervaringen waren blijkens zijn gelaatsuitdrukking ineengeschoven of met elkaar versmolten en ze hadden elkaar geïntensiveerd, zodat ik een grote opluchting en voldaanheid voelde, alsof we eindelijk de hand hadden weten te leggen op het op de tast gezochte onderwerp van ons verhaal.

Over die kuise uitweiding van hem heb ik het natuurlijk niet met Thea gehad tijdens die autorit.

Hij wilde me nog de afloop vertellen: zijn leraar had hem op een dag met een ernstig en bovenal vastberaden gezicht binnengelaten, zodat hij meteen begreep dat het einde, waar hij al enige tijd rekening mee hield, nabij was.

Hij gaf hem met een gebaar te kennen dat hij zijn viool moest neerleggen omdat ze die niet meer nodig hadden, vervolgens ging hij hem naar een andere kamer voor.

Hij ging zelf zitten maar liet Melchior staan.

Daarna vroeg hij Melchior wat hij 's avonds uitvoerde.

Melchior werd koppig en wilde geen antwoord geven, waarna de leraar de dagen van de week een voor een opsomde en tot op de minuut nauwkeurig vertelde hoe laat hij elke dag was thuisgekomen.

Van het meisje repte hij met geen woord, niet eens met een vage toespeling; maandag, zei hij, om negen uur tweeënveertig, dinsdag om tien uur achtentwintig enzovoorts, zonder er iets aan toe te voegen.

Melchior, die in zijn korte broek midden in de kamer stond, hoorde dit alles zwijgend aan, maar opeens zakte hij onmachtig in elkaar.

De plotselinge wetenschap dat die knappe, algemeen geachte, aanbeden, afschuwelijke, ongelukkige man met zijn grijze haardos hem, een kind, een onbegaafde leerling, een nietsnut, elke dag van de week als een schaduw was gevolgd en dat hij alles had gezien wat er maar te zien viel, was zo onverdraaglijk dat hij in zwijm was gevallen.

Waarschijnlijk was hij niet echt flauwgevallen maar alleen duizelig geworden, en als hij toch een flauwte had gehad, was die in elk geval maar van zeer korte duur geweest.

Toen hij weer bijkwam, rook hij de vertrouwde lichaamsgeur van zijn leraar, die bij hem was neergeknield; toen hij hem aankeek, zag hij iets dat hij zijn leven lang niet meer kon vergeten: de kop van een spin die het fel begeerde vliegje eindelijk in zijn web heeft gevangen.

De leraar kuste en omhelsde hem en was zo over zijn toeren dat hij bijna huilde; hij smeekte Melchior fluisterend hem te vertrouwen, want als hij dat niet deed, zou hij, de leraar, te gronde gaan; hij noemde zichzelf een levende dode en voegde eraan toe dat men zijn ziel had vernietigd; tijdens dit opgewonden gefluister had hij ook gezegd dat je nooit kon weten wie je werkelijke vader was; Melchior moest hem maar als zijn natuurlijke vader beschouwen en hem vertrouwen alsof hij dat werkelijk was.

Hij had zich huilend en bevend verzet; pas nadat hij een tijd in een hoekje had gezeten en wat gekalmeerd was, durfde zijn leraar hem de straat op te laten gaan; toen hij de voordeur opende stond het meisje op hem te wachten, maar hij was zonder een woord te spreken weggerend.

Gelukkig was zijn moeder die avond pas laat thuisgekomen.

In de tussentijd was hij enigszins tot rust gekomen; hij verzocht zijn

moeder smekend zo spoedig mogelijk naar een andere plaats te verhuizen, waarheen deed er niet toe, en voor hem een andere leraar te zoeken, want de leraar die hij nu had was slecht; dit verzoek herhaalde hij
keer op keer; intussen spookte de gedachte door zijn hoofd dat de leraar een slecht mens was, maar omdat hij dat niet tegen zijn moeder
durfde te zeggen, antwoordde hij op al haar vragen steeds weer opnieuw dat de man een slechte leraar was, alsof zijn bezwaren niet 's
mans morele, maar pedagogische kwaliteiten golden.

Die argeloosheid van zijn moeder was als het ware de genadeslag geweest, een laatste bewijs dat niets en niemand hem kon helpen, zelfs
zijn moeder niet, zodat hij alles wat met zijn leraar verband hield, geheim moest houden.

Ondanks al zijn bange voorgevoelens liet hij zich door zijn moeder,
die de simpele handelingen verrichtte waarmee een liefhebbende, argeloze moeder een kind tot bedaren tracht te brengen, kalmeren, toe-
dekken en in slaap sussen.

Na zo veel onbelangrijke details te hebben aangehoord, kon ik wel
vermoeden wat de afloop van het verhaal was.

Het meisje verscheen af en toe voorzichtig, bijna angstig, voor het
raam om hem te laten zien dat ze alles begreep en op hem wachtte,
maar dit wachten deed hem zo'n pijn dat hij haar uit alle macht trachtte
te vergeten.

Op de middag voor het concours was hij met zijn leraar naar Dres-
den gereisd, maar wat er die nacht in het dubbele hotelbed was gebeurd, wilde hij niet vertellen; het enige dat hij losliet was dat hij noch
daarvoor noch daarna iemand had ontmoet die in zo'n felle tweestrijd
met zichzelf verkeerde, en hij voegde eraan toe dat de leraar de strijd
pas had opgegeven toen zijn krachten hem begaven.

Ze logeerden niet in een hotel, maar in een rustig, oud pension, dat
zich in een koel, diep keteldal in de nabijheid van de stad bevond; door
zijn donkere torentjes en smeedijzeren balkons had het veel weg van
een romantisch, verlaten kasteel.

Na aankomst op het station waren ze er met de tram naar toe gereden; ze kregen een reusachtige, koele kamer die geheel wit was geschilderd; de inrichting bestond uit een witte porseleinen waskom, een
ovale spiegel, een lampetkan met water op een witmarmeren plaat,
een witte beddesprei en witte overgordijnen; voor het raam ritselden
de bladeren van de bomen de hele nacht.

Hij sprak haperend, alsof hij na elk woord wilde ophouden met spreken, maar daartoe niet in staat was omdat elk afsluitend woord de behoefte aan nieuwe woorden wekte.

Hij vroeg me om een sigaret.

Nadat ik er een gevonden had en de asbak op zijn schoot had gezet, ging ik om mijn rug steun te geven en de hinderlijke naaktheid van mijn lichaam en mijn verkleumde ledematen te bedekken, op het voeteneinde van de divan tegen de muur zitten en trok het onderste gedeelte van de deken over me heen; mijn ijskoude voeten schoof ik onder zijn dijen; intussen sprak hij op geforceerde toon verder; zijn stem haperde nog steeds.

Ik begreep nu natuurlijk wel waarom hij zijn moeder had gevraagd wie zijn vader was: die eigenaardige uitlating van zijn leraar was in zijn hoofd blijven hangen.

Het was trouwens ook merkwaardig, vervolgde hij na een nieuwe adempauze, dat zijn moeder drie jaar later, toen hij al student was en in een andere stad woonde, nog altijd niets vermoedde, want ze had hem, toen hij thuiskwam voor de vakantie, met diezelfde afgrijselijke argeloosheid verteld hoe zijn leraar zichzelf van het leven had beroofd, op een toon alsof het een volkomen onbelangrijke gebeurtenis betrof.

Hij had niet op dit verhaal gereageerd, maar op luchthartige toon gezegd dat hij over een paar dagen een gast verwachtte, een studiegenoot, en om elk misverstand te vermijden had hij de naam van die vriend, Mario, heel duidelijk uitgesproken, opdat ze die niet als Marion zou verstaan.

Toen ze dit hoorde – ze waren samen met de afwas bezig –, bleef de hand van zijn moeder, die een kopje omklemde, even in de lucht zweven, alsof ze eindelijk begreep wat er aan de hand was.

Geeft niks hoor, jongen, dan raak ik je tenminste ook niet kwijt.

Later herhaalde ze dit: je blijft lekker van mij.

De pauzes tussen het spreken werden steeds langer, maar hij kon nog steeds niet ophouden.

De mens bedriegt zich op een rare manier en denkt dat alles in de wereld om hem draait, zei hij, ook datgene wat zich in het binnenste van een ander mens afspeelt; het is zogenaamd allemaal om hem begonnen.

Misschien is dat wel vanzelfsprekend, zei hij, elk mens krijgt immers meteen na zijn geboorte de tepel van zijn moeder in de mond geduwd; daarom wil hij ook de warme, geaderde pik van zijn vader in de mond nemen, en alle andere zaken die levend zijn en op de tong smelten, zoete of zoute; de mens tracht zich alles toe te eigenen wat zijn leven waarborgt, wat voor hem een voorwaarde of noodzakelijkheid is om in leven te blijven.

Ik begreep nu opeens waarom hij van geen ophouden wist: hoe toegeeflijker hij zich jegens zijn moeder en zijn leraar toonde, des te duidelijker schemerde zijn heimelijke – bewust verheimelijkte! – bedoeling door om de morele last van het gebeurde deels op de geschiedenis, dus op iets abstracts, deels op twee uiterst concrete personen af te wentelen, maar omdat zijn morele kieskeurigheid hem belette deze twee personen op een eenvoudige, vanzelfsprekende wijze te haten – de een had een zoenoffer gebracht door te sterven, de ander was zijn moeder, en tot zelfhaat was hij niet gepredisponeerd –, restte hem geen andere keuze dan zich als slachtoffer van de geschiedenis te beschouwen.

Als het slachtoffer echter zijn mond opendoet en zich beklaagt, heeft die klacht altijd een sentimentele en zelfs humoristische bijsmaak, de ware slachtoffers van de geschiedenis plegen te zwijgen.

Daarom moest hij de sfeer van zijn woonplaats haten, alle essentiële betrekkingen met zijn verleden verbreken en, hoe gevaarlijk dat ook was, het land verlaten; voor de droom van een nieuw begin was hij bereid de dood op de koop toe te nemen en zich aan de grens als een hond te laten neerschieten; ik kon dat nu begrijpen.

In de stad aangekomen, sprak geen van ons beiden meer een woord, ieder had zich in zijn eigen stilte teruggetrokken, in een persoonlijk, maar toch gemeenschappelijk zwijgen.

Ik voelde een lichte onrust in mijn maag en darmen, alsof mijn geweten zich in die lichaamsdelen manifesteerde, en ik trachtte het geknor en gerommel en de aandrang om winden te laten te onderdrukken, wat me des te zwaarder viel door Thea's raadselachtige en onberekenbare gedrag; ze maakte zo'n gesloten en ongenaakbare indruk dat ik niet kon vaststellen welke uitwerking mijn verhaal op haar had gehad.

Haar zonderlinge opmerking dat ze dit verhaal ook zonder mijn omslachtige godslasteringen kon begrijpen, waarmee ze had willen zeggen dat ze het ook, en wellicht nog beter, zou begrijpen als ik mijn talrijke moraliserende opmerkingen voor me hield, had me behoorlijk gekwetst.

Ik moest echter erkennen dat ze me op een zeer eenvoudige manier had laten inzien dat Melchiors levensverhaal niet rechtstreeks met de geschiedenis of de biologie in verband was te brengen, of beter gezegd: dat je dat met niemands verleden kunt doen; de morele last van een individueel verleden kan op niemand worden afgewenteld, dat zou een beperking of een blokkering van het denken zijn; veeleer dient in elk verleden de macht van het zich tot alles uitstrekkende, elk detail beïnvloedende geheel te worden aanvaard, wat geen gemakkelijke opgave is omdat de mens nu eenmaal in en over details pleegt na te denken, en dan nog zonder in God te geloven.

Ik keek haar aan, alsof ik wilde onthouden hoe iemand die zulke opmerkingen maakte eruit zag.

Ze scheen noch het luide knorren van mijn maag noch mijn blik op te merken.

Haar bezwaar tegen mijn 'godslasterlijkheid' had me nogal verbaasd omdat ze het woord 'God' nog nooit biddend of vloekend in de mond had genomen.

De geslotenheid van haar gezicht kon op tweeërlei manier opgevat worden: ze kon op ongevoeligheid en onverschilligheid duiden, maar ook op deelneming en grote bewogenheid vanwege het door mij vertelde verhaal.

Hoe dichter we bij de Wörther Platz kwamen, des te onverdraaglijker werd het gevoel dat deze dag ten einde liep, dat er nu iets anders zou volgen, iets volkomen anders, en dat we tot de volgende dag, die nog eindeloos ver weg scheen, van elkaar gescheiden zouden zijn.

Het was geen onbekend gevoel, want ik leefde uitsluitend als ik de tussenschakel tussen hen beiden kon zijn, maar hoe meer ik me in die tussenpositie manoeuvreerde, des te meer ook paste ik me aan hun wensen en verlangens aan en des te meer moeite kostte het me die positie weer op te geven.

Als ik na zo'n gelegenheid bijvoorbeeld uit Thea's auto stapte en de trap opstommelde naar de vijfde verdieping, en Melchior, ietwat geïrriteerd door het wachten, de deur opende – wat zeg ik? openrukte! –, bevreemdde me niet alleen zijn beheerste, bijna onpersoonlijke glimlach, maar al het overige: zijn schoonheid, zijn geur, zijn huid, zijn stoppelbaardje, zijn koele blauwe ogen, die me vanuit het bastion van zijn glimlach aankeken, en – ik schaamde me dit aan mezelf te bekennen – zelfs zijn geslacht; het enige wat me op zo'n moment niet vreemd was, was zijn persoon.

Het was alsof ik alleen maar een werkelijke relatie kon aangaan met degene die ik juist verlaten had en alsof ik eerst iemand verlaten moest om me met die persoon verbonden te weten; misschien is dat wel de oorzaak van al mijn vergissingen, dacht ik, maar eigenlijk was het onzinnig om in dit geval van vergissingen te spreken, ik was immers niet degene die zo dacht, het waren mijn ervaringen die dat deden, mijn verleden dacht in mijn plaats, ik leefde wel, maar nam voortdurend afscheid van mijn leven omdat elke ervaring in de dood uitmondde, zodat afscheid nemen belangrijker was dan het leven zelf.

Zulke gedachten namen mij in beslag toen de auto voor het huis stopte; Thea wierp het hoofd achterover en keek enigszins vanuit de hoogte op me neer, ze had haar bril afgezet en glimlachte.

Het was een snel ontluikend, wat afwezig lachje, dat al enige tijd in de spieren van haar beweeglijke gezicht moest hebben gesluimerd maar door haar verborgen was gehouden; ze had het uit tact of berekening achtergehouden om me niet te storen en het verhaal als een integraal geheel in zich op te kunnen nemen, compleet met alle uitleg en wendingen die ik eraan gaf.

En alsof ik het raadsel moest oplossen dat ik in mijn binnenste meevoerde, het geheim van het volk waartoe ik behoorde, vroeg ik me af waarom ze zich — niettegenstaande mijn sluwe bereidheid om me aan de verwachtingen van anderen aan te passen — steeds weer uit mijn leven terugtrok; kwam dat misschien omdat al mijn ervaringen naar de dood toe leidden, zodat de wereld niet door de goddelijke eenheid van het Lot leek te worden beheerst, maar door de allerprimitiefste historische ervaringen?

Ze legde zachtjes haar hand op mijn knie en omvatte met haar vingers nauwelijks voelbaar mijn knieschijf; ik trachtte ondanks de duisternis haar blik op te vangen.

En misschien omvatte ze met dat gebaar wel niet alleen mijn knie, maar verenigde ze zo ook onze twee lichamen, voegde ze onze innerlijke stiltes aaneen; ik zag aan haar ogen dat ze iets wilde zeggen maar daar niet toe in staat was, kennelijk voelde ze op dat moment precies aan wat ze aan moest voelen.

Het zou overdreven zijn het nu volgende hardop te zeggen, bepaalde gedachten mogen we niet eens in bedekte termen uiten, we moeten het leven zijn gang laten gaan, maar toch durf ik hier te beweren dat alles tussen ons drieën vermoedelijk een heel ander verloop zou hebben gehad als het in de auto niet zo donker was geweest, als we elkaars gezicht duidelijk hadden kunnen zien en niet alleen in het onregelmatige, door de boomkruinen gezeefde schijnsel van de straatlantaarns;

misschien hadden we in dat geval alles wat nu half vermoeden half gevoel bleef, onder woorden durven brengen.

Wat later zei ze toch nog iets, maar toen was dit gunstige ogenblik al voorbij.

Ja, zei ze, iedereen heeft zo zijn eigen levensverhaal; is het je weleens opgevallen dat elk levensverhaal droevig is? waarom eigenlijk? ik heb overigens de indruk dat je daarnet je eigen levensverhaal vertelde, hoewel ik bijna niets van je af weet, maar het kan natuurlijk ook zijn dat je alleen je frustraties hebt willen afreageren.

Frustraties? vroeg ik, want het woord verraste me.

Ze viel me in de rede en de glimlach op haar gezicht ging over in een proestend lachje; en vanuit dit proesten lanceerde ze een vraag, ze vroeg me of ik wist dat ze een jodin was.

Opeens begon ze te schateren van het lachen, waarschijnlijk omdat ik zo'n niet-begrijpend, verbluft gezicht trok.

Oké! riep ze lachend, ga nu maar! ze kneep in mijn knie en trok haar hand terug; dat jodin-zijn van me leg ik je later weleens uit.

Ik zei dat ik haar niet begreep.

Doet er niet toe, denk er maar eens over na, je bent toch zo'n slimme jongen? je hoeft trouwens niet altijd alles te begrijpen, soms is het genoeg als je de dingen aanvoelt.

Maar wat moet ik dan aanvoelen?

Je moet gewoon aanvoelen, en verder niks!

Ik zei dat ik haar dit betaald zou zetten, zo kon je iemand niet behandelen.

Werkelijk niet? riep ze lachend uit, en ze boog zich over me heen om het portier open te gooien; ga nu maar!

Maar ik begrijp nog steeds niet waar je het over hebt.

Het interesseerde haar echter totaal niet meer wat ik zei of vroeg, wat ik begreep of niet begreep, ze begon tegen mijn schouder en mijn borst te duwen om me de auto uit te werken; even aarzelde ik, maar toen greep ik haar bij haar polsen; mijn aarzeling werd door de gedachte veroorzaakt dat ik haar geweld niet met tegengeweld mocht beantwoorden omdat ze een jodin was, althans dat had ze beweerd, daarom probeerde ik alleen haar polsen wat te verdraaien, in de hoop dat ze dan haar pogingen om me de auto uit te werken zou opgeven; we moesten allebei lachen om ons zonderlinge gedrag, maar hoewel we genoten van deze kleine worsteling wilden we er toch allebei mee ophouden.

Au, niet doen! riep ze met een gedempte, haast verdrietig klinkende stem; in haar kreet hoorde ik zowel het wegsmeltende verzet van de rijpe vrouw als het kinderlijke gejengel van het kleine meisje dat ze eens geweest was; laat me los, het is nu wel genoeg geweest!

Maar kennelijk was het nog niet genoeg, want ze probeerde met haar schedel mijn borst weg te stoten, waarop ik haar polsen nog verder verdraaide; ze kreunde van pijn; heel even rustte haar hoofd vredig tegen mijn borst, alsof het daar een lang gezochte plaats had gevonden; het was alsof dit nogal krampachtige lichamelijke contact wilde zeggen dat ik de sterke, zwaargebouwde man was en zij het zwakke vrouwtje dat zich nog niet wilde geven en daarom tegenspartelde, wat echter niet lang meer zou duren.

Nee, ik laat je niet los, zei ik luid, op gepaste wijze uitdrukking gevend aan het gevoel dat met het aangename, immers algemeen geaccepteerde rollenspel van de geslachten gepaard gaat; ik gaf met zo'n gulzige vreugde uitdrukking aan dit onnozele gevoel dat het wel leek of ik haar ronduit zei dat ik deze gelegenheid in geen geval wenste voorbij te laten gaan.

Dat had ik beter niet kunnen doen, want ze trok beledigd haar hoofd weg, waardoor ze met haar schedel per ongeluk mijn kin raakte en we ons allebei lichtelijk bezeerden.

Haar felle reactie wilde zeggen dat ze niet bereid was het nogal evidente sekseverschil tussen ons te erkennen, althans weigerde erin te berusten, al moest ze haar weigerachtigheid met evenveel pijn bekopen als ik.

Ik vroeg haar wat dit gedrag te betekenen had.

Nou wat denk je, zei ze snibbig, helemaal niets.

Maar intussen keek ze me zo teder en smekend van heel dichtbij aan en verschanste ze zich met zo'n meisjesachtig geraffineerde en kokette volgzaamheid in de rol van het zwakke vrouwtje, met een dusdanige virtuositeit en 'vakbekwaamheid', dat ze de door ons spontaan gecreëerde situatie totaal belachelijk maakte, wat ik dermate kostelijk vond dat ik de kracht van mijn greep, hoewel langzaam en aarzelend, verminderde, maar ik liet haar polsen toch niet los.

Wat wou je daarmee zeggen? vroeg ik, en ik merkte met hoeveel tegenzin ik van de wereld der veelbelovende, woordeloze aanrakingen naar die der vals klinkende woorden terugkeerde.

Eigenlijk sprak ik alleen opdat het verstand de aangeleerde gevoelens niet de vrije loop zou laten, althans die zou begeleiden, zodat het

wist welke richting die gevoelens uitgingen en waarom en het kon beletten dat ze een richting insloegen die tegen het verstand indruiste of
dit uitschakelde; en indien mogelijk, indien ook maar enigszins mogelijk, moest een en ander niet in een surrogaat, in de onderdrukking
van andere emoties of in een platvloerse erotische gymnastiekoefe-
ning resulteren; waarschijnlijk voelde Thea ongeveer hetzelfde.

Alles wat tot dat ogenblik tussen ons was voorgevallen, kon als een
vriendschappelijke plagerij worden opgevat, al viel moeilijk uit te maken waar de grens lag tussen een vriendschappelijk stoeipartijtje en
een wellustige, erotische aanraking; het verstand moest die grens
enigszins in de gaten houden, ook al scheen de situatie zo onomkeer-
baar door het genot dat we aan het spel der bewegingen en mogelijkheden beleefden dat we die vage grens waarschijnlijk al overschreden
hadden, misschien was het trouwens wel onmogelijk te weten waar
hij precies liep.

Ik zal het je nog wel eens vertellen, zei ze droogjes, maar laat me nu
los.

Nee, zei ik, ik laat je niet los voordat je het me hebt uitgelegd; ik
houd niet van die grappen.

Helaas kon het verstand in dit geval de gevoelens niet bijstaan, want
woorden hadden evenmin tot een oplossing kunnen leiden, we wisten totaal niet meer waar we het over hadden, wat overigens een typisch kenmerk is van de liefdesstrijd.

Woedend en ongeduldig trok ze haar hoofd opzij in de hoop dat
een verandering van plaats ook de situatie zou veranderen.

Laat me nu los! zei ze met een stem waarin echte boosheid doorklonk; Arno weet absoluut niet waar ik uithang en zit op me te wachten; waarschijnlijk maakt hij zich ernstige zorgen, het is al vreselijk
laat.

Door haar plotselinge hoofdbeweging viel er licht op haar gezicht,
het felle licht van een straatlantaarn; misschien was het dat licht dat me
de overwinning door de neus boorde.

Vind je het niet eigenaardig, vroeg ik lachend, dat je opeens aan
Arno moet denken?

Ik had namelijk bij het schelle licht van de lantaarnpaal gezien – ik
kan dit onmogelijk anders omschrijven – dat die ander zich via haar
gezicht manifesteerde.

Haar gezicht had op dat ogenblik veel weg van het langwerpige,
saaie, droefgeestige gelaat van Arno; het weerspiegelde echter niet zijn

gelaatstrekken, maar een emotie of de afschaduwing van een emotie, namelijk de onbestemde treurigheid van die man, bij wie ze voor haar gevoel hoorde; door zijn naam te noemen, gebruikte ze hem als schild om mij af te weren; het was echter niet de oude echtvriend wie ze trouw wilde blijven, de man aan wie ze tijdens een slippertje moest denken en die ze behandelde alsof hij haar vader of haar zoon was, nee, het was zijn droefheid die ze niet wilde verraden, de droefheid die hun gezamenlijke leven bepaalde en beheerste; zou ze zich dáárom soms een jodin hebben genoemd, omdat die droefenis niet alleen zíjn melancholie was, maar ook de hare? was er inderdaad iets onverbrekelijks tussen hen, en had dit iets te maken met het feit dat zij een jodin was en hij een Duitser?

Ik had die mij onbekende, nog nooit op haar gezicht waargenomen melancholie moeten bedwingen, moeten wegvagen of tenminste tijdelijk verdrijven, maar ik kon met Arno's melancholie eenvoudig niets beginnen; het was de melancholie van iemand met wie ik me niet verwant voelde, die mij niets te zeggen had, ik kon er dus niet aan voorbijgaan dat ze bij elkaar hoorden en niet gescheiden konden worden.

En zo behaalde ze de overwinning, of beter gezegd: behaalden ze die gezamenlijk.

Op dat moment wist ik nog minder dan tevoren waar de steeds ernstiger wordende situatie toe zou leiden en wat ik moest doen; in haar door het kille licht van de straatlantaarns benadrukte droefenis, die onverhuld door haar vele gezichten en maskers heen schemerde, herkende ik in een flits het op elkaar botsen van tegengestelde krachten.

Goed, zei ik, ik zal je loslaten, maar eerst wil ik je kussen.

Het was alsof deze wens absoluut onvervulbaar was geworden nadat ik hem had uitgesproken en we hem dus evengoed als vervuld konden beschouwen, zodat de situatie alles omvatte wat niet gebeurd was – althans niet in de alledaagse betekenis van het woord was gebeurd – maar toch tot de werkelijkheid behoorde.

Verrast en heel langzaam wendde ze haar gezicht naar me toe, alsof ze zich ook namens die ander verbaasde; ze verbaasden zich samen over mij.

Terwijl ze deze beweging maakte, verdween alle glans van haar gezicht; ik begreep toen dat het vreemde gelaat niet meer van haar zou wijken, en toch zei of stamelde haar langgerekte mond: niet nu!

Ik liet haar los en er verstreek enige tijd waarin er niets gebeurde.

Het uit hun gemeenschappelijke droefenis opstijgende gestamel betekende natuurlijk niet wat het scheen te betekenen, het moest in de normale taal vertaald worden en dan betekende het precies het tegenovergestelde: dat zij er ook zin in had en nu wel nee zei, omdat dat niet anders kon, maar ze de volgende keer ja zou zeggen.

Had ze daarentegen volgende week of morgen gezegd, dan had dat natuurlijk nu niet en een andere keer evenmin betekend, maar dat had ze niet gezegd.

Onze gelaatsuitdrukkingen aarzelden tussen ja en nee, tussen nu meteen en ooit.

Het was alsof ik met mijn ondoordachte uitlating onze lippen uit hun slaap had gewekt en wij daar nu onafgebroken naar staarden.

De uitdrukking van haar gezicht reisde heen en weer van toegeven naar voet bij stuk houden, zodat haar huid begon te trillen, maar het volgende ogenblik kwam zonder dat er ook maar iets van dat meteen of ooit was terechtgekomen, het bleef bij een vaag misschien; en toch zweefde er een vastbesloten ja op haar lippen, maar het was onduidelijk op welk tijdstip dat betrekking had.

En dat deed pijn, want uit het feit dat ze de zaak nog steeds trachtte uit te stellen, bleek dat haar ja uiteindelijk toch alleen maar als een nee was op te vatten.

Onze gelaatsuitdrukkingen veranderden onophoudelijk, nu eens drukten ze een aarzelend verdriet uit, veroorzaakt door haar vage weigering, dan weer een aarzelende blijdschap, teweeggebracht door haar weifelende toestemming, onze gezichten aarzelden als het ware tussen zelfverloochening en zelfverdediging; als het mijne door verdriet werd overschaduwd, straalde het hare van pure blijdschap, stond het hare daarentegen droevig, dan was het mijne volkomen opgeruimd, zodat op het langverbeide beslissende ogenblik haar antwoord nog steeds niet als ja of nee was te duiden.

En om niet op het volgende ogenblik te hoeven wachten, maakte ik, de gemeenschappelijke tijd in tweeën splijtend, een beweging, hetgeen enkel en alleen door mijn verdriet werd veroorzaakt; het autoportier achter mijn rug stond open, de andere richting was versperd, en omdat het verdriet niet in blijdschap uit kon monden, streefde het met alle geweld naar een uitweg.

In overeenstemming met de natuurkundige wet van de slinger begon Thea zich echter juist te openen op het moment dat ik mezelf aan het sluiten was, en omdat zij juist bij een ja was aangeland, kon ze haar vreugde niet meer in verdriet omzetten en moest ze het door mijn beweging aangeduide ooit met een handgebaar in een nu veranderen.

De spieren van de onderkaak, die er in onze normale, wakende toestand dankzij een secundaire conditionering voor zorgen dat de mond gesloten blijft, de bovenste rij tanden over de onderste is geschoven en de bovenlip op de onderlip gedrukt, ontspannen zich op zo'n ogenblik, ze keren als het ware tot de oorspronkelijke, niet-geconditioneerde toestand terug en laten de nuchtere, waakzame zelfdiscipline varen die, behalve 's nachts tijdens onze slaap, de gelaatsmusculatuur in gestadige spanning houdt en het gelaat – afhankelijk van de aard en mate van deze spanning – zijn bijzondere karakter verleent; hierdoor geraakt de zich vanaf de bovenrand der tanden boogvormig opgerichte tong in een onzekere, zwevende toestand en stroomt het op de tongpunt en tanden verzamelde speeksel bij het openen van de mond in de diepte van de mondholte terug.

Als twee mensen via de mond contact met elkaar willen maken, moeten ze beiden het hoofd een weinig zijwaarts buigen, hetzij naar rechts, hetzij naar links, om een onaangename botsing der uit het heuvellandschap van het gelaat oprijzende neuzen te voorkomen.

Zodra de ogen echter de afstand hebben geschat, uit de omstandigheden van het terrein de noodzakelijke buigingshoek hebben afgeleid en, rekening houdend met de gestadig toenemende voortbewegingssnelheid, het moment van de ontmoeting hebben berekend, zinken de oogleden zacht en langzaam over de oogbollen neer; vanaf deze geringe afstand is zien onmogelijk en overbodig, waarmee ik geenszins wil beweren dat alles wat onmogelijk is ook overbodig is; de oogleden worden echter niet geheel gesloten, er wordt een kleine opening uitgespaard, juist zo groot dat de lange bovenwimpers de kortere onderwimpers niet geheel bedekken; hierdoor geraken de ogen in een schijnbaar volmaakt symmetrische positie ten opzichte van de mond; het is een nuchtere maar niet geheel waakzame toestand, want zoveel als het oog van zijn gespannen nuchterheid laat varen, boet het ook aan waakzaamheid in, en wat zich op de ene plaats opent, zij het niet geheel, sluit zich, eveneens gedeeltelijk, op een andere plaats.

Als we de kus – de ontmoeting van twee lippenparen, de handeling waardoor de middellijke waarneming der zintuigen eensklaps overgaat in de onmiddellijke waarneming van het lichaam – nader willen beschouwen, dienen we ons achter het loodrecht gegroefde oppervlak van de geopende en elkaar nauwelijks rakende lippenparen te begeven.

Indien we deze reis zonder gebruik van het ontleedmes konden maken, zou het samenhangende stelsel der biologische functies ons tot een onmogelijke keuze dwingen: moeten we de in zachte golven naar de mondhoeken afdalende spieren volgen dan wel het netwerk der zenuwbanen of dat der bloedvaten? in het eerste geval moesten we ons een weg banen door de krans der speekselklieren tussen de lippen en de wangen, waarna we via het bindweefsel zeer snel het slijmvlies zouden bereiken; in het tweede geval zouden we, als opgezogen door het haarfijn vertakte wortelstelsel van een boom, eerst opstijgen tot de stam en vervolgens tot het centrum van de zenuwkruin; in het derde geval tenslotte zouden we, al naar gelang we via de aderen of via de slagaderen reisden, in de boezem of de kamer van het hart belanden.

Gelukkig echter hoeft men alleen in sprookjes de heilvolle van drie wegen te kiezen, want als we er niet op gericht zijn heil te verwerven, maar alleen onze simpele, oppervlakkige nieuwsgierigheid willen bevredigen, kiezen we een vierde mogelijkheid en glippen tussen de elkaar nauwelijks rakende lippen door, zodat we rechtstreeks in de mondholte terechtkomen, wat niet zo eenvoudig is als het lijkt, want het oppervlak van die lippen is op dit ogenblik nog zo goed als droog; weliswaar produceren de speekselklieren reeds in overvloedige mate speeksel, maar de in een onzekere positie verkerende tong, die lijkt te zweven, scheidt op dat moment geen vocht af; hoe meer tijd er voor de aanraking is verstreken, des te droger zijn de lippen dus, dikwijls in niet mindere mate dan gebarsten kleigrond in droge jaren; alleen in het gootje achter de ondertanden heeft zich reeds een aanzienlijk plasje speeksel verzameld.

Als we via de rotsachtige kam van de onderste tandenrij het plasje zijn omgelopen en, vanaf de tongwortel zijwaarts klimmend, de beweeglijke tongrug weten te bereiken, om vandaar de door ons afgelegde weg te bezichtigen, wordt ons een zeer ongewoon schouwspel geboden.

Deze onderneming is echter niet geheel risicoloos; mochten onze voeten van de smaakpapillen afglijden, dan storten we maar al te gemakkelijk in de afgrond; toch is het de moeite waard, tenslotte bevinden we ons in een gesloten ruimte; boven ons welft zich het fraai gebogen gehemelte en voor ons vormt de opening van de mondholte een volmaakt regelmatige, stomphoekige driehoek; en was de aanschouwing van dit fascinerende fenomeen niet juist het doel van onze komst, dan zouden we een kreet van verrassing slaken, want het anatomische beeld van de mondopening herinnert vanaf die plaats gezien aan het oog des Heren, zoals we dat van afbeeldingen kennen.

En als het plotsklaps, terwijl we nog door deze opening naar buiten staren, geheel donker om ons heen wordt doordat een andere driehoek, een minder symmetrische, ja zelfs wat misvormde, aangedreven door twee tegengestelde krachten, zuigen en binnendringen, de opening van onze grot afsluit, met andere woorden: doordat er een kus ontstaat – rijst plotseling de gedachte dat in de donkere, over elkaar gestulpte monden het ene enige oog des Heren Zijn andere enige oog aanstaart.

Ondanks onze opwinding worden we echter door een kwellende twijfel beslopen, die de vreugde over de gedane ontdekking verstoort en ons de onaangename gedachte ingeeft dat het contact der lippenparen van twee mensen, de kus, misschien wel helemaal niet de verheven en uitzonderlijk belangrijke ontmoeting is waarbij het ene oog des Heren het andere aanstaart.

Als we door twijfel worden gekweld, graven we in ons geheugen in de hoop daar de kennis en ervaring aan te treffen die onze veronderstellingen kunnen bevestigen of weerleggen, maar om tot een bevestiging of weerlegging te geraken moeten we strooptochten door het lichaam ondernemen – per slot van rekening bevinden we ons toch reeds in het inwendige daarvan – en de organen onderzoeken die op de een of andere manier een rol spelen in het liefdeleven van de mens.

Als we die organen, alsmede hun eigenschappen, nauwkeurig onderzoeken, komen we stellig tot de eigenaardige en sommigen onder u ongetwijfeld verontrustende conclusie dat minnelust, voorwaarde en uitgangspunt van de voortplantingsdrang, ook eigenhandig kan worden opgewekt door een de liefdesorganen manipulerend mannelijk of vrouwelijk individu, sterker nog: ze kunnen deze lust op eigen kracht tot een orgastisch hoogtepunt brengen, zonder hierbij hulp te ontvangen van andere individuen.

Het gevoel opgesloten te zijn in ons lichaam en de mogelijkheid om onszelf te bevredigen door de voorstelling van lichamelijk contact met een ander te hulp te roepen en de hand aan onszelf te slaan, zijn waarschijnlijk een ieder bekend.

Personen met gevoelige zenuwen, geremde of kuise individuen, hoeven volstrekt niet hun geslachtsorganen te beroeren, het is reeds voldoende wanneer ze hun handpalm quasi toevallig op de dij, de buik of het bekken laten rusten, waardoor de voor wellustige opwinding noodzakelijke uitwisseling tussen het lichaam en de huid vanzelf op gang komt; bij vrouwen kan voor dit doel de omgeving der borsten benut worden, een tepel bijvoorbeeld of de donkere tepelhof, en in aansluiting daarop, of misschien zelfs tegelijk, op de venusheuvel een strelende druk worden uitgeoefend, die automatisch in een ritmische beweging zal overgaan; de bloeddruk stijgt dan en de adem gaat sneller; deze handeling is het equivalent van het zachte, voorzichtige tasten waarmee mannen boven aan de dijen aanvangen, een beweging die vervolgens naar de zaadballen en de top van de eikel wordt verlegd; bij vrouwen kan de minuscule kittelaar worden geactiveerd, zonder dat de vingers de uiterst gevoelige en dikwijls in hoge mate voor pijn ontvankelijke punt van dit orgaan behoeven aan te raken, terwijl mannen, met een soortgelijk, maar ietwat ruwer gebaar de holle schacht van de roede met de vingers omvatten om de eikel met een trekkende beweging afwisselend te ontbloten en in de voorhuid te laten verdwijnen, zodat de naar de top van de eikel overgebrachte opwinding de klepjes opent waarlangs het arterische bloed de lege zwellichamen instroomt en deze geheel stijf maakt.

Omdat hier van een hoogst persoonlijke activiteit sprake is, van de persoonlijke bevrediging van persoonlijke behoeften, worden deze handelingen op de meest uiteenlopende manieren uitgevoerd.

De verschillende methodes die bij het opwekken en bevredigen van lichamelijke wellust worden toegepast mogen ons echter niet doen vergeten dat zich — strikt somatisch gezien — in elk individu hetzelfde proces voltrekt en alleen de intensiteit, kracht, werking en vooral het eindeffect van deze manipulaties verschillend zijn, het proces vormt immers in elk individu en in elk geval een gesloten, door lichamelijke wetmatigheden van te voren bepaalde eenheid en het is van ondergeschikt belang of het zich tussen mensen van verschillende of gelijke kunne afspeelt dan wel het resultaat is van een kunstmatige beïnvloeding, van een spel der verbeelding of van door fantasieën begeleide zelfbevrediging.

Maar hoezeer de biologische wetmatigheden van lustopwekking, lustduur en lustbevrediging ook een gesloten eenheid vormen, zelfs in hun meest gesloten verschijningsvormen, zoals de zelfbevrediging of het onvrijwillige orgasme, doen zich effecten voor die dit schijnbaar gesloten, en fysiologisch beschouwd ook metterdaad gesloten systeem ontwrichten.

Het is alsof de natuur niet wil toelaten dat de cirkelboog naar zichzelf terugloopt: in geval van zelfbevrediging is het de fantasie die wordt ingeschakeld, in geval van een onvrijwillig orgasme de droom, en fantasie en droom brengen het individu en het geïsoleerde lichaamsgebeuren steeds met een ander individu in contact of veronderstellen in elk geval het bestaan van zo'n individu.

Dit is het meeste en tegelijk het minste dat men over de gebondenheid van het individu kan zeggen; natuurlijk kan er nog aan toegevoegd worden dat in elk mens een instinct werkzaam is dat op dezelfde wijze en op hetzelfde tijdstip twee tegenstrijdige gevoelens in hem opwekt, enerzijds een gevoel van geslotenheid en onafhankelijkheid, anderzijds een gevoel van openheid en afhankelijkheid van anderen; de geslotenheid verhindert toenadering tot anderen, de openheid bevordert die juist; deze twee gevoelens zijn onlosmakelijk aan elkaar gekoppeld binnen een spanningsveld dat het gehele instinct omvat.

Als twee menselijke individuen zich door middel van zekere organen willen verenigen, organen die, hoewel zonder twijfel op een ander individu ingesteld, ook in een isolement kunnen functioneren, als twee menselijke individuen zich dus niet op hun fantasie of een onvrijwillige droom verlaten, maar hun isolement via de openheid van een ander individu trachten op te heffen of te doorbreken, ontmoeten twee in zichzelf besloten eenheden elkaar, die beide door de spanning van twee tegengestelde maar identieke elementen beheerst worden: openheid en geslotenheid.

Dankzij haar open karakter zal de spanning van de ene mens zich aanpassen aan de geslotenheid van de andere mens, wiens geslotenheid eveneens een potentieel open karakter heeft.

Uit de ontmoeting der innerlijke spanningsvelden van twee in zichzelf besloten individuen ontstaat zo een gemeenschappelijke openheid, die enerzijds hun individualiteit overstijgt, anderzijds de gemeenschappelijkheid van hun beslotenheid waarborgt; dankzij die gemeenschappelijke beslotenheid kunnen ze uit de beslotenheid van hun individualiteit treden en zal, omgekeerd, de openheid van hun individualiteit in de voor elkaar geopende beslotenheid van hun gemeenschap worden opgenomen.

Als dit juist is, kunnen we ook stellen dat de ontmoeting van twee lichamen aan die lichamen een extra betekenis geeft, ze hebben zich immers op een dusdanige wijze verenigd dat ze veel meer betekenen dan ze op zichzelf betekenen; wij zijn allen de slaven van eigen en andermans lichaam en we betekenen niet veel meer dan we zijn, slechts zoveel als vrijheid meer betekent dan slavernij en de gemeenschap der slaven minder dan de vrijwillig aanvaarde slavernij der vrijen.

Hoezeer dit waar is, wordt door niets beter geïllustreerd dan door de kus.

De kus is immers een organisch poortje voor het lichaam, dat aan dit lichaam een zekere universaliteit verleent, zoals de verbeeldingskracht de geestelijke poort is waardoor we het universele kunnen bereiken.

Als liefdesorgaan is de mond binnen het gesloten lichaamssysteem onfunctioneel en neutraal, dat wil zeggen, hij bezit geen specifieke erotische eigenschappen, zijn buitengewone gevoeligheid en prikkelbaarheid en uiterst hechte, intensieve verbinding met de overige liefdesorganen, die via het zenuwstelsel loopt, kan hij alleen openbaren als hij onmiddellijk met het lichaam van een ander individu in aanraking komt, pas dan ook kan hij zijn erotische vermogens in het totale proces der driftfuncties inbrengen, waaruit volgt dat de mond binnen het gesloten systeem van het menselijke lichaam het enige aan het minnespel deelnemende orgaan is dat automatisch is geopend; ook biologisch gezien is dit het geval, want in de mond sluimert een aangeboren openheid ten opzichte van andere individuen, zodat men dit lichaamsdeel het vleselijke evenbeeld van de verbeelding zou kunnen noemen.

De mond onderscheidt zich aldus van alle overige voor de uitoefening van de voortplantingsdrang noodzakelijke organen, terwijl de verbeeldingskracht, een der geestelijke vermogens van de mens, ervoor zorgt dat de liefdesorganen ook kunnen functioneren indien er geen ander individu aanwezig is.

Dankzij deze eigenschappen onderscheidt de mond zich dermate van alle overige liefdesorganen dat hij tot op zekere hoogte niet eens daartoe gerekend dient te worden, met name niet omdat voor de geslachtelijke vereniging van twee individuen mondcontact geen eerste vereiste, ja zelfs geen voorwaarde is en dit orgaan geen enkele rol speelt bij de intieme handeling waarin de eigenlijke vereniging bestaat; en toch is het niet toevallig dat wanneer twee menselijke individuen genegen zijn hun gesloten lichaamssystemen met elkaar te verenigen, uitgaande van de potentiële openheid daarvan, ze als hoogste waarborg voor dit verlangen meestal allereerst die organen zullen bijeenbrengen die voor de vereniging wel niet onmisbaar zijn, maar een opvallend open karakter hebben, namelijk hun monden.

Over dit alles dacht ik natuurlijk – en gelukkig maar! – niet na toen

Thea me door haar armen om mijn hals te slaan belette uit de auto te stappen, het valt me nu pas in, terwijl ik deze woorden opschrijf, wat een nogal eigenaardige manier van denken is over een nogal eigenaardig onderwerp; als men de dertig al gepasseerd is, weet men zonder erover nagedacht te hebben vrij nauwkeurig welke functie de diverse organen hebben en heeft men door ervaring geleerd dat deze functioneringsprincipes een grote overeenkomst vertonen met de drijfveren die ons tot handelen aanzetten; bovendien is men op die leeftijd het stadium van blind en overijld handelen ontgroeid, zelfs wanneer men in voorkomende gevallen zijn bewustzijn bereidwillig aan de instincten toevertrouwt, met andere woorden: wanneer men, zich op zijn ervaringen verlatend, allerlei verbanden en vergelijkingen uit zijn geheugen tracht op te diepen, wat ook een manier van denken is; ik kan dus niet beweren dat ik op dat moment helemaal nergens aan dacht.

Voortdurend tussen instinctieve spontaniteit en bewuste zelfbeheersing balancerend kwam ik uiteindelijk tot de conclusie dat het gebeuren mij niet onwelgevallig was.

Ik gaf dus toe aan de kracht, aan de eigenaardige druk die op mijn gehele hoofd werd uitgeoefend, vanaf het voorhoofd tot aan de nek, een kracht die mijn hoofd in de richting van het hoofd tegenover me dreef; het is alsof een mens op zo'n moment afstand doet van de houding waarbij op een natuurlijke wijze gekeken, geademd en nagedacht kan worden en hij zichzelf in plaats daarvan aan iets overgeeft, aan iets toevertrouwt, in iets weg laat zinken, zonder zich ook maar een seconde af te vragen wat de ratio is van een dergelijke handelwijze, hetgeen op dat moment toch een uiterst voor de hand liggende vraag zou zijn.

Voor zich ziet hij een halfgeopende mond, alsof het lichaam een vraag stelt, en de eigen mond is ook geopend, daarop zal het antwoord van het andere lichaam gegeven worden; zodra de twee monden elkaar ontmoeten, schijnt de eigen mond van de vreemde het verloren gegane vermogen om te ademen en te zien ten antwoord te krijgen, en hij ontvangt daaruit ook de benodigde adem; via die adem ontdekt hij zijn op het andere lichaam gerichte mogelijkheden, waarna zich het inwendige landschap van het lichaam ontvouwt, en hetzelfde biedt hij de mond tegenover zich, een leegte, een holte die kan en moet worden gevuld; opeens verdwijnt het zweverige gevoel, de aan de rand van die open holte tegengehouden lippen bespeuren iets levends en welriekends, iets glads en warms, iets ruws en zachts, iets wat zeer snel van karakter wisselt en zich op de meest uiteenlopende manieren gedraagt, hetgeen voor ons op handelen ingestelde denken een hele opgave is.

En tot handelen overgaand naderden onze monden elkaar zo dorstig en wild, zo heftig en gulzig, dat het leek of we in die korte tijdsspanne alle verloren tijd wilden inhalen, elk moment dat we verzuimd hadden samen door te brengen; we moesten ijlings de onzekere omwegen van wederzijdse sym- en antipathie verlaten en de onverwachte psychische remmingen overwinnen die ons beletten bij elkaar te blijven; het was alsof die stuurse, haastige hartstocht aan elke tot nog toe gemaakte omweg met terugwerkende kracht een diepere zin gaf, ja alsof we elkaar uitsluitend zo lang hadden ontweken om thans, nu we alle plichtmatige oneerlijkheid en huichelarij achter ons hadden gelaten, onze hartstocht tot een echte hartstocht te zien worden, en ons dorsten naar elkaar tot een woestijn, waarin onze monden de oases vormden; zodra onze monden elkaar hadden aangeraakt, zou onze relatie geheel vernieuwd worden en in tederheid en toegewijde zachtheid uitmonden, zou onze kwellende dorst geheel voelbaar worden, zou de opgekropte spanning zich in de vreugde van het ontdekken ontladen en het speeksel der wederzijdse verwachtingen in elkaar overvloeien.

Geholpen door de tong slurpten we het voor de lippen noodzakelijke vocht uit elkaars mond.

Begeleid door de onwillekeurige bewegingen van onze armen, die drukten en omhelsden.

Ze hield met haar beide handen mijn hals vast, alsof ze mijn gehele hoofd in haar mond wou proppen en verslinden.

En ze had nog wel zo sarcastisch gedaan daarstraks!

Ik liet mijn armen in haar openhangende jas glijden en trok haar naar me toe; de beweging was nog een gevolg van het willoze, sluwe denken; met dat krampachtige drukken en omklemmen, met al die overdrijving en eigenzinnigheid, trachtten we het onaangename gevoel te voorkomen dat we opgesloten waren in ons lichaam; en zoals het zo vaak gaat, maakte pas deze pogingen ons ervan bewust wát we precies moesten zien te voorkomen.

Onze monden hadden echter geenszins de behoefte het onaangename, begrenzende gevoel te voorkomen dat het lichaam op zichzelf terugwierp, integendeel, ons dorsten naar elkaar was zo hevig dat ze geen ander verlangen konden hebben dan de wens om die dorst te lessen, ze hoefden dus nergens tegen te zijn; met hun smachten, on-stuimig binnendringen en door kwellend wachten voortgebracht speeksel, dat zich in de vreugde van de ontmoeting reeds had ver-mengd en nu de beide mondoppervlakken ongehinderd over en in el-kaar liet glijden, zodat we een voorproefje kregen van het genot der wederzijdse bevrediging, verwezen ze – handen, omklemming en omhelzing negerend – naar het mogelijke hoogtepunt van de geslach-telijke vereniging, waar elk van spanning bevend lichaam zo naarstig naar streeft.

Gedurende een fractie van een seconde omklemden onze tong-punten elkaar zelfs en hadden we de voorproef van een elke vreugde te boven gaande ernst en verstarring, die ons lichaam als een warme vloedgolf doorstroomde en de lichamelijke eigenzinnigheid van onze egoïstische wensen wegspoelde; deze weldadige warmte, die de spie-ren ontspande en de bloedvaten verwijdde, dreef ons sidderend en bij-na krachteloos door de begrenzende huls der buitenste raakvlakken heen.

In het door de kus geopende inwendige landschap is alles duidelijk zichtbaar, maar dit alles neemt voortdurend andere vormen aan, niets gelijkt daar op het uiterlijke landschap waaraan het oog gewoon is.

De mens verkeert er in een ruimte waarin hij onwillekeurig zijn plaats bepaalt, waarin een onder en een boven is, en ook een voor- en een achtergrond; de achtergrond bevindt zich gewoonlijk in het don-ker of in een grijzig schemerlicht en bevat geen tastbare voorwerpen of vormen die wij in het slaap- of waakbewustzijn tegenkomen, maar uitsluitend op geometrische figuren`lijkende vlekken, lichtflitsen en andere al dan niet flikkerende lichtverschijnselen, die wel ruimtelijke afmetingen hebben, maar toch meer twee- dan driedimensionaal schijnen en zich als scherp begrensde geometrische figuren onophou-delijk van de bijna grenzeloze achtergrond van het zachte zijn-gevoel losmaken en er even onophoudelijk weer in opgaan.

Het was alsof elk gevoel met zo'n geometrische figuur correspon-deerde en ik dankzij die figuren en hun vormveranderingen, of beter gezegd: dankzij de gevoelens uitdrukkende beeldtaal van die figuren, het gevoelssysteem van de vrouw tegenover me kon herkennen en ook haar lichamelijke eigenschappen, zinnelijke vermogens en verlangens; in dit innerlijke landschap vervaagden de grenzen tussen mij en haar, althans ze liepen in elkaar over, alhoewel zij voor mijn gevoel de ruimte bleef en ik alleen een vlek, een vorm of een lichtschijnsel daarin.

Zij was de ruimte en ik een beweeglijke maar niet ongeduldige figuur in haar; ik paste mijn figuren aan haar ruimte aan.

Ik was de ruimte en zij een beweeglijke maar niet ongeduldige figuur in mij; ze paste haar figuren aan mijn ruimte aan.

Zij deed een belofte, ik deed een belofte.

Die aan elkaars lichaam gegeven beloftes zijn we enkele dagen later op een nogal onbezonnen manier nagekomen.

Nachten van geheime vreugde

Nee, nee en nogmaals nee! zou ik hebben gezegd als iemand op dat gedenkwaardige ogenblik het leven in navolging van de beroemde
Griekse filosoof een langzaam vloeiende stroom zou hebben genoemd
en zou hebben beweerd dat niets zich ooit herhaalt omdat het water
stroomt en men de hand niet tweemaal in hetzelfde water kan dopen;
wat voorbij is, is voorbij, het nieuwe wisselt het oude voortdurend af
en wordt dadelijk zelf oud, waarna er weer iets nieuws ontstaat.

Als dat waar was, als we de onophoudelijke stroom van het nieuwe
werkelijk konden voelen en daarover niet voortdurend de schaduwen
van het oude vielen, zouden we een leven vol wonderen leiden, vanaf
onze geboorte tot onze dood zou elk ogenblik van de dag en de nacht
een tot in het merg schokkende ervaring zijn, zodat we absoluut geen
verschil konden maken tussen vreugde en verdriet, koude en warmte,
zoet en bitter; er zouden geen scheidslijnen of grenzen tussen de polen
van ons gevoel zijn, want er was dan geen tussengebied; we zouden
geen woord hebben voor het begrip 'ogenblik', dag noch nacht kennen, niet huilend en jammerend uit het warme vruchtwater van de
moederschoot op deze saaie en kille wereld belanden, en bij onze dood
als door vorst, regen en zonnehitte verweerde stenen uiteenvallen; er
zou vernietiging noch angst zijn en evenmin een taal trouwens, want
alleen verschijnselen die zich herhalen, kunnen met woorden worden
benoemd, bij ontstentenis daarvan is er geen verstaanbare taal maar alleen de goddelijke erfenis der onvergankelijke vreugde en de verering
van wat steeds verandert en toch gelijk blijft.

En zelfs indien dat waar was – ieder van ons is toch als kind aan de
verleiding blootgesteld geweest om in een schemerige kamer de tijd
aan zijn woord te houden en er eindelijk achter te komen wanneer de
dag nacht wordt, om in het onzichtbare en onbegrijpelijke proces van
donker-worden de eenvoudig schijnende betekenis der woorden te
vatten en vast te houden –, zelfs indien dat waar en mogelijk was, als er
inderdaad geen scheidslijn of grens tussen dag en nacht was, zou men
na enige tijd, door de keiharde muur van de bestendige goddelijke ver-
anderlijkheid teruggeworpen en bij zachtere menselijke begrippen

zijn toevlucht zoekend, toch beweren: nu begint de nacht, hoewel men niet zou kunnen zeggen wanneer het donker is geworden, het oog heeft wel verschil waargenomen, maar niet de grenslijn, die er misschien ook helemaal niet is; en toch spreken we van nacht omdat het donker is, omdat er geen licht is, zoals het ook gisteren en eergisteren nacht is geweest, en we kunnen met de geruststellende maar bittere gedachte inslapen dat het binnenkort weer licht zal worden.

Ondanks de goddelijke erfenis van bestendigheid en eeuwigheid heb ik echter het gevoel dat het juist omgekeerd is, dat onze menselijke zintuigen en dus ook onze gevoelens te grof zijn om in een nieuw verschijnsel het oude te zien, om in het heden de toekomst te kunnen ontdekken en om een tot het lichaam beperkte gebeurtenis als een eerder gebeuren in dat lichaam te beschouwen.

Als dat zo is, staat de tijd – zij het niet op goddelijke wijze – stil, zodat de voet volstrekt niet in een snelvlietende stroom is gestapt, maar in een afgrijselijk moeras, waar hij doorheen baggert en in wegzinkt; tevergeefs tracht hij steun te vinden op het dodelijk saaie oppervlak der herhalingen, het enige acceptabele bewijs van het leven, en tenslotte gaat hij trappelend ten onder in deze strijd.

Het zij verre van mij om spitsvondig te willen redeneren en te filosoferen, ik heb dit alles alleen maar vermeld om met een zekere nauwkeurigheid het gevoel van een nauwelijks te beheersen verontwaardiging te kunnen beschrijven dat mij in die volkomen nieuwe en uiterst pijnlijke situatie overviel toen ik, na ongeveer twee maanden in Heiligendamm te hebben doorgebracht, bij de sierlijke, witte schrijftafel in mijn kamer stond; nee, het was geen vergissing! ik had daar al eerder ongewassen, ongeschoren en in kamerjas zo gestaan of gezeten, wachtend op het vreselijke oordeel van het Noodlot; aangespoord door de vochtige, nieuwsgierige, mij kil observerende ogen van een politieofficier begon ik de brief van mijn verloofde te lezen; was de situatie niet zo volstrekt ongewoon geweest en had deze gebiedende, elke misdaad doorziende blik niet op mij gerust, dan zou alleen al de aansporing om die brief te lezen mij tot een alerte bezwijming hebben gedreven, of beter gezegd: in een nog diepere alerte bezwijming dan waarin ik reeds verkeerde.

Dierbare geliefde, liefste schat, schreef mijn verloofde, wat ze anders nooit deed, zodat ik, als door een reeks kletsende oorvijgen in het gelaat getroffen, mijn van vreselijke herinneringen duizelende hoofd zijwaarts boog en slechts op het nippertje wist te voorkomen dat ik bij het weer oprichten daarvan geheel verstijfde; terwijl mijn ogen over de regels vlogen, brak het koude zweet me uit en na de brief gelezen te hebben schoof ik hem met trillende handen weer in de envelop en greep ik, als iemand die zich vasthouden wil, ja vasthouden moet! naar de armleuning van de stoel, hoewel ik op dat ogenblik het liefst op de vlucht was geslagen.

Vluchten wilde ik, weg van hier, weg uit de chaos van mijn leven! wat natuurlijk alleen al door de aanwezigheid van de curieuze bezoeker onmogelijk was, om maar te zwijgen van het feit dat de mens vruchteloos gevolg geeft aan de dierlijke opwelling om te vluchten, want waar hij ook heen gaat, de chaos van zijn ziel draagt hij met zich mee.

De eerbiedwaardige gerechtsdienaar stond namelijk in de deuropening die toegang gaf tot het terras; ik had aan zijn onbeschaamde verzoek om de net gearriveerde brief in zijn tegenwoordigheid te lezen alleen gehoor gegeven omdat op de ochtend van diezelfde dag een hotelbediende, genaamd Hans Baader, met één enkele snede van een scheermes een eind had gemaakt aan het leven van de jonge Zweedse heer die ik op de ochtend van de dag volgend op mijn aankomst onder zulke eigenaardige omstandigheden had leren kennen, namelijk op het ogenblik dat graaf Stollberg stierf; de Zweed lag met doorgesneden keel badend in zijn bloed op de vloer van het belendende appartement en de rechercheurs uit Bad Doberan, die per koets bij het hotel waren gearriveerd, hadden, nadat ze de door zijn daad kennelijk in de war geraakte en in zijn wanhoop luid jammerende moordenaar in een donker hoekje van de kolenkelder hadden aangetroffen, binnen een halfuur de intieme betrekkingen aan het licht gebracht die Gyllenborg en ik niet alleen met juffrouw Stollberg maar ook met de betrokken bediende onderhielden; mijn voorkomendheid en minzame, niet geheel van hoogmoed gespeende hulpvaardigheid hadden tot doel de verdenking weg te nemen dat ik ook maar iets te maken had met deze duistere geschiedenis, die uiteindelijk tot een moord had geleid.

Ik prees het Lot en mijn onbuigzaamheid, die hadden voorkomen dat ook ik was afgebeeld op de met kunstzinnige smaak vervaardigde foto's die de arme Gyllenborg van het slechts spaarzaam geklede gravinnetje en de geheel naakte bediende had gemaakt, foto's die op dit moment waarschijnlijk al in handen waren geraakt van een zijn bezittingen doorwroetende ambtsdrager; mijn ongelukkige jonge vriend had mij namelijk herhaaldelijk dringend en soms bijna met tranen in zijn ogen trachten over te halen voor hem te poseren omdat hij voor zijn kunstbeoefening een drievoudigheid, dat wil zeggen de medewerking van drie personen nodig had; naast het van onnozele kracht getuigende lichaam van de hotelbediende wilde hij mijn gotisch gewelfde breekbaarheid opstellen, opdat, zoals hij het uitdrukte, 'de twee uiterste polen van het gezonde de omlijsting vormen van wat op zo'n wonderschone wijze ziek is'. Dankzij mijn behoedzaamheid kon ik de in ambtelijke beleefdheid verpakte en met juridische spitsvondigheid geuite veronderstelling dat ik met de bediende en juffrouw Stollberg een de grenzen van het betamelijke overschrijdende relatie onderhield en dus iets over het motief van de moord moest weten, met de grootste nadrukkelijkheid van de hand wijzen, er was geen bewijs voor; sedert onze relatie was ontstaan, zo'n twee maanden geleden, had ik het als atelier ingerichte appartement van Gyllenborg namelijk uitsluitend via het terras bezocht, alsof ik vreesde me te zullen compromitteren, hierbij het voorbeeld van mijn vader volgend, die twintig jaar geleden, op jacht naar de heimelijke geneugten van de nacht, in datzelfde appartement juffrouw Wohlgast placht te bezoeken; niemand kon dus getuige zijn geweest van mijn 's middags en 's nachts afgestoken bezoekjes; ik hoefde me dus niet omslachtig of behoedzaam te gedragen en kon de veronderstelling als pure laster, een belachelijke aantijging en een ordinair hersenspinsel afdoen en de inspecteur met een zorgeloosheid suggererende schouderophaling verzekeren dat mij van een dergelijke, als intiem te kwalificeren relatie tussen de vermoorde heer Gyllenborg en de genoemde personen absoluut niets bekend was.

Overigens, voegde ik er nog aan toe, onderhield ik niet zodanige vriendschappelijke betrekkingen met de heer Gyllenborg dat mij daar überhaupt iets van bekend had kunnen worden, maar ik heb hem leren kennen als een man van smaak, iemand met een voortreffelijke opvoeding, in wiens ogen een relatie met een bediende, en dan nog wel een moreel gezien zo dubieuze relatie, onafhankelijk van zijn seksuele geaardheid bij voorbaat uitgesloten moet zijn geweest.

Ik deed me tijdens het gesprek met de inspecteur als een goedhartig maar eindeloos naïef personage voor om aldus te ontsnappen uit de vreselijke val waarin ik mij bevond, want aangezien de bediende nog minderjarig was, bestond het gevaar dat ik vervolgd zou worden wegens onzedelijkheid en ontucht met een minderjarige; om aan mijn van naïviteit getuigende uitlatingen psychologisch kracht bij te zetten, vroeg ik hem met een nieuwe schouderophaling op vertrouwelijke, zachte toon of hij al het genoegen had gesmaakt juffrouw Stollbergs handen ongehandschoend te aanschouwen?

De ogen van de inspecteur keken mij star en onbewogen aan; het was het eigenaardigste ogenpaar dat ik ooit had gezien, helder en doorzichtig, koud en bijna kleurloos; de ogen vertoonden een merkwaardige overgang van versluierd blauw naar nevelig grijs, maar de twee grote oogappels dreven – waarschijnlijk wegens een zwakte of ziekelijke aandoening – voortdurend in een dikke laag traanvocht, wat de indruk gaf dat al zijn doelgerichte vragen en mijn onnozel klinkende antwoorden hem met een diepe droefenis vervulden, ja dat alles hem pijn deed, de misdaad, de leugens en het verborgen zijn van de waarheid; intussen bleven zijn gezicht en zijn ogen volkomen onbewogen en onpersoonlijk koud.

Ook nu beduidde hij me alleen met zijn ogen dat hij mijn toespeling niet begreep, maar dankbaar zou zijn als ik hem uitvoerig zou meedelen wat ik over de juffrouw dacht.

Zijn woordloze verzoek noopte mij ook tot woordloosheid, ik hield alleen mijn vingers bijeen om hem duidelijk te maken hoe de vingers van juffrouw Stollberg met elkaar waren vergroeid; haar handen zijn net hoeven, zei ik, daarom draagt ze altijd handschoenen.

De inspecteur, een gezette, jovialiteit, rust en vakbekwaamheid uitstralende man, wie deze kwaliteiten ongetwijfeld zeer te stade kwamen bij de uitoefening van zijn zonderlinge beroep, stond met de armen over elkaar geslagen tegenover me in de geopende terrasdeur; we spraken staande met elkaar, wat betekende dat ons gesprek wel geen verhoor was, maar toch ook geen oppervlakkig babbeltje; opeens glimlachte hij, maar zijn tranende ogen gaven aan die glimlach een uitermate smartelijke uitdrukking; op luchtige toon zei hij uit ervaring te weten dat bepaalde psychisch onevenwichtige mensen niet alleen geen afkeer hebben van lichamelijke gebreken, maar er zelfs door gefascineerd worden, wat klonk alsof hij mijn argumentatie wilde ontkrachten.

Ik voelde dat ik een kleur kreeg en zag aan een flikkering van zijn tranende ogen dat de verraderlijke verandering van mijn gelaatskleur niet aan zijn aandacht was ontsnapt; de gemoedsbeweging die hij onbedoeld bij mij teweeg had gebracht, sloeg echter op hemzelf over, zodat de voldoening over mijn plotselinge ontmaskering zo veel traanvocht in zijn ogen dreef dat het beslist over zijn vlezige, rode gezicht zou hebben gelopen als hij zijn zakdoek niet met een in verhouding tot zijn gebruikelijke rust nogal heftige beweging uit de zak van zijn slordige, wijde broek had getrokken.

Ik behoor dus ook tot de psychisch labiele mensen, dacht ik onwillekeurig, omdat ik me plotseling het moment herinnerde waarop de juffrouw in de rumoerige coupé, waar het geratel der treinwielen duidelijk hoorbaar was, onder het vale, schommelende licht van de plafondverlichting langzaam en onverbiddelijk haar handschoenen had uitgetrokken om mij het geheim van haar handen te onthullen, terwijl ze me diep in de ogen keek.

Geheel verstijvend en met stokkende adem staarde ik naar het gruwelijke schouwspel: in plaats van vijf had de juffrouw aan elke hand – de natuur was hier volkomen symmetrisch te werk gegaan! – slechts vier vingers; de middel- en de ringvinger van iedere hand waren namelijk tot een reusachtige, platte, in een opvallend bleke nagel eindigende vinger vergroeid; ik moet toegeven dat deze eigenaardige misvorming mij wel verraste, maar – en hier moet ik de inspecteur gelijk geven! – geenszins afstootte, ze gaf me eerder een aantrekkelijke, ofschoon wrede verklaring voor de breekbare en kwetsbare schoonheid die ik gedurende onze gemeenschappelijke reis al uren lang gebiologeerd had geobserveerd en begluurd, maar waarvan ik het geheim niet had kunnen doorgronden.

Het was alsof ze met die schoonheid wilde zeggen dat alle lichamelijke eigenschappen, vermogens, gebreken en verlangens de mens op het gelaat staan geschreven en schaamte dus uitsluitend dient om het klaarblijkelijke met een weldadige sluier te bedekken; het gevulde gelaat tegenover me was volmaakt van vorm en volkomen regelmatig: elke lieflijke lijn, welving of boog correspondeerde symmetrisch met een andere, even lieflijke boog, welving of lijn, maar toch had ik, nog voordat ik die gruwelijke handen had gezien, het gevoel dat die gehele volmaaktheid boven de afgrond van haar onzekerheid zweefde en één ogenblik voldoende zou zijn om de regelmaat van dit gelaat te verstoren of te misvormen; het klinkt ongelooflijk, maar het was alsof voor mijn ogen een natuurwet werd belichaamd, alsof schoonheid zich alleen via mismaaktheid kon manifesteren, alsof volmaaktheid louter de ontaarde vorm van onvolmaaktheid was en elke schoonheid bepaalde misvormingen en wansmakelijkheden verborg; haar lippen waren vol, vlezig en sensueel en er schenen golven van tederheid en zachtheid doorheen te bruisen, alsof ze een hevige emotie of intens verdriet trachtten te onderdrukken, en haar ronde, wijd geopende ogen keken me met een opvallend afwijzende en hoogmoedige blik aan, alsof ze door zo te kijken de vernietiging wilden uitdagen en tegelijkertijd vermijden; op haar gezicht kon ik evenzeer angst voor vernietiging als verlangen om te vernietigen bespeuren; haar in schoonheid gehulde waanzin wond mij mateloos op en de beweging, de waardige, trage, meedogenloze beweging waarmee ze tenslotte niet alleen het geheim van haar handen, maar ook dat van haar door begeerten gekwelde en door hartstochten geteisterde lichaam onthulde, verleidde mij tot een volstrekt buitenissige en onbezonnen daad: ik pakte die zonderlinge handen beet, boog me voorover en drukte er een kus op, beseffende dat hun afstotelijke aanblik de wortels van mijn eigen begeerten had blootgelegd.

Ze duldde mijn nederige kus niet alleen, maar gedoogde dat ik haar hand gedurende de korte wijle die de kus duurde vasthield, ik kon dat duidelijk merken, maar opeens trok ze hem langzaam terug, nog nagenietend van de hete aanraking van mijn lippen; ik voelde echter dat ze hem niet werkelijk terug wilde trekken maar iets anders, excentriekers, ja wreders in de zin had; door onze onhandige bewegingen waren haar handschoenen al op de vloer gevallen; geheel onverwachts duwde ze twee van die afgrijselijke, tot een hoef samengegroeide vingers tussen mijn lippen; intussen gaven we geen enkel geluid en waren we stil als dieven in de nacht, want naast haar zat haar moeder met niet eens geheel gesloten ogen zachtjes bevend door het slingeren van het rijtuig te sluimeren; met de zijkant van haar platte, brede nagel krabde ze daarop opzettelijk mijn lippen en tong open, zodat mijn nederigheid tot een ware vernedering werd.

De manier waarop ze hierbij glimlachte was onvergetelijk, Gyllenborg zou die glimlach later op even onvergetelijke wijze op de gevoelige plaat vastleggen.

Die foto werd overigens niet beheerst door twee menselijke lichamen die mij tot in de kleinste details vertrouwd waren, maar door een zwaar neervallende, mij onbekende draperie, waarvan de plooien, diagonaal bijeengehouden door een koord, vanaf de bovenhoeken van de foto naar het optische middelpunt liepen, waar de stof, een om te zitten bestemd toneelrekwisiet of krukje verbergend, een lichte draaiing maakte, zich weer loswikkelde uit die draaiing en via de twee benedenhoeken de foto verliet; hierdoor kreeg men de indruk dat de foto niet het volledige tafereel liet zien maar een toevallig uitgekozen ge-

deelte daarvan, en dat de voor de weelderige draperie poserende mo-
dellen eveneens in een min of meer toevallige houding waren vereeuwigd; de wilde haardos van de bediende was getooid met een lauwerkrans; hij zat met gespreide dijen en opgezwollen borstspieren in
het middelpunt van het beeld en liet zijn knoestige kolenschophanden
op zijn knieën rusten; zijn hoofd was niet, zoals zijn lichaam, naar de
toeschouwer toegekeerd, maar hij keek, kennelijk de plooien van de
draperie volgend, nadrukkelijk zijwaarts over het hoofd van juffrouw
Stollberg heen, die zich, op één knie leunend, zo voor hem had geposteerd dat haar bevallige naakte hals en haar gebogen hoofd precies
zijn onderlijf afdekten en haar minzaam-wreed glimlachende gezicht,
dat een genotzuchtige uitdrukking had, in een natuurlijke omlijsting
werd gevat door zijn wijd gespreide dijen en zijn krachtige, neerwaarts gerichte onderbenen.

Maar hiermee heb ik nog niets over de foto zelf gezegd, die natuurlijk meer over haar maker onthulde dan over de poserende personen;
Gyllenborg had namelijk, een esthetisch voorschrift van de oude
Grieken in acht nemend, alleen het lichaam van de man ontkleed,
maar ervoor gewaakt dat zijn onderlichaam zichtbaar was; het lichaam
van de vrouw had hij met een bevallig over haar schouder gedrapeerde
doek bedekt, die een van haar borsten vrij liet; de doek was echter van
te voren in water of olie gedoopt, waardoor hij nat en glanzend op
haar lichaam kleefde en met een nadrukkelijke, ja uitdagende schoonheid onthulde wat hij eigenlijk verbergen moest.

De foto zou afschuwelijk, belachelijk onnatuurlijk, afgrijselijk smakeloos en sentimenteel zijn geweest, een afschrikwekkend voorbeeld
van een door krampachtigheid verstikte, dweepzieke kunstopvatting,
die, tot in het extreme naar harmonische verhoudingen strevend, alle
onvolmaakte, misvormde en voor schandelijk gehouden lichamelijke
eigenschappen tracht te verbergen die de natuurlijke, niet weg te denken bestanddelen zijn van elke menselijke volmaaktheid, ware het niet
dat de juffrouw op deze foto – en dit moet tot lof van de fotograaf worden gezegd – haar afstotelijke, dubbeldikke, hoefvormige vinger voor
zich in de hoogte hief, terwijl ze haar gezonde vingers in haar handpalmen kromde; het was alsof haar hoofd niets bespeurde van de warmte
die uit de geopende schoot van de bediende opsteeg – lieve hemel,
welk een geurige warmte ontsteeg deze schoot! –, maar ze wreedaardig lachend uitsluitend dit afschuwelijk misvormde lichaamsdeel
waarnam – jazeker, wreedaardig lachend! –, waardoor de uit vergoe-

lijkende proporties en platvloerse zinnelijke toespelingen opgebouwde scène tot een diabolische parodie werd; doch deze parodie bespotte geenszins de twee poserende mensen, maar veeleer de door het sleutelgat loerende toeschouwer, mij, u, iedereen die die foto bekeek en zelfs degene die haar had gemaakt! volgens die foto moest men zijn misvormingen met een lachje accepteren, moesten de onloochenbare gruwelijkheden van de werkelijkheid met een glimlach worden aanvaard! dit is de ware onschuld, al het overige is slechts franje, opsmuk, ornament, mode, stijl en uitdrukkingswijze! door deze ode aan de perversie, door deze glimlach, werd ook de lauwerkrans op het hoofd van de bediende tot een diabolische parodie en had de geforceerde onverschilligheid waarmee hij van de dwaze plooien van de draperie wegkeek, een parodistisch effect, en ook de ruwe, onverbloemde zinnelijkheid die de twee mensen ondanks al hun gekunstelde onverschilligheid, afgetrokkenheid en onvermijdelijke eenzaamheid met elkaar verbond, werkte parodistisch, zodat de brutaal gepresenteerde schoonheid van hun lichamen uiteindelijk alleen maar meelijwekkend was.

Mijn verlegenheid had nog een hele tijd kunnen duren als de inspecteur niet de sluwe tact of de professionele handigheid had gehad langdurig met zijn linnen zakdoek in zijn ogen te wrijven; hij deed het met voorzichtige beweginkjes van zijn pink, waar hij zijn linnen zakdoek over had geplooid, wetende dat het voortdurende tranen een gelige afscheiding in de ooghoeken achterlaat; deze omslachtige reiniging van de ooghoeken was echter alleen maar bedoeld om mij te misleiden, hij deed alsof hij mijn verlegenheid niet wilde uitbuiten, maar, integendeel, wenste dat ik zou kalmeren; het was alsof hij zei: kalmpjes aan, we hebben tijd genoeg, zo niet nu, dan een andere keer, en zo niet een andere keer, dan nu, ik zal in ieder geval zeggen wat ik moet zeggen, het maakt me niet uit wanneer; zijn tactvolle gedrag kwam dus eigenlijk op een meedogenloze zenuwoorlog neer.

De uitwerking hiervan was niet gering, want ik was op dat ogenblik zo oneindig blij dat ik de kentekenen van mijn opwinding had weten te onderdrukken dat ik buiten mezelf geraakte en het voor de beheersing van de situatie noodzakelijke inzicht geheel verloor, waardoor ik de grens bereikte waar hij mij overheen trachtte te drijven; goed, dacht ik plotseling, ik zal hem alles zeggen, dan ben ik er tenminste vanaf.

Het scheen ook zo eenvoudig om alles te vertellen, want dit alles stelde absoluut niets voor: uit het liefdesspel van vier mensen had een persoon zich terug willen trekken, waarop een ander had gepoogd die persoon te chanteren met compromitterende foto's die hij van hem en een derde had genomen; als ik, om deze futiliteit uiteen te zetten, het eerste adequate woord gevonden had, als ik me tot die eerste, alles verklarende zin had kunnen vermannen, had ik ongetwijfeld alles verraden.

Tot mijn geluk werd er echter zachtjes op de deur geklopt; ik kromp ineen, maar niet vanwege die drie klopjes op de deur, maar omdat het geluid zo ontnuchterend op me werkte.

Die ontnuchtering bracht mij echter zo in verwarring dat er iets uit mijn binnenste trachtte te ontsnappen terwijl er tegelijkertijd iets in werd teruggedreven, en deze elkaar als een wisselkoorts aflossende emoties maakten dat ik bleek en duizelig werd; toen ik de gezette hotelier, die zich sinds de moord bijzonder onderdanig gedroeg, door de nevel van mijn hulpeloosheid op ons af zag stevenen, greep de inspecteur mij dan ook haastig bij de arm en raadde me aan te gaan zitten, wat ik evenwel met een extreme krachtsinspanning van de hand wees; met een beweging die op een natuurlijke wijze uit mijn afwerende gebaar voortvloeide, nam ik de brief, waarvan ik het handschrift meteen had herkend, van het mij voorgehouden dienblad.

Ik moet de indruk van een jammerlijk wrak hebben gemaakt, want ik trachtte met al mijn bewegingen de inspecteur te doen geloven dat ik meester was over mijn motoriek, hoewel er op dat moment geen enkele rechtvaardiging was voor mijn krampachtige pogingen en houding.

Merkwaardigerwijze was het niet de situatie zelf die me verbijsterde, het waren de details: de scherpe schaduw die het lichaam van de inspecteur op me wierp, het kalmerende ruisen van de zee, dat, hoewel de ramen gesloten waren, van heel nabij scheen te komen, en het door het venster invallende kille winterlicht, dat de waanzinnige gejaagdheid van mijn ziel observeerde – dit alles scheen belangrijker dan de gesproken en onuitgesproken woorden.

Hoewel ik precies wist wat er gebeurd was, kon ik bijvoorbeeld niet begrijpen waarom de hotelier mij mijn post had gebracht en niet de bediende, inderdaad, Hans, de hotelbediende, die ik daarstraks nog uit mijn hart had gebannen, nee, sterker nog: uit mijn zinnen; ik kon niet begrijpen waar hij was gebleven en waarom zijn afwezigheid mij zo bedrukte; dit verraad deed mij pijn.

Evenmin kon ik begrijpen waarom de inspecteur, die zijn armen weer over elkaar had geslagen, mij verzocht de brief te lezen, op een toon alsof er behalve wij nog een derde persoon in de kamer was die een brief lezen moest; ik kon niet begrijpen waarom hij mij opdroeg wat ik toch al van plan was en ik schaamde me zo over de bereidwillige lafheid waarmee ik zijn als een hoffelijk verzoek vermomde bevel gehoorzaamde, dat ik op dat moment wenste een vreemde te zijn en niet de lafaard die ik was.

Zelfs op dit moment, nu ik na verloop van vele jaren deze regels neerschrijf, begrijp ik niet goed wat er toen met me aan de hand was; de grootte van het gevaar waaraan ik was blootgesteld, is geen afdoende verklaring; en zo ik het toch begrijp, voel ik een diepe schaamte over mijn zenuwinzinking en mijn waanzin, over mijn verraderlijke leugens en de laffe gedweeheid waartoe ik mijn toevlucht nam; de schaamte daarover gelijkt op een bloedprop die in een ader is blijven steken en zich omhoog noch omlaag beweegt; geen enkele geldige reden of uitvoerige explicatie zou mijn schande kunnen delgen, nee, die pijnlijke prop, die bevestiging van mijn morele bankroet, raak ik nooit meer kwijt.

De mij overhandigde brief was een kort epistel, een in een golf van geluk ontstaan kattebelletje van een halve bladzijde; Liefste, dierbare engel, luidde de aanhef en natuurlijk bleef mijn blik daar meteen op rusten; ik moest hem twee, drie keer achtereenvolgens lezen voordat ik begreep wat mijn ogen hadden waargenomen, want bij het zien van die aanhef was er een schim verschenen, de schim van een vrouw, die ik al eerder in deze memoires ter sprake heb gebracht, een vrouw die zelfs als schim levender in mij aanwezig was dan elk levend wezen, maar over wie ik niet spreken mag omdat ik daar niet toe in staat ben; uit die aanhef stegen haar beeld en haar lichaamsgeur – de geur van haar mond, van haar schoot en van haar okselholte – naar mij op, een geur die ik, zelfs als ik hem achterna was gesneld, nooit meer had kunnen terugvinden; zíj had mij zo aangesproken, zíj had mij zo bemind, zíj had mij die lieve naampjes gegeven; intussen was ik mij er duidelijk van bewust dat de brief van Helene afkomstig was.

In die fractie van een seconde, terwijl ik zo hevig naar die reeds lang verwaaide geur verlangde, ben ik tot de overtuiging gekomen dat ik voorgoed met Helene moest breken.

Uit die tedere aanhef blikten mij tien lange jaren van mijn verloochende en vergeten leven aan; tevergeefs had Helene ze gestolen, ze behoorden haar niet toe en ik kon ze haar niet schenken; overigens was de associatie niet helemaal toevallig, want ik wist dat de politie uitermate goed geïnformeerd was over de tien lange jaren die ik bij de anarchisten had doorgebracht; als ik me niet met dierlijke sluwheid zou verweren, kreeg ik die tien jaar ook nog voor de voeten geworpen; mijn hoop om in Helene's armen heul te vinden voor de smartelijke en bloedige herinneringen uit mijn anarchistentijd, was voorgoed vervlogen.

De dood zag mij aan, de veelvoudige en toch unieke, in alle gaten en hoeken loerende, fel begeerde en niet minder fel gevreesde dood, de dood van die ene welriekende vrouw; hij zag mij aan vanuit het bloedige graf van mijn openlijk door mij verloochende vriend en ook uit de groeve van mijn ouders en het door mijn vader vermoorde meisje; in een flits zag ik het onvoorstelbaar trieste wegkwijnen van mijn moeder aan mijn vaders zijde, de smadelijke vermorzeling van mijn vaders lichaam door de wielen van een voortrazende trein bij blokpost zeven tussen Görlitz en Löbau en het verminkte lichaam van het door mijn vader verkrachte meisje; ja de dood, die zak vol wormen, zweet, urine, stront, speeksel en snot, grijnslachte me toe, en dat terwijl uit Helene's opgeruimde regels juist het perspectief van een veelbelovend leven opdoemde: 'sedert die wonderschone ochtend waarop wij zo node afscheid hebben genomen van elkaar, draag ik je kind onder mijn hart!' schreef ze, en ze had eraan toegevoegd dat ik onverwijld moest terugkeren om met haar in het huwelijk te treden, dat was ook de wens van haar ouders; aan het eind van de brief had ze als bevestigend handmerk de eerste letter van haar doopnaam neergeschreven.

Als het Lot de zaken zo ensceneert en ik een dergelijke brief onder de vochtige blikken van een met de opheldering van een moordzaak belaste snuffelaar moet lezen, is alles, maar dan ook alles schijn en leugen, dacht de ene helft van mijn gespannen ik, maar de andere raakte van pure vreugde over de mogelijkheid om het leven voort te zetten steeds meer buiten zichzelf, ze kon daar niets aan doen, integendeel, hoe duidelijker ze voelde dat ook dit slechts misleiding en bedrog was, een nieuwe leugenachtige vlucht in een rozerode hoop, des te bereidwilliger liet ze zich tot die onzinnige blijdschap verleiden.

Ze wilde mij dus een zoon baren, mij nietswaardige drekzak, die in de weldadige, gevreesde dood eindelijk de vrijheid hoopte te vinden.

Welk een vreselijke demonen baart ons denken!

Ik barstte in een schallend gelach uit en moest me aan de armleuning van de stoel vasthouden om niet voorover te vallen.

Ik herinner me niet meer op welk moment ik het briefje weer in mijn zak heb gestoken, maar ik zie me dit nog met bevende handen proberen.

Allereerst moest ik die sidderende strijd tussen hand, envelop en briefpapier doorstaan en toen dit gelukt was, na die kleine triomf, moest ik me opnieuw aan de leuning van de stoel vastklampen om niet in elkaar te zakken; misschien was dat lachen wel de voortzetting van mijn onbeheerste beven.

Bijna had ik gezegd dat ik lachte als een krankzinnige, maar in werkelijkheid wilde ik door dit gelach juist in krankzinnigheid vluchten.

En vanaf dat ogenblik werd ik door hem geleid, door de demon van de stem.

Ongeveer een decennium later trof ik in het lijvige handboek van baron Jakob Johann von Uexküll een verhelderende en hartverwarmende constatering aan: 'als een hond zich verplaatst, beweegt het dier zijn poten, maar wanneer een egel dat doet, bewegen de poten het dier.'

Dit fijne onderscheid hielp me begrijpen dat zich in mijn gelach de van elke moraliteit gespeende vluchtdrang van een lagere diersoort had gemengd, ik was niet in een lachaanval gevlucht, maar die lachaanval had mij uit mijn kritieke situatie gered.

Weliswaar was dit gehinnik ontmaskerend en verried het mijn afschuwelijke vertwijfeling, maar reeds het volgende ogenblik sloeg het om, van richting, aard en vooral betekenis veranderend, en scheen het geen lomp geschater meer te zijn, maar een zich in de eigen vreugde verlustigend gelach, het leek zelfs bijna niet meer op lachen, maar op de ontketende overmoed van een hemel bestormend gejubel; natuurlijk klonk mijn lach in de gegeven situatie, waar hij slecht bij paste, nogal onzuiver en eigenaardig – merkwaardigerwijze registreerden mijn oren zelfs de kleinste details, modulaties en dissonanten van het geluid, alsof ik het met de oren van de inspecteur beluisterde –, maar opeens veranderde het van karakter en schaterde ik van puur geluk en onvertroebelde levensvreugde, en wel zo langdurig dat mijn ogen zich met tranen van medelijden vulden – ik had namelijk medelijden met mezelf –, waardoor het gelach echter stokte en in gereutel overging, terwijl ik gelijktijdig door een gevoel van ontroering werd overmand; deze toestand duurde enige tijd voort totdat ik eindelijk mijn kalmte hervond en weer in staat was om te spreken, zij het ook stotterend.

'Neemt u mij niet kwalijk,' stamelde ik, mijn ogen afwissend, en de demon die nog steeds mijn stem in zijn macht had, veroorloofde zich in zijn mateloze zelfvoldaanheid zelfs de luxe om die stem schijnbaar oprecht te laten klinken, alsof hij wilde bewijzen dat leugens, bedrog en verraad heel gemakkelijk in waarheid en oprechtheid kunnen omslaan, gemakkelijker zelfs dan datgene wat zich onschuldig, bescheiden en onberispelijk voordoet, zodat ik me absoluut niet hoefde te schamen, aardse fenomenen zijn ethisch gezien immers neutraal, men kan ze noch als goed noch als slecht beschouwen, daarom is elke overgevoeligheid of psychische krampachtigheid overbodig, voorwaarts dus en geen gemaar! de demon scheen namelijk in het delicate briefje van mijn verloofde een overtuigend en onweerlegbaar middel te hebben gevonden om de niet ongegronde verdenking tegen mijn persoon weg te nemen; 'neemt u mij niet kwalijk, ik weet dat mijn gelach ongepast is en ik schaam me ervoor, hoewel ik met nadruk elke verantwoordelijkheid voor deze onkiesheid van de hand wijs, die moet ik op iemand anders afschuiven; indien u mij er niet om had verzocht, zou het immers nooit in me zijn opgekomen in het bijzijn van een vreemde kennis te nemen van zoiets intiems als een brief van mijn verloofde; niettemin wil ik de in de belendende kamer rustende dode om vergeving vragen,' zei ik met de ernstige, koele, bijna zakelijke stem van de demon, terwijl mijn gelaat de luchthartige uitdrukking van de man van de wereld aannam; 'omdat ik u echter even ongaarne zou krenken als de beklagenswaardige dode, wil ik u verzekeren dat deze brief een strikt vertrouwelijk karakter draagt; om echter elke verdenking tegen te gaan dat deze brief op enigerlei wijze verband houdt met het droevige verscheiden van de heer Gyllenborg, zal ik u, mijn gêne overwinnend, ook nog verraden – wat voor den drommel zou mij dit kunnen beletten! – dat de brief een ongemeen heuglijke tijding bevat, een gebeurtenis die ik eigenlijk zonder bezwaar aan iedereen zou kunnen mededelen.'

Ik haalde diep adem, en ik herinner me zelfs nog dat mijn hoofd op mijn borst zonk en mijn stem een ernstige klank kreeg; wat ik gezegd had was mij onaangenaam, ja gewoonweg pijnlijk geworden.

De inspecteur sprak geen woord, zodat ik na een korte tijdsspanne het hoofd moest oplichten.

Het was alsof er een ronde, glanzende, regenboogkleurige zeepbel in de lucht uiteenspatte.

Zijn ogen blonken mij vanachter de sluier van twee bedrieglijke tranen tegemoet en terwijl wij elkaar langdurig aankeken, verscheen

er voor de eerste maal sedert de aanvang van ons gesprek een uitdrukking van geschoktheid en zelfs verbijstering op zijn gezicht.

'O nee!' antwoordde hij zachtjes, en ziende dat zijn toch al vervaar-
lijk rode gezicht met een gloeiend rood werd overtogen, voelde ik een
grote voldoening, temeer omdat de oorzaak van dit fenomeen geen
schaamte was, maar woede; 'o nee!' herhaalde hij bijna pathetisch, 'ík
ben hier degene die zich heeft te verontschuldigen, al was het alleen
maar omdat ik – en ik acht uw terechtwijzing in dezen volkomen gerechtvaardigd – met mijn onbescheiden wens van zoëven inderdaad
de grenzen van mijn bevoegdheid heb overschreden; voorts zou ik ten
tweeden male willen benadrukken – uw onmiskenbare, maar niet onbegrijpelijke wantrouwen dwingt mij ertoe – dat er hier geen sprake is
van veronderstellingen of verdenkingen, met name niet omdat wij de
dader reeds in handen hebben, al is deze zaak daarmee ook nog lang
niet afgesloten; derhalve zou ik u niet alleen mijn verontschuldigingen
willen aanbieden voor het wekken van deze onjuiste indruk, maar u
tevens willen verzoeken mijn opdringerigheid uitsluitend als een blijk
van de in dergelijke gevallen noodzakelijke voorzichtigheid te beschouwen, als een hinderlijk gevolg van mijn beroepsdeformatie, die
men als een lompe vorm van menselijke nieuwsgierigheid zou kunnen
betitelen; duidt u mij dus een en ander niet euvel! nu de zaken eenmaal
gelopen zijn zoals ze zijn gelopen, verzoek ik u mij toe te staan u als
eerste mijn allerhartelijkste gelukwensen aan te bieden en u erop te
wijzen dat deze van harte gemeende gelukwensen afkomstig zijn van
iemand die voortdurend met de donkere zijden des levens wordt geconfronteerd en slechts zelden de gelegenheid heeft iets van de schone
en bovenal natuurlijke wendingen des levens te vernemen.'

Het rood verdween geleidelijk van zijn gezicht en hij lachte vriendelijk doch ietwat verdrietig, en in plaats van een buiging te maken
neigden wij beiden het hoofd; vreemd genoeg echter verzette hij noch
op dit ogenblik noch later een voet, hij bleef met gekruiste armen in
het schuin invallende, winterse licht van de terrasdeur staan en wierp
zijn schaduw over mij heen.

'Zou ik u om iets mogen verzoeken?' vroeg hij na een poosje met
enige aarzeling in zijn stem.

'Maar natuurlijk.'

'Ik ben een hartstochtelijk roker, maar tot mijn verdriet heb ik mijn
sigaren in het rijtuig laten liggen; zou ik er een van u mogen opsteken?'

De merkwaardige manier waarop hij zich voor een ongepast, onrechtmatig, overdreven vrijmoedig en in elk geval te opdringerig verzoek verontschuldigde – nota bene op het moment dat hij dit verzoek deed! –, terwijl hij tegelijkertijd de gespannen snaren van de situatie zo strak mogelijk aanhaalde en zijn macht over mij liet gelden, herinnerde mij aan een zeker persoon of voorval, maar het schoot me op dat moment niet te binnen aan wie of wat precies, ik wist alleen dat ik zoiets al eens eerder had meegemaakt; de bijna lichamelijke afschuw die ik van de man had, gaf mij bovendien de overtuiging dat hij van zeer nederige afkomst was.

'Maar natuurlijk,' antwoordde ik beleefd maar zonder me te verroeren, zoals op dat moment betamelijk zou zijn geweest, ik wilde het doosje met de sigaren niet eigenhandig openen en bood hem ook geen plaats aan.

Ik was al eens eerder zo overgeleverd geweest aan iemands genade en had toen een even grote afkeer gevoeld.

De inspecteur liet zich echter niet uit het veld slaan door mijn onhoffelijke gedrag, hij liep kalmpjes achter mijn rug langs en pakte het doosje met sigaren dat Gyllenborg mij enkele dagen eerder ten geschenke had gegeven; het plotselinge besef dat ik het doosje van de vermoorde had gekregen trof mij als een bliksemstraal, zodat ik niet eens de kracht had om me om te draaien; ik wist precies wat de inspecteur van plan was, in de kamer van de dode stond namelijk een exact eender lakdoosje op de tafel, zodat hij nu een spoor had.

De stilte in de kamer was op dat moment zo diep dat ik duidelijk hoorde hoe hij het bandje van de sigaar verwijderde; toen hij daarmee klaar was, liep hij even gemoedelijk weer terug en ging voor me staan.

'Hebt u ook nog een mesje voor me?' vroeg hij met een vriendelijke glimlach, waarop ik alleen maar reageerde door naar mijn schrijftafel te wijzen.

Met omslachtige bewegingen stak hij de sigaar op, alsof hij nog nooit eerder een sigaar had gerookt, en na al smakkende het aroma te hebben geprezen, begon hij zwijgend de rook uit te blazen, zodat mij niets overbleef dan – eveneens zwijgend – toe te kijken.

Ik voelde echter dat ik, hoezeer ik mij ook inspande, niet in staat zou zijn me te beheersen totdat hij de sigaar zou hebben opgerookt.

'Kan ik u verder nog van dienst zijn?'

'Ach nee,' antwoordde hij met een vriendelijk hoofdknikje, 'ik heb u al lang genoeg opgehouden en morgen zal ik ongetwijfeld nogmaals het genoegen hebben.'

Als u een ontmoeting tussen ons voor absoluut noodzakelijk houdt, zal ik u gaarne mijn visitekaartje overhandigen, antwoordde ik, ik hoop namelijk morgenavond alweer in Berlijn te zijn.

De inspecteur nam de sigaar uit zijn mond, knikte tevreden en blies onder het spreken de rook uit.

'Ik zou u zeer erkentelijk zijn.'

Hij borg mijn kaartje zorgvuldig in zijn portefeuille op en nadat we met een buiging afscheid hadden genomen, verliet hij met de brandende sigaar in de hand zwijgend de kamer.

Ik bleef volslagen uitgeput achter; de twee helften waarin mijn ego zich had gesplitst, verwijderden zich vanaf dat moment steeds verder van elkaar, als de twee helften van een doormidden gebroken ijsschots in het donkere water van een snelstromende rivier, of twee gloeiende punten in de nacht; terwijl de ene helft een schamele overwinningsmars neuriede, bromde de andere een treurlied over de bloedige nederlaag, terwijl de ene, tussen haar herinneringen wroetend, erover piekerde waar ze die weerzinwekkende kerel van kende, aan wie hij deed denken en zich ergerde de oplossing van het raadsel niet in het rijk der herinneringen te kunnen vinden, stelde de andere, die de mogelijkheden van een vlucht overdacht, zich al nauwkeurig voor hoe ze, in de hoofdstad aangekomen, mogelijke achtervolgers van zich af zou schudden door in het drukke gewoel van het Anhalter Bahnhof onder te duiken en de eerste de beste trein naar Italië te nemen; natuurlijk moet ik hieraan toevoegen dat ik ook nog over een derde ik beschikte dat deze zich van elkaar verwijderende helften op een eigenaardig wijze bijeenhield; het oog van mijn derde ik toonde me een beeld dat natuurlijk eveneens uit de onwillekeurig geopende schatkamer van mijn herinneringen stamde, maar schijnbaar nergens mee van doen had, een beeld uit de tuin van mijn kinderjaren, toen ik, op een warme nazomermiddag tussen de bomen slenterend, opeens zag dat er in het met water gevulde bassin van de kleine fontein een groene hagedis aan het verdrinken was, hij kon nog net een stukje van zijn kop, zijn geopende bekje, boven water houden, maar zijn oorgaten en geopende ogen waren al onder de waterspiegel verdwenen; het diertje kon geen kant meer op en trappelde wild met zijn gespreide pootjes; dit beeld is misschien de eerste in mijn geheugen bewaard gebleven indruk van de wereld; het was een droge zomer en ik vermoedde dat de hagedis naar het bassin was gekropen om te drinken en er vervolgens in was gevallen; verstijfd van schrik keek ik toe, ik had het gevoel geen ooggetuige te zijn maar

God zelf, omdat ik naar believen over leven en dood kon beschikken; het idee daarover geheel vrijelijk te kunnen beslissen vervulde me met zo'n walging dat ik de neiging had het diertje te laten verdrinken, maar in een opwelling schoof ik mijn beide handen onder zijn lijfje en hief het uit het water, maar toen ik het in mijn handen had, gooide ik het, geschrokken van de aanraking of uit afschuw van het voldongen feit, onmiddellijk op het gras, waar het roerloos bleef liggen ademen, terwijl het hartje wild kloppend het bloed door het prachtige hagedisselijfje pompte; en dit beeld: het nijdige smaragd van het met dauw beparelde gras en de roerloze hagedis, was opeens geen herinnering meer, ik zag het zo duidelijk, met al zijn glans, zijn kleuren en zijn vormen voor me dat het werkelijkheid werd en ik me niet langer in die hotelkamer bevond, maar in de tuin van mijn jeugd; ik was zelf die groene hagedis, ik, die het cadeau gekregen leven, de tijdelijkheid, de dood, het kloppen van het hart en de hemel even weinig – ja nog minder – begreep en doorgrondde als daarvoor het verdrinken.

En ik had niet eens gemerkt dat ik, geheel in dit beeld opgaande, was gaan zitten, dat ik niet meer stond maar met mijn handen voor mijn gezicht ergens zat, terwijl de tranen tussen mijn vingers door stroomden.

En al snikkend meende ik mezelf te horen huilen toen ik nog een klein jongetje was; het was alsof dat jongetje geschrokken maar met droge ogen alles voor zich zag wat hem later zou overkomen en hij zichzelf daarbij één enkele, steeds terugkerende vraag stelde: waarom, o, waarom toch? wie heeft dit alles gewild, wie heeft ervoor gezorgd dat alles zo gegaan is als het gegaan is, en waarom?

Ja, het leek wel alsof ik me als kind al die onvoorstelbaar dwaze vraag had gesteld en vervolgens tot niets meer in staat was geweest.

Het was niet mijn geliefde vriend die ik beweende, niet Gyllenborg, de knappe, opgewekte jonge man, die ik zelfs na zijn dood nog jaloers bewonderde omdat hij – hoe hij ook aan zijn eind mocht zijn gekomen – ons met één enkele foto – een foto van een diabolische schoonheid – meer had gezegd dan ik ooit had klaargespeeld met mijn ondanks al mijn inspanningen, worstelingen en twijfels onhandig aaneengeregen woorden; ik benijdde hem, want ik hoef de lezer wel nauwelijks te zeggen dat het me gedurende die twee in volslagen emotionele verwarring doorgebrachte maanden niet was gelukt van mijn voorgenomen novelle ook maar een enkele definitieve zin op het papier te brengen, terwijl hij, voortdurend geteisterd door een raadselachtige huidziekte en koortsig door zijn zieke longen, met de opgewekte luchtigheid van de ter dood veroordeelde en een onvoorstelbaar natuurlijke, uit de onmiddellijke nabijheid van de dood voortvloeiende gratie stoeide met problemen waarover ik in de kunstmatig opgezweepte scheppingsroes van de dilettant alleen maar kon piekeren; ja, ik bewonderde en benijdde hem omdat hij wat zich in zijn lichaam voltrok, met een meedogenloze consequentheid vervolmaakte en voltooide, omdat hij het voorwerp van zijn belangstelling en fascinatie niet met zijn ideeën verwisselde maar, integendeel, dat voorwerp met die ideeën versmolt, waarna de synthese slechts de ideeën bevatte die op natuurlijke wijze uit het thema voortvloeiden, terwijl ik alleen maar fantaseerde en piekerde en me met moeizaam aan woorden ontrukte ideeën trachtte te behelpen; en misschien is dit wel de logische grens tussen kunst en dilettantisme: dat men het voorwerp van beschouwing niet mag verwisselen met de werktuigen waarmee men dit voorwerp bewerkt! hij had die fout niet gemaakt en kans gezien iets in en buiten zich te voltooien; nee, met hem hoefde ik geen medelijden te hebben; en ook om Hans treurde ik niet, niet om zijn onschuldige, nu geheel aan het Noodlot overgeleverde jeugdige kracht; en toch, welk een hemelse genieting, welk een hels geschenk was het geweest om zijn harde, gespierde en tot barstens toe gespannen lichaam in mijn zwakke armen te houden! welk een zaligheid had ik gevoeld als ik zijn vuurrode haardos, de zachte gladheid van zijn melkwitte huid en zijn zomersproeten met krachteloze tederheid liefkoosde, zomersproeten die zich op sommige plaatsen hadden verdicht tot moedervlekken waar mijn strelende vingers op stuitten; en wat had ik genoten van de zijdeachtige zachtheid van zijn lichaamsbeharing en de hete opwellingen van zijn schoot! – nee, het waren niet de verloochende, verloren genietingen, niet de tot diep in zijn poriën bespiede en doorvorste lichaamsvormen die ik beweende – overigens was het niet enkel vorm wat tussen de onbarmhartige muren van een kille gevangenis zou wegkwijnen! – en ook niet mijn vreselijke verraad, of mijn moeder, die ik op dat ogenblik zo smartelijk miste dat ik niet eens aan haar durfde te denken, of Helene, die ik na rijp beraad op het punt stond te verlaten, niet mijn ongeboren kind, dat ik nooit te zien zou krijgen, niet mezelf, de uiteindelijk toch schuldeloze vader, niet mijn eigen vader, en zelfs niet het meisje dat hij op zo'n gruwelijke wijze had vermoord en wier lijk ik op een even gruwelijke, zonnige ochtend tijdens een omslachtige, met meedogenloze precisie uitgevoerde identificatieprocedure samen met ons dienstmeisje Hilde had moeten aanschouwen, de Hilde die zich enkele maanden later op haar lot zou wreken door zich tot de eerste vrouw van mijn leven te maken – God hebbe haar ziel! nee, niet om hen treurde ik en ook niet om mijzelf.

Terwijl mijn ogen mij de geredde hagedis toonden, werkten mijn hersenen als een zinloos razende motor, die, aangedreven door de dampen der affectie, met zijn tandraderen, zijn transmissieriemen, zijn zuigers en zijn hendels alles van de bodem der ziel omhoogbrengt, alles wat mij zo vreselijk en zo kinderlijk bedroefde; niet de uitputting deed mij in tranen uitbarsten en ook niet het gevaar, maar de onmacht die ik bij de aanblik van al die menselijke verwording voelde.

En op hetzelfde ogenblik wist ik ook wie degene was aan wie de inspecteur mij zo duidelijk had doen denken, en ik realiseerde me dat ik met mijn luide, krampachtige snikken mijn enige eigen dode beweende, mijn enige geliefde, die niets met deze verwording gemeen had, wier dood ik al wenend trachtte te verwerken, degene over wie ik niet mag spreken!

Mijn gezicht gloeide en was nat van de tranen en mijn lichaam voelde zo akelig klam en slap aan dat ik huiverde, maar opeens moest ik, zonder te weten waarom, opkijken.

Wie heeft het goddelijke vermogen om de verschillende tijdpartikels van een enkele seconde van elkaar te onderscheiden, hoewel deze haarfijne goddelijke verschillen ragfijne draden spannen en weven in ons mensen – in wie anders zouden ze dat trouwens moeten doen?

Zij was het, de enige vrouw, die ik daar in de deuropening zag staan, stil en verwijtend, in het zwart gekleed, gesluierd, de hand nog op de klink om de geopende deur zacht achter zich dicht te trekken; het verwonderde me haar geheel in het zwart te zien, ze was immers dood en kon toch bezwaarlijk om haar eigen dood rouwen, maar reeds een fractie van een seconde later begreep ik dat niet zij daar stond, maar juffrouw Stollberg.

En hoe eigenaardig was het ook dat mijn hevige smart op dat buitengewone ogenblik voor een nog heviger en nog pijnlijker gevoel moest wijken, voor mijn verdriet over een eeuwig, nooit te verwerken gemis; maar de juffrouw nam alleen mijn onbeheerste gelaatsvertrekking waar, die niets met haar binnenkomst te maken had.

Ze lichtte haar sluier op, stak haar gehandschoende hand weer in haar mof en aarzelde even, ze kon immers niet weten wat men in een dergelijke situatie behoort te doen; haar gelaat was marmerbleek, glad en ongenaakbaar; kennelijk was ze ten prooi aan een mij volslagen vreemde en zelfs onsympathieke wanhoop; tegelijkertijd weerspiegelde haar gezicht echter mijn eigen verdriet, waarschijnlijk tengevolge van het angstige, uiterst breekbare lachje dat ondanks haar geschoktheid om haar lippen zweefde, een lachje dat ik ook om mijn eigen lippen voelde krullen.

Ik had haar enkele uren eerder voor het laatst gezien, tijdens een tumultueuze scène, toen we, opgeschrikt door het waanzinnige gekrijs van een kamermeisje, allen de gang op waren gesneld en zij met nog enkele personen in de richting van de wagenwijd geopende deur van het appartement van onze vriend Gyllenborg was gerend, zonder te weten of zelfs maar te vermoeden wat er aan de hand was, maar genietend van de rumoerige en hysterische opschudding.

En nu moest dit glimlachje haar helpen haar verdriet te verzachten en de smart minder vernederend te doen schijnen; ik zag aan haar gezicht dat het voorgoed gedaan was met haar wrede spelletjes en dat er een grotere wreedheid op til was, waarvoor dat lachje alvast een tegenwicht moest vormen; het vermeerderde natuurlijk alleen maar haar verdriet, dat door haar schaamte nog ondraaglijker werd; ze schaamde zich omdat ze zelfs in deze omstandigheden nog kon of moest glimlachen, een schaamte die ikzelf ook voelde; ik schaamde me bij de gedachte dat ik überhaupt nog in staat was om te glimlachen en dat dit lachje misschien zelfs de dood kon overleven, al was die dood natuurlijk niet de mijne.

Ze ijlde op me toe, in haar glimlach de schaduwen van haar gekrenkte, trotse, deemoedige, nobele wreedheid meevoerend, en ik ontving haar met hetzelfde lachje, hoewel het gewicht van die glimlach zo zwaar op mijn ledematen rustte dat ik niet kon opstaan; plotseling trok ze haar handen uit haar pelsmof en liet het kostbare kledingstuk op de grond vallen; met haar gehandschoende handen woelde ze door mijn haar en aaide ze zachtjes over mijn gezicht.

'Dierbare vriend!'

Als een verstikte jammerklacht, als een gefluisterde schreeuw ontsnapten die woorden haar keel, en de aanraking van haar handen gaf me een smartelijk lustgevoel, wat me thans zwaar valt te bekennen.

Een gevoel van vreugde, dat me als een bliksemstraal doorkliefde, deed mij opveren van mijn stoel; mijn gezicht gleed omhoog langs haar kanten japon totdat het haar gezicht had bereikt en haar stevige, koele lippen mijn van tranen doorweekte huid aanraakten; aarzelend maar vol onrust gingen ze naar iets op zoek wat ze snel moesten zien te vinden; ik tastte eveneens de ongenaakbare gladheid van haar gelaat af, gulzig en met onhandige bewegingen; op het ogenblik dat haar lippen mijn lippen hadden gevonden, in die vluchtige fractie van een seconde, toen ik de koele, tere welving van haar lippen – die magische boog – op mijn eigen lippen voelde, scheen het haar precies eender te vergaan als mijzelf, want ze kon evenmin als ik haar lippen van elkaar krijgen; opeens week ze iets achteruit en legde haar hoofd op mijn schouder, waarna ze me bijna krachtdadig omhelsde; ze wilde niet dat we de aanwezigheid van de dode zouden voelen, hoewel we de smaak van zijn mond al op onze lippen proefden en wisten dat we elkaar niet meer konden bereiken zonder zijn tussenkomst.

Lange tijd stonden we zo tegenover elkaar, de armen stevig om elkaar heen geslagen, borst tegen borst, schoot tegen schoot en elkaar omstrengelend met onze dijen; ik zeg lange tijd, maar misschien heeft dit alles in werkelijkheid wel veel korter geduurd dan ik mij herinner; had het verdriet daarstraks een uitweg gezocht in aanrakingen en kussen of plotseling opvlammende en dadelijk weer uitdovende zinnelijke energieën, thans was het omgekeerd en was deze heftige maar hartstochtloze omarming de oorzaak van een zich in rouw en ontucht uitend gemeenschappelijk verdriet; en terwijl we daar zo stonden, hadden we geen van beiden het hart de dode, die zich tussen ons in had geposteerd, van zijn plaats te jagen, we wilden elkaar ontzien en gedoogden dat hij zich steeds verder tussen ons drong.

Toen ze haar koude lichaam aan mijn door het schreien koortsachtig geworden lichaam had opgewarmd, werd ze opeens een heel ander mens, want ze begon op sluwe, geheimzinnige en samenzweerderige toon tegen mijn schouder te fluisteren, wat me bijna ongepast voorkwam.

'Ik was vroeger een heel braaf meisje,' zei ze bijna overmoedig, 'ik heb tegen je gelogen.'

Ik wist waar ze op doelde; wat ze zei was precies datgene wat ik van haar wilde weten; kennis van dergelijke onvermeld gebleven maar toch belangrijke zaken, waarnaar ik niet kon informeren zonder mezelf bloot te geven, betekende tijdwinst en de mogelijkheid om een uitweg te vinden.

Ze was zelf ook op de vlucht, als ze mij had verraden, zou ze zichzelf ook hebben gecompromitteerd, maar toch wilde ze dat ik haar dankbaar was.

Ik wilde uit mijn leven verdwijnen zonder iets achter te laten, zelfs niet die ene verraderlijke, haastige, nieuwsgierige vraag waaruit de achterblijvenden mijn bedoelingen zouden kunnen afleiden, er mocht geen spoor van me overblijven, alleen het spoor van mijn spoorloosheid.

Ze begreep dit alles heel goed, alhoewel ze niet kon weten wat ze begreep; en hoewel ik niet van plan was haar mijn dankbaarheid te onthouden, moest ik haar een eindje van me af duwen om mijn voornemen op haar gezicht weerspiegeld te zien.

Het stond inderdaad op haar gezicht geschreven, alleen in één ding had ik me vergist ze lachte niet, ze huilde.

Ik ving haar neerbiggelende tranen met mijn tong op, blij dat ik mijn dankbaarheid op zo'n eenvoudige manier kon tonen; toen ik haar weer tegen me aan trok, verdween het eigenaardige, dwaze gevoel dat we niet alleen waren geruisloos uit ons lichaam.

Door dit gevoel realiseerde ik me opeens welk een doodse stilte er in mijn kamer heerste en vanuit welk een eindeloze stilte het geluidloze licht door het raam naar binnen viel.

Ik moest aan de bediende denken, die inmiddels wel naar het politiebureau zou zijn overgebracht.

Later zei ze zachtjes dat ze eigenlijk alleen maar gekomen was om afscheid te nemen; ze zou vandaag vertrekken.

Ik wilde zelf ook naar huis, loog ik, maar het zou misschien riskant zijn om nu samen te reizen.

Je hoeft niet bang te zijn, fluisterde ze van zo dichtbij dat ik haar hete adem in mijn hals voelde, alsof ze me haar liefde verklaarde; mijn moeder en ik laten ons eerst per rijtuig naar Kühlungsbronn brengen, waar we vermoedelijk een dag zullen blijven; pas daarna gaan we terug naar onze bezittingen in Saksen.

Ik vraag me af waarom ik me zelfs na zoveel jaren, nu ik een geheel ander, van alle hartstochten en buitensporigheden vrij en eerzaam leven achter me heb, nog altijd schaam over dit afscheid, waarom het me nog altijd zwaar valt erover te spreken.

Het leek namelijk wel alsof we niet van elkaar afscheid wilden nemen – per slot van rekening stonden we op het punt om elkaars gezelschap te ontvluchten, om zo snel en zo ver mogelijk uit elkaars buurt te geraken, weg van elkaar! – maar van Gyllenborg, alsof we de hier achterblijvende dode vaarwel wilden zeggen.

Ze had me niet verraden, en gelogen om me te beschermen, wat ik in haar plaats misschien niet gedaan zou hebben, en daarom moest ze bij het afscheid, in die onmogelijke situatie, de sterkste zijn van ons tweeën.

Ze duwde me van zich af en deed een paar stappen achteruit; als ik zei dat we elkaar aankeken, zou ik mezelf moeten corrigeren, want we zagen op dat moment niet elkaar, maar de dode.

Door ons zo van elkaar te verwijderen, hadden we hem te veel ruimte gegeven, daardoor was hij zo machtig geworden.

Radeloos en verward, niet wetende hoe we hem konden ontwijken, iemand konden ontwijken die zich steeds nadrukkelijker tussen ons drong – waar nog bij kwam dat zijn lijk zich in de belendende kamer bevond! – zei ik dat het misschien betamelijk was als ik ook van haar moeder afscheid nam, want ik hoopte dat we door de kamer gezamenlijk te verlaten het gevoel zouden kunnen uitbannen door onze dode vriend te worden gadegeslagen, maar er blonk iets zo smartelijks in haar ogen dat haar gelaatsuitdrukking haast vijandig werd, verwijtend en vijandig; ze verweet me dat ik me met zo'n doorzichtig voorwendsel aan de invloed van de dode trachtte te onttrekken en ze haatte me omdat ik daarmee ook haar, de levende, afwees; ik moest dus blijven.

Maar hierdoor vermengden de levende en de dode zich op een noodlottige wijze.

Opeens glimlachte ze, als een rijpe vrouw die geamuseerd is door de onhandigheid van een kind.

Na een korte wijle zette ze haar hoed af, stroopte langzaam haar handschoenen van haar armen en gooide de kledingstukken op de tafel; ze liep naar me toe en streek met haar misvormde vingers over mijn gezicht.

'Je bent dom, jij, oliedom!'

Ik zweeg.

'Het is immers volstrekt natuurlijk,' voegde ze eraan toe.

Toen ik onwillekeurig de bewegingen van haar hand beantwoordde, merkte ik dat ik niet het gezicht aanraakte van de vrouw die ik had bemind en nu opnieuw zou beminnen; in plaats daarvan omvatten mijn handen het gezicht van degene die hij, de dode, had liefgehad, of beter gezegd: degene die haar met mijn handen en mijn lichaam beminde, was niet ikzelf maar hij, terwijl de juffrouw niet mij omarmde, maar hem.

Hierna zwegen we en onze bewegingen hadden alleen nog betrekking op hem.

Met een waardige rust bracht ik 'zijn' tijd in haar door, en gedurende dit lange, zuivere uur van volkomen helderheid was ook Hans, de moordenaar, verdwenen.

Haar pupillen verwijdden en vernauwden zich, alsof ze aan een hevige gemoedsbeweging ten prooi was; achter de wellustige sluiers van elkaars ogen ontwaarden we beiden de dood.

Terwijl ze zich aankleedde, haar handschoenen aantrok, haar haar voor de spiegel schikte en haar hoed opzette, keek ze nog eenmaal naar me om, alsof ze me met haar blik wilde beduiden dat ik, als ik het per se wilde, nu van haar moeder afscheid kon nemen.

Na hetgeen we in dat lange uur hadden gedaan, zou elk conventioneel afscheid zinloos zijn geweest, alles moest blijven zoals het was.

Misschien maakte ik een afwerend gebaar of begreep ze wat ik dacht en was deze gedachte in overeenstemming met haar wens.

Ze trok de sluier voor haar gezicht en ging heen.

De volgende nacht stond ik voor het raam van de voortrazende trein om een laatste blik te werpen op de plaats die anderen, gelukkiger of ongelukkiger dan ik, het vaderland noemen.

Het was een donkere, mistige winternacht, zodat ik niets kon zien.

De laatste zin

Ik ben een nuchter, misschien wel te nuchter mens en ik heb totaal geen neiging tot onderdanigheid, maar toch wil ik eigenhandig de laatste zin van mijn vriend op dit lege vel neerschrijven. Moge dit me helpen het werk te volbrengen dat niemand mij heeft opgedragen, maar dat de belangrijkste taak van mijn leven is geworden.

Het was een donkere, mistige winternacht, zodat ik niets kon zien.

Ik geloof niet dat hij deze zin als slotzin heeft bedoeld, alles duidt erop dat hij de volgende dag gewoon door wilde gaan met het schrijven van zijn autobiografie, uiteraard met onvoorspelbare, ook uit zijn nagelaten notities niet af te leiden zinnen, auteurs van levensbeschrijvingen plegen hun lezers nu eenmaal eerst op een dwaalspoor te brengen en pas tegen het einde van het boek uit de doolhof te helpen waarin ze hen hebben gevoerd.

Mijn taak omvat niet meer dan die van de verslaggever.

Vol leedwezen bericht ik dat het omstreeks drie uur in de middag moet zijn gebeurd. Om die tijd placht hij zijn dagelijkse arbeid te onderbreken. Het was een stralende, wolkeloze middag in de laatste week van september en de temperatuur was nog zomers hoog. Hij was van zijn bureau opgestaan. De door de augustushitte uitgedroogde oude tuin lag vredig te dromen. Achter de niet al te dicht opeenstaande bomen en dunne struiken, waartussen de wind vrij spel had, kon hij af en toe het donkere water zien blinken. Het schietsleufachtige raam van de kamer was omlijst met de rode en gele bladeren van de wilde wingerd, waarmee een groot gedeelte van de muur was begroeid; aan de plant rijpten al zwarte bessen. Tussen de ranken hielden zich talrijke hagedissen en insekten op, die zich op de gebarsten bepleistering door de zon lieten koesteren of onder de schaduwrijke bladeren verkoeling zochten. Iets dergelijks beschrijft hij in het eerste hoofdstuk van zijn memoires en dit moet hij ook toen hebben gezien en gevoeld. Wat later ging hij naar de keuken om een hapje te eten en een paar alledaagse woorden met mijn tantes te wisselen, vervolgens sjokte hij met de krant en de post onder zijn arm en een ruige handdoek over zijn schouder naar de Donau, waar men hem met twee verbrijzelde onderbenen, een ingedeukte borstkas en een gebarsten schedel vond. Zo werd hij thuisgebracht.

Met de bovengenoemde zin, waaraan ik geen enkele symbolische betekenis wil toekennen, eindigt zijn relaas, hij vormt het slot van een manuscript van achthonderd bladzijden. Door omstandigheden is dit manuscript in mijn bezit geraakt, hoewel ik er geen enkel recht op kan doen gelden.

Ik wil er op deze plaats met nadruk op wijzen dat als ik, alvorens verslag uit te brengen over de dood van mijn ongelukkige vriend, in het kort uiteenzet wie ik ben en wat voor leven ik leid, het geenszins mijn bedoeling is mezelf op de voorgrond te schuiven.

Ik heet Krisztián Somi Tót; iedereen die de omvangrijke, maar onvoltooide levensbeschrijving van mijn vriend tot aan deze laatste zin heeft bestudeerd, moet mijn voornaam zijn tegengekomen en weten wie ik ben, al is mijn familienaam hem natuurlijk onbekend. Mijn arme vriend heeft in die beschrijving immers een uit liefde geïdealiseerd en uit haat-liefde vertekend portret geschilderd van de jeugdige Krisztián, de jongen die ik ooit ben geweest, maar met wie ik thans nog maar heel weinig gemeenschap voel.

Bijna had ik gezegd dat hij dat portret voor mij heeft geschilderd. Ik ben er namelijk een beetje trots op, of misschien niet eens trots, ik was veeleer kinderlijk verrast, toen ik er voor het eerst kennis van nam, want het was me te moede alsof iemand een heimelijk genomen, zeer goed gelijkende, ja onthullende foto onder mijn neus duwde. Overigens voelde ik op dat moment ook enige gêne.

Na lezing van het manuscript begreep ik dat een mens steeds vergeetachtiger wordt naarmate zijn levensdrang toeneemt. Hoe meer de bij de keuze van zijn werktuigen niet kieskeurige wil het op het enkele overleven gerichte handelen beheerst, des te meer zullen we ons schamen bij een latere terugblik, en omdat we ons niet graag schamen, denken we ongaarne terug aan dergelijke, moreel gezien schrale tijden – een handelwijze waardoor we precies evenveel winnen als verliezen. Dit overwegende houd ik het voor mogelijk dat mijn overleden vriend gelijk heeft en ik ook tot de mensen met een gespleten ziel behoor; als dat zo is, onderscheid ik me niet wezenlijk van mijn medemensen.

Om duidelijk te maken wat ik bedoel: ik moet bijvoorbeeld toegeven dat de gebeurtenissen van die ijzige maartdag, die op zijn levensloop zo'n noodlottige invloed hebben gehad, eenvoudig volkomen uit mijn geheugen zijn gewist. En toch heb ik dezelfde gebeurtenissen meegemaakt als hij, en ongetwijfeld gevoeld wat hij heeft beschreven. De kinderlijke vreugde en panische angst die de dood van de tiran bij mij had gewekt, de ongelijksoortigheid van een reeds lang gekoesterde wederzijdse aantrekkingskracht en de kinderlijke angst voor verraad en bestraffing hadden zich bij mij in soortgelijke verhoudingen vermengd als bij hem en mij eveneens met stomheid geslagen. Ik heb er echter nooit meer aan teruggedacht. Vermoedelijk heb ik de affaire na die kus als afgesloten beschouwd.

Toen ik stond te urineren, heb ik inderdaad de onzinnige opmerking gemaakt dat die smeerlap eindelijk de pijp uit was of iets dergelijks. Het hardop uitspreken van een dergelijke zin kan een mens een bijna lichamelijk lustgevoel geven. Naderhand begon ik te vrezen dat hij me misschien zou aangeven. In die jaren waren we voortdurend bang dat we uit ons huis zouden worden gezet. Wij waren het laatste gezin dat nog in de buurt van het verboden gebied woonde, zodat elke officiële envelop een hevige schrikreactie bij mijn moeder teweegbracht. Tot op de dag van vandaag weet ik niet waaraan wij deze buitengewone genade hadden te danken, misschien was ons huis te klein of te slecht onderhouden.

Ik hield van mijn moeder met de tedere, heerszuchtige, door al haar kleine wisselingen van stemming beïnvloede, toegeeflijke en behoedende liefde waarmee een vaderloze knaap pleegt te houden van een met eenzaamheid en ernstige financiële zorgen kampende, tot aan het eind van haar leven rouwende weduwe. Voor haar was ik tot elke concessie en elke zelfvernedering bereid, daarom wilde ik een aangifte voorkomen, en zo er reeds aangifte was gedaan, wilde ik weten waar ik rekening mee moest houden. Voor zelfvernedering heb ik weinig talent, maar mijn bereidheid om compromissen te sluiten is sinds die tijd heel groot, zo groot als maar enigszins mogelijk is.

Met dit alles is logisch verenigbaar dat er ook later in mijn leven nooit een gebeurtenis heeft plaatsgevonden die mij op de gedachte kon brengen dat die bewuste kus iets anders was geweest dan een middel om me van existentiële zorgen te bevrijden, met andere woorden: dat ik hem een echte kus had gegeven. Ik mocht mezelf niet aan innerlijke gevaren blootstellen, ik had al genoeg uiterlijke gevaren af te wenden. Later, toen ik eenmaal gewend was geraakt aan de voordelen van het verborgen houden van mijn gevoelens, ben ik consequent elke situatie of situatiebeoordeling uit de weg gegaan die door haar tweeslachtigheid niet met mijn belangen of bedoelingen strookte.

Thans, nu ik weet hoe hij me beoordeeld heeft en welke blijvende, zij het ook onbewuste invloed ik op hem heb uitgeoefend, voel ik een niet geringe droefheid. Het is alsof ik verzuimd heb van een mogelijkheid gebruik te maken waarvan ik indertijd absoluut geen gebruik wilde maken, een mogelijkheid die achteraf wel mijn ijdelheid streelt, terwijl ik hem benijd omdat hij zich de luxe kon veroorloven van een extreme psychische verfijning. Niettemin heeft mijn droefheid niets van doen met verwijten, zelfverwijten, beschuldigingen of gewetenswroeging. Ongetwijfeld was ik als kind interessanter, aantrekkelijker, maar vooral ook gewetenlozer, ondoorgrondelijker, geniepiger en ruwer dan op latere leeftijd, hoe had ik ook anders kunnen zijn? Ik moest voortdurend sappelen, sjoemelen en vechten om de meest elementaire levensvoorwaarden te vervullen, en deze onbewuste, nimmer eindigende, me tot zakelijkheid en objectiviteit nopende eenmansguerilla maakte me ongetwijfeld vindingrijker, kleurrijker en soepeler dan ik nu ben, nu ik, vermoeid door de strijd om in mijn elementaire levensbehoeften te voorzien, erin ben geslaagd een veilig schijnend plaatsje in de maatschappij te veroveren.

Op dertigjarige leeftijd heeft hij zich op een riskante wijze opengesteld en heb ik mij op een gevaarlijke manier afgesloten, zodat wij allebei weerloos werden. Hij heeft een liefde gevonden die, naar hij hoopte, een leegte zou opvullen die hem reeds lang kwelde, en deze hoop heeft hem gedwongen onbekende gebieden te betreden. Ik daarentegen, opgeschrikt uit mijn doffe lethargie, betrapte mijzelf erop dat ik in mijn wanhoop bezig was mij op de meest banale en grondige wijze van mijn kwellingen te bevrijden, want het scheelde maar een haar of ik was aan de alcohol verslaafd geraakt. Later heeft hij ooit opgemerkt dat op hun seksuele rol gefixeerde mannen de neiging hebben lichamelijk en geestelijk te vervuilen.

Als ik de boog van mijn levensbaan overzie, voel ik mij geenszins alleen in dit land. Als mijn vriend de uitzondering is, ben ik het gemiddelde, en vormen wij samen de regel. Ik maak dit onderscheid niet om me te beroepen op mijn middelmatigheid, mijn door de gestadige dwang tot aanpassing ineengeschrompelde opmerkzaamheid en mijn gebrekkig functionerende geheugen, noch om me aldus steels te verheffen boven degene die ik uitzonderlijk heb genoemd, nee, met deze karakterisering wil ik niets ten detrimente van hem zeggen, integendeel. Het is ook niet mijn bedoeling me voor mijn blindheid en doofheid te verontschuldigen, ik wil uitsluitend onze gemeenschappelijk biografische gegevens onder de loep nemen, op mijn eigen, wellicht wat primitieve manier.

Ik heb economie gestudeerd en ben sedert enkele jaren als wetenschappelijk medewerker werkzaam, in welke functie ik mij met de theoretische economie bezig houd. Mijn werk bestaat in het verzamelen en analyseren van zich herhalende of eenmalig voordoende economische feiten en het beschrijven van de eigenaardigheden van bepaalde groepen van economische verschijnselen. Precies hetzelfde zou ik in dit verslag willen doen. De bellettrie behoort overigens niet tot mijn domein. Verzen heb ik nooit geschreven, ik heb alleen gevoetbald, geroeid en met gewichten getraind, en sinds ik de drank heb afgezworen, ben ik gaan hardlopen en leg ik 's morgens flinke afstanden af. Het enige wat ik op het papier breng zijn wetenschappelijke artikelen. Door mijn afkomst en mijn opvoeding heb ik mij vanaf mijn eerste kinderjaren aangewend mijn omgeving op een behoedzame, volstrekt onpartijdige wijze te observeren, ik moest mij namelijk voortdurend afvragen wat ik moest denken alvorens ik mijn gedachten uitte, gedachten waar ik het absoluut niet mee eens was, zodat ik mij even zorgvuldig voor ogen moest houden dat wat mijn mond verkondigde, niets met mijn werkelijke overtuiging van doen had. Ik wil deze uitzonderlijke neiging tot aanpassing en zelfbeheersing echter geenszins van emotionele kwalificaties voorzien omdat ik heel goed besef dat ik mijn vermogen tot observeren en registreren voornamelijk dank aan de zelfdiscipline die door zoveel berusting, dwang en noodzaak mijn tweede natuur is geworden.

Elk jong levend wezen is van nature hartstochtelijk en dit hartstochtelijke verlangen om de wereld in bezit te nemen verleent het een zekere schoonheid. Afhankelijk van de wijze waarop, de mate waarin en de middelen waarmee het deze hoop tracht te verwezenlijken, onderscheidt het mooi van lelijk, en vervolgens noemt het het goede mooi en het lelijke slecht. Op mijn leeftijd is het vermogen om de wereld op een esthetische wijze te beschouwen echter reeds lang verloren gegaan. Wat ik zie en doorleef, noem ik, zelfs al gaat het om de meest opwindende gebeurtenissen, mooi noch lelijk, want ik zie het niet als zodanig, hoogstens voel ik een op warmte gelijkende, stille dankbaarheid als mij iets gunstigs overkomt, maar dit gevoel vervluchtigt weer snel.

Misschien heb ik wel hartstochten gekend die reeds lang gedoofd zijn, misschien ook heeft het mij mijn leven lang aan deze gevoelens ontbroken; ik sluit zelfs niet uit dat ik wegens het ontbreken of juist overvloedig voorkomen van deze emoties gevoelsarm scheen als kind. Ik zou niet durven beweren dat de mensen mij graag mogen, maar over het algemeen word ik als objectief beschouwd; na lezing van de boeiende analyse van mijn vriend dwingt diezelfde drang tot objectiveren mij overigens mezelf de vraag te stellen of ik niet vooral daarom als objectief word beschouwd omdat ik de onderwerpen waar ik mij mee bezig houd en de mensen die op me gesteld zijn enigszins afstandelijk pleeg te benaderen, zodat ik mij niet met deze zaken of personen behoef te vereenzelvigen, maar ze wel onder controle kan houden.

Ik ben helaas niet de ideale belichaming van een levensbeginsel. Ik had gemakkelijk een verstokt cynicus kunnen worden, en dat dit niet gebeurd is, dank ik aan de omstandigheid dat ik op een nogal primitieve wijze word gekweld door een zich gestadig vernieuwend gebrek of juist een overschot aan gevoelens.

Enkele dagen voor mijn eindexamen heb ik, door een vreemde impuls gedreven, de tegelkachel in mijn kamer half afgebroken. Ik was 's morgens vroeg, tegen het krieken van de dag, teruggekeerd van een bezoek aan een vriendinnetje, van wie ik altijd heel zachtjes afscheid moest nemen omdat haar ouders niets van mijn nachtelijke aanwezigheid mochten merken. Die ochtend was ik alleen thuis. Mijn moeder was in Debrecen op familiebezoek. De kachel hinderde me al lang. Ik was van mening dat het ding niet op de goede plaats stond en dat ik het überhaupt niet nodig had. 's Nachts was de uitstralende warmte onaangenaam aan mijn hoofd en bovendien stond de kachel op zo'n ongelukkige plaats dat mijn kamerdeur nauwelijks open kon. Ik haalde ergens een grote hamer vandaan, maar zocht tevergeefs naar een beitel, zodat ik me met een grote drijfkram behielp, waarmee je even goed kunt slopen als met een beitel. Zodra ik het benodigde gereedschap bijeen had begon ik de kachel af te breken. De kapotgeslagen tegels gooide ik door het raam in de tuin. Het kapothakken van de rookkanalen in het inwendige van de kachel bleek echter moeilijker dan ik had gedacht, bovendien had ik verzuimd mijn kamer af te dekken, zodat alles wat zich erin bevond – de kleden, de boeken, de zittingen van de stoelen en zelfs mijn bureau met mijn schriften en uittreksels – geleidelijk aan met een laag stof, gruis en roet werd bedekt. Toen ik, na enige tijd in een roes van werkdrift erop los te hebben gehakt, om me heen keek, ervoer ik al dat stof om me heen niet als een natuurlijk gevolg van mijn sloopwerkzaamheden, maar als een angstaanjagende en onverdraaglijke hoop viezigheid, als de smerige excretie van de troosteloosheid zelf. Dit gevoel kwam even plotseling in me op als het idee om de kachel af te breken. Verbijsterd staarde ik naar de treurige, geheel met roet besmeurde, naar rook stinkende overblijfselen van dit door mensenhand vervaardigde geheel, dat nu volkomen zinloos was geworden. Toen ik ongeveer tot halverwege was gevorderd met mijn sloopwerkzaamheden, stopte ik met hakken. Omdat ik slaperig en moe was geworden, sloot ik het raam, kleedde me uit en kroop in bed, maar het lukte me niet in slaap te vallen. Gedurende enige tijd keerde ik me van mijn ene zij op mijn andere en probeerde me zo klein mogelijk te maken in bed door mijn knieën heel hoog op te trekken, maar het lukte me niet mezelf helemaal op te vouwen, zoals ik graag had gewild. Ik herinner me niet of ik nog ergens anders aan gedacht heb en ik weet ook niet of het kwellende verlangen dat ik voelde wel een gedachte kan worden genoemd. Ik moest opstaan, want ik kon met dat gevoel van onmacht niet in bed blijven liggen. Zonder de tijd te nemen om even na te denken, begon ik in het wilde weg de pillen uit het medicijnkastje van mijn moeder in te slikken; ze gebruikte aanzienlijke hoeveelheden kalmerende middelen en slaaptabletten. Doordat ik geen water bij de hand had, was ik na een tijdje niet in staat nog meer pillen in te nemen.

Als ik aan deze handeling terugdenk, lijkt het wel of ik me iets herinner wat niet mijzelf maar een ander is overkomen. Eerst dronk ik water uit een bloemenvaas, vervolgens uit de schoteltjes onder de kamerplanten. Ik begrijp nog altijd niet waarom ik niet naar de keuken ben gegaan. Natuurlijk werd ik vreselijk misselijk en begon ik te kokhalzen, maar ik was niet in staat over te geven en mijn mond voelde heel droog aan. Ik vreesde dat ik mijn moeders meubels onder zou kotsen, viel op mijn knieën, leunde met mijn hoofd op de rand van de sofa en probeerde uit alle macht het krampachtige samentrekken van mijn maag tegen te gaan. Meer kan ik me niet herinneren. Als mijn moeder niet, door een angstig voorgevoel gedreven, een dag eerder was teruggekeerd dan ze oorspronkelijk van plan was, had ik het gebeurde niet kunnen navertellen. In het ziekenhuis werd mijn maag leeggepompt en de kachel werd later volledig hersteld.

Nadien heb ik nooit meer iets onzinnigs gedaan en ik ben vast van plan dat ook in de toekomst niet te doen, maar de eigenaardige mengeling van gevoelens die we neerslachtigheid noemen, heeft me, geheel onafhankelijk van het effect van mijn handelingen, die afwisselend vreugde, verdriet, hoop en wanhoop veroorzaakten, nooit meer verlaten, hoewel ik voordien nooit last had gehad van zoiets. Ik wil er echter niet dieper op ingaan omdat ik niet precies weet waar die gevoelens vandaan komen, bovendien wil ik mijn medemensen doen geloven dat ik een evenwichtig, opgeruimd mens ben, welke schijn voor mij belangrijker is dan de werkelijkheid.

Als iemand genoodzaakt is zijn afkomst te omschrijven, maakt hij gewoonlijk een keuze uit zijn voorouders. Als men mij hiernaar vraagt, zeg ik meestal dat ik uit een soldatenfamilie stam, wat klinkt alsof al mijn voorvaderen soldaat of generaal, in ieder geval beroepsmilitairen zijn geweest, een imponerende voorstelling van zaken, die echter niet met de werkelijkheid overeenstemt. Het is zoiets als wanneer wij een bepaalde familie een oud geslacht noemen, hoewel in werkelijkheid alle families even oud zijn. Natuurlijk hebben de zonen en dochters der verschillende volkeren op verschillende tijdstippen de bomen van het oerwoud verlaten, de Inka's en de joden bijvoorbeeld veel eerder dan de Duitsers, en de Hongaren ongetwijfeld wat later dan de Engelsen en de Fransen, hieruit volgt echter nog niet dat de familie van een lijfeigene minder oud is dan die van een hertog. En zoals een natie met behulp van sociale waardeoordelen onderscheidt maakt tussen qua afstamming volstrekt gelijkwaardige families, zo kiest een individu geheel in overeenstemming met zijn neigingen, wensen, bedoelingen en belangen de benodigde voorouders uit het rijke genealogische panopticum waarover hij de beschikking heeft. Ook in het manuscript van mijn vriend ontdekte ik sporen van deze eigenaardige, hoogst persoonlijke selectiemethode.

Zijn uit extreme tegenstellingen opgebouwde persoonlijkheid had hij slechts in evenwicht kunnen brengen door zichzelf te analyseren, door te trachten de oorsprong en oorzaak te vinden van de blinde krachten die in hem woedden. Voor deze broodnodige zielsanalyse had hij over een evenwichtig inlevingsvermogen moeten beschikken, dat hij echter, juist door zijn onevenwichtigheid, in hoge mate ontbeerde. Hij was in een vicieuze cirkel terechtgekomen, waaruit hij zich slechts kon bevrijden door gedurende de periode van zelfonderzoek aansluiting te zoeken met de persoon of groep in zijn omgeving die nog het meest over die voor hem zo belangrijke evenwichtigheid beschikte en zich vervolgens zijn of hun beschouwingswijze eigen te maken. Daarom heeft hij zijn grootvader van moederskant tot voorbeeld genomen, een liberale burger die in de toenmalige gevaarlijke levensomstandigheden zelfdiscipline uitstraalde en een beheerste indruk maakte. En om dezelfde reden schrijft hij zo wreed-ironisch en toch vertederd over zijn grootmoeder, die voorname bourgeoise, die van haar omgeving uithoudingsvermogen, fatsoen en de naleving van rigoureuze ethische normen eiste. Via die grootouders wilde hij iets herkrijgen wat hij door zijn levensomstandigheden was kwijtgeraakt, om die reden was hij zo in hen geïnteresseerd. Langs dit spoor daalde hij tot zijn verleden af, hoewel hij in principe talrijke andere sporen had kunnen kiezen. Tijdens de lezing van het manuscript viel mij op dat hij zijn andere twee grootouders – misschien met opzet – onvermeld heeft gelaten. Ik neem aan dat hij dat niet heeft gedaan omdat hij zich over hen schaamde of omdat ze in zijn leven een minder belangrijke rol hebben gespeeld.

Dikwijls gingen we op zonnige zomerochtenden of in het weekeinde met de tram naar die andere grootouders toe. Ze woonden in Káposztásmegyer.

Na de voltooiing van mijn studie vond ik een werkkring in de internationale handel. Tien jaar lang heb ik door bijna alle landen van de wereld gereisd, maar als ik aan reizen denk, zie ik altijd die gezellig ratelende gele tram voor me, met zijn open balkon. Zelfs op lange vliegreizen en verdiept in vakliteratuur zag ik altijd dat beeld voor me. Het was alsof ik niet per vliegtuig maar in die gele tram door de wereld reisde, hobbelend over de eindeloos lange Vácistraat.

De oude baas, die in de Eerste Wereldoorlog invalide was geworden, maakte ondanks zijn handicap een robuuste indruk en hoewel hij al tegen de zeventig liep, grijsde zijn haar nog nauwelijks. Door het voortdurende gebruik van alcoholische dranken zag zijn pokdalige neus vuurrood. Hij was een luidruchtig persoon die als nachtportier bij het waterleidingbedrijf werkte en met zijn bijna kogelronde vrouw het souterrain van een der bedrijfsgebouwen bewoonde. Deze grootmoeder had de gewoonte telegrammen naar haar kleinkinderen te verzenden met de volgende inhoud: Vandaag bak ik pannekoeken, morgen maanzaadgebak. Als ik beweer dat dit milieu het zekerste onderpand van onze vriendschap werd, is dat naar mijn stellige overtuiging geen overdrijving. Als er al enige tijd geen culinaire evenementen hadden plaatsgevonden, vroeg ik hem wanneer zijn grootmoeder weer gevulde monniksoren zou bakken, waarop hij alleen appeltaart antwoordde. Soms begon hij ook zelf en zei hij abrikozenbolletjes, waarna ik alleen maar hoefde te vragen wanneer? We hadden een speciale taal ontwikkeld – overigens niet alleen in verband met die lekkere gerechten – die alleen wij verstonden.

Ik was gefascineerd door machines, door hun constructie, hun werking, hun functie en hun bewegingsmechanisme. Om die belangstelling te bevredigen had ik geen fraaiere en leerzamere exemplaren kunnen vinden dan in dat waterleidingbedrijf. Hij gaf niet om technische zaken en scheen alleen enthousiast over mijn niet te verzadigen nieuwsgierigheid. Ook moet hij geweten hebben dat hij mij door de hoop op nieuwe bezoeken geheel in zijn macht had, ja chanteren kon. Hij hoefde alleen maar het woord 'notensliertjes' te zeggen en ik vergat al mijn overige plannen en bezigheden en holde achter hem aan. Het geduld van de keurig geklede, colberts en stropdassen dragende werktuigkundigen en de alleen in broek en overhemd geklede leerjongens bleek minstens zo onuitputtelijk als mijn nieuwsgierigheid groot was. Ze lieten alles zien en legden alles uit wat ze me toonden. Het gaf hun waarschijnlijk een niet geringe voldoening dat ze op de meeste van mijn vragen antwoord konden geven.

Het opwindendst was de tijd van de grote reparaties. Dan schrobden en schuurden uit de naburige dorpen opgetrommelde vrouwen en meisjes met opgeschorte rokken en kaplaarzen de betegelde wanden van de lege bassins, en geheel met smeerolie besmeurde mannen en puistige leerjongens demonteerden, reinigden en monteerden alle mogelijke machineonderdelen. Ze ginnegapten, verzonnen allerlei pesterijen, vertelden schuine moppen, pakten elkaar beet en krijsten het uit, alsof ze met zijn allen een oeroud ritueel volvoerden. Ze plaagden elkaar voortdurend, de mannen de mannen, de vrouwen de vrouwen, de vrouwen de mannen, en de mannen de vrouwen, alsof deze activiteit bij het werk hoorde en bovendien bij iets anders, waarin wij snotneuzen nog niet waren ingewijd. Het leek wel of dit plagen een eigenaardig arbeidslied was, dat ze onophoudelijk zongen. Om hun dagtaak naar behoren te vervullen, moesten ze de poëzie van hun nachten uitgalmen. Als we daar zin in hadden, dwaalden we zonder enig toezicht door de fraaie, omstreeks de eeuwwisseling gebouwde machinekamers of maakten we een wandelingetje in het rondom de waterputten aangelegde, ongerepte park. Soms waagden we ons ook in de luid echoënde gangen bij de waterbassins, waar alles zo adembenemend netjes en schoon was dat we haast geen stap durfden verzetten en zwijgend naar het rimpelloze oppervlak van het nu eens stijgende, dan weer dalende water staarden.

Over deze vroege, bijna idyllische tijd van onze vriendschap vinden we in het manuscript niets. Ik moet toegeven dat ik al lezende vaak rood van woede ben geworden vanwege dit opvallende gebrek. Dikwijls brachten wij ook de nacht door bij zijn grootouders en sliepen we in de naar uien geurende keuken naast elkaar op een smalle brits. In een etnologische studie heb ik ooit gelezen dat de ouders van zigeunerkinderen er nauwkeurig op toezien dat, als de op de met stro bedekte vloer te ruste gelegde kleintjes in de strenge winterkou naar elkaar toe kruipen om zich te warmen, een meisje niet tegen een jongetje aan gaat liggen en omgekeerd. Ik kan me niet indenken dat hij de kinderlijke warmte van een vanzelfsprekende kameraadschappelijkheid, die hij in zijn latere leven zo vertwijfeld heeft nagejaagd, onopzettelijk onvermeld heeft gelaten.

Ook herinner ik me nog dat zijn grootvader, als het in de zomer erg warm was, zijn houten been afgespte, op de afgrijselijke, uit zijn katoenen werkbroek stekende beenstomp klopte en uiteenzette hoe voordelig het was om een houten been te hebben. In de eerste plaats had je geen last van zweetvoeten, kreeg je geen eeltplekken en kon je het been smeren als het piepte, wat bij een echt been niet mogelijk was, en in de tweede plaats had zo'n been nooit te lijden van reumatiek, daar kon je vergif op innemen, hoogstens van houtworm. Een ding vond hij jammer: als hij veel dronk, sliepen al zijn ledematen in, zelfs het gat in zijn kont, alleen dat been deed niet mee.

Wat mijn afstamming betreft: ik heb uit de talrijke schare van mijn voorouders – provinciale handwerkslieden, hun eigen akkertjes bewerkende keuterboertjes op de Laagvlakte, dwarse protestantse onderwijzers, dagloners in de omgeving van het Mátragebergte en tot ondernemers opgeklommen, rijk geworden molenaars en zagerij-exploitanten – twee dode soldaten uitgezocht, namelijk mijn vader en mijn grootvader van moederskant. Zo zijn we een soldatengeslacht geworden. Deze twee mannen waren overigens buitenbeentjes in onze familie, meer beroepsmilitairen hebben we niet, bovendien bewaar ik aan geen van beiden herinneringen.

Van mijn vader zijn slechts een paar foto's bewaard gebleven, van mijn grootvader des te meer. Een van de geliefdste bezigheden in mijn kinderjaren was het bekijken van deze foto's.

Nu is het nauwelijks meer mogelijk in de familieverhalen over mijn grootvader waarheid van verdichtsel te onderscheiden. Ik denk dat hij de van zijn persoon uitgaande, duizendvoudig naar hem teruggekaatste uitstraling niet alleen te danken had aan zijn buitengewone capaciteiten en zijn veelbelovende, helaas voortijdig afgebroken carrière, maar vooral aan zijn aantrekkelijke uiterlijk. Als oudere familieleden me op mijn dij sloegen of smakkend op de wang zoenden, plachten ze met een genoeglijk knipoogje aan deze liefdesbetuiging toe te voegen dat ik vast niet zo'n knappe man zou worden als mijn grootvader, en mijn moeder verkondigde dikwijls op een ietwat plagerige, maar trots verradende toon dat ik weliswaar uiterlijk op mijn grootvader leek, maar helaas niet zijn scherpe verstand had. Deze beide constateringen waren, hoe weinig objectief ook, vleiend genoeg om me bewust te maken van het belang van een dergelijke gelijkenis en me het gevoel te geven dat ik in het spoor van een belangrijk persoon was getreden, terwijl ze tegelijk het eigenaardige verlangen in me opwekten die persoon voorbij te streven en te overtroeven, hoewel ik tot op zekere hoogte identiek was met hem; overigens was ik absoluut niet in staat te beoordelen of de betreffende gelijkheid vleiend of beschamend voor me was.

Wij bezaten een voor cartografische doeleinden bruikbaar vergrootglas, dat aan mijn grootvader had toebehoord. Met deze loep bekeek ik de uit verschillende tijden stammende familiefoto's en onderzocht ik de daarop afgebeelde gezichten. Het is heel goed mogelijk dat ik van nature niet ontvankelijk ben voor het schone, want het is me nog nooit gelukt mooi te vinden wat anderen als zodanig beschouwen. Het is dus geen wonder dat een als fraai gedoodverfd landschap of voorwerp mij, in tegenstelling tot mijn overleden vriend, wel tot nadenken stemt, maar geenszins in vervoering brengt. Ook met de foto's van mijn grootvader hield ik mij alleen zo intensief bezig omdat datgene wat anderen als indrukwekkend beschouwden bij mij uitgesproken onaangename gedachten wekte. Indien twee lijnen evenwijdig lopen, zullen ze elkaar in het oneindige snijden, lopen ze daarentegen niet parallel, dan snijden ze elkaar ergens voor mijn neus. Degene op wie ik het meest lijk, kan ik alleen op een theoretisch gedacht punt ontmoeten, maar wie zich van mij onderscheidt, die zal ik overal en altijd tegenkomen. Het was alsof de veelvuldige beschouwing van zijn gelaat mij ertoe bracht niet langer naar twee elkaar aanvullende beginselen, maar naar een derde te zoeken, en hoewel zijn gelaat en lichaamsgestalte mij bepaald afstotelijk voorkwamen, fluisterde mijn gevoel me in dat wij zeer veel gemeen hadden. In het bijzonder vielen mij zijn ogen op: zijn blik deed mij huiveren.

Die foto's van mijn grootvader had ik minstens vijfentwintig jaar niet in handen gehad toen ik ze opnieuw bekeek.

Was het mijn neiging tot zelfbespiegeling – een bezigheid die de mens noodzakelijkerwijs naar een innerlijke crisis voert waardoor hij niet meer in staat is zijn eigen belangen te behartigen – die mij in die toestand van primitieve vrees en verwarring had gebracht, of leek ik werkelijk zoveel op hem? Had ik wellicht te veel nagedacht over de afstand die de levenden van de doden scheidt en over een theoretisch denkbare ontmoeting van die twee categorieën? Was het soms de door die zelfbespiegeling gewekte moedeloosheid die mij kwelde en belette van het schone te genieten? Ik acht mij niet in staat deze vragen te beantwoorden, of liever gezegd: als ik ze wilde beantwoorden, zou ik over gebeurtenissen in mijn leven moeten nadenken en spreken waaraan ik zeer ongaarne terugdenk.

Een levenservaring van bijna veertig jaar heeft mij geleerd dat het verdringen van onaangename voorvallen bepaalde existentiële voordelen oplevert, maar ondanks deze wetenschap begon na de dood van mijn vriend de nieuwsgierigheid mij aan te sporen een soortgelijk zelfonderzoek te verrichten als hij heeft gedaan, al was ik geenszins bereid daaraan op even tragische wijze ten gronde te gaan als hij en wilde ik ook niet zo oneerlijk zijn.

Ik ga tot aan de uiterste grenzen der zelfverloochening en belastbaarheid van mijn schaamtegevoel als ik gewag maak van het feit dat talrijke vrouwen, die mij overigens als een goede minnaar beschouwen, op de hartstochtelijkste momenten van onze omhelzingen op gewelddadige wijze mijn mond trachten binnen te dringen met hun tong, en als ik hen dan zwijgend afweer, me vaak verwijtend vragen waarom ik dat niet duld. Waarom wil je dat niet? zeggen ze. Daarom niet, antwoord ik meestal, als ik althans antwoord geef. Ik geef toe dat mijn gedragswijze nogal eigengereid is, maar die zwijgende afweer is bij mij een even natuurlijke reactie als bij anderen het verlangen om zwijgend te kussen. Ik acht het niet noodzakelijk het brute egoïsme van mijn drang tot zelf- en soortbehoud ten koste van de autonomie van mijn persoonlijkheid te matigen. Als ik zo'n kus gedoogde, zou ik de macht over mezelf en anderen verliezen en me laten leiden door onbewuste krachten waaraan ik me niet wens over te leveren.

Als ik zou trachten de vrouwelijke reacties op mijn stellig als eigenaardig aan te merken handelwijze in een systeem onder te brengen, als ik derhalve de vraag zou stellen hoe geheel verschillende mensen reageren op mijn weigering een voor hen geheel natuurlijke behoefte te bevredigen, een behoefte die ikzelf echter als volkomen overbodig beschouw, kunnen, naar ik gemerkt heb, drie soorten reacties worden onderscheiden.

In de eerste plaats is er de reactie van het nerveuze, onevenwichtige, melancholieke, kwetsbare, elke keer dodelijk verliefde, bakvisachtige type, dat zich meteen verontwaardigd terugtrekt, in snikken losbarst, mij met haar vuistjes te lijf gaat en schreeuwt: Ik wist wel dat je alleen maar dát van me wilt! waarna ze me een leugenaar noemt en dreigt stante pede uit het raam te springen. Ik móét haar beminnen! Niemand is echter in staat zichzelf tot tederheid te dwingen. Desondanks is het niet al te moeilijk deze vrouwen te kalmeren, respectievelijk onstuimig te bevredigen. Als het me lukt ze op het hoogtepunt van hun razernij te verkrachten, als ik, anders gezegd, het ogenblik van handelen goed kies, is alles meteen weer koek en ei tussen ons. Het zijn masochistes die reikhalzend naar een sadistische bruut hebben uitgekeken, een mensenslag waartoe ik uiteraard niet behoor. De boog van hun wellust is steil en kort, ze ervaren hem dan ook als snel stijgend en snel dalend. Het is alsof ze nooit het hoogtepunt bereiken waar ze naar streven, maar op een veel lagere, stenige vlakte terechtkomen. Deze vrouwen mag ik het minst.

Het tweede type vrouw is eerder tot stille overgave geneigd. Als zo'n vrouw zich aan mijn lichamelijke willekeur overlevert, bereikt de tot vertraging neigende boog van haar wellust via een langzame, trapsgewijze stijging verscheidene, haar gehele wezen schokkende hoogtepunten, die bijna altijd tot de volgende climax voortduren. Elke overwonnen remming schijnt hen in de richting van een nog sterkere wellust te drijven, en hoewel die wellust, vertraagd door hun remmingen, aanhoudt, is het uiteindelijk niet alleen de wellust die triomfeert. Deze vorm van liefde gelijkt op een moeizame hindernisren van de wellust. Het zijn gereserveerde, bescheiden, zich krampachtig aan hun omgeving aanpassende en hun onvoordelige uiterlijk hatende meisjes, die door de onder vrouwen gebruikelijke quasi charmante maar meedogenloze intriges huichelachtig zijn geworden. Als zij zich toch niet aan mijn willekeur overleveren, doen ze alsof ze geen enkel gemis ervaren. Ze gaan met hun bereidwilligheid zo ver als maar enigszins mogelijk is. Blijkt echter dat ook dat niet baat omdat hun bereidwilligheid mij niet tot dankbaarheid stemt, maar hoogstens mijn oplettendheid bevordert en mijn waakzaamheid verhoogt, dan richten ze een façade van ge-

veinsde deemoedigheid op, waarachter de arglistige bedoeling schuil-
gaat mijn wantrouwen met de bedrevenheid van hun mond te sussen
en in mij een vergelijkbare hartstocht te doen ontvlammen. Zo maken ze hun mond tot de gedienstige slaaf van mijn lichaam, waarmee
de pretentieloze affaire ook meteen een eind neemt. Met hen heb ik
het meeste medelijden, maar in de praktijk gedraag ik me jegens hen
het wreedst. Het derde type vrouwen is mij het sympathiekst. Het zijn
gewoonlijk sterke, stevig gebouwde meisjes, lang, vrolijk, trots, hartstochtelijk, eigenzinnig en onberekenbaar. Onze avances verlopen
aanvankelijk traag, gevaarlijke roofdieren draaien zo om elkaar heen.
Onze ontmoetingen zijn van elke sentimentele omslachtigheid gespeend. De steil oplopende boog van onze wellust wordt echter dikwijls geremd door de frontale botsing van onze agressiviteit. Op zo'n
moment verstomt elk krijgsgedruis onheilspellend. Deze onvoorstelbaar opwindende, door felle lichtflitsen begeleide hoogtepunten zijn
mij bijzonder dierbaar. Doordat ze elkaar zo grillig en onberekenbaar
opvolgen, wekken ze, al mijn nuchtere, instinct-onderdrukkende overwegingen ten spijt, bij mij de voorstelling op dat wij niet één enkele,
overzienbare top dienen te beklimmen, maar een reeks eindeloos lang
schijnende bergketens. Op zulke momenten heb ik het gevoel op een
hoogvlakte met een spaarzame vegetatie te staan. Deze vlakte is alleen
maar een plaats om even uit te blazen, een tussenstation, waar je kunt
eten, drinken en nieuwe kracht opdoen. Op deze hoogte aangeland
worden mijn bedgenotes vaak overvallen door het gevoel dat ze iets
tekort komen of dorst lijden, een dorst die ik niet in staat ben te lessen.
Ze trachten dan de snel doorziene situatie meester te worden door me
via de mond te schenken wat ze in de grootste liefdesroes met de uiterste zelfbeheersing hebben achtergehouden, absoluut niet bereid zich
door mijn eigenaardige eigenschappen te laten dwarsbomen. Het is
alsof ze, op mijn afweer stuitend, zeggen: Wil je niet? Dan doe ik het
juist! Ze willen met alle geweld aan hun trekken komen en ik geef ze
daarin groot gelijk. In deze nieuwe situatie ben ik wat toegeeflijker,
niet alleen omdat het spel ook mij vermaakt, maar ook omdat ik passief kan blijven en bij voorbaat weet dat ze, na enkele minuten dit
wraakzuchtige spel gespeeld te hebben, hun zelfbeheersing geheel en
al zullen verliezen en ik dankzij de gemeenschappelijk opgevlamde
hartstocht de mij toekomende plaats kan innemen. Zo brengen we
het ontbrekende met het overtollige in contact. Deze vrouwen zijn
realisten, evenals ikzelf. Ze weten dat het voor het leven noodzakelij-

ke evenwicht niet met romantische voorstellingen kan worden bereikt, maar alleen met de ons ter beschikking staande middelen. Door hun vindingrijkheid zijn zij mijn handlangers en bondgenoten. Ze hebben evenals ikzelf lak aan de idealen van de wereld en zijn begaan met al degenen die zich daarmee kwellen. Deze vrouwen ben ik dankbaar, en zij zijn het mij ook omdat ze hun schaamteloze egoïsme niet voor mij hoeven te verbergen. Ik zou ook zonder hen kunnen leven, want het leven heeft mij geleerd dat niets onmisbaar is, maar toch durf ik de stelling aan dat zij het zijn die inhoud aan mijn leven geven.

Daarover en over nog veel neteliger zaken moest ik met mezelf een gesprek voeren. Helaas is de mens niet zo geschapen dat hij tot een dergelijke dialoog in staat is. Pogingen van deze aard duiden alleen op geestelijke onvolwassenheid en onnozelheid.

Natuurlijk hield ook ik meer van de vader van de moeder van mijn overleden vriend dan van zijn andere grootvader. Eigenlijk was het geen echte liefde die ik voor hem koesterde, meer een zekere erkentelijkheid omdat hij mijn gevoel van eigenwaarde verhoogde. Hij behandelde me namelijk niet als een lichamelijk en geestelijk onvolwassen knaap, maar als een meerderjarige, ook als we met elkaar een gesprek voerden. Gelegenheden voor zulke gesprekken waren er in overvloed doordat hij gewoon was 's middags lange wandelingen in de omgeving te maken. De ivoren knop van zijn wandelstok omklemmend liep hij dan nadenkend over straat en als we elkaar tegenkwamen, luisterde hij, het grijze hoofd ietwat scheef houdend en met een blik vol medeleven en sympathie voor zijn medemensen, leunend op zijn stok aandachtig naar mijn verhalen. Met zijn belerende opmerkingen, instemmende knikjes, bedachtzame keelschrapingen en waarschuwende tegenwerpingen wees hij mij een weg die mijn geweten mij weliswaar aanmaande te volgen, maar die mij niet erg kon bekoren. Zijn medeleven maakte mij soms zo verlegen dat ik hem uit de weg ging of, een haastige, beleefde groet mompelend, snel langs hem heen glipte.

In zijn pubertijd wordt de mens dikwijls gekweld door geestelijke verlangens en lichamelijke aandriften. De oude baas forceerde echter niets, hij stelde geen eisen en trachtte me niet te overreden. Doordat hij me aldus de ruimte gaf om mezelf te blijven, voelde ik me steeds weer tot hem aangetrokken.

We spraken ook wel openlijk of in bedekte termen over politieke problemen; op een keer vertelde hij me dat een buitengewoon scherpzinnige natuurfilosoof, wiens Engelstalige werk helaas ontoegankelijk voor me was, het volgende had gesteld: voor het functioneren van menselijke samenlevingsvormen is het geen conditio sine qua non dat alle tot de groep behorende individuen dezelfde rechten hebben en er geen dominerende elites zijn, maar toch kan een dergelijke ongelijke rechtspositie onmogelijk het enige sociale principe zijn dat zo'n samenlevingsvorm beheerst, want dan zou de mensheid eeuwig oorlog voeren. Er zou dan noch tussen de individuen noch tussen de verschillende maatschappelijke stelsels ook maar de geringste eensgezindheid kunnen bestaan. We weten echter dat dit niet het geval is. Dit komt doordat er in het universum iets oneindig Goeds aanwezig is, waaraan alle mensen, heersers en overheersten, in gelijke mate deel willen hebben. Kennelijk is ons verlangen naar evenwicht, harmonie en begrip minstens zo groot als onze machtshonger, die slechts door oorlogen en de totale onderwerping van de vijand kan worden gestild. We moeten leren inzien dat juist het door ons gevoelde gemis aan begrip of harmonie een bewijs is van het bestaan van dat Goede.

Ik zou deze gecompliceerde redenering vast niet onthouden hebben – ik begreep haar indertijd niet eens – als ik later niet bij toeval het boek van die belangrijke schrijver in handen had gekregen, zodat ik het reeds lang bekende met ingehouden adem herontdekte.

En nu ik na zoveel jaren die oude foto's weer voor de dag haal en voor me uitspreid, meen ik dankzij deze gecompliceerde redenering te weten waarom ik zo afkerig was van de symmetrische gelaatsvorm van mijn grootvader, een vorm die anderen juist zo aantrekkelijk vonden.

Zijn rechte, bijna stijve houding, die op het eerste gezicht een onaangename indruk maakt, hoef ik niet als kenmerkend voor hem te beschouwen, ze hangt evenzeer samen met de mode van die dagen als met zijn beroep, dat een dergelijke houding bijna dwingend voorschreef. Misschien is zijn houterigheid ook wel het gevolg van de toenmalige lange belichtingstijden, die allerlei onzichtbare steuntjes en volledige roerloosheid vereisten. Er zijn echter ook twee momentopnames tussen de foto's. De ene is aan het Italiaanse front gemaakt, in een geïmproviseerde loopgraaf waarvoor waarschijnlijk een natuurlijke uitholling of drooggevallen beek is gebruikt, want de bodem en de twee loodrechte wanden van de gang bestaan uit witte, ruw opeengestapelde blokken kalksteen van forse afmetingen. De wanden zijn met gedeeltelijk gevulde zandzakken verhoogd, vermoedelijk hadden de militairen gebrek aan zand. Mijn grootvader zit met twee kameraden op de voorgrond van de foto. Hij heeft zijn lange, zelfs in laarzen elegant ogende benen nonchalant over elkaar geslagen, buigt zijn lichaam wat voorover en laat een van zijn ellebogen op zijn knie rusten. Zijn gezicht ziet er wat merkwaardig uit, want hij staart met halfopen mond en wijd opengesperde ogen in de lens. Zijn metgezellen, die een lagere rang hebben dan hij, zien er afgemat en vermagerd uit in hun haveloze plunje, maar uit hun blikken spreekt een geforceerde vastberadenheid. Mijn grootvader lijkt in dit gezelschap op een levenslustige dandy die zich volkomen superieur aan zijn omgeving voelt en met niets en niemand iets te maken heeft. De andere foto behoort tot de mooiste opnamen die ik ooit heb gezien. Naar alle waarschijnlijkheid is hij bij zonsondergang genomen op de top van een heuvel, waarop alleen een armetierige boom groeide. De zon schijnt tussen de schaarse bladeren door en valt recht in de lens van de gelegenheidsfotograaf en dus in ons gezicht. Mijn grootvader holt met twee, lange jurken en strohoeden dragende meisjes om de boom heen, kennelijk speelt hij krijgertje met ze. Een van hen, mijn tante Ilma, rent met haar met linten versierde hoed in de hand van de boom weg, zodat ze nog maar net op de foto staat en haar voor het nageslacht vereeuwigde grijnslach slechts vaag te zien is. Het andere meisje, mijn tante Ella, wordt precies op het moment dat de fotograaf afdrukt door mijn grootvader vastgegrepen, waarbij hij zich in een zeer komische houding vanachter de stam van de boom vooroverbuigt. Hij draagt een dun, licht gekleurd zomerkostuum waarvan het colbert is opengeknoopt of per ongeluk openvalt.

Door de manier waarop hij zich vanachter de stam naar voren buigt, ziet hij er ondanks zijn nette kleren als een woeste satyr uit. Zijn mond is ook op deze foto halfgeopend en hij heeft zijn ogen opengesperd, maar er spreekt vreugde noch genot uit zijn blik, het is alsof hij een onaangename plicht vervult, terwijl in de bewegingen van zijn lange arm en zijn naar het meisje graaiende hand de soepele gretigheid van een wild dier is te bespeuren. Op de overige foto's zijn zijn tot een harmonische uitdrukking gestolde gelaatstrekken te zien; het gezicht is van voren genomen en gaat achter een onbeweeglijke pose schuil.

In ouderwetse romans wordt een dergelijk gelaat gewoonlijk ovaal genoemd. Mijn grootvader had een regelmatig gevormd, langwerpig en vlezig gezicht dat overliep in een sterk gewelfd, maar toch glad lijkend, door woeste haarlokken omlijst voorhoofd. Zijn neus had twee gevoelige neusvleugels en was licht gebogen, zijn wenkbrauwen waren dicht, zijn wimpers lang en zijn iris verrassend licht in verhouding met de donkere kleur van zijn gezicht, bijna lichtgevend zelfs. Zijn lippen leken overdreven dik en zijn energieke kin vertoonde hetzelfde, moeilijk uit te scheren kuiltje als mijn eigen kin.

Het gelaat bestaat, evenals de hersenen en het gehele lichaam, uit twee helften. Die twee helften hebben gemeenschappelijk dat ze slechts bij benadering gelijkvormig zijn. De zich in de aanblik van het menselijk lichaam en het menselijk gelaat openbarende ongelijkheid wordt veroorzaakt door het feit dat de door de neutrale menselijke receptoren opgenomen prikkels door de hersenen over twee, verschillend gevormde hemisferen worden verdeeld; het hangt van de ontwikkelingsgraden van de beide hersenhelften af welke helft van het lichaam bij een individu het meest opvallend is. De hersenen verwerken in de rechter hersenhelft de zintuiglijke aspecten van de prikkels en in de linkerhelft de inhoud van die prikkels en brengen pas daarna, in tweede instantie dus, een verbinding tot stand tussen de cognitieve en de affectieve aspecten van de prikkels. De mens neemt met zijn ogen, oren, neus en tastorganen het ongeïnterpreteerde verschijnsel in zijn totaliteit waar en ontleedt dit, zodat het in deeltjes uiteenvalt, waarna hij met behulp van de tussen de deeltjes gelegde verbanden het zintuiglijk waargenomene tot een nieuw geheel omvormt. Gezien de verschillende ontwikkelingsgraden van de beide hersenhelften betekent dit dat het waargenomen verschijnsel niet gelijk kan zijn aan het verwerkte verschijnsel en dat onze gedachten en gevoelens altijd een zekere disharmonie zullen vertonen.

Dit fenomeen kan iedereen bij zichzelf constateren als hij met iemand een gesprek voert. Converserende mensen zullen elkaar namelijk nooit echt in de ogen zien, dat doen alleen krankzinnigen, maar met hun blik een cirkelvormige beweging beschrijven, zodat ze de beide gelaatshelften van hun gesprekspartner afwisselend kunnen observeren. De blik beweegt zich van verstand naar gevoel en vice versa, en als hij ergens op blijft rusten, zal dat altijd de linker gelaatshelft zijn, die onze gevoelens uitdrukt. De neutrale, de totaalindruk waarnemende blik controleert namelijk of de woorden die het verstand heeft geregistreerd congrueren met de door de woorden van de gesprekspartner teweeggebrachte gevoelens.

Voor deze functionele eigenaardigheid van het menselijk lichaam kent de taal bepaalde vaste woordverbindingen. Als ik bijvoorbeeld met betrekking tot een waarneming zeg dat ik mijn ogen niet kon geloven, druk ik daarmee uit dat ik niet in staat was de door mij verworven totaalindruk gevoelsmatig en verstandelijk te verwerken, dat wil zeggen dat ik zozeer overhelde tot hetzij de verstandelijke hetzij de gevoelsmatige interpretatie dat ik niet meer bij machte was de twee polen met elkaar in verband te brengen. Ik heb iets gezien, maar vind voor dit iets geen innerlijk verband en kan het daardoor niet als geheel herkennen en mij toeëigenen, hoewel ik het in zijn geheel heb aanschouwd. Een omgekeerd proces heeft zich in ons voltrokken als we zeggen dat we elkaar met de ogen verslonden. Dan zijn de steeds cirkelvormige bewegingen beschrijvende blikken van de gesprekspartners namelijk op een dood punt aangeland. Dit verschijnsel kan twee verschillende oorzaken hebben. Het kan duiden op een harmonie, dat wil zeggen een volkomen overeenstemming, tussen gevoel en verstand; als theoretisch bestaand geheel, dat in principe uit verschillende delen bestaat, treft zo'n harmonie ons altijd onvoorbereid. Het kan ook zijn dat de blik dáárom poogt op het dode punt van de onvoorstelbare harmonie te geraken omdat de tegenstelling tussen de verstandelijke en gevoelsmatige aspecten van het fenomeen extreem is. In zo'n geval richt het oog de blik op een absoluut neutraal waarnemingsobject en tracht door deze onbeweeglijkheid nieuwe indrukken af te weren, zodat de aldus ontstane schijn van onverschilligheid de gesprekspartner dwingt te beslissen in welke richting de wijzer van zijn balans uitslaat. De toestand die wordt aangeduid met de uitdrukking ik kon mijn ogen niet geloven, kan natuurlijk slechts enkele seconden duren, evenals men het slechts korte tijd volhoudt iemand met de ogen te verslinden.

De schijn van gerealiseerde of volledig ontbrekende harmonie is alleen al daarom niet lang op te houden omdat enerzijds het verstand en gevoel zich – ook wat het fysiologische aspect betreft – op disharmonische wijze tot elkaar verhouden, anderzijds het toegeëigende of op toeëigening wachtende innerlijke beeld niet congrueert met het door de zintuigen zonder hoop op definitieve registratie onverwerkte, dus in neutrale vorm opgenomen beeld. Het gelaat weerspiegelt deze drievoudige onderlinge afhankelijkheid het allerduidelijkst als we het in zijn totaliteit beschouwen. Daarvan kan een ieder zich overtuigen als hij met behulp van een kleine handspiegel zijn beide gelaatshelften en profil beschouwt en zich pas daarna van voren aanziet, alsof hij het aanschouwde met een nieuw beeld wil vergelijken.

De twee profielen blijken geheel verschillend te zijn. Het ene drukt de gevoelsmatige, de andere de verstandelijke aanleg van het individu uit, en hoe groter het verschil is tussen de beide profielen, des te geringer is de kans dat ze van voren beschouwd een harmonisch geheel zullen vormen. Maar doordat de twee helften van een gelaat zich aaneen moeten voegen, doordat ze hiertoe als het ware worden gedwongen, is het bij voorbaat uitgesloten dat ze geheel verschillend zijn, evenmin als volkomen overeenstemming denkbaar is.

Volgens de wetten der logica zouden wij derhalve gezichten, gekenmerkt door een extreme tegenstelling tussen verstand en gevoel, even mooi moeten vinden als gezichten die blijk geven van een volmaakt evenwichtige verhouding tussen deze beide menselijke vermogens, en toch is dit niet het geval. Moeten we tussen twee bijna-volmaaktheden kiezen, dan zullen we nimmer de voorkeur geven aan de bijna volkomen disharmonie, maar, integendeel, aan de nagenoeg volkomen harmonie.

Als ik een der van voren genomen portretfoto's van mijn grootvader langs de door het kuiltje van zijn kin gevormde verticale lijn en vervolgens over de neusrug doormidden knipte en de zo verkregen gelaatshelften op elkaar legde, zou de ene helft van zijn gezicht de andere praktisch geheel bedekken, als een geometrische figuur. De verklaring van dit merkwaardige verschijnsel is dat bij mensen als hij de beide hersenhelften betrekkelijk gelijkmatig ontwikkeld zijn. Uit dit uiterlijke kenmerk kunnen we de conclusie trekken dat bij dergelijke lieden noch de verstandelijke noch de gevoelsmatige zijde domineert, waardoor degene die hun gelaat beschouwt onvermijdelijk onder de bekoring van deze bijna volmaakte harmonie geraakt.

Ik zeg bijna volmaakt, want als de beide hersenhelften het vermogen hadden zich dankzij een volmaakte evenredigheid van verstand en gevoel toe te eigenen wat de zintuigen reeds als neutrale totaalindruk in zich hebben opgenomen, als er dus geen verschil was tussen deel en geheel en het niet zo was dat elk individu tengevolge van zijn eenzijdige hersenfysiologische eigenschappen een nieuw, slechts voor hem of haar karakteristiek beeld ontwikkelt, maar de individuen in staat waren de voor iedereen eendere totaliteit op volmaakte wijze te reproduceren, was het zelfs onmogelijk onderscheid te maken tussen mooi en lelijk of goed en kwaad, aangezien er in dat geval ook geen onderscheid zou kunnen zijn tussen verstand en gevoel. Dat zou de volmaakte symmetrie zijn waarnaar wij allen streven, een hoedanigheid die door de ethicus als het absoluut goede en door de estheticus als het absoluut schone wordt aangeduid.

Ik achtte het noodzakelijk hier wat langer bij stil te staan om te adstrueren dat het ethische denken dat zich ondanks het ontbreken van absolute symmetrie zeker voelt, en het esthetische denken dat wegens gebrek aan symmetrie tot mislukken is gedoemd, lichtjaren ver verwijderd zijn van de manier van denken die ik de mijne noem. In mijn jonge jaren werd ik door mijn voor aantrekkelijk gehouden uiterlijk tot de bevoorrechten gerekend en dienovereenkomstig behandeld. Het voordeel bewonderd en verafgood te worden compenseerde de nadelen die ik vanwege mijn sociale afkomst ondervond. In mijn denken ben ik evenwel – misschien juist wel hierdoor – volstrekt middelmatig. Ik ben geen gelovige geworden, zoals de ethici, en geen twijfelaar, zoals de esthetici, want ik begeerde niet het onmogelijke te verwezenlijken, maar leerde met mijn talenten te woekeren. Mijn heimelijke kwellingen stellen mij echter in staat zowel de onwankelbare zekerheid van de ethici als de ongelovige onzekerheid van de esthetici te doorleven, met al hun geluk en tragedies, maar mijn denken is er niet op gericht verborgen mogelijkheden praktisch te verwezenlijken of zich over te geven aan onrealistische metafysische mijmerijen die juist door hun onmogelijkheid realistisch schijnen, het houdt zich uitsluitend bezig met concrete zaken, met dingen die met twee handen aan te vatten zijn.

Mijn activiteiten hebben niets van doen met het systeem van het leven. Ik laat mij door de overtuiging leiden dat wat aan de ene zijde van de balans als een tekort verschijnt, aan de andere zijde een overschot blijkt te zijn. Ondanks mijn duidelijk ontwikkelde neiging tot theoretiseren ben ik alleen geïnteresseerd in de rationele organisatie van het leven. Ik trek het overschot af en zuiver het tekort aan, en ik vergeet daarbij niet dat de op die wijze tot stand gekomen symmetrie alleen op het ogenblik van haar ontstaan geldig is.

Ik heb zoëven beweerd dat het bestuderen van die op volkomen symmetrie duidende en mij geen geringe afkeer inboezemende foto's tot de liefste bezigheden van mijn kindertijd behoorde, maar deze mededeling behoeft een kleine aanvulling.

Zoals reeds uit de aantekeningen van mijn vriend is kenbaar geworden, was ik geen stil en gesloten kind. Ook als volwassene behoor ik tot de actieve mensen, hoewel ik geneigd ben mijn dikwijls koortsachtige dadendrang als de schaduwzijde van mijn karakter te beschouwen. Niettemin zijn er velen die mij om mijn onuitputtelijk schijnende energie benijden. Ik word namelijk niet gedreven door de wens te overwinnen of door het vooruitzicht op succes, maar door de kortzichtigheid waarmee mijn onmiddellijke en wijdere omgeving in haar voortdurende nederlagen berust. Aangezien nederlagen nu eenmaal veel vaker voorkomen in een mensenleven dan triomfen, heb ik niet vaak de gelegenheid mij in de vredige toestand der beschouwelijkheid terug te trekken. Zonder grote woorden te willen gebruiken zou ik willen beweren dat wij Hongaren in niet geringe mate verantwoordelijk zijn voor onze historische mislukkingen en nederlagen doordat wij, voor een loodzware taak of onoplosbaar schijnend dilemma gesteld, niet eerst nagaan welke mogelijkheden er zijn om alle voorhanden zijnde krachten in te zetten, maar het probleem met een domme, trage behoedzaamheid ontwijken, voor ons uit schuiven of doen alsof het niet bestaat. Soms sommen we zelfs met een hartstochtelijke ijver alle feiten op die een verstandige oplossing van het probleem bij voorbaat onmogelijk maken. Ik erger me mateloos aan die boerenslimheid en betweterigheid. Een tactiek van vertragen, toegeven en afwachten acht ik namelijk alleen geoorloofd in een situatie waarin de mogelijkheid bestaat de problemen op verschillende manieren te lijf te gaan, maar wat er bij ontstentenis van die mogelijkheid allemaal niet kan en waarom niet, weet ik even goed als mijn landgenoten. Houd ik in het eerste geval uitstel voor overbodig, in het tweede geval betreur ik het dat men de tijd met oeverloos gezwam verspilt. Ergernis en boosheid zijn echter ook in dit geval zelden goede raadgevers. In mijn koortsachtige dadendrang maak ik zelf ook fout op fout en strompel ik van het ene fiasco naar het andere, maar toch blijf ik met de grootste zelfingenomenheid herhalen dat elke koe die haar best doet in staat is een haas te vangen.

Als ik na enkele verkeerd gebleken beslissingen of nederlagen toch nog een sprankje hoop zie gloren op succes, op een oplossing, dwingt dit verrassende gevoel mij tot behoedzaamheid. Op zo'n moment wil ik erachter komen of mijn succes te danken is aan een juiste beslissing of aan een gelukkige samenloop van omstandigheden. Ik denk na, overweeg, tracht de aandacht van mezelf en van mijn omgeving af te leiden, ben treurig of moedeloos, snak naar eenzaamheid en zoek iets om te lezen. Plotseling voel ik me onweerstaanbaar aangetrokken tot in zacht licht gedompelde, behaaglijke kamerhoeken.

In mijn kinderjaren bestudeerde ik in de gevechtspauzes van deze vrijheidsstrijd of koude oorlog stafkaarten en foto's en doorsnuffelde ik woordenboeken. Later, toen ik een jeugdig vrijgezel was, verdichtten mijn vluchtige avontuurtjes zich op zulke momenten van onzeker makende successen abrupt tot serieuze liefdesaffaires en trok ik me met de meest onmogelijke meisjes wekenlang in een warm hoekje van een woning terug. Nog later echter, toen ik was getrouwd, verleidden dergelijke zogenaamde triomfen me tot een stil, genotzuchtig en gestaag gebruik van alcoholische dranken.

Mijn afkeer van lafheid en betweterigheid, mijn neiging om onbezonnen te handelen en mijn onvermogen om met successen om te gaan vinden ongetwijfeld hun oorsprong in mijn constitutie, waaraan ik het vermogen dank om de rede en het gevoel bijna volmaakt in evenwicht te houden, maar omdat ik veel door de wereld heb gereisd en langere tijd in vreemde landen heb gewoond, ben ik tot de overtuiging gekomen dat ik elders waarschijnlijk een ander mens zou zijn geworden en komen theorieën die het karakter van een natie willen onderscheiden van het karakter der individuen waaruit deze natie bestaat, me hoogst ongeloofwaardig voor. Wij zijn variëteiten, variëteiten van onze soort, onze afkomst, onze religie en onze opvoeding, en als iemand als kind zijn plaats in de gemeenschap wil kiezen, zoekt hij als voorbeeld weliswaar het meest uitgesproken karakter uit, maar doordat zelfs het uitzonderlijkste karakter een variant van het nationale karakter is, kiest hij in werkelijkheid slechts een variant.

Ik koos via mijn grootvader de hedonistische en carrièristische en via mijn vader de ascetische en heroïsche variant van het tot handelen geneigde karakter. Schijnbaar verschillen de beide mannen als dag en nacht van elkaar. De enige overeenkomst die hun levensloop vertoont is dat ze beiden zijn gesneuveld in een oorlog die hun volk als verloren beschouwde en die catastrofale gevolgen voor hun land heeft gehad. Mijn grootvader was zevenendertig jaar toen dit gebeurde, mijn vader vierendertig. Hun vroege dood verbindt hen met elkaar en deze enige overeenkomst tussen hen maakte mij ontvankelijk voor de gedachte dat de dood wel het belangrijkste levensbeginsel is, maar hij niet de vernietiging van het leven met zich meebrengt. Mijn moeder groeide als halfwees op en bracht mij als weduwe groot. Overwinnen is stellig een schone zaak, maar men kan ook met de kwellingen van de nederlaag leven. Mijn variant heeft zich in overeenstemming met deze traditie ontwikkeld. Op dienovereenkomstige wijze zullen ook mijn zoon en mijn dochter hun variant uitkiezen.

Ik ben zevenendertig jaar oud. Even oud als mijn grootvader was toen hij in een der bloedigste veldslagen van de Eerste Wereldoorlog het leven verloor – het leven verloor opdat het niet verloren zou gaan. Over deze paradox denk ik momenteel na. Mijn vriend is al meer dan drie jaar dood. Het is nacht. Ik vergelijk het heden met het verleden. Buiten ruist zachtjes de lenteregen. De aan het glas van de reusachtige vensterruit klevende druppels glinsteren in het vriendelijke schijnsel van mijn bureaulamp tot ze zo zwaar zijn geworden dat ze omlaagrollen. Ik vraag me af wanneer ik mijn kinderen voorgoed aan hun lot zal moeten overlaten en verbaas me over het feit dat ik zoveel tijd heb gekregen. Ik zit in de mij dierbare, met boeken volgestouwde, ietwat rommelige, stille, nachtelijke kamer. Mijn vrouw is zoëven, door een angstig voorgevoel of een boze droom gewekt, opgestaan, of liever gezegd: de slaapkamer uit gewankeld. Ik hoorde hoe ze zich tastend langs de muur van de donkere gang bewoog om in de keuken wat te drinken, het glas rinkelde toen ze het neerzette. Nadat ze even een blik in de kinderkamer had geworpen, keerde ze met gedecideerde, zachte stappen terug naar het bed. Toen ze de deur van de kinderkamer had geopend, volgde ik haar niet meer met mijn oren, maar met mijn neus. Ik meende zelfs de zoete geur van de kinderkamer te ruiken, niet alleen met mijn neus, maar met al mijn vlees en bloed. Waarschijnlijk rook mijn vrouw die geur nog veel beter. In mijn kamer heeft ze geen blik geworpen, hoewel ze, sedert ik me elke nacht met dit manuscript bezighoud, weer even onrustig is als in de tijd dat ik me in deze zelfde kamer placht te bedrinken. Ze maakt zich zorgen over me vanwege de kinderen.

We zullen een jaar of tien zijn geweest toen mijn klasgenoot Prém en ik besloten later beroepsmilitair te worden. Mijn overleden vriend beschrijft Prém zo mogelijk met nog grotere vooringenomenheid dan mij en zoekt achter onze relatie het een of ander liefdesgeheim. Hij kan geen enkele sympathie voor hem opbrengen en heeft zelfs een bittere afkeer van hem. Ik ben bij lange na niet zo goed thuis in de psychologie als hij dat was en kan daardoor niet goed beoordelen in hoeverre zijn conclusies juist zijn, ik zou echter niet graag de indruk wekken dat ik ook bevooroordeeld ben en protesteer bij voorbaat tegen een dergelijke interpretatie van onze relatie. Als twee menselijke wezens van hetzelfde geslacht zijn, wordt hun relatie bepaald door het feit dat ze op elkaar lijken, en als ze van verschillend geslacht zijn door het feit dat ze van elkaar verschillen. Dat is mijn mening, maar mogelijk ben ik te weinig subtiel voor dit soort zaken.

Met Prém heb ik nog steeds een uitstekende relatie. Hij is geen beroepsmilitair geworden, maar automonteur, en hij is een degelijke huisvader, evenals ikzelf, al zijn zijn belastingaangiften misschien niet geheel waarheidsgetrouw. Enkele jaren geleden, juist op het moment dat mijn vriend uit Heiligendamm terugkeerde en ik van een veelbelovende carrière in de internationale handel afzag, heeft hij een eigen werkplaats geopend. Terwijl wij geestelijk kapotgingen, maakte hij zijn fortuin. Als er iets mis is met mijn auto, repareren wij hem 's zondagsmiddags samen. Prém is een meester in het verhelpen van mankementen. In de manier waarop wij in de vuile smeerkuil hurken of tegen elkaar aan liggen en via de onderdelen van een levenloze constructie contact met elkaar maken, waarop we vloeken en twisten of in volledige harmonie van elkaars trefzekere bewegingen genieten, schuilt ongetwijfeld een ritueel trekje dat op de kameraadschap van onze kinderjaren en op een elementaire behoefte aan die kameraadschap wijst.

We hebben indertijd bloedbroederschap gesloten, maar ik herinner me niet meer wat de aanleiding daartoe is geweest. Met mijn vaders dolk hebben we onze vingertop opengekerfd, het bloed over onze handpalm uitgesmeerd en dit van elkaars hand afgelikt. Helaas is het geen indrukwekkende ceremonie geweest, misschien omdat het bloed niet uit onze vingers is gespoten. Wegens deze schamele vertoning geneerden we ons voor elkaar, maar toch zou dit met bloed bezegelde verbond de belangrijkste en duurzaamste relatie van mijn kinderjaren blijken te zijn. Wat anderen met woorden afspraken, handelden wij in de taal van het lichaam af. Ik heb overigens gemerkt dat het lichaam over woorden beschikt die geen enkele erotische lading hebben. Wij gebruikten ons lichaam als een fysiek instrument om een bepaald doel te bereiken, maar zonder dat we ons lichamelijk tot elkaar aangetrokken voelden. Deze bewering wordt ook gestaafd door het feit dat ik hem nooit als een vriend heb beschouwd en hij mij evenmin, tot op heden spreken we elkaar met maatje aan, wat gezien mijn intellectuele ambities enigszins ironisch klinkt uit mijn mond, maar van zijn kant ernstig gemeend is vanwege het sociale en intellectuele verschil tussen ons. Hij heeft een ander soort vrienden dan ik. Bij zijn onbenullige maar zeer lucratieve zwendelarijen kan hij altijd op mijn deskundige advies rekenen.

Om beroepsmilitair te kunnen worden moesten wij het heersende maatschappelijke systeem om de tuin leiden. We hadden geen van beiden een onmogelijker loopbaan kunnen verzinnen, want ik was de zoon van een kapitein bij de generale staf van het precommunistische leger en zijn vader was een bloeddorstige pijlkruiser geweest. Overigens had hij een volkomen ondergeschikte functie bij deze beweging bekleed. Mijn vader was aan het Russische front gesneuveld, zijn vader had zich het vermogen van gedeporteerde joden toegeëigend en daarvoor vijf jaar gevangenisstraf gekregen. Tot grote opluchting van zijn familie was hij nog geen half jaar na zijn vrijlating opnieuw vastgezet. De van overheidswege gepropageerde, onnozele moraal van die tijd schoor deze twee geheel verschillend gemotiveerde en ethisch gezien volstrekt ongelijksoortige gedragingen nonchalant over een kam, zodat we beiden als de nakomelingen van oorlogsmisdadigers werden beschouwd. Als we niet voor dwaas of krankzinnig wilden versleten worden, moesten we ons besluit geheimhouden. Zelfs onder elkaar spraken we er nooit over, we wilden ook geen soldaten van het volksleger worden, maar soldaten in het algemeen.

Dit alles behoeft enige uitleg.

Tot het midden van de jaren vijftig werd nog dikwijls de met schijnbaar pragmatische argumenten gestaafde verwachting geuit dat de Engelsen en de Amerikanen binnenkort ons land van de Sovjetrussische troepen zouden bevrijden. Het feit dat de Russische troepen zich in negentienvijfenvijftig terugtrokken uit Oostenrijk gaf tot vier november negentienzesenvijftig voedsel aan deze verwachting. Ik vond de manier waarop onze familie werd behandeld onrechtvaardig en stuitend, maar ik had met het onbevangen realisme van een kind ook gemerkt dat de mensen uit mijn omgeving zelf niet geloofden wat ze zo stellig beweerden. Als mijn tantes en ooms het daarover hadden, dempten ze angstig hun stem, die van louter zelfbedrog een onnatuurlijke, nerveuze klank kreeg. Deze hysterische gedragswijze verbaasde me elke keer weer. Ik moet toegeven dat ik wegens gebrek aan keuzemogelijkheden toch bij het volksleger wilde dienst nemen, al wilde ik dit plan realiseren zonder mijn familie in de rug aan te vallen. Bij de uitvoering van dit nogal laakbare plan was het door mijn grootvader gegeven voorbeeld een steun voor mij.

Hij was het vijfde kind van de dorpsonderwijzer van Nagylóc, die na hem nog met drie andere kinderen gezegend zou worden. Een geestelijke of militaire loopbaan was voor hem de enige kans om zijn reeds op jeugdige leeftijd opvallende intellectuele vermogens te ontwikkelen. Omdat hij een volstrekt onhandelbaar, wild knaapje was, achtte men een geestelijke loopbaan bij voorbaat uitgesloten voor hem. Een militaire carrière stuitte daarentegen op ernstige bezwaren van mijn overgrootvader, die een fanatiek aanhanger was van de revolutionaire denkbeelden van achttienachtenveertig. Zijn verzet ging zo ver dat hij mijn grootvader niet eens wilde toestaan tot de *Honvéd*, het koninklijke Hongaarse leger, toe te treden, hoewel het Hongaars de voertaal in dat leger was en het sedert het Vergelijk met Oostenrijk van achttienzevenenzestig niet buiten Hongarije mocht worden ingezet zonder de toestemming van het Hongaarse parlement. Niettemin beschouwde hij het als een Oostenrijks-Hongaars leger en zijn zoon had geen gemene zaak te maken met de keizerlijken. In een tweede discussie over dit onderwerp waagde mijn grootvader het te zeggen dat als zijn vader volhardde in zijn weigering, hij van huis zou vluchten en danser zou worden. Hierop ontving hij twee fikse oorvijgen, maar een dag later ook de vaderlijke toestemming. Hij legde een uitstekend eindexamen af aan de militaire academie van Sopron.

Prém en ik waren van plan goede militairen te worden, om het even in welk Hongaars leger. Om ons daarop voor te bereiden, onderwierpen wij onszelf aan de zwaarste beproevingen. We maakten beladen met rugzakken vol stenen lange marsen in de kokende hitte, tijgerden door sloten met ijskoud water, klommen zo hoog mogelijk in elke boom die we tegenkwamen om vervolgens omlaag te springen en kropen naakt door doornige struiken. Als onze kleren hierbij nat waren geworden of stijf bevroren, gingen we niet naar huis om ons te verkleden. We hadden honger noch dorst, nooit was het ons te koud of te warm en we verboden onszelf angst, vermoeidheid, walging of pijn te voelen. Dat waren onze leefregels. Dikwijls slopen we 's nachts de deur uit en moesten we elkaar zien te vinden zonder van te voren een plaats te hebben afgesproken. In dit opzicht werkte onze intuïtie uitstekend. We sliepen in hooimijten of doorwaakten de nacht, vooral als er veel sneeuw viel, want dan trachtten we erachter te komen hoe men het beste de geniepige bevriezingsdood voorkomt. De volgende dag gingen we dan alsof er niets was gebeurd naar school. We wedden wie van ons beiden het langst zijn adem kon inhouden. Hetzelfde experiment voerden we onder water uit. We pasten goed op elkaar, echter niet met de bezorgde opmerkzaamheid van geliefden, maar op een zakelijke manier, om het gemeenschappelijke belang te dienen. We leerden geruisloos door droge bladeren te kruipen, vogelgeluiden na te bootsen en sneeuwhutten te bouwen, die zo stevig waren dat je er een vuur in kon aanleggen. Voorts oefenden we met gewichten, beklommen we rotsen, holden we door moeilijk begaanbaar terrein en groeven we loopgraven. Regelmatig ontzegden we onszelf een hele dag het genot van spijs en drank of aten en dronken we de onmogelijkste dingen. Water uit putten drinken, gras eten en rauwe, uit het nest gehaalde vogeleieren uitslurpen behoorden geenszins tot de ongewone opgaven. Eenmaal heb ik Prém gedwongen een rauwe naaktslak op te eten en hij mij een aan het spies geroosterde regenworm. We wilden elkaar hiermee alleen op de proef stellen en geen wreedheden bedrijven. Onze lichamen zaten voortdurend onder de wonden en builen en onze kleren hingen als vodden om ons lijf, zodat Prém thuis menig pak slaag kreeg en ik mijn bezorgde moeder met allerlei spitsvondige leugens moest geruststellen.

Ik herinner me één enkele keer dat ik er niet in slaagde een uitvlucht te bedenken, maar ook deze ervaring, hoe dramatisch ook, bracht me niet van mijn stuk. Ik was weliswaar door de mand gevallen, maar weigerde dat toe te geven. Sindsdien ben ik een volleerd leugenaar, iemand die altijd smoesjes verzint of eromheen draait, of het nu om kleine of grote zaken gaat, en ik doorzie met de grootste toegeeflijkheid de doorzichtige leugens van mijn naar eenduidige waarheden strevende medemensen. Maar laat ik nu die belevenis vertellen.

Uit wat ik had gelezen over krijgstactiek wist ik dat de legereenheid die tot taak heeft het transport en de bevoorrading te verzorgen minstens even belangrijk is voor het succesvol verlopen van een oorlogsoperatie als de bewapening, het moreel en de geoefendheid van de in de voorste linies strijdende troepen. Het is van het grootste belang dat elke soldaat een modern wapen bezit en ten diepste doordrongen is van de rechtvaardigheid van de door hem gevoerde oorlog, maar het is niet minder belangrijk dat de bevoorrading van de fronttroepen met de grootste stiptheid wordt uitgevoerd. Ook op dit gebied moesten wij ervaring opdoen.

We brachten onvergetelijke zomerdagen door op het station van de voorstad Ferencváros en op het rangeerstation Rákos. Als de spoorwegbeambten ons ruw hadden weggejaagd, doken we ergens anders weer op. Nog steeds heb ik een levendig en nauwkeurig overzicht in mijn hoofd van de wissels, de draaischijven, de seininrichtingen en de voor uiteenlopende doeleinden dienende en in verschillende richtingen lopende rails. Deze kennis heb ik in niet geringe mate te danken aan de omstandigheid dat de maatschappelijke tegenstellingen tussen de wegwerkers en de spoorwegbeambten tamelijk groot waren. Als het ons gelukt was in de nabijheid van een met het onderhoud van de spoorbaan belaste brigade te komen, hadden we die dag vrij spel. We dronken hun met water aangelengde wijn, aten hun brood met spek en genoten van de vaderlijke, maar niet opdringerige welwillendheid en vriendelijkheid waarmee deze gewoonlijk al wat oudere, ver van hun gezinnen levende, bijna doofstom lijkende mannen ons omringden. Als er opzichters of ingenieurs ten tonele verschenen, mompelden die hoogstens dat het eigenlijk niet in orde was kinderen mee te nemen naar het werk, maar verder lieten ze ons met rust. Behalve wij weten misschien alleen beroepsmisdadigers hoe eenvoudig het is om je illegaal op een goederenstation te bewegen. De opzichters zien slechts vlijtige, zich doelbewust voortbewegende mieren vanuit hun torens. Ze controleren noch het aantal noch de kleur noch de grootte van de mieren, zodat je je rustig van de mierenhoop kunt verwijderen. Je moet alleen de hokjes van de wisselwachters mijden, niet al te opvallend rondslenteren en voorkomen dat je toevallig een baanopzichter tegen het lijf loopt.

Dikwijls reden we mee met rangerende wagons. Van alle mogelijke ondernemingen was het de aangenaamste en tegelijk de riskantste als het ons lukte in een wagon te stappen die op het punt stond aan een treinstel toegevoegd te worden. In zo'n geval moesten we heel goed letten op de met vlaggetjes tekens gevende rangeerder en de controleur in de controletoren en zorgen dat we de wagon zodanig naderden dat hij zich tussen ons en dit spoorwegpersoneel bevond. Pas als je ingestapt bent, verneem je via de vanuit de toren gegeven commando's wat er gaat gebeuren. Nadat de uit twee nummers – dat van de wagon en dat van de richting – bestaande opdracht is omgeroepen, volgt er een langdurig, met gevloek begeleid geklungel aan de buffers en de aansluitkabels. Dan valt er een doodse stilte en gaat het erom je goed vast te houden. Het is weliswaar onduidelijk wanneer de rangeertrein de wagon zal wegstoten, maar dat dit zal gebeuren staat vast. De eerste schok is nooit erg krachtig; het grote genot laat altijd even op zich wachten.

Door de botsing van de twee buffers wordt de wagon in beweging gebracht op het vrijgegeven traject. Met een dof, denderend geluid rolt hij weg en krijgt vaart, een vaart die dikwijls door de ergerlijke belemmering van een op het laatste moment omgegooide wissel wordt vertraagd. Als de voortgang hierdoor geheel wordt gestuit, is de ergernis groot. Boven op de controletoren wordt minachtend gebruld en beneden op de grond klinken vloeken omdat de wagon nu met de hele

achtergebleven trein weer op gang moet worden gebracht, een vervelend karweitje dat met veel lawaai en geschok gepaard gaat. Als de wagon goed wordt weggestoten is het dolle pret. De uit het gewicht en
de richting van de trage massa resulterende, door de weerstand van het
oppervlak enigszins geremde, gelijkmatige versnelling voert je onstuitbaar en met een kolossale snelheid van de ene naar de andere
plaats.

We genoten vooral van de kolossale, verdovende klap, die gevolgd
werd door kleinere, schokabsorberende botsingen van trage, metalen
lichamen. Als we om veiligheidsredenen niet meer de samengestelde
trein konden verlaten, bleven we gewoon in de wagon zitten. Meestal
werd hij alleen naar een ander spoor geduwd, maar het kwam ook
voor dat hij meteen op weg ging naar zijn werkelijke bestemming.
Die ochtend was hij, nog voordat we hem hadden kunnen verlaten,
met een behoorlijke snelheid in de richting van Cegléd weggereden,
waarna zich geen gelegenheid meer had voorgedaan om nog uit te
stappen. Weliswaar minderde hij af en toe vaart, maar toen hij eenmaal buiten de bebouwde kom was gekomen, bleef hij geen ogenblik
meer staan. We maakten ons geen zorgen, het was tenslotte niet de
eerste keer dat we ons in een dergelijke situatie bevonden, maar die
dag waren we om de een of andere reden ongeduldiger dan noodzakelijk was. Op een gegeven moment, toen de trein vaart minderde,
gaf Prém me een teken. Ik sprong uit de trein en hij volgde mijn voorbeeld. Toen ik op de grond terechtkwam, verdween mijn ene been
tot aan de knie in een hoop bazaltgruis, terwijl hij kopjebuitelend
langs het talud omlaagrolde. De vaart trachtte mijn lichaam verder
weg te slingeren. Aan dit eigenaardige ogenblik bewaar ik tot de dag
van vandaag een levendige herinnering. De felle zonneschijn, het
schouwspel van zijn wegbuitelende lichaam en het kraken van mijn
tussen het gruis beklemde been, dat in het lawaai van de voorbijdave-
rende trein volstrekt onhoorbaar had moeten zijn maar toch door mij
werd gehoord, daarna de aanblik van de naderende stenen, waar ik
voluit met mijn gezicht in terechtkwam. We waren ontdekt. Al onze
geheimen lagen open en bloot voor alle mensen. Zelfs door de gruwelijke, donkere sluier van pijn drong nog de gedachte dat mijn onhandigheid onvergeeflijk was. Prém groef mijn been uit en wilde me
op zijn rug wegdragen, maar ik smeekte hem jammerend me niet aan
te raken. Zoals later bleek, had ik in het bot van mijn linkerarm en in
twee linkerribben alleen wat scheurtjes opgelopen, maar ik voelde

daar meer pijn dan in mijn rechterbeen, dat echt was gebroken. Mijn schedel en mijn gezicht zaten onder het bloed. Het ergste was nog dat er nergens iemand of iets te bekennen was, geen mens, geen auto, geen huis, alleen maar een kale, door de zon verschroeide weide, waarboven zich een wolkeloze hemel welfde. Prém moest hulp gaan halen. Mijn enige troost was dat hij het hoofd koel hield.

Toen ik de operatiekamer werd binnengereden, holden er een tiental in het wit gehulde gedaantes met ons mee. Op dat moment heb ik afscheid van hem genomen. Ik hoorde nog hoe een van de ziekenbroeders tegen hem zei: en jij blijft hier op de politie wachten, mannetje!

Toen ik bijkwam, kon ik slechts met één oog door een gaatje in mijn hoofdverband kijken. Ik was geheel in zwachtels en gips gehuld. Naast mijn bed zat een verpleegster, wier gezicht me als een reusachtig, kloppend wit hart voorkwam. Ze sprak op zachte, kirrende toon tegen me, alsof ze een liedje zong. Ze gaf me te drinken, streelde me en koelde mijn lichaam met natte doeken af. Ze gaf zich alle moeite het me gemakkelijk te maken en redderde mompelend om mijn bed. Ik moet er vast heel zielig hebben uitgezien, want ze kweelde dat er niets ernstigs met me aan de hand was, nee, alles was prima in orde, mijn wonden zouden vanzelf dichtgaan en genezen, als ik me maar niet bewoog, dat was heel belangrijk. Als ik moest overgeven of plassen, moest ik dat tegen haar zeggen, ze zou zolang mijn moeder er niet was bij me blijven. Ik hoefde me nergens zorgen over te maken.

Aan mijn moeder had ik tot dat ogenblik helemaal niet gedacht, alleen al door dit woord scheen alles zich van me te verwijderen en doorzichtig te worden, evenals in de operatiekamer was gebeurd toen de anesthesist het etherkapje op mijn gezicht had geplaatst. Ik voelde me opeens doodmoe en alles werd zwart voor mijn ogen.

Het was alsof ik in een nachtmerrieachtige droom was weggezakt en me moeizaam daaraan trachtte te ontworstelen. Ontsteld merkte ik dat mijn lichaam begon af te koelen en ik dus stervende was. In een nat laken gewikkeld hoorde ik de verpleegster zachtjes mompelen. Er was niets aan de hand, helemaal niets, mijn koorts was alleen wat opgelopen, ze zou hem wel weer omlaagbrengen. Het leek wel of ze mijn naakte ledematen tevergeefs in natte doeken wikkelde, want de koorts had zich onder de zwachtels en het gips genesteld en wilde van geen wijken weten. Na geruime tijd zakte hij echter toch en toen ze me tenslotte tevreden met een droog laken toedekte, speet het me haar niet langer mijn naakte lichaam te hoeven presenteren.

Aan het licht en het gedruis in de ziekenzaal te oordelen moest het tegen de middag lopen. Mijn moeder had me gelukkig nog niet opgezocht. Later op de dag kreeg ik nog een koortsaanval en toen we die onderdrukt hadden, was het al avond. De verpleegster zei dat ze me alleen moest laten omdat haar dienst erop zat, ze zou een collega vragen voor me te zorgen. Ik weet niet wat haar op andere gedachten heeft gebracht, want de uitdrukking van mijn gezicht kan ze nauwelijks hebben gezien, misschien kwam het door een beweging die ik maakte of heeft ze ondanks het de communicatie belemmerende verband gemerkt dat ik mij volkomen afhankelijk van haar voelde. Hoe het ook zij, ze was nog maar net vertrokken of ze kwam weer terug. Toen ze in de deuropening verscheen, zei ik dat het goed was dat ze was teruggekomen. Ze vroeg of er iets mis was. Nee, zei ik, niets. Ik had inderdaad het gevoel dat ik weer op krachten was gekomen en alles duidelijk kon zien met dat ene oog. Waarom is het dan goed? vroeg ze. Omdat ik u nodig heb, antwoordde ik. Gelijktijdig pakten we elkaars handen, waarbij ze een kleur kreeg. Ik was toen twaalf jaar, zij zal zo'n tien jaar ouder zijn geweest.

De gedragswijze van mensen met wie we nauwe banden hebben kan ons nauwelijks verrassen. Bij bepaalde situaties horen steeds dezelfde gedragspatronen. Wij herhalen onze gebaren tot het eind van ons leven en dat geeft onze omgeving een grote zekerheid. In de wetenschap van dit ervaringsfeit bereidde ik me op het bezoek van mijn moeder voor.

In de ziekenzaal lagen behalve ik nog andere aan hun bed gekluisterde witte mummies. Ze hijgden, steunden, snurkten, rochelden en stonken. Ik wilde me op de een of andere manier van hen onderscheiden. Boven de deur brandde een blauw nachtlampje. Ik liet een paar dikke kussens onder mijn rug schuiven, zodat ik rechtop kon zitten en verzocht de zuster de leeslamp boven mijn hoofd aan te knippen, de po weg te halen en me een krant te brengen. Ze liep af en aan. Doordat ik nog veel pijn had, kon ik met dat ene oog niet blijven lezen totdat mijn moeder er was, ik viel in slaap. Toen ik mijn ogen weer opende, zag ik tot mijn grote verbazing niet mijn moeder in de deuropening staan maar een angstaanjagende furie die de gestalte van mijn moeder had aangenomen en haar kleren droeg. Ze stormde de zaal in en rende op mijn bed af, zodat ik me een hoedje schrok. Met uitgestoken armen sprong ze naar me toe, zodat haar handtas in mijn gezicht sloeg. Ze greep me bij mijn schouders en als de verpleegster niet tussenbeide was gekomen, had ze me ongeacht mijn toestand ongenadig door elkaar geschud en afgerammeld. En dat terwijl ze me nog nooit een draai om mijn oren had gegeven! De twee vrouwen vielen worstelend boven op me. Terwijl de furie me op schorre toon toeschreeuwde: wat heb je nu weer uitgehaald, aap van een jongen! krijste mijn beschermengel met een hoge, overslaande stem: wat doet u nu? Blijf van hem af! Bent u krankzinnig? Help, mensen, help! De ziekenzaal was plotseling fel verlicht, binnen enkele seconden waren alle patiënten klaarwakker en schreeuwden door elkaar, maar een ogenblik later was alles voorbij. De furie vervluchtigde en in plaats van haar zag ik mijn moeder snikkend op mijn bed liggen. De verpleegster liet haar los en betastte het gips en mijn gezonde en verbonden ledematen. Vervolgens hielp ze alle patiënten weer in hun bed.

Nadat ze iedereen verlegen lachend had gekalmeerd, deed ze het licht uit en verliet de zaal, maar eerst grijnsde ze nog even naar me vanuit de deuropening.

In een dergelijke situatie is een kind genoodzaakt zijn ouders stotterend uit te leggen wat hij heeft misdaan en waarom. Hij moet al zijn tot dat ogenblik begane wandaden opbiechten, tenminste een derde van zijn geheimen onthullen en door zijn onderworpenheid vergiffenis zien te verkrijgen. Geen haar op mijn hoofd die er echter aan dacht om mijn moeder alles te verklappen. Ik was er zeker van dat ook Prém op het politiebureau slechts het hoogst noodzakelijke zou prijsgeven. Misschien was ik daarom wel vastbesloten mijn moeder zo weinig mogelijk te vertellen omdat ik voor het eerst van mijn leven het middelpunt van een conflict tussen twee vrouwen was geweest. De tumultueuze scène had me duidelijk gemaakt dat mijn moeder niet alleen mijn moeder was maar ook een vrouw. Vroeger had ik daar nooit erg in gehad. Een der beide vrouwen had zich jammerend op mijn bed geworpen, de andere grinnikend eromheen gelopen, alsof ze genoot van het feit dat ik in de macht van een boosaardige helleveeg was.

Huilend herhaalde mijn moeder haar vragen, waarmee ze de meest delicate kwestie van mijn leven aanroerde. Het ogenblik was aangebroken waarop ik moest beslissen onafhankelijk te worden. Met mijn gezonde hand en mijn in gips gehulde arm draaide ik haar huilende gezicht naar me toe. Ik was boos op haar en wilde haar afleiden, zodat ze deze kwestie zou laten rusten, maar zonder haar te veel verdriet te doen.

Ik zei dat ze best wat eerder naar het ziekenhuis had kunnen komen.

Ze antwoordde dat ze nog maar heel kort geleden thuis was gekomen, waar een politieagent op haar stond te wachten. Een politieagent!

Ik lig hier al de hele dag en heb nog niets te eten gekregen.

Ze keek me met haar behuilde ogen aan.

Ik heb trek in meikersencompote, zei ik.

Meikersencompote? vroeg ze verbaasd, waar moet ik zo een twee drie meikersencompote vandaan halen?

Maar haar met tranen bevochtigde ogen hadden intussen de welbekende gedienstige, ietwat angstige weduweblik herkregen. Ik had haar afgeperst wat mij toekwam en haar weer in mijn moeder omgetoverd.

Nu weet ik dat ik degene ben die de vrouw in haar heeft gedood.

Misschien hoef ik niet al te zeer te benadrukken dat dit leven – ons leven – in alle opzichten verschilde van dat van mijn vriend. Weliswaar komt er een korte, mijn gehele denkwijze bepalende periode voor in zijn relaas, waarin wij, evenals hij en zijn vriendin Maja, door de contraspionage-koorts waren aangestoken. Wij spraken overigens niet van contraspionage maar van inlichtingenwerk. We moesten in een vijandelijke gebied binnendringen en ons vervolgens ongemerkt daaruit terugtrekken. We kozen hiervoor altijd huizen en woningen uit van mensen die we niet kenden, om te vermijden dat we naderhand onze bekenden niet recht in de ogen durfden kijken. We verkenden onbekende tuinen, doorzochten lege kamers, inspecteerden per ongeluk opengelaten ramen, probeerden luiken open te wrikken en deuren in te drukken en stelden vast welk voorwerp naar buiten moest worden gebracht. Een van ons stond op de uitkijk, de ander sloeg zijn slag.

Nooit hebben we iets ontvreemd, de als bewijsmateriaal naar buiten gebrachte voorwerpen brachten we stiekem weer terug, desnoods gooiden we ze weer naar binnen of legden we ze op de drempel of in het raamkozijn. Alle mogelijke zaken gingen door onze handen: documenten, klokken, presse-papiers, pennen, medicijnflesjes, stempels, sigarettenkokers en diverse grappige snuisterijen. Ik herinner me nog heel goed een gelakt Chinees speeldoosje en een uitzonderlijk obsceen poppetje, waarvan alle ledematen beweegbaar waren. Zelfs het meest angstvallig bewaarde geheim van mijn liefdeleven is minder schaamteloos dan dat rare poppetje was. We drongen de nauwelijks verdedigde wereld van onbekenden binnen, hun zwijgende, weerloze woningen, die niet vermoedden wat er met ze ging gebeuren.

Op dit punt hebben onze gezamenlijk uitgevoerde handelingen de grenzen van het geoorloofde verre overschreden.

Zodra we hadden besloten tot actie over te gaan werden we dood-nerveus: onze magen trokken zich samen, onze blikken werden dof, onze handen en voeten trilden en onze darmen kwamen schaamteloos in opstand, zodat we meer dan eens genoodzaakt waren in elkaars aanwezigheid onze behoefte te doen.

Ik geloof dat het morele gehalte van een handeling fysiek meetbaar is. Deze fysieke meting kan elk mens elk ogenblik bij zichzelf verrichten. De meeteenheid is de verhouding tussen de menselijke aandriften en de menselijke remmingen. De handeling is namelijk niet de resultante van de aan het instinct toegeschreven aandriften, maar van de verhouding tussen die aandriften en de uit de opvoeding resulterende remmingen. De mens tracht zijn lichamelijke gesteldheid, sociale instelling, overgeërfde eigenschappen en afkomst op evenredige wijze in zijn handelingen uit te drukken. Slaagt hij daar niet in, met andere woorden: ontbreekt de genoemde evenredigheid, dan zal hij, indien deze toestand lang voortduurt, reageren met angstgevoelens, zweten en beklemdheid en in ernstige gevallen zelfs met onmacht, braken, dunne ontlasting of blijvende lichamelijke kwalen.

De maatschappij zou dus in theorie dat type mens als ideaal moeten beschouwen waarvan de verlangens alleen op het toegestane zijn gericht, en het gevaarlijkste type is voor de maatschappij de categorie die uitsluitend het verbodene nastreeft. Dit logisch lijkende principe functioneert echter evenmin volgens de regels van de logica als de asymmetrische theorie over de lelijkheid en de schoonheid, want er is geen mens ter wereld in wiens handelingen zich geen spanning tussen aandriften en verboden openbaart, zoals er ook niemand is die uitsluitend verboden dingen wil doen. Het ideaal van maatschappelijke rust en vrede veronderstelt ongetwijfeld de predominantie van mensen die deze spanning op het laagst mogelijke niveau weten te houden, niet echter van wijze of volmaakte mensen. Geen monniken, nonnen, revolutionairen, uitvinders, geesteszieken, profeten of misdadigers dus, alleen mensen die de maatschappelijke rust en vrede helpen bevorderen en dus nuttig zijn voor de samenleving. Overigens kan nuttig alleen als tegenstelling van onnuttig worden gedefinieerd.

Als ik zoëven, over schoonheid en lelijkheid filosoferend, heb beweerd dat wij, voor de keus tussen twee bijna-volmaaktheden gesteld haast nooit de bijna volmaakte disharmonie, maar bijna altijd de haast volkomen harmonie kiezen; dan moet ik nu, over goed en kwaad filosoferend, zeggen dat wij als morele maatstaf van ons handelen geenszins het voor het leven noodzakelijk goede, het vreedzame, saaie gemiddelde, maar altijd het onvredige en nerveuze buitengewone, het voor het leven noodzakelijk kwade kiezen, wat dus betekent dat voor onze gevoelens altijd het bijna volmaakte, voor ons bewustzijn echter het bijna onvolmaakte maatgevend is.

Mijn overleden vriend beweert op bladzijde driehonderdzevenenzeventig van zijn manuscript dat ik Prém enkele malen aangespoord heb om zich te ontkleden. Ik kan me daar niets van herinneren, maar wil deze bewering toch niet in twijfel trekken. Misschien is het waar, maar als dat zo is, heb ik het waarschijnlijk om een andere reden gedaan dan hij veronderstelt.

Het lijdt geen twijfel dat jongens een levendige belangstelling hebben voor de grootte van het mannelijk geslachtsorgaan. Een van hun geliefde spelletjes is bijvoorbeeld het vergelijken van hun eigen penis met die van hun kameraden, hetzij verbaal, hetzij in werkelijkheid. Aan de gevolgen van deze vergelijking kunnen de meeste mannen zich zelfs op volwassen leeftijd niet onttrekken: door hun onveranderlijke psychische eigenschappen hebben ze voortdurend last van de in de kindertijd opgelopen trauma's. Uit het feit dat hun lid tijdens de vergelijkende spelletjes ofwel als groot, ofwel als klein werd beschouwd, volgt dat er twee soorten psychische trauma's zijn: was hun lid groot bevonden, dan zullen ze zich als uitzonderlijk beschouwen, ook al levert deze uitzonderlijkheid hun thans geen merkbare voordelen op bij het bedrijven van de liefde; scheen het daarentegen klein, dan hebben ze nu te kampen met een uit hun minderwaardigheidsgevoel resulterende psychische misvorming, ook al ondervinden ze door de geringere afmeting van hun geslachtsorgaan geen noemenswaardige nadelen bij het liefdesspel. Op dit punt weerspreekt niet alleen de alledaagse, maar ook de wetenschappelijke ervaring nadrukkelijk de culturele traditie. Ik weet niet hoe andere culturen de discrepantie tussen de gevoelsmatige en de verstandelijke ervaring verwerken, maar onze, de schepping zogenaamd eerbiedigende, beschaving is in werkelijkheid barbaars en heeft niet de geringste eerbied voor de schepping, daar ben ik van overtuigd. Het zich tot een psychische misvorming ontwikkelend trauma is dan ook niet het gevolg van fysieke eigenschappen, maar van de tegenstrijdigheid dat de naar zelfverwerkelijking strevende mens zijn eigenschappen als de enig mogelijke beschouwt, terwijl zijn, de schepping minachtende cultuur de door de natuur geschapen en gestelde grenzen weigert als maatgevend te zien, wat de mens ertoe brengt zijn eigenschappen anders te waarderen dan hij ze ervaart. Uit het meer wil hij nog meer halen en het spijt hem dat datgene wat volstrekt niet weinig is, niet meer kan zijn.

Zoals iedereen weet, hangt de kwaliteit van het liefdeleven van een broos geluksgevoel af. Weliswaar is het liefdesgeluk niet van de liefdesorganen te scheiden, maar het zou volstrekt dwaas zijn het rechtstreeks met de afmetingen van die organen in verband te brengen, alleen al daarom, omdat het een natuurlijke eigenschap van de vrouwelijke schede is dat zij zich qua grootte nauwkeurig aanpast aan de omvang van het ingebrachte lid. Deze aanpassing wordt uitsluitend door emotionele factoren beheerst, evenals het stijf worden van het mannelijk lid. De door prestatiedwang gekenmerkte culturele traditie, die gericht is op het bezit, het gebruik en de rechtvaardige distributie van overvloedige hoeveelheden materiële goederen, heeft echter lak aan deze alledaagse en wetenschappelijk verklaarbare zintuiglijke ervaringen, ze wil zowel mannen als vrouwen doen geloven dat iets pas goed is als het meer en groter is dan het normaliter is. Als je minder bezit dan een ander, is er iets mis met je, maar er is ook iets mis met je als je uit meer niet meer genot kunt puren. Als er iets mis is met een mens, zijn er twee mogelijkheden: hij kan zich bij dat feit neerleggen of trachten zijn leven te veranderen; hij zal dus medelijden oogsten of jaloezie zaaien. De naar zelfverwerkelijking strevende cultuur is aldus gedwongen de door de schepping getrokken grenzen te erkennen. De naar verandering van het leven strevende, verstandige revolutionair blijkt in de praktijk even dwaas te zijn als de dwaze gelovige die probeert het leven te nemen zoals het is. In deze delicate, ons dagelijkse leven betreffende kwestie gedragen we ons niet anders dan de nog steeds bestaande primitieve volkeren die geen verband leggen tussen de functie van de geslachtsorganen, het seksuele genot en de conceptie. Onze als uiterst ontwikkeld beschouwde beschaving gaat uit van een onmiddellijk verband tussen de geslachtsorganen en het liefdesgeluk, wat de natuur niet kan bevestigen, want om kinderen te kunnen verwekken dient men alleen over een normaal functionerend geslachtsorgaan te beschikken, van welk functioneren de conceptie het gevolg kan zijn, terwijl liefdesgeluk een bepaalde aanleg veronderstelt. Daarom is het ook zo'n broos gevoel.

Nu ik deze gedachtengang heb ontvouwd, is het natuurlijk gedurfd om te beweren dat ik in dit opzicht noch beschadigd noch gedeformeerd ben. De omstandigheden hebben mij van mijn vroegste jeugd af gedwongen mijn natuurlijke gaven te benutten en niet aan mijn culturele verlangens toe te geven. Het is dan ook buiten kijf dat de door onze cultuur uitgeoefende aandrang om hetzij op masochistische wijze in de werkelijkheid te berusten, hetzij de realiteit op sadistische wijze te veranderen, mij in hoge mate afschrikt. In tegenstelling met mijn arme vriend, die, door het rijk der menselijke verlangens zwervend, zijn lichaam tot voorwerp van zijn gevoelsexperimenten maakte, heb ik mijn lichaam juist tot het werktuig van mijn gevoelens gemaakt, zodat mijn verlangens slechts de strenge behoeders van mijn eigenschappen zijn. Omdat het ongeluk van mijn afstamming al groot genoeg was, verafschuwde ik iedereen die me ook nog probeerde wijs te maken dat ik ongelukkig was of – erger nog – mij wegens mijn fysieke eigenschappen als uitzonderlijk beschouwde, ik kon dat onmogelijk accepteren. Ik wilde niets aanvaarden of veranderen, maar begeerde alleen de mogelijkheden te benutten die in het mij gegeven leven bij mijn eigenschappen pasten. In dit opzicht was ik, zo niet hartstochtelijk, dan toch met een idee-fixe behept.

Mijn weinig beschouwelijke en voor bekentenissen ongeschikte natuur dwing ik tot deze eenzame nachtelijke zittingen. Het verlangen om te schrijven impliceert het vermogen daartoe en dit vermogen noopt mij actief te worden op een gebied dat eigenlijk niet het mijne is, maar als twee principes elkaar aanvullen, stellen ze automatisch een derde in werking.

Ik heb geen bepaalde wensdromen en dat dwingt mij tot nadenken en terugblikken. Ik eis van mezelf dat ik aan geen enkel vooroordeel toegeef en geheel onpartijdig ben. Hoewel mijn bevooroordeelde geheugen het door mijn vriend geschetste beeld van Prém niet heeft vastgehouden, heb ik geen reden tot klagen omdat ik van hem een ander, indringender beeld heb bewaard. Een onschuldig beeld, naar ik meen. Hoe vaak het al voor mijn zieleoog is verrezen, weet ik niet, in elk geval niet al te dikwijls. Als dit gebeurt, is het alsof ik een speldeprik voel. De zon schijnt en het gras is helgroen. Prém zit, door stralend licht overgoten, op zijn hurken. Tussen zijn samengeknepen dijen bungelt zijn pik en uit zijn aars komt een dikke, lange, harde worst tevoorschijn, die veel langer is dan zijn pik. Ik bewaar veel van dergelijke beelden, maar ze zijn alle vager dan dit.

Tijdens onze speurtochten hadden we dikwijls een hevige aandrang. We geneerden ons niet voor elkaar. Soms moest alleen hij, soms alleen ik, maar vaak ook leegden we onze darmen tegelijk, dikwijls in de onmogelijkste situaties, waarin we niet eens de tijd hadden om onze bilspleet te reinigen, want ook als we niets op onze kerfstok hadden, moesten we de veel grotere schande van het in deze houding gezien worden trachten te vermijden. Ik denk dat dit ernstige trauma het lichtere geheel op de achtergrond heeft gedrongen.

Onze gedwongen schaamteloosheid heeft een eigenaardige waarderingsmaatstaf voortgebracht. Wat voor anderen een prikkelende, hun zinnelijkheid stimulerende en hun brandende nieuwsgierigheid bevredigende aanblik zou zijn geweest, was voor ons geheel bijkomstig. Als ik Prém heb aangespoord om zich te ontkleden en zijn geslachtsorgaan te laten zien, heb ik dat dus niet gedaan om een niet te onderdrukken nieuwsgierigheid naar het teken van zijn mannelijkheid te bevredigen, maar juist om een tegengestelde reden: ik wist dat andere jongens een onweerstaanbare belangstelling voor elkaars geslacht hadden, een interesse die door onze schaamteloze intimiteit reeds lang geleden was gedoofd. Ongetwijfeld wilde ik me bevrijden van het gevoel uitzonderlijk te zijn en mezelf wijs maken dat ik, wat dit betreft, net als de andere jongens dacht, wat natuurlijk onmogelijk was. Misschien vind ik het om dezelfde reden wel niet prettig als iemand me kust.

Ik heb als kind een zeer strenge zindelijkheidstraining ondergaan en geleerd dat het voor een mens van levensbelang is zijn behoefte in het geheim en in elk geval niet in het bijzijn van anderen te doen. Dit strenge gebod kan geen enkel kind ongestraft overtreden. De regels betreffende het geslachtsverkeer zijn hierbij vergeleken slechts tot niets verplichtende adviezen. Wie een dergelijk verbod overtreedt, moet wel door een diep en onweerstaanbaar verlangen worden gedreven. Wij hebben het allebei overtreden, wat alleen mogelijk was doordat we in een oorlogstoestand leefden, ja bijna als frontsoldaten opereerden. In die toestand hoefden we geen gewetenswroeging te hebben, het was immers niet onze bedoeling de culturele zindelijkheidsvoorschriften te overtreden, zoals volkeren geen oorlog tegen elkaar voeren om elkaars morele tempelschatten te vernietigen. We leefden een schijnbaar rustig leven, maar stelden alles in het werk om op een gegeven moment over voldoende ervaring en vastberadenheid te beschikken voor de allerbelangrijkste spionageactiviteit die we konden bedenken. Het overtuigendste bewijs van deze vastberadenheid zou natuurlijk de daad zelf zijn geweest: het binnendringen van het door bloedhonden, slagbomen, draadversperringen en gewapende mannen beveiligde, voor niemand toegankelijke gebied, onopvallend, onkwetsbaar en moeiteloos, als begaafde professionele spionnen. Wij maakten geen jacht op spionnen, zoals mijn vriend en Maja Prihoda, wij leidden onszelf tot spion op. We wilden het allervijandelijkste van alle gebieden binnendringen, het geheimzinnige, afgesloten terrein waarvan alleen al het bestaan de zin van ons eigen bestaan in twijfel scheen te trekken. Natuurlijk hadden we onvoldoende moed voor deze koude-oorlogsoperatie, zoals onze speelkameraden ervoor terugschrokken hun ouders werkelijk aan te geven. We hadden de zeven zegels van het geheim moeten verbreken, iets moeten doen waartoe een heel land, een in een onmachtige vrede ingesluimerd volk niet in staat was. Dat was onze grote, gemeenschappelijke schande.

En toch kon ik het plan niet opgeven.

Het was herfst toen ik deze laatste zin op papier bracht. Bepaalde zinnen moeten op het papier worden gebracht, alleen maar om ze later te kunnen doorstrepen omdat ze ons toch niet bevallen. En toch kan ik dat met deze zin niet doen. Het is inmiddels lente geworden. Maand na maand verstrijkt zonder dat ik in staat ben me met iets anders dan met mijn verleden bezig te houden. Ik denk na over de vraag waarom ik dat plan niet kon opgeven. Als ik het antwoord wist, zou ik het niet opschrijven of opschrijven en vervolgens doorhalen. Eigenlijk denk ik na over de vraag waarom ik dat plan nog steeds niet kan opgeven, waarom ik tot de meest schaamteloze compromissen bereid ben om dat niet te hoeven doen. Zou het niet eerlijker zijn om het hoofd te buigen voor de voldongen feiten en niet langer in deze schaamteloze, eerloze koppigheid te volharden? Waarom wind ik me zo op over mijn eerloosheid als ik niet de enige zondaar ben, maar er zovele andere eerlozen zijn? En waarom durf ik nauwelijks in een spiegel te kijken, die toch alleen maar mijzelf laat zien?

Als ik me goed herinner, zijn we zo'n tien, twaalf woningen binnengedrongen. Dat is niet niks, maar ik hoef de lezer niet uit te leggen dat we tevergeefs de onuitvoerbaarste karweien bedachten en de meest zinloze vergrijpen pleegden omdat we allebei wisten dat er iets heel anders op het programma stond, daar hoefden we geen woorden aan vuil te maken. Machteloos en gedeprimeerd zwierven we om het verboden gebied heen en probeerden contacten te leggen met de bewakers. We bewezen hun kleine diensten, waarvoor ze ons met lege patroonhulzen beloonden. We overlegden hoe de honden konden worden uitgeschakeld en hoorden de bewakers daarover uit. Ze zeiden dat dat onmogelijk was. Wat we echter ook deden, we konden onszelf niet op het niveau brengen dat nodig was om deze zware opgave te volbrengen, want dan hadden onze moed, kracht, vindingrijkheid en vastberadenheid op moeten wegen tegen de gewelddadigheid die dit onbetreden en onbetreedbare gebied vertegenwoordigde.

Ik kan me onze laatste insluiping nog heel goed herinneren. Ik trachtte me juist door een klein raampje van een provisiekamer naar buiten te wringen toen een hele stellage met weckflessen het onder mijn gewicht begaf. Dit gebeurde in een door een hoge bakstenen muur omgeven villa op de Dianaweg. Ik slaagde er op het nippertje in te voorkomen dat ik tussen de onder oorverdovend gerinkel versplinterende inmaakpotten terechtkwam. Ik klampte me aan het raamkozijn vast en wierp een blik omlaag. Het chaotische tafereel dat ik toen zag, spookt me nog steeds door het hoofd: groene, met jam vermengde, op lillende compote drijvende augurken en gele, over de stenen vloertegels rollende paprika's in het zuur, terwijl de op deze zachte massa terechtkomende potten elkaar door hun gewicht vergruizelden.

Mijn leven is niet rijk aan keerpunten, maar dit lang geleden voorgevallen bedrijfsongeluk zou ik toch als zodanig willen betitelen. Ik moest andere methodes bedenken om mijn doel voor ogen te houden. Voor altijd.

Ik ben altijd een uitstekende leerling geweest, daarbij was ik gezegend met de vlijt, de oplettendheid en het uithoudingsvermogen van een streber. Mijn aanpassingsvermogen en aantrekkelijke uiterlijk voorkwamen dat ik een onsympathieke indruk maakte. Ik behoor tot de weinige mensen die op school Russisch hebben geleerd. Samen met mijn moeder heb ik indertijd alle uit krijgsgevangenschap terugkerende officieren en soldaten bezocht die in de oorlog mijn vaders collega's of ondergeschikten waren geweest. Toen ik hun verhalen aanhoorde, nam ik het besluit Russisch te leren, en niet slechts zo'n beetje, maar werkelijk grondig. Hiermee conformeerde ik me aan het idee-fixe van mijn moeder, de oorlogsweduwe, die dacht dat ze mijn vader terug zou krijgen als ze erachter kwam hoe hij was gestorven. Ik meen althans dat ze door een dergelijk gevoel werd bezield, en dit gevoel nam ook bezit van mij. Ik was van plan om, zodra ik soldaat zou zijn geworden, ter plaatse uit te gaan zoeken hoe mijn vader om het leven was gekomen. De Duitse taal heb ik tweemaal geleerd. De eerste keer maakte ik mij namelijk een taal eigen die totaal verouderd was. Tussen de boeken die mijn grootvader ons had nagelaten bevond zich een tweedelig, in leer ingebonden werk, waarvan de eenvoudige maar raadselachtig titel met gouden letters op de rug was gedrukt: Vom Kriege. In de kantlijn had mijn grootvader in het Hongaars aantekeningen gemaakt. Zijn minuscule, langwerpige lettertjes waren goed leesbaar, maar het boek zelf was met gotische letters gedrukt. Ik hoopte door lezing van dit werk alles over de oorlog aan de weet te komen.

In december negentienvierenvijftig, als mijn geheugen mij niet bedriegt op de laatste dag voor de wintervakantie, werd onze school door een omvangrijke commissie bezocht, die uit een aantal sombere mannen bestond. Ze werden in grote, zwarte dienstauto's aangevoerd. Elk van hen droeg een zwarte hoed. We zagen door het raam de hoeden een voor een in de schoolingang verdwijnen. De lessen werden gestaakt, maar we moesten zwijgend in de schoolbanken blijven zitten. Op de gang waren soms even voetstappen te horen, altijd van verscheidene personen tegelijk, maar daarna werd het weer stil. Iemand werd ergens naar toe gebracht. Doordat de schoolbel niet werd geluid, vloeiden de uren geruisloos ineen. Koppen dicht! siste Klement, de meest gehate van alle leraren, als er zo nu en dan een nerveus gemompel in de banken ontstond. Af en toe ging de deur open en kwam de conciërge binnen om een van de leerlingen op te halen; hij sprak de naam van de betrokkene slechts fluisterend uit. Als de deur weer was gesloten, hoorden we hun voetstappen wegsterven op de gang. Er volgde een periode van afwachten of de betrokken leerling weer terug zou komen. Na een poosje ging de deur weer open en sloop de weggeroepene, door ons gretig aangestaard, met een bleek gezicht terug naar zijn plaats, waarna de deur weer werd gesloten. Trillende lippen en rode oren duidden erop dat er wel degelijk iets aan de hand was, maar er werden de onmogelijkste figuren opgehaald, zodat ik absoluut niet wist wat.

Na verloop van tijd had ik het gevoel dat we omsingeld werden.

Klement had een reusachtig, kaal hoofd, waterige blauwe oogjes en zijn buik stak als een trommel naar voren. Zijn gewicht bedroeg minstens honderdvijftig kilo. Hij had altijd een kartonnen koffertje bij zich, zoog op zuurtjes, smakte met zijn lippen en verstoorde de stilte met zijn tonggeklak. Af en toe kreunde hij en zijn borst ging piepend op en neer. Het meest opvallende aan hem was dat hij altijd met zichzelf bezig was. Met regelmatige tussenpozen trok hij zijn afgezakte sokken over zijn opgezwollen enkels, opende zijn versleten koffertje, bekeek zijn sleutelbos en deed het koffertje weer dicht. Aan zijn gezicht kon je zien dat hij over iets nadacht. Hij wreef over zijn neus, waardoor er iets onder zijn vingernagel terechtkwam, wat hij langdurig bekeek en vervolgens aan zijn broek afveegde. Af en toe knakte hij met de vingers en schoof hij de om zijn worstachtige vingerkootjes geklemde ringen heen en weer. Soms legde hij zijn ineengestrengelde handen op zijn buik en draaide met zijn duimen, maar altijd zo dat ze heel licht langs elkaar schuurden. Hij leek een fabriek die voortdurend leven produceert. Wat later lichtte hij zijn achterwerk op, haalde een zakdoek tevoorschijn, vouwde die open, schraapte zijn keel en spuugde er een flinke fluim in. Tenslotte vouwde hij de zakdoek weer dicht met een gezicht alsof hij er een kostbare schat in opborg. Als hij gemeen werd, gedroeg hij zich niet opgewonden, maar genotzuchtig en zelfvoldaan. Naar zijn gedrag te oordelen hadden we dus heel wat te duchten.

Intussen werkten mijn hersenen koortsachtig. Op elke vraag die ze me zouden stellen, wilde ik met een vastberaden nee antwoorden. Ik was van plan alles wat ik had misdreven en volgens hen moest opbiechten met een stalen gezicht te ontkennen, ook de vriendschap met Prém en het vergiftigen van de honden, iets wat we overigens helemaal niet hadden gedaan. Prém was nog niet voor de commissie geweest en ik evenmin. Dat er zo'n dodelijke stilte heerste in het lokaal kwam doordat de school al eens eerder door een commissie was bezocht. De kinderen waren zo bang dat ze niet eens durfden te vragen of ze naar de wc mochten. Ongeveer twee jaar eerder had men in de jongens-wc op de tweede verdieping een gedichtje gevonden van de hand van iemand die het werk van onze klassieke dichters ongetwijfeld goed kende. De tekst luidde als volgt: 'Vraag me niet wie het gezegd heeft, Lenin of Stalin, het maakt niet uit. Als je in deze plee tot aan je nek in de stront bent gezakt, haalt de Partij je er wel uit. Dit zouden ook de woorden van Rákosi, ons aller leidsman, kunnen zijn.' Ik citeer dit vers niet metrisch omdat de commissie het natuurlijk ook niet volgens literaire maatstaven beoordeelde. Iets ontdekte zo'n commissie altijd wel. Hoe zou iemand dus zo vermetel kunnen zijn om toestemming voor een gang naar de wc te vragen? Dat twee dagen durende onderzoek, twee jaar geleden, toen ze naspeuringen hadden gedaan, verhoren hadden afgenomen, ons in rijen hadden opgesteld, handschriften hadden vergeleken, foto's hadden genomen en schooltassen, broekzakken en penhouders hadden gecontroleerd, was niemand vergeten.

Ik kon mijn angst niet de baas worden. Voorzichtig gluurden we af en toe in elkaars richting. Ook Prém stond het huilen nader dan het lachen. Tevergeefs nam ik me voor alles met de grootste beslistheid te ontkennen, ik had het gevoel dat ik volkomen doorzichtig was geworden. Het was alsof iedereen mijn gedachten kon lezen, alsof ik me niet meer kon verstoppen, niet eens voor mezelf. Ik wil mijn lezers niet met een diepgaande analyse van mijn toenmalige psychische toestand vervelen, maar hun wel meedelen welke nuttige ervaringen ik in die toestand heb opgedaan.

Als iemand bang is voor zijn eigen gedachten omdat hij door de gedachten van anderen wordt bedreigd, probeert hij zijn als gevaarlijk beschouwde gedachten door de gedachten van die anderen te vervangen, maar geen mens ter wereld is in staat werkelijk met andermans hersenen te denken, want de op deze manier ontstane gedachten zijn alleen maar gebaseerd op veronderstellingen aangaande de denkwijze van de anderen. Daarom moet zo iemand niet alleen het verraderlijke patroon van zijn eigen denken uitwissen, met inbegrip van al zijn veronderstellingen betreffende andermans denkwijze, maar hij dient ook nog de onzekerheid uit zijn geest te bannen die een gevolg is van het feit dat het gehele substitueringsproces alleen op veronderstellingen berust. Als iemand langere tijd is genoodzaakt deze operatie in zijn hersenschors uit te voeren, leert hij het mechanisme van het denken wel grondig kennen, maar het gevaar bestaat dat hij op het laatst niet meer het verschil weet tussen zijn veronderstellingen en zijn constateringen.

We zaten al minstens anderhalf uur niets te doen. Toen mijn naam werd afgeroepen, voelde ik me volledig onvoorbereid. Niettemin was ik blij dat ik eindelijk kon opspringen en ergens heen gaan. Klement stak juist een nieuw zuurtje in zijn mond. De conciërge stond in de deuropening. Op dat moment achtte Klement het op zijn plaats luid smakkend op te merken: 'Jij, Sómi Tót, komt in elk geval niet in aanmerking.' Zijn opmerking had een vernietigende uitwerking op me. Weliswaar kon ik eruit opmaken dat ik niets te maken had met de vreselijke misdaad, waarvan hij natuurlijk volledig op de hoogte was, maar gezien de spijtige klank van zijn stem behoefde dat allerminst op vrijspraak te duiden, al was er in dat stemgeluid wel iets hoorbaar van de bemoedigende, kameraadschappelijke welwillendheid waar de beste van de klas recht op had. Klement had echter het hele samenstel van argumenten vernietigd dat ik in anderhalf uur had opgebouwd. Ik voelde me net zo als toen die van vriendelijkheid overlopende verpleegster in het ziekenhuis over mijn moeder was begonnen. Onder de puinhopen van mijn veronderstellingen en mijn verdedigingsstelsel kon ik me met geen mogelijkheid aan een nieuwe hypothese vastklampen en ik had na deze raadselachtige opmerking ook geen tijd meer om mijn oorspronkelijke hypothesen nog eens kritisch te heroverwegen. Ondanks de hopeloosheid van mijn situatie droegen mijn voeten me echter vlot de klas uit, als een vluchtend dier dat via de enige overgebleven opening recht de val inloopt.

We liepen door de leraarskamer en toen de conciërge de brede vleugeldeur van de directeurskamer voor me opende, had mijn dodelijke ontzetting het toppunt bereikt. Het zware blad van de scherpgeslepen valbijl had mijn hoofd reeds van de romp gescheiden. Ik was dood maar had mijn ogen nog open en toen ik vanuit de mand met zaagsel opkeek, zag ik tot mijn verbazing dat wat me aan de andere kant van de kamer wachtte absoluut niet vreselijk was, nee, eerder vrolijk, opgewekt en vriendelijk: een ontbijt in de vrije natuur, een picknick op de berghelling, een vrijgezellenbijeenkomst met drank en sigaren.

Op het moment dat ik naar binnen ging, werd ik in het Russisch aangesproken.

Ik sloot de deur van de leraarskamer achter me. De reusachtige, fraai bewerkte, bruine vleugeldeuren tussen de directeurskamer en de directeurswoning stonden alle wagenwijd open, zodat ik in de vier in elkaar doorlopende vertrekken van de woning kon kijken, die door de zware meubels en de dikke tapijten een weelderige indruk maakte. Pas veel later heb ik de schilderijen van Hans Makart leren kennen, wiens zwoele, met draperieën, beelden en kamerplanten overladen interieurs in overwegend bruine en bordeauxrode tinten me steeds aan dit onwezenlijke ogenblik herinneren. Livia, de dochter van de conciërge, had ons verteld dat de vroegere directeur alles had moeten achterlaten toen hij uit zijn ambt was gezet en gedeporteerd. In de verst afgelegen kamer speelden de twee dochtertjes van de directeur op het kleed. De vertrekken waren helder verlicht, want de sneeuw buiten weerkaatste het vroege zonlicht, ik zag de elegante gestalte van de directeursvrouw als een schim voorbijzweven in het licht. De radio stond heel zachtjes aan en speelde klassieke muziek.

Een vriendelijk ogende jonge man, die in de schaduw van de grote philodendrons en de waaierpalmen achter het met snijwerk versierde bureau zat, vroeg me in het Russisch hoe het met me ging. Gezien zijn uiterlijk en zijn accent was ik er zeker van dat hij in zijn moedertaal sprak. De overige aanwezigen zaten op volstrekt wanordelijke wijze door elkaar heen. Ze hadden zich zo gemakkelijk mogelijk geïnstalleerd in de van hun gewone plaatsen verschoven fauteuils en stoelen en daarbij ongegeneerd hun benen gestrekt en gespreid. De directeur zelf stond, alsof hij niet bij het gezelschap hoorde, tegen de warme tegelkachel geleund en lachte geforceerd. De in zachtjes deinende rookwolken gehulde mannen hielden wijnglazen in de hand, hapten van sandwiches, roerden in koffiekopjes en rookten sigaretten. Dit alles zou absoluut geen officiële indruk hebben gemaakt als er op de tafel, op de boekenplanken en op de vloer geen eigenaardige, angstaanjagende papieren hadden gelegen.

Als antwoord ontglipte me een niet zo gebruikelijke Russische uitdrukking die ik voor het eerst in een sprookje van Tolstoj was tegengekomen, ik zei namelijk niet dat ik het goed maakte, maar: Dank u wel, het gaat me uitstekend. Enkele mannen barstten in lachen uit.

Je lijkt me een pientere knaap, zei degene die de vraag had gesteld. Kom eens wat dichterbij, dan maken we een praatje.

Voor het bureau stond een beklede stoel met een rechte leuning voor me gereed. Ik moest erop gaan zitten, waardoor ik de andere aanwezigen noodgedwongen de rug toekeerde.

Ik wist niet wat er zou gaan gebeuren en wat voor test ik moest ondergaan, maar terwijl de Rus vroeg en ik in mijn volslagen onwetendheid zonder enige geremdheid antwoordde, merkte ik dat ik mij op het juiste spoor bevond. Het spoor was juist, alleen wist ik niet waar het heen voerde. Er ontstond een gespannen stilte, die door de tevredenheid van de aanwezige Russen werd gegenereerd.

Toen ik was gaan zitten, vroeg de Rus met het vriendelijke uiterlijk me of het vandaag sneeuwde. Ik antwoordde dat het vandaag niet sneeuwde, maar zonnig weer was; gisteren was er echter wel veel sneeuw gevallen.

Toen vroeg hij me naar mijn schoolprestaties. Nadat hij mijn antwoord met een tevreden knikje had gehonoreerd, vroeg hij wat ik wilde worden.

Soldaat, zei ik zonder enige aarzeling.

Prachtig, riep de Rus daarop uit. Hij sprong van zijn stoel, kwam achter het bureau vandaan en bleef voor me staan. Dit is onze man, zei hij tegen de anderen. Hierna nam hij mijn gezicht tussen zijn beide handen en zei dat ik moest lachen. Hij wou zien of ik dat kon.

Ik probeerde het. Waarschijnlijk lukte het me niet al te best, want hij liet me los en vroeg of ik familieleden had die Russisch kenden en of ik de taal van hen had geleerd.

Ik antwoordde dat mijn vader Russisch sprak, maar daarna begon ik te haperen, omdat ik meer had gezegd dan wijselijk was.

Je vader? vroeg hij, vragend op me neerkijkend.

Ja, antwoordde ik, maar ik heb hem niet gekend. Ik heb de taal uit boeken geleerd.

Hij dacht dat hij het verkeerd had verstaan. Je hebt hem niet gekend? vroeg hij verbaasd.

Al mijn vastberadenheid, mijn gehuichel en mijn hoop waren tevergeefs geweest. Ik probeerde nog steeds te glimlachen. Hij is dood, zei ik en ik slaagde er met moeite in mijn tranen te onderdrukken.

Achter mijn rug werd de stilte onderbroken door onrustige geluiden. Iemand bladerde in een schrift of een boek en ik hoorde naderende voetstappen. Ik durfde echter niet achterom te kijken, ofschoon ook de Rus door de geluiden werd afgeleid.

De schooldirecteur was met het geopende klasseboek in de hand naast ons blijven staan en wees met de vinger op iets wat hij de anderen ongetwijfeld al had laten zien. Voor de naam van elke leerling was in een klein, zwart hokje met rode letters aangegeven uit wat voor soort familie hij of zij stamde.

De Rus wierp een vluchtige blik op het hokje en keerde naar het bureau terug, waar hij weer ging zitten. Met de wanhoop van een ontgoochelde minnaar begroef hij zijn gezicht in zijn handen. Hij vroeg wat hij nu met me moest doen.

Ik gaf geen antwoord.

Op luide, bijna ruwe toon herhaalde hij de vraag in het Hongaars.

Ik weet het niet, antwoordde ik zachtjes.

En jij acht jezelf waardig om Russisch te spreken? vroeg hij weer in zijn moedertaal.

Toen hij dit zei, kreeg ik het gevoel dat nog niet alles verloren was en ik misschien zijn sympathie kon herwinnen.

Ja, mompelde ik in het Russisch.

Je kunt gaan, zei hij.

Nog geen halfuur na het vertrek van de commissie werd er overal op school rondverteld dat degenen die de test met goed gevolg hadden doorstaan een wintervakantie in Sotsji kregen aangeboden. Nooit heb ik me bij het begin van de vakantie zo gedeprimeerd gevoeld als toen. Hoewel ik dat ja slechts gemompeld had, maakte ik mezelf wijs dat het uiterst gedecideerd en krijgshaftig had geklonken. Het speet me dat ik dat niet met hun oren had kunnen horen, want als ik er zeker van was geweest, had ik mijn verraad kunnen vergeten. Naar een wintervakantie verlangde ik absoluut niet, en naarmate de dagen verstreken, werd de kans dat die mij ten deel zou vallen natuurlijk ook steeds geringer. Prém probeerde ik te ontlopen en ik wilde in geen geval meer met hem spelen.

Op de ochtend van de laatste dag van het jaar moesten we op school komen. Livia's vader kwam ons halen. Tegen zessen stonden we voor de leraarskamer, drie bleke meisjes en drie geënerveerde knapen. We durfden geen woord met elkaar te wisselen. De directeur ontving ons in gezelschap van een onbekende heer en sprak ons kort toe. Hij trachtte zijn stem een verheven en bij de plechtige gelegenheid passende klank te geven. Onze school was een buitengewoon grote eer te beurt gevallen. Ter gelegenheid van de jaarwisseling zouden we als vertegenwoordigers van de Jonge Pioniers en de gehele Hongaarse schooljeugd een bezoek mogen brengen aan de leider en wijze leraar van ons volk, kameraad Mátyás Rákosi, die ons thuis zou ontvangen. De onbekende heer deelde ons allerlei details mee. Hij legde nauwkeurig uit wat we moesten doen, hoe we ons moesten gedragen en wat we op eventuele vragen hadden te antwoorden. We moesten in elk geval geen sombere indruk maken, dat was de grondregel die we in acht moesten nemen, zei hij waarschuwend. Ongetwijfeld kenden we het voorschrift van Zoltán Kodály: zingen doet men glimlachend, daar moesten we ons aan houden. Na de feestelijke begroeting zouden we chocolademelk met slagroom en koek krijgen. Als de echtgenote van kameraad Rákosi ons minzaam zou vragen of we nog meer chocolade of koek beliefden, moesten we bedanken, want het hele bezoek mocht niet meer dan twintig minuten duren. Maja Prihoda zou de nieuwjaarswens in het Hongaars en ik in het Russisch voordragen. Hij overhandigde ons de tekst, die we de volgende ochtend woordelijk en zonder haperen uit het hoofd moesten kunnen opzeggen. De opdracht moest, tot we hem hadden uitgevoerd, geheim blijven en de nieuwjaarswens mochten we aan niemand laten zien. De te overhandigen boeketten en verdere instructies zouden we bij de slagboom in de Lorántstraat ontvangen.

Nadat ik van de anderen afscheid had genomen, dreef deze laatste zin me als een lichte, donderloze bliksemschicht naar Prém. De slagboom zou nu dus toch voor me omhooggaan. Hij zat in de keuken met zijn broer te kaarten. Op slechts een paar passen afstand van zijn huis vertelde ik hem dat we binnenkort toch het verboden gebied zouden kunnen betreden. Ik zei opzettelijk wij, alsof we daar beiden zouden worden toegelaten. Hij verplaatste zijn gewicht kouwelijk van de ene voet naar de andere, zodat de sneeuw onder zijn zolen knerpte, en knipoogde wantrouwend, alsof hij het hele verhaal voor een kwalijke grap hield. Als bewijs wilde ik hem de nieuwjaarswens tonen, maar hij viel me in de rede en zei dat hij niks van me nodig had en dat ik zijn reet kon likken.

Ik nam hem deze uitbarsting niet kwalijk. In zijn plaats had ik waarschijnlijk hetzelfde gezegd. Prém had het niet gemakkelijk. Hij was een zeer slechte leerling, die er slechts met moeite in slaagde over te gaan, en zijn ouders hadden het niet breed. Wij waren evenmin rijk en voedden ons ook met bonen, gele erwten en halfrotte aardappels, maar mijn moeder kon af en toe een tapijt, een antiek sieraad of een zilveren voorwerp verkopen. Hoewel we ons van dit pijnlijke onderscheid zeer wel bewust waren, waren we toch vrienden. Als we oorlogje speelden was ik de officier en hij de gewone soldaat. Hij wilde niet eens de rol van onderofficier aanvaarden omdat een dergelijke middenpositie krenkend zou zijn geweest voor zijn gevoel van eigenwaarde. Het kleine intermezzo belette ons dus niet na verloop van enkele dagen op de oude voet verder te gaan, ik nam hem zijn gedrag zo weinig kwalijk dat hij zich niet eens voor zijn nieuwsgierigheid hoefde te schamen. Enkele malen per dag moest ik hem van mijn bezoek aan Rákosi vertellen, waarvan ik van meet af aan een nogal geromantiseerd verslag gaf, en naarmate de tijd verstreek, voegde ik steeds meer gedetailleerde waarnemingen aan het verslag toe. Het leek me haast onmogelijk toe te geven dat alles wat we tot nog toe als een diep en ontzagwekkend geheim hadden beschouwd, in werkelijkheid niet meer was dan een reeks oneindig saaie, armzalige, trooSteloze, alledaagse feiten. Ik had het geheim ontrafeld, maar geloofde mijn eigen ogen niet. Ik wist niet dat er geen armzaliger geheim op de wereld is dan het geheim der despoten.

Alles was gegaan zoals de onbekende had gezegd, in dit geheim was geen plaats voor toevalligheden. 's Morgens om zeven uur moesten we in pioniersuniform en zonder muts, sjaal of jas bij de slagboom in de Lorántstraat verschijnen, waar we twee bossen anjers in de hand kregen gedrukt. De ene moest Maja geven, de andere ik. Het was een stralende ochtend, er lag verse sneeuw en de temperatuur was minstens tien graden onder nul. We moeten er meelijwekkend hebben uitgezien, want onze met reden bezorgde ouders hadden ons natuurlijk niet, zoals voorgeschreven, alleen in het dunne, witte pioniershemd laten vertrekken, maar ons onder dit plechtige opperkleed van alles laten aantrekken, wat natuurlijk duidelijk zichtbaar was als we ons bewogen. Dit laatste vertelde ik Prém natuurlijk niet, in plaats daarvan gaf ik een gedetailleerde beschrijving van het goed gecamoufleerde dienstgebouw aan de andere kant van de slagboom, waar we waren gefouilleerd. Om het verhaal nog smeuïger te maken, maakte ik hem wijs dat de bewakers de meisjes spiernaakt hadden uitgekleed. Ik legde uit dat we de te overhandigen boeketten aldaar hadden ontvangen, uit vrees dat ze anders vergif of springstof zouden bevatten. Een van de bewakers had de bloemen uit zijn hokje tevoorschijn gehaald. Wie van jullie spreken de nieuwjaarswens uit, jongens? had hij gevraagd. De huiveringwekkende manier waarop men ons op het bezoek had voorbereid viel moeilijk te rijmen met de laksheid en oppervlakkigheid waarmee het tenslotte werd afgehandeld, al moet ik eraan toevoegen dat de doorstane emoties mijn waarnemingen wel hebben vertroebeld. Ons kleine groepje liep de weg af die het verboden gebied doorsneed en evenmin van sneeuw ontdaan was als alle andere wegen. Mijn ogen deden geheel in strijd met mijn verwachtingen de onbegrijpelijke ontdekking dat er geen wezenlijk verschil was tussen de wegen binnen en buiten het verboden gebied. In mijn verslag werd die weg echter van onderen warm gehouden door een verborgen installatie, zodat hij vrij van sneeuw en geheel droog was. Aan de linkerkant van de weg stonden op enige afstand van elkaar twee slecht onderhouden villa's tussen de bomen, rechts van de weg was niets te zien behalve het besneeuwde bos. Verderop in het bos stond een lelijk huis. Ik vertelde Prém dat we in een zwarte limousine naar een wit paleis waren gebracht, waarvan het portaal door twee schildwachten werd geflankeerd. We mochten meteen naar binnen en kwamen in een donkerrode marmeren hal.

Eind oktober negentienzesenvijftig werden de slagbomen door de Nationale Garde verwijderd en een dag later berichtten de kranten dat het verboden gebied was opgeheven. Prém heeft mij na lezing van de kranteartikelen over het voormalige verboden gebied nooit enig verwijt gemaakt. Ik had weliswaar tegen hem gelogen, maar met de werkelijke feiten had hij niets kunnen beginnen. Ik had verteld wat hij wilde horen en wat onze fantasie ons moest voortoveren, wilden we deze onbegrijpelijke zaken kunnen bevatten.

Als ik in het nu volgende de beweringen van mijn overleden vriend hier en daar voorzichtig zal aanvullen of corrigeren, word ik geenszins gedreven door de onbedwingbare wens om de waarheid te vertellen, ik wil uitsluitend onze gemeenschappelijke levensfeiten beschouwen – in mijn eigen belang en uit mijn eigen standpunt. Het gemeenschappelijke hoeft niet noodzakelijkerwijs uit het gezichtspunt der gelijkheid te worden benaderd, men kan ook de nadruk leggen op de verschillen. Ik zal me daarbij op het standpunt van het meest extreme ethische relativisme stellen en geen kwalitatief onderscheid maken tussen leugen en waarheid. Ik durf overigens de stelling aan dat onze leugens minstens zo expressief zijn als onze waarheden. Nu ik hem het recht heb gelaten volkomen onbelemmerd verslag uit te brengen van zijn leven, verwacht ik als tegenprestatie dat men mij ook het recht gunt om te liegen, te fantaseren, de feiten te verdraaien of te verzwijgen en desnoods de waarheid te vertellen.

Op bladzijde zeshonderdveertig van zijn manuscript lees ik dat ik pas na veel moeilijkheden op de cadettenschool werd aangenomen en dat we juist aan de herfstmanoeuvres in Kalocsa deelnamen toen het uitbreken van de opstand bekend werd, waarna we te horen kregen dat we konden gaan en staan waar we wilden. Nadat ik hem het avontuurlijke verhaal van mijn terugreis had verteld, zou ik afscheid van hem hebben genomen en zijn verdwenen, waarna we elkaar nooit meer zouden zijn tegengekomen.

Het zou stellig grootmoediger zijn om zijn beweringen niet te weerspreken, maar daartoe ben ik niet in staat. Ik kan zijn verhaal niet als het enig juiste erkennen, want naast het zijne is er ook nog het mijne. Weliswaar handelt het over dezelfde feiten, maar wij bewegen ons binnen de kring van deze feiten in geheel andere richtingen. Daarom moet ik, vanuit mijn standpunt bezien, de eerste van zijn drie onnozele beweringen als te oppervlakkig, de tweede als onjuist en de derde als een volledige gevoelsvervalsing kwalificeren, die volstrekt niet met de waarheid overeenkomt.

Ik heb de vader van mijn vriend – aangenomen dat de persoon die ik bedoel werkelijk zijn vader was – slechts zelden ontmoet. Over het algemeen nam hij totaal geen notitie van me, hij beantwoordde hoogstens mijn groet. Dat feit herinner ik me nog goed, maar zijn gezicht of lichaamsgestalte zijn uit mijn geheugen verdwenen. Ik was bang voor deze man, zonder dat ik had kunnen zeggen waarom. Mijn angst was geenszins ongegrond daar hij een van de meest meedogenloze mannen van die tijd was, wat ik overigens pas later, na zijn zelfmoord, heb vernomen. Toen ik die gerespecteerde en bovenal gevreesde man op die bewuste oktobermiddag over de omheining zag klimmen, heb ik me inderdaad uit de voeten gemaakt, want ik begreep dat ik in geen geval getuige mocht zijn van zijn curieuze thuiskomst, bovendien wilde ik mijn vriend niet door mijn aanwezigheid vernederen. Ik maakte dus dat ik wegkwam, maar dit was niet onze laatste ontmoeting, want precies elf jaar later zijn we elkaar opnieuw tegengekomen.

Elf jaar later, op een der laatste oktoberdagen van het jaar negentienhonderdzevenenzestig, moest ik naar Moskou toe. Het was niet de eerste maal dat ik daarheen ging. Een jaar eerder had ik mijn onmiddellijke superieuren tweemaal begeleid, dat jaar al driemaal.

Bij die gelegenheden logeerden we in de vorstelijk ruime appartementen van hotel Leningrad, dat zich in de onmiddellijke omgeving bevindt van het station waar de treinen naar Kazan vertrekken. Elk appartement bestond uit een vestibule, een ontvangstruimte en een slaapkamer, waarin een bed met een zijden baldakijn was opgesteld. De kamers hadden afmetingen die elke sterveling een dwerg deden schijnen. Het Russisch van mijn chef was nogal pover, terwijl ik juist schitterde met mijn talenkennis. Ik greep ook elke gelegenheid aan om die kennis te vervolmaken en gesprekken in het Russisch te voeren. In mijn vrije tijd slenterde ik door de stad, reisde met de metro, maakte kennissen en probeerde zelfs met vrouwen aan te pappen. De alles doordringende, zoetige, verstikkende benzinelucht, die tot de dertiende verdieping van het hotel opsteeg, in de parken hing, zich in je poriën en je kleren nestelde en elke bezoeker van Moskou in een oogwenk impregneerde, was mij al vertrouwd geworden. Ik had een goed van de tongriem gesneden blond meisje leren kennen, wier gezelschap mij bij elke ontmoeting, ook de derde, geen geringe vreugde verschafte. Zij woonde met haar moeder, haar oudere zuster en haar uit de provincie afkomstige nicht in de Pervomajskajastraat. De woning stortte bijna in elkaar door het krachtige stemgeluid en de bijna ongeremde gevoelsuitbarstingen van de vier forse vrouwen. Deze woning werd mijn heimelijke toevluchtsoord. Blozend moet ik toegeven dat ik nog nooit zulke appetijtelijke, stevige en omvangrijke vrouwelijke dijen had gezien en ook later niet meer ben tegengekomen. 's Zomers huurden de vrouwen altijd een datsja in de buurt van Toela en we hadden afgesproken dat ik hen het volgende jaar daarheen zou vergezellen. We wilden paddestoelen zoeken, zwemmen en moerasbessen plukken, die de vrouwen 's winters in hun thee dronken. In die tijd was ik nog vast van plan ook eens naar Oeriv en Aleksejevka te gaan. Ook daarover hebben we het uitvoerig gehad, maar er is niets van terechtgekomen.

De onderhandelingen waaraan ik deelnam hadden tot doel de bepalingen vast te stellen van een langlopende samenwerkingsovereenkomst betreffende de vervaardiging van chemische produkten. De voorovereenkomst, waarover wij, vertegenwoordigers van verscheidene handelsondernemingen, onderhandelden, moest nog in december door de bevoegde ministers ondertekend worden. Het was de laatste ronde. Veel tijd hadden we niet meer. Iedereen was nerveus en de prijzen schommelden, wat overigens niet ongewoon is. Ze blijven dat doen, zelfs al zijn ze officieel vastgesteld.

Bij transacties die binnen een socialistisch marktmodel worden afgesloten, voltrekt de prijsvorming zich op een nogal eigenaardige wijze, in elk geval heel anders dan in het normale zakenleven gebruikelijk is. Het lijkt wel of de kat in de val terechtkomt waarmee men de muis wil vangen. We noemen dat het principe van de dubbele val. In ingewikkelde gevallen is niet eens meer uit te maken wie in wiens val is beland.

Het verhaal begint aldus: de betrokken socialistische handelsonderneming vraagt, niet, zoals te verwachten zou zijn, een andere socialistische handelsonderneming, maar in plaats daarvan een van haar kapitalistische partners, om prijsopgave te doen van een bepaald produkt, dat ze echter absoluut niet van plan is te kopen, maar juist verkopen wil. De kapitalistische onderneming, die het klappen van de zweep kent en weet dat haar socialistische partner niets wil kopen, noemt niet haar werkelijke prijs, maar een irreëel bedrag, dat volgens haar berekeningen niet belemmerend kan werken op haar eigen transacties. De socialistische handelsonderneming beschouwt deze prijs als de wereldmarktprijs en doet haar socialistische partner een daarop afgestemd aanbod. Laatstgenoemde weet natuurlijk dat de als realistisch voorgestelde prijs in werkelijkheid irreëel is en biedt daarom, even willekeurig, slechts een derde van de gevraagde prijs. Als de twee socialistische ondernemingen met elkaar in onderhandeling treden, beginnen ze dus met twee irreële prijzen te opereren, die in hun onderlinge verhouding echter tot reële uitgangspunten worden. Als twee mensen, die niet in spoken geloven, in een donkere kamer lang genoeg over spoken praten, bestaan die spoken werkelijk, ook al zijn ze niet tastbaar.

De rest van het verhaal is gauw verteld: de verkoper tracht het verschil tussen de twee irreële prijzen door onderhandelingen te verkleinen omdat het aanzienlijke prijsverschil slechts met staatssubsidie zou zijn te overbruggen, maar ook de koper weet dat de verkoper, als de transactie uit commerciële of industriële overwegingen voor hem belangrijk is, op een staatssubsidie rekenen kan en probeert daarom de overbrugging van het prijsverschil te verhinderen. Als hij zich vergist heeft en de verkoper geen dwingende politieke aspecten hoeft te laten meewegen, komt de transactie niet tot stand of neemt de partner, door soortgelijke politieke overwegingen geleid, alsnog genoegen met een compromis. Of de transactie nu wel of niet slaagt, één ding is zeker: geen van beide partijen zal met zekerheid weten hoe de door hen afgesproken prijs zich verhoudt tot de wereldmarktprijs.

Mijn chef, die de onderwijsmethoden van de Griekse Peripatetici op de meest aangename wijze wist te verbinden met de gewoontes van de Franse koningen en mij bij het ochtendlijke toiletmaken de fijne kneepjes van deze onderhandelingen bijbracht, was de overtuiging toegedaan dat de Russen onze onberekenbaarste partners waren. Hun toegeeflijkheid in het ene geval was even verrassend als hun halsstarrigheid en onverzettelijkheid in het andere. Of men nu met Zweden, Italianen, Amerikaanse Armeniërs of Chinezen onderhandelt, in alle gevallen zal de logica van het eigen voordeel de doorslag geven, de verschillen waar men op stuit, zijn louter een gevolg van verschillen in de beoordeling van de gegeven situatie. Onderhandelt men echter met een Rus, dan kan men de logica beter in de kast opbergen.

Later, toen ik zelf ervaring had opgedaan, kwamen zijn verhalen mij als vriendelijke sprookjes voor. Het zou te ver voeren op deze plaats mijn van de algemene opvatting afwijkende mening uiteen te zetten, maar als ik mijn theorie samenvat, komt ze erop neer dat de Russen het verband tussen realiteit en irrealiteit anders beleven dan wij. Wat namelijk voor ons irreëel is omdat het niet met het stelsel der reële menselijke waarden is te verenigen, zodat het ons inwendige systeem verstoort, is voor hen een toevallig en te verwaarlozen verschijnsel. De verklaring voor deze geheel andere houding is, dat hun innerlijke systeem geen nadelige invloed van de buitenwereld ondervindt.

Mijn chef werd op de eerste onderhandelingsdag tijdens de lunch onwel. Omdat hij niet achter mijn verboden nachtelijke afwezigheid mocht komen en hij me had opgedragen hem om zes uur 's morgens te wekken, waarna ik, terwijl hij in het lauwwarme badwater poedelde, zijn altijd leerzame economische verhandelingen moest aanhoren, was ik in alle vroegte opgestaan in de ver van het centrum gelegen woning van mijn Russische vriendin. Daardoor was ik die ochtend te slaperig om veel aandacht te schenken aan zijn klachten over lichamelijke zwakte. Hij was een beer van een man.

De uren die daarop volgden waren niet gemakkelijk. Het was moeilijk om de juiste onderhandelingstoon te vinden. Als we ons gevoel voor humor hadden verloren en hadden geaccepteerd wat zij reëel noemden, zouden we zelf irreëel zijn geweest, als we het echter niet hadden geaccepteerd maar er met humor op hadden gereageerd, zou de betrekking tussen ons irreëel zijn geweest. In zo'n situatie merk je hoe toegeeflijk en geduldig je moet zijn om je als zoon van een klein volk te kunnen handhaven. Tijdens mijn leerperiode had ik vaak het gevoel dat het raadzaam was om de periode van de emotionele uitbarstingen zo kort mogelijk te houden. Ik was ongeduldig omdat mijn chef, die vier jaar krijgsgevangene was geweest, in zulke situaties liever afwachtte, uitstelde en omtrekkende bewegingen maakte, hoewel we op die manier niet verder kwamen.

Na de bijeenkomst gebruikten we de maaltijd in gezelschap van twee belangrijke leden van de handelsdelegatie. We aten in het restaurant van het hotel waar we logeerden, een eetzaal ter grootte van een zuilengalerij. Plotseling liet mijn chef langzaam en bedachtzaam zijn mes en zijn vork zakken en zei dat het misschien verstandig was om het raam te openen. De opmerking scheen, gezien de grootte van de eetzaal, volkomen zinloos, daarom besteedden we er ook geen aandacht aan. Hij klaagde daarna over benauwdheid. Nog nooit heb ik iemand zo roerloos zien zitten. Na enkele ogenblikken zei hij weer wat. Hij verzocht ons een geneesmiddel uit zijn zak te halen. Tegelijkertijd opende hij zijn mond en stak zijn tong uit. Op zijn asgrauwe huid verschenen zweetdruppels. Hij zei geen woord meer, verroerde zich niet en zijn ogen werden dof, maar doordat hij zijn tong uitgestrekt hield, gaf hij duidelijk te kennen dat we het medicijn daarop moesten leggen. Zodra het minuscule pilletje was opgelost, voelde hij zich aanmerkelijk beter, hij liet zijn mes en vork los, veegde zijn gezicht af en kreeg weer enige kleur. Daarna klaagde hij opnieuw over benauwdheid en hij stond, als iemand die op zoek is naar frisse lucht, onrustig op. We ondersteunden hem, maar hij nam zulke grote stappen dat hij geen hulp meer nodig scheen te hebben. We lieten hem dus los. In de lounge zakte hij in elkaar. Hij moest naar het ziekenhuis worden gebracht, waar hij nog twee dagen heeft geleefd, zonder weer bij te komen.

De onderhandelingen moesten onderbroken worden. Ik bracht onze directeur-generaal telefonisch op de hoogte van het gebeurde. Op genezing was niet veel hoop en de patiënt was niet vervoerbaar. Ik adviseerde de familie te waarschuwen. Hoewel de gesprekken met mijn chef alleen zakelijke kwesties hadden betroffen en ik zijn familieleden niet kende, vermoedde ik dat zij net zo waren als hij: krachtig, beweeglijk, lichtelijk uitgeput maar levensblij. De directeur-generaal was van mening dat de onderhandelingen onverwijld dienden te worden voortgezet. Hij had de tot dusver toegepaste vertragingstactiek als een formele, om niet te zeggen volkomen overbodige zaak beschouwd. De aanbiedingen van de Russen moesten door ons aanvaard worden. Hij had dit nadrukkelijk opgedragen aan mijn chef, die echter altijd nodeloze moeilijkheden veroorzaakte. Hij droeg me op de onderhandelingen voort te zetten en daarbij op de door hem aangegeven manier te werk te gaan. Van deze beslissing zou hij het hoofd van de delegatie per telex op de hoogte brengen, die dan de Russen officieel over de ingetreden veranderingen zou inlichten. Als het niet om een puur formele kwestie was gegaan, had hij iemand naar Moskou gestuurd, maar dat leek hem in dit geval overbodig. Ik moest dit alles goed in mijn oren knopen. Uiteindelijk gingen de zaken toch anders dan hij met me had afgesproken, want met de onderhandelingen werd niet ik maar een hooggeplaatst lid van de delegatie belast, dat zich echter op zijn gebrekkige bekendheid met de materie beriep en de praktische afwikkeling van de besprekingen aan mij overliet.

Gedurende de daaropvolgende twee dagen had ik een groot aantal belangrijke zaken af te handelen. Koortsachtige activiteit stimuleert een mens altijd tot nieuwe activiteiten en omdat ik daarna tot passiviteit en afwachten was genoodzaakt, hield ik het niet langer uit in het hemelbed van de hotelkamer, hoewel ik wist dat er elk ogenblik over de toestand van mijn chef kon worden gebeld. Met een niet geringe gewetenswroeging viel ik in de Pervomajskajastraat in slaap. In de rustige omarming van een krachtig en warm vrouwenlichaam doorleefde ik het sterven van mijn voor altijd verloren vader.

Maar ook in die omarming kon ik de dood niet vergeten. Half dromend half wakend zweefde ik over een besneeuwd landschap. Het was een toestand die dikwijls spontaan intrad, maar die ik ook ontelbare malen opzettelijk had opgeroepen.

Ruim twee weken na de doorbraak bij het bruggehoofd van Oeriv, op zevenentwintig januari negentiendrieëenveertig, is mijn vader met een auto op weg gegaan om verslag uit te brengen over de situatie. Het was de dag waarop zijn bataljon met de terugtocht zou beginnen. Het was nog niet geheel ingesloten, maar wel omsingeld. Tijdens deze zweefvlucht kwam er altijd een moment waarop ik ofwel insliep ofwel volledig opnieuw moest beginnen. Het is bekend dat het bataljon gedurende de terugtocht, om precies te zijn om twintig uur dertig, op Russische troepen is gestuit en na verloop van een halfuur een verlies van vijftig procent had geleden. Het slaagde er echter in een doorbraak te forceren. Zo'n zeshonderd meter van de plaats waar de veldslag had plaatsgevonden vond men de wagen waarmee mijn vader 's ochtends was vertrokken, doorzeefd met kogels en leeg. De deuren stonden open.

Sindsdien hebben wij jaren op mijn vader gewacht, de auto was immers leeg geweest.

Ik heb een foto van hem die hij van het front naar huis heeft gestuurd: een onafzienbaar veld met zonnebloemen onder een volkomen lege hemel; midden daarin een klein menselijk figuurtje, dat slechts vanaf zijn middel boven de bloemen uitsteekt.

Toen ik op de ochtend van de tweede dag per taxi naar het hotel was teruggekeerd, hoorde ik al op de gang een aanhoudend telefoongerinkel. Een dergelijk geluid is niet te miskennen. Eigenlijk had ik de hoorn helemaal niet op hoeven nemen, maar wij mensen zijn dwaas, we nemen de telefoon niet aan om te vernemen wát er is gebeurd, maar om te horen wannéér het gebeurde heeft plaatsgevonden. Anderhalf uur later zetten wij de afgebroken onderhandelingen voort. Er heerste een eigenaardige stemming. De Russen betuigden geëmotioneerd hun deelneming. Desondanks gingen we aan de tafel zitten alsof er niets was gebeurd. De discussies over de agenda en het omslachtige heen en weer schuiven, uitwisselen en doorbladeren van allerlei stukken, hielpen in elk geval deze schijn hoog te houden. Toen het mijn beurt was om het woord te voeren, kon ik niet nalaten een korte gedenkrede te houden. Terwijl mijn gehoor – oudere mannen, die voor het merendeel soldaat tijdens de Tweede Wereldoorlog waren geweest – ontroerd zweeg, vertelde ik het verhaal van onze ochtendlijke ceremonies.

Wij Hongaren zijn altijd geschokt als er iemand is overleden, maar voor de Russen is de dood zoiets als het teken dat in hun alfabet aangeeft dat een klank gepalataliseerd dient te worden uitgesproken. Het is geen zelfstandig of apart uitspreekbaar letterteken, maar het verzacht de uitspraak van de medeklinker waarachter het is geplaatst. Gedurende de afgelopen twee nachten in de Pervomajskajastraat had ik dit onderscheid intuïtief waargenomen. Mijn vriendin was de eerste en gedurende lange tijd ook de laatste vrouw op wier lippen mijn mond weer tot leven kwam.

Nadat ik de paar zinnen waaruit mijn gedenkrede bestond had uitgesproken, keerde ik bijna zonder adempauze terug tot het onderhandelingsthema. Ik wil me niet verontschuldigen, maar ik had werkelijk geen achterbakse bedoelingen. En toch volgde ik de instructies van mijn directeur niet op. Ik was namelijk volkomen van streek en dat maakte me weerspannig. De Russen namen na tien minuten al mijn voorstellen aan. De rest van de dag besteedden we, zonder een middagpauze te houden, aan het uitwerken van de details. De collega van de handelsdelegatie durfde me geen verwijten te maken, maar hij kookte van woede. Beide partijen wilden de zaak zo snel mogelijk afronden, met name omdat het de vooravond was van de belangrijkste Russische feestdag, de zesde november, en er op dat tijdstip niemand meer werkte.

Pas laat in de middag keerde ik naar mijn hotel terug. Hoewel ik door slaapgebrek gespannen en prikkelbaar was, voelde ik me ongewoon energiek. Ik wilde mijn stropdas afdoen en mijn onmogelijke zwarte conferentiepak uittrekken en dan naar de Pervomajskajastraat vertrekken. Over de kleine doorbraak die ik had weten te bereiken en als een succes had kunnen beschouwen, was ik niet verheugd, daarvoor was een te hoge prijs betaald. Bovendien was het niet mijn succes, maar dat van de overledene, niet mijn triomf, maar de zijne. Weliswaar zou de directeur-generaal mij geen verwijten maken en zo hij dat toch deed, zou de handelsdelegatie genoodzaakt zijn mij te verdedigen, maar door mijn handelwijze had ik me ongetwijfeld zijn ongenade op de hals gehaald. Gedurende lange tijd zou ik als onbetrouwbaar worden beschouwd en het maken van een carrière kon ik wel vergeten. Dit waren zo ongeveer mijn gedachten voordat ik in de lift stapte.

De lift was tjokvol en de vrouwelijke liftbediende wachtte ongeduldig tot ik was ingestapt. Ik aarzelde echter. Eigenlijk had ik geen zin om in zo'n volle lift te stappen. Bovendien had ik in een oogopslag gezien dat de opeengepakte mensen Hongaren waren, wat me eerder afstootte dan aantrok. Onder hen bevond zich een bruinharig meisje met een donkere huidskleur en pijpekrullen, dat mijn aandacht trok. De slechtgehumeurde liftbediende beantwoordde juist een vraag en zei: Nee, dat gaat niet, daar wordt een groot banket gehouden, waarop alle aanwezigen begonnen te lachen, alsof ze een goede grap hadden gehoord. Banket, banket! brulden ze. Onder dit infantiele rumoer stapte ik in de lift en ik kan moeilijk beweren dat ik me daarbij erg op mijn gemak voelde. Zo verloren als mijn landslieden zich in het buitenland voelen als ze alleen zijn, zo rumoerig en baldadig gedragen ze zich als ze zich in een groep bevinden. Ik veronderstel dat zij ook meteen zagen uit welk land ik afkomstig was, want ze reageerden op mijn houding en bedaarden enigszins. Ik zocht een plaatsje waar ik het meisje van heel dichtbij en van voren kon zien. Haar slanke gestalte was in een wat ouderwetse, in de taille ingenomen mantel gehuld, waarvan de opgeslagen zilvergrijze bontkraag losjes haar van kou blozende gezicht omlijstte. Haar haar, haar wenkbrauwen en zelfs haar wimpers waren bezaaid met glinsterende sneeuwvlokken, die door de warmte begonnen te smelten. Die dag was de eerste sneeuw gevallen, het had sinds de vroege ochtend gesneeuwd.

In mijn onverschillige onnozelheid vond ik dat dat meisje als geroepen kwam en ik zag aan haar ogen dat ze niet alleen mijn blik opving maar ook begreep wat die betekende. Ze vond me kennelijk niet te opdringerig, maar beantwoordde mijn gelonk niet. Ze voelde zich niet zo aangetrokken tot mij als ik mij tot haar, maar ze wees me toch niet af. Ze nam aan en hield vast wat ik haar aanbood, maar zonder enige begeerte, bijna emotieloos, alleen met een grote nieuwsgierigheid, zelfs met een zekere hooghartigheid en superioriteit, alsof ze wilde zeggen: dacht je nu werkelijk iets voor me te kunnen betekenen, kereltje? Drie etages lang stonden we vlak tegenover elkaar. We waren geheel in beslag genomen door elkaars aanwezigheid, alhoewel ze voor de anderen trachtte te verbergen hoezeer ze in mij was geïnteresseerd. Terwijl ik naar haar keek, had ik het gevoel dat iemand van terzijde naar mijn gezicht staarde, alsof hij daaraan kon zien wat ik dacht. Om te controleren of dit werkelijk zo was, moest ik mijn blik afwenden, maar ik aarzelde dit te doen omdat dit de indruk zou wekken dat ik niet tegen de blik van het meisje bestand was, hoewel het de blik van die ander was die mij hinderde.

Over wat ik voelde toen ik, het hoofd zijwaarts wendend, de opdringerige onbekende van heel nabij aanzag, heb ik moeite iets zinnigs te zeggen. Op volwassen leeftijd bewaren we altijd een zekere, per individu verschillende, afstand van andere volwassenen en reguleren we de mate en de aard van eventuele wijzigingen daarvan conform onze belangen en doelstellingen, maar dit uit mijn reeds lang vervlogen kinderjaren opdoemende en toch onbekende gezicht was in een oncontroleerbare nabijheid van me geraakt. Een onstuimig gevoel van tederheid welde in me op. Het was alsof ik geen menselijk wezen voor me zag, maar het verstrijken van mijn eigen levenstijd. Alles was veranderd en toch hetzelfde gebleven, het vergankelijke in mij en het blijvende in die gelaatstrekken. Tegelijkertijd was het zo'n vreemde ervaring op het gelaat van een totaal onbekende volwassene de trekken van een maar al te bekend kindergezicht aan te treffen, dat er ook een gevoel van hevige afkeer in me opwelde. Ik wilde niet zien wat ik zag. Spiedend onderzochten we elkaars gelaatstrekken. Ook hij had nog geen teken van herkenning gegeven, maar we hadden ons door onze pupilbewegingen al verraden. Uitwijken was onmogelijk, hoewel we deze ontmoeting liever hadden vermeden, niets is immers zo vernederend als de dwang van het toeval. Het is echter nog vernederender die dwang te weerstaan.

Het toeval kon mij in dit geval echter geen voordelen opleveren, integendeel, enkel nadelen. Ik wilde zo snel mogelijk in mijn kamer zien te komen, de koelkast openrukken, een flinke slok uit de fles wodka nemen en dan uit het hotel verdwijnen. Wie zijn heil in de alcohol zoekt, weet wat het is om droog te staan. De ontmoeting herinnerde me aan iets waaraan ik absoluut niet wilde terugdenken, maar het toeval was niet te stuiten. Ik meen me te herinneren dat onze handen gelijktijdig in beweging kwamen. In die beweging ontmoetten twee geheel verschillende zwakheden elkaar. We schudden elkaar niet op de normale manier de hand, daarvoor stonden we te dicht bij elkaar, we pakten elkaar bijna ruw vast. Twee handen grepen schuchter mijn twee handen, maar lieten die meteen weer los, ja duwden ze bijna weg. Onze vingers hadden slechts vluchtig contact gehad, maar een intenser contact zou te veel zijn geweest. Onderwijl vroeg hij stotterend wat ik hier deed, uitgerekend hier, en ik vroeg hem hetzelfde, alsof deze plaats een bijzondere betekenis voor ons had. Ik mompelde wat en bloosde, wat me slechts zelden overkomt, en hij stamelde iets over een kunstenaarsdelegatie en wees met een dwaze, cynische grijns op de andere aanwezigen. Die idioterie hebben we elk jaar, zei hij. Zijn intonatie klonk me onbekend en vreemd in de oren, maar dat behoorde tot de buitenkant van de situatie. Die intonatie en dat blozen waren niets anders dan een noodzakelijke camouflage, waarmee we onszelf beschermden, beschermden omdat het op dat moment volkomen duidelijk werd dat we geen van beiden, hij noch ik, ooit iemand hadden ontmoet – toen niet en later niet – van wie we meer hielden dan van elkaar, al hadden we ook geheel verschillende wegen bewandeld. Toen niet en later niet, luidde de bekentenis. En dat gold nog steeds, al waren we nog even verschillend als toen, zij het op een andere manier. Er was niets veranderd. Onze liefde was nog steeds een levend onderdeel van ons bestaan. We konden er niets aan doen. Het was een gevoel zonder zin, doel, functie of oorzaak, een gevoel waar niets mee was te beginnen. Ik had een kleur gekregen omdat ik die liefde had willen vergeten en eigenlijk ook vergeten had, en hij wist zich geen houding te geven omdat hij haar niet had vergeten en dat waarschijnlijk ook niet kon.

De uitdrukking van zijn gezicht was zo onzeker en vaag dat het leek of elke lijn, elke plooi, elke gelaatstrek drie gevoelens tegelijk wilde uitdrukken, en ik begon juist te vrezen dat hij ondanks de aanwezigheid van de wildvreemde mensen op gevoelvolle toon over het verleden zou beginnen te spreken, toen zijn overdreven zelfdiscipline mijn bereidheid wegnam hem op een overigens geheel vrijblijvende, puur vriendschappelijke wijze te omarmen. Ik bespeurde namelijk een broze koelheid op zijn gelaat en een onverhulde vrees in zijn blik, hoewel zijn toon cynisch was. Toch was niet ik degene die de situatie meester bleef, maar hij, want als ik niet door het koele verstand word geleid en de betekenis, richting, functie, reden en waarde van een gebaar niet begrijp, ben ik als verlamd en kan ik onmogelijk spontaan reageren op een situatie of de gedragingen van een medemens. Hij liet zich daarentegen niet in verwarring brengen en barstte in lachen uit. Op dat moment had ik het liefst mijn ogen gesloten. Je komt als geroepen, zei hij op een toon alsof we elkaar gisteren nog hadden ontmoet, we hebben juist een plechtige ontvangst achter de rug en zijn nu op weg naar een galavoorstelling in het Bolsjoitheater. Het wordt vast een enorme show. En alsof hij me een portie appelflappen aanbood, voegde hij eraan toe: 'Galina Visjnevskaja zingt vanavond.' Hij vertelde dat ze een hele loge hadden gekregen en één kaart overhadden, die ik mocht hebben. Of ik met ze meeging.

De pijnlijke onoprechtheid van zijn stem maakte dat ik ook naar uit-

vluchten zocht. We stonden intussen op de gang van de dertiende verdieping voor het met sleutels beladen tafeltje van de etagejuffrouw.
De anderen trokken zich zwijgend in hun kamers terug. Ik zei dat ik
helaas geen tijd had en volgde met mijn blik onwillekeurig het bruinharige meisje. Ik voegde eraan toe dat ik voor die avond al een afspraak
had. Het meisje opende zonder zich te haasten de deur van haar kamer
en verdween zonder nog een keer achterom te kijken. Intussen maakten wij ons vrolijk over het feit dat de Hongaren kennelijk altijd op de
dertiende verdieping werden gehuisvest. Hij nodigde me uit samen
met hen het ontbijt te gebruiken, maar niet later dan acht uur omdat
ze naar de militaire parade moesten. We zouden dan Russische champagne drinken.

Ik moet toegeven dat ik, zodra ik de deur van mijn vorstelijke appartement achter me had gesloten, deze toevallige ontmoeting dadelijk als een voorbijgaande onaangenaamheid vergat. Ik had geen trek
in een ontbijt met champagne. Omdat de kamers aangenaam werden
verlicht door de zachte weerschijn van de sneeuw, knipte ik de lamp
niet aan. Het geroezemoes van de stad drong vaag de kamer in. Wat
betekenden deze paar vluchtige ogenblikken vergeleken met de gebeurtenissen van de afgelopen dagen? Niet anders dan verwarring en
ergernis. Terwijl ik me tevergeefs inspande, gaven mijn landgenoten
zich aan ijdele genietingen over. Zonder mijn jas uit te doen plofte ik
in een stoel neer. Nog nooit had ik zo'n innerlijke vermoeidheid gevoeld. Het waren niet mijn spieren of mijn beenderen, mijn hart was
in elkaar gestort. De aderen hadden opgehouden het bloed te trans-
porteren. Alles was leeg in me. Ik had niet eens behoefte aan wodka.
Dat wil zeggen: ik had er wel behoefte aan, maar miste de kracht om
op te staan. Maar ook dit is geen nauwkeurige beschrijving van wat ik
voelde, want ik had vooral het gevoel krachten te moeten verzamelen, maar om krachten te verzamelen had ik kracht nodig, en daar ontbrak het me juist aan.

Nee, zo wil ik niet doorgaan, herhaalde ik steeds weer opnieuw in
gedachten. Ik wist absoluut niet waar dit protest op sloeg en waarmee
ik had moeten doorgaan, ik praatte voortdurend in mezelf en liet mijn
hoofd en mijn armen hangen. Mijn benen hield ik gespreid en gestrekt. Desondanks kon ik me niet volledig overgeven aan deze toestand, want een koele, observerende blik veroordeelde deze en beschouwde hem als sentimentaliteit. Het was alsof ik met mijn slap gehouden ledematen boven een podium zweefde en in een nietszeg-

gend toneelstuk meespeelde, maar toch mijn rol niet goed vertolkte. Het liefst was ik uit het stuk weggeslopen. Ik had het beurtelings koud en warm in de koelte van de reusachtige kamer, alsof ik elk moment door koorts overvallen kon worden. Tenslotte viel ik in een diepe slaap.

Ik schrok wakker van de gedachte dat men mij alleen had achtergelaten in de hotelkamer. Alles in me schreeuwde: Brand! Misschien was het wel geen gedachte noch een schreeuw, maar het scherpe, nauwkeurige beeld van het onbekende meisje, dat zonder haast haar kamerdeur opende, maar niet achteromkeek, zoals ik had verwacht. Ik wist niet waar ik mij bevond. Toen ik uit de stoel opsprong, maakte ik snel een berekening. Veel tijd kon er niet zijn verstreken. Die vrouw mocht me niet ontsnappen! Als het niet anders ging, moest ik haar achtervolgen of voor haar deur post vatten en daar wachten tot ze weer terugkwam. Al kwam me op dat moment niet mijn door het gezicht van mijn vriend opgeroepen kindertijd voor de geest, het was wel een emotie uit mijn kindertijd die ik voelde. Ik voelde me net zoals toen de anderen met elkaar waren gaan spelen zonder me iets te zeggen, omdat ik niet mee mocht van hen. Als het telefoonnummer van mijn kamer X was en de nummers in de richting van haar kamer opliepen, moest haar telefoonnummer X plus Y zijn. Terwijl ik het gevonden, of beter gezegd geraden nummer draaide, keek ik op mijn horloge. Het was halfzeven. Dat betekende dat ik twintig minuten had geslapen.

Hallo?

In de manier waarop ze sprak, was een lichte onzekerheid bespeurbaar, alsof ze twijfelde welke taal ze moest gebruiken. Het door haar uitgesproken woord bracht een hevige angst in me teweeg, eigenlijk geen angst maar pure blijdschap, een blijdschap die echter door een onbekende angst werd overschaduwd. Op dat moment hoorde ik haar stem voor het eerst, want ze had vanaf het moment dat ik in de lift was gestapt geen woord meer tegen de andere liftpassagiers gezegd. Dit stemgeluid was geheel nieuw voor me. Het was een van die vrouwenstemmen die me hogelijk imponeren. Het geluid scheen uit het diepste gedeelte van haar lichaam op te stijgen en klonk alsof zich daar een harde, stevige, massieve kern met een zacht en glad oppervlak bevond. Het was geen tedere stem, daarvoor klonk hij te zelfbewust. Als ik dit geluid in gedachten opnieuw hoor, zie ik een donkere kogel voor me. Een kogel kun je aanraken en in de hand nemen, maar je kunt er onmogelijk in doordringen, want dan is het geen kogel meer.

Ik stelde me voor, maakte allerlei plichtplegingen en verontschuldigde me. Uitvoerig legde ik uit dat ik me bedacht had en toch graag met het gezelschap meeging. Ik probeerde haar zolang mogelijk aan de lijn te houden. Ze hoorde me geduldig aan, maar bleef een zwijgend eiland, dat ik tevergeefs met het schip van mijn woorden omzeilde. Ik zei dat ik haar had opgebeld omdat ik niet wist in welke kamer mijn vriend woonde, maar niet alleen daarom. Of ze zo vriendelijk wou zijn mij zijn nummer te geven. Ze antwoordde alleen maar: Dan moet u zich haasten. Ze zei u tegen me! Ik tutoyeerde haar, maar zij sprak mij met u aan! Opnieuw tutoyeerde ik haar, weer deed ze of ze het niet hoorde. Ze was even zuinig met haar stemgeluid als met haar blikken in de lift. Ze gedoogde dat ik om haar heen draaide, maar hield me vastberaden op een afstand.

Ik had dit korte gesprek niet zo belangrijk gevonden als het door een van mijn vreugdeloze avontuurtjes was gevolgd, er zou echter een vier jaar durende, hardnekkige strijd op volgen, een gevecht dat ik een onafgebroken conflict, het dieptepunt van mijn bestaan of de moeilijkste periode van mijn leven zou moeten noemen, ware het niet dat het steeds werd begeleid door de hoop op toekomstig geluk. De vreugde die we aan elkaar beleefden overviel ons echter altijd geheel onverwachts en op de vreemdste momenten. Soms hield ze weken lang aan, soms maar enkele dagen, niet zelden ook slechts een paar uur of enkele vluchtige minuten. We streefden voortdurend naar dit geluk, maar konden het niet bestendigen, zodat het eindresultaat alleen bitterheid was, de bitterheid van het tekort of de vreugde der bitterheid.

En toch hadden we maar één wens: we wilden de overweldigende emotie die onze ontmoeting in ons had opgeroepen voor een geheel leven veilig stellen. We legden elkaar, geleid door de bitterheid van het tekort, voorwaarden op en merkten niet hoezeer we elkaar daarmee kwelden en beschadigden. Zij eiste exclusiviteit van mij, terwijl ik wilde dat ze mijn slippertjes als bewijs van mijn trouw aanvaardde. Tevergeefs bezwoer ik haar dat ik nog nooit iemand meer had liefgehad dan haar en dat ik, als tegenwicht voor deze ongekende gevoelens, de schijn van vrijheid moest bewaren. Ik kon zonder haar niet leven, maar leek in haar aanwezigheid op een slecht communicerend vat. Als ik, mezelf geweld aandoend, met veel moeite mijn vrijheid opgaf en andere vrouwen geen blik waardig keurde, nam mijn drankmisbruik in evenredige mate met mijn inspanning toe, hield ik daarentegen, in dwaze avontuurtjes verwikkeld, mijn alcoholpromillage laag, dan groeide de spanning tussen ons op onverdraaglijke wijze. Een vernederend dieptepunt bereikten we als ze zich – althans in theorie – volledig zeker kon voelen, want dan ontzag ze zich niet me arglistig te bespioneren, mijn zaken te doorsnuffelen en mijn gangen na te gaan. In mijn woede hierover heb ik haar twee keer geslagen; het kostte me moeite het niet vaker te doen. Haar verdenking was zelfs op zulke momenten niet ongegrond, want het waren niet mijn slippertjes die haar jaloezie opwekten, maar mijn gedwongen trouw, zoals ik haar niet heb geslagen omdat ze me door haar vriendinnen in de gaten liet houden, maar omdat ik niet kon vatten waarom ze me niet begreep. Ze had alles door. Ik kon geen stap doen zonder dat ze mijn diepste beweegredenen kende. Ze voelde ook haarfijn aan in welk een noodlottige toestand de door haar afgedwongen trouw mij bracht en hoe gemaakt en oneerlijk ik daardoor werd, ik was immers niet gewend mezelf iets te ontzeggen. Als ze ons genoeg gekweld had met haar jaloezie en ik in een dwaze zijsprong verlichting trachtte te vinden in een simpel, geheel vrijblijvend avontuurtje, dreigde ze elke betrekking met mij te verbreken. Ze was in staat haar conversatie wekenlang tot de ochtendlijke groet te beperken, op geen van mijn vragen of verzoeken antwoord te geven en niet op mijn dreigementen, smeekbeden, verzekeringen of eden in te gaan, alsof ze me enkel en alleen het leven zuur wilde maken. Het was alsof ze haar negatieve troeven alleen maar uitspeelde opdat ik op de overwinning zou gokken, die ze me echter op het laatste moment zou ontnemen. Haar overwinning zou pas volkomen zijn als ze me tot een definitieve breuk had gedreven, ze wist dat ik niet zonder haar kon leven.

Het valse waardenstelsel van mijn jeugd heeft zich aldus op gruwelijke wijze gewroken. Doordat de waarde en de zin van mijn handelingen niet door esthetische en ethische principes maar uitsluitend door pure noodzaak werden bepaald, waren de grenzen tussen vrijheid en bandeloosheid voor mij vervaagd. Na vier jaar zijn we tenslotte, in de luwte van een wapenstilstand, haastig getrouwd. Hierna zijn nog eens zes hopeloos moeilijke huwelijksjaren verstreken.

Op die omineuze novemberavond stapte ik op hoogst eigenaardige wijze de duistere tijd van mijn volwassenheid in. Ik werd toen een ijverige, bedeesde jongen, wat ik voordien nooit was geweest. Dat ik dat nooit was geweest, hield overigens niet alleen verband met mijn karakter en lichamelijke eigenschappen, maar ook met toevalligheden.

Tot de totaliteit van een leven behoren ook de verloren gegane of ontbrekende eigenschappen; wat een mens vroeger niet is geweest, kan hij later niet meer worden. Daarom kan niemand zichzelf of anderen iets verwijten.

Tot mijn zestiende levensjaar was ik nauwelijks in meisjes geïnteresseerd. Dat ze met me dweepten, vond ik even vanzelfsprekend als de onzinnige manier waarop mijn moeder mij verafgoodde. Als ik om de een of andere reden bij een vriendinnetje uit de gunst raakte, kwam er dadelijk een ander voor haar in de plaats. En voor het geval het met haar ook misliep, had ik altijd nog een derde of vierde vlam in voorraad. De onstuimige tekenen van mijn biologische rijping accepteerde ik eveneens in het besef dat het geen zin had me ertegen te verzetten of er veel aandacht aan te besteden. Het merkwaardige was echter dat deze opwellingen zich niet zozeer in mijn dromen of in het verkeer met meisjes aandienden, maar vooral als ik met voertuigen reisde die schuddend en hobbelend door de bocht gingen, zoals trams en autobussen. Ik geneerde me niet voor mijn hartstocht en probeerde die ook niet te onderdrukken, hoogstens verborg ik de uiterlijke tekenen ervan onder mijn tas. Soms werd de opwinding echter zo hevig dat ik om een ongelukje te voorkomen snel moest uitstappen, alsof ik door iemand op de hielen werd gezeten. Uitstappen was gewoonlijk voldoende, want mijn fysieke spanning en lichamelijke opwinding waren niet op een persoon gericht, het leek zelfs wel of ze geheel onafhankelijk van mij ontstonden en enkel en alleen verband hielden met het schudden van het betreffende voertuig. In negentienzevenenvijftig werden we al vroeg door de zomerhitte overvallen. In de stad lagen nog veel huizen in puin en as. Het was alsof deze uit de lente losbarstende zomer het verwoeste leven met zijn hete adem nieuw leven wilde inblazen. Toen de scholen weer begonnen, hadden mijn moeder en ik een paar verhitte, hysterische woordenwisselingen, waarin zij aan het langste eind trok: ze liet niet toe dat ik me opnieuw bij de cadettenschool aanmeldde, maar gaf mij op als leerling van een gymnasium in de wijk Zugló. Op een middag was ik na schooltijd meegelopen met een van mijn nieuwbakken vrienden, die in de Gyertyánstraat woonde, en daar op de tram gestapt. Het moet een van de laatste dagen van mei zijn geweest. Als ik aan deze middag terugdenk, zie ik weer de kastanjebomen met hun reusachtige witte bloemenkaarsen voor me.

Zoals gewoonlijk stond ik op het balkon van de tram. De schuifdeuren waren geopend en de warme lucht stroomde wild en ongehinderd door het bijna lege rijtuig. Aan de andere kant van het balkon stond een jonge man. Hij had zijn handen nonchalant in zijn zakken gestoken en hield zich met gespreide benen in evenwicht. Achter de geopende deuren stond een jonge, blonde vrouw, die gekleed was in een dunne, bijna doorzichtige zomerjurk. Aan haar stevige blote benen droeg ze witte sandalen. Ze klampte zich met twee handen vast en had niets bij zich behalve haar tramkaartje. Hierdoor – of door iets anders – leek het of ze geen kleren droeg. Eerst observeerde ik hoe de vrouw naar de man gluurde, maar toen ze mijn belangstellende aandacht in de gaten kreeg en haar vrolijke, brutale, blauwe ogen op mij richtte, keek ik, om haar indringende blik te ontwijken, naar de man tegenover me, die van het gezicht van de vrouw aflas wat er zich tussen haar en mij afspeelde. Het was een onopvallende man van gemiddelde lichaamslengte en met een slank postuur. Het enige bijzondere aan hem was misschien de donkere gladheid van zijn gezicht en zijn lichaamshuid. Hij had een merkwaardig glad, glanzend voorhoofd en het zichtbare gedeelte van zijn armen – hij had zijn handen in zijn zakken gestoken en zijn mouwen tot aan de ellebogen opgestroopt – was eveneens glad, maar iets matter van tint. Die opmerkelijke gladheid scheen overigens niet alleen kenmerkend voor zijn uiterlijk. Toen hij, de blik van de vrouw volgend, tenslotte mij aankeek, was ik door een onverklaarbaar, hevig schaamtegevoel genoodzaakt mijn blik af te wenden; ik keek opnieuw naar de vrouw om te zien wat haar ogen van dit alles weerspiegelden.

Ze was stevig gebouwd, had een blanke huid en vertoonde de eerste tekenen van molligheid, maar ze bevond zich nog in het stadium waarin de eetlust gelijke tred houdt met de levensenergie: wat ze genotzuchtig in haar mond propte en door haar keel goot was niet meer dan haar organisme in staat was te verteren. Haar welgevormde ledematen schenen haar jurk niet alleen op te vullen, maar bijna uit elkaar te scheuren. De warme luchtstroom had haar kapsel in wanorde gebracht en haar rok omhooggeblazen, zodat haar stevige, opvallend blanke knieholtes zichtbaar waren. Af en toe wiegde ze haar lichaam zachtjes wippend heen en weer, zichtbaar genietend van onze blikken. Ze kon nauwelijks boven de twintig zijn, maar scheen rijp en vol en voor de eeuwigheid ontworpen, als een granieten beeld. Ik bedoel hiermee te zeggen dat ze veil was als een lichtekooi en ongenaakbaar als een rots.

Toen onze blikken elkaar voor de derde maal hadden ontmoet,

lachte ze me met haar lichtelijk scheefstaande tanden ongegeneerd toe en ik gaf haar glimlach, die onwillekeurig op mijn lippen was overgegaan, door aan de man, maar onmiddellijk merkte ik dat zij haar glimlach in een meer neutrale en gereserveerde vorm van hem had ontvangen. De man nam de glimlach weer van mij over en gaf hem aan de vrouw door. Daarop wendden we ons alle drie bijna gelijktijdig van elkaar af.

Intussen passeerden we in snelle vaart mensen, bomen en gevels. Opeens draaiden we ons gelijktijdig om, maar het was volstrekt onduidelijk waarop we onze blikken richtten. Eigenlijk observeerden we alleen maar elkaars door het wegkijken niet vervaagde en bij het achteromkijken zelfs nog duidelijker geworden lachje, maar we richtten onze ogen niet op elkaar maar op het geometrische snijpunt van onze ruimtelijke posities, alsof we op de smerige vloer van het tramrijtuig iets heel belangrijks waren verloren. Wat later gingen onze lachende gezichten weer gelijktijdig omhoog. Onze lachjes waren echter in veel mindere mate op elkaar afgestemd dan onze bewegingen. De vrouw glimlachte en giechelde vooral, ze stootte proestende en gillende geluidjes uit, die ze gedeeltelijk inslikte. De man maakte nauwelijks geluid, hij schuddebuikte en mompelde alsof hij woorden trachtte te vormen, en in de bijna tot spraak geworden glimlach op zijn gladde gezicht viel me opeens een harde, bittere trek om zijn mond op, die hem belette vrijuit te lachen, hoewel zijn lichaam meer schudde dan het mijne of dat van de vrouw. Intussen hoorde ik ook nog mijn eigen luide gehinnik, dat op kinderlijke naïviteit duidde, wat me echter niet deerde. De tram hobbelde langzaam verder, maar voor mijn gevoel raasde hij met ons voort. Misschien is de mens pas werkelijk vrij als hij zich niet om de gevolgen van zijn daden bekommert, maar zich uitsluitend overgeeft aan de situatie waarin hij verkeert, zodat het ego vrij is om te doen wat het wil.

We lachten nog steeds onbedaarlijk, hoewel we zelf van dit geluid schrokken en ontdaan waren over onze vermetelheid. We ontvingen niet alleen steeds nieuwe, bevrijdende impulsen van elkaar, maar beschikten bovendien alle drie over onvermoede lachreserves, die noodzakelijkerwijze moesten worden aangesproken. Alles moest maar gaan zoals het ging, niemand hoefde zich te schamen, onze lach mocht gerust luider worden tot hij pijn begon te doen en de tranen over onze wangen rolden. Het deed me onuitsprekelijk goed zo te lachen, vooral omdat ik intussen ook was begonnen te beven van verlegenheid, ik voelde en zag hoe mijn armen en benen trilden. Toen de tram de kruising van de Thököly- en de Dózsaweg naderde, minderde hij vaart. De jonge man naast me deed een stap opzij, waardoor zijn lach automatisch bedaarde. Hij haalde zijn hand uit zijn zak en stak waarschuwend een vinger op. Slechts één vinger, hoog boven zijn hoofd. Wij keken naar deze opgeheven vinger, waardoor we van het ene moment op het andere ophielden met lachen. De vrouw liet de lus los waaraan ze zich vasthield. Ze stond daar met haar kaartje in haar hand en de brutaliteit was uit haar blauwe ogen verdwenen. Langzaam stapte ze het balkon op. Het was volkomen duidelijk en voorspelbaar wat er ging gebeuren en ik beefde veel te heftig om deze gebeurtenis te kunnen verhinderen. De man sprong atletisch van de langzaam rijdende tram op de vluchtheuvel en wierp een blik achterom – niet naar de hem onhandig naspringende vrouw, maar naar mij! Hij liet zijn blik snel over mijn schooltas glijden, die ik, om mijn toestand te verbergen, voor mijn schoot hield. Nog altijd kon ik me uit de situatie terugtrekken, maar twee grote, vochtige bruine ogen weerhielden me daarvan. Ik had geen keus meer.

Blijkbaar hadden we deze kleine vertraging nodig gehad, onze loop was daardoor veerkrachtiger geworden. De mond moesten we gebruiken om te ademen, maar onze zolen kletsten lachend op het asfalt. We liepen over de rijweg en tussen de voetgangers door, zonder met ze in botsing te komen, terwijl we met onze benen, armen en ogen voortdurend afstanden berekenden. Het ging stoep op stoep af. De man snelde behendig voor ons uit en scheen ons met zijn bewegingen door de straat te leiden. Wat hij niet met zijn lach had kunnen bewerkstelligen, kreeg hij nu met zijn tred gedaan. Met de bewegingen van zijn schouders, zijn achterwaarts gebogen hals en zijn rechte rug gaf hij niet alleen de richting aan, maar maakte hij een spel van deze tocht, het was alsof hij elk moment voor ons het lint zou doorbreken, alsof hij al zijn rivalen achter zich had gelaten en nu alleen nog maar het laatste rechte stuk voor de finish moest afleggen. Opeens veranderde hij van richting en sloeg een zijstraat in, en toen wij hem ietwat verbaasd volgden, verdween hij zonder de pas in te houden in een geopende deur. De vrouw had een buitengewoon komische manier van lopen: ze volgde het door de man uitgezette spoor, niet onhandig, maar log, bijna traag. Pas de dag daarop zag ik hoe de zijstraat heette.

Binnen was het koel, maar het rook er naar kattepis. We liepen tegen de afschilferende bepleistering aan, maten elkaar met de blik en keken elkaar in de ogen. Nog altijd had ik me kunnen terugtrekken, maar het snelle lopen had het beven uit mijn ledematen verdreven en een zachte maar uiterst nuchtere stem fluisterde me in dat ik niet moest weggaan. Als het niet hier en nu gebeurde, zou het een andere keer ergens anders moeten plaatsvinden, waarom dus niet hier en nu? We hijgden en keken elkaar aan alsof het spel bijna afgelopen was en niet pas ging beginnen. Alles was in orde, we hadden geen enkel gevaar te duchten. Terwijl we nog zachtjes nahijgden, begon de vrouw opeens te niezen, wat zo komisch klonk, dat we opnieuw in lachen zouden zijn uitgebarsten als de man zijn wijsvinger niet vermanend voor zijn lippen had gehouden. Hierna liep hij, alsof hij deze vermanende beweging voort wilde zetten, de trap op.

De woning die we binnengingen was volkomen leeg. Door de kieren van de neergelaten rolluiken drong de hete middagzon de kamer in en door de geopende ramen en deuren woei een zacht windje. Noch in de lange gang noch in de drie op elkaar uitkomende kamers stond ook maar één enkel meubelstuk. Midden in de grootste kamer lagen alleen een paar matrassen op de grond, en wat niet al te proper uitziend, roze gekleurd beddegoed: een teruggeslagen deken en een gekreukt laken, die er nog net zo bij lagen als op het moment dat de man eronder vandaan was gekropen. Bovendien hingen er aan de her en der in de muur geslagen schilderijhaken enkele overhemden en broeken en in een hoek lag een stapel schoenen. Het was mij duidelijk dat wij ons hier buiten elke maatschappelijke orde of conventie bevonden. Hoewel ik het ritueel in het geheel niet kende, verrichtte ik toch de eerste handeling: ik liet me ruggelings op de matras vallen en sloot mijn ogen, waardoor ik, voorzover dat nog nodig was, aangaf hoe onervaren ik was. Zij waren degenen die het ritueel kenden. Sinds we ons in de woning bevonden, was er geen woord gevallen, elk woord zou ook te veel zijn geweest. Ik begreep dat ik me in een woning bevond van iemand die eind december of uiterlijk begin januari gevlucht was. De man had de leegstaande woning ongetwijfeld gekraakt. Als hij de conciërge had omgekocht en de sleutel van hem had gekregen, hadden we rustig hardop kunnen lachen toen we naar binnen gingen.

Ik zou niet kunnen zeggen hoeveel tijd ik in die lege woning heb doorgebracht. Een uur, misschien ook twee. We lagen met zijn drieën in verschillende houdingen op de matrassen. Op een gegeven moment, toen de man en ik ruggelings lagen en de vrouw op haar buik, merkte ik dat mijn aanwezigheid overbodig werd, ofschoon geen van de twee volwassenen een beweging had gemaakt die daarop duidde. Hun roerloosheid bracht na lange tijd weer een verkrampt gevoel in mij teweeg. Misschien was de rust die van hen uitging ineens van kwaliteit veranderd, waardoor de gevoelsstromen, die zich tot nog toe gelijkmatig tussen ons hadden bewogen, een andere richting namen. Het was alsof ze me door die eigenaardige rust wilden duidelijk maken dat ik met mijn onrust niet bij hen paste en beter kon weggaan. Ik liet mijn vinger heel voorzichtig in de knieholte van de vrouw glijden, die haar benen opgetrokken had. Ik hoopte dat ze sliep. Als ze niet sliep, zou ze haar been dubbelvouwen en zo mijn vinger vastklemmen. Ze sliep niet, want ze keerde eerst de man haar gezicht toe en strekte vervolgens haar been om mijn kietelende vinger kwijt te raken. De man opende langzaam zijn ogen. Zijn blik weerspiegelde wat de vrouw hem zonder een woord te spreken had te kennen gegeven. De boodschap was niet mis te verstaan. Naar contra-indicaties speuren was zinloos. Ik zou op dat ogenblik een onverdraaglijk verdriet hebben gevoeld als ik in de blik van de man niet een zekere vaderlijke aanmoediging had gelezen. Hoe onbeschermd ik daar ook lag, de niet aflatende stijfheid van mijn lid kon niemands schaamtegevoel kwetsen, die was het gevolg van de tussen ons ontstane relatie. Toch leek het me gewaagd in die toestand op te staan. Ik wachtte een poosje en sloot mijn ogen. Daardoor werd echter nog duidelijker wat ze me al te verstaan hadden gegeven: ze wilden alleen zijn. Toen ik eerst mijn door de kamer verspreid liggende boeltje bij elkaar had gezocht en vervolgens alles had aangetrokken: mijn onderbroek, mijn bovenbroek, mijn overhemd en mijn sandalen, sliepen de man en de vrouw al. Ik had niet het gevoel dat ze deden alsof.

Er was niets gebeurd, geen van beiden had me op enigerlei wijze negatief bejegend, maar toch voelde ik me de daaropvolgende dagen alsof ik na een vreselijk vergrijp uit het paradijs was verdreven. Niet die verdrijving was moeilijk te verdragen, ik was immers uit vrije wil en uit welbegrepen eigenbelang weggegaan, maar ik kon het pas ontdekte lustgevoel moeilijk ontberen. 's Middags ging ik opnieuw naar het huis in de Szinvastraat. De rolluiken voor de vensters op de tweede verdieping waren nog steeds gesloten. Uiteraard hoopte ik dat de vrouw de deur zou openen en dat zij alleen in het huis zou zijn. Achter het kijkgaatje kwam de glanzende koperen rozet in beweging. De man moest mijn gezicht herkend hebben. Met een langzame, tactvolle beweging schoof hij de rozet weer voor het gaatje.

Ik wankelde geluidloos de trap af, niet in staat om te begrijpen wat hij met die aanmoedigende blik had bedoeld. Twee dagen lang zwierf ik ontgoocheld door de buurt en hing of sloop om het huis rond. Als ik me toen volledig had overgegeven aan mijn verdriet, had mijn leven waarschijnlijk een heel ander verloop gehad. Die overgave had me de kans gegeven het gebeurde te overdenken, en als ik er lang genoeg over had nagedacht, had ik na een tijdje ongetwijfeld de ontstellende ontdekking gedaan dat ik de lichamelijke liefde via het lichaam van een man had leren kennen, want dat had ik, ook al heb ik nooit, noch toen noch later, het lichaam van een man aangeraakt. Afgezien van een zekere kuise nieuwsgierigheid heb ik daar trouwens ook geen enkele belangstelling voor. En toch hebben we via het lichaam van de vrouw met elkaar gecommuniceerd. Het tot het lichaam van de vrouw aangetrokken mannenlichaam had onwillekeurig naar een gemeenschappelijke bedding voor een gemeenschappelijke lichaamsritme gezocht. Door me weg te sturen hadden ze me deze ervaring onthouden, maar niet alleen mij, ook zichzelf en elkaar. Er was weliswaar iets met mij gebeurd, maar dit proces konden ze uitsluitend buiten mijn aanwezigheid benutten. Zoals ik het van hen geleerde ook bij anderen in de praktijk heb gebracht – later. De vaderlijke aanmoediging in de blik van de man had dus op die latere tijd betrekking gehad en niet betekend dat ik mocht terugkomen.

Natuurlijk heb ik toen niet goed nagedacht, ik kon dat niet. Ik bewoog me in een andere richting, week uit voor mijn verdriet en zette de dringende behoefte aan een herhaling in een conventioneler verlangen om. Ik creëerde mijn eigen gedragsregels. Nooit heb ik de meisjes meer aangeraakt, beetgepakt of gekust, ik maakte ze niet het hof, liep ze niet achterna, staarde ze niet smachtend aan en schreef ze geen liefdesbrieven. Wees verstandig zei ik tegen mezelf, met die bemoedigende, vaderlijke blik die ik van de man had afgekeken. Weliswaar was ik me de herkomst van deze superieure, levenswijze blik niet bewust, maar ik gebruikte hem. Eigenlijk gebruik ik hem tot op de dag van vandaag. En de meisjes, of tenminste de meisjes met wie ik een relatie wilde aangaan, bleken elke keer verstandig te zijn.

Ik was in een open wereld geraakt waarin de wetten van de exclusiviteit en de toeëigening niet functioneerden, waarin je niet met één enkel, bepaald individu een betrekking onderhield, maar met vele tegelijk. Dat wil zeggen met niemand. Bovendien had mijn moeder mij sinds mijn vroegste kinderjaren verboden haar gevoelens te beantwoorden, wat een uiterst verstandige, vooruitziende maatregel van haar was geweest. Ik vertegenwoordigde voor haar de man die ze verloren had en wiens verlies mijn gevoelens slechts door een tragisch bedrog zouden hebben kunnen vervangen. Hiermee behoedde ze me voor de kwellingen van de liefde, waardoor ik pas in een zeer late fase van mijn leven heb begrepen dat die kwellingen evenzeer normaal zijn in het intermenselijke verkeer als gevoelens van vreugde. Ik probeerde hardnekkig elk verdriet te vermijden. Omdat mijn aantrekkelijke uiterlijk mij een uitzonderingspositie verschafte – een positie die me echter geenszins schadeloosstelde voor de beledigingen die ik vanwege mijn afkomst moest dulden –, kon ik niet geloven dat iemand even hartstochtelijke liefkozingen van mij dacht te ontvangen als hij zelf bereid was te geven. De discrepantie tussen mijn levenssituatie en mijn uiterlijk motiveerde mij om hardnekkig naar een goed plekje te streven in een wereld die, of ze me nu verafgoodde of verafschuwde, naar alle waarschijnlijkheid niet geïnteresseerd was in mijn werkelijke eigenschappen.

De verafgoding en de dweperij golden mijn fysieke hoedanigheden, de afwijzing mijn sociale positie. In tegenstelling tot mijn vriend, wiens gehele streven erop was gericht een ander menselijk wezen te observeren, te veroveren en te bezitten, werd mijn behoefte aan kennis en bezit niet gestimuleerd door het hartstochtelijke, maar zinloze en tot zelfvernietiging leidende verlangen om mezelf in een andere persoonlijkheid te verliezen; ik wilde alleen mijn maatschappelijke positie verbeteren. Het ontbrak ons beiden aan datgene wat het leven volledig maakt: ik had een thuis, maar geen vaderland, hij een vaderland, maar geen thuis.

Door mijn doelbewuste zelfonthouding gedroeg ik me echter niet minder dwaas dan hij. Dat was mijn manier om vrij te zijn. Terwijl ik in toenemende mate de natuurlijke driften van mijn medemensen exploiteerde, onderdrukte ik mijn eigen verlangens steeds hardnekkiger omdat ze niet in het nagestreefde beeld pasten en een beletsel waren bij de verwezenlijking van mijn doeleinden. Dit laatste is het enige wat ik tot mijn verontschuldiging kan aanvoeren. Nooit heb ik meer van een ander mens verwacht dan ik zelf bereid was te geven, eerder minder. Ik heb mezelf een onverbiddelijke nuchterheid aangewend, die de mogelijkheid van liefde bij voorbaat uitsluit. Het eerste avontuur dat me lichamelijk genot verschafte is stellig bepalend geweest voor de latere, maar het was onderdeel van een heel proces. Wie gedwongen is zichzelf als een middel voor de realisatie van bepaalde doeleinden te gebruiken, gebruikt zichzelf ook in zijn relaties met anderen zo. De kwaliteit van mijn eerste avontuur vereenzelvig ik geheel met de kwaliteit van mijn doeleinden, maar ik ben niet zo dom of ongevoelig dat mijn verlangen naar liefde geheel kon worden gedoofd, ik had alleen geen enkele ervaring op dat gebied. Verliefdheid trof me onvoorbereid, want mijn ervaringen waren tot het gebied der menselijke betrekkingen en gedragingen beperkt gebleven. Zo ziet mijn balans eruit.

Eigenlijk heb ik tijdens dat nieuwjaarsbezoek aan Rákosi de beslissende impuls gekregen om me als leerling aan te melden bij de cadettenschool die naar Ferenc Rákóczi II is genoemd. Ik kon niet begrijpen en begrijp ook nu nog niet waarom ik voor dat bezoek was uitgekozen, maar het is gebeurd en hierdoor scheen het onmogelijke opeens mogelijk te worden. Ik kon het niet vatten, want voordat ik bij de directeur moest komen, had men ongetwijfeld informatie over mijn afkomst ingewonnen. Mocht dat om de een of andere reden verzuimd zijn, dan begrijp ik niet waarom men de desbetreffende waarschuwing van de directeur in de wind heeft geslagen. De verwijtende manier waarop hij met zijn vinger het zwarte hokje in het klasseboek aanwees en aan iedereen liet zien, zal ik nooit vergeten. Ook runderen krijgen het brandmerk niet opgedrukt uit ethische noodzaak, maar omdat het nodig is ze uit elkaar te houden.

Met mijn beperkte, kinderlijke bevattingsvermogen concludeerde ik hieruit dat het politieke stelsel waarin ik leefde zulke strenge, met de menselijke waardigheid spottende regels had opgesteld dat het niet in staat was de werkelijkheid aan deze strenge, gevoelsarme normen aan te passen. Ik vermoedde dat ik mijn capaciteiten alleen zou kunnen ontwikkelen als ik erin slaagde door de mazen van dit onbegrijpelijke en volstrekt absurde ideologische vangnet te glippen. Weliswaar kon ik niet uitmaken of ik het regime in de val had gelokt of het regime mij, maar dat wilde ik ook niet weten. Ik had maar één wens: het verboden gebied binnen te dringen, en degenen die dit gebied hadden gecreëerd zagen zich gedwongen mij er toe te laten. Weliswaar mocht ik alleen naar binnen omdat ik goed Russisch kende, maar ik zou deze taal nooit van mijn leven hebben geleerd als mijn vader niet in een Siberisch krijgsgevangenkamp of een door kogels doorzeefde auto's om het leven was gekomen. Natuurlijk kon ik alleen door de mazen van het net kruipen als ik arglistig mijn ware bedoelingen verborg en in onbelangrijke zaken voldoende betrouwbaar scheen om in belangrijke onbetrouwbaar te kunnen zijn. Mijn kennis van het Russisch en mijn knappe gezicht hadden voor mij de deuren geopend, en de enige eis die het regime mij had gesteld was dat ik mij loyaal zou betonen. Waarom zou ik trouwens geen vreemde talen mogen spreken? Weliswaar had ik door mijn gedrag mijn vader min of meer verloochend en ook mijn vriend verraden, maar het regime had mij goedgunstig beloond voor mijn loyaliteit en volgzaamheid. Het had zich van zijn zwakste zijde laten zien en mij daardoor laten weten waar het kwetsbaar was. Ondanks alle mooie praatjes moest het roeien met de riemen die het had.

Als dit alles een jaar eerder was gebeurd of het verboden gebied wezenlijk anders was geweest dan de omgeving, als men ons echt naar een marmeren hal had gebracht en niet naar een burgerlijk ingerichte salon, als de chocolademelk niet lauw was geweest en er niet net zo'n walgelijk velletje op had gedreven als op de schoolmelk, en de slagroom goed was geklopt en geen zurig bijsmaakje had gehad en ik bovendien niet de indruk had gekregen dat het door ons met eerbied en ontzag gadegeslagen echtpaar tijdens ons bezoek door slaapgebrek in een gemelijke stemming verkeerde en waarschijnlijk net een ordinaire echtelijke ruzie achter de rug had – ja, als al deze voorwaarden vervuld waren geweest, was nooit de gedachte bij me opgekomen dat ik door de mazen van het net zou kunnen glippen. Het strenge ideologische systeem duldde noch kende de toevalligheden van het leven, geen wonder dus dat ik door deze cumulatie van alledaagse toevalligheden overmoedig werd. In ruil voor deze gunstige gelegenheid gaf ik dadelijk mijn kinderlijke plan op om in een of ander leger officier te worden. Ik had de zwakke plekken gevonden, begreep de mogelijkheden en wilde deze met inachtneming van de spelregels uitbuiten. Weldra bleek echter dat ik mij misrekend had; ik kreeg het deksel op mijn neus.

Nog de dag waarop ik het aanmeldingsformulier met de afgesmeekte handtekening van mijn moeder had ingediend, werd ik bij de directeur geroepen. De ramen stonden open, maar er werd nog gestookt. Toen ik binnenkwam, warmde de directeur juist zijn rug tegen de lauwwarme tegelkachel. Geruime tijd zei hij niets, hij schudde alleen maar mismoedig het hoofd.

Tenslotte maakte hij zich los van de tegelkachel en liep enigszins moeizaam naar zijn bureau. Hij moest een ruggegraatblessure of een ander rugletsel hebben, want hij liep merkwaardig scheef. Kennelijk kon hij zijn rug alleen recht houden als hij tegen de warme tegelkachel leunde. Terwijl hij het door mij ingevulde formulier uit een grote stapel aanmeldingsformulieren tevoorschijn haalde, vroeg hij of ik het spreekwoord 'het kan niet alle dagen kermis zijn' niet kende.

Bereidwillig nam ik het formulier aan. Hij was hierover zichtbaar tevreden en gaf me met een wenk te kennen dat ik kon gaan, maar ik verroerde me niet. Dit irriteerde hem nogal.

Heb je nog iets te zeggen? vroeg hij.

Ik begrijp dit niet, stotterde ik.

Dat valt me van je tegen. Je bent toch de beste leerling van de school en behalve intelligent ook sluw? Je moet niet proberen me te vernachelen. Als ik dit formulier doorstuur, krijg ik moeilijkheden. Meld je voor een school aan waar je afkomst niet meetelt. Ik ga niet zo ver dat ik je aanraad met zulke cijfers voor een bedrijfsvakopleiding te kiezen, maar een hogere technische school is voor jou uitgesloten. Ik wil je ook niet naar een kerkelijke middelbare school verwijzen. Het enige wat ik voor je kan doen is een aanmelding voor de beta-opleiding van het staatsgymnasium ondersteunen. Ga nu maar naar huis om een nieuw formulier in te vullen. Je bent voor de rest van de dag vrijgesteld van de lessen.

De tranen sprongen me in de ogen. Ik wist wel dat dat hem niet van mening zou doen veranderen, maar helemaal onberoerd laten zou het hem ook niet. Ik voelde dat hij mijn gedrag verkeerd interpreteerde en meende dat ik verdrietig en teleurgesteld was, terwijl ik in werkelijkheid ziedde van woede. Opeens legde ik het formulier langzaam terug op de lange tafel die ons van elkaar scheidde. Dat was misschien nog net niet brutaal, maar wel uiterst vrijmoedig. Het was alsof ik tegen hem zei: Veeg er je reet maar aan af. Ik had het formulier onmogelijk mee naar huis kunnen nemen. Een groet mompelend wankelde ik achterwaarts naar de deur. Die groet kon ik onmogelijk duidelijk uitspreken. Volgens het voorschrift had ik 'voorwaarts, kameraad directeur!' moeten zeggen, maar hoe kon je een volwassen man die je toekomst torpedeerde kameraad noemen en voorwaarts roepen als je achteruitlopend de kamer moest verlaten? De directeur wees op het formulier op de tafel en zei dat ik het mee moest nemen, maar ik deed alsof ik het in mijn verwarring niet hoorde en verliet de kamer.

's Morgens vroeg zonder je tas de school verlaten is op zich al een

781

krankzinnige ervaring. Je bent vrij, maar toch kluistert die nerveus in de la van je schoolbank gepropte schooltas je aan de plaats van je eeuwige slavernij. Je bent aan een eigenaardige gril van het Lot onderworpen. Schijnbaar heb je evenzeer deel aan het opgewekte ochtendleven als iedereen die zich op straat bevindt, maar in werkelijkheid word je aan een kort lijntje gehouden dat je bewegingsvrijheid belemmert. Ik was verdoofd door de slag maar kookte ook van woede. Pas later, toen ik bij de halte van het tandrad-treintje op de Városkútiweg wat geld uit mijn broekzak opdiepte, begreep ik opeens waar ik naar toe wilde gaan. Ik had geen zin om naar huis te gaan en wilde mijn moeder, die als typiste bij het Staatsbureau voor de Handel met het Buitenland werkte, niet met deze onverkwikkelijke kwestie lastig vallen. Toen ik, geschrokken van mijn eigen voornemen, de moed in mijn schoenen voelde zinken, was ik al op weg met het treintje.

Ik ging naar kolonel Elemér János, een vroegere vriend en kameraad van mijn vader, die op het ministerie van Defensie werkte. Voor de tram had ik geen geld meer, zodat ik de rest van de weg zonder kaartje aflegde. Ik had de kolonel een keer in zijn woning bezocht, maar hij had nooit een tegenbezoek bij ons afgelegd. Mijn moeder was er echter vast van overtuigd dat de geheimzinnige geldbedragen die zij maandelijks ontving van hem afkomstig waren. Met Kerstmis, Pasen en op mijn verjaardag kreeg ik altijd een cadeautje van hem, waar een briefje van enkele regels bij was gevoegd. Hiervoor moest ik hem met een even kort briefje bedanken. De donkerblauwe matrozenjas met de gouden knopen die mijn vriend zo fraai beschrijft, had ik van hem gekregen. Mijn moeder achtte het niet eens uitgesloten dat we dankzij zijn heimelijke steun voor deportatie gespaard waren gebleven. Later, toen de gebeurtenissen in ons land een vreselijke keer namen, konden we onze dankbaarheid bewijzen door zijn gezin te steunen, hij werd namelijk eind november negentienzesenvijftig gearresteerd en het jaar daarop terechtgesteld. Zijn weduwe verloor haar betrekking en moest in haar eentje de kinderen grootbrengen, twee meisjes van ongeveer mijn leeftijd.

De dienstdoende onderofficier bij de ingang zei dat de 'kameraad kolonel' op dat moment niet bereikbaar was. Anderhalf uur lang lummelde ik wat rond in de omgeving van het ministerie. In de Falk-Miksastraat was een dierenwinkel met een etalage vol kooien en aquariums. Ik keek naar de vissen, die steeds opnieuw naar de glazen wanden zwommen. Ze sperden hun bekjes open en hapten naar iets onzichtbaars. In dezelfde straat, maar iets verderop, zag ik een meisje met kortgeknipt haar huilend uit een portiek komen rennen. Ze holde alsof ze op de hielen werd gezeten, bleef plotseling staan en liep toen weer terug. Ze had mijn nieuwsgierige blik opgevangen en dit beetje medeleven was voldoende geweest om haar opgekropte tranen tevoorschijn te brengen. Even leek het erop dat ze zich in mijn armen zou storten, maar ze rende weer terug en verdween in de deuropening. Een poosje wachtte ik in de hoop dat ze weer naar buiten zou komen. Hierna slenterde ik naar het parlementsgebouw. Het plein ervoor was verlaten. Op eerbiedige afstand observeerde ik de ingang aan de rechterzijde van het gebouw, waar van alles gebeurde. Van tijd tot tijd kwam er een reusachtige zwarte limousine voorrijden, waarop de deur openging, iemand naar buiten kwam en in de auto stapte. Het rijkelijk verchroomde, blinkende voertuig zoefde vervolgens gracieus weg over het door de middagzon overgoten plein. Niemand ging via die ingang naar binnen, er kwamen alleen maar mensen naar buiten. Tenslotte had ik het gevoel dat ik lang genoeg had gewacht. De onderofficier deed nogal geprikkeld open, maar hij telefoneerde toch naar boven. Hij hield zijn hand voor de microfoon toen hij mijn naam noemde en voegde er grinnikend aan toe dat ik een bijzonder hardnekkig ventje was. Hij sprak met een vrouw, dat kon ik aan zijn stem horen. Ik werd tot de wachtkamer toegelaten, waar ik op een stoel ging zitten. Terwijl ik wachtte, werd ik door slechts één kwellende gedachte beheerst: ik vroeg me af wat er met mijn tas zou gebeuren als ik die niet voor het einde van de schooltijd kon ophalen.

Het zal een uur of vier 's middags zijn geweest toen het me eindelijk gelukte tot de vriend van mijn vader door te dringen. De onderofficier bracht me naar de vierde verdieping, waar de kolonel me op de spiegelgladde vloer tegemoet kwam. Hij legde een zware hand op mijn schouder en keek me aandachtig aan, alsof hij wilde vaststellen of mijn bezoek met iets ernstigs verband hield. Vervolgens ging hij me voor naar een zaal waar waarschijnlijk net een stafvergadering was gehouden, althans dit maakte ik op uit de opgerolde landkaarten die er lagen. De rook was om te snijden en de lange, met een glazen plaat bedekte tafel was beladen met lege koffiekopjes, waterglazen en asbakken vol sigarettepeukjes. Hij bood me een stoel aan, liep om de tafel heen en liet zich behaaglijk neer op een stoel aan de andere kant van de tafel. Hierna stak hij een sigaret op. Tot dat ogenblik had hij nog geen woord gezegd en ik had eveneens gezwegen. Hij was kaal en gezet en op zijn stevige handen groeiden blonde haren. Ik zag dat de olijke knipoogjes die hij me toewierp niet alleen werden veroorzaakt door de rook van zijn sigaret, maar ook door de aangename indruk die mijn uiterlijk op hem maakte. Op de vriendelijke, schertsende toon die de meeste volwassen tegen me bezigden, vroeg hij me wat ik in mijn schild voerde.

Nadat ik hem verteld had wat er aan de hand was, tikte hij met de zwarte steen van zijn zegelring op de glazen plaat en zei dat de school mijn aanmeldingsformulier zou doorsturen. Daar stond hij voor in. Overigens betekende dit natuurlijk niet dat ik ook als leerling zou worden aangenomen. Hij respecteerde mijn besluit, maar kon niets voor de toekomst garanderen. Bovendien was hij van mening dat ik, of ik nu aangenomen werd of niet, voortaan mijn eigen boontjes moest doppen.

Hij drukte zijn sigaret uit, stond op, liep om de tafel heen en legde, toen ik ook was opgestaan, opnieuw zijn hand op mijn schouder, van welk gebaar echter niets bemoedigends meer uitging. Hij zei dat hij het serieus meende, niet alleen omdat zijn mogelijkheden uiterst beperkt waren, maar ook omdat ik moest leren op eigen benen te staan, anders zou ik in de toekomst niet in staat zijn mijn situatie juist te beoordelen. Mijn vader zou dezelfde mening zijn toegedaan als hij nog leefde. Dit alles zei hij op zachte toon. Met zijn hand op mijn schouders dirigeerde hij me naar de uitgang.

Een maand later werd mijn verzoek om als leerling te worden toelaten zonder enige motivatie afgewezen.

Op de hardnekkige vragen van mijn vriend heb ik stellig even hardnekkig in nietszeggende bewoordingen geantwoord. Daaruit heeft hij waarschijnlijk geconcludeerd dat mijn toelating het onderwerp van een geschil was. Ik weet dat hij uit angst om mij te verliezen hoopte dat mijn wens niet in vervulling zou gaan en we op hetzelfde gymnasium zouden terechtkomen. Mij interesseerde zijn verlangens even weinig als hem mijn wensen interesseerde. In werkelijkheid was er geen conflict. Mijn moeder was opgelucht. Prém boog het hoofd en gaf zich op voor de opleiding tot automonteur. Ik voelde me door iedereen in de steek gelaten en was hevig vertoornd op mijn vaders vriend. Ik kon niet begrijpen waarom hij mij niet hielp, zoals een op chocolade verzot kind niet begrijpt waarom volwassen niet voortdurend chocola eten, hoewel ze het geld ervoor op zak hebben. In mijn woede deed ik het tegendeel van wat hij me aangeraden had, dat wil zeggen: ik deed precies datgene wat hij me ontraden had.

Ik schreef, of beter gezegd: ik typte op de schrijfmachine een brief aan István Dobi, president van de Hongaarse Volksrepubliek. De doorslag daarvan heb ik later, toen ik erachter kwam dat mijn vrouw in mijn papieren snuffelde, vernietigd. Schaamte belet me thans letterlijk de woorden te citeren van het verachtelijke wezen dat ik toen was. Ik begon mijn brief met de bewering dat er zich een zeer belangrijke wending in mijn leven had voorgedaan toen ik de eer had gehad voor het eerst van mijn leven twee werkelijke sovjetmensen, kameraad Rákosi en zijn echtgenote, te ontmoeten. Hierna schreef ik dat de liefde voor sovjetmensen een traditie was in onze familie en dat ik in navolging van mijn vader Russisch had geleerd. Daarmee belandde ik natuurlijk op glad ijs. Ik bekende dat mijn vader noodgedwongen had deelgenomen aan de onrechtvaardige oorlog tegen de Sovjetunie, maar verzocht de president zijn consequente anti-Duitse houding in aanmerking te nemen. Ik sloot de brief af met de belofte dat ik mijn leven lang zou trachten de door hem begane fouten weer goed te maken. Om mijn woorden geloofwaardig te laten lijken deed ik iets wat ik als de grootste schanddaad van mijn leven beschouw: ik voegde mijn vaders oorlogsdagboeken, vier ruitjesschriften, bij de brief.

Op het gebied van operamuziek ben ik een leek en van ballet heb ik nog minder kaas gegeten. Als ik mensen op het toneel zie zingen en dansen, voel ik zowel verbazing als afkeer, omdat ze iets doen wat normale, verstandige volwassenen nooit in hun hoofd zouden halen, zeker niet in het openbaar. Elke keer ben ik kinderlijk verbaasd dat zij tot zoiets schaamteloos in staat zijn. De stemmen, de lichamen, de decors en de hele overdreven pracht van de opera-architectuur boezemen me zo'n afkeer in dat het me altijd de grootste moeite kost de drempel van een dergelijk gebouw te overschrijden. Binnen voel ik me alsof ik in een grote poederdoos zit en iemand mijn mond volpropt met mierzoete zuurtjes, en zodra het gordijn opengaat, trekt mijn maag zich samen. Sluit ik echter mijn ogen, dan sukkel ik elke keer ongemerkt in slaap, en wel juist tijdens de allerluidste passages! Op die bewuste novemberavond hadden we bovendien niet zomaar ergens een plaats gekregen, maar onmiddellijk naast de reusachtige loge van de tsaar.

Ik weet niet hoe de opera die we die avond te horen kregen gewoonlijk wordt uitgevoerd, maar tijdens deze voorstelling werd achter het gordijn, dat bij de eerste toon van de ouverture omhoogging, een tweede gordijn zichtbaar, dat van glanzende, zilverkleurige zijde, goudkleurige mousseline, donkergrijze tule, grote stukken zaklinnen en met zwart garen losjes bijeengenaaide lompen was vervaardigd en uit verscheidene luchtig geplooide lagen bestond. Terwijl de musici ijverig musiceerden, werden deze lagen onafhankelijk van de muziek langzaam heen en weer bewogen en op en neer gehaald, totdat er na enige tijd een decor achter zichtbaar werd dat het Rode Plein voorstelde. Op het plein danste een grote mensenmenigte met rokende fakkels, flakkerende kaarsen en ongelijkmatig brandende lantaarns in de hand. Pas na geruime tijd begreep ik dat het gordijn een langzaam optrekkende ochtendnevel moest voorstellen.

We waren in twee grote zwarte limousines van het hotel naar de opera gebracht en hoewel ik kans had gezien in dezelfde auto als het meisje te stappen, was het me al gedurende deze korte reis gaan spijten dat ik me bij het gezelschap had aangesloten. Hoewel het weerzien ons, zonder dat we dit aan elkaar lieten merken, goed deed, hadden mijn vriend en ik elkaar weinig te vertellen. Ik was vermoeid en afgeleid door de aanwezigheid van het meisje. Bovendien ontstond er een barrière tussen mij en de rest van het gezelschap doordat mijn landgenoten onder invloed van de door hen genuttigde alcoholische dranken steeds luidruchtiger werden, terwijl ik in stilte naar een borrel verlangde. Ook gaf de inspanning waarmee mijn vriend en ik de vreugde van het weerzien voor elkaar trachtten te verbergen, iets onaangenaams en krampachtigs aan ons samenzijn. Daarbij kon ik het meisje hoogstens gadeslaan en in het oog houden, maar toenadering zoeken tot haar was volstrekt onmogelijk. Ze liet me door haar houding namelijk merken dat ze me bij de eerste de beste onvoorzichtige beweging zo nadrukkelijk zou afwijzen dat ik het verder wel kon vergeten. Misschien wilde ze een dergelijke afwijzing zelf wel voorkomen, maar wist ze dat nog niet. We dorsten elkaar dan ook niet aan te kijken, maar het verlangen om een blik met elkaar te wisselen maakte dat we ons voortdurend gespannen voelden. De enige vrijheid die ik me veroorloofde was het beleefd aannemen van haar met bont afgezette jas. Ze bedankte me met een nietszeggende beleefdheidsformule. De spanning waarin we beiden verkeerden openbaarde zich vooral in de krampachtige manier waarop we probeerden onze interesse in elkaar voor de rest van het gezelschap verborgen te houden, wat echter bijna onmogelijk was, want de vier Hongaren en de hen begeleidende vrouwelijke tolk voelden zich na de vrolijke slemppartij van de afgelopen middag hecht met elkaar verbonden en ze vertoonden het eigenaardige saamhorigheids-gevoel dat kenmerkend is voor reisgezelschappen, een gevoel dat ze bovendien nadrukkelijk cultiveerden. Ik bleef daardoor een vreemd element in hun midden.

Een lid van het gezelschap, een baardig jongmens dat blijkens zijn uiterlijk met alle geweld wilde opvallen, gedroeg zich bijzonder agressief tegen me. Ik achtte het daarom niet uitgesloten dat het meisje alleen maar zo afgemeten aan de telefoon was geweest omdat ze toen in zijn gezelschap had verkeerd. De baardaap observeerde mij en ik loerde naar hem en het meisje. Later zou blijken dat mijn verdenking niet ongegrond was. Mijn vriend en de derde man keken intussen vol belangstelling toe om te zien hoe dit allemaal zou aflopen, en de tolk hield op een vriendelijke, moederlijke en van grote zorgzaamheid ge-tuigende wijze het hele gezelschap in de gaten. Ik beriep me op mijn hoedanigheid van gast, liet iedereen hoffelijk voorgaan en zette me vervolgens in het weldadige duister van de loge naast de tolk. Het meisje zat voor me en leunde op de balustrade van de loge. Af en toe kon ik niet nalaten naar haar blote hals te staren. Ze droeg haar weer-barstige haar nu in een knot. Elke keer dat ik naar haar hals keek, kromp ze in elkaar, maar het kan ook zijn dat ze ineenkromp om me te laten voelen wanneer ik naar haar hals en wanneer naar het toneel moest kijken.

Toen de laatste zijden sluiers en lompen van het ochtendnevelgor-dijn uiteen waren getrokken, werd ook duidelijk wat de ideologische bedoeling was van deze snel optrekkende neveldampen, want op het podium werd de tweedeling van lompen en zijde gehandhaafd. Rij-ken en armen dansten daar lustig door elkaar heen, hoewel ze toch duidelijk van elkaar gescheiden groepen bleven. Ik zag met veel goud behangen prinsessen, in bont gehulde bojaren die te diep in het glaasje hadden gekeken, wellustige popes en hitsige kooplui, die zich met lichtekooien in zijden ondergoed vermaakten, in lompen wegterende mankepoten, met bloedige zwachtels omwikkelde gewonden, half-naakte bedelaars, rondtrekkende acrobaten, hun armzalige koopwaar aanprijzende marskramers, nieuwsgierig toekijkende baliekluivers, in kleurige klederdrachten gehulde buitenlui en frisse jonge maagden, die begeleid werden door wakkere jonggezellen met een vurige oog-opslag. Bij de aanblik van deze exotisch uitgedoste menigte werd ik door de gebruikelijke onpasselijkheid overvallen. Ik wilde weg. Weg naar de Pervomajskajastraat, waar ik verwacht werd, waar ik me niet zo onbehaaglijk zou voelen en waar de drie vrouwen 's morgens in hun grote, roze, satijnen bustehouders en nog grotere directoires om me heen scharrelden, terwijl ik op de rand van het bed zittend slaperig mijn rug krabde. Op zoek naar een excuus voor een heimelijke aftocht bedacht ik zelfs dat het eigenlijk geen pas gaf voor een leerling op de dag na het overlijden van zijn leermeester de schouwburg te bezoeken.

Op het podium was de dans in volle gang toen de baardaap zijn kolenschop op de poezelige hand van het meisje legde, die nog steeds op de balustrade rustte. Hij boog zich naar haar toe en fluisterde haar iets in het oor. De manier waarop ze samen zaten te smoezen wettigde het vermoeden dat ze nogal intiem met elkaar waren. Hun handelwijze wekte de nieuwsgierigheid van hun twee metgezellen, die hun hals uitrekten in de hoop iets van het gefluister op te vangen. Hierop begon de baardaap, zonder de hand van het meisje los te laten, haar iets uit te leggen. Zodra mijn vriend echter de eerste twee woorden had opgevangen, boog hij zich achter de rug van baardmans naar het meisje en fluisterde haar iets toe, waarop ze beiden begonnen te lachen. Het meisje draaide vervolgens haar hoofd om mij in haar lach te laten delen, waarbij ze haar hand onder die van de baardaap wegtrok, wat eveneens een teken aan mij was. Ze moedigde me als het ware aan om de volgende stap te zetten, zodat ik onmogelijk weg kon gaan. Zelden heb ik me onbehaaglijker gevoeld dan onder dit gegiechel en onbeschaamde gedoe, dat maar geen einde wilde nemen. Ik hoorde wel bij deze mensen, maar had absoluut niets met hen gemeen. Ik begreep hun vrolijkheid, maar wenste er niet aan deel te nemen. Helaas gebeurde er vanaf dat ogenblik niets meer op het podium dat niet tot nieuwe hilariteit aanleiding gaf, zodat ik, hoewel ik mij niet geheel kon onttrekken aan de plechtige, aandachtige sfeer in de schouwburg, vanaf dat moment gedwongen was het toneel met hun ogen te zien.

Het is ongetwijfeld geen bijzonder gelukkige artistieke vondst de choreografie van een ballet op de tegenstellingen van de klassenmaatschappij en de in die maatschappij woedende klassenstrijd te baseren. Ook zal iedereen moeten toegeven dat een opera-ouverture niet erg geschikt is voor een ballet, maar toch veroordeelde ik het gedrag van mijn metgezellen. Natuurlijk vreesde ik ook in een schandaal te worden betrokken, welke vrees trouwens niet ongegrond bleek. Na enige tijd merkte de tot dat ogenblik geheel in het nationale spektakel opgaande tolk wat er aan de hand was en ze probeerde mijn metgezellen tot stilte aan te manen door hen geschrokken en voorzichtig met haar vingers aan te raken, wat echter olie op het vuur was. De tolk leek op dat moment op een zachtmoedige schooljuffrouw die bang is dat het schoolhoofd iets zal merken van het wanordelijke gedrag van haar leerlingen. Mijn metgezellen durfden elkaar niet meer aan te kijken en wierpen slechts af en toe een steelse blik op het toneel. De tolk begreep niets van dit gedrag en probeerde hen in haar met een zacht, Russisch accent gesproken Hongaars te kalmeren, maar ze schudden en proestten voortdurend van het lachen, hoewel ze alle mogelijke moeite deden zich te beheersen. Als het met veel moeite gelukt was zo'n lachbui te onderdrukken, werd deze onmiddellijk gevolgd door een nieuwe, nog heftiger uitbarsting van hilariteit.

Ik weet niet hoeveel dansers zich op dat moment over het toneel bewogen, maar het waren er in elk geval veel meer dan men gewoonlijk gelijktijdig te zien krijgt. Toen er echter aan het einde van de ouverture achter de triomfantelijk naar voren hollende solisten een nieuwe menigte het toneel op drong, het jubelende koor, dat een keur van oorlogsemblemen en kerkvanen met zich meevoerde, en er op het toneel een waanzinnig gedrang ontstond, terwijl er bovendien nog een roodgloeiende, opgaande zon vanachter de gekartelde muren van het Kremlin tevoorschijn rees, die onder galmend klokgebeier aan een dun koord werd omhooggetrokken, barstte in onze loge de hel los. Mijn metgezellen stompten, duwden en knepen elkaar en ze huilden en gierden van het lachen. Geschrokken probeerde de tolk hen met enkele klappen te kalmeren en ook in de naburige loges begonnen de mensen te protesteren. Hun van onbegrip getuigende krachttermen, verontwaardigde sisgeluiden en boze uitroepen klonken steeds luider. Op dat moment kon ik me niet langer beheersen, ik sprong op en vluchtte in paniek de loge uit.

De loges kwamen niet onmiddellijk op de gang uit, maar via een met rode zijde beklede, fel verlichte salon. Ik was ontsteld en verontwaardigd, maar voelde tegelijk enige opluchting omdat ik, wat er verder ook mocht gebeuren, de dans had weten te ontspringen. Ik greep mijn jas, maar op het moment dat ik die aantrok, vloog de gecapitonneerde deur van de loge open en tuimelden de vier Hongaren onder begeleiding van een steeds luider wordende basaria luid schaterend en over elkaar struikelend de loge uit. Heel even was de gestalte te zien van de in de donkere loge vertwijfeld gesticulerende tolk, maar onmiddellijk daarop sloeg een van mijn metgezellen de deur voor haar neus dicht. Elkaar vastpakkend, verdringend en voortduwend liepen ze schreeuwend en joelend in mijn richting. Ze gedroegen zich als leerlingen die de klas uit zijn gestuurd en lachten met gorgelende en hinnikende geluiden, terwijl de tranen over hun wangen liepen. Ik wilde me snel uit de voeten maken, maar het meisje en de baardaap vielen, zich aan elkaar vasthoudend, tegen de met zijde bespannen muur, waarna de baardaap op de grond belandde. Ik had me nog kunnen redden, ware het niet dat mijn vriend – met opzet of per ongeluk – zijn metgezellen opeens losliet, zodat hij zijn evenwicht verloor en boven op me terechtkwam. Ik moest hem opvangen. We keken elkaar aan. Ik kon mijn minachting en haat niet onderdrukken, gevoelens die evenzeer door het duister van onze kindertijd werden gevoed als de vreugde van het weerzien ruim een uur geleden. Ik voelde mijn handen, dat wil zeggen: ik voelde dat mijn handen zijn schouders hadden beetgegrepen, en ik schudde hem door elkaar. Wat zijn jullie voor waanzinnige idioten! zei, nee schreeuwde ik. Onmiddellijk verstrakte zijn gezicht en hij keek me met dezelfde onverzoenlijke haat aan als ik zelf voelde. En jij? Wat ben jij? Een streber met een maagzweer! Een smerige Julien Sorel! Dat was je vroeger al en dat zul je altijd blijven! Verwijfd ventje! En hij voegde er nog iets aan toe, iets wat in zijn binnenste explodeerde en zich een uitweg baande. De haat was nog niet uit zijn blik verdwenen, maar zijn stem had alweer die onnatuurlijke, cynische klank gekregen die ik niet van hem kende. In de plotseling ingetreden stilte konden ook de anderen het duidelijk horen. Het is nu een gunstig moment om je te laten weten dat ik vroeger dodelijk verliefd op je was, laffe smeerlap, siste hij met die eigenaardige stem.

Het meisje staarde met toegeeflijke verachting naar mijn uitdrukkingsloze gezicht. Nou nou, zei ze met getuite lippen, en voordat ze in de richting van de uitgang begon te lopen, liet ze haar hand een ogenblik lang medelijdend op mijn arm rusten. Blijkbaar wilde ze me zo de genadeslag geven. Vanuit de zaal drong de muziek de salon in, waar we ons nu op enige afstand van elkaar bevonden. Opeens trok het meisje de twee pennen uit haar haarknot, zodat het haar los over haar schouders golfde. Ze schudde haar hoofd en liep de deur uit.

Wat hierna gebeurde, lijkt wel een surrealistisch verhaal. Het meisje liep de met een zachte, rode loper beklede trap af, zodat haar welgevormde, met nylons bedekte benen duidelijk zichtbaar waren. Zwijgend en enigszins bedrukt volgden wij haar. De muziek was hier niet meer hoorbaar. Op de eerste verdieping stond een glazen deur open, die toegang gaf tot de voormalige ontvangstruimte van de tsaar. In deze door schitterende kroonluchters verlichte zaal stonden met onvoorstelbare overdaad gedekte tafels voor de bezoekers van de galavoorstelling gereed. Ze waren in een U-vorm opgesteld, zodat ze de omtrek van de zaal volgden. Behalve wij was er niemand aanwezig. Het meisje wandelde zonder het geringste teken van verwarring of verrassing naar binnen en de anderen volgden haar aarzelend. Ze liep om de met koude schotels, fruitschalen, dranken en zoetigheden overladen tafels heen, die met guirlandes en bloemstukken waren versierd en met zilver, kristal en porselein gedekt. Zonder aarzeling nam ze een bord, een servet en een vork en begon zichzelf te bedienen. De anderen lachten geamuseerd en volgden verlegen haar voorbeeld. Binnen enkele ogenblikken gingen ze door met wat ze in de loge onderbroken hadden, nu echter zwijgend. Ze schransten en zopen. Ik ontdekte een fles wodka, schonk mezelf een glas in en sloeg dat achterover. Daarna ging ik naar het meisje toe en vroeg of ze met me meeging. Eigenlijk was zij degene die zich het ergste misdroeg, want ze at nauwelijks, maar liep systematisch van de ene schotel naar de andere, roerde in de spijzen, nam van elke schotel een hapje en bedierf alles, en dat met een volkomen onverschillig gezicht. Toen ik haar aansprak, keek ze op. Nee, zei ze, me onverschillig aankijkend, ik vermaak me hier uitstekend.

Het sneeuwde onafgebroken en in de straten klonk een vrolijk, levendig geroezemoes. Aan het door de dikke sneeuwlaag enigszins gedempte verkeerslawaai was te merken dat het feest al begonnen was. Op straat schuifelden beschonken lieden rond. Langzaam sjokte ik naar het hotel terug, nam de fles wodka uit de ijskast en zette hem naast de telefoon. Ik begon te drinken en wachtte op het meisje. Later draaide ik met steeds kortere tussenpozen haar nummer. Kort na middernacht nam ze de telefoon aan, pas toen was ze eindelijk alleen.

Het meeste wat ik over mezelf kwijt wilde heb ik verteld, ik voeg er alleen nog het volgende aan toe: na deze toevallige ontmoeting in Moskou duurde het een hele tijd voordat ik mijn vriend opnieuw terugzag. In die tussentijd kwam ik af en toe zijn naam tegen. Zijn artikelen over op het verkeerde pad geraakte, lichtzinnig hun leven vergooiende jongemannen las ik met een gevoel alsof ik een hap zand moest doorslikken. Ruim vijf jaar later moest ik enkele dagen voor de kerst naar Zürich vliegen. Ik had mijn auto op het parkeerterrein van de luchthaven Ferihegy achtergelaten. Toen ik na twee dagen terug was gekeerd en de aankomsthal verliet, kon ik, zoals gebruikelijk, mijn autosleutels niet vinden. Ze zaten noch in mijn jas noch in mijn broekzak. Ik betastte al mijn kleren. Ik moest ze in mijn tas hebben ge-stopt of verloren zijn, wat wel vaker was voorgekomen. Zelfs mijn be-zittingen hielden het niet bij me uit. Ik had alleen een met overhem-den en documenten gevulde weekendtas bij me en een grote zak van een warenhuis, die volgepropt was met cadeautjes. Ik legde mijn baga-ge op een bagagewagentje en begon naar mijn sleutels te zoeken.

Terwijl ik daarmee bezig was, zag ik dat iemand op nog geen arm-lengte afstand van me op de betonnen borstwering van de trap zat, maar ik besteedde hier pas aandacht aan toen ik mijn sleutels in een sok had gevonden. Het was mijn vriend en hij zat zo dicht bij me dat ik niet eens mijn stem hoefde te verheffen.

Ben je aangekomen of vertrek je, vroeg ik, alsof het de gewoonste zaak van de wereld was hem daar te ontmoeten. Noch het jaargetijde noch de plaats noch het uur waren geschikt om daar te zitten. Het werd al donker, een fijne nevel breidde zich uit, de lampen brandden al en het was guur en onaangenaam op het vliegveld. Hij keek me aan, maar ik was er niet zeker van dat hij me herkende, en toen hij zijn hoofd ontkennend schudde, meende ik bijna hem met iemand verwisseld te hebben.

Wacht je op iemand? vroeg ik.

Nee, zei hij, ik wacht op niemand.

Wat doe je hier dan, vroeg ik nogal korzelig.

Opnieuw schudde hij zwijgend het hoofd.

In de afgelopen vijf jaar was hij beslist niet meer veranderd dan ik, maar toch was ik verrast toen ik zijn vermagerde gezicht, zijn kaal ge-worden voorhoofd en zijn grijzende haardos zag. Het leek wel of de laatste druppel vocht uit hem was geperst, zo droog en verkreukeld zag hij eruit.

Ik liep naar hem toe, liet hem mijn autosleutels zien en zei dat ik hem met genoegen een lift zou geven naar de stad.

Hij schudde zijn hoofd.

Ik vroeg wat hij in hemelsnaam daar op dat muurtje wilde doen.

Niets, zei hij.

Hij zat tussen twee grote, volgepropte koffers. Aan de handvatten van de koffers hingen labels van de Berlijnse vliegmaatschappij Inter-flug, wat er onmiskenbaar op duidde dat hij niet wilde vertrekken, maar aangekomen was. Ik stopte hem mijn bagage toe, pakte zijn kof-fers en liep daarmee zonder een woord te spreken naar de parkeer-plaats. Toen ik mijn auto had gevonden en zijn koffers in de kofferbak had gelegd, stond hij al naast me met mijn spullen. Hij reikte ze me aan, maar zijn gezicht had nog steeds die onverschillige uitdrukking waarvan ik zo was geschrokken.

Hij zag er wel veel vastberadener uit dan vroeger, bijna energiek ondanks alle weekheid. Ook de eigenaardige frivoliteit die mij bij onze laatste ontmoeting had getroffen, was verdwenen. Ik zag een smetteloos rein gezicht, dat eruitzag alsof hij zich eruit had teruggetrokken, alsof hij vakantie van zichzelf had genomen. Een droog gezicht. Beter zou ik het niet kunnen uitdrukken.

In mijn auto heerste een betrekkelijke wanorde, ik moest eerst plaats voor hem maken en wat spullen op de achterbank leggen. Ik trachtte snel en gedecideerd te handelen omdat ik vreesde dat hij elk ogenblik met achterlating van zijn koffers kon verdwijnen. Hij leek ook zo onverschillig, hij stond er wel, maar was toch niet aanwezig.

We waren al op de snelweg toen ik hem een sigaret aanbood. Hij wilde niet roken, ik stak er zelf wel een op.

Vervolgens bood ik aan hem thuis te brengen.

Nee, daarheen niet.

Waarheen dan wel? vroeg ik.

Hij gaf geen antwoord.

Ik kan niet zeggen waarom, maar ik moest hem aankijken. Niet vanwege zijn antwoord. Ik wist dat hij niet kon antwoorden omdat hij geen antwoord had. Omdat hij geen thuis had. En wie geen thuis heeft kan daar ook niet over spreken. Met gelijkmatige tussenpozen suisden we onder het schijnsel van een booglamp door en daardoor moest ik nog een keer opzij kijken om me te vergewissen of ik het goed had gezien. Hij huilde. Zoals hij huilde had ik nog nooit iemand zien huilen. Zijn gezicht was onverschillig en uitdrukkingsloos gebleven, evenals tevoren, maar desondanks kwamen er druppels uit zijn ogen, die langs zijn neus omlaagrolden.

Ik zei dat hij met mij mee kon gaan, naar ons huis. Morgen was het Kerstmis. Hij moest het feest maar met ons vieren.

Nee, dat wil ik niet.

Ik had graag nog iets eenvoudigs en troostrijks gezegd, maar in plaats daarvan zei ik dat het morgen vast zou sneeuwen, wat nogal onnozel klonk, zodat ik hierna geruime tijd niet wist wat ik moest zeggen.

Mijn kinderen daargelaten had ik nog nooit zo duidelijk gevoeld dat een medemens van mij afhankelijk was als op dat moment. Als ik iemand van de verdrinkingsdood had moeten redden of uit een strik bevrijden, had ik dat gevoel vast niet zo sterk gehad. Overigens wekte hij absoluut niet de indruk levensmoe te zijn. Zijn lichaam, dat mij, nu de geest eruit geweken was, als een lege huls voorkwam, was nog vitaal, heldhaftige gebaren waren dus overbodig. Ik had er geen idee van wat er met hem was gebeurd en was daar ook niet benieuwd naar. Ik hoefde hem niet te redden. Bovendien merk je gauw genoeg wanneer je vragen kunt stellen en wanneer dat misplaatst is. Hij was alleen maar op mijn goede zorgen aangewezen en dat was mij geenszins onaangenaam. Alle hartstocht had hem verlaten en deze leegte stelde mij in staat mijn eenvoudige, praktische vaardigheden aan te wenden.

Intussen waren we in de stad aangekomen. Elke keer dat ik het imposante gebouw van de Ludovika-Academie passeer, de plaats waar mijn vader een groot deel van zijn leven heeft doorgebracht, moet ik even een blik daarop werpen. Daarna volgt de chirurgische kliniek aan de Üllöiweg, waar mijn moeder twee jaar geleden in een operatiekamer op de tweede verdieping is gestorven. Precies hier, tussen die twee hoge gebouwen, scheen het me plotsklaps hoogst noodzakelijk te beslissen in welke richting we verder zouden rijden. Ik keek hem niet aan, maar zei dat ik een nieuw idee had. Eerst wilde ik echter weten of hij erop stond in de stad te blijven.

Nee, ik sta nergens op. Ik moet je alleen dringend verzoeken je geen zorgen over mij te maken. Zet me maar ergens af, het doet er niet toe waar. Zet me maar op de boulevard af, dan stap ik daar op de tram.

Ik zei dat daar niets van in kwam. Dat hij het over een tram had, kwam me namelijk hoogst verdacht voor. Als je er niets op tegen hebt nog wat langer in mijn gezelschap te vertoeven, rijden we nog een eindje verder, zei ik.

Hij reageerde niet.

Wat later had ik de indruk dat er toch iets van zijn ego in zijn tot een lege huls geworden lichaam was teruggekeerd, iets wat me aan een vervaagd gevoel herinnerde.

In de auto was het inmiddels behaaglijk warm geworden en misschien heeft deze langs natuurkundige weg opgewekte warmte me misleid, want ik vond de situatie gewoonweg verrukkelijk, met name omdat ze zo verschrikkelijk eenvoudig was.

Mijn grootvader van vaderskant was een zeer vermogend man. Hij had een molen en een graanhandel en heeft zelfs in onroerend goed gespeculeerd. Tegenwoordig kunnen we ons nauwelijks meer voorstellen dat Hongarije ooit een korte, door ondernemingsgeest bezielde economische bloeiperiode heeft doorgemaakt, toen men bij wijze van spreken van de ene dag op de andere een aanzienlijk vermogen kon verwerven. We kunnen dat haast niet begrijpen omdat het Hongaarse economische leven sedert het einde van de middeleeuwen een aaneenschakeling is geweest van langdurige stagnaties en door uiteenlopende oorzaken ontstane noodsituaties. Dat er zich toch zo'n periode heeft voorgedaan weten we omdat de scholen waarin wij worden onderwezen, de ziekenhuizen waarin we worden behandeld en de rioleringen waarin ons afvalwater terechtkomt praktisch allemaal in die tijd zijn gebouwd of aangelegd. Misschien kan niet elk mens de pompeuze stijl van deze bouwwerken waarderen, maar iedereen profiteert in ieder geval van hun duurzaamheid. In die tijd, niet lang na de eeuwwisseling, heeft mijn grootvader twee huizen laten bouwen: een ook 's winters bewoonbaar zomerhuis op de Zwabenberg, waarin wij tot de dood van mijn moeder hebben gewoond, en een ruim bemeten, romantisch jachthuis van twee verdiepingen. Mijn grootvader was een groot liefhebber van de jacht op kleinwild, daarom koos hij niet ver van de hoofdstad een plaats uit waar hij deze hobby kon beoefenen, op het vlakke land langs de Donau, en bouwde daar zijn huis. In de drassige wilgebosjes langs de rivier joeg hij op wilde eenden en meerkoeten en op de door zandheuvels afgewisselde akkers op hazen en fazanten.

De naam van de gemeente waarin dit huis staat moet ik helaas verzwijgen, later zal blijken waarom. Eigenlijk zou ik te werk moeten gaan als de spirituele auteurs van de klassieke Russische romans, die sommige plaatsnamen in hun boeken door sterretjes vervingen. Aldus duidden ze menselijke nederzettingen aan die een uitgesproken, niet met andere nederzettingen te verwisselen karakter hadden en met behulp van een landkaart gemakkelijk te vinden waren in het uitgestrekte Russische vaderland. Om de pijnlijke gevolgen van een mogelijke herkenning te vermijden, moet ik ervan afzien de plaats nader te beschrijven, ik wil echter wel verklappen dat de gemeente waar wij die middag heengingen, vanaf kilometerpaal nul ongeveer in zestig minuten is te bereiken als men er flink de sokken in zet.

In januari negentienvijfenveertig, tijdens het beleg van Boedapest, werden de zusters van mijn moeder, tante Ella en tante Ilma, uit hun huis in de Damjanichstraat gebombardeerd. In het midden van de jaren vijftig waren de restanten van dit huis nog altijd niet opgeruimd.

Na afloop van het beleg begaven ze zich naar het door mij bedoelde dorp. Ze kwamen precies op tijd, want het jachthuis was wel opengebroken, maar er was nog bijna niets verdwenen, alleen het tuingereedschap, dat in de schuur werd bewaard, en twee reusachtige wandkleden, die in de jachtzaal op de benedenverdieping hingen. Jaren later zouden mijn tantes delen van dit kleed, dat in Torontál was geweven, terugzien als wand- en vloerbedekking van diverse hondehokken. In het dorp waren Duitsers noch Russen ingekwartierd geweest, de troepen waren er alleen doorheen getrokken, zodat het aannemelijk was dat de dorpsbewoners zelf aan het plunderen waren geslagen. Ze hadden echter te weinig tijd gehad om hun werk grondig te doen, want de mensen hadden vreselijke dagen meegemaakt voordat mijn tantes daar arriveerden.

Enkele dagen eerder waren namelijk drie van hun onderdeel afgedwaalde Russische soldaten erin geslaagd de gedeeltelijk bevroren rivier met een roeiboot over te steken. Ze hadden in het dorp wijn, brandewijn, kippen en eenden gerekwireerd en een huis ontdekt waarin een weduwe met haar drie volwassen dochters woonde. Noch de weduwe noch de dochters hadden enig bezwaar gemaakt tegen de door de mannen met de gestolen spullen op touw gezette braspartij. De soldaten kookten en braadden, aten en dronken en schoten van louter vrolijkheid om zich heen. Het huis stond in een vochtige inzinking aan de rand van het dorp, aan de voet van de heuvel die als begraafplaats diende. De plaatselijke bevolking laat nog steeds zeer weinig los over de toenmalige gebeurtenissen. Men beweert dat de schranspartij twee volle dagen en nachten achtereen heeft geduurd en dat de gordijnen daarbij niet waren dichtgetrokken. Het dorp hield zich intussen muisstil. Gedurende die dagen zou niemand een voet buiten de deur hebben gezet. Op de avond van de tweede dag werd er op de ramen van de woonkamer geschoten. De schoten waren afkomstig van pistolen en jachtgeweren, die door onbekenden op de hoger gelegen begraafplaats waren afgevuurd. Zodra het schieten begon, raakte een der meisjes gewond en werd een van de Russen in zijn buik getroffen, waarna hij meteen doodbloedde. De twee andere Russen beantwoordden het vuur. Op enkele oude grafstenen zijn nog steeds sporen van de kogels zichtbaar. De krachtsverhoudingen tussen de schutters waren echter ongelijk, want de Russen hadden tijdens de braspartij hun magazijnen praktisch leeggeschoten. Ze hadden nog net genoeg munitie om elkaar dekking te geven en zich terug te trekken in de richting van de rivier. De moeder van de meisjes verhing zich onmiddellijk hierna op de zolder. Ze had de boodschap begrepen. De volgende dag verscheen een aantal zwaargewapende manschappen van de Russische militaire politie. Het gewonde meisje werd afgevoerd. 's Middags arriveerden mijn tantes te voet in het dorp. De Russen verhoorden tal van mensen, zetten sommigen van hen tegen de muur, doorzochten woningen en voerden een aantal dorpsbewoners weg, maar al hun pogingen om achter de identiteit van de daders te komen bleven vruchteloos. Er waren nauwelijks sporen van het gebeurde te vinden en ook de gebruikte wapens bleven onvindbaar. Bovendien hielden de mensen elkaar de hand boven het hoofd, want in zo'n klein dorp is iedereen zo'n beetje familie van elkaar. De Russen pakten een paar mannen op en bevalen hun de weduwe te begraven. Het dorp wil tot de dag van vandaag niet weten wie de schutters zijn geweest.

Als mijn tantes niet hun intrek in het jachthuis hadden genomen, had niets en niemand dit voor een volledig verval kunnen behoeden. Bovendien is het aan hun sluwheid en vooruitziende blik te danken dat het pand tot op de huidige dag het eigendom van onze familie is.

Twee uitgediende slagschepen – zo worden mijn tantes wel aangeduid door familieleden met een scherpe tong, wat natuurlijk geen vleiende betiteling is, maar het zijn inderdaad uitzonderlijke wezens. Als ik verdrietige bespiegelingen over de ondergang van de Hongaarse natie lees, moet ik altijd aan hen denken. Het zou moeilijk uit te maken zijn wat hun grootste kracht is: hun aan soepelheid gepaarde energie of hun vindingrijke overlevingsvermogen. Ze eten weinig, spreken des te meer en hun handen en voeten zijn voortdurend in beweging. De laatste jaren zichtbaar verouderd, beweren ze dat het lichaam door beweging slijt en dat het sterven de mens lichter valt als zijn organisme volledig versleten is. Het leeftijdsverschil van twee jaar is hun niet aan te zien. Ze lijken als tweelingen op elkaar. Het zijn grote, benige vrouwen, die elkaars haar kort knippen. In hun jeugd waren ze waarschijnlijk even aantrekkelijk om te zien als trekpaarden. Hun schoenmaat is om en nabij de veertig en waar zij zijn is het luidruchtig en rumoerig. Ze bewegen zich met dreunende stap voort. Als hun ogen niet zo snel vochtig werden van medelijden en ze geen wonderbaarlijk bevattingsvermogen hadden voor de meest uiteenlopende en meest eigenaardige fenomenen van deze wereld, zou men moeten zeggen dat ze niets vrouwelijks hadden, maar ze beschikken over zo'n nobel, discreet en hulpvaardig inlevingsvermogen dat ze aan alle psychische eisen voldoen die men aan het traditionele vrouwenideaal stelt.

Mijn tante Ilma is op achttienjarige leeftijd als ongehuwd meisje zwanger geworden, wat de familie haast evenzeer in opschudding bracht als het dreigement van mijn grootvader dat hij, als hij geen militaire loopbaan mocht kiezen, danser zou worden. Ella voorkwam op energieke wijze een familieschandaal door haar jongere zusje tijdig uit het ouderlijk huis weg te halen. Overigens stierf de baby enkele dagen na de bevalling. Sindsdien leven de zusters onder een dak. Ze zullen wel iets met elkaar hebben afgesproken. In elk geval heeft er nooit meer een man een rol gespeeld in hun leven, althans alle tekenen duiden daarop. Op de een of andere manier moet de tijd indertijd stil zijn blijven staan voor hen. Ze zijn niet op een krant geabonneerd, luisteren niet naar de radio en een televisietoestel hebben ze pas een paar weken geleden aangeschaft. Ze zijn vroom zonder dat ze veel betekenis toekennen aan kerkgang of gebed. Over God spreken ze op dezelfde manier als over de te verwachten rijke opbrengst van hun moestuin. En voor de duivel brengen ze niet meer afschuw op dan voor bladluizen of coloradokevers. Eerstgenoemd ongedierte bestrooien ze met houtas, laatstgenoemd grissen ze op hun knieën kruipend van de bloeiende aardappelstruiken en knijpen ze tussen hun vingers fijn.

Hun dag vangt met tuinarbeid aan. Van eind mei tot half september zwemmen ze elke ochtend in de Donau. Of het regent of stormt, of het water hoog is of laag, ze laten zich daardoor niet afschrikken. Ze trekken hun komieke, bovenaan te nauw geworden, bij het zitvlak uitgelubberde, van gebloemde katoen vervaardigde maar intussen totaal verbleekte badpakken aan, zetten hun witte, rubberen badmutsen op en stappen in hun witte, rubberen badschoenen. Zo uitgedost waden ze door zuigende modder en over knerpende kiezelstenen stroomopwaarts langs de oever, Ella voorop en Ilma achteraan. Dan volgt er een spelletje waarbij ze zich als kleine meisjes aanstellen: ze lopen tot hun middel het water in, laten hun huid huiverend en genietend aan de temperatuur van het water wennen en spatten elkaar onder het slaken van gilletjes nat. Tenslotte laten ze zich in het water glijden en zwemmen ze met de stroom mee, waarbij hun badpakken als reusachtige zwemblazen boven hun achterwerk opbollen.

Langs de oever strekt zich een siertuin uit van nog geen anderhalve hectare, waarin allerlei daar lang geleden gepote sierplanten en wilde gewassen naar hartelust woekeren en verdorren. De tuin is door een hoge bakstenen muur van het dorp gescheiden en wordt door een meer dan drie meter hoge, van rode natuursteen opgetrokken muur tegen de rivier beschermd. Tot deze plek laten ze zich door de stroom meevoeren, waarna ze de nauwe, steile, met mos begroeide stenen trap opklimmen, hun badjassen aanschieten en naar huis terugkeren. Aan de voet van die stenen muur is mijn vriend vermoord. Het was een droge zomer geweest dat jaar en toen het herfst werd, trok de rivier zich, donkerbruin en somber, diep in haar bedding terug.

's Avonds, terwijl de een naait, stopt, een trui voor me breit of zich onledig houdt met een van haar nimmer gereedkomende haakwerkjes, leest de ander voor. Een vriend, dominee Vince Fitos, voorziet hen van stichtelijke literatuur. Ze hebben beiden een ernstige en aandachtige uitdrukking op hun gezicht, maar als de auteur wat al te kwezelig wordt, barsten ze in een vrolijke schaterlach uit.

Ik weet niet op welke informatie zij hun mening baseren, maar hun vermogen om situaties te beoordelen is feilloos, alsof ze over de meest betrouwbare inlichtingen beschikken. Mij bijvoorbeeld horen ze regelmatig uit over de beurskoersen en van de dorpsjeugd vernemen ze de uitslagen van de voetbalwedstrijden. Hun persoonlijke eisen zijn gering. Als ik een cadeautje voor hen meebreng, kijken ze geschrokken om zich heen, alsof ze het zo snel mogelijk willen wegstoppen, ze hebben immers niets nodig. En als ze iets willen of niet willen, doen ze dat niet uit eigen belang, maar laten ze zich uitsluitend door het familiebelang of hun geweten leiden. Dit was ook het geval toen ze officieel lieten vaststellen dat mijn vader als overleden moest worden beschouwd. Weliswaar hoopten ze nog steeds op zijn terugkeer, maar ze stonden erop dat mijn moeder de overlijdensakte serieus zou nemen en het huis op haar zusters zou laten overschrijven, zodat men haar niet kon aanwrijven dat ze twee huizen bezat. In andere families had zo'n dubbelzinnig aanbod oude wonden opengereten en tot vijandschap en geschillen geleid, maar mijn moeder was uit hetzelfde hout gesneden als haar zusters. Verheugd nam ze het voorstel aan. Daarop verhuurden de tantes het in hun handen gekomen huis voor een schijntje aan de gemeente. Ella was een gediplomeerd kleuterleidster, Ilma onderwijzeres. Het dorp had noch een gebouw noch vakkundig personeel om een kleuterschool in te richten, dus organiseerden de tantes een kleuterschool in hun eigen huis. Weliswaar raakten ze daardoor alle vertrekken op de benedenverdieping kwijt, met inbegrip van de statige, met dure houtsoorten betimmerde jachtzaal, maar ze verwierven hiermee een vast inkomen en nog wat extra forinten in de vorm van huur. De vier kamers boven hielden ze voor zichzelf en de noodzakelijke herstelwerkzaamheden werden op kosten van de gemeente uitgevoerd. In het begin van de jaren zestig, toen het gevaar van onteigening niet zo groot meer was, begonnen ze met hun ondermijnende activiteiten. Schijnbaar zaagden ze de poten onder hun eigen stoel door, want de autoriteiten keurden het huis tenslotte af als schoolgebouw, maar toen na enkele jaren het nieuwe schoolgebouw klaar was, vroegen ze hun pensionering aan. De vijand capituleerde onvoorwaardelijk en verliet het strijdperk met het aangename gevoel een overwinning te hebben behaald.

Na dit alles hoef ik waarschijnlijk niet meer uit te leggen wat voor soort gevoelens mijn pientere tantes jegens mij koesteren. Zij zien in mij de belichaming van de volmaaktheid. Vroeger hoorden ze me steeds grondig uit over mijn studieresultaten, mijn werk en het verloop van mijn carrière en in hun verrukking meenden ze dat ik alleen maar juiste beslissingen nam. Als ik iets vertelde, ontving ik bijval noch kritiek van hen, maar door hun gelaatsuitdrukking gaven ze te kennen dat ze in de gegeven situatie net zo zouden hebben gehandeld als ik. Uiteraard vertelde ik hun bij voorkeur verhalen waar ze genoegen aan beleefden. Sinds mijn moeder is gestorven, hebben hun verwennerijen bijna hinderlijke vormen aangenomen. Mijn bezoeken hoef ik niet van tevoren aan te kondigen, want sinds mijn lichtzinnige jeugd, toen ik nooit wist waar ik de nacht zou doorbrengen en dus altijd mijn tandenborstel bij me droeg, zijn ze eraan gewend geraakt dat ik meestal niet alleen en op volkomen onvoorspelbare momenten kom binnenvallen. Tegenwoordig gedogen ze zelfs dat ik in hun huis met andere personen dan mijn gezinsleden overnacht. Op dit netelige punt van onze overigens onbewolkte relatie reageren ze in zoverre dat ze zich ostentatief van mijn liefdeleven distantiëren. Zo vinden ze een in de steek gelaten meisje altijd charmanter dan een nieuwe geliefde. Bovendien onderwerpen ze de inwendige en uitwendige eigenschappen van de schimmige bezoeksters altijd aan een gedegen analyse, waarvan ze me het verpletterende resultaat met een onschuldige gelaatsuitdrukking meedelen, alsof mijn vele veroveringen hen wel met trots vervullen, maar ze er toch tegen protesteren, omdat het vele niet altijd goed hoeft te zijn.

Ze bewonen nog steeds de kamers op de bovenverdieping; de benedenverdieping staat leeg en wordt 's winters niet verwarmd, alleen de keuken is in gebruik. Ik kan daar dus zo goed als ongemerkt mijn intrek nemen en hoef hen niet te storen. Als ik er prijs op stel, merken ze niet eens dat ik er ben. Op de buitengalerij van de keuken ligt tussen een balk en de dakrand de sleutel en er is één kamer beneden waar je maar een brandende lucifer in de tegelkachel hoeft te houden of er laait een knapperend houtvuur op.

Drie jaar lang heeft mijn vriend samen met de tantes in dit huis geleefd. In die kamer. Dat ik hem bij het schrijven van mijn memoires nog steeds mijn vriend durf te noemen, heeft niets te maken met onze gezamenlijk doorgebrachte kinderjaren, maar met het feit dat wij elkaar gedurende die drie jaar zeer na zijn gekomen, ook al maakten wij slechts toespelingen en zeiden we de dingen niet ronduit. Voorzichtig meden we elke vorm van openhartigheid, of we nu over het verleden of heden spraken. Ik vernam niets meer over zijn leven dan ik al wist of gedwongen was op te merken, en ik gaf hem evenmin nieuwe of andere informatie over mezelf. Maar al waren er inmiddels twintig lange jaren verstreken, we vervielen toch weer in die elk verschil overbruggende sympathie waar we het als kind zo moeilijk mee hadden gehad. De oorzaak van deze terugval was dat mijn successen stuk voor stuk niets hadden opgeleverd, terwijl hij niet langer trachtte zich in anderen te verliezen, zelfs niet in mij. Hij sloeg me gade, was sensibel, maar bleef gesloten, want hij was een kil mens geworden. Had ik niet geweten welk een overgevoelige, kwetsbare natuur achter dat kille masker schuilging, dan zou ik zeggen dat hij een nauwkeurig voelende, nauwkeurig denkende, op een hoog toerental draaiende machine was geworden.

Mijn vertrouwdheid met menselijke betrekkingen en gedragingen heeft me geleerd dat alles in de wereld provisorisch en vergankelijk is. Een gevoel dat ik vandaag voor liefde en vriendschap houd, kan morgen blijken iets geheel anders te zijn, bijvoorbeeld de behoefte om een puur fysiek verlangen te bevredigen of belangstelling voor een nuttige samenwerking om bepaalde problemen het hoofd te bieden. Dat dit zo is, heb ik me altijd heel goed gerealiseerd en ik heb mezelf ook nooit iets voorgelogen, ik ken immers de noodzakelijk optredende golfbewegingen van elk doelbewust handelen. Op de voorafgaande bladzijden heb ik rekenschap afgelegd. Ik leef zonder liefde en vriendschap. In mijn slechtste uren heb ik het gevoel dat het leven uit niets anders dan teleurstellingen bestaat. Als ik in mezelf of in iemand anders teleurgesteld zou zijn, had ik me stellig aan mijn ontgoocheling overgegeven, maar ik voel het ontbreken van dergelijke gevoelens zo duidelijk dat deze gewaarwording het ontbreken van de gevoelens geheel compenseert. Ik ben dus niet volledig afgestompt. Het is dus geen wonder dat de aandacht en de gevoeligheid van een menselijk wezen dat ik niet hoefde aan te raken, ja niet aanraken mocht, en dat zelf ook niet meer aangeraakt wilde worden, een belangrijke levensbehoefte voor me was. Hij was me in die tijd veel nader dan enig in bezit genomen lichaam had kunnen zijn.

Mijn tantes lieten op geen enkele wijze merken dat ze verrast waren door onze komst, ze vertrokken geen spier. Misschien merkte ik aan hun stijve houding dat ze mijn gedrag niet begrepen. Ze waren drukker dan gewoonlijk. Een hele poos deden ze alsof mijn vriend niet aanwezig was. Ook zijn koffer verwaardigden zij met geen blik. Ze waren opgewonden en spraken door elkaar heen. Niet dat ze elkaar in de rede vielen, maar beiden vertelden me uitvoerig hetzelfde verhaal in andere bewoordingen. De vorige dag hadden zich twee jongens uit het dorp verhangen. Ik kende hen. Om mijn geheugen op te frissen, begonnen ze aan een gedetailleerde persoonsbeschrijving. Gelukkig had men ze tijdig gevonden en het touw doorgesneden. Ze hingen aan hetzelfde touw. De jongens waren beiden in leven gebleven en lagen nu in het ziekenhuis. Ze hadden aan de twee uiteinden van het touw een lus gemaakt en deze dubbele strop over een balk in de schuur gegooid. Daarna waren ze op appelkisten gaan staan en hadden die gelijktijdig omvergeschopt. Naar werd beweerd, waren ze op hetzelfde meisje verliefd. Als de kippen van de buurvrouw hun eieren niet altijd op andermans erf legden. Als buurvrouw niet toevallig op dat moment eieren was gaan rapen. Als het meisje niet tegen beiden had gezegd op de ander verliefd te zijn. Als buurvrouw de kisten niet weer onder hun voeten had geschoven. Ik slaagde er met moeite in de woordenvloed te stuiten. Zonder enige overgang zei ik tenslotte dat we honger hadden. Ze begonnen meteen een snel-klaarmaaltijd te bereiden.

Ella is de energiekste van de twee, Ilma de gevoeligste, daarom volgde ik Ilma toen ze naar de provisiekamer ging om tafelzuur te halen. Terwijl ze in een vijf-literpot hengelde, legde ik haar fluisterend in enkele woorden de situatie uit. Ze moesten hem een tijdje – ik wist niet hoe lang – onderdak verlenen. Die is zacht, zei ze met stemverheffing, terwijl ze de augurk in de pot teruggooide. Ik voegde eraan toe dat ze hem moesten verplegen zoals ze met mij deden wanneer ik ziek was.

Geschrokken knikte ze. Waarom de augurken dit jaar zo zacht zijn, is mij een raadsel, zei ze met luide stem. Ze moesten over een geheim communicatiesysteem beschikken, want hoewel ze geen ogenblik alleen waren geweest en dus ook niet met elkaar hadden kunnen spreken, was Ella naar buiten gegaan om de tegelkachel aan te maken. Toen we aan tafel gingen, hadden beiden hun opwinding en verlegenheid overwonnen. Ze waren beminnelijk en hulpvaardig en trachtten mijn vriend in de conversatie te betrekken. Over de dubbele zelfmoordpoging werd niet meer gesproken. Ze hadden stellig gezien wat onmiskenbaar was, hoewel mijn vriend voortdurend glimlachte. Het eten, converseren en glimlachen kostte hem zoveel moeite dat ik hem na afloop van de maaltijd letterlijk in bed moest stoppen. Ik trok hem zijn kleren uit en deed hem een pyjama aan. Hij protesteerde zwakjes en zei dat hij niet bij de tantes kon blijven. Hij schaamde zich diep en wilde geen vreemden tot last zijn. Ik moest hem weer meenemen. Ik dekte hem goed toe omdat het nog steeds ijzig koud in de kamer was en zei dat ik straks, als het vuur was uitgebrand, terug zou komen om de kachel dicht te doen.

Over de details van zijn genezing hebben de tantes mij verslag uitgebracht. In de kamer staat een sofa, voor de smalle, schietsleufachtige vensters een door het vele gebruik marmerglad geworden notehouten tafel, tegenover de deur een grote latafel, erboven hangt een spiegel. De wanden van het vertrek zijn wit en kaal, de zolderbalken donker, bijna zwart. Hij sliep twee dagen achtereen, daarna stond hij op en kleedde zich aan, maar ook de daaropvolgende dagen verliet hij de kamer alleen tegen etenstijd. Op tweede kerstdag en een paar dagen na nieuwjaar zocht ik hem op. Beide keren deed ik alsof ik voor de tantes kwam. We wisselden nauwelijks een paar woorden. Hij lag op de sofa, zat aan de lege tafel of staarde door het raam, dat waren zijn dagelijkse bezigheden. Hij was zwijgzaam. Ik zat op zijn bed en hij staarde door het raam. Hij zweeg zo lang en mijn aandacht was zo ver afgedwaald dat het me verraste toen hij opeens toch wat zei. Hij wilde een doek over de spiegel hangen. Er is toch niemand gestorven in huis, zei ik. We konden het daarover niet eens worden. Op de tafel stond een koperen kandelaar, die hij aandachtig heen en weer schoof. Als er zich vele voorwerpen in een ruimte bevinden, is onze aandacht gericht op hun onderlinge verhouding, waardoor we de ruimte uit het oog verliezen. Is de ruimte echter met weinig voorwerpen gevuld, dan probeert onze aandacht een relatie tussen de voorwerpen en de ruimte tot stand te brengen. Het is dan niet eenvoudig de definitieve plaats voor een bepaald voorwerp te bepalen. Men kan het hier plaatsen, maar ook daar. Ten opzichte van de totale ruimte zal elke mogelijke plaats toevallig schijnen. Iets dergelijks zei hij. Het klonk alsof hij een denkmachine was geworden. Aldus trachtte hij zijn situatie te beschrijven, wat mijn lachlust opwekte. Mijn lach was niet bepaald tactvol, ik lachte hem gewoon uit omdat hij zijn bekentenis in de leugen der abstrahering had verpakt. Daarna probeerden we van elkaars gezicht af te lezen wat we van deze tegenstelling tussen ons moesten denken, maar onze ogen glimlachten daarbij. Ik moest om mijn lachlust glimlachen, hij om zijn schuchtere poging zich achter abstracties te verschuilen.

's Morgens zat hij aan de tafel, 's middags lag hij op bed. Als de schemering viel, staarde hij, opnieuw aan de tafel gezeten, door het raam naar buiten. Uit deze zich dwangmatig herhalende bewegingen ontstond het levensritme dat hij gedurende de daaropvolgende drie jaar heeft aangehouden. Zijn genezing nam eigenlijk maar heel weinig tijd in beslag. Tegen het eind van de tweede week waagde hij zich 's nachts al in de jachtzaal, waar mijn tantes de nauwelijks beschadigde bibliotheek van mijn grootvader, een stuk of duizend boeken, weer hadden uitgestald. Misschien is het woord bibliotheek wat te hoogdravend, want mijn grootvader had met een onfeilbaar gevoel voor het lelijke een hoop rommel uit de periode rond de eeuwwisseling bijeengebracht. Hij begon daar te werken. Op het lege tafelblad kwamen vellen papier te liggen, die de plaats van de kandelaar bepaalden.

Na verloop van enkele weken bleek dat mijn inval niet slecht was geweest, want de tantes ontlastten mij van alle zorgen en begonnen zelf de zaken te regelen. Ella had mij bij mijn tweede bezoek al apart genomen en gevraagd of ik er iets op tegen had wanneer mijn vriend voor langere tijd bij hen bleef logeren. Het was bij hen zo rustig voor hem, en zijn aanwezigheid deed hun ook goed. Ze moest toegeven dat ze af en toe weleens bang waren. Waarom kon ze niet uitleggen, maar soms hadden ze angst, niet alleen 's nachts maar ook overdag. Ze hadden daar nooit over gesproken omdat ze er niemand mee wilden lastig vallen. Ze kenden elk geluid in huis, sloten de deuren zorgvuldig af en controleerden of de gaskraan wel goed dicht was, maar toch hadden ze het gevoel dat er een gevaar dreigde, brand misschien, of iemand die hen bespioneerde en 's nachts om het huis sloop, beslist geen dier. Ze lachte. Natuurlijk was mijn vriend geen sterke kerel die hen in noodgevallen kon beschermen, integendeel, hij was daarvoor veel te zwak, maar toch waren ze niet meer bang geweest sinds hij in huis was. En als ik me wilde ontspannen of met mijn gezin vakantie houden, waren er nog genoeg kamers over, zowel op de bovenverdieping als beneden. Ik wist toch dat het hele huis van mij was? Daarom vroegen ze me ook om toestemming.

Ze maakte ook gewag van bepaalde materiële voordelen, wat ik hoogst vermakelijk vond, ik wist immers dat mijn vriends financiële situatie meer dan deplorabel was. Het voor de kamer te betalen bedrag was alleen symbolisch en van kostgeld was al helemaal geen sprake. Ze leefden trouwens van wat er in de moestuin groeide. Dat was genoeg, want vanaf het moment dat ik mijn vriend had gebracht, hadden ze ons hoogstens wat minder in hun overvloed laten delen dan daarvoor. Kortom: ze hadden hem lief gekregen en wilden voor die sympathie nu een zakelijk kader en een materiële basis scheppen. In wezen hadden ze hun onvoorwaardelijke en intense genegenheid voor mij, op hem gericht. Hij beantwoordde ook veel meer aan hun levensidealen dan ik ooit had kunnen doen. Gedurende die drie jaar heeft hij, alles bijeengenomen, niet meer dan vijf onschuldige bezoekers gehad. Terwijl zij om het huis of in de moestuin bezig waren, werkte hij zwijgend in zijn kamer. Van 's morgens acht uur tot 's middags drie was daar geen geluid te horen. Hij at weinig en ging op tijd naar bed, en of het nu ging om een nieuw gerecht, een winterse zonsopgang of een wat trage plant die op het laatste moment toch nog uit de aarde sproot, hij kon zich over elke kleinigheid verheugen. Als er zwaar werk aan de winkel was, hielp hij mijn tantes: hij hakte hout, sjouwde de mest, zaagde en voerde noodzakelijke reparaties uit, en wat wel het allerbelangrijkste was: hij luisterde naar hun verhalen, niet met geduld, maar met werkelijke belangstelling.

Zijn tijdelijk genoemde verblijf wekte natuurlijk nieuwsgierigheid en zelfs bevreemding in het dorp. Mijn tantes vertelden dat enkele dorpsbewoners hun gevraagd hadden of ze tijdens zijn afwezigheid een blik door het raam van zijn kamer mochten werpen. Waarschijnlijk wilden ze zien wat een mens in zijn eentje tussen vier muren kan uitvoeren. Hoewel hij hiervan niet op de hoogte was, voelde hij de argwaan van het dorp wel degelijk. Op een keer zei hij dat hij de tantes ervan verdacht stiekem in het manuscript te lezen, waardoor hij mogelijk hun vertrouwen zou verliezen. Bij een andere gelegenheid zei hij dat als hij 's middags om drie uur van zijn tafel opstond, iedereen kon zien wat hij geschreven had. En hij had het gevoel naakt te zijn als hij zich tussen de mensen bevond. Ook vermoedde hij, zei hij lachend, dat ze hem op een dag dood zouden slaan als een dolle hond. De mensen wisten ook niet wat ze van zijn lange, eenzame wandeltochten moesten denken. De veldwachter volgde hem dikwijls op een flinke afstand, wat hij natuurlijk merkte. De dominee was de eerste persoon in het dorp met wie hij vriendschap sloot. De oude vrouwen in het dorp noemden hem een opgeruimde kerel.

Het gerechtelijk onderzoek wees uit dat er drie motorrijders bij de moord waren betrokken. De mogelijkheid dat het om een ongeluk ging achtte de politie in verband met de weersomstandigheden en de overduidelijke sporen nagenoeg uitgesloten. Zijn lichaam lag op de zandige rivieroever, iets dichter bij het water dan bij de muur. Als het water zich ver terugtrekt, wordt de samenstelling van de rivierbedding zichtbaar: vlak naast het water strekt zich een brede zandstrook uit, daarna volgt een brede strook modder vol grote stenen en verder van het water af worden de stenen geleidelijk kleiner tot zij niet groter zijn dan grind. Hij lag ruggelings op een handdoek, maar zijn hoofd was in de strook modder terechtgekomen. Waarschijnlijk sliep hij toen het gebeurde. Voordien had hij vermoedelijk gezwommen, althans door het water gelopen, want zijn zwembroek was vochtig. De drie motorrijders moeten naast elkaar met een snelheid van ongeveer veertig kilometer per uur over de licht afhellende, stenige, door de droogte opengebarsten oever hebben gereden. Op een dergelijke bodem kan men zich met een motorfiets theoretisch niet met een hogere snelheid voortbewegen. Ze naderden uit de richting tegengesteld aan de stroom. Op hetzelfde ogenblik naderde een sleepboot met een aak in stroomafwaartse richting. Op het betreffende tijdstip had het schip de aanlegplaats nog niet bereikt. Op de oever hebben zich verder geen mensen bevonden. Vakantiegangers zijn er om die tijd van het jaar niet meer. De dorpsbewoners komen alleen zo dicht bij de oever om hun ganzen te verzorgen of hun paarden te wassen. Bij de aanlegplaats was niemand. Toen de motorrijders het lichaam van mijn vriend op zo'n zestig meter waren genaderd, moeten twee van hen gas hebben gegeven. De deskundigen konden het niet eens worden over de exacte acceleratie van de voertuigen. De derde bestuurder volgde hun voorbeeld op een afstand van slechts veertig meter; misschien aarzelde hij of was hij de enige die het lichaam had opgemerkt. In elk geval heeft hij de benen van mijn vriend overreden. De middelste is over zijn borstkas gereden en daarbij gevallen. Door de vaart is hij met zijn motorfiets over de oplopende zandstrook omhooggegleden en in de opgedroog-de modder terechtgekomen. De derde moet met zijn motor vanaf een nabijgelegen platte steen omlaag zijn gesprongen, zodat hij boven op het hoofd van mijn vriend neerkwam. De gevallen motorrijder heeft, nadat hij weer overeind gekrabbeld was, een grote boog om het lichaam van het slachtoffer beschreven, waarschijnlijk om te zien hoe dit eraan toe was, en is daarna achter zijn metgezellen aan gereden. Ongeveer tien minuten na hun verdwijning voltooide de dood hun werk. Omdat een van hen was achtergebleven, zullen de andere twee stellig achterom hebben gekeken, de twee wielsporen lopen over een afstand van zo'n dertig meter afwisselend naar elkaar toe en van elkaar af, als het ware in golfbeweging. Hierna lopen de plotseling weer kaarsrecht geworden sporen evenwijdig met elkaar tot de aanleg-plaats, waar de motorrijders achter elkaar aan razend de geasfalteerde weg op zijn gereden. De sleepboot had intussen de aanlegplaats be-reikt. Een machinist van het schip heeft het drietal vanaf het dek ge-zien. Een gedetailleerde persoonsbeschrijving kon hij niet geven, maar hij had de indruk dat het jonge mannen waren, misschien zelfs minderjarigen. Later zag hij ook nog dat er een lichaam op de oever lag, maar daaraan was hem niets opgevallen.

Toen ik, gealarmeerd door een telefoontje van mijn tantes, op de plaats des onheils verscheen, was de politie al klaar met het fotografe-ren en het verzamelen van de sporen. Het begon al te schemeren. Zijn lichaam werd op een geïmproviseerde draagbaar van de rivier-oever naar het huis van mijn tantes vervoerd. Ik liep naast de baar, want ik wilde hem op deze tocht vergezellen. Slechts één keer wierp ik een blik op wat van hem restte. Zijn geopende hand was van de baar gegleden en slingerde heen en weer. Af en toe raakten zijn dode vingers de aarde. Ik had zijn hand graag opgeraapt en weer op de baar gelegd, maar zelfs daartoe ontbrak me de moed.

Als de waterstand laag is, rijden de jongens uit het dorp graag met hun motorfietsen om het hardst over de ruige rivieroever. Alle mo-torfietsen uit de omgeving werden grondig onderzocht, maar er wer-den geen sporen gevonden die een serieuze verdenking wettigden. De over motorfietsen beschikkende of daarop rijdende dorpsbevol-king was op het betreffende tijdstip overigens nog niet teruggekeerd van het werk. Een enkele man, een bejaarde bakker, was pas twee uur na de moord naar zijn werk gegaan, maar hij moest om diverse rede-nen als boven elke verdenking verheven worden beschouwd. Het binnen de gemeentegrenzen liggende kampeerterrein was in die tijd van het jaar niet meer in bedrijf, maar er zijn altijd wel een paar toerroeiers die daar hun tenten opzetten. Ook zij hadden geen van allen op die dag jongelui op motorfietsen gezien. Officieel is het onderzoek nog steeds niet afgesloten, maar na drie jaar valt niet meer te hopen op een oplossing van deze zaak. De met het onderzoek belaste politieofficier was er van meet af aan van overtuigd dat de motorrijders onder de drinkebroers moesten worden gezocht, waarbij hij met name aan drankzuchtige jongeren dacht. Ik zou overigens niemand kunnen noemen die zoveel afweet van de cafés en kroegen hier in de omtrek als hij. Hij zocht naar drie jonge mannen die zich op die dag, mogelijk in beschonken toestand, uit een der naburige cafés hadden verwijderd. Hij probeerde dus uit te vissen of er voor een van de cafés drie motorfietsen geparkeerd hadden gestaan. Tot de dag van de begrafenis achtte ik zijn hypothese het meest aannemelijk.

De begrafenisplechtigheid werd geleid door dominee Vince Fitos en vond plaats op de plaatselijke begraafplaats. Terwijl hij sprak, ritselden de droge boombladeren zachtjes. Het was een aangename, warme, naar rook geurende herfstdag en er stond een licht briesje. Er waren opvallend veel mensen aanwezig bij de plechtigheid. Oude vrouwen zongen psalmen bij het open graf. Ik keek naar de gezichten der aanwezigen en naar de diep ontroerde, met zijn tranen worstelende dominee. Ik liet mijn ogen ook glijden over het beruchte huis onder de begraafplaats, dat met het oog op het toenemende vreemdelingenverkeer tot café-restaurant was verbouwd. De herinnering aan de vroegere bewoners was door de vindingrijke volksmond voor altijd vereeuwigd, men noemde het restaurant namelijk 'De drie snollen'. Het gerinkel van vaatwerk en keukengerei was tot op de begraafplaats te horen en de wind voerde de vettige etenslucht aan.

Opeens bedacht ik het volgende, of beter gezegd, er ging me een licht op: als mijn vriend door beschonken lieden was vermoord, zou deze daad als een schandelijk werk van het toeval moeten worden beschouwd en was er geen verklaring voor.

Zelfs een verdenking was dan onmogelijk geworden, de feiten waren veel te mager om daarvan een draad te spinnen die tot een spoor had kunnen leiden. Ik had er overigens absoluut geen behoefte aan voor Sherlock Holmes te spelen, maar wie met de dood geconfronteerd wordt, zoekt naar een verklaring.

Aan de andere kant van het graf stond een lijkbleke jongeman, die een donker, hem iets te klein geworden pak droeg. Ik ken hem goed, want mijn tantes gaan al tientallen jaren lang naar het huis waar hij met zijn familie woont om melk te halen. Zo nu en dan gingen zijn schouders schokkend op en neer, alsof hij ondraaglijk gekweld werd door de fysieke strijd tegen het snikken. Hij zong dan onwillekeurig luider. Hij was een van de jeugdige zelfmoordkandidaten. De andere zelfmoordenaar, die niet op de begrafenis was verschenen, had voor eeuwig zijn spraakvermogen verloren doordat men laryngotomie op hem had toegepast. Ik kende die ander alleen van gezicht en wist dat hij een plaatselijke beroemdheid was. Hij was een buitenechtelijk kind, en zijn moeder een dwerg van nog geen honderdvijftig centimeter.

Wie zijn vader was, wist men niet. Zijn moeder werkte al jarenlang in het café. Ze placht staande op een krukje achter de bar de glazen om te spoelen. Naar men zei had ze het vroeger zo dikwijls met dronken kerels in de schuur gedaan dat ze tenslotte zwanger was geworden. Hoewel alles tegen haar pleitte, werden haar toestand en de daaropvolgende geboorte toch niet het mikpunt van de morele verontwaardiging der dorpsbewoners. Van haar praktijken wordt tot op de dag van vandaag met een zekere tevredenheid gewag gemaakt en de toehoorders worden daarbij op enkele pikante anekdotes vergast. Ze bracht een gezonde jongen ter wereld en gedroeg zich vanaf dat moment als een onberispelijke moeder. De jongen groeide op, werd lang, krachtig en aantrekkelijk om te zien, zodat men hem, zeker gezien de omstandigheden waaronder hij was verwekt, als een rondwandelend natuurwonder beschouwde en er geen enkel bezwaar tegen had dat hij bevriend raakte met de zoon van een der welgestelde boeren in deze streek. De twee jongens waren onafscheidelijk en werden de aanvoerders en de woordvoerders van de dorpsjeugd. Ook later hield hun vriendschap stand, hoewel de zoon van de dwerg bij een slager in de leer ging en de zoon van de boer naar het gymnasium. Het was alsof ze besloten hadden gezamenlijk zelfmoord te plegen om te voorkomen dat ze elkaars rivalen zouden worden. Eigenlijk was het een heel uitzonderlijk geval: twee wilde dieren van het mannelijk geslacht wier elementaire liefdesdrift zwakker blijkt te zijn dan het verlangen naar vriendschap met een medemens.

In die jaren kon ik de sociale veranderingen die zich in de gemeente voltrokken op de voet volgen dankzij het veranderende gedrag van mijn tantes. Was hun ganse streven er oorspronkelijk op gericht te redden wat er te redden viel, en doorstonden ze liever ontberingen dan dat ze iets van het familiebezit vervreemdden, thans lieten ze zich met bijna kinderlijke onbezonnenheid door de steeds aanzwellende stroom van economische activiteiten meevoeren. Misschien waren ze moe geworden of vreesden ze voor de ouderdom en trachtten ze aldus gelijke tred te houden met de ontwikkelingen.

Het inwonertal van de afgelegen gemeente nam sprongsgewijs af. Daardoor kwam een steeds groter deel van de grond binnen de gemeentegrenzen braak te liggen. Een deel van de werkende bevolking trok weg, een ander deel, dat eveneens bereid was om te vertrekken, pendelde tussen het dorp en diverse steden. Wijngaarden, moestuinen en akkers werden aan stedelingen verkocht, die land nodig hadden voor hun weekendhuizen. Voor de stedelingen was een dergelijke transactie de enige mogelijkheid hun geringe, door knoeierijen en diefstal of via erfopvolging verworven kapitaal buiten de slechts geringe rente opleverende staatssector te houden en op een veilige manier te beleggen. Zo ruilden de stedelingen hun braakliggende gelden voor de braakliggende landerijen van de bevolking in. Ook mijn tantes verkochten een deel van hun bezit, hoewel ik hun trachtte duidelijk te maken dat men in een economie waarin versnipperd privébezit de overhand heeft en uitsluitend in onroerend goed kan worden belegd, kopen moet en niet verkopen. Eerst deden ze een wijngaard voor een spotprijs van de hand en later, toen mijn vriend bij hen woonde, verkochten ze ondanks mijn nadrukkelijke protesten een behoorlijk stuk van hun tuin. Het geld kreeg ik om een nieuwe auto van te kopen. Op die manier probeerden ze hun onzinnige gedrag te rationaliseren, maar eigenlijk was het alsof ze zeiden: laat de boel maar naar de haaien gaan. En ook de nieuwe eigenaren handelden volgens dit principe. Onbarmhartig rooiden ze alles wat er te rooien viel: edele sierstruiken, klimrozen, fruitbomen en eeuwenoude linden vielen als lucifershoutjes onder de slagen van de bijl. Ze wilden een tabula rasa. Op deze manier namen ze het gekochte als het ware in bezit. In strijd met elk redelijk inzicht genoten ze van het feit dat ze na vele jaren van dwingelandij eindelijk weer konden doen met hun bezit wat ze wilden. Het langdurig ontbreken van de mogelijkheid om privébezit te hebben werd niet alleen op de staatseigendommen verhaald, maar ook op het pas verworven bezit der particulieren. Afgrijselijke weekendhuizen rezen als paddestoelen uit de grond, alle gebouwd van zeer slecht materiaal en met een zo mogelijk nog slechtere arbeidsmoraal. Er werd een kampeerterrein aangelegd. De dorpsbewoners namen, door deze tijdelijke opbloei aangespoord, maar liefst drie banen tegelijk en gaven zo definitief hun traditionele leefwijze en beroep op. Onder de mannelijke bevolking nam het aantal hartinfarcten sprongsgewijze toe en de dominee moest constateren dat de kerk ook op feestdagen leeg bleef.

De dubbele en gezamenlijke zelfmoordpoging leidde ertoe dat de vrienden na hun herstel elkaars doodsvijanden werden. De jongeman in het donkere pak die bij het graf psalmen zingend met zijn verdriet had geworsteld, had de gewoonte aangenomen bij de dominee op bezoek te gaan. Aanvankelijk alleen maar om vertrouwelijke gesprekken te voeren, later ook voor bijbellessen, bij welke gelegenheid hij ook mijn vriend ontmoette, tot hij tenslotte elke zondagochtend naar de kerk ging. Een deel van de dorpsjeugd volgde zijn voorbeeld. Om hem heen had zich een kleine groep jongeren gevormd, die een hardnekkige vijandschap koesterde voor een andere groep, die door zijn stom geworden ex-vriend werd aangevoerd. De laatstgenoemde groep bestond alleen maar uit jongelui met motorfietsen, die zich niet bepaald zachtzinnig gedroegen. Ze dronken, vochten, vielen de meisjes op de camping lastig, lieten hun radio's schetteren, molesteerden vakantiegangers en richtten drinkgelagen aan in opengebroken weekendhuisjes. Mijn vriend had voor de eerste maal het avondmaal gevierd met de dominee. Over de details van zijn bekering weet ik weinig, maar het staat vast dat hij in diezelfde tijd op vertrouwelijke voet is geraakt met de jonge zelfmoordkandidaat, die sedert zijn eindexamen een opleiding voor instrumentmaker volgde. 's Middags haalde hij hem af en dan maakten ze samen lange wandelingen. Waren de eenzame wandeltochten al onbegrijpelijk voor de dorpsbewoners geweest, die gezamenlijke wandelingen door weer en wind kwamen hun hoogst mysterieus voor. Het jaar daarop ging de jongen theologie studeren.

Na de begrafenis ben ik nog bijna twee weken in het dorp gebleven. Mijn tantes hadden mij daarom verzocht. Ik deed geen naspeuringen, maar sprak wel met veel mensen. Dat was niet moeilijk, per slot van rekening kenden ze me sedert mijn kinderjaren. Hun diepste geheimen vertrouwden ze me natuurlijk niet toe, maar toch schijnt mijn verdenking niet ongegrond. Deze verdenking is gebaseerd op de volgende feiten: hoewel de gereserveerde, bescheiden en zorgvuldig formulerende jongeman verklaard heeft dat mijn vriend ten opzichte van hem nooit iets had gedaan waarvoor hij zich voor Gods aangezicht zou moeten schamen, vernam ik iets wat hij verzweeg, namelijk dat de motorrijders tijdens een van die winterse wandelingen langs de rivier van achteren op hen in waren gereden. Weliswaar konden ze tijdig opzij springen, maar de stomme greep mijn vriend in het voorbijrijden bij de mouw van zijn jas en liet hem even plotseling weer los, zodat mijn vriend kwam te vallen. Doordat hij op de stenen terechtkwam, liep hij een schaafwond in het gezicht op. Als ik me goed herinner, heeft hij na dit incident verklaard dat men hem dood zou slaan als een dolle hond.

Pas anderhalf jaar na zijn dood had ik de moed eindelijk achter zijn tafel te gaan zitten. Elk hoofdstuk van zijn boek was in een afzonderlijke map opgeborgen. De meeste tijd besteedde ik aan het bestuderen van zijn aantekeningen. Uit diverse concepten, die alle betrekking hadden op het volledige manuscript, kon ik duidelijk opmaken wat de volgorde van de hoofdstukken had moeten zijn, maar ik kon er zelfs na grondige bestudering van de aantekeningen niet achter komen hoe hij zijn relaas had willen laten eindigen. Ik vond echter een beknopt geformuleerd, waarschijnlijk nog niet in een definitieve vorm gegoten hoofdstuk dat nergens was in te voegen en in geen der meermalen gecorrigeerde inhoudsopgaven voorkwam. Het wil me voorkomen dat hij dit als sluitstuk van zijn relaas heeft bedoeld.

Ik heb mijn werk gedaan. Het enige wat mij nog rest is dit laatste brokstuk aan het reeds vermelde toe te voegen.

De vlucht

Eindelijk was de dag van de première aangebroken.

's Middags begon het te sneeuwen met zachte, dichte, traag neerdalende, nu en dan door de wind voortgejaagde, rondwervelende, waterige vlokken.

Op de daken en op het gras van de parken bleef de sneeuw liggen, hij bedekte ook de trottoirs en de rijbanen, maar haastige voeten en voorbijflitsende wielen lieten er meteen zwarte, papperige strepen, vuile sporen, paden en gangetjes in achter.

Hij was zeer vroeg gekomen, deze witte sneeuw, weliswaar had onze populier al haar laatste dorre bladeren laten vallen, maar de kruinen van de platanen op de Wörther Platz waren nog groen.

Terwijl buiten de voortijdige sneeuw zo wonderlijk dicht valt, ligt de een op de sofa in de vestibule en decimeert de ander zijn rijke grammofoonplatencollectie; hij zit op zijn hurken, trekt de platen een voor een uit hun hoezen en breekt, schijnbaar willekeurig te werk gaand, elke plaat die hem niet bevalt doormidden.

Hij beantwoordde geen van mijn vragen en ik beantwoordde geen enkele vraag van hem.

Ook later geen luide woorden, geen gekibbel, geen tranen die we in een stormachtige, weemoedig tedere omarming hadden kunnen vergeten, maar in plaats daarvan door plotseling gemompel onderbroken korzeligheid en kregelig gemok, stille verontwaardiging en talloze zorgvuldig benutte mogelijkheden om elkaar op ongevaarlijke wijze te kwetsen, alsof het geniepig toedienen van steken onder water het werkelijk wonden slaan kon vermijden.

Allerlei verwijten en uitvluchten, maar geen enkel woord over datgene wat ons beiden overstuur maakte, wat ons verbitterde, wat te veel was geworden, wat een einde moest nemen.

Een paar uur later, toen we eindelijk op weg naar de schouwburg waren gegaan, had de sneeuw overwonnen, hij lag op de kale takken, had sporen uitgewist, wegen overdekt en de groene, door lantaarnlicht doorschenen plataankoepels een zachte witte muts opgezet; door zijn wolligheid dempte hij alle geluiden.

Het bloed, dat zachtjes tegen het trommelvlies klopte, zei dat het goed was zo.

Ik meende dat ik degene was die loog, niet wetende dat hij mij ook beloog.

Eigenlijk was het geen opzettelijk liegen, meer een systematisch, wederzijds verzwijgen van bepaalde dingen, maar dit verzwijgen verdichtte zich als een nevel en verstikte onze ziel.

Ik heb wat af te handelen, zei hij, ik verwacht een telefoontje, ik kom wel achter je aan of zie de voorstelling een andere keer, ga nu maar, ik wil graag alleen zijn.

Wat hij over dat telefoontje zei, klopte, hij wachtte werkelijk op iets, maar ik wist niet waarop; ik had er geen flauw idee van wat hij voor me trachtte te verbergen.

Elk van ons kent die eigenaardige verzoeningen die in werkelijkheid slechts de vijandschap verlengen.

Later lopen ze naast elkaar door de sneeuwjacht, in warme jassen, met opgeslagen kraag, de handen in de zakken gestoken, zonder elkaar aan te kijken, zwijgend, schijnbaar gemakkelijk voortstappend in de onder hun zolen papperig wordende sneeuw.

Hun zelfrespect gebiedt hun een onverstoorbare rust aan de dag te leggen, maar deze pose is niet minder of meer dan een krampachtige poging tot zelfverdediging en zelfbeheersing.

Die krampachtigheid is het enige gemeenschappelijke wat ze hebben, de enige band tussen hen, die, doordat ze geen van beiden de oorzaak van hun onvrede durven uit te spreken, niet kan worden geslaakt.

Op de Senefelder Platz wachten ze op de metro en daar gebeurt iets heel wonderlijks.

Over anderhalve week zou ik naar Hongarije terugkeren; over mijn plan om voortijdig de terugreis te aanvaarden, hadden we het nooit meer gehad.

Het station was leeg; zoals algemeen is bekend zijn deze naargeestige, gehorige, kale, tochtige, kort na de eeuwwisseling gebouwde metrostations, die ook in mijn verzonnen verhalen een rol spelen, uiterst spaarzaam verlicht, ja haast volkomen donker.

Op enige afstand van ons, aan de andere kant van het perron, stond een magere, kouwelijk huiverende gestalte, een geheel in zichzelf gekeerde, groezelige jongen; Melchior was uitsluitend in hem geïnteresseerd omdat hij door zijn lichaamshouding, die ondanks de duisternis goed zichtbaar was, duidelijk liet blijken hoe koud hij het had; hij had zijn schouders opgetrokken, beschutte zijn lichaam met zijn armen en warmde zijn handen door ze tussen zijn dijen te klemmen, daarbij stond hij min of meer op zijn tenen om zoveel mogelijk het contact met de koude grond te voorkomen; zo nu en dan gloeide een sigaret, die hij tussen zijn lippen had geklemd, rustgevend op.

Lange tijd bleef de onverlichte, na enkele tientallen meters in het niet verdwijnende metrobuis leeg en stil, er kwam geen trein, zelfs het geraas dat op de nadering van een trein duidt was nog niet te horen, terwijl elke minuut telde; als ik een waarheidsgetrouw, elk detail van de voorbereiding omvattend verslag van deze produktie wilde schrijven, mocht ik geen minuut missen van de première, die de bekroning vormde van vele maanden hard werken.

Opeens kwam de jongen met de sigaret nog tussen zijn lippen op ons toe.

Dat wil zeggen: hij liep op Melchior af.

Ik dacht: ze kennen elkaar zeker ergens van, wat gezien het uiterlijk van de jongen overigens erg onwaarschijnlijk was.

Ik had een slecht, onzeker voorgevoel.

Zijn voetstappen waren onhoorbaar, hij zwaaide lichtelijk heen en weer bij het lopen en scheen zijn tengere lichaam bij elke stap van de grond af te duwen, alsof hij zich niet alleen voor- maar ook opwaarts wilde bewegen; misschien was de oorzaak van deze onaangename indruk dat hij zijn lichaamsgewicht na elke stap slechts gedeeltelijk op zijn hielen neer liet komen; hij droeg op slippers lijkende Bulgaarse bandschoenen waarvan de naden gedeeltelijk waren losgegaan, en doordat hij geen sokken aan had, zag je bij elke stap zijn blote enkels flitsen.

Sociale bewogenheid is altijd in een lekkere warme jas gehuld.

Hij droeg een nauwe, iets te korte, bij de knieën doorgesleten broek en zijn rechte, slechts tot de heupen reikende, van rood kunstleer vervaardigde jasje, dat door de vorst geheel stijf was geworden, kraakte bij elke beweging.

Tot nog toe had Melchior met zijn rug naar hem toe gestaan, maar toen hij het kraken van het jasje hoorde, dat in de ijskoude, echoënde ruimte extra luid klonk, draaide hij zich om.

Hij deed dat met een elegante, onverschillige beweging van zijn schouders, waarop de jongen bleef staan en hem met een uitzonderlijk agressieve, loerende blik aankeek, alsof hij krankzinnig was.

Eigenlijk zou ik het nu over nachtelijke parken moeten hebben, waar het in de schaduw van de bomen stikdonker is en op wellustige aanrakingen beluste naamlozen signalen geven met het gloeiende rood van hun sigaretten.

Kan de dierlijke aard van de mens zich nog meer verlagen?

Het was niet geheel duidelijk in welke richting de jongen keek, het leek wel alsof hij naar Melchiors hals staarde.

Hij was in elk geval niet dronken.

Het leek wel of er een zwart sikje aan zijn kin ontsproot, maar bij nauwkeuriger beschouwing bleek hier van geen zwarte beharing sprake te zijn, maar van een verkleuring van de spitse kin zelf; misschien leed hij aan een gruwelijke, de gehele kinhuid aantastende ziekte of afwijking, misschien ook was de blauwzwarte verkleuring een bloeduitstorting tengevolge van een vuistslag, botsing of val.

Melchior verbleekte niet, maar de volstrekt onverschillige gelaatsuitdrukking waarmee hij de buitenwereld opnam veranderde, alsof hij in een geheel andere gemoedstoestand geraakte, zodat het er veel weg van had dat hij verbleekte.

Deze wisseling van gelaatsuitdrukking toonde dat hij de jongen absoluut niet kende, maar toch iets van hem verwachtte, iets wat hem door zijn abruptheid verraste en tevens met een lang verbeide vreugde vervulde, alsof hij een verlossende inval had of een onvermijdelijke aandrang voelde, die hij echter voor mij verborgen wilde houden; daarom wendde hij onverschilligheid voor.

Hij verried zich echter toch, want zijn blik trof me opeens afwijzend, agressief en met een ijzige koelheid, alsof hij wilde zeggen dat deze zaak mij niet aanging, en alsof ik een ernstig vergrijp had begaan zei hij op zachte, sombere toon en bijna zonder zijn lippen te bewegen, zodat de loerend toekijkende jongen niet kon horen wat hij zei: smeer hem! wat in zijn taal ruwer klinkt dan in de mijne.

Ik dacht dat ik iets verkeerds had gezegd en hij daarom boos op me was.

Wat zeg je? vroeg ik hulpeloos.

Ga weg, duvel op! siste hij met opeengeklemde tanden en een stem die diep uit zijn keel kwam; hij werd vuurrood, haalde vlug een sigaret uit zijn zak tevoorschijn, stak die tussen zijn lippen en liep naar de jongen toe.

Deze wachtte roerloos en met gebalde vuisten op hem, terwijl hij zich op zijn tenen staande nog verder vooroverboog.

Ik begreep absoluut niet wat er aan de hand was, maar de zaken namen zo'n plotselinge wending dat ik geen tijd had om me te verbazen, ik was ervan overtuigd dat ze zo dadelijk slaags zouden raken; nergens was een levende ziel te bekennen, er trok alleen een naar vochtige muren geurende windvlaag door het lege station.

Melchior, die nu vlak bij de jongen was gekomen, boog zich bijna over diens brandende sigaret en zei iets, waarop de jongen niet alleen zijn gewicht naar zijn hakken verplaatste, maar ook met onzekere stappen achteruitweek.

Melchior deed hierop nog een stap in zijn richting, alsof hij boven op hem wilde springen; opeens had ik het gevoel dat ik niet hem maar de jongen moest beschermen, die hij met zijn rug aan mijn blik onttrok.

Het was alsof een krankzinnige een nog ziekere geest ontmoette, want toen hij opnieuw met veel nadruk iets zei, wendde de jongen zich aarzelend af, nam haastig maar gelaten de sigaret uit zijn mond en gaf hem daarmee met bevende hand vuur.

Door het beverige contact liet de gloeiende punt van de sigaret los en viel op de grond, maar de jongen bekommerde zich daar niet om, hij begon hakkelend en over zijn eigen woorden struikelend te spreken; hij sprak geruime tijd met gedempte stem en het enige wat ik verstond was dat hij over kou klaagde; koud, koud! klonk het een paar keer in de echoënde, donkere ruimte.

De metro naderde met daverend lawaai door de tunnel.

Tot nog toe werd Melchior door een manisch gebrek aan zelfbeheersing en zelfcontrole gedreven, maar opeens schenen zijn gevoelens geen lucht meer te krijgen en ineen te schrompelen.

De scène nam nu snel een einde.

Hij zocht in zijn zakken, liet een paar geldstukken in de uitgestrekte hand van de jongen vallen, draaide zich teleurgesteld om en liep vermoeid naar mij terug.

Terwijl hij dit deed, gooide hij zijn sigaret weg en trapte die woedend uit.

Gedurende de luttele ogenblikken waarin deze onverwachte wending zich voltrok, was hij wel degelijk bleek geworden; verontwaardigd, vernederd en wanhopig voegde hij zich weer bij me.

Ik staarde de jongen aan alsof ik door naar hem te kijken erachter kon komen wat dit alles te betekenen had, maar hij ging weer op zijn tenen staan en keek mij, in de ene hand het zojuist verkregen geld vasthoudend en met de andere de uitgebrande sigaret verkruimelend, uitdagend, huilerig en verwijtend aan, alsof ik de oorzaak van al zijn ellende was en hij me het volgende ogenblik zou aanvliegen, op de grond gooien en vermoorden.

Het scheelde geen haar of dat was het volgende moment ook werkelijk gebeurd.

Kijk me maar aan, doorboor me maar met je blik! brulde hij met overslaande stem, zodat hij het lawaai van de naderende trein overschreeuwde.

Dacht je – dachten jullie – me dit te kunnen flikken? krijste hij.

Mij als een hoer te betalen, als een hoer!

Als een wegsprintende hardloper begon hij met inzet van alle krachten die er in zijn tengere lichaam scholen op ons af te rennen.

We hadden geen seconde tijd om te overleggen.

Toen hij heel even ophield met brullen, rukte Melchior de deur van het meest nabije rijtuig open, duwde mij erin en sprong achter me aan; als verlamd staarden we naar de razende en tierende jongen en weken voor hem achteruit.

Geloven jullie in vergeving?

We weken zo ver mogelijk terug, maar de vlijmscherpe stem van de waanzin alarmeerde nu ook de andere passagiers, die doezelig op hun stoelen zaten.

Vergeving is niet voor een habbekrats te koop!

Een reusachtig, door etterende puisten ontsierd gelaat, plakkerig, slap, blond kinderhaar en blauwe ogen, die onaangedaan schenen door de eigen wanhopige verontwaardiging.

Een vreemde godheid in hem schreeuwde deze woorden, een wezen dat hij overal met zich meedroeg.

Terwijl wij ons tussen de nieuwsgierig geworden passagiers drongen om bescherming te zoeken, stapte uit het andere rijtuig een conductrice, die met haar hand op haar schoudertas langs de wagons begon te drentelen; haar gezicht bleef daarbij volkomen uitdrukkingsloos, alsof ze het oorverdovende geschreeuw niet hoorde; instappen! jengelde ze met een apathische stem, hoewel er behalve de luid schreeuwende jongen niemand op het perron stond; instappen!

Waar komen die ontstellende nuchterheid en beschamende ordelievendheid toch vandaan?

Ze duwde de schreeuwlelijk eenvoudig opzij.

De jongen wankelde naar achteren, maar om toch een kleine overwinning te behalen en zich althans een minimale genoegdoening te verschaffen voor de ondergane vernederingen, al was het maar voor een ogenblik, slingerde hij ons, voordat de deuren dichtgingen, de verfrommelde, uitgedoofde sigaret naar het hoofd – nee, niet het geld; de sigaret trof echter geen doel en lag nu als een groezelig aandenken aan het gebeurde voor onze voeten.

Nadat de passagiers van de wegrazende trein tot bedaren waren gekomen en ons niet meer nieuwsgierig, verwijtend of op een schandaal belust aankeken in de hoop van ons gezicht af te kunnen lezen wat wij die ongelukkige jongen hadden aangedaan, vroeg ik hem wat die scène te betekenen had.

Hij gaf geen antwoord, maar stond bleek en roerloos voor me, nog geheel van streek door het gebeurde; het viel me op dat hij me niet aankeek, maar zijn gezicht achter de hand verschool waarmee hij zich vastklampte.

Niemand is zo normaal dat hij niet van zijn stuk wordt gebracht door de woorden van een krankzinnige.

Terwijl ik daar naast hem stond, me eveneens vastklampend en verdoofd door het zinloze lawaai van het wentelende staal, had ik het gevoel dat ik me zelf ook aan de rand van de waanzin bevond.

Wielen en rails.

Het liefst wilde ik bij de volgende halte zwijgend uitstappen, me voor de wielen van de trein gooien en alles, maar dan ook alles, achter me laten.

En dat terwijl ik niet eens de moed had om de tabletten in te nemen.

Maar het wás geen waanzin, en ook geen bijna-waanzin, waar ik aan leed, het ontbrak mij in die jaren aan innerlijke ruimte; al mijn woorden, bewegingen, geheime wensen, doeleinden, strevingen en plannen hadden maar één doel: mezelf bevredigen via de lichamen van andere mensen; ik wilde mezelf aldus verrijken, ja verlossen.

Het ontbrak mij aan ruimte, aan de reusachtige ruimte van de waanzin, de waanzin van vreemde godheden, want wat ik als waanzin of zonde beschouwde, was geenszins de chaos van de natuur, het was uitsluitend het residu van de belachelijke tegenstrijdigheden van mijn opvoeding en van de gevoelsverwarring waaraan ik in mijn jeugd ten prooi was geweest.

Maar misschien was het wel omgekeerd en ontbrak het mij aan de ruimte van de genadige, straffende, verlossende, enige God, want wat ik als genade ondervond, was niet het werk van een grootse, goddelijke ordening, maar van mijn eigen kleinhartige handigheid – van mijn sluwheid en mijn boosaardigheid.

Ik meende dat ik het irreële uit mijn leven kon bannen, ik was een lafaard, een aan de tijdgeest uitgeleverde dwaas, de carrièrist van mijn eigen leven, iemand die dacht dat hij zijn beklemming, angst en hulpeloosheid door bijzondere lichamelijke technieken kon overwinnen.

Maar hoe kan iemand met de nabije dingen der mensen vertrouwd zijn als hij niets bevroedt van de verre zaken der goden?

De stront rijst niet ten hemel, maar hoopt zich op en zakt in elkaar.

Met mijn mond vlak bij zijn oor herhaalde ik de vraag: wat had die scène te betekenen? Was dit waarop hij had gewacht? Ik herhaalde de vraag hardnekkig, hoewel ik beter geduldig had kunnen zwijgen en wachten tot hij zelf met een verklaring kwam.

Geïrriteerd door mijn gefluister antwoordde hij tamelijk luid dat ik met mijn eigen ogen had gezien wat er gebeurd was, hij had om een vuurtje gevraagd, alleen maar om een vuurtje, niet wetende dat hij met een gek te doen had.

Ik moest opeens aan mijn nooit weergeziene zusje denken en voelde haar zware lichaam in het mijne bewegen.

Ik ben een huis waarvan alle deuren en ramen wagenwijd openstaan en dat iedereen kan bekijken of bezoeken, onverschillig wie hij is, waar hij vandaan komt en waar hij heen gaat.

Ik kan je leugens niet meer verdragen.

Hij gaf geen antwoord.

Als je geen antwoord geeft, zei ik, stap ik bij de volgende halte uit en dan zie je me nooit meer terug.

Hierop maakte hij een plotselinge beweging met de arm waarmee hij zich vastklampte: hij gaf me met zijn elleboog een opdoffer tegen mijn kaak.

Door het openstaande raam was de lentemiddag zichtbaar.

Eindelijk was de dag van de première aangebroken; 's middags begon het te sneeuwen met zachte, dichte, trage, nu en dan door de wind voortgejaagde, rondwervelende, waterige vlokken.

Op de daken en op het gras van de parken bleef de sneeuw liggen, hij bedekte ook de trottoirs en de rijbanen, maar haastige voeten en voorbijflitsende wielen lieten er meteen zwarte, papperige strepen, vuile sporen, paden en gangetjes in achter.

We gingen naar de schouwburg.

Hij was zeer vroeg gekomen, deze witte sneeuw, weliswaar had onze populier al haar laatste dorre bladeren laten vallen, maar de kruinen van de platanen op de Wörther Platz waren nog groen; een paar uur later, toen we eindelijk op weg waren naar de schouwburg, had de sneeuw overwonnen, hij lag op de kale takken, had sporen uitgewist, wegen overdekt en de groene, door lantaarnlicht doorschenen plataankoepels een witte muts opgezet.

Toen ik naar Mária Stein ging, de enige van hen die nog in leven was, wilde ik haar vragen wie van de twee mannen mijn vader was, al liet dit me in wezen koud.

Het onkruid van het afgelopen jaar kwam tot mijn middel; op de trappen van de kade zochten mannen met bloot bovenlijf verkoeling in de hete middagzon.

Het water kabbelde slaperig langs hun voeten, slechts hier en daar vertoonde zich een enkel draaikolkje; op het eiland met de scheepswerf begonnen de zich in het water spiegelende wilgen al te vergelen.

Het kon onmogelijk een zondag zijn, want op de scheepswerf was alles in beweging, er klonk geratel, gehamer en geknars en de armen van de kranen verplaatsten zich log.

Allereerst begaf ik me via een onverhard pad dat langs de stadsspoorbaan loopt naar het stationnetje dat naar de Filatoridijk is genoemd; ik wist dat mijn vaders lichaam daarheen was gebracht; het had op een bank in de wachtkamer gelegen tot het door een begrafenisauto was opgehaald.

De wachtkamer was leeg en koel; waarschijnlijk was de vloer met in olie gedrenkte houtkrullen schoongemaakt; toen ik de deur opende, schoot er een kat langs mijn voeten naar binnen; de lange bank stond tegen de muur.

Achter het getraliede loket waar de kaartjes werden verkocht bewoog het gordijn, een vrouw keek naar buiten.

Nee, dank u wel, zei ik, ik wil geen kaartje kopen.

Wat doet u hier dan?

Ik was ervan overtuigd dat zij mijn dode vader had gezien, en als dat niet zo was, moest ze er in elk geval meer van weten.

Dit is geen speelhol, maar een voor passagiers bestemde wachtkamer, als u niet met de trein mee wilt, moet u zich verwijderen.

Tenslotte had ik toch niet de moed Mária Stein te vragen wie van de beide mannen ik als mijn vader kon beschouwen; later heb ik tevergeefs geprobeerd erachter te komen door mijn gezicht en mijn lichaam voor de spiegel te bekijken.

Ook in de spiegel van mijn hotelkamer te Heiligendamm heb ik ge-

tracht mijn lichamelijke afstamming en geestelijke identiteit te ontdekken; mijn naaktheid kwam me als een slechtzittend kledingstuk
voor; de agenten bonsden overigens niet op de deur omdat ze me vragen wilden stellen over Melchiors vlucht, maar omdat ik door mijn op
de dam opengeschaafde gezicht de argwaan had gewekt van de hotel-
portier die mij op het ongewone uur had binnengelaten; de man had
de politie gewaarschuwd.

Tegen de morgen ging de wind liggen.

Ik dacht maar één ding: dat ik vol moest houden dat ik Melchior niet
kende.

Ik moest me legitimeren, waarop ik de agenten vroeg wat ze van me
wilden; ze sommeerden me mijn boeltje te pakken en brachten me
naar de politiepost in Bad Doberan over.

Hoewel de wind inmiddels was gaan liggen, hoorde ik nog steeds
het zieden van de zee.

Opgesloten in een kale cel, besloot ik alle consequenties te aanvaarden en toe te geven dat mijn vriend door de hotelbediende was vermoord.

Toen men mij onder het maken van excuses mijn pas teruggaf, maar
niettemin eiste dat ik zo spoedig mogelijk het land zou verlaten, speelde ik niet zonder leedvermaak met de gedachte hun bij wijze van afscheid uit de doeken te doen hoe Melchior was gevlucht; om hun vermeende triomf te bekronen wilde ik de rechercheurs wijsmaken dat de
hotelbediende onschuldig was en niet hij, maar ik de moordenaar was.

Intussen was de zee geheel kalm geworden en sloegen de golven
zachtjes tegen de oever aan; ik wachtte op mijn trein.

Omdat er aan die eenzame bank in de wachtkamer niet veel bijzonders was te zien, verliet ik de koele ruimte en trotseerde buiten de hete
voorjaarszon.

Ik wist dat Mária Stein haar woning niet durfde te verlaten en haar
boodschappen door haar buren liet halen; daarom was ik er zeker van
dat ze thuis zou zijn.

Ze opende de deur in een bij de ellebogen en de knieën uitgelub-
berd trainingspak; in haar hand hield ze een sigaret.

Ze herkende me niet.

We hadden elkaar voor het laatst gezien op de begrafenis van mijn
moeder, vijf jaar na onze voorlaatste ontmoeting; ze was toen al enige
tijd op vrije voeten, maar had ons nooit opgezocht.

Misschien deed ze wel alsof ze me niet herkende omdat ze me niet te woord wilde staan.

Ze ging me voor naar de kamer waar ze elkaar tot 's morgens vroeg hadden gekweld; het bed was onopgemaakt; door het open raam zag ik het station.

De man wiens naam ik draag had tegen haar gezegd: goed, Mária, ik begrijp het en aanvaard het, ik ga weg en kom nooit weer terug, ik vraag je alleen uit het raam te kijken; ik vraag je dat niet in mijn eigen belang, maar in het jouwe, ik wil je laten zien dat ik werkelijk wegga.

Zul je het heus doen? vroeg de man.

De vrouw knikte, hoewel ze het verzoek niet goed begreep.

Terwijl de vrouw naar de badkamer ging om haar peignoir aan te doen, kleedde de man zich in de kamer aan; vervolgens verliet hij zwijgend de woning en liep de vrouw langzaam naar het venster.

Voordat ze dat deed, wierp ze nog een blik in de spiegel en raakte ze met haar vingers haar gezicht en haar haren aan; het haar was grijs geworden en zag er vreemd uit, maar de huid van haar gezicht leek glad; hierdoor bedacht ze opeens dat ze haar bril moest opzetten.

Ze vond hem onder het bed; nadat ze hem had opgezet, kon ze de man goed zien.

Er liep geen man, maar een lege winterjas over het stijf bevroren pad, dat met verdord onkruid was omzoomd; het onkruid reikte tot zijn middel; op die koude ochtend liep hij van haar weg, door kille straatlantaarns beschenen.

Dat jaar zou de eerste sneeuw pas in januari vallen.

De vrouw was dankbaar voor dit schouwspel; de hele nacht door had ze, zittend of liggend op het omgewoelde bed, herhaald dat het zinloos was, dat alles zinloos was; elk geluid dat ze had laten horen, elke kreet, zucht, ademtocht of kleine onregelmatigheid van de ademhaling, had haar geholpen binnen te houden wat haar op de lippen brandde: dat ze niet de vrouw van een moordenaar wilde worden, nu niet en nooit niet.

Ik blijf je vriendin, zoals ik dat tot nog toe ben geweest, dat wil ik mezelf niet ontzeggen, maar verder kan ik niet gaan.

Ik moet twee kinderen grootbrengen terwijl ik krankzinnig ben, had de man gezegd.

Verder ga ik niet. Ik wil alleen maar met je naar bed, meer niet.

Daar heb ik geen behoefte aan, had de man gezegd terwijl hij haar lichaam binnendrong; het was de zoveelste keer die nacht.

De woorden hadden de vrouw de hele nacht op de lippen gebrand, maar ze had ze niet uitgesproken; ze had alleen gezegd: je kinderen interesseren me niet.

Jou kan ik het zeggen, mijn jongen, hem heb ik het niet gezegd; ik wilde niet de vrouw van een moordenaar worden.

Ze was zo gaan liggen dat de man nog dieper in haar schoot kon dringen.

Niet van jou heb ik gehouden, maar van hem, alleen van hem en van niemand anders!

János Hamar, van wie Mária Stein zo zielsveel had gehouden, was enkele maanden later naar Montevideo vertrokken om daar zaakgelastigde te worden; zijn linnen zomerpak bleef bij ons in Hongarije achter.

Ik houd van hem, had de vrouw bij elke beweging van de man gekreund, mijn hele leven heeft in het teken van die liefde gestaan; ook de gevangenis heb ik uit liefde voor hem doorstaan, aan jou heb ik nooit gedacht, jou heb ik alleen gebruikt.

Misschien heeft alles zich toch wat anders toegedragen dan ik nu vertel.

Een ding is echter zeker: op zesentwintig december negentienzesenvijftig liep de man 's morgens in alle vroegte over het donkere pad naar de verlichte spoorbaan; het pad komt precies uit bij de plaats waar de stadstrein een scherpe bocht maakt alvorens te stoppen bij het stationnetje dat naar de Filatoridijk is genoemd.

De bij het raam wachtende vrouw had juist haar blik willen afwenden omdat er niets meer te zien was, maar op dat moment werd ze gewaar dat de man zich omdraaide, iets uit zijn zak haalde en met zijn blik het geopende raam zocht.

Het was zijn laatste wens, de vrouw moest het zien.

Hij nam de loop tussen zijn tanden en haalde de trekker over.

Ze noemde me haar jongen, maar sprak niet zoals volwassenen gewoonlijk met kinderen doen; ook hield ze bij het kiezen van haar woorden geen rekening met het feit dat ik de zoon van een der beide mannen was.

Uit wat ze zich liet ontvallen leidde ik af wat er tussen hen was gepasseerd, hoewel ik de volledige betekenis van haar woorden pas later doorgrondde; dankzij mijn jeugdervaringen kon ik me echter ook op dat moment al voorstellen wat een ongelukkige liefde is.

Alleen jou kan ik het zeggen, mijn jongen, hem kon ik dat niet; ik was niet in staat de vrouw van een moordenaar te worden, noch jullie stiefmoeder.

Mocht er tegen alle verwachting toch een God bestaan, dan zal hij mij vergeven, want de eer van een mens telt ook voor God.

Hij wist het twee dagen van tevoren en had me gemakkelijk kunnen waarschuwen.

Ik was heus niet gevlucht; als ze het gevraagd hadden, was ik zelf naar ze toe gegaan; ik heb zoveel voor ze gedaan, alleen niet zoiets, niet zoiets laags.

Mijn moeder verdiende haar brood met haar lichaam, mijn jongen, ze was een prachtige vrouw, een hoer, een ongelukkige, proletarische hoer met zieke longen; als het nodig was verkocht ze haar lichaam voor een paar armzalige duiten, maar toch heeft ze me geleerd dat eer niet te koop is.

Als ze jou dat niet hebben geleerd, zal ik het nu doen.

Ze hebben mijn deur ingetrapt, me uit mijn bed gesleurd, en de bekleding van de stoelen opengesneden, hoewel ze heel goed wisten dat er bij mij niets te vinden was, hoogstens iets wat voor henzelf belastend was, want ik had mijn hele ellendige leven in hun handen gelegd.

En toch heb ik ze niets in handen gegeven, want zij bestaan niet; zij zouden alleen bestaan als er een God bestond.

Wat me is overkomen, heb ik alleen aan mezelf te wijten.

Ze hebben me geboeid en met hun lawaai opzettelijk het hele huis in rep en roer gebracht; iedereen moest zien dat zelfs een medewerkster van de geheime dienst, de AVO, niet veilig voor ze was; ik kreeg een blinddoek voor en werd van de vierde verdieping tot de begane grond omlaaggeduwd en -geschopt, zodat ik bij elke wending van de trap tegen de muur van het trappenhuis botste.

Mijn arrestatie vond op paasmorgen plaats, in negentiennegenenveertig.

Je moeder had me een dag eerder opgebeld en verteld dat de gouden regen in jullie tuin bloeide, waarover we ons allebei hadden verheugd; de lente is begonnen! kwaakte ze door de telefoon, hoewel ook zij wist dat ik gearresteerd zou worden.

Ze wist wat me de drie daaropvolgende dagen te wachten stond, en ik wist het ook, maar toch was het erger dan ik had gedacht.

Ik zal het je netjes in de juiste volgorde vertellen, beste jongen.

Nog nooit heb ik erover gesproken, en dat mag ook niet, want ze hebben me nog steeds in hun macht, maar jou zal ik het nu vertellen, wat er ook gebeurt.

Ik vervulde maar een bijrolletje in het proces.

Ze vertelde dat ze voor haar arrestatie verantwoordelijk was geweest voor de inrichting en de huishoudelijke aangelegenheden van de geheime villa's van de AVO, zoals de verwarming, de schoonmaak, het meubilair en de maaltijden van het personeel. Mijn rang was veel hoger dan nodig was voor deze functie.

Ze hadden me alleen maar nodig om het beeld te completeren, één van de verdachten moest een leidende functie hebben bij de uitvoerende dienst van de AVO.

Sindsdien spijt het me vreselijk dat ik geen bloedbad heb aangericht toen ze me kwamen halen, ik had dat tuig moeten neerschieten.

Ik had tijd genoeg om mijn pistool te pakken, maar ik dacht dat er een vergissing in het spel was, die snel kon worden rechtgezet.

Maar nu kunnen ze me nooit meer bedriegen.

Ze gaan voortdurend mijn gangen na, mijn naam komt op al hun lijsten voor.

Ze laten me er niet meer in, maar ik kan er ook niet uit; waar zou ik trouwens heen moeten?

Iedereen in dit huis weet dat ik gezeten heb.

Ze kunnen op elk gewenst moment beweren dat ik een spionne ben.

Ze hield haar wijsvinger voor haar lippen, stond op en gaf me met een wenk te kennen dat ik haar moest volgen.

We gingen de smerige badkamer in, waar ze de wc doortrok en de kraan openzette; in alle hoeken van het vertrek lagen stapels vuile kleren.

Ze lachte en fluisterde in mijn oor dat ze zich niet door hen liet vergiftigen.

Haar lippen kietelden mijn oor en haar koude brilleglazen raakten mijn slaap.

Gelukkig was de buurvrouw niet op haar achterhoofd gevallen; ze ging elke dag naar een andere winkel om melk te halen.

De melk was het eenvoudigste probleem om op te lossen.

Nadat ze was vrijgelaten, hadden ze haar deze woning toegewezen, waarin afluisterapparatuur was verborgen.

Ze draaide de kraan dicht en we gingen terug naar de kamer.

Luisteren jullie maar mee, dan horen jullie wat je me hebt aangedaan.

Ik zal het aan deze jongen vertellen.

Het verging me als de vlieg die door een grote, warme hand is gevangen.

Deze ene keer zullen jullie moeten aanhoren wat je met me hebt gedaan.

Vanaf dat moment sprak ze niet meer tegen mij, zodat ik het gevoel had dat we niet alleen in de kamer waren.

Ze hadden een lange autorit met haar gemaakt.

Naar het geluid te oordelen werd er een rioolrooster of een zware ijzeren valdeur opgehaald, vervolgens werd ze via een loodrechte ijzeren trap in een soort cisterne gebracht.

Geen van de huizen was van zo'n cisterne voorzien, ze kreeg dus een speciale behandeling en mocht niet weten waar ze zich bevond.

Ze waadde tot haar knieën met haar begeleiders door het water, daarna moest ze een paar treden op en tenslotte werd er een ijzeren deur achter haar rug vergrendeld.

Er was geen geluid te horen; met haar geboeide handen trok ze de blinddoek voor haar ogen weg; ze dacht dat haar ogen wel geleidelijk aan het duister zouden wennen.

Er verstreken verscheidene uren zonder dat er iets gebeurde; met haar handen betastte ze de natte bodem; de ruimte was onvoorstelbaar groot, al haar bewegingen veroorzaakten een echo.

Ze schreeuwde om erachter te komen hoe hoog de ruimte boven haar hoofd was.

Later ging de ijzeren deur open; er kwamen enkele mensen binnen, maar het bleef even donker als tevoren; ze week achteruit en trachtte de onbekenden uit de weg te gaan, maar ze volgden haar; het waren twee mannen, die haar probeerden in te sluiten en met hun gummiknuppels naar haar sloegen, maar ze wist de slagen geruime tijd te ontwijken.

Ze kwam bij op een met zijde bespannen sofa.

Om de een of andere reden had ze het gevoel dat ze zich in een kasteel uit de baroktijd bevond, maar ze wist absoluut niet waar ze werkelijk was.

Haar instinct fluisterde haar in dat ze moest doen alsof ze sliep; pas langzamerhand herinnerde ze zich wat er allemaal gebeurd was.

Omdat ze geen boeien om haar polsen had, liet ze zich misleiden en ging overeind zitten.

Waarschijnlijk werd ze geobserveerd, want op hetzelfde moment ging de deur van de zaal open en verscheen er een vrouw, die met een kopje in de hand naar haar toe kwam.

Ze meende dat het middag was.

De thee was lauwwarm.

Ze was dankbaar voor de thee, maar toen ze het kopje leegdronk, vond ze dat de vrouw haar eigenaardig aankeek en dat de thee eigenaardig smaakte.

De vrouw glimlachte, maar haar blik bleef koud; intussen observeerde ze haar gezicht aandachtig.

Ze wist dat ze allerlei middelen op de gevangenen uitprobeerden; dat was het laatste wat ze bedacht; ze trachtte met haar tong de vreemde smaak van de thee te proeven; wat er daarna gebeurde, kan ze zich absoluut niet herinneren.

Het eerste wat ze hierna ervoer was dat ze zich heel ziek voelde; alles om haar heen leek reusachtig groot, maar werd steeds vager en kleiner; als ze er echter opnieuw naar keek, werd het weer groter, waaruit ze concludeerde dat ze hoge koorts had.

In haar hoofd hoorde ze voortdurend een stem schreeuwen.

Het was alsof ze zelf schreeuwde; elk woord deed haar zo'n pijn dat ze haar ogen moest openen, hoewel ze dat niet wilde.

Ze zag drie mannen voor zich staan.

Een van hen hield een fototoestel in zijn hand en zodra ze zich naar hem toe keerde, fotografeerde hij haar; vanaf dat moment nam hij de ene foto na de andere.

Ze begon te brullen en eiste dat ze zouden vertellen wie ze waren, wat ze van haar wilden, waar ze zich bevond en waarvan ze ziek was geworden; ze zei dat ze een arts wilde raadplegen en sprong van het bed, dat eigenlijk geen bed was, maar een tegen de wand van een zonnige spiegelzaal geplaatste sofa, maar de drie mannen gaven geen antwoord en ontweken haar; de fotograaf legde haar woedeuitbarsting uitvoerig op de gevoelige plaat vast.

Eerst voelde ze haar benen niet, ze zakte in elkaar en greep zich aan een stoel vast, terwijl ze probeerde de fotograaf het toestel uit zijn handen te slaan, maar ook daarvan nam hij foto's; daarop liepen de andere twee mannen op haar af en begonnen haar te slaan en te schoppen, wat door de derde man eveneens werd gefotografeerd.

Dit gebeurde allemaal op de tweede dag.

Op de derde dag werd ze aan een touw uit de cisterne gehesen, weer met een blinddoek voor; ze sloeg voortdurend tegen de ijzeren trap aan, maar was blij dat ze wist waar ze zich bevond, en wel met zekerheid, want ze hoorde de ijzeren deur dichtvallen.

Er volgde een lange autorit, weer kreeg ze niets te eten of te drinken en ze mocht niet naar de wc, zodat ze noodgedwongen haar urine liet lopen.

Eerst knerpte er een grindpad onder de banden van de auto, vervolgens remde de chauffeur af; met een zacht dreunend geluid ging er een ijzeren deur open, waarna ze een gesloten ruimte binnenreden, vermoedelijk een garage; onmiddellijk hierna drong er een mengsel van benzinedamp en uitlaatgas de auto in en werd de deur met een harde klap dichtgeslagen.

Ze jubelde het uit, want als ze nu via een smalle wenteltrap naar beneden zou worden gebracht en vervolgens verder moest lopen door een lange gang, waarvan de stenen muren en vloer met linoleum waren bekleed om het geluid van de voetstappen te dempen, en ze tenslotte bij een kamertje zouden uitkomen dat aan een kolenhok deed denken, zou ze eindelijk weten waar ze was.

Dan was ze namelijk teruggebracht en bevond ze zich in het huis in de Eötvösstraat, in het huis dat ze zelf had ontdekt en waarvan ze de verbouwing had geleid; in dat geval was er nog hoop omdat ze de mensen die daar werkten kende.

Er was wel een wenteltrap in het huis, maar geen linoleum; ook was er een kolenhok, ze rook de geur van in haar nabijheid opgestapelde brandstoffen – vers gekloofd hout en naar zwavel stinkende cokes –, maar haar geboeide handen betastten vochtige bakstenen muren.

Ze lag op iets zachts, viel in slaap, werd wakker, viel opnieuw in slaap.

Haar mond was zo opgezwollen van de dorst dat ze hem niet meer dicht kon doen, ze had geen speeksel meer en haar tong was dik en kleefde pijnlijk aan haar gebarsten verhemelte.

Ze trachtte de koortsige pijn te verzachten door haar uitgedroogde tong tegen de vochtige stenen te drukken, maar ze waren niet nat genoeg.

Na een tijdje slaagde ze erin zich van de blinddoek te ontdoen.

Ze was dus niet op de bekende plaats; dan was er geen hoop meer.

Hoog boven haar hoofd zag ze een op een venster lijkende opening, die met een simpel stuk karton was dichtgemaakt, maar langs de gerafelde randen van het karton drong wat licht en frisse lucht de kelder binnen, er zat dus geen ruit in de opening.

Aan de muur ontdekte ze een roestige ijzeren buis met een paar

scherpe randen; ze haalde het touw daar zo vaak langs tot ze erin slaagde haar boeien te verbreken; nu had ze een stuk touw, maar het was
niet lang genoeg om er lussen aan te maken of knopen in te leggen; bovendien zag ze niets waaraan ze het kon vastmaken.

In haar slaap hoorde ze zachte muziek, waardoor alles aangenaam
wazig werd, zodat het haar speet weer wakker te worden, maar de muziek speelde gewoon door, alleen niet zo mooi als in haar slaap, ze
vond het nu als normale dansmuziek klinken.

Ze vroeg zich af of dit een hallucinatie was, want ze wist dat dorst
een mens krankzinnig kan maken; ze was dus gek geworden, maar niet
gek genoeg om dit niet door te hebben.

Het enige wat ze niet wist, was wanneer die krankzinnigheid was
begonnen.

Ze wist zelfs dat ze dadelijk weer een woedeaanval zou krijgen, ze
voelde hem al aankomen, hoewel ze er nog geen last van had; ze zou als
een krankzinnige met haar lichaam tegen de muur beuken, hoewel ze
zich volkomen krachteloos voelde.

De muziek kwam van buiten; het werd koeler in de kelder en door
de kieren viel bijna geen licht meer.

Het moest avond zijn geworden.

Vanaf dat moment kon ze niet meer onderscheiden of ze droomde
of hallucineerde, of de beelden die ze zag werkelijkheid waren of
slechts het produkt van haar geest, want de muziek maakte dat er water
langs de muur begon te lopen, aanvankelijk slechts een dun straaltje,
dat echter steeds dikker werd; een gesprongen leiding, dacht ze, totdat
de stroom water tot een bulderende, bruisende waterval aanzwol,
waarin ze bijna verdronk.

Een minuut later, maar het kon ook een halfuur of twee dagen later
zijn, dat wist ze niet, ontwaakte ze met het heldere besef dat alles in
orde was, ze kon immers met haar nagels het vochtig geworden ce-
ment uit de voegen tussen de stenen krabben.

Ze slaagde er zelfs in naar de muuropening toe te klauteren, maar
toen ze de opening bereikt had, begon de muziek opnieuw te spelen
en gleed ze van schrik omlaag.

Ze begon opnieuw te klimmen en bereikte met haar vingertoppen,
eigenlijk alleen met haar nagels, de rafelige rand van het karton.

Het karton zat stevig vastgeklemd, ze wrikte net zolang tot het begon te bewegen en op de grond viel.

Nu kon ze een door kleurige lampions verlicht terras zien, waarop mensen in avondkleding op de maat van de muziek dansten; op de trap die naar het donkere park afliep voerden twee mannen met een knappe jonge vrouw een gesprek in een vreemde taal.

De vrouw droeg een kleurige jurk van mousseline en keek ernstig.

Als men haar niet korte tijd later was komen halen en langs die trap omhoog had gevoerd, waarbij de twee mannen en de jonge vrouw met volkomen vanzelfsprekendheid opzij waren gegaan, en als men haar vervolgens niet tussen de dansende mensen door over het terras had geleid en het huis in had geduwd, zou ze er tot op de huidige dag van overtuigd zijn dat het tuinfeest met de lampions alleen een zinsbegoocheling was geweest.

Uit de opgevangen geuren, brokstukken van zinnen en de aard en vorm der voorwerpen die ze zag, leidde ze af dat ze de grens over was gebracht en zich in de omgeving van Bratislava bevond.

Eerst lieten ze me de handtekening van je vader zien; ik moest zijn verklaring lezen en daarna een proces-verbaal waarin stond dat János Hamar de verklaring authentiek en waarheidsgetrouw had genoemd.

In twee diepe fauteuils zaten twee mannen.

Ik zei dat de verklaring vals was.

Ze verwonderden zich over deze uitspraak; waarom zou de verklaring vals zijn? daarna begonnen ze te ginnegappen en gore taal uit te slaan; elkaar voortdurend in de rede vallend, kwalificeerden ze de relatie tussen mij en de twee mannen in de meest vunzige bewoordingen.

Of ze liegen, of ze zijn krankzinnig geworden, of jullie hebben hen gefolterd, evenals mij, een andere mogelijkheid is er niet; meer kan ik er niet over zeggen.

Op de tafel stond een glas water.

Een van de mannen zei dat het proces-verbaal van het verhoor gereed was; als ik het ondertekende, mocht ik drinken.

Er is helemaal geen verhoor geweest, zei ik, dus er valt ook niets te ondertekenen.

Hierop gaf de andere man een teken en werd ik door een zijdeur een ander vertrek in gesleurd.

Nadat de deur was gesloten, begonnen ze me eerst te slaan en vervolgens duwden ze me in een badkuip; ze lieten er heet water in lopen, sloegen me met de douchekop op mijn hoofd en brulden dat ik een spionne was, een verraadster; nu kun je drinken, slet!

Ik kwam weer bij in de kelder, maar werd opnieuw naar boven gesleurd.

Veel tijd kon er niet zijn verstreken, want mijn kleren waren nog kletsnat en de muziek was ook nog steeds te horen.

Deze keer voerden ze me echter niet over het terras, maar werd ik via de wenteltrap naar de garage gebracht en vandaar sleurden ze me, waarschijnlijk door de hoofdingang, het huis in.

Ze brachten me naar een heel klein kamertje, waarin alleen een groot bureau en een stoel stonden.

In het vriendelijke schijnsel van een lamp zat een blonde jongeman achter het bureau; ook hier was muziek te horen.

Toen ik binnenkwam, sprong hij op en toonde een bijna overdreven vreugde over mijn komst, alsof hij lang op mij had gewacht; hij begroette me in het Frans, bood me in het Frans een stoel aan en gaf in het Frans lucht aan zijn verontwaardiging over de wijze waarop men mij in weerwil van zijn strikte aanwijzingen had behandeld.

Hij verzekerde me dat het van nu af aan geheel anders zou worden.

Ik vroeg hem waarom wij Frans moesten spreken.

Het merkwaardige was dat hij volstrekt geen onoprechte indruk maakte, zodat ik een sprankje hoop kreeg dat ik misschien toch nog in goede handen was geraakt.

Verontschuldigend spreidde hij zijn armen en zei dat dit de enige taal was waarin hij zich met mij kon onderhouden; het was van het grootste belang dat wij elkaar goed begrepen.

Ik liet niet af en vroeg hem hoe hij wist dat ik Frans sprak.

Maar kameraad Stein, we weten toch alles over u.

Toen uw vriend in mei negentienvijfendertig uit de gevangenis werd ontslagen, heeft hij aan u toch toegegeven dat hij door de geheime dienst was aangeworven, nietwaar? u hebt toen verzuimd dit belangrijke feit te melden; u bent beiden naar Parijs gegaan en pas na de invasie van de Duitsers op bevel van de Partij met een valse pas naar uw land teruggekeerd, als ik mij niet vergis.

Het is bijna zo gegaan als u zegt, antwoordde ik, alleen is mijn vriend door geen enkele geheime dienst aangeworven, zodat hij mij dus niets hoefde te bekennen en ik derhalve ook niets te melden had; we zijn alleen maar naar Parijs gegaan omdat we geen werk en geen eten hadden.

Laten we de tijd niet met zulke onzinnige discussies verspillen en alleen over de zaken spreken waar het werkelijk om gaat.

Ik heb namelijk, zei hij, een eervolle opdracht uit te voeren en een verzoek – hij legde de nadruk op dit laatste woord – over te brengen van kameraad Stalin, een verzoek dat hij rechtstreeks aan kameraad Stein richt; het verzoek bestaat uit slechts vijf woorden: wees niet koppig, kameraad Stein!

Ze moest lang nadenken omdat er op die derde dag niets meer kon gebeuren wat ze voor onmogelijk had gehouden; terwijl ze het gezicht van de jongeman bestudeerde, kwam het haar voor dat ze haar hele leven lang op dit verzoek had gewacht.

Als dit werkelijk waar is, antwoordde ze, laat Mária Stein kameraad Stalin weten dat zij onder de gegeven omstandigheden geen gehoor kan geven aan zijn verzoek.

De blonde man scheen absoluut niet verrast te zijn door dit antwoord.

Hij boog zich over de tafel, bijna alsof hij iets wat buiten zijn bereik lag wilde oppakken; daarna knikte hij en keek haar lang aan; tenslotte vroeg hij op zeer zachte, dreigende toon of Mária dacht dat er een idioot was te vinden die bereid was zo'n brutale boodschap over te brengen.

Aan de voorjaarshemel schitterden sterren, het was koel geworden.

Op een gegeven moment moest ik opstaan; zij stond eveneens op en ging door met spreken; wat later liep ik door de kamer; ze volgde me en sprak gewoon door.

Ik liep naar de vestibule, terwijl zij doorpraatte; daarop opende ik de huisdeur en keek om; intussen sprak zij zonder haar stem te dempen door.

Toen ik de deur achter me dichtsloeg en door de lange, rondlopende galerij begon te hollen, meende ik haar nog steeds te horen; ik snelde de trap af en verliet de binnenplaats via de hoofdingang, vervolgens rende ik over het pad in de richting van de spoorbaan, waar juist een leeg, verlicht treinstel krijsend door de bocht ging.

Het was laat geworden.

Het gelige licht van de straatlantaarns viel zacht en feestelijk op de vele sneeuw.

De weerschijn van die sneeuw maakte de hemel helder en wijds, de geluiden klonken gedempt, en hoog in de lucht, achter de bijna doorzichtige randen van de donkere, log voorbijtrekkende wolken, vertoonde zich af en toe het koude gezicht van de maan.

Het moet even na middernacht zijn geweest toen ik weer voor de woning op de Wörther Platz stond.

In de gehorige ingang stampte ik de aangekoekte sneeuw van mijn schoenen, daarna ging ik naar boven zonder de verlichting van het trappenhuis in te schakelen, alsof ik bang was dat iemand me op dat late uur nog zou vragen wat ik daar kwam doen.

Nadat ik op de tast het sleutelgat had gevonden, stak ik voorzichtig de sleutel in het slot.

Ik wilde hem niet wekken als hij al sliep.

In het donker viel de deur zacht klikkend in het slot, meer geluid maakte ik niet.

Ik meed de plaatsen waar de vloer kraakte en het lukte me bijna geluidloos de kapstok te bereiken, maar opeens hoorde ik hem in de slaapkamer zeggen dat hij nog niet sliep.

Ik wist bijna zeker dat hij de deur van de slaapkamer niet open had laten staan omdat hij op me wilde wachten, maar nu hij nog wakker was, wilde hij kennelijk niet doen alsof hij al sliep, dat zou zijn eer te na zijn geweest.

Ik hing mijn jas aan de kapstok en ging de slaapkamer in.

Het was een aangenaam gevoel naar hem toe te gaan terwijl de koelte van de sneeuw en de geur van de winter nog om me heen hingen.

Het bed kraakte onaangenaam toen hij zich bewoog; hoewel ik in het donker niets kon zien, wist ik dat hij plaats voor mij maakte.

Ik ging op de rand van het bed zitten.

We zwegen, maar de stilte tussen ons had niets weldadigs, het was het kwalijke soort stilte dat ontstaat wanneer mensen weten dat ze in de gegeven situatie veel beter zouden kunnen praten, onverschillig waarover, maar ze daar toch niet toe in staat zijn.

Plotseling verbrak hij die stilte en zei hij met hese stem dat hij zijn excuses aanbood omdat hij me had geslagen; hij voegde eraan toe dat hij zich diep schaamde; hij zou me echter uitleggen waarom hij dat had gedaan.

Ik wilde die uitleg niet horen omdat ik het gebeurde nog niet had verwerkt, daarom vroeg ik hem vlug of de voorstelling hem bevallen was.

Hij kon niet zeggen dat hij met plezier gekeken had, maar ook niet het tegendeel; het stuk had hem eigenlijk maar weinig gezegd.

En hoe vond je Thea?

Ze speelde niet slecht, beter dan de anderen, zei hij wat onwillig, maar ik voelde noch medelijden noch afschuw noch bewondering voor haar toen ik naar haar keek, eigenlijk voelde ik helemaal niets.

Ik vroeg waarom hij hem gesmeerd was.

Ik ben hem niet gesmeerd, ik ben alleen maar naar huis gegaan.

Maar waarom heb je niet even op me gewacht? vroeg ik.

Ik zag dat jullie elkaar nodig hadden en wilde jullie niet storen door mijn aanwezigheid.

Ik kon haar daar niet laten staan, zei ik; Arno heeft haar in de steek gelaten; vanmorgen vroeg is hij verhuisd en hij heeft niets achtergelaten, nog geen potloodje of zakdoek; overigens heeft zijn vertrek niets met mij te maken.

Zwijgend lag hij in bed en zwijgend zat ik op de rand van het bed; de kamer was bijna geheel donker.

Plotseling, alsof hij niet gehoord had wat ik zei of niet geïnteresseerd was in dit nieuws, in een vreemd leven dat hem niet meer aanging, kwam hij weer terug op datgene wat hem bezighield op het moment dat ik hem in de rede was gevallen, hij wilde me iets vertellen, iets eenvoudigs, maar toch ook ingewikkelds; in huis ging dat niet, daarom verzocht hij me een wandeling met hem te maken.

Een wandeling nu? vroeg ik; weet je wel hoe koud het buiten is?

Nu, zei hij.

Op straat was het helemaal niet koud.

Met langzame, bedaarde stappen, als mensen die de tijd hebben, liepen we in de richting van de Senefelder Platz en staken we de stille Schönhauser Allee over; aangekomen op de plaats waar de Fehrbelliner Straße op het plein voor de Zionskirche uitkomt, liepen we weer terug; we vervolgden onze wandeling door de Anklamerstraße en sloegen daarna de Ackerstraße in, waar de weg tenslotte doodloopt.

Deze route hadden we tijdens onze nachtelijke wandelingen nooit genomen, want de weg eindigde bij de Muur.

Terwijl we daar liepen, bekeek ik de straten, de pleinen en de huizen met bijna zakelijke belangstelling, alsof ze slechts het decor van mijn verzonnen verhaal vormden en niet dat van mijn eigen leven.

Ik plunderde mijn eigen tijd en was niet ontevreden met de buitgemaakte schatten van mijn verzonnen verleden, ze hielpen me het heden op een veilige afstand te houden.

De Muur valt in dit gedeelte van de straat samen met de bakstenen muur van een oud kerkhof; aan de andere kant van de Muur, in het met mijnen bezaaide en door schijnwerpers verlichte niemandsland, staat het geraamte van een in de oorlog uitgebrande kerk, de Versöhnungskirche.

Het was fraai om te zien hoe het maanlicht het naakte geraamte van de toren doorzweefde, het holle schip binnendrong en enkele scherven tussen het loden raamwerk van het rozetraam liet schitteren; het was mooi, werkelijk mooi.

De twee vrienden stonden naast elkaar en staarden omhoog naar de maan.

Een eindje verderop sopte een grenswachter door de smeltende sneeuw.

Ze konden de grenswachter voor zijn hokje op en neer zien lopen: vier passen heen en vier passen terug; de man kon hen ook zien.

Dit alles was zo merkwaardig dat ik vergeten was dat Melchior me iets belangrijks wilde vertellen.

Zijn arm rustte zacht op mijn schouder en zijn gezicht werd door drie verschillende lichtbronnen gelijktijdig verlicht: door de maan, de gele straatlantaarns en de schijnwerpers, maar geen daarvan bracht een schaduw voort omdat het licht door de sneeuw werd weerkaatst; toch was het op die plaats niet licht maar donker; deze duisternis was echter veelkleurig geschakeerd.

Om een lang verhaal kort te maken, zei hij zachtjes, ik ga naar het Westen, alles is al afgesproken; twee derde van het te betalen bedrag, twaalfduizend mark, heb ik al overhandigd; sinds anderhalve week wacht ik op een bevestigend bericht.

Hij moest wachten tot hij zou worden opgebeld en daarna een wandeling gaan maken, waarbij hij gevolgd zou worden; vervolgens zou hij een man met een sigaret in zijn mond tegenkomen, die hij om een vuurtje moest vragen, waarop de man zou zeggen dat hij zijn aansteker helaas thuis had laten liggen, maar dat hij hem graag wilde helpen.

Het was maar goed dat hij meteen na de voorstelling was weggerend, want toen hij thuiskwam, had de telefoon gerinkeld.

Daarom had hij die gek in het metrostation ook om een vuurtje gevraagd, maar daarna had hij het gevoel gehad iets bedorven te hebben, want het verwachte telefoontje was uitgebleven; de spanning had hem helemaal overstuur gemaakt; ik kon toch wel begrijpen hoe moeilijk het voor hem was alleen maar af te wachten en niets te kunnen doen; ik moest hem vergeven dat hij me geslagen had, hij was alleen maar over zijn toeren geweest.

Ik herinner me niet meer op welk moment hij zijn arm van mijn schouder lichtte.

Maar waarom vertel je me dit juist hier? fluisterde ik, kom, laten we ergens anders naar toe gaan.

De grenswachter kwam niet dichterbij, maar na elke vierde stap bleef hij staan en keek onze kant uit.

Ik ben nog steeds in Berlijn, zei hij met zijn normale stem.

Nog wel, zei ik.

Dit alles vertelde hij me zonder enige angst; hij voegde eraan toe dat hij zijn plan niet zo wilde uitvoeren als hij zich oorspronkelijk had voorgenomen, hij wilde niet weggaan zonder afscheid van me te nemen, maar zijn andere kennissen en vrienden zou hij geen vaarwel zeggen; in de woning zou hij alles zo laten als het was en hij zou niets meenemen; hoewel al zijn bezittingen publiekelijk zouden worden verkocht, wat hem overigens koud liet, had hij toch een testament opgemaakt, maar dat was natuurlijk alleen symbolisch bedoeld; hij verzocht me het pas na zijn vertrek te openen.

Misschien ging hij nog bij zijn moeder op bezoek, maar ook haar zou hij niets zeggen; het zou goed zijn als ik hem dan vergezelde, als dat tenminste niet te veel was gevraagd, hij zou dan gemakkelijker alles kunnen verzwijgen.

Over drie dagen kreeg hij alle details te horen, daarna zou hij nergens meer tijd voor hebben, daarom vertelde hij het nu.

Ik weet niet eens meer op welk moment we ons van elkaar hebben afgewend; we keken omhoog naar de maan en ik zei dat hij me kon vertrouwen.

De komende drie dagen zal ik me geheel naar je schikken en alles doen wat je wilt en noodzakelijk acht.

Dat had ik beter niet kunnen zeggen, het klonk als een stil verwijt.

We zwegen enige tijd.

Volgens Tacitus, zei ik, – hoe hij het precies geformuleerd heeft, weet ik natuurlijk niet meer – waren de Germanen ervan overtuigd dat belangrijke plannen het beste bij volle maan kunnen worden gesmeed.

O, die barbaren! zei hij, en we moesten allebei lachen.

En doordat we allebei een gebaar onderdrukten, begreep ik opeens waarom dit alles hier bij de muur, onder de ogen van de grenswachter en bijna binnen gehoorsafstand moest worden gezegd: we mochten elkaar niet meer aanraken.

Ik zei dat ik nu maar terugging naar Schöneweide.

Ja, zei hij, dat lijkt mij ook het beste, ik bel je nog wel.

De volgende dag was de sneeuw verdwenen; er volgden vriendelijke, ietwat winderige, droge dagen, maar het kwik van de barometer daalde 's nachts tot onder het nulpunt.

Ik zat in de woning van mevrouw Kühnert, op de eerste verdieping van het huis in de Steffelbauerstraße, liet alle deuren openstaan en verzon de onmogelijkste dingen.

In de nacht volgende op de derde dag brachten wij de laatste uren gezamenlijk in zijn kamer door; we zaten daar alsof het een wachtkamer was.

We ontstaken geen kaarsen en deden ook de lampen niet aan, nu eens klonk zijn stem vanuit de ene, dan weer mijn stem vanuit de andere fauteuil.

Om halfvier 's morgens rinkelde de telefoon driemaal; hij moest de hoorn opnemen voordat de bel de vierde maal was overgaan, maar mocht niets zeggen; volgens de afspraak moest de opbeller het eerst de hoorn neerleggen.

Precies vijf minuten later rinkelde de telefoon opnieuw, maar slechts één keer; dit betekende dat alles in orde was.

We stonden op, trokken onze jassen aan en hij sloot de woning af.

Beneden, bij de ingang van het huis, lichtte hij met twee vingers het deksel van de vuilnisemmer op en liet er met een nonchalant gebaar zijn huissleutels in vallen.

Hij speelde met onze gemeenschappelijke angst.

In de glazen hal van het station op de Alexanderplatz stapten wij in de stadstrein naar Königswusterhausen.

Toen we in Schöneweide waren aangekomen, raakte ik zachtjes zijn elleboog aan en stapte uit; ik keek niet om toen de trein me voorbijreed.

Hij moest tot Eichenwalde blijven zitten.

Op de begraafplaats in de Liebermannstraße zou iemand op hem wachten; hij zou via de transitoweg E-8 bij de doorlaatpost Helmstedt-Marienborn met papieren die bij een naar West-Berlijn te vervoeren stoffelijk overschot hoorden, in een verzegelde kist over de grens worden gebracht.

Het regende.

Elke avond ging ik naar de schouwburg; de zolen van mijn lakschoenen werden vochtig door het lopen over het drassige tapijt van plataanbladeren.

In de verlaten woning zoemde de lege koelkast, als ik hem opende ging het licht bereidwillig aan, alsof er niets was gebeurd.

Het telegram bestond slechts uit drie woorden: ik ben aangekomen;

in mijn taal kun je dit met één woord zeggen.

De volgende dag vertrok ik naar Heiligendamm.

Het bevel van de politie nam ik niet serieus, ik bleef tot mijn verblijfsvergunning was afgelopen en ik geen dagen meer over had.

Twee jaar later ontving ik een ansicht van hem uit een plaats waar hij de zomervakantie doorbracht; de achterkant was met piepkleine lettertjes volgekrabbeld; hij liet me weten dat hij getrouwd was, dat zijn grootouders helaas niet meer leefden en dat hij een dochtertje van anderhalve maand had; op de kaart was de Atlantische Oceaan te zien, niets anders, alleen de toornige golven met daarboven de hemel; blijkens de opdruk was de opname bij Arcachon gemaakt.

Hij schreef sinds lang geen gedichten meer, leefde veel oppervlakkiger en handelde in wijnen, alleen rode; hij was gelukkig, hoewel hij niet meer zo vaak lachte als vroeger.

En de ander stond met dit bericht nog steeds in een vreemd huis en bekeek afwisselend de beschreven kant en de foto van de oceaan.

Zo eenvoudig was alles dus.

Nooit had hij geweten dat alles zo eenvoudig was.

Zo eenvoudig ja, zo verschrikkelijk eenvoudig.